P9-BHY-070
Goldmann Klassiker

Heinrich Heine
in der Taschenbuchreihe
Goldmann Klassiker:

Atta Troll. Ein Sommernachtstraum – Deutschland. Ein Wintermärchen (7583)

Buch der Lieder (7581)

Reisebilder (7593)

Heinrich Heine

Reisebilder

Mit den »Briefen aus Berlin«
und dem Bericht »Über Polen«

Wilhelm Goldmann Verlag

Vollständige Texte
nach dem Wortlaut des ersten, vierten und fünften Bandes der von Oskar Walzel besorgten Ausgabe von Heines »Sämtlichen Werken« (10 Bände, Leipzig 1910–15)

Nachwort, Zeittafel, Anmerkungen und bibliographische Hinweise: Dr. Ursula Roth, Heinrich-Heine-Institut Düsseldorf

Made in Germany · 9/82 · 1. Auflage · 1112

Umschlagentwurf: Atelier Adolf & Angelika Bachmann, München
Satz: IBV Lichtsatz KG, Berlin
Druck: Presse-Druck Augsburg
Verlagsnummer: 7593
Lektorat: Martin Vosseler
Herstellung: Sebastian Strohmaier
ISBN 3-442-07593-9

Inhalt

Briefe aus Berlin

Seltsam! – Wenn ich der Dei von Tunis wäre,
Schlüg ich, bei so zweideutgem Vorfall, Lärm.
Kleists Prinz v. Homburg.

Erster Brief

Berlin, den 26. Januar 1822

Ihr sehr lieber Brief vom 5. d. M. hat mich mit der größten Freude erfüllt, da sich darin Ihr Wohlwollen gegen mich am unverkennbarsten aussprach. Es erquickt mir die Seele, wenn ich erfahre, daß so viele gute und wackere Menschen mit Interesse und Liebe meiner gedenken. Glauben Sie nur nicht, daß ich unseres Westfalens so bald vergessen hätte. Der September 1821 schwebt mir noch zu sehr im Gedächtnis. Die schönen Täler um Hagen, der freundliche Overweg in Unna, die angenehmen Tage in Hamm, der herrliche Fritz von B., Sie, W., die Altertümer in Soest, selbst die Paderborner Heide, alles steht noch lebendig vor mir. Ich höre noch immer, wie die alten Eichenwälder mich umrauschen, wie jedes Blatt mir zuflüstert: Hier wohnten die alten Sachsen, die am spätesten Glauben und Germanentum einbüßten. Ich höre noch immer, wie ein uralter Stein mir zuruft: Wandrer, steh, hier hat Armin den Varus geschlagen! – Man muß zu Fuß, und zwar, wie ich, in östreichischen Landwehrtagemärschen, Westfalen durchwandern, wenn man den kräftigen Ernst, die biedere Ehrlichkeit und anspruchslose Tüchtigkeit seiner Bewohner kennen lernen will. – Es wird mir gewiß recht viel Vergnügen machen, wenn ich, wie Sie mir schreiben, durch Mitteilungen aus der Residenz mir so viele liebe Menschen verpflichte. Ich habe mir gleich bei Empfang Ihres Briefes Papier und Feder zurecht gelegt und bin schon jetzt – am Schreiben.

An Notizen fehlt es nicht, und es ist nur die Aufgabe: Was soll ich *nicht* schreiben? D. h., was weiß das Publikum schon längst, was ist demselben ganz gleichgültig, und was darf es nicht wissen? Und dann ist die Aufgabe: vielerlei zu schreiben, so wenig als möglich vom Theater und solchen Gegenständen, die in der Abendzeitung, im Morgenblatte, im Wiener Konversationsblatte usw. die gewöhnlichen Hebel der Korrespondenz sind und dort ihre ausführliche und systematische Darstellung finden. Den einen interessiert's, wenn ich erzähle: daß Jagor die Zahl genialer Erfindungen kürzlich durch sein Trüffeleis vermehrt hat; den andern interessiert die Nachricht, daß Spontini beim letzten Ordensfest Rock und Hosen trug von grünem Sammet mit goldenen Sternchen. Nur verlangen Sie von mir keine Systematie; das ist der Würgengel aller Korrespondenz. Ich spreche heute von den Redouten und den Kirchen, morgen von Savigny und den Possenreißern, die in seltsamen Aufzügen durch die Stadt ziehen, übermorgen von der Giustinianischen Galerie und dann wieder von Savigny und den Possenreißern. Assoziation der Ideen soll immer vorwalten. Alle 4 oder 6 Wochen soll ein Brief folgen. Die zwei ersten werden unverhältnismäßig lang werden; da ich doch vorher das äußere und das innere Leben Berlins andeuten muß. Nur andeuten, nicht ausmalen. Aber womit fange ich an bei dieser Masse von Materialien? Hier hilft eine französische Regel: Commencez par le commencement.

Ich fange also mit der Stadt an und denke mir, ich sei wieder soeben an der Post auf der Königstraße abgestiegen und lasse mir den leichten Koffer nach dem Schwarzen Adler auf der Poststraße tragen. Ich sehe Sie schon fragen: Warum ist denn die Post nicht auf der Poststraße und der Schwarze Adler auf der Königstraße? Ein andermal beantworte ich diese Frage; aber jetzt will ich durch die Stadt laufen, und ich bitte Sie, mir Gesellschaft zu leisten. Folgen Sie mir nur ein paar Schritte, und wir sind schon auf einem sehr interessanten Platze. Wir stehen auf der Langen Brücke. Sie wundern sich: »Die ist aber nicht sehr lang?« Es ist Ironie, mein Lieber. Laßt uns hier einen Augenblick stehen bleiben und die große Statue des Großen Kurfürsten betrachten. Er sitzt stolz zu Pferde, und gefesselte Sklaven umgeben das Fußgestell. Es ist ein herrlicher Metallguß und unstreitig das größte Kunstwerk Berlins. Und ist ganz umsonst zu sehen, weil es mitten auf der Brücke steht. Es hat die meiste Ähnlichkeit mit der Statue des Kurfürsten Johann Wilhelm auf dem Markte zu Düsseldorf; nur daß hier in Berlin der Schwanz des Pferdes nicht so bedeutend dick ist. Aber ich sehe, Sie werden von allen Seiten gestoßen. Auf dieser Brücke ist ein ewiges Menschengedränge. Sehen Sie sich mal um. Welche große, herrliche Straße! Das ist eben die Königstraße, wo ein Kaufmannsmagazin ans andre grenzt und die bunten, leuchtenden Warenausstellungen fast das Auge blenden. Laßt uns weiter gehen, wir gelangen hier auf den Schloßplatz. Rechts das Schloß, ein hohes, großartiges Gebäude. Die Zeit hat es grau gefärbt und gab ihm ein düsteres, aber desto majestätischeres Ansehen. Links wieder zwei schöne Straßen, die Breite Straße und die Brüderstraße. Aber gerade vor uns ist die Stechbahn, eine Art Boulevard. Und hier wohnt Josty! – Ihr Götter des Olymps, wie würde ich euch eur Ambrosia verleiden, wenn ich die Süßigkeiten beschriebe, die dort aufgeschichtet stehen. O, kenntet ihr den Inhalt dieser Baisers! O Aphrodite, wärest du solchem Schaum entstiegen, du wärest noch viel süßer! Das Lokal ist zwar eng und dumpfig und wie eine Bierstube dekoriert. Doch das Gute wird immer den Sieg über das Schöne behaupten; zusammengedrängt wie die Bücklinge sitzen hier die Enkel der Brennen und schlürfen Creme und schnalzen vor Wonne und lecken die Finger.

Fort, fort von hier,
Das Auge sieht die Türe offen,
Es schwelgt das Herz in Seligkeit.

Wir können durch das Schloß gehen und sind augenblicklich im Lustgarten. »Wo ist aber der Garten?« fragen Sie. Ach Gott! merken Sie denn nicht, das ist wieder die Ironie. Es ist ein viereckiger Platz, der von einer Doppelreihe Pappeln eingeschlossen ist. Wir stoßen hier auf eine Marmorstatue, wobei eine Schildwache steht. Das ist der alte Dessauer. Er steht ganz in altpreußischer Uniform, durchaus nicht idealisiert, wie die Helden auf dem Wilhelmsplatze. Diese will ich Ihnen nächstens zeigen; es sind Keith, Zieten, Seidlitz, Schwerin und Winterfeldt, beide letztere in römischem Kostüm mit einer Allongeperücke. Hier stehen wir just vor der Domkirche, die ganz kürzlich von außen neu verziert wurde und auf beiden Seiten des großen Turms zwei neue Türmchen erhielt. Der große, oben geründete Turm ist nicht übel. Aber die beiden jungen Türmchen machen eine höchst lächerliche Figur. Sehen aus wie Vogelkörbe. Man erzählt auch, der große Philolog W. sei vorigen Sommer mit dem hier durchreisenden Orientalisten H. spazieren gegangen, und als letzterer, nach dem Dome zeigend, fragte: »Was bedeuten denn die beiden Vogelkörbe da oben?«, habe der gelehrte Witzbold geantwortet: »Hier werden Dompfaffen abgerichtet.« In zwei Nischen des Doms sollen die Statuen von Luther und Melanchthon aufgestellt werden. – Wollen wir in den Dom hineingehen, um dort das wunderschöne Bild von Begasse zu bewundern? Sie können sich dort auch erbauen an den Prediger Theremin. Doch laßt uns draus bleiben, es wird auf die

Paulusianer gestichelt. Das macht mir keinen Spaß. Betrachten Sie lieber gleich rechts, neben dem Dom, die vielbewegte Menschenmasse, die sich in einem viereckigen, eisenumgitterten Platz herumtreibt. Das ist die Börse. Dort schachern die Bekenner des Alten und des Neuen Testaments. Wir wollen ihnen nicht zu nahe kommen. O Gott, welche Gesichter! Habsucht in jeder Muskel. Wenn sie die Mäuler öffnen, glaub ich mich angeschrien: »Gib mir all dein Geld!« Mögen schon viel zusammengescharrt haben. Die Reichsten sind gewiß die, auf deren fahlen Gesichtern die Unzufriedenheit und der Mißmut am tiefsten eingeprägt liegt. Wie viel glücklicher ist doch mancher arme Teufel, der nicht weiß, ob ein Louisdor rund oder eckig ist. Mit Recht ist hier der Kaufmann wenig geachtet. Desto mehr sind es die Herren dort mit den großen Federhüten und den rotausgeschlagenen Röcken. Denn der Lustgarten ist auch der Platz, wo täglich die Parole ausgegeben und die Wachparade gemustert wird. Ich bin zwar kein sonderlicher Freund vom Militärwesen, doch muß ich gestehen, es ist mir immer ein freudiger Anblick, wenn ich im Lustgarten die preußischen Offiziere zusammenstehen sehe. Schöne, kräftige, rüstige, lebenslustige Menschen. Zwar hier und da sieht man ein aufgeblasenes, dumm-stolzes Aristokratengesicht aus der Menge hervorglotzen. Doch findet man beim größern Teile der hiesigen Offiziere, besonders bei den jüngern, eine Bescheidenheit und Anspruchslosigkeit, die man um so mehr bewundern muß, da, wie gesagt, der Militärstand der angesehenste in Berlin ist. Freilich der ehemalige schroffe Kastengeist desselben wurde schon dadurch sehr gemildert, daß jeder Preuße, wenigstens ein Jahr, Soldat sein muß und, vom Sohn des Königs bis zum Sohn des Schuhflickers, keiner davon verschont bleibt. Letzteres ist gewiß sehr lästig und drückend, doch in mancher Hinsicht auch sehr heilsam. Unsre Jugend ist dadurch geschützt vor der Gefahr der Verweichlichung. In manchen Staaten hört man weniger klagen über das Drückende des Militärdienstes, weil man dort alle Last desselben auf den armen Landmann wirft, während der Adlige, der Gelehrte, der Reiche und, wie z. B. in Holstein der Fall ist, sogar jeder Bewohner einer Stadt von allem Militärdienste befreit ist. Wie würden alle Klagen über letztern bei uns verstummen, wenn unsere lautmauligen Spießbürger, unsere politisierenden Ladenschwengel, unsere genialen Auskultatoren, Bureauschreiber, Poeten und Pflastertreter vom Dienste befreit wären. Sehen Sie dort, wie der Bauer exerziert? Er schultert, präsentiert und – schweigt.

Doch vorwärts! Wir müssen über die Brücke. Sie wundern sich über die vielen Baumaterialien, die hier herumliegen, und die vielen Arbeiter, die hier sich herumtreiben und schwatzen und Branntewein trinken und wenig tun. Hier nebenbei war sonst die Hundebrücke; der König ließ sie niederreißen und läßt an ihrer Stelle eine prächtige Eisenbrücke verfertigen. Schon diesen Sommer hat die Arbeit angefangen, wird sich noch lange herumziehn, aber endlich wird ein prachtvolles Werk da stehen. Schauen Sie jetzt mal auf. In der Ferne sehen Sie schon – die Linden!

Wirklich, ich kenne keinen imposantern Anblick, als vor der Hundebrücke stehend nach den Linden hinauf zu sehen. Rechts das hohe, prächtige Zeughaus, das neue Wachthaus, die Universität und Akademie. Links das königliche Palais, das Opernhaus, die Bibliothek usw. Hier drängt sich Prachtgebäude an Prachtgebäude. Überall verzierende Statuen, doch von schlechtem Stein und schlecht gemeißelt. Außer die auf dem Zeughause. Hier stehn wir auf dem Schloßplatz, dem breitesten und größten Platze in Berlin. Das königliche Palais ist das schlichteste und unbedeutendste von allen diesen Gebäuden. Unser König wohnt hier. Einfach und bürgerlich. Hut ab! Da fährt der König selbst vorbei. Es ist nicht der prächtige Sechsspänner; der gehört einem Gesandten. Nein, er sitzt in den schlechten Wagen mit zwei ordinären Pferden. Das Haupt bedeckt eine gewöhnliche Offiziersmütze, und die Glieder umhüllt ein grauer Regenmantel. Aber das Auge des Eingeweiheten sieht den Purpur unter diesem Mantel und das Diadem unter dieser Mütze. Sehen Sie, wie der König jedem freundlich wiedergrüßt. Hören Sie: »Es ist ein schöner Mann«, flüstert dort die kleine Blondine. »Es war der beste Ehemann«, antwortet seufzend die ältere Freundin. »Ma foi«, brüllte der Husarenoffizier, »es ist der beste Reuter in unserer Armee.« –

Wie gefällt Ihnen aber die Universität? Fürwahr, ein herrliches Gebäude! Nur schade, die wenigsten Hörsäle sind geräumig, die meisten düster und unfreundlich, und, was das Schlimmste ist, bei vielen gehen die Fenster nach der Straße, und da kann man schrägüber das Opernhaus bemerken. Wie muß der arme Bursche auf glühenden Kohlen sitzen, wenn die ledernen, und zwar nicht saffian- oder maroquinledernen, sondern schweinsledernen Witze eines langweiligen Dozenten ihm in die Ohren dröhnen und seine Augen unterdessen auf der Straße schweifen und sich ergötzen an das pittoreske Schauspiel der leuchtenden Equipagen, der vorüberziehenden Soldaten, der dahinhüpfenden Nymphen und der bunten Menschenwoge, die sich nach dem Opernhause wälzt. Wie müssen dem armen Burschen die 16 Groschen in der Tasche brennen, wenn er denkt: »Diese glücklichen Menschen sehen gleich die Eunike als Seraphim oder die Milder als Iphigeneia.« »Apollini et Musis« steht auf dem Opernhause, und der Musensohn sollte draus bleiben? – Aber sehen Sie, das Kollegium ist eben ausgegangen, und ein Schwarm Studenten schlendert nach den Linden. »Gehn denn so viele Philister ins Kollegium?« fragen Sie. Still, still, das sind keine Philister. Der hohe Hut à la Bolivar und der Überrock à l'Anglaise machen noch lange nicht den Philister. Ebenso wenig wie die rote Mütze und der Flausch den Burschen macht. Ganz im Kostüm des letztern geht hier mancher sentimentale Barbiergesell, mancher ehrgeizige Laufjunge und mancher hochherzige Schneider. Es ist dem anständigen Burschen zu verzeihen, wenn er mit solchen Herrn nicht gern verwechselt sein möchte. Kurländer sind wenige hier. Desto mehr Polen, über 70, die sich meistens burschikose tragen. Diese haben obige Verwechselung nicht zu befürchten. Man sieht's diesen Gesichtern gleich an, daß keine Schneiderseele unterm Flausche sitzt. Viele dieser Sarmaten könnten den Söhnen Hermanns und Thusneldas als Muster von Liebenswürdigkeit und edelm Betragen dienen. Es ist wahr. Wenn man so viele Herrlichkeiten bei Fremden sieht, gehört wirklich eine ungeheure Dosis Patriotismus dazu, sich noch immer einzubilden: das Vortrefflichste und Köstlichste, was die Erde trägt, sei ein – Deutscher! Zusammenleben ist wenig unter den hiesigen Studierenden. Die Landsmannschaften sind aufgehoben. Die Verbindung, die, unter dem Namen Arminia, aus alten Anhängern der Burschenschaft bestand, soll ebenfalls aufgelöst sein. Wenige Duelle fallen jetzt vor. Ein Duell ist kürzlich sehr unglücklich abgelaufen. Zwei Mediziner, Liebschütz und Febus, gerieten im Kollegium der Semiotik in einen unbedeutenden Streit, da beide gleichen Anspruch machten an den Sitz No. 4. Sie wußten nicht, daß es in diesem Auditorium zwei mit No. 4 bezeichnete Sitze gab; und beide hatten diese Nummer vom Professor erhalten. »Dummer Junge!« rief der eine, und der leichte Wortwechsel war geendigt. Sie schlugen sich den andern Tag, und Liebschütz rannte sich den Schläger seines Gegners in den Leib. Er starb eine Viertelstunde drauf. Da er ein Jude war, wurde er von seinen akademischen Freunden nach dem jüdischen Gottesacker gebracht. Febus, ebenfalls ein Jude, hat die Flucht ergriffen, und –

Aber ich sehe, Sie hören schon nicht mehr, was ich erzähle, und staunen die Linden an. Ja, das sind die berühmten Linden, wovon Sie so viel gehört haben. Mich durchschauert's, wenn ich denke, auf dieser Stelle hat vielleicht Lessing gestanden, unter diesen Bäumen war der Lieblingsspaziergang so vieler großer Männer, die in Berlin gelebt; hier ging der große Fritz, hier wandelte – Er! Aber ist die Gegenwart nicht auch herrlich? Es ist just 12 und die Spaziergangszeit der schönen Welt. Die geputzte Menge treibt sich die Linden auf und ab. Sehen Sie dort den Elegant mit zwölf bunten Westen? Hören Sie die tiefsinnigen Bemerkungen, die er seiner Donna zulispelt? Riechen Sie die köstlichen Pomaden und Essenzen, womit er parfümiert ist? Er fixiert Sie mit der Lorgnette, lächelt und kräuselt sich die Haare. Aber schauen Sie die schönen Damen! Welche Gestalten! Ich werde poetisch!

Ja, Freund, hier unter den Linden
Kannst du dein Herz erbaun,
Hier kannst du beisammen finden
Die allerschönsten Fraun.

Sie blühn so hold und minnig
Im farbigen Seidengewand;
Ein Dichter hat sie sinnig:
Wandelnde Blumen genannt.

Welch schöne Federhüte!
Welch schöne Türkenschals!
Welch schöne Wangenblüte!
Welch schöner Schwanenhals!

Nein, diese dort ist ein wandelndes Paradies, ein wandelnder Himmel, eine wandelnde Seligkeit. Und diesen Schöps mit dem Schnauzbarte sieht sie so zärtlich an! Der Kerl gehört nicht zu den Leuten, die das Pulver erfunden haben, sondern zu denen, die es gebrauchen, d. h. er ist Militär. – Sie wundern sich, daß alle Männer hier plötzlich stehen bleiben, mit der Hand in die Hosentasche greifen und in die Höhe schauen? Mein Lieber, wir stehen just vor der Akademieuhr, die am richtigsten geht von allen Uhren Berlins, und jeder Vorübergehende verfehlt nicht, die seinige darnach zu richten. Es ist ein possierlicher Anblick, wenn man nicht weiß, daß dort eine Uhr steht. In diesem Gebäude ist auch die Singakademie. Ein Billet kann ich Ihnen nicht verschaffen; der Vorsteher derselben, Professor Zelter, soll bei solchen Gelegenheiten nicht sonderlich zuvorkommend sein. Doch betrachten Sie die kleine Brünette, die Ihnen so vielverheißend zulächelt. Und einem solchen niedlichen Ding wollten Sie eine Art Hundezeichen umhängen lassen? Wie sie allerliebst das Lockenköpfchen schüttelt, mit den kleinen Füßchen trippelt und wieder lächelnd die weißen Zähnchen zeigt. Sie muß es Ihnen angemerkt haben, daß Sie ein Fremder sind. Welch eine Menge besternter Herren! Welch eine Unzahl Orden! Wo man hinsieht, nichts als Orden! Wenn man sich einen Rock anmessen läßt, frägt der Schneider: »Mit oder ohne Einschnitt (für den Orden)?« Aber halt! Sehen Sie das Gebäude an der Ecke der Charlottenstraße? Das ist das Café royal! Bitte, laßt uns hier einkehren; ich kann nicht gut vorbeigehen, ohne einen Augenblick hineinzusehen. Sie wollen nicht? Doch beim Umkehren müssen Sie mit hinein. Hier schräg über sehen Sie das Hôtel de Rome und hier wieder links das Hôtel de Pétersbourg, die zwei angesehensten Gasthöfe. Nahe bei ist die Konditorei von Teichmann. Die gefüllten Bonbons sind hier die besten Berlins; aber in den Kuchen ist zu viel Butter. Wenn Sie für 8 Groschen schlecht zu Mittag essen wollen, so gehen Sie in die Restauration neben Teichmann auf die erste Etage. Jetzt sehen Sie mal rechts und links. Das ist die große Friedrichstraße. Wenn man diese betrachtet, kann man sich die Idee der Unendlichkeit veranschaulichen. Laßt uns hier nicht zu lange stehen bleiben. Hier bekömmt man den Schnupfen. Es wehet ein fataler Zugwind zwischen dem Hallischen und dem Oranienburger Tore. Hier links drängt sich wieder das Gute; hier wohnt Sala Tarone, hier ist das Café de Commerce, und hier wohnt – Jagor! Eine Sonne steht über diese Paradiesespforte. Treffendes Symbol! Welche Gefühle erregt diese Sonne in dem Magen eines Gourmands! Wiehert er nicht bei ihrem Anblick wie das Roß des Darius Hystaspis? Kniet nieder, ihr modernen Peruaner, hier wohnt – Jagor! Und dennoch, diese Sonne ist nicht ohne Flecken. Wie zahlreich auch die seltenen Delikatessen sind, die hier auf der täglich neu gedruckten Karte angezeigt stehen, so ist die Bedienung doch oft sehr langsam, nicht selten ist der Braten alt und zähe, und die meisten Gerichte finde ich im Café royal weit schmackhafter zubereitet. Aber der Wein? O, wer doch den Säckel des Fortunatus hätte! – Wollen Sie die Augen ergötzen, so betrachten Sie die Bilder, die hier im Glaskasten des

Jagorschen Parterre ausgestellt sind. Hier hängen nebeneinander die Schauspielerin Stich, der Theolog Neander und der Violinist Boucher! Wie die Holde lächelt! O sähen Sie sie als Julie, wenn sie dem Pilger Romeo den ersten Kuß erlaubt. Musik sind ihre Worte,

> Grace is in all her steps, heav'n in her eye,
> In ev'ry gesture dignity and love. (Milton.)

Wie sieht Neander wieder zerstreut aus! Er denkt gewiß an die Gnostiker, an Basilides, Valentinus, Bardesanes, Karpokrates und Markus. Boucher hat wirklich eine auffallende Ähnlichkeit mit dem Kaiser Napoleon. Er nennt sich Kosmopolite, Sokrates der Violinisten, scharrt ein rasendes Geld zusammen und nennt Berlin aus Dankbarkeit la Capitale de la Musique. – Doch laßt uns schnell vorbeigehn; hier ist wieder eine Konditorei und hier wohnt Lebeufve, ein magnetischer Name. Betrachten Sie die schönen Gebäude, die auf beiden Seiten der Linden stehn. Hier wohnt die vornehmste Welt Berlins. Laßt uns eilen. Das große Haus links ist die Konditorei von Fuchs. Wunderschön ist dort alles dekoriert, überall Spiegel, Blumen, Marzipanfiguren, Vergoldungen, kurz die ausgezeichnetste Eleganz. Aber alles, was man dort genießt, ist am schlechtesten und teuersten in Berlin. Unter den Konditorwaren ist wenig Auswahl, und das meiste ist alt. Ein paar alte, verschimmelte Zeitschriften liegen auf dem Tische. Und das lange aufwartende Fräulein ist nicht mal hübsch. Laßt uns nicht zu Fuchs gehen. Ich esse keine Spiegel und seidene Gardinen, und wenn ich etwas für die *Augen* haben will, so gehe ich in Spontinis Cortez oder Olympia. – Hier rechts können Sie etwas Neues sehen. Hier werden Boulevards gebaut, wodurch die Wilhelmstraße mit der Letzten-Straße in Verbindung gesetzt wird. Hier wollen wir stille stehen und das Brandenburger Tor und die darauf stehende Viktoria betrachten. Ersteres wurde von Langhans nach den Propyläen zu Athen gebaut und besteht aus einer Kolonnade von 12 großen dorischen Säulen. Die Göttin da oben wird Ihnen aus der neuesten Geschichte genugsam bekannt sein. Die gute Frau hat auch ihre Schicksale gehabt; man sieht's ihr nicht an, der mutigen Wagenlenkerin. Laßt uns durchs Tor gehen. Was Sie jetzt vor sich sehen, ist der berühmte Tiergarten, in der Mitte die breite Chaussee nach Charlottenburg. Auf beiden Seiten zwei kolossale Statuen, wovon die eine einen Apoll vorstellen möchte. Erzniederträchtige, verstümmelte Klötze. Man sollte sie herunterwerfen. Denn es hat sich gewiß schon manche schwangere Berlinerin dran versehen. Daher die vielen scheußlichen Gesichter, denen wir unter den Linden begegnet. Die Polizei sollte sich drein mischen.

Jetzt laßt uns umkehren, ich habe Appetit und sehne mich nach dem Café royal. Wollen Sie fahren? Hier gleich am Tore stehen Droschken. So heißen unsere hiesigen Fiaker. Man zahlt 4 Groschen Courant für eine Person und 6 Gr. C. für zwei Personen, und der Kutscher fährt, wohin man will. Die Wagen sind alle gleich, und die Kutscher tragen alle graue Mäntel mit gelben Aufschlägen. Wenn man just pressiert ist oder wenn es entsetzlich regnet, so ist keine einzige von allen Droschken aufzutreiben. Doch wenn es schönes Wetter ist, wie heute, oder wenn man sie nicht sonderlich nötig hat, sieht man die Droschken haufenweis beisammenstehen. Laßt uns einsteigen. Schnell, Kutscher. Wie das unter den Linden wogt! Wie mancher läuft da herum, der noch nicht weiß, wo er heut zu Mittag essen kann! Haben Sie die Idee eines Mittagessens begriffen, mein Lieber? Wer diese begriffen hat, der begreift auch das ganze Treiben der Menschen. Schnell, Kutscher. – Was halten Sie von der Unsterblichkeit der Seele? Wahrhaftig, es ist eine große Erfindung, eine weit größere als das Pulver. Was halten Sie von der Liebe? Schnell, Kutscher. Nicht wahr, es ist bloß das Gesetz der Attraktion. – Wie gefällt Ihnen Berlin? Finden Sie nicht, obschon die Stadt neu, schön und regelmäßig gebaut ist, so macht sie doch einen etwas nüchternen Eindruck. Die Frau von Staël bemerkt sehr scharfsinnig: »Berlin, cette ville toute moderne, quelque belle qu'elle soit, ne fait pas une impression assez sérieuse; on n'y aperçoit point l'empreinte de l'histoire du pays, ni du caractère des habitants, et ces magnifiques demeures nouvellement construites ne semblent destinées qu'aux rassemblements commodes des plaisirs et de l'industrie.« Herr von Pradt sagt noch etwas weit Pikanteres. – Aber Sie hören kein Wort wegen des Wagengerassels. Gut, wir sind am Ziel. Halt! Hier ist das Café royal. Das freundliche Menschengesicht, das an der Türe steht, ist Beyermann. Das nenne ich einen Wirt! Kein kriechender Katzenbuckel, aber doch zuvorkommende Aufmerksamkeit; feines, gebildetes Betragen, aber doch unermüdlicher Diensteifer, kurz eine Prachtausgabe von Wirt. Laßt uns hineingehn. Ein schönes Lokal; vorn das splendideste Kaffeehaus Berlins, hinten die schöne Restauration. Ein Versammlungsort eleganter, gebildeter Welt. Sie können hier oft die interessantesten Menschen sehen. Bemerken Sie dort den großen breitschultrigen Mann im schwarzen Oberrock? Das ist der berühmte Kosmeli, der heut in London ist und morgen in Ispahan. So stelle ich mir den Peter Schlemihl von Chamisso vor. Er hat eben ein Paradoxon auf der Zunge. Bemerken Sie den großen Mann mit der vornehmen Miene und der hohen Stirne? Das ist der Wolf, der den Homer zerrissen hat und der deutsche Hexameter machen kann. Aber dort am Tisch das kleine bewegliche Männchen mit den ewig vibrierenden Gesichtsmuskeln, mit den possierlichen und doch unheimlichen Gesten? Das ist der Kammergerichtsrat Hoffmann, der den Kater Murr geschrieben, und die hohe feierliche Gestalt, die gegen ihn über sitzt, ist der Baron von Lüttwitz, der in der Vossischen Zeitung die klassische Rezension des Katers geliefert hat. Bemerken Sie den Elegant, der sich so leicht bewegt, kurländisch lispelt und sich jetzt wendet gegen den hohen, ernsthaften Mann im grünen Oberrock? Das ist der Baron von Schilling, der im Mindener Sonntagsblatte »die lieben Teutsenkel« so sehr touchiert hat. Der Ernsthafte ist der Dichter Baron von Maltitz. Aber raten Sie mal, wer diese determinierte Figur ist, die am Kamine steht? Das ist Ihr Antagonist Hartmann vom Rheine; hart und ein Mann, und zwar aus einem einzigen Eisengusse. Aber was kümmern mich alle diese Herren, ich habe Hunger. Garçon, la charte! Betrachten Sie mal diese Menge herrlicher Gerichte. Wie die Namen derselben melodisch und schmelzend klingen, as music on the waters! Es sind geheime Zauberformeln, die uns das Geisterreich aufschließen. Und Champagner dabei! Erlauben Sie, daß ich eine Träne der Rührung weine. Doch Sie, Gefühlloser, haben gar keinen Sinn für alle diese Herrlichkeit und wollen Neuigkeiten, armselige Stadtneuigkeiten. Sie sollen befriedigt werden. Mein lieber Herr Gans, was gibt es Neues? Er schüttelt das graue ehrwürdige Haupt und zuckt mit den Achseln. Wir wollen uns an das kleine rotbäckige Männlein wenden; der Kerl hat immer die Taschen voll Neuigkeiten, und wenn er mal anfängt zu erzählen, so geht's wie ein Mühlrad. Was gibt's Neues, mein lieber Herr Kammermusikus?

Gar nichts. Die neue Oper von Hellwig: die Bergknappen, soll nicht sehr angesprochen haben. Spontini komponiert jetzt eine Oper, wozu ihm Koreff den Text geschrieben. Er soll aus der preußischen Geschichte sein. Auch erhalten wir bald Koreffs Aucassin und Nicolette, wozu Schneider die Musik setzt. Letztere wird erst noch etwas zusammengestrichen. Nach Karneval erwartet man auch Bernhard Kleins Dido, eine heroische Oper. Die Bohrer und Boucher haben wieder

Konzerte angekündigt. Wenn der Freischütz gegeben wird, ist es noch immer schwer, Billette zu erhalten. Der Bassist Fischer ist hier, wird nicht auftreten, singt aber viel in Gesellschaften. Graf Brühl ist noch immer sehr krank; er hat sich das Schlüsselbein zerbrochen. Wir fürchteten schon, ihn zu verlieren, und noch so ein Theaterintendant, der Enthusiast ist für deutsche Kunst und Art, wäre nicht leicht zu finden gewesen. Der Tänzer Antonin war hier, verlangte 100 Louisdor für jeden Abend, welche ihm aber nicht bewilligt wurden. Adam Müller, der Politiker, war ebenfalls hier; auch der Tragödienverfertiger Houwald. Madame Woltmann ist wahrscheinlich noch hier; sie schreibt Memoiren. An den Reliefs zu Blüchers und Scharnhorsts Statüen wird bei Rauch immer noch gearbeitet. Die Opern, die Karneval gegeben werden, stehn in der Zeitung verzeichnet. Doktor Kuhns Tragödie: die Damaszener, wird noch diesen Winter gegeben. Wach ist mit einem Altarblatt beschäftigt, das unser König der Siegeskirche in Moskau schenken wird. Die Stich ist längst aus den Wochen und wird morgen wieder in Romeo und Julie auftreten. Die Karoline Fouqué hat einen Roman in Briefen herausgegeben, wozu sie die Briefe des Helden und der Prinz Karl von Mecklenburg die der Dame schrieb. Der Staatskanzler erholt sich von seiner Krankheit. Rust behandelt ihn. Doktor Bopp ist hier angestellt als Professor der orientalischen Sprachen und hat vor einem großen Auditorium seine erste Vorlesung über das Sanskrit gehalten. Vom Brockhausischen Konversationsblatte werden hier noch dann und wann Blätter konfisziert. Von Görres' neuester Schrift: »In Sachen der Rheinlande usw.« spricht man gar nichts; man hat fast keine Notiz davon genommen. Der Junge, der seine Mutter mit dem Hammer totgeschlagen hat, war wahnsinnig. Die mystischen Umtriebe in Hinterpommern machen großes Aufsehen. Hoffmann gibt jetzt bei Wilmans in Frankfurt, unter dem Titel: »Der Floh«, einen Roman heraus, der sehr viel politische Sticheleien enthalten soll. Professor Gubitz beschäftigt sich noch immer mit Übersetzungen aus dem Neugriechischen und schneidet jetzt Vignetten zu dem Feldzug Suwarows gegen die Türken, ein Werk, welches der Kaiser Alexander als Volksbuch für die Russen drucken läßt. Bei Christiani hat C. L. Blum eben herausgegeben: »Klagelieder der Griechen«, die viel Poesie enthalten. Der Künstlerverein in der Akademie ist sehr glänzend ausgefallen und die Einnahme zu einem wohltätigen Zwecke verwendet worden. Der Hofschauspieler Walter aus Karlsruhe ist eben angekommen und wird in Staberles Reiseabenteuer auftreten. Die Neumann soll im März wieder herkommen und die Stich alsdann auf Reisen gehen. Julius von Voß hat wieder ein Stück geschrieben: Der neue Markt. Sein Lustspiel Quintus Messys wird nächste Woche gegeben. Heinrich von Kleists Prinz von Homburg wird nicht gegeben werden. An Grillparzer ist das Manuskript seiner Trilogie: Die Argonauten, welches er unserer Intendanz geschickt hatte, wieder zurückgesandt worden. Markör, ein Glas Wasser. Nicht wahr, der Kammermusikus, der weiß Neuigkeiten! An *den* wollen wir uns halten. Er soll Westfalen mit Neuigkeiten versorgen, und was *er* nicht weiß, das braucht auch Westfalen nicht zu wissen. Er gehört zu keiner Partei, zu keiner Schule, ist weder ein Liberale noch ein Romantiker, und wenn er etwas Medisantes sagt, so ist er so unschuldig dabei, wie das unglückselige Rohr, dem der Wind die Worte entlockte: »König Midas hat Eselsohren«!

Zweiter Brief

Berlin, den 16. März 1822

Ihr sehr wertes Schreiben vom 2. Februar habe ich richtig erhalten und ersah daraus mit Vergnügen, daß mein erster Brief Ihren Beifall hat. Ihr leise angedeuteter Wunsch, bestimmte Persönlichkeiten nicht zu sehr hervortreten zu lassen, soll in etwa erfüllt werden. Es ist wahr, man kann mich leicht mißverstehen. Die Leute betrachten nicht das Gemälde, das ich leicht hinskizziere, sondern die Figürchen, die ich hineingezeichnet, um es zu beleben, und glauben vielleicht gar, daß es mir um diese Figürchen besonders zu tun war. Aber man kann auch Gemälde ohne Figuren malen, so wie man Suppe ohne Salz essen kann. Man kann verblümt sprechen, wie unsere Zeitungsschreiber. Wenn sie von einer großen norddeutschen Macht reden, so weiß jeder, daß sie Preußen meinen. Das finde ich lächerlich. Es kommt mir vor, als wenn die Masken im Redoutensaale ohne Gesichtslarven herumgingen. Wenn ich von einem großen norddeutschen Juristen spreche, der das schwarze Haar so lang als möglich von der Schulter herabwallen läßt, mit frommen Liebesaugen gen Himmel schaut, einem Christusbilde ähnlich sehen möchte, übrigens einen französischen Namen trägt, von französischer Abstammung ist und doch gar gewaltig *deutsch* tut, so wissen die Leute, wen ich meine. Ich werde alles bei seinem Namen nennen; ich denke darüber wie Boileau. Ich werde auch manche Persönlichkeit schildern; ich kümmre mich wenig um den Tadel jener Leutchen, die sich im Lehnstuhl der Konvenienz-Korrespondenz behaglich schaukeln und jederzeit liebreich ermahnen: »Lobt uns, aber sagt nicht, wie wir aussehn.«

Ich habe es längst gewußt, daß eine Stadt wie ein junges Mädchen ist und ihr holdes Angesicht gern wiedersieht im Spiegel fremder Korrespondenz. Aber nie hätte ich gedacht, daß Berlin bei einem solchen Bespiegeln sich wie ein altes Weib, wie eine echte Klatschliese, gebärden würde. Ich machte bei dieser Gelegenheit die Bemerkung: Berlin ist ein großes Krähwinkel.

Ich bin heute sehr verdrießlich, mürrisch, ärgerlich, reizbar; der Mißmut hat der Phantasie den Hemmschuh angelegt, und sämtliche Witze tragen schwarze Trauerflöre. Glauben Sie nicht, daß etwa eine Weiberuntreue die Ursache ist. Ich liebe die Weiber noch immer; als ich in Göttingen von allem weiblichen Umgange abgeschlossen war, schaffte ich mir wenigstens eine Katze an; aber weibliche Untreue könnte nur noch auf meine Lachmuskeln wirken. Glauben Sie nicht, daß etwa meine Eitelkeit schmerzlich beleidigt worden sei; die Zeit ist vorbei, wo ich des Abends meine Haare mühsam in Papilloten zu drehen pflegte, einen Spiegel beständig in der Tasche trug und mich 25 Stunden des Tages mit dem Knüpfen der Halsbinde beschäftigte. Denken Sie auch nicht, daß vielleicht Glaubensskrupel mein zartes Gemüt quälend beunruhigten; ich glaube jetzt nur noch an den pythagoräischen Lehrsatz und ans königl. preuß. Landrecht. Nein, eine weit vernünftigere Ursache bewirkt meine Betrübnis: mein köstlichster Freund, der liebenswürdigste der Sterblichen, Eugen von B., ist vorgestern abgereist! Das war der einzigste Mensch, in dessen Gesellschaft ich mich nicht langweilte, der einzige, dessen originelle Witze mich zur Lebenslustigkeit aufzuheitern vermochten und in dessen süßen, edeln Gesichtszügen ich deutlich sehen konnte, wie einst meine Seele aussah, als ich noch ein schönes, reines Blumenleben führte und mich noch nicht befleckt hatte mit dem Haß und mit der Lüge.

Doch Schmerz beiseite; ich muß jetzt davon sprechen, was die Leute singen und sagen bei uns an der Spree. Was sie klingeln und was sie züngeln, was sie kichern und was sie klatschen, alles sollen Sie hören, mein Lieber.

Boucher, der längst sein aller-, aller-, allerletztes Konzert gegeben und jetzt vielleicht Warschau oder Petersburg mit seinen Kunststücken auf der Violine entzückt, hat wirklich recht, wenn er Berlin la capitale de la musique nennt. Es ist hier den ganzen Winter hindurch ein Singen und Klingen gewesen, daß einem fast Hören und Sehen vergeht. Ein Konzert trat dem andern auf die Ferse.

Wer nennt die Fiedler, nennt die Namen,
Die gastlich hier zusammenkamen,
– – – – – –
Selbst von Hispanien kamen sie
Und spielten auf dem Schaugerüste
Gar manche schlechte Melodie.

Der Spanier war Escudero, ein Schüler Baillots, ein wackerer Violinspieler, jung, blühend, hübsch und dennoch kein Protégé der Damen. Ein ominöses Gerücht ging ihm voran, als habe das italienische Messer ihn unfähig gemacht, dem schönen Geschlechte gefährlich zu sein. Ich will Sie nicht ermüden mit dem Aufzählen aller jener musikalischen Abendunterhaltungen, die uns diesen Winter entzückten und langweilten. Ich will nur erwähnen, daß das Konzert der Seidler drückend voll war und daß wir jetzt auf Drouets Konzert gespannt sind, weil der junge Mendelssohn darin zum ersten Male öffentlich spielen wird. –

Haben Sie noch nicht Maria von Webers »Freischütz« gehört? Nein? Unglücklicher Mann! Aber haben Sie nicht wenigstens aus dieser Oper »das Lied der Brautjungfern« oder »den Jungfernkranz« gehört? Nein? Glücklicher Mann!

Wenn Sie vom Hallischen nach dem Oranienburger Tore und vom Brandenburger nach dem Königs-Tore, ja selbst, wenn Sie vom Unterbaum nach dem Köpnicker Tore gehen, hören Sie jetzt immer und ewig dieselbe Melodie, das Lied aller Lieder – »den Jungfernkranz«.

Wie man in den Goethischen Elegien den armen Britten von dem »Marlborough s'en va-t-en guerre« durch alle Länder verfolgt sieht, so werde auch ich von morgens früh bis spät in die Nacht verfolgt durch das Lied:

Wir winden dir den Jungfernkranz
Mit veilchenblauer Seide;
Wir führen dich zu Spiel und Tanz,
Zu Lust und Hochzeitsfreude.

Chor:

Schöner, schöner, schöner, grüner Jungfernkranz,
Mit veilchenblauer Seide, mit veilchenblauer Seide!
Lavendel, Myrt und Thymian,
Das wächst in meinem Garten;
Wie lange bleibt der Freiersmann,
Ich kann ihn kaum erwarten!

Chor:

Schöner, schöner, schöner, usw.

Bin ich mit noch so guter Laune des Morgens aufgestanden, so wird doch gleich alle meine Heiterkeit fortgeärgert, wenn schon früh die Schuljugend, den »Jungfernkranz« zwitschernd, meinem Fenster vorbeizieht. Es dauert keine Stunde, und die Tochter meiner Wirtin steht auf mit ihrem »Jungfernkranz«. Ich höre meinen Barbier »den Jungfernkranz« die Treppe heraufsingen. Die kleine Wäscherin kommt »mit Lavendel, Myrt und Thymian«. So geht's fort. Mein Kopf dröhnt. Ich kann's nicht aushalten, eile aus dem Hause und werfe mich mit meinem Ärger in eine Droschke. Gut, daß ich durch das Rädergerassel nicht singen höre. Bei ***li steig ich ab. »Ist's Fräulein zu sprechen?« Der Diener läuft. »Ja.« Die Türe fliegt auf. Die Holde sitzt am Pianoforte und empfängt mich mit einem süßen:

»Wo bleibt der schmucke Freiersmann,
Ich kann ihn kaum erwarten.« –

»Sie singen wie ein Engel!« ruf ich mit krampfhafter Freundlichkeit. »Ich will noch einmal von vorne anfangen«, lispelt die Gütige, und sie windet wieder ihren Jungfernkranz, und windet und windet, bis ich selbst vor unsäglichen Qualen wie ein Wurm mich winde, bis ich vor Seelenangst ausrufe: »Hilf, Samiel!«

Sie müssen wissen, so heißt der böse Feind im Freischützen; der Jäger Kaspar, der sich ihm ergeben hat, ruft in jeder Not: »Hilf, Samiel«; es wurde hier Mode, in komischer Bedrängnis diesen Ausruf zu gebrauchen, und Boucher hat einst sogar im Konzerte, als ihm eine Violinsaite sprang, laut ausgerufen: »Hilf, Samiel!«

Und Samiel hilft. Die bestürzte Donna hält plötzlich ein mit dem rädernden Gesange und lispelt: »Was fehlt Ihnen?« »Es ist pures Entzükken«, ächze ich mit forciertem Lächeln. »Sie sind krank«, lispelt sie, »gehen Sie nach dem Tiergarten, genießen Sie das schene Wetter und beschauen Sie die schene Welt.« Ich greife nach Hut und Stock, küsse der Gnädigen die gnädige Hand, werfe ihr noch einen schmachtenden Passionsblick zu, stürze zur Tür hinaus, steige wieder in die erste beste Droschke und rolle nach dem Brandenburger Tore. Ich steige aus und laufe hinein in den Tiergarten.

Ich rate Ihnen, wenn Sie hierher kommen, so versäumen Sie nicht, an solchen schönen Vorfrühlingstagen, um diese Zeit, um halb eins, in den Tiergarten zu gehen.

Gehen Sie links hinein und eilen Sie nach der Gegend, wo unserer seligen Luise von den Einwohnerinnen des Tiergartens ein kleines, einfaches Monument gesetzt ist. Dort pflegt unser König oft spazieren zu gehen. Es ist eine schöne, edle, ehrfurchtgebietende Gestalt, die allen äußeren Prunk verschmäht. Er trägt fast immer einen scheinlos grauen Mantel, und einem Tölpel habe ich weis gemacht: der König müsse sich oft mit dieser Kleidung etwas behelfen, weil sein Garderobemeister außer Landes wohnt und nur selten nach Berlin kömmt. Die schönen Königskinder sieht man ebenfalls zu dieser Zeit im Tiergarten, so wie auch den ganzen Hof und die allernobelste Noblesse. Die fremdartigen Gesichter sind Familien auswärtiger Gesandten. Ein oder zwei Livreebediente folgen den edeln Damen in einiger Entfernung. Offiziere auf den schönsten Pferden galoppieren vorbei. Ich habe selten schönere Pferde gesehen als hier in Berlin. Ich weide meine Augen an dem Anblick der herrlichen Reutergestalten. Die Prinzen unseres Hauses sind darunter. Welch ein schönes, kräftiges Fürstengeschlecht! An diesem Stamme ist kein mißgestalteter, verwahrloster Ast. In freudiger Lebensfülle, Mut und Hoheit auf den edeln Gesichtern, reiten dort die zwei ältern Königssöhne vorbei. Jene schöne, jugendliche Gestalt, mit frommen Gesichtszügen und liebeklaren Augen, ist der dritte Sohn des Königs, Prinz Karl. Aber jenes leuchtende, majestätische Frauenbild, das, mit einem buntglänzenden Gefolge, auf hohem Rosse vorbeifliegt, das ist unsre – Alexandrine. Im braunen, festanliegenden Reitkleide, ein runder Hut mit Federn auf dem Haupte und eine Gerte in der Hand, gleicht sie jenen ritterlichen Frauengestalten, die uns aus dem Zauberspiegel alter Märchen so lieblich entgegenleuchten und wovon wir nicht entscheiden können, ob sie Heiligenbilder sind oder Amazonen. Ich glaube, der

Anblick dieser reinen Züge hat mich besser gemacht; andächtige Gefühle durchschauern mich, ich höre Engelstimmen, unsichtbare Friedenspalmen fächeln, in meine Seele steigt ein großer Hymnus – da erklirren plötzlich schnarrende Harfensaiten, und eine Alteweiberstimme quäkt: »Wir winden dir den Jungfernkranz usw.«

Und nun den ganzen Tag verläßt mich nicht das vermaledeite Lied. Die schönsten Momente verbittert es mir. Sogar wenn ich bei Tisch sitze, wird es mir vom Sänger Heinsius als Dessert vorgedudelt. Den ganzen Nachmittag werde ich mit »veilchenblauer Seide« gewürgt. Dort wird der Jungfernkranz von einem Lahmen abgeorgelt, hier wird er von einem Blinden heruntergefiedelt. Am Abend geht der Spuk erst recht los. Das ist ein Flöten, und ein Gröhlen, und ein Fistulieren, und ein Gurgeln, und immer die alte Melodie. Das Kasparlied und der Jägerchor wird wohl dann und wann von einem illuminierten Studenten oder Fähndrich, zur Abwechselung, in das Gesumme hineingebrüllt, aber der Jungfernkranz ist permanent; wenn der eine ihn beendigt hat, fängt ihn der andere wieder von vorn an; aus allen Häusern klingt er mir entgegen; jeder pfeift ihn mit eigenen Variationen; ja, ich glaube fast, die Hunde auf der Straße bellen ihn.

Wie ein zu Tode gehetzter Rehbock lege ich abends mein Haupt auf den Schoß der schönsten Borussin; sie streichelt mir zärtlich das borstige Haar, lispelt mir ins Ohr: »Ich liebe dir, und deine Lawise wird dich ohch immer juht sint«, und sie streichelt und hätschelt so lange, bis sie glaubt, daß ich am Einschlummern sei, und sie ergreift leise »die Katharre« und spielt und singt »die Kravatte« aus Tankred: »Nach so viel Leiden«, und ich ruhe aus nach so vielen Leiden, und liebe Bilder und Töne umgaukeln mich – da weckt's mich wieder gewaltsam aus meinen Träumen, und die Unglückselige singt: »Wir winden dir den Jungfernkranz« –

In wahnsinniger Verzweiflung reiße ich mich los aus der lieblichsten Umarmung, eile die enge Treppe hinunter, fliege wie ein Sturmwind nach Hause, werfe mich knirschend ins Bett, höre noch die alte Köchin mit ihrem Jungfernkranze herumtrippeln und hülle mich tiefer in die Decke.

Sie begreifen jetzt, mein Lieber, warum ich Sie einen glücklichen Mann nannte, wenn Sie jenes Lied noch nicht gehört haben. Doch glauben Sie nicht, daß die Melodie desselben wirklich schlecht sei. Im Gegenteil, sie hat eben durch ihre Vortrefflichkeit jene Popularität erlangt.

Mais toujours perdrix? Sie verstehen mich. Der ganze Freischütz ist vortrefflich und verdient gewiß jenes Interesse, womit er jetzt in ganz Deutschland aufgenommen wird. Hier ist er jetzt vielleicht schon zum 30sten Male gegeben, und noch immer wird es erstaunlich schwer, zu einer Vorstellung desselben gute Billette zu bekommen. In Wien, Dresden, Hamburg macht er ebenfalls furore. Dieses beweiset hinlänglich, daß man unrecht hatte zu glauben: als ob diese Oper hier nur durch die antispontinische Partei gehoben worden sei. *Antispontinische* Partei? Ich sehe, der Ausdruck befremdet Sie. Glauben Sie nicht, diese sei eine politische. Der heftige Parteikampf von Liberalen und Ultras, wie wir ihn in andern Hauptstädten sehen, kann bei uns nicht zum Durchbruch kommen, weil die königliche Macht, kräftig und parteilos schlichtend, in der Mitte steht. Aber dafür sehen wir in Berlin oft einen ergötzlichern Parteikampf, den in der Musik. Wären Sie Ende des vorigen Sommers hier gewesen, hätten Sie es sich in der Gegenwart veranschaulichen können, wie einst in Paris der Streit der Gluckisten und Piccinisten ungefähr ausgesehen haben mag. – Aber ich sehe, ich muß hier etwas ausführlicher von der hiesigen Oper sprechen; erstens, weil sie doch in Berlin ein Hauptgegenstand der Unterhaltung ist, und zweitens, weil Sie ohne nachfolgende Bemerkungen den Geist mancher Notizen gar nicht fassen können. Von unsern Sängerinnen und Sängern will ich hier gar nicht sprechen. Ihre Apologien sind stereotyp in allen Berliner Korrespondenzartikeln und Zeitungsrezensionen; täglich liest man: die Milder-Hauptmann ist unübertrefflich, die Schulz ist vortrefflich, und die Seidler ist trefflich. Genug, es ist unbestritten, daß man die Oper hier auf eine erstaunliche Kunsthöhe gebracht hat und daß sie keiner andern deutschen Oper nachzustehen braucht. Ob dieses durch die emsige Wirksamkeit des verstorbenen Webers geschehen ist oder ob Ritter Spontini, nach dem Ausspruch seiner Anhänger, wie mit dem Schlag einer Zauberrute, alle diese Herrlichkeit ins Leben hervorgerufen habe, wage ich sehr zu bezweifeln. Ich wage sogar zu glauben, daß die Leitung des großen Ritters auf einige Teile der Oper höchst nachteilig gewirkt habe. Aber ich behaupte durchaus, daß seit der völligen Trennung der Oper von dem Schauspiel und Spontinis unumschränkter Beherrschung derselben diese täglich mehr und mehr Schaden erleiden muß, durch die natürliche Vorliebe des großen Ritters für seine eignen großen Produkte und die Produkte verwandter oder befreundeter Genies und durch seine ebenso natürliche Abneigung gegen die Musik solcher Komponisten, deren Geist den seinigen nicht anspricht oder dem seinigen nicht huldigt oder gar – horribile dictu – mit dem seinigen wetteifert.

Ich bin zu sehr Laie im Gebiete der Tonkunst, als daß ich mein eignes Urteil über den Wert der Spontinischen Kompositionen aussprechen dürfte, und alles, was ich hier sage, sind bloß fremde Stimmen, die im Gewoge des Tagesgesprächs besonders hörbar sind.

»Spontini ist der größte aller lebenden Komponisten. Er ist ein musikalischer Michael Angelo. Er hat in der Musik neue Bahnen gebrochen. Er hat ausgeführt, was Gluck nur geahnet. Er ist ein großer Mann, er ist ein Genie, er ist ein Gott!« So spricht die spontinische Partei, und die Wände der Paläste schallen wider von dem unmäßigen Lobe. – Sie müssen nämlich wissen, es ist die Noblesse, die besonders von Spontinis Musik angesprochen wird und demselben ausgezeichnete Zeichen ihrer Gunst angedeihen läßt. An diese edlen Gönner lehnt sich die wirkliche spontinische Partei, die natürlicher Weise aus einer Menge Menschen besteht, die dem vornehmen und legitimen Geschmacke blindlings huldigt, aus einer Menge Enthusiasten für das Ausländische, aus einigen Komponisten, die ihre Musik gern auf die Bühne brächten, und endlich aus einer Handvoll wirklicher Verehrer.

Woraus ein Teil der Gegenpartei besteht, ist wohl leicht zu erraten. Viele sind auch dem guten Ritter gram, weil er ein *Welscher* ist. Andre, weil sie ihn beneiden. Wieder andre, weil seine Musik nicht *deutsch* ist. Aber endlich der größte Teil sieht in seiner Musik nur Pauken- und Trompetenspektakel, schallenden Bombast und gespreizte Unnatur. Hierzu kam noch der Unwille vieler – – – – – – – – – – – – – – – – – –
– –

Jetzt, mein Lieber, können Sie sich den Lärm erklären, der diesen Sommer ganz Berlin erfüllte, als Spontinis Olympia auf unsrer Bühne zuerst erschien. Haben Sie die Musik dieser Oper nicht in Hamm hören können? An Pauken und Posaunen war kein Mangel, so daß ein Witzling den Vorschlag machte, im neuen Schauspielhause die Haltbarkeit der Mauern durch die Musik dieser Oper zu probieren. Ein anderer Witzling kam eben aus der brausenden Olympia, hörte auf der Straße den Zapfenstreich trommeln und rief atemschöpfend: »Endlich hört man doch *sanfte* Musik!« Ganz Berlin witzelte über die vielen Posaunen und über den großen Elefanten in den Prachtaufzügen dieser Oper. Die Tauben aber waren ganz entzückt von so vieler Herrlichkeit und versicherten, daß sie diese schöne, dicke Musik mit den Händen fühlen konnten. Die Enthusiasten aber riefen: »Hosianna! Spontini ist selbst ein musikalischer Elefant! Er ist ein Posaunenengel!«

Kurz darauf kam Karl Maria v. Weber nach Berlin, sein Freischütz wurde im neuen Theater aufgeführt und entzückte das Publikum. Jetzt hatte die antispontinische Partei einen festen Punkt, und am Abend der ersten Vorstellung seiner Oper wurde Weber aufs herrlichste gefeiert. In einem recht schönen Gedichte, das den Doktor Förster zum Verfasser hatte, hieß es vom Freischützen: er jage nach edlerm Wilde als nach *Elefanten.* Weber ließ sich über diesen Ausdruck den andern Tag im Intelligenzblatte sehr kläglich vernehmen und kajolierte Spontini und blamierte den armen Förster, der es doch so gut gemeint hatte. Weber hegte damals die Hoffnung, hier bei der Oper angestellt zu werden, und würde sich nicht so unmäßig bescheiden gebärdet haben, wenn ihm schon damals alle Hoffnung des Hierbleibens abgeschnitten gewesen wäre. Weber verließ uns nach der dritten Vorstellung seiner Oper, reiste nach Dresden zurück, erhielt dort einen glänzenden Ruf nach Kassel, wies ihn zurück, dirigierte wieder vor wie nach die Dresdner Oper, wird dort einem guten General ohne Soldaten verglichen und ist jetzt nach Wien gereist, wo eine neue komische Oper von ihm gegeben werden soll. – Über den Wert des Textes und der Musik des Freischützen verweise ich Sie auf die große Rezension desselben vom Professor Gubitz im Gesellschafter. Dieser geistreiche und scharfsinnige Kritiker hat das Verdienst, daß er der *erste* war, der die romantischen Schönheiten dieser Oper ausführlich entwickelte und ihre großen Triumphe am bestimmtesten voraussagte.

Webers Äußere ist nicht sehr ansprechend. Kleine Statur, ein schlechtes Untergestell und ein langes Gesicht ohne sonderlich angenehme Züge. Aber auf diesem Gesichte liegt ganz verbreitet der sinnige Ernst, die bestimmte Sicherheit und das ruhige Wollen, das uns so bedeutsam anzieht in den Gesichtern altdeutscher Meister. Wie kontrastiert dagegen das Äußere Spontinis! Die hohe Gestalt, das tiefliegende dunkle Flammenauge, die pechschwarzen Locken, von welchen die gefurchte Stirne zur Hälfte bedeckt wird, der halb wehmütige, halb stolze Zug um die Lippen, die brütende Wildheit dieses gelblichen Gesichtes, worin alle Leidenschaften getobt haben und noch toben, der ganze Kopf, der einem Kalabresen zu gehören scheint und der dennoch schön und edel genannt werden muß – alles läßt uns gleich den Mann erkennen, aus dessen Geiste die Vestalin, Cortez und Olympia hervorgingen.

Von den hiesigen Komponisten erwähne ich gleich nach Spontini unsern Bernhard Klein, der sich schon längst durch einige schöne Kompositionen rühmlichst bekannt gemacht hat und dessen große Oper Dido vom ganzen Publikum mit Sehnsucht erwartet wird. Diese Oper soll, nach dem Ausspruche aller Kenner, denen der Komponist einiges daraus mitteilte, die wunderbarsten Schönheiten enthalten und ein geniales, deutsches Nationalwerk sein. Kleins Musik ist ganz original. Sie ist ganz verschieden von der Musik der oben besprochenen zwei Meister, so wie neben den Gesichtern derselben das heitere, angenehme, lebenslustige Gesicht des gemütlichen Rheinländers einen auffallenden Kontrast bildet. Klein ist ein Kölner und kann als der Stolz seiner Vaterstadt betrachtet werden.

G. A. Schneider darf ich hier nicht übergehn. Nicht als ob ich ihn für einen so großen Komponisten hielte, sondern weil er als Komponist von Koreffs »Aucassin und Nicolette« vom 26. Febr. bis auf diese Stunde ein Gegenstand des öffentlichen Gesprächs war. Wenigstens acht Tage lang hörte man von nichts sprechen als von Koreff und Schneider und Schneider und Koreff. Hier standen geniale Dilettanten und rissen die Musik herunter; dort stand ein Haufen schlechter Poeten und schulmeisterte den Text. Was mich betrifft, so amüsierte mich diese Oper ganz außerordentlich. Mich erheiterte das bunte Märchen, das der kunstbegabte Dichter so lieblich und kindlich-schlicht entfaltete, mich ergötzte der anmutige Kontrast vom ernsten Abendlande und dem heitern Orient, und wie die verwunderlichsten Bilder, in loser Verknüpfung, abenteuerlich dahingaukelten, regte sich in mir der Geist der blühenden Romantik. – Es ist immer ein ungeheurer Spektakel in Berlin, wenn eine neue Oper gegeben wird, und hier kam noch der Umstand hinzu, daß der Musikdirektor Schneider und der Geheimrat Ritter Koreff so allgemein bekannt sind. Letztern verlieren wir bald, da er sich schon längst zu einer großen Reise ins Ausland vorbereitet. Das ist ein Verlust für unsre Stadt, da dieser Mann sich auszeichnet durch gesellige Tugenden, angenehme Persönlichkeit und Großartigkeit der Gesinnung.

Was man in Berlin *singt*, das wissen Sie jetzt, und ich komme zur Frage: Was *spricht* man in Berlin? – Ich habe vorsätzlich erst vom Singen gesprochen, da ich überzeugt bin, daß die Menschen erst gesungen haben, ehe sie sprechen lernten, so wie die metrische Sprache der Prosa voranging. Wirklich, ich glaube, daß Adam und Eva sich in schmelzenden Adagios Liebeserklärungen machten und in Rezitativen ausschimpften. Ob Adam auch zu letztern den Takt schlug? Wahrscheinlich. Dieses Taktschlagen ist bei unserm Berliner Pöbel, durch Tradition, noch geblieben, obschon das Singen dabei außer Gebrauch kam. Wie die Kanarienvögel zwitscherten unsre Ureltern in den Tälern Kaschimirs. Wie haben wir uns ausgebildet! Ob die Vögel einst ebenfalls zum Sprechen gelangen werden? Die Hunde und die Schweine sind auf gutem Wege; ihr Bellen und Grunzen ist ein Übergang vom Singen zum ordentlichen Sprechen. Erstere werden reden die Sprache von Oc, die andern die Sprache von Oui. Die Bären sind gegen uns übrigen Deutsche in der Kultur noch sehr zurückgeblieben, und obschon sie in der Tanzkunst mit uns wetteifern, so ist ihr Brummen, wenn wir es mit andern deutschen Mundarten vergleichen, durchaus noch keine Sprache zu nennen. Die Esel und die Schafe hatten es einst schon bis zum Sprechen gebracht, hatten ihre klassische Literatur, hielten vortreffliche Reden über die reine Eselhaftigkeit im geschlossenen Hammeltume, über die Idee eines Schafskopfs und über die Herrlichkeit des Altböckischen. Aber wie es nach dem Kreislauf der Dinge zu geschehen pflegt, sie sind in der Kultur wieder so tief gesunken, daß sie ihre Sprache verloren und bloß das gemütliche »I-A« und das kindlich-fromme »Bäh« behielten.

Wie komme ich aber vom I-A der Langohrigen und vom Bäh der Dickwolligen zu den Werken von Sir Walter Scott? Denn von diesen muß ich jetzt sprechen, weil ganz Berlin davon spricht, weil sie »der Jungfernkranz« der Lesewelt sind, weil man sie überall liest, bewundert, bekritelt, herunterreißt und wiederliest. Von der Gräfin bis zum Nähmädchen, vom Grafen bis zum Laufjungen liest alles die Romane des großen Schotten; besonders unsre gefühlvollen Damen. Diese legen sich nieder mit »Waverley«, stehen auf mit »Robin dem Roten« und haben den ganzen Tag den »Zwerg« in den Fingern. Der Roman »Kenilworth« hat gar besonders furore gemacht. Da hier sehr wenige mit vollkommner Kenntnis des Englischen gesegnet sind, so muß sich der größte Teil unserer Lesewelt mit französischen und deutschen Übersetzungen behelfen. Daran fehlt es auch nicht. Von dem letzten Scottischen Roman: Der Pirat, sind vier Übersetzungen auf einmal angekündigt. Zwei davon kommen hier heraus; die der Frau von Montenglaut bei Schlesinger und die des Doktor Spiker bei Duncker und Humblot. Die dritte Übersetzung ist die von Lotz in Hamburg, und die vierte wird in der Taschenausgabe der Gebr. Schumann in Zwickau enthalten sein. Daß es bei solchen Umständen an einiger Reibung nicht fehlen wird, ist vorauszusehen. Frau von Hohenhausen ist jetzt mit der Übersetzung des Scottischen Ivanhoe beschäftigt, und von der trefflichen Übersetzerin Byrons können wir auch eine treffliche Übersetzung Scotts erwarten. Ich glaube sogar, daß diese noch vorzüglicher ausfallen wird, da in dem sanften, für reine Ideale empfänglichen Gemüte der schönen Frau die frömmig-heitern, unverzerrten Gestalten des freundlichen Scotten sich weit klarer abspiegeln werden als die düstern Höllenbilder des mürrischen, herzkranken Engländers. In keine schönern und zartern Hände konnte die schöne, zarte Rebekka geraten, und die gefühlvolle Dichterin braucht hier nur mit dem Herzen zu übersetzen.

Auf eine ausgezeichnete Weise wurde Scotts Name kürzlich hier gefeiert. Bei einem Feste war eine glänzende Maskerade, wo die meisten Helden der Scottischen Romane in ihrer charakteristischen Äußerlichkeit erschienen. Von dieser Festlichkeit und diesen Bildern sprach man hier wieder acht Tage lang. Besonders trug man sich damit herum, daß der Sohn von Walter Scott, der sich just hier befindet, als schottischer Hochländer gekleidet und, ganz wie es jenes Kostüm verlangt, nacktbeinig, ohne Hosen, bloß ein Schurz tragend, das bis auf die Mitte der Lenden reichte, bei diesem glänzenden Feste paradierte. Dieser junge Mensch, ein englischer Husarenoffizier, wird hier sehr gefeiert und genießt hier den Ruhm seines Vaters. – Wo sind die Söhne Schillers? Wo sind die Söhne unserer großen Dichter, die, wenn auch nicht ohne Hosen, doch vielleicht ohne Hemd herumgehn? Wo sind endlich unsre großen Dichter selbst? Still, still, das ist eine partie honteuse.

Ich will nicht ungerecht sein und hier unerwähnt lassen die Verehrung, die man hier dem Namen Goethe zollt, der deutsche Dichter, von dem man hier am meisten spricht. Aber Hand aufs Herz, mag das feine, weltkluge Betragen unseres Goethe nicht das meiste dazu beigetragen haben, daß seine äußere Stellung so glänzend ist und daß er in so hohem Maße die Affektion unserer Großen genießt? Fern sei es von mir, den alten Herrn eines kleinlichen Charakters zu zeihen. Goethe ist ein großer Mann in einem seidnen Rock. Am großartigsten hat er sich noch kürzlich bewiesen gegen seine kunstsinnigen Landsleute, die ihm im edeln Weichbilde Frankfurts ein Monument setzen wollten und ganz Deutschland zu Geldbeiträgen aufforderten. Hier wurde über diesen Gegenstand erstaunlich viel diskutiert, und meine Wenigkeit schrieb folgendes mit Beifall beehrte Sonett:

Hört zu, ihr deutschen Männer, Mädchen, Frauen,
Und sammelt Subskribenten unverdrossen;
Die Bürger Frankfurts haben jetzt beschlossen:
Ein Ehrendenkmal Goethen zu erbauen.

»Zur Meßzeit wird der fremde Krämer schauen« –
So denken sie – »daß *Wir* des Manns Genossen,
Daß *Unserm* Miste solche Blum entsprossen,
Und blindlings wird man *Uns im Handel* trauen.«

O, laßt dem Dichter seine Lorbeerreiser,
Ihr Handelsherrn! Behaltet euer Geld.
Ein Denkmal hat sich Goethe selbst gesetzt.

Im Windelnschmutz war er euch *nah*, doch jetzt
Trennt euch von *Goethe* eine ganze Welt,
Euch, die ein Flüßlein trennt vom *Sachsenhäuser*!

Der große Mann machte, wie bekannt ist, allen Diskussionen dadurch ein Ende, daß er seinen Landsleuten mit der Erklärung: »er sei gar kein Frankfurter«, das Frankfurter Bürgerrecht zurückschickte.

Letzteres soll seitdem – um frankfurtisch zu sprechen – 99 Prozent im Werte gesunken sein, und die Frankfurter Juden haben jetzt bessere Aussicht zu dieser schönen Akquisition. Aber – um wieder frankfurtisch zu sprechen – stehen die Rothschilde und die Bethmänner nicht längst al pari? Der Kaufmann hat in der ganzen Welt dieselbe Religion. Sein Comptoir ist seine Kirche, sein Schreibpult ist sein Betstuhl, sein Memorial ist seine Bibel, sein Warenlager ist sein Allerheiligstes, die Börsenglocke ist seine Betglocke, sein Gold ist sein Gott, der Kredit ist sein Glauben.

Ich habe hier Gelegenheit, von zwei Neuigkeiten zu sprechen: erstens von der neuen Börsenhalle, die nach dem Vorbilde der Hamburger eingerichtet ist und vor einigen Wochen eröffnet wurde, und zweitens von dem alten, neu aufgewärmten Projekte der Judenbekehrung. Aber ich übergehe beides, da ich in der neuen Halle noch nicht war und die Juden ein gar zu trauriger Gegenstand sind. Ich werde freilich am Ende auf dieselben zurückkommen müssen, wenn ich von ihrem neuen Kultus spreche, der von Berlin besonders ausgegangen ist. Ich kann es jetzt noch nicht, weil ich es immer versäumt habe, dem neuen mosaischen Gottesdienste einmal beizuwohnen. Auch über die neue Liturgie, die schon längst in der Domkirche eingeführt und Hauptgegenstand des Stadtgespräches ist, will ich nicht schreiben, weil sonst mein Brief zu einem Buche anschwellen würde. Sie hat eine Menge Gegner. Schleiermacher nennt man als den vorzüglichsten. Ich habe unlängst einer seiner Predigten beigewohnt, wo er mit der Kraft eines Luthers sprach und wo es nicht an verblümten Ausfällen gegen die Liturgie fehlte. Ich muß gestehen, keine sonderlich gottseligen Gefühle werden durch seine Predigten in mir erregt; aber ich finde mich im bessern Sinne dadurch erbaut, erkräftigt und wie durch Stachelworte aufgegeißelt vom weichen Pflaumenbette des schlaffen Indifferentismus. Dieser Mann braucht nur das schwarze Kirchengewand abzuwerfen, und er steht da als Priester der Wahrheit.

Ungemeines Aufsehen erregten die heftigen Ausfälle gegen die hiesige theologische Fakultät in der Anzeige der Schrift: »Gegen die De-Wettische Aktensammlung« (in der Vossischen Zeitung) und in der Entgegnung auf die Erklärung der Fakultät (ebendas.). Als Verfasser jener Schrift nennt man allgemein Beckedorff. Aus wessen Feder jene Anzeige und Entgegnung geflossen ist, weiß man nicht genau. Einige nennen Kamptz, andere Beckedorff selbst, andere Klindworth, andere Buchholz, andere andere. Die Hand eines gewandten Diplomaten ist in jenen Aufsätzen nicht zu verkennen. Wie man sagt, ist Schleiermacher mit einer Entgegnung beschäftigt, und es wird dem gewaltigen Sprecher leicht werden, seinen Antagonisten niederzureden. Daß die theologische Fakultät auf solche Angriffe antworten muß, versteht sich von selbst, und das ganze Publikum sieht mit gespannter Erwartung dieser großen Antwort entgegen.

Man ist hier sehr gespannt auf die zwei Supplementbände zum Brockhausischen Konversationslexikon, aus dem sehr natürlichen Grunde, weil sie, laut dem Inhaltsverzeichnisse der Ankündigung, die Biographien einer Menge öffentlicher Charaktere enthalten werden, die, teils in Berlin, teils im Auslande lebend, gewöhnliche Gegenstände der hiesigen Konversation sind. Soeben erhalte ich die erste Lieferung von A bis Bomz (ausgegeben den 1. März 1822) und falle mit Begierde auf die Artikel: Albrecht (Geh. Kabinettsrat), Alopäus, Altenstein, Ancillon, Prinz August (v. Preußen) usw. Unter den Namen, die unsere dortigen Freunde interessieren möchten, nenne ich: Accum, Arndt,

Begasse, Benzenberg und Beugnot, der brave Franzose, der den Bewohnern des Großherzt. Berg, trotz seiner haßerregenden Stellung, so manche schöne Beweise eines edeln und großen Charakters gegeben hat und jetzt in Frankreich so wacker kämpft für Wahrheit und Recht.

Die Maßregeln gegen den Brockhausischen Verlag sind noch immer in Wirksamkeit. Brockhaus war vorigen Sommer hier und suchte seine Differenzen mit unserer Regierung auszugleichen. Seine Bemühungen müssen fruchtlos gewesen sein. – Brockhaus ist ein Mann von angenehmer Persönlichkeit. Seine äußere Repräsentation, sein scharfblickender Ernst und seine feste Freimütigkeit lassen in ihm jenen Mann erkennen, der die Wissenschaften und den Meinungskampf nicht mit gewöhnlichen Buchhändleraugen betrachtet.

Die griechischen Angelegenheiten sind hier, wie überall, tüchtig durchgesprochen worden, und das Griechenfeuer ist ziemlich erloschen. Die Jugend zeigte sich am meisten enthusiastisch für Hellas; alte, vernünftigere Leute schüttelten die grauen Köpfe. Gar besonders glüheten und flammten die Philologen. Es muß den Griechen sehr viel geholfen haben, daß sie von unsern Tyrteen auf eine so poetische Weise erinnert wurden an die Tage von Marathon, Salamis und Platäa. Unser Professor Zeune, der, wie der Optikus Amuel bemerkt, nicht allein Brillen trägt, sondern auch Brillen zu beurteilen weiß, hatte sich am meisten tätig gezeigt. Der Hauptmann Fabeck, der, wie Sie aus öffentlichen Blättern ersehn hatten, von hier aus, ohne viel tyrteische Lieder zu singen, nach Griechenland gereist ist, soll dort ganz erstaunliche Taten verrichtet haben und ist, um auf seinen Lorbeern zu ruhen, wieder nach Deutschland zurückgekommen.

Es ist jetzt bestimmt, daß das Kleistische Schauspiel: »Der Prinz von Homburg, oder die Schlacht bei Fehrbellin« nicht auf unserer Bühne erscheinen wird, und zwar, wie ich höre, weil eine edle Dame glaubt, daß ihr Ahnherr in einer unedeln Gestalt darin erscheine. Dieses Stück ist noch immer ein Erisapfel in unsern ästhetischen Gesellschaften. Was mich betrifft, so stimme ich dafür, daß es gleichsam vom Genius der Poesie selbst geschrieben ist und daß es mehr Wert hat als all jene Farcen und Spektakelstücke und houwaldsche Rühreier, die man uns täglich auftischt. Anna Boleyn, die Tragödie des sehr talentvollen Dichters Gehe, der sich jetzt just hier befindet, wird einstudiert. Herr Rellstab hat unserer Intendanz ein Trauerspiel angeboten, das den Titel führen wird: »Karl der Kühne von Burgund.« Ob dieses Stück angenommen worden, weiß ich nicht.

Es wurde hier viel darüber geschwatzt, als man hörte, daß bei Wilmans in Frankfurt der neue Hoffmannsche Roman: »Meister Floh und seine Gesellen« auf Requisition unserer Regierung konfisziert worden sei. Letztere hatte nämlich erfahren: das fünfte Kapitel dieses Romans persifliere die Kommission, welche die Untersuchung der demagogischen Umtriebe leitet. Daß unserer Regierung an solchen Persiflagen wenig gelegen sei, hatte sie längst bewiesen, da, unter ihren Augen, hier in Berlin, bei Reimer, der Jean Paulsche »Komet« mit Erlaubnis der Zensur gedruckt wurde und, wie Ihnen vielleicht bekannt ist, in der Vorrede zum zweiten Teile dieses Romans die Umtriebeuntersuchungen aufs heilloseste lächerlich gemacht werden. Bei unserm Hoffmann mochte man aber höheren Ortes gegründetes Recht gehabt haben, einen ähnlichen Spaß übel zu nehmen. Durch das Zutrauen des Königs war der Kammergerichtsrat Hoffmann selbst Mitglied jener Untersuchungskommission; *Er* wenigstens durfte durch keine unzeitigen Späße das Ansehn derselben zu schwächen suchen, ohne eine tadelhafte Unziemlichkeit zu begehen. Hoffmann ist daher jetzt zur Rechenschaft gezogen worden; »der Floh« wird aber jetzt mit einigen Abänderungen gedruckt werden. Hoffmann ist jetzt krank und leidet an einem schlimmen Nervenübel. – In meinen nächsten Briefen schreibe ich Ihnen vielleicht mehr über diesen Schriftsteller, den ich zu sehr liebe und verehre, um schonend von ihm zu sprechen.

Herr von Savigny wird diesen Sommer Institutionen lesen. Die Possenreißer, die vorm Brandenburger Tor ihr Wesen trieben, haben schlechte Geschäfte gemacht und sind längst abgereist. Blondin ist hier und wird reiten und springen. Der Kopfabschneider Schuhmann erfüllt die Berliner mit Verwunderung und Entsetzen. Aber Bosko, Bosko, Bartolomeo Bosko sollten Sie sehen! Das ist ein echter Schüler Pinettis! Der kann zerbrochene Uhren noch schneller kurieren als der Uhrmacher Labinski, der weiß die Karten zu mischen und Puppen tanzen zu lassen! Schade, daß der Kerl keine Theologie studiert hat. Er ist ein ehemaliger italienischer Offizier, noch sehr jung, männlich, kräftig, trägt anliegende Jacke und Hosen von schwarzem Seidenzeug, und was die Hauptsache ist, wenn er seine Künste macht, sind seine Arme fast ganz entblößt. Weibliche Augen sollen sich an letztern noch weit mehr als an seinen Kunststücken erbauen. Er ist wirklich ein netter Kerl, das muß man gestehen, wenn man die bewegliche Figur sieht im Scheine einiger fünfzig langen Wachskerzen, die, wie ein funkelnder Lichterwald, vor seinem mit seltsamen Gauklerapparate besetzten langen Tische aufgepflanzt stehen. Er hat seinen Schauplatz vom Jagorschen Saale nach dem Englischen Hause verlegt und ist noch immer mit erstaunlich vielem Zuspruche gesegnet.

Ich habe gestern im Café royal den Kammermusikus gesprochen. Er hat mir eine Menge kleiner Neuigkeiten erzählt, wovon ich die wenigsten im Gedächtnis behielt. Versteht sich, daß die meisten aus der musikalischen Chronique scandaleuse sind. Den 20. ist Prüfung bei Dr. Stöpel, der nach der Logierschen Methode Klavierspielen und Generalbaß lehrt. Graf Brühl wird von seiner Krankheit bald ganz hergestellt sein. Walter aus Karlsruh wird noch in einer neuen Posse: Staberles Hochzeit, auftreten. Herr und Madame Wolff geben jetzt Gastrollen in Leipzig und Dresden. Michael Beer hat in Italien eine neue Tragödie geschrieben: Die Bräute von Aragonien, und von Meyerbeer wird jetzt in Mailand eine neue Oper gegeben. Spontini komponiert jetzt Koreffs Sappho. Mehrere Menschenfreunde wollen hier eine Anstalt für verwahrloste Knaben stiften, ähnlich der des Geheimrat Falk in Weimar. Kosmeli hat in der Schüppelschen Buchhandlung »Harmlose Bemerkungen auf einer Reise durch einen Teil Rußlands und der Türkei« herausgegeben, die so ganz harmlos nicht sein sollen, weil dieser originelle Kopf überall mit eignen Augen die Dinge sieht und das Gesehene unverblümt und freisinnig ausspricht. Die Lesebibliotheken werden von Seiten der Polizei einer Revision unterworfen, und sie müssen ihre Kataloge einliefern; alle ganz obszöne Bücher, wie die meisten Romane von Althing, A. v. Schaden u. dergl., werden weggenommen. Letzterer, der jetzt nach Prag gereist ist, hat soeben herausgegeben: »Licht- und Schattenseiten von Berlin«, eine Broschüre, die viele Unwahrheiten enthalten soll und vielen Unwillen erregt. Der Fabrikant Fritsche hat eine neue Art Wachslichter erfunden, die ein Drittel wohlfeiler sind als die gewöhnlichen. Auch für die nächste Ziehung der Prämien-Staatsschuldscheine werden bedeutende Geschäfte in Promessen gemacht. Das Bankierhaus L. Lipke u. Komp. hat allein schon beinahe 10 000 Stück abgesetzt. Böttiger und Tieck werden hier erwartet. Die geistreiche Fanny Tarnow lebt jetzt hier. Die Neue Berliner Monatschrift ist seit Januar eingegangen. Der General Menu Minutoli hat aus Italien das Manuskript seines Reisejournals hergeschickt an den Pr. Ideler, damit derselbe es zum Druck befördere. Pr. Bopp, dessen Vorlesungen über das Sanskrit noch immer viel Aufsehn erregen, schreibt jetzt ein großes Werk über allgemeine Sprachkunde. Ungefähr dreißig Studenten, worunter sehr viele Polen, sind, wegen demagogischer Umtriebe, arretiert worden. Schadow hat ein Modell zu einer Statue des großen Friedrichs vollendet. Der Tod des jungen Schadow in Rom hat hier viel Teilnahme erregt. Wilhelm Schadow, der Maler, lieferte neulich ein vortreffliches Bild, die Prinzessin Wilhelmine mit ihren Kindern darstellend. Wilhelm Hensel wird erst diesen Mai nach Italien reisen. Kolbe ist beschäftigt mit den Zeichnungen der Glasmalereien für das Schloß zu Marienburg. Schinkel zeichnet die Skizzen der Dekorationen zu Spontinis Milton. Dieses ist eine schon alte Oper in einem Akte, die hier nächstens zum erstenmal gegeben werden soll. Der Bildhauer Tieck arbeitet am Modell der Statue des Glaubens, welche in einer von den beiden Nischen am Eingang des Doms aufgestellt wird. Rauch ist noch immer beschäftigt mit den Basreliefs zu Bülows Statue; diese und die schon fertige Statue Scharnhorsts werden an beiden Seiten des neuen Wachthauses (zwischen dem Universitätsgebäude und dem Zeughause) aufgestellt. – Die ständischen Arbeiten gehn, dem äußern Anscheine nach, rasch vorwärts. Die Notabeln von Ost- und Westpreußen werden dieser Tage von unserer Regierung entlassen und alsdann durch die Notabeln unserer sächsischen Provinzen ersetzt werden. Die Notabeln der Rheinprovinzen, sagt man, sollen die letzten sein, die herberufen werden. Von den Verhandlungen der Notabeln mit der Regierung erfährt man nichts, da sie, wie man sagt, Juramentum silentii abgelegt haben. – Unsere Differenzen mit Hessen, wegen Verletzung des Territorialrechts bei dem Prinzessinraube in Bonn, scheinen nicht beigelegt zu sein; es will sogar verlauten, als sei unser Gesandte am Kasseler Hofe zurückberufen. – Es wird hier ein neuer sächsischer Gesandte erwartet. Der hiesige portugiesische Gesandte, Graf Lobrau, ist jetzt definitiv von seiner Regierung entlassen; ein neuer portugiesischer Gesandte wird täglich erwartet. Unser preußischer Gesandte für Portugal, Graf von Flemming, der Neffe des Staatskanzlers, ist noch immer hier. Unsere Gesandten bei dem königl. sächsischen und bei dem großherzoglich darmstädtischen Hofe, Herr v. Jordan und Baron v. Otterstedt, sind ebenfalls noch hier. Ein neuer französischer Gesandte wird hier erwartet. – Von der Heirat des schwedischen Prinzen Oskar mit der schönen Fürstin Elise Radziwill wird hier viel gesprochen. Von der Verbindung unseres Kronprinzen mit einer deutschen Fürstentochter verlautet nichts weiter. Großen Festlichkeiten sieht man hier entgegen bei Gelegenheit der Vermählung der Prinzessin Alexandrine.[1] – Die Assembleen bei den Ministern sind jetzt geschlossen; die einzigen, die noch fortdauern, sind die, welche dienstags bei dem Fürsten Wittgenstein statt finden. Unser Staatskanzler befindet sich jetzt ganz hergestellt und ist teils hier, teils in Glienicke. – Zur Ostermesse erscheinen: Jahrbücher der königl. preuß. Universitäten. Der Bibliothekar Spiker gibt das Festspiel: Lalla Rookh, heraus. – Der Riese, der auf der Königsstraße zu sehen war, ist jetzt auf der Pfaueninsel. – Devrient ist noch immer nicht ganz hergestellt. Boucher und seine Frau geben jetzt Konzerte in Wien. Maria v. Webers neue Opern heißen: Euryanthe, Text von Helmine von Chezy, und: die beiden Pintos, Text von Hofr. Winkler. Bernhard Romberg ist hier.

Ach Gott! es ist eine schlimme Sache mit Notizenschreiben. Die wichtigsten darf man oft nicht mitteilen, wenn man sie nicht verbürgen kann. Kleine Klatschereien darf man ebenfalls nicht schreiben; erstens, weil sie oft zu tief in Familienverhältnisse eingreifen, und zweitens und hauptsächlich, weil die, welche in Berlin am amüsantesten sind, oft in der Provinz langweilig und läppisch klingen. Um des lieben Himmels willen, was interessiert es die Damen in Dülmen, wenn ich erzähle, daß jene Tänzerin jetzt im Dualis sprechen könnte und jener Leutnant auffallend falsche Waden und Lenden trägt? Was kümmert's diese Damen, ob ich in jener Tänzerin eine oder zwei Personen annehme und ob ich jenen Leutnant aus 2/3 Watte und 1/3 Fleisch oder aus 2/3 Fleisch und 1/3 Watte bestehen lasse? Was soll man endlich Notizen über Menschen schreiben, von denen man gar keine Notiz nehmen sollte?

Wie man diesen Winter hier *lebte,* läßt sich von selbst erraten. Das bedarf keiner besondern Schilderung, da Winterunterhaltungen in jeder Residenz dieselben sind. Oper, Theater, Konzerte, Assembleen, Bälle, Tees (sowohl dansant als médisant), kleine Maskeraden, Liebhaberei-Komödien, große Redouten usw., das sind wohl unsere vorzüglichsten Abendunterhaltungen im Winter. Es ist hier ungemein viel geselliges Leben, aber es ist in lauter Fetzen zerrissen. Es ist ein Nebeneinander vieler kleinen Kreise, die sich immer mehr zusammenzuziehen als auszubreiten suchen. Man betrachte nur die verschiedenen Bälle hier; man

[1] Spontini komponiert zu diesen Festlichkeiten: Das Rosenfest in Kaschimir, worin *zwei* Elefanten erscheinen.

sollte glauben, Berlin bestände aus lauter Innungen. Der Hof und die Minister, das diplomatische Corps, die Zivilbeamten, die Kaufleute, die Offiziere usw. usw., alle geben sie eigene Bälle, worauf nur ein zu ihrem Kreise gehöriges Personal erscheint. Bei einigen Ministern und Gesandten sind die Assembleen eigentlich große Tees, die an bestimmten Tagen in der Woche gegeben werden und woraus sich, durch einen mehr oder minder großen Zusammenfluß von Gästen, ein wirklicher Ball entwikkelt. Alle Bälle der vornehmen Klasse streben, mit mehr oder minderm Glücke, den Hofbällen oder fürstlichen Bällen ähnlich zu sein. Auf letztern herrscht jetzt fast im ganzen gebildeten Europa derselbe Ton, oder vielmehr sie sind den Pariser Bällen nachgebildet. Folglich haben unsere hiesigen Bälle nichts Charakteristisches; wie verwunderlich es auch oft aussehen mag, wenn vielleicht ein von seiner Gage lebender Sekondeleutnant und ein, mit Läppchen und Geflitter, mosaikartig aufgeputztes Kommißbrot-Fräulein sich auf solchen Bällen in entsetzlich vornehmen Formen bewegen und die rührend-kümmerlichen Gesichter puppenspielmäßig kontrastieren mit dem angeschnallten, steifen Hofkothurn.

Ein einziger, allen Ständen gemeinsamer Ball gibt es hier seit einiger Zeit, nämlich die Subskriptionsbälle oder die scherzhaft »unmaskierte Maskeraden« genannten Bälle im Konzertsaale des neuen Schauspielhauses. Der König und der Hof beehren dieselben mit ihrer Gegenwart, letzterer eröffnet sie gewöhnlich, und für ein geringes Entree kann jeder anständige Mensch daran teilnehmen. Über diese Bälle und die Hoffestlichkeiten spricht sehr schön die geist- und gemütreiche Baronin Karoline Fouqué in ihren Briefen über Berlin, die ich, wegen der Tiefe der Anschauung, die darin herrscht, Ihnen nicht genug empfehlen kann. Dieses Jahr fielen die Subskriptionsbälle nicht so glänzend aus wie voriges Jahr, da sie damals noch den Reiz der Neuheit hatten. Die Bälle der großen Staatsbeamten hingegen waren diesen Winter besonders brillant. Meine Wohnung liegt zwischen lauter Fürsten- und Ministerhotels, und ich habe deshalb oft des Abends nicht arbeiten können vor all dem Wagengerassel und Pferdegetrampel und Lärmen. Da war zuweilen die ganze Stadt gesperrt von lauter Equipagen; die unzähligen Laternchen der Wagen beleuchteten die galonierten Rotröcke, die rufend und fluchend dazwischen herumliefen, und aus den Bel-Etage-Fenstern des Hotels, wo die Musik rauschte, gossen kristallene Kronleuchter ihr freudiges Brillantlicht.

Wenig Schnee und folglich auch fast gar kein Schlittengeklingel und

Peitschengeknall hatten wir dieses Jahr. Wie in allen protestantischen Städten spielt hier Weihnachten die Hauptrolle in der großen Winterkomödie. Schon eine Woche vorher ist alles beschäftigt mit Einkauf von Weihnachtsgeschenken. Alle Modemagazine und Bijouterie- und Quincailleriehandlungen haben ihre schönsten Artikel – wie unsere Stutzer ihre gelehrten Kenntnisse – leuchtend ausgestellt; auf dem Schloßplatze stehen eine Menge hölzerner Buden mit Putz-, Haushaltung- und Spielsachen; und die beweglichen Berlinerinnen flattern, wie Schmetterlinge, von Laden zu Laden und kaufen und schwatzen und äugeln und zeigen ihren Geschmack, und zeigen sich selber den lauschenden Anbetern. Aber des Abends geht der Spaß erst recht los; dann sieht man unsere Holden oft mit der ganzen respektiven Familie, mit Vater, Mutter, Tante, Schwesterchen und Brüderchen, von einem Konditorladen nach dem andern wallfahrten, als wären es Passionsstationen. Dort zahlen die lieben Leutchen ihre zwei Kurantgroschen Entree und besehen sich con amore die »Ausstellung«, eine Menge Zucker- oder Drageepuppen, die, harmonisch nebeneinander aufgestellt, rings beleuchtet und von vier perspektivisch bemalten Wänden eingepfercht, ein hübsches Gemälde bilden. Der Hauptwitz ist nun, daß diese Zukkerpüppchen zuweilen wirkliche, allgemein bekannte Personen vorstellen. Ich habe eine Menge dieser Konditorladen mit durchgewandert, da ich nichts Ergötzlicheres kenne, als unbemerkt zuzuschauen, wie sich die Berlinerinnen freuen, wie diese gefühlvolle Busen vor Entzücken stürmisch wallen und wie diese naiven Seelen himmelhoch aufjauchzen: »Neh, des ist schehne!« Bei Fuchs waren in der heurigen Ausstellung Bilder aus Lalla Rookh, wie man sie vorig Jahr auf dem bekannten Hoffeste im Schlosse sah. Es war mir unmöglich, von dieser Herrlichkeit bei Fuchs etwas zu sehen, da die holden Damenköpfchen eine undurchdringliche Mauer bildeten vor dem viereckigen Zuckergemälde. Ich will Sie nicht langweilen, mein Lieber, mit der Beurteilung der Ausstellung bei allen Konditoren; der Kriegsrat Karl Müchler, der, wie man sagt, Berliner Korrespondent in der Eleganten Welt ist, hat bereits in diesem Blatte eine solche Rezension geliefert.

Von den Redouten im Jagorschen Saale läßt sich nichts Erhebliches sagen, außer daß bei denselben die schöne Einrichtung getroffen ist: daß es jedem, der sich dort zu Tode zu ennuyieren fürchtet, ganz unverwehrt bleibt, sich wieder zu entfernen. Die Redouten im Opernhause sind sehr schön und großartig. Wenn dergleichen gegeben werden, ist das ganze Parterre mit der Bühne vereinigt, und das gibt einen ungeheuern Saal, der oben durch eine Menge ovaler Lampenleuchter erhellt wird. Diese brennenden Kreise sehen fast aus wie Sonnensysteme, die man in astronomischen Kompendien abgebildet findet, sie überraschen und verwirren das Auge des Hinaufschauenden und gießen ihren blendenden Schimmer auf die buntscheckige, funkelnde Menschenmenge, die, fast die Musik überlärmend, tänzelnd und hüpfend und drängend im Saale hin und her wogt. Jeder muß hier in einem Maskenanzuge erscheinen, und niemanden ist es erlaubt, unten im großen Tanzsaale die Maske vom Gesicht zu nehmen. Ich weiß nicht, in welchen Städten dieses auch der Fall wäre. Nur in den Gängen und in den Logen des ersten und zweiten Ranges darf man die Larve ablegen. Die niedre Volksklasse bezahlt ein kleines Entree und kann, von der Galerie aus, auf all diese Herrlichkeit herabschauen. In der großen königl. Loge sieht man den Hof, größtenteils unmaskiert; dann und wann steigen Glieder desselben in den Saal hinunter und mischen sich in die rauschende Maskenmenge. Diese besteht aus Menschen von allen Ständen. Schwer ist hier zu entscheiden, ob der Kerl ein Graf oder Schneidergesell ist; an der äußern Repräsentation würde dieses wohl zu erkennen sein, nimmermehr an dem Anzuge. Fast alle Männer tragen hier nur einfache, seidene Dominos und lange Klapphüte. Dieses läßt sich leicht aus dem großstädtischen Egoismus erklären. Jeder will sich hier amüsieren und nicht als Charaktermaske andern zum Amüsement dienen. Die Damen sind aus demselben Grunde ganz einfach maskiert, meistens als Fledermäuse. Eine Menge femmes entretenues und Priesterinnen der ordinären Venus sieht man in dieser Gestalt herumflirren und Erwerbsintrigen anknüpfen. »Ich kenne dir«, flüstert dort eine solche Vorbeiflirrende. »Ich kenne dir auch«, ist die Antwort. »Je te connais, beau masque«, ruft hier eine Chauve-souris einem jungen Wüstlinge entgegen. »Si tu me connais, ma belle, tu n'es pas grande chose«, entgegnet der Bösewicht ganz laut, und die blamierte Donna verschwindet wie ein Wind.

Aber was ist daran gelegen, wer unter der Maske steckt? Man will sich freuen, und zur Freude bedarf man nur Menschen. Und Mensch ist man erst recht auf dem Maskenballe, wo die wächserne Larve unsere gewöhnliche Fleischlarve bedeckt, wo das schlichte Du die urgesellschaftliche Vertraulichkeit herstellt, wo ein alle Ansprüche verhüllender Domino die schönste Gleichheit hervorbringt und wo die schönste Freiheit herrscht – Maskenfreiheit. Für mich hat eine Redoute immer etwas höchst Ergötzliches. Wenn die Pauken donnern und die Trompeten erschmettern und liebliche Flöten und Geigenstimmen lockend dazwischen tönen: dann stürze ich mich, wie ein toller Schwimmer, in die tosende, buntbeleuchtete Menschenflut und tanze und renne und scherze und necke jeden und lache und schwatze, was mir in den Kopf kömmt. Auf der letzten Redoute war ich besonders freudig, ich hätte auf dem Kopfe gehen mögen, ein bacchantischer Geist hatte mein ganzes Wesen ergriffen, und wär mein Todfeind mir in den Weg gekommen, ich hätte ihm gesagt: »Morgen wollen wir uns schießen, aber heute will ich dich recht herzlich abküssen.« Die reinste Lustigkeit ist die Liebe, Gott ist die Liebe, Gott ist die reinste Lustigkeit! »Tu es beau! tu es charmant! tu es l'objet de ma flamme! je t'adore, ma belle!«, das waren die Worte, die meine Lippen hundertmal unwillkürlich wiederholten. Und allen Leuten drückte ich die Hand und zog vor allen hübsch den Hut ab; und alle Menschen waren auch so höflich gegen mich. Nur ein deutscher Jüngling wurde grob und schimpfte über mein Nachäffen des welschen Babeltums und donnerte im urteutonischen Bierbaß: »Auf einer teutschen Mummerei soll der Teutsche teutsch sprechen!« O deutscher Jüngling, wie finde ich dich und deine Worte sündlich und läppisch in solchen Momenten, wo meine Seele die ganze Welt mit Liebe umfaßt, wo ich Russen und Türken jauchzend umarmen würde und wo ich weinend hinsinken möchte an die Bruderbrust des gefesselten Afrikaners! Ich liebe Deutschland und die Deutschen; aber ich liebe nicht minder die Bewohner des übrigen Teils der Erde, deren Zahl vierzigmal größer ist als die der Deutschen. Die Liebe gibt dem Menschen seinen Wert. Gottlob! ich bin also vierzigmal mehr wert als jene, die sich nicht aus dem Sumpfe der Nationalselbstsucht hervorwinden können und die nur Deutschland und Deutsche lieben.

Dritter Brief

Berlin, den 7. Juni 1822

Ich habe eben meinen Galarock, schwarzseidene Hosen und dito Strümpfe angezogen, und melde Ihnen allerfeierlichst:

die hohe Vermählung Ihrer königl. Hoheit der Prinzessin Alexandrine mit Sr. königl. Hoheit dem Erbgroßherzoge von Mecklenburg-Schwerin.

Die ausführliche Beschreibung der Hochzeitfeierlichkeiten selbst lasen Sie gewiß schon in der Vossischen oder Haude- und Spenerschen Zeitung, und was ich darüber zu sagen habe, wird also sehr wenig sein. Es hat aber auch noch einen andern wichtigen Grund, warum ich sehr wenig darüber sage, und das ist: weil ich wirklich wenig davon gesehen. Da ich oft mehr den Geist als die Notiz referiere, so hat das so sehr viel nicht zu bedeuten. Ich hatte mich auch nicht genug vorbereitet, sehr viele Notizen einzusammeln. Es war freilich schon sehr lange vorher bestimmt, daß am 25. die Vermählung jener hohen Personen statt finden sollte. Aber man trug sich damit herum, daß solche noch etwas länger aufgeschoben werde, und wahrhaftig, Freitag (den 24.) wollte ich es noch nicht recht glauben, daß schon am andern Tage die Trauung statt fände. Es ging manchem so. Sonnabendmorgen war es nicht sehr lebhaft auf der Straße. Aber auf den Gesichtern lag Eilfertigkeit und geheimnisvolle Erwartung. Herumlaufende Bedienten, Friseure, Schachteln, Putzmacherinnen usw. Ein schöner Tag, nicht sehr schwül; aber die Menschen schwitzten. Gegen sechs Uhr begann das Wagengerassel.

Ich bin kein Adeliger, kein hoher Staatsbeamter und kein Offizier: folglich bin ich nicht kurfähig und konnte den Vermählungsfeierlichkeiten auf dem Schlosse selbst nicht beiwohnen. Dennoch ging ich nach dem Schloßhof, um mir wenigstens das ganze kurfähige Personal zu beschauen. Ich habe nie so viel prächtige Equipagen beisammen gesehen. Die Bedienten hatten ihre besten Livreen an, und in ihren schreiend hellfarbigen Röcken und kurzen Hosen mit weißen Strümpfen sahen sie aus wie holländische Tulpen. Mancher von ihnen trug mehr Gold und Silber am Leibe als das ganze Hauspersonal des Bürgermeisters von Nordamerika. Aber dem Kutscher des Herzogs von Cumberland gebührt der Preis. Wahrlich, diese Blume der Kutscher auf ihrem Bocke paradieren zu sehen ist schon allein wert, daß man deshalb nach Berlin reist. Was ist Salomo in seiner Königspracht, was ist Harun al-Raschid in seinem Kalifenschmuck, ja was ist der Triumphelefant in der Olympia gegen die Herrlichkeit dieses Herrlichen? An minder festlichen Tagen imponiert er schon hinlänglich durch seine echt chinesische Porzellanhaftigkeit, durch die pendulartigen Bewegungen seines gepuderten, schwerbezopften, mit einem dreieckigen Wünschelhütchen bedeckten Kopfes und durch die wunderliche Beweglichkeit seiner Arme beim Pferdelenken. Aber heute trug er ein karmoisinrotes Kleid, das halb Frack, halb Überrock war, Hosen von derselben Farbe, alles mit breiten goldnen Tressen besetzt. Sein edles Haupt, kreideweiß gepudert und mit einem unmenschlich großen schwarzen Haarbeutel geziert, war von einem schwarzen Samtkäppchen mit langem Schirm bedeckt. Ganz auf gleiche Weise waren die vier Bedienten gekleidet, die hinten auf dem Wagen standen, sich mit brüderlicher Umschlingung einer an dem andern festhielten und dem gaffenden Publikum vier wackelnde Haarbeutel zeigten. Aber Er trug die gewöhnliche Herrscherwürde im Antlitz, Er dirigierte die sechsspännige Staatskarosse, zerrend zog er die Zügel,

»und rasch hinflogen die Rosse«.

Es war ein furchtbares Menschengewühl auf dem Schloßhofe. Das muß man sagen, die Berlinerinnen sind nicht neugierig. Die zartesten Mägdlein gaben mir Stöße in die Seiten, die ich noch heute fühle. Es war ein Glück, daß ich keine schwangere Frau bin. Ich quetschte mich aber ehrlich durch und gelangte glücklich ins Portal des Schlosses. Der zurückdrängende Polizeibeamte ließ mich durch, weil ich einen schwarzen Rock trug und weil er es mir wohl ansah, daß die Fenster meines Logis mit rotseidenen Gardinen behangen sind. Ich konnte jetzt ganz gut die hohen Herren und Damen aussteigen sehen, und mich amüsierten recht sehr die vornehmen Hofkleider und Hofgesichter. Erstere kann ich nicht beschreiben, weil ich zu wenig Schneidergenie bin, und letztere will ich nicht beschreiben, aus stadtvogteilichen Gründen. Zwei hübsche Berlinerinnen, die neben mir standen, bewunderten mit Enthusiasmus die schönen Diamanten und Goldstickereien und Blumen und Gaze und Atlasse und lange Schleppen und Frisuren. Ich hingegen bewunderte noch mehr die schönen Augen dieser schönen Bewunderinnen und wurde etwas ärgerlich, als mir von hinten jemand freundschaftlich auf die Achsel schlug und mir das rotbäckige Gesichtlein des Kammermusici entgegenleuchtete. Er war in ganz besonderer Bewegung und hüpfte wie ein Laubfrosch. »Carissime«, quäkte er, »sehen Sie dort die schöne Comtesse? Zypressenwuchs, Hyazinthenlocken, der Mund ist Ros und Nachtigall zu gleicher Zeit, die ganze Frau ist eine Blume, und wie eine arme Blume, die zwischen zwei Blättern Löschpapier gepreßt wird, steht sie da zwischen ihren grauen Tanten. Der Herr Gemahl, der solche Blumen statt Disteln verzehrt, um uns glauben zu machen, er sei kein Esel, mußte heute zu Hause bleiben, hat den Schnupfen, liegt auf dem Sofa, ich habe ihn unterhalten müssen, wir schwatzten zwei Stunden lang von der neuen Liturgie, und die Zunge ist mir ordentlich dünner geworden durch das viele Schwatzen, und die Lippen tun mir weh vor lauter Lächeln –« Bei diesen Worten zog sich um die Mundwinkel des Kammermusici ein sauerhöfliches Lächeln, das er mit dem feinen Zünglein wieder fortleckte, und plötzlich rief er: »Die Liturgie! die Liturgie! Sie wird auf den Flügeln des roten Adlers dritter Klasse von Kirchturm zu Kirchturm fliegen, jusqu'à la tour de Notre Dame! Doch laßt uns etwas Vernünftiges sprechen – betrachten Sie die beiden geputzten Herren, die eben vorgefahren – ein zerquetschtes, eingemachtes Gesichtchen, ein feines Köpfchen mit weichen, baumwollenen Gedanken, buntgestickte Weste, Galanteriedegen, weißseidene, lächelnde Beinchen, und er parliert Französisch, und wenn man es ins Deutsche übersetzt, ist es eine Dummheit – Dagegen der andre, der Große mit dem Schnurrbart, der Titane, der alle Betthimmel stürmen will! ich wette, er hat so viel Verstand wie der Apoll von Belvedere –« Um den Räsonneur auf andre Gedanken zu bringen, zeigte ich ihm meinen Barbier, der uns gegenüber stand und seinen neuen altdeutschen Rock angezogen hatte. Kirschbraun wurde jetzt das Gesicht des Kammermusici, und er fletschte mit den Zähnen: »O Sankt Marat! so ein Lump will den Freiheitshelden spielen! O Danton, Collot d'Herbois, Robespierre –« Vergebens trällerte ich das Liedchen:

»Eine feste Burg, o lieber Gott,
Ist Spandau, usw.«

Vergebens, ich hatte das Ding noch verschlimmert, der Mensch geriet jetzt in seine alten Revolutionsgeschichten und schwatzte von nichts als Guillotinen, Laternen, Septembrisieren, bis mir, zu meinem Glück, seine lächerliche Pulverfurcht in den Sinn kam, und ich sagte ihm: »Wissen Sie auch, daß gleich im Lustgarten zwölf Kanonen losgeschossen werden?« Kaum hatte ich diese Worte ausgesprochen, und verschwunden war der Kammermusikus.

Ich wischte mir den Angstschweiß aus dem Gesicht, als ich den Kerl vom Halse hatte, sah noch die letzten Aussteigenden, machte meinen schönen Nachbarinnen eine mit einem holden Lächeln akkompagnierte Verbeugung und begab mich nach dem Lustgarten. Da standen wirklich zwölf Kanonen aufgepflanzt, die dreimal losgeschossen werden sollten, in dem Augenblick, wo das fürstliche Brautpaar die Ringe wechseln würde. An einem Fenster des Schlosses stand ein Offizier, der den Kanonieren im Lustgarten das Zeichen zum Abfeuern geben sollte. Hier hatte sich eine Menge Menschen versammelt. Auf ihren Gesichtern waren ganz eigne, fast sich widersprechende Gedanken zu lesen.

Es ist einer der schönsten Züge im Charakter der Berliner, daß sie den König und das königliche Haus ganz unbeschreiblich lieben. Die Prinzen und Prinzessinnen sind hier ein Hauptgegenstand der Unterhaltung in den geringsten Bürgerhäusern. Ein echter Berliner wird auch nie anders sprechen als »unsre« Charlotte, »unsre« Alexandrine, »unser« Prinz Karl usw. Der Berliner lebt gleichsam in die königl. Familie hinein, alle Glieder derselben kommen ihm wie gute Bekannte vor, er kennt den besondern Charakter eines jeden und ist immer entzückt, neue schöne Seiten desselben zu bemerken. So wissen die Berliner z. B., daß der Kronprinz sehr witzig ist, und deshalb kursiert jeder gute Einfall gleich unter dem Namen des Kronprinzen, und *einem* Herkules mit der schlagenden Witzkeule werden die Witze aller übrigen Herkulesse zugeschrieben. Sie können sich also vorstellen, wie sehr hier die schöne, leuchtende Alexandrine vom Volke geliebt sein muß; und aus dieser Liebe können Sie sich auch den Widerspruch erklären, der auf den Gesichtern der Berliner lag, als sie erwartungsvoll nach den hohen Schloßfenstern sahen, wo unsre Alexandrine vermählt wurde. Verdruß durften sie nicht zeigen; denn es war der Ehrentag der geliebten Prinzessin. Recht freuen konnten sie sich auch nicht; denn sie verloren dieselbe. Neben mir stand ein Mütterchen, auf dessen Gesicht zu lesen war: »Jetzt habe ich sie zwar verheuratet, aber sie verläßt mich jetzt.« Auf dem Gesichte meines jugendlichen Nachbars stand: »Als Herzogin von Mecklenburg ist sie doch nicht so viel, wie sie als Königin aller Herzen war.« Auf den roten Lippen einer hübschen Brünette las ich: »Ach, wär ich schon so weit!« – Da donnerten plötzlich die Kanonen, die Damen zuckten zusammen, die Glocken läuteten, Staub- und Dampfwolken erhoben sich, die Jungen schrien, die Leute trabten nach Hause, und die Sonne ging blutrot unter hinter Monbijou.

Besonders lärmig waren die Vermählungsfeierlichkeiten nicht. Den Morgen nach der Trauung wohnten die hohen Neuvermählten dem Gottesdienste in der Domkirche bei. Sie fuhren in der achtspännigen goldnen Kutsche mit großen Glasfenstern und wurden von einer gewaltigen Menschenmenge bestaunt. Wenn ich nicht irre, trugen die obigen Bedienten an diesem Tage keine Haarbeutel. Des Abends war Gratulationskur und hierauf Polonäsenball im Weißen Saale. Den 27. war Mittagstafel im Rittersaale, und des Abends verfügten sich die hohen und höchsten Personen nach dem Opernhause, wo die von Spontini zu diesem Feste eigens komponierte Oper: »Nurmahal, oder das Rosenfest in Kaschemir« gegeben wurde. Es kostete den meisten Leuten viele Mühe, Billets zu dieser Oper zu erlangen. Ich bekam eins geschenkt; aber ich ging doch nicht hin. Ich hätte es zwar tun sollen, um Ihnen darüber zu referieren. Aber glauben Sie, daß ich mich für meine Korrespondenz aufopfern soll? Mit Grausen denke ich noch an die Olympia, der ich kürzlich, aus einem besondern Grunde, nochmals beiwohnen mußte und die mich mit fast zerschlagenen Gliedern entließ. Ich bin aber zum Kammermusikus gegangen und fragte ihn, was an der Oper sei? Der antwortete: »Das Beste dran ist, daß kein Schuß drin vorkömmt.« Doch kann ich mich hierin auf den Kammermusikus nicht verlassen, denn erstens komponiert er auch, und nach seiner Meinung besser als Spontini, und zweitens hat man ihm weisgemacht, daß letzterer eine Oper mit obligaten Kanonen schreiben wolle. Man spricht aber überhaupt nicht viel Gutes von der Nurmahal. Ein Meisterstück kann sie nicht sein. Spontini hat viele Musikstücke seiner ältern Oper hineingeflickt. Dadurch enthält diese Oper freilich sehr gute Stellen, aber das Ganze hat ein zusammengestoppeltes Ansehn und entbehrt jene Konsequenz und Einheit, die das Hauptverdienst der übrigen Spontinischen Opern ist. – Die hohen Neuvermählten wurden mit allgemeinem Aufjauchzen empfangen. Die Pracht, die in diesem Stücke eingewebt ist, soll unvergleichlich sein. Der Dekorationsmaler und der Theaterschneider haben sich selbst übertroffen. Der Theaterdichter hat die Verse gemacht, folglich müssen sie gut sein. Elefanten sind keine zum Vorschein gekommen. Die Staatszeitung vom 4. Juni rügt einen Artikel der Magdeburger Zeitung, worin stand, daß zwei Elefanten in der neuen Oper erscheinen sollten, und bemerkt mit shakespearschem Witze: diese Elefanten »sollen sich vorgeblich noch in Magdeburg verhalten«. Hat die Magd. Zeitung diese Notiz aus *meinem* zweiten Briefe geschöpft, so bedauere ich mit tiefem Seelenschmerz, daß ich Unglücklicher ihr diesen Witzblitz zugezogen. Ich widerrufe, und zwar mit so de- und wehmütiger Gebärde, daß die Staatszeitung Tränen der Rührung weinen soll. Überhaupt erkläre ich ein für allemal, daß ich bereit bin, alles zu widerrufen, was man von mir verlangt; nur darf es mir nicht viele Mühe kosten. Daß zwei Elefanten im Rosenfest vorkommen würden, hatte ich wirklich selbst gehört. Nachher sagte man mir, es wären nur zwei Kamele, später hieß es, zwei Studenten kämen drin vor, und endlich sollten es Unschuldsengel sein. – Den 28. war Freiredoute. Schon um halb neun fuhren Masken nach dem Opernhause. – Ich habe im vorigen Briefe eine hiesige Redoute beschrieben. Sie unterschied sich diesmal nur dadurch, daß keine schwarze Dominos zugelassen wurden, daß alle Anwesenden in Schuhen waren, daß man sich um ein Uhr im Saale demaskieren konnte und daß die Einlaßbillette und Erfrischungen gratis gegeben wurden. Letzteres war wohl die Hauptsache. Wenn ich nicht den festen Glauben in der Brust trüge, daß die Berliner Muster von Bildung und feinem Betragen sind und mit Recht auf die Ungeschliffenheit meiner Landsleute verächtlich herabschauen; wenn ich mich nicht bei vielen Gelegenheiten überzeugt hätte, daß der poverste Berliner es im anständigen Hungerleiden sehr weit gebracht hat und meisterhaft darauf eingeübt ist, den schreienden Magen in die Formen vornehmer Konvenienz einzuzwängen: so hätte ich von den Leuten hier sehr leicht eine ungünstige Meinung fassen können, als ich bei dieser Freiredoute sah, wie sie das Büffet sechs Mann hoch umdrängten, sich Glas nach Glas in den Schlund gossen, sich den Magen mit Kuchen anstopften, und das alles mit einer ungraziösen Gefräßigkeit und heroischen Beharrlichkeit, daß es einem ordentlichen Menschenkinde fast unmöglich war, jene Büffetphalanx zu durchbrechen, um, bei der Schwüle, die im Saale herrschte, mit einem Glase Limonade die Zunge zu kühlen. Der König und der ganze Hof waren auf dieser Redoute. Der Anblick der Neuvermählten entzückte alle Anwesende. Sie glänzte mehr durch ihre Liebenswürdigkeit als durch ihren reichen Diamantenschmuck. Unser König trug ein bläulich-dunkles Domino. Die Prinzen trugen meistens altspanische und ritterliche Tracht.

Ich habe längst bemerkt, daß über die Rangordnung, womit ich Ihnen die hiesigen Begebnisse melde, bloß meine Laune entscheidet und nicht die Anciennität. Wollte ich letzterer folgen, so hätte ich meinen Brief mit Geheimrat Heims Jubiläum anfangen müssen. Aus den Zeitungen werden Sie hinlänglich erfahren haben, wie man hier diesen verdienten Arzt gefeiert. Zwei ganze Tage sprach man davon in Berlin; das will viel sagen. Überall hörte man Anekdoten aus Heims Leben erzählen, von denen einige höchst ergötzlich sind. Die drolligste derselben schien mir die Art, wie er seinen Kutscher mystifiziert, als ihm derselbe einstmals erklärte: er habe ihn jetzt so lange Zeit schon herumgefahren, er wünsche jetzt auch Arzt zu werden und das Kurieren zu lernen. Mehrere andre Dienstjubiläen fanden ebenfalls statt, und bei Jagor sprangen die Stöpsel der Champagnerflaschen. Überhaupt, ehe man sich dessen versieht, haben die Leute hier 50 Jahre abgedient. Das tut das Klima. – Auch eine Dienstmagd hat ihr Jubiläum gehalten, und in der Eleganten ist zu lesen, wie die Jubelmagd gefeiert und besungen wurde. Sogar eine Matrone aus der Unschuldsgasse hat, wie ich gestern höre, ihr Jubiläum gefeiert. Sie wurde mit Rosen und Lilien bekränzt; ein gefühlvoller Porte-épée-Jüngling überreichte ihr ein Kraftsonett, ganz im Geist der gewöhnlichen Jubelpoesie, worin Liebe, Triebe, riebe, schiebe sich reimten, und zwölf Jungfrauen sangen:

»Du Schwert an meiner Linken,
Was soll dein heitres Blinken?« usw. usw.

Sie sehen, Theodor Körners Gedichte werden noch immer gesungen. Freilich nicht in den Kreisen des guten Geschmacks, wo man es sich schon laut gestanden: daß es ein besonderes Glück war, daß Anno 1814 die Franzosen kein Deutsch verstanden und nicht lesen konnten jene faden, schalen, flachen, poesielosen Verse, die uns gute Deutsche so sehr enthusiasmierten. Aber diese Befreiungsverse werden noch oft deklamiert und gesungen in jenen gemütlichen Kränzchen, wo man sich des Winters wärmt an dem unschuldigen Strohfeuer, das in diesen patriotischen Liedern knistert; und wie der greise Schimmel des großen Friedrichs wieder jugendlich sich bäumte und das ganze Manöver machte, wenn er eine Trompete hörte, so steigt das Hochgefühl mancher Berlinerin, wenn sie ein Körnersches Lied hört; sie legt die Hand graziöse auf den Busen, quietscht einen bodenlosen Wonneseufzer, erhebt sich mutig wie Johanna von Montfaucon und spricht: »Ich bin eine deutsche Jungfrau.«

Ich merke, mein Lieber, Sie sehen mich etwas sauer an wegen des bittern, spottenden Tones, womit ich zuweilen von Dingen spreche, die andern Leuten teuer sind und teuer sein sollen. Ich kann aber nicht anders. Meine Seele glüht zu sehr für die wahre Freiheit, als daß mich nicht der Unmut ergreifen sollte, wenn ich unsere winzigen, breitschwatzenden Freiheitshelden in ihrer aschgrauen Armseligkeit betrachte; in meiner Seele lebt zu sehr Liebe für Deutschland und Verehrung deutscher Herrlichkeit, als daß ich einstimmen könnte in das unsinnige Gewäsche jener Pfenningsmenschen, die mit dem Deutschtume kokettieren; und zu mancher Zeit regt sich in mir fast krampfhaft das Gelüste, mit kühner Hand der alten Lüge den Heiligenschein vom Kopfe zu reißen und den Löwen selbst an der Haut zu zerren – weil ich einen Esel darunter vermute.

Vom Schauspiel will ich Ihnen auch diesmal wenig schreiben. Der Komiker Walter hat hier einigen Beifall gehabt; was mich betrifft, so kann ich seinen Humor nicht goutieren. Dagegen hat mich Lebrun aus Hamburg, der hier vor kurzem einige Gastrollen gab, wahrhaft entzückt. Er ist einer unserer besten deutschen Komiker, unübertrefflich in jovialen Rollen und verdient ganz jenen Beifall, den ihm hier alle Kenner zollten. Karl August Lebrun ist ganz wie zum Schauspieler geboren, die Natur hat ihn mit allen Talenten, die zu diesem Stande gehören, in vollem Maße ausgerüstet, und die Kunst hat dieselben ausgebildet. Aber was soll ich von der Neumann sagen, die alle Berliner bezaubert, und sogar die Rezensenten? Was nicht alles ein schönes Gesicht tut! Es ist ein Glück, daß ich kurzsichtig bin, sonst hätte diese Circe mich ebenso in ein graues Tierlein verwandelt wie einen meiner Freunde. Dieser Unglückliche hat jetzt so lange Ohren, daß das eine in der Vossischen Zeitung und das andre in der Haude- und Spenerschen zum Vorschein kömmt. Einige Jünglinge hat diese Dame schon toll gemacht; einer derselben ist schon wasserscheu und macht keine Verse mehr. Jeder fühlt sich glücklich, wenn er der schönen Frau näherkommen kann. Ein Gymnasiast hat sich in dieselbe platonisch verliebt und hat ihr eine kalligraphische Probe seiner Handschrift zugeschickt. Ihr Mann ist auch Schauspieler und glänzte wie Glanzleinen in »Kabiljau und Hiebe«. Die gute Frau muß gewiß vom vielen Zuspruch ihrer Bewunderer belästigt werden. Man erzählt: ein kranker Mann, der neben ihr wohnt, habe keine Ruhe gehabt vor all den Menschen, die jeden Augenblick sein Zimmer aufrissen und fragten: »Wohnt hier Madame Neumann?«, und er habe endlich auf seine Türe schreiben lassen: »Hier wohnt Madame Neumann *nicht.*«

Man hat sogar die schöne Frau in Eisen gegossen und verkauft kleine, eiserne Medaillen, worauf ihr Bildnis geprägt ist. Ich sage Ihnen, der Enthusiasmus für die Neumann grassiert hier wie eine Viehseuche. Während ich diese Zeilen schreibe, fühle ich selbst seine Einflüsse. Mir klingen noch die begeisterten Worte in die Ohren, womit gestern ein Graukopf von ihr sprach. Konnte doch Homer uns die Schönheit Helenas nicht stärker schildern, als indem er zeigt, wie Greise bei ihrem Anblick in Entzücken gerieten. Sehr viele Mediziner machen ebenfalls der schönen Frau den Hof, und man nennt sie hier scherzweise »die Medizinische Venus«. Aber was brauche ich so viel zu erzählen, Sie haben ja gewiß unsere Theaterkritiken genau gelesen und bemerkt, wie sich ordentlich ein Metrum darin bewegt, und zwar das der Sapphischen Ode an die Venus. Ja, sie ist eine Venus oder, wie ein Altonaer Kaufmann sagte, eine Venussin. Nur der vermaledeite Setzer wirft zuweilen einen Wespenstachel in die Schale hymettischen Honigs, die der fromme Rezensent unserer Göttin opfert. Das nachhelfende Intelligenzblatt (der Titel dieses Blattes ist Ironie) berichtigt folgenden Druckfehler: in der Rezension über das Gastspiel der Mad. Neumann Nr. 63 der Spenerschen Zeitung vom 25. Mai muß Zeile 26 statt »von leichtbewegten Minnespiel« »von leichtbewegten Mienenspiel« gelesen werden. – Gestern spielte die schöne Frau in Claurens neuem Lustspiele: der Bräutigam aus Mexiko. In diesem Stücke gaukelt auf eine höchst anmutige Weise eine leichte, originelle, fast märchenhafte Heiterkeit, die jeden Freund froher Laune ansprechen muß. Dieses Stück hat auch vielen gefallen, so wie überhaupt alles, was aus der Feder dieses Schriftstellers kömmt, hier erstaunlichen Beifall findet. Seine Schriften haben viele Gegner, aber sie erleben eine Auflage nach der andern.

Auf dem Alexanderplatze wird ein Volkstheater errichtet. Ein Mann, der Cerf heißt, hatte ein Privilegium dazu erlangt, ist aber davon abgetreten und bekömmt ein Abtrittsgeld von 3000 Taler jährlich. Der ehemalige Schauspieler Bethmann hat die Leitung übernommen. Wie ich höre, ist dem Prof. Gubitz die Direktion des poetischen Teils dieses Theaters angeboten worden. Es wäre zu wünschen, daß sich derselbe diesem Geschäfte unterzöge, da er die Bühne und ihre Ökonomie ganz genau kennt, zu gleicher Zeit berühmt ist als Theaterdichter, Kritiker und Meister der zeichnenden Künste und in dieser Vielseitigkeit alles das verbindet, was zu einer solchen Direktion notwendig wäre. Aber man zweifelt, daß er sie annehmen wird, da die Redaktion des Gesellschafters, für den er ganz leibt und lebt, ihn zu sehr beschäftigt. Letzteres Blatt hat großen Absatz, ich glaube über 1500 Exemplare, wird hier mit erstaunlich großem Interesse gelesen und kann wohl das gehaltreichste und beste in ganz Deutschland genannt werden. Gubitz redigiert es mit einem Eifer und einer Gewissenhaftigkeit, die oft an Ängstlichkeit grenzt. Nämlich in seiner Liebe für Korrektheit und Dezenz ist er fast zu streng. Doch denken Sie sich hier keinen Pedanten. Es ist ein Mann in seinen besten Jahren, unbefangen, lebensfreudig, enthusiastisch für alles Herrliche, und auch in seiner Persönlichkeit lebt jener heitre, anakreontische Geist, der in seinen Poesien so charakteristisch hervortritt. – Wir haben hier vor kurzem noch eine Wochenschrift bekommen, die, in der Volkssphäre sich bewegend, vom Leutnant Leithold, der kürzlich seine Reise nach Brasilien herausgegeben, redigiert wird, »Kuriositäten und Raritäten« betitelt ist und ein naives Motto führt. »Der Beobachter an der Spree« und »der märksche Bote« sind hier die besten Volksblätter. Letzteres ist mehr für die gebildete Klasse. Ich fand mit Verwunderung, daß ein Teil meines zweiten Briefes aus dem Anzeiger darin nochmals abgedruckt war. Ich bin zwar empfindlich für diese Ehre und für das beigefügte Lob, aber ich wäre schier in groß Malheur dadurch gekommen, wenn nicht die hiesige galante Zensur das gestrichen hätte, was ich von den Berlinerinnen gesagt. Wenn diese Engel letzteres gelesen hätten, wären mir die Blumenkörbchen schockweise auf den Kopf geflogen. Doch hätte ich mich auch in diesem Falle nicht nach der Hundebrücke verfügt; das schöne Fräulein Fortuna hat mir längst einen so großen eisernen Korb gegeben, daß ich ihn kaum füllen könnte mit den Körbchen aller Damen der Spreestadt. – Eine Schlange, und zwar eine höchst seltene, ist jetzt für acht Groschen zu sehen No. 24 unter den Linden. Ich bemerke Ihnen bei dieser Gelegenheit, daß ich dort ausgezogen bin. – Blondin mit seiner Gesellschaft gibt vor dem Brandenburger Tore noch immer seine hübschen und vielbesuchten Vorstellungen in der edleren Reitkunst. Er läßt Kolumbus in Otaheiti landen. – Bosko hat endlich auch seine vorletzten, letzten und allerletzten Vorstellungen beendigt und hat auch einige für die Armen gegeben. Man sagt, er ahmte Boucher nach; das ist aber nicht wahr, Boucher hat ihn, den Jongleur, nachgeahmt. – Die Statüen von Bülow und Scharnhorst werden diese Tage an beiden Seiten der neuen Wache aufgestellt. Sie sind jetzt in Rauchs Atelier zu sehen. Ich habe sie dort schon früher in Augenschein genommen und fand sie schön. Blüchers Bildsäule von Rauch, die in Breslau aufgestellt werden soll, ist jetzt dahin abgegangen. – Die neue Börsenhalle habe ich gesehn. Sie ist herrlich eingerichtet. Eine Menge geräumiger, prächtig dekorierter Zimmer. Alles großartig angelegt. Man sagte mir, daß der edle, kunstsinnige Sohn des großen Mendelssohn, Joseph Mendelssohn, der Schöpfer dieses Instituts sei. Berlin hat lange ein solches entbehrt. Nicht allein Kaufleute, sondern auch Beamte, Gelehrte und Personen aus allen Ständen besuchen die Börsenhalle. – Besonders anziehend ist das Lesezimmer, worin ich über hundert deutsche und ausländische Journale vorfand. Auch unsern Westf. Anzeiger sah ich dort. Ein wissenschaftlich gebildeter Mann, Dr. Böhringer, führt die Aufsicht über dieses Zimmer und weiß sich dem Besucher desselben durch zuvorkommende Artigkeit zu verpflichten. – Josty besorgt die Restauration und die Konditorei. Die Aufwärter tragen alle braune Livreen mit goldnen Tressen, und der Portier imponiert besonders durch seinen großen Marschallstab. – Die Bauten unter den Linden, wodurch die Wilhelmstraße verlängert wird, haben raschen Fortgang. Es werden herrliche Säulengänge. Diese Tage wurde auch der Grundstein zu der neuen Brücke gelegt. – In der musikalischen Welt ist es sehr still. Es geht der Capitale de la musique wie jeder andern Capitale; man konsumiert in derselben, was in der Provinz produziert wird. Außer dem jungen Felix Mendelssohn, der, nach dem Urteile sämtlicher Musiker, ein musikalisches Wunder ist und ein zweiter Mozart werden kann, wüßte ich unter den *hier lebenden* Autochthonen Berlins kein einziges Musikgenie aufzufinden. Die meisten Musiker, die sich hier auszeichnen, sind aus der Provinz oder gar Fremde. Es macht mir ein unaussprechliches Vergnügen, hier erwähnen zu müssen, daß unser Landsmann Joseph Klein, der jüngere Bruder des Komponisten, von dem ich in meinem vorigen Briefe sprach, zu den größten Erwartungen berechtigt. Dieser hat vieles komponiert, das von Kennern gelobt wird. Nächstens werden Liederkompositionen von ihm erscheinen, die hier großen Beifall finden und in vielen Gesellschaften gesungen werden. Es liegt eine überraschende Originalität in den Melodien derselben, sie sprechen jedes Gemüt an, und es ist vorauszusehen, daß dieser junge Künstler einst einer der berühmtesten deutschen Komponisten wird. – Spontini verläßt uns auf eine lange Zeit. Er reist nach Italien. Er hat seine Olympia nach Wien geschickt, die aber dort nicht aufgeführt wird, weil sie zu viele Kosten verursache. – Die italienische Buffone haben sich hier nur noch einige Tage aufgehalten. – Unter den Linden sind Wachsfiguren zu sehen. – Auf der Königstraße, Poststraßenecke, werden wilde Tiere und eine Minerva gezeigt. – Fonks Prozeß ist hier ebenfalls ein Thema der öffentlichen Unterhaltung. Die sehr schön geschriebene Broschüre von Kreuser hat hier zuerst die Aufmerksamkeit auf denselben geleitet. Hierauf kamen noch mehrere Broschüren her, die alle *für* Fonk sprachen. Hierunter zeichnete sich auch aus das

Buch vom Freiherrn v. d. Leyen. Diese Bücher, nebst den in der Abendzeitung und im Konversationsblatte enthaltenen Aufsätzen über den Fonkschen Prozeß und dem Werke des Angeklagten selbst, verbreiteten hier eine günstige Meinung *für* Fonk. Personen, die auch heimlich *gegen* Fonk sind, sprechen doch öffentlich für ihn, und zwar aus Mitleiden gegen den Unglücklichen, der schon so viele Jahre gelitten. In einer Gesellschaft erwähnte ich die fürchterliche Lage seines schuldlosen Weibes und die Leiden ihrer rechtschaffenen, geachteten Familie, und wie ich erzählte, man sage: daß der Kölner Pöbel Fonks arme, unmündige Kinder insultiert habe, wurde eine Dame ohnmächtig, und ein hübsches Mädchen fing bitterlich an zu weinen und schluchzte: »Ich weiß, der König begnadigt ihn, wenn er auch verurteilt wird.« Ich bin ebenfalls überzeugt, daß unser gefühlvoller König sein schönstes und göttlichstes Recht ausüben wird, um so viele gute Menschen nicht elend zu machen; ich wünsche dieses ebenso herzlich wie die Berliner, obschon ich ihre Ansichten über den Prozeß selbst nicht teile. Über letztern habe ich erstaunlich viele Meinungen ins Blaue hineinräsonieren hören. Am gründlichsten sprechen darüber die Herrn, die von der ganzen Sache gar nichts wissen. Mein Freund, der bucklichte Auskultator, meint: wenn er am Rhein wäre, so wollte er die Sache bald aufklären. Überhaupt, meint er, das dortige Gerichtsverfahren tauge nichts. »Wozu«, sprach er gestern, »diese Öffentlichkeit? Was geht es den Peter und den Christoph an, ob Fonk oder ein anderer den Cönen umgebracht. Man übergebe mir die Sache, ich zünde mir die Pfeife an, lese die Akten durch, referiere darüber, bei verschlossenen Türen urteilt darüber das Kollegium und schreitet zum Spruch und spricht den Kerl frei oder verurteilt ihn, und es kräht kein Hahn darnach. Wozu diese Jury, diese Gevatter Schneider und Handschuhmacher? Ich glaube, ich, ein studierter Mann, der die Friesische Logik in Jena gehört, der alle seine juristische Kollegien wohl testiert hat und das Examen bestanden, besitze doch mehr Judizium als solche unwissenschaftliche Menschen? Am Ende meint solch ein Mensch wunders, welch höchst wichtige Person er sei, weil so viel von seinem *Ja* und *Nein* abhängt! Und das Schlimmste ist noch dieser Code Napoleon, dieses schlechte Gesetzbuch, das nicht mal erlaubt, der Magd eine Maulschelle zu geben –« Doch ich will den weisen Auskultator nicht weiter sprechen lassen. Er repräsentiert eine Menge Menschen hier, die *für* Fonk sind, weil sie *gegen* das rheinische Gerichtsverfahren sind. Man mißgönnt dasselbe den Rheinländern und möchte sie gern erlösen von diesen »Fesseln der französischen Tyrannei«, wie einst der *unvergeßliche* Justus Gruner – Gott habe ihn selig – das französische Gesetz nannte. Möge das geliebte Rheinland noch lange diese Fesseln tragen und noch mit ähnlichen Fesseln belastet werden! Möge am Rhein noch lange blühen jene echte Freiheitsliebe, die nicht auf Franzosenhaß und Nationalegoismus basiert ist, jene echte Kraft und Jugendlichkeit, die nicht aus der Branntweinflasche quillt, und jene echte Christusreligion, die nichts gemein hat mit verketzerender Glaubensbrunst oder frömmlender Proselytenmacherei.

Bei unserer Universität gibt's gar nichts Neues, außer daß zweiunddreißig Studenten relegiert worden, wegen unerlaubter Verbindungen. Es ist eine fatale Sache, relegiert zu werden; sogar das bloße Konsiliiertwerden soll sein Unangenehmes haben. Ich glaube aber, daß jenes strenge Urteil gegen die 32 noch gemildert wird. Ich will durchaus nicht die Verbindungen auf Universitäten verteidigen; sie sind Reste jenes alten Korporationswesens, die ich ganz aus unserer Zeit vertilgt sehen möchte. Aber ich gestehe, daß jene Verbindungen notwendige Folgen sind von unserm akademischen Wesen, oder besser Unwesen, und daß sie wahrscheinlich nicht eher unterdrückt werden, bis das liebenswürdige und vielbeliebte oxfordische Stallfütterungssystem bei unsern Studenten eingeführt ist. Polnische Studierende *sieht* man jetzt hier höchstens ein halb Dutzend. Man hatte strenge Untersuchungen gegen sie verfügt. Die meisten sind, wie man sagt, ohne besondere Lust, wieder zu kommen, von hier abgereist, und ein großer Teil, ich glaube gegen zwanzig, werden noch in unsern Stadtgefängnissen verwahrt. Die meisten davon sind aus dem *russischen* Polen und sollen sich mit demagogischen Umtrieben gegen ihre Regierung befaßt haben.

Man spricht davon, daß Ludw. Tieck bald hierher kommen und Vorlesungen über den Shakespeare halten werde. Am 31. des vorigen Monats war der Geburtstag des Fürsten Staatskanzlers. Man erwartet hier diese Tage eine hessische Gesandtschaft, die unsere Differenzen mit Hessen, wegen der bekannten Territorialrechtsverletzung, regulieren soll. Eine Kommission ist nach Pommern geschickt, um das dortige Sektenwesen zu untersuchen. Der Wollmarkt hat schon angefangen, und eine Menge Gutsbesitzer sind hier, die ihre Wolle zum Verkauf herbringen und die man hier scherzweise »Woll-(Wohl-)habende« nennt. Sogar die Straßen bekommen Ambition; die »*letzte* Straße« will jetzt Dorotheenstraße heißen. Man spricht davon, daß dem großen Fritz eine Statüe auf dem Opernplatze errichtet werden soll. Der Tänzerfamilie Kobler ist auf der Chaussee bei Blumberg die Bagage verbrannt. Bei dem Bau der neuen Brücke bedient man sich einer Dampfmaschine.

Literarische Notizen gibt es hier in diesem Augenblick sehr wenige, obschon Berlin ihr Hauptmarktplatz ist. In Hinsicht der Gemüse schreite ich mit meiner Zeit vorwärts. Spargel esse ich jetzt keine mehr und esse jetzt Schoten. Aber in der Literatur bin ich noch zurückgeblieben. Ja ich habe noch nicht mal die falschen Wanderjahre gelesen, die so viel Aufsehn gemacht und noch machen. Dieses Buch hat für Westfalen ein besonderes Interesse, da man jetzt allgemein ausspricht, daß unser Landsmann, Dr. Pustkuchen in Lemgo, ihr Verfasser sei. Ich weiß nicht, warum er dieses Buch desavouieren wollte, da es ihm doch gewiß keine Schande macht. Man hatte sich lange den Kopf zerbrochen, wer der Verf. sei, und nannte allerlei Namen. Der Hofrat Schütz machte öffentlich bekannt, daß er es nicht sei. Den Legationsrat v. Varnhagen nannten einige Stimmen; aber diese machte dasselbe bekannt. Von letzterm war es auch sehr unwahrscheinlich, da er zu den größten Verehrern Goethes gehört und Goethe sogar in seinem letzten Heft der Zeitschrift »Kunst und Altertum am Rhein« selbst erklärte: daß Varnhagen ihn tief begriffen und ihn oft über sich selbst belehrt habe. Wahrlich, nächst dem Gefühle, Goethe selbst zu sein, kenne ich kein schöneres Gefühl, als wenn einem Goethe, der Mann, der auf der Höhe des Zeitalters steht, ein solches Zeugnis gibt. – Außerdem spricht man von dem deutschen Gil-Blas, den Goethe von vier Wochen herausgegeben. Dieses Buch ist von einem ehemaligen Bedienten geschrieben. Goethe hat es durchgefeilt und mit einer sehr merkwürdigen Vorrede begleitet. Auch hat dieser kräftige Greis, der Ali Pascha unserer Literatur, wieder einen Teil seiner Lebensgeschichte herausgegeben. Diese wird, sobald sie vollständig ist, eins der merkwürdigsten Werke bilden, gleichsam ein großes Zeitepos. Denn diese Selbstbiographie ist auch die Biographie der Zeit. Goethe schildert meistens letztere und wie sie auf ihn eingewirkt; statt daß andre Selbstbiographen, z. B. Rousseau, bloß ihre leidige Subjektivität im Auge hatten.

Ein Teil von Goethes Biographie wird aber erst nach seinem Tode erscheinen, da er alle seine weimarschen Verhältnisse, und besonders die, welche den Großherzog betreffen, darin bespricht. Dieser Nachtrag wird wohl das meiste Aufsehn erregen. Wir werden auch bald Memoiren von Byron erhalten, die aber, wie man sagt, ebenso wie seine Dramen, mehr Gemütschilderung als Handlung enthalten sollen. Die Vorrede zu seinen drei neuen Dramen enthält höchst merkwürdige Worte über unsere Zeit und den Revolutionsstoff, den sie in sich trägt. Man klagt noch sehr über die Gottlosigkeit seiner Gedichte, und der gekrönte Dichter Southey in London nennt Byron und seine Geistesverwandte »die satanische Schule«. Aber Childe-Harold schwingt gewaltig die vergiftete Geißel, womit er den armen Laureaten züchtigt. – Eine andere Selbstbiographie erregt hier viel Interesse. Es sind die »Memoiren von Jakob Casanova de Seingalt«, die Brockhaus in einer deutschen Übersetzung herausgibt. Das französische Original ist noch nicht gedruckt, und es schwebt noch ein Dunkel über die Schicksale des Manuskripts. An seiner Echtheit darf man gar nicht zweifeln. Das Fragment sur Casanova in den Werken des Prinzen Charles de Ligne ist ein glaubwürdiges Zeugnis, und dem Buche selbst sieht man gleich an, daß es nicht fabriziert ist. Meiner Geliebten möchte ich es nicht empfehlen, aber allen meinen Freunden. Italienische Sinnlichkeit haucht uns aus diesem Buche schwül entgegen. Der Held desselben ist ein lebenslustiger, kräftiger Venezianer, der mit allen Hunden gehetzt wird, alle Länder durchschwärmt, mit den ausgezeichnetsten Männern in nahe Berührung kommt und in noch weit nähere Berührung mit den Frauen. Es ist keine Zeile in diesem Buche, die mit meinen Gefühlen übereinstimmte, aber auch keine Zeile, die ich nicht mit Vergnügen gelesen hätte. Der zweite Teil soll schon heraus sein, aber er ist hier noch nicht zu bekommen, da, wie ich höre, die Zensur bei dem Brockhausischen Verlag seit gestern wieder in Wirksamkeit getreten ist. – Hier sind in diesem Augenblick wenig gute belletristische Schriften erschienen. Fouqué hat einen neuen Roman herausgegeben, betitelt »der Verfolgte«. In der poetisierenden Welt geht es hier wie in der musikalischen. An Dichtern fehlt es nicht, aber an guten Gedichten. Nächsten Herbst haben wir doch einiges Gute zu erwarten. Köchy (kein Berliner), der uns vor kurzem eine sehr gehaltreiche Schrift über die Bühne geliefert hat, wird nächstens einen Band Gedichte herausgeben, und aus den Proben, die mir davon zu Gesicht gekommen, bin ich zu den größten Erwartungen berechtigt. Es lebt in denselben ein reines Gefühl, eine ungewöhnliche Zartheit, eine tiefe Innigkeit, die durch keine Bitterkeit getrübt wird, mit einem Worte, echte Poesie. An wahrhaft dramatischen Talenten ist just jetzt kein Überfluß, und ich erwarte viel von

v. Uechtritz (kein Berliner), einem jungen Dichter, der mehrere Dramen geschrieben, die von Kennern erstaunlich gerühmt werden. Es wird nächstens eins derselben, »der heilige Chrysostomus«, in Druck erscheinen, und ich glaube, daß es Aufsehn erregen wird. Ich habe Stellen daraus gehört, die des größten Meisters würdig sind. – Über Hoffmanns »Meister Floh« versprach ich Ihnen in meinem Vorigen mehreres zu schreiben. Die Untersuchung gegen den Verfasser hat aufgehört. Derselbe kränkelt noch immer. Jenen vielbesprochenen Roman habe ich endlich gelesen. *Keine Zeile* fand ich darin, die sich auf die demagogischen Umtriebe bezöge. Der Titel des Buches wollte mir anfangs sehr unanständig vorkommen; in Gesellschaft mußten, bei Erwähnung desselben, meine Wangen jungfräulich erröten, und ich lispelte immer: »Hoffmanns Roman, mit Respekt zu sagen.« Aber in Knigges »Umgang mit Menschen« (3r Teil, 9s Kap. über die Art, mit Tieren umzugehn; das 10. Kap. handelt vom Umgang mit Schriftstellern) fand ich eine Stelle, die sich auf den Umgang mit Flöhen bezog und woraus ich ersah, daß letztere nicht so unanständig sind wie »gewisse andre kleine Tiere«, die dieser tiefe Kenner der Menschen und Bestien selbst nicht nennt. Durch dieses humanistische Zitat ist Hoffmann geschützt. Ich berufe mich auf das Lied von Mephistopheles:

Es war einmal ein König,
Der hatt einen großen Floh.

Der Held des Romans ist aber kein Floh, sondern ein Mensch, namens Peregrinus Tyß, der in einem träumerischen Zustande lebt und durch Zufall mit dem Beherrscher der Flöhe zusammentrifft und höchst ergötzliche Gespräche führt. Dieser, Meister Floh genannt, ist ein gar gescheuter Mann, etwas ängstlich, aber doch sehr kriegerisch, und trägt an den dürren Beinen große goldene Stiefel mit diamantenen Sporen, wie auf dem Umschlage des Buches zu sehen ist. Ihn verfolgt eine gewisse Dörtje Elverdink, die, wie man sagt, die Demagogie repräsentieren sollte. Eine schöne Figur ist der Student Georg Pepusch, der eigentlich die Distel Zeherith ist und einst in Famagusta blühte und der in die Dörtje Elverdink verliebt ist, die aber eigentlich die Prinzessin Gamaheh, die Tochter des Königs Sekakis, ist. Die Kontraste, die auf solche Weise der indische Mythos mit der Alltäglichkeit bildet, sind in diesem Buche nicht so pikant wie im goldnen Topf und in andern Romanen

Hoffmanns, worin derselbe naturphilosophische Theatercoup angewandt ist. Überhaupt ist die Gemütswelt, die Hoffmann so herrlich zu schildern versteht, in diesem Romane höchst nüchtern behandelt. Das erste Kapitel desselben ist göttlich, die übrigen sind unerquicklich. Das Buch hat keine Haltung, keinen großen Mittelpunkt, keinen innern Kitt. Wenn der Buchbinder die Blätter desselben willkürlich durcheinandergeschossen hätte, würde man es sicher nicht bemerkt haben. Die große Allegorie, worin am Ende alles zusammenfließt, hat mich nicht befriedigt. Mögen andre sich daran ergötzt haben; *ich* glaube, daß ein Roman keine Allegorie sein soll. – Die Strenge und Bitterkeit, womit ich über diesen Roman spreche, rührt eben daher, weil ich Hoffmanns frühere Werke so sehr schätze und liebe. Sie gehören zu den merkwürdigsten, die unsere Zeit hervorgebracht. Alle tragen sie das Gepräge des Außerordentlichen. Jeden müssen die Phantasiestücke ergötzen. In den Elixieren des Teufels liegt das Furchtbarste und Entsetzlichste, das der Geist erdenken kann. Wie schwach ist dagegen »the monk« von Lewis, der dasselbe Thema behandelt. In Göttingen soll ein Student durch diesen Roman toll geworden sein. In den Nachtstücken ist das Gräßlichste und Grausenvollste überboten. Der Teufel kann so teuflisches Zeug nicht schreiben. Die kleinen Novellen, die meistens unter dem Titel Serapionsbrüder gesammelt sind und wozu auch Klein Zaches zu rechnen ist, sind nicht so grell, zuweilen sogar lieblich und heiter. Der Theaterdirektor ist ein ziemlich mittelmäßiger Schelm. In dem Elementargeist ist Wasser das Element, und Geist ist gar keiner drin. Aber Prinzessin Brambilla ist eine gar köstliche Schöne, und wem diese durch ihre Wunderlichkeit nicht den Kopf schwindligt macht, der hat gar keinen Kopf. Hoffmann ist ganz original. Die, welche ihn Nachahmer von Jean Paul nennen, verstehen weder den einen noch den andern. Beider Dichtungen haben einen entgegengesetzten Charakter. Ein Jean-Paulscher Roman fängt höchst barock und burleske an und geht so fort, und plötzlich, ehe man sich dessen versieht, taucht hervor eine schöne, reine Gemütswelt, eine mondbeleuchtete, rötlich blühende Palmeninsel, die, mit all ihrer stillen, duftenden Herrlichkeit, schnell wieder versinkt in die häßlichen, schneidend kreischenden Wogen eines exzentrischen Humors. Der Vorgrund von Hoffmanns Romanen ist gewöhnlich heiter, blühend, oft weichlich rührend, wunderlich-geheimnisvolle Wesen tänzeln vorüber, fromme Gestalten schreiten auf und ab, launige Männlein grüßen freundlich und unerwartet, aus all diesem ergötzlichen Treiben grinst hervor eine häßlich-verzerrte Alteweiberfratze, die, mit unheimlicher Hastigkeit, ihre allerfatalsten Gesichter schneidet und verschwindet und wieder freies Spiel läßt den verscheuchten muntern Figürchen, die wieder ihre drolligsten Sprünge machen, aber das in unsere Seele getretene katzenjammerhafte Gefühl nicht fortgaukeln können. – Über die Romane anderer hiesiger Schriftsteller will ich in meinen nächsten Briefen sprechen. Alle tragen denselben Charakter. Es ist der Charakter der deutschen Romane überhaupt. Dieser läßt sich am besten auffassen, wenn man sie vergleicht mit den Romanen anderer Nationen, z. B. der Franzosen, der Engländer usw. Da sieht man, wie die äußere Stellung der Schriftsteller den Romanen einer Nation einen eignen Charakter verleiht. Der englische Schriftsteller reiset, mit einer Lords- oder Apostelequipage, schon durch Honorar bereichert oder noch arm, gleichviel er reiset, stumm und verschlossen beobachtet er die Sitten, die Leidenschaften, das Treiben der Menschen, und in seinen Romanen spiegelt sich ab die wirkliche Welt und das wirkliche Leben, oft heiter (Goldsmith), oft finster (Smollet), aber immer wahr und treu (Fielding). Der französische Schriftsteller lebt beständig in der Gesellschaft, und zwar in der großen; mag er auch noch so dürftig und *titellos* sein. Fürsten und Fürstinnen kajolieren den Notenabschreiber Jean Jacques, und im Pariser Salon heißt der Minister Monsieur und die Herzogin Madame. Daher lebt in den Romanen der Franzosen jener leichte Gesellschaftston, jene Beweglichkeit und Feinheit und Urbanität, die man nur im Umgang mit Menschen erlangt, und daher jene Familienähnlichkeit der französischen Romane, deren Sprache immer dieselbe scheint, eben weil sie die gesellschaftliche ist. Aber der arme deutsche Schriftsteller, der, weil er meistens schlecht honoriert wird oder selten Privatvermögen besitzt, kein Geld zum Reisen hat, der wenigstens spät reist, wenn er sich schon in eine Manier hineingeschrieben, der selten einen Stand oder einen Titel hat, der ihm die Gnadenpforten der vornehmen Gesellschaft, die bei uns nicht immer die feine ist, erschleußt, ja der nicht selten einen schwarzen Rock entbehrt, um die Gesellschaft der Mittelklasse zu frequentieren, der arme Deutsche verschließt sich in seiner einsamen Dachstube, faselt eine Welt zusammen, und in einer aus ihm selbst wunderlich hervorgegangenen Sprache schreibt er Romane, worin Gestalten und Dinge leben, die herrlich, göttlich, höchstpoetisch sind, aber nirgends existieren. Diesen phantastischen Charakter tragen alle unsre Romane, die guten und die schlechten, von der frühesten Spieß-, Cramer-

und Vulpius-Zeit bis Arnim, Fouqué, Horn, Hoffmann usw., und dieser Romancharakter hat viel eingewirkt auf den Volkscharakter, und wir Deutschen sind unter allen Nationen am meisten empfänglich für Mystik, geheime Gesellschaften, Naturphilosophie, Geisterkunde, Liebe, Unsinn und - Poesie!

Über Polen

I

Seit einigen Monaten habe ich den preußischen Teil Polens die Kreuz und die Quer durchstreift; in dem russischen Teil bin ich nicht weit gekommen, nach dem österreichischen gar nicht. Von den Menschen hab ich sehr viele, und aus allen Teilen Polens, kennen gelernt. Diese waren freilich meistens nur Edelleute, und zwar die vornehmsten. Aber wenn auch mein Leib sich bloß in den Kreisen der höheren Gesellschaft, in den Schloßbann der polnischen Großen, bewegte, so schweifte der Geist doch oft auch in den Hütten des niedern Volks. Hier haben Sie den Standpunkt für die Würdigung meines Urteils über Polen.

Vom Äußern des Landes wüßte ich Ihnen nicht viel Reizendes mitzuteilen. Hier sind nirgends pikante Felsengruppen, romantische Wasserfälle, Nachtigallengehölze usw.; hier gibt es nur weite Flächen von Ackerland, das meistens gut ist, und dicke, mürrische Fichtenwälder. Polen lebt nur von Ackerbau und Viehzucht; von Fabriken und Industrie gibt es hier fast keine Spur. Den traurigsten Anblick geben die polnischen Dörfer: niedere Ställe von Lehm, mit dünnen Latten oder Binsen bedeckt. In diesen lebt der polnische Bauer mit seinem Vieh und seiner übrigen Familie, erfreut sich seines Daseins und denkt an nichts weniger als an die – ästhetischen *Pustkuchen.* Leugnen läßt es sich indessen nicht, daß der polnische Bauer oft mehr Verstand und Gefühl hat als der deutsche Bauer in manchen Ländern. Nicht selten fand ich bei dem geringsten Polen jenen originellen Witz (nicht Gemütswitz, Humor), der bei jedem Anlaß mit wunderlichem Farbenspiel hervorsprudelt, und jenen schwärmerisch-sentimentalen Zug, jenes brillante Aufleuchten eines ossianschen Naturgefühls, dessen plötzliches Hervorbrechen bei leidenschaftlichen Anlässen ebenso unwillkürlich ist wie das Insgesichtsteigen des Blutes. Der polnische Bauer trägt noch seine Nationaltracht: eine Jacke ohne Ärmel, die bis zur Mitte der Schenkel reicht; darüber einen Oberrock mit hellen Schnüren besetzt. Letzterer, gewöhnlich von hellblauer oder grüner Farbe, ist das grobe Original jener feinen Polen-Röcke unserer Elegants. Den Kopf bedeckt ein kleines rundes Hütchen, weißgerändert, oben wie ein abgekappter Kegel spitz zulaufend und vorn mit bunten Bandschleifen oder mit einigen Pfauenfedern geschmückt. In diesem Kostüm sieht man den polnischen Bauer des Sonntags nach der Stadt wandern, um dort ein dreifaches Geschäft zu verrichten: erstens, sich rasieren zu lassen, zweitens, die Messe zu hören, und drittens, sich vollzusaufen. Den durch das dritte Geschäft gewiß Seliggewordenen sieht man des Sonntags, alle Viere ausgestreckt, in einer Straßengosse liegen, sinneberaubt und umgeben von einem Haufen Freunde, die, in wehmütiger Gruppierung, die Betrachtung zu machen scheinen: daß der Mensch hienieden so wenig vertragen kann! Was ist der Mensch, wenn – drei Kannen Schnaps ihn zu Boden werfen! Aber die Polen haben es doch im Trinken übermenschlich weit gebracht. – Der Bauer ist von gutem Körperbau, starkstämmig, soldatischen Ansehens und hat gewöhnlich blondes Haar; die meisten lassen dasselbe lang herunterwallen. Dadurch haben so viele Bauern die Plica polonica (Weichselzopf), eine sehr anmutige Krankheit, womit auch wir hoffentlich einst gesegnet werden, wenn das Lange-Haartum in den deutschen Gauen allgemeiner wird. Die Unterwürfigkeit des polnischen Bauers gegen den Edelmann ist empörend. Er beugt sich mit dem Kopf fast bis zu den Füßen des gnädigen Herrn und spricht die Formel: »Ich küsse die Füße.« Wer den Gehorsam personifiziert haben will, sehe einen polnischen Bauer vor seinem Edelmann stehen; es fehlt nur der wedelnde Hundeschweif. Bei einem solchen Anblick denke ich unwillkürlich: Und Gott erschuf den Menschen nach seinem Ebenbilde! – und es ergreift mich ein unendlicher Schmerz, wenn ich einen Menschen vor einem andern so tief erniedrigt sehe. Nur vor dem Könige soll man sich beugen; bis auf dieses letztere Glaubensgesetz bekenne ich mich ganz zum nordamerikanischen Katechismus. Ich leugne es nicht, daß ich die Bäume der Flur mehr liebe als Stammbäume, daß ich das Menschenrecht mehr achte als das kanonische Recht und daß ich die Gebote der Vernunft höher schätze als die Abstraktionen kurzsichtiger Historiker; wenn Sie mich aber fragen: ob der polnische Bauer wirklich unglücklich ist und ob seine Lage besser wird, wenn jetzt aus den gedrückten Hörigen lauter freie Eigentümer gemacht werden?, so müßte ich lügen, sollte ich diese Frage unbedingt bejahen. Wenn man den Begriff von Glücklichsein in seiner Relativität auffaßt und sich wohl merkt, daß es kein Unglück ist, wenn man von Jugend auf gewöhnt ist, den ganzen Tag zu arbeiten und Lebensbequemlichkeiten zu entbehren, die man gar nicht kennt, so muß man gestehen, daß der polnische Bauer im eigentlichen Sinne nicht unglücklich ist: um so mehr, da er gar nichts hat und folglich in der großen Sorglosigkeit, die ja von vielen als das höchste Glück geschildert wird, sein Leben dahinlebt. Aber es ist keine Ironie, wenn ich sage, daß, im Fall man jetzt die polnischen Bauern plötzlich zu selbstän-

digen Eigentümern machte, sie sich gewiß bald in der unbehaglichsten Lage von der Welt befinden und manche gewiß dadurch in größeres Elend geraten würden. Bei seiner jetzt zur zweiten Natur gewordenen Sorglosigkeit würde der Bauer sein Eigentum schlecht verwalten, und träfe ihn ein Unglück, wär er ganz und gar verloren. Wenn jetzt ein Mißwachs ist, so muß der Edelmann dem Bauer von seinem eigenen Getreide schicken; es wäre ja auch sein eigener Verlust, wenn der Bauer verhungerte oder nicht säen könnte. Er muß ihm aus demselben Grunde ein neues Stück Vieh schicken, wenn der Ochs oder die Kuh des Bauers krepiert ist. Er gibt ihm Holz im Winter, er schickt ihm Ärzte, Arzneien, wenn er oder einer von der Familie krank ist; kurz, der Edelmann ist der beständige Vormund desselben. Ich habe mich überzeugt, daß diese Vormundschaft von den meisten Edelleuten sehr gewissenhaft und liebreich ausgeübt wird, und überhaupt gefunden, daß die Edelleute ihre Bauern milde und gütig behandeln; wenigstens sind die Reste der alten Strenge selten. Viele Edelleute wünschen sogar die Selbständigkeit der Bauern – der größte Mensch, den Polen hervorgebracht hat und dessen Andenken noch in allen Herzen lebt, Thaddäus Kosciuszko, war eifriger Beförderer der Bauern-Emanzipation, und die Grundsätze eines Lieblings dringen unbemerkt in alle Gemüter. Außerdem ist der Einfluß französischer Lehren, die in Polen leichter als irgendwo Eingang finden, von unberechenbarer Wirkung für den Zustand der Bauern. Sie sehen, daß es mit letzteren nicht mehr so schlimm steht und daß ein allmähliges Selbständigwerden derselben wohl zu hoffen ist. Auch die preußische Regierung scheint dies durch zweckmäßige Einrichtungen nach und nach zu erzielen. Möge diese begütigende Allmähligkeit gedeihen; sie ist gewisser, zeitlich nützlicher als die zerstörungssüchtige Plötzlichkeit. Aber auch das Plötzliche ist zuweilen gut, wie sehr man dagegen eifere. –
– –

Zwischen dem Bauer und dem Edelmann stehen in Polen die Juden. Diese betragen fast mehr als den vierten Teil der Bevölkerung, treiben alle Gewerbe und können füglich der dritte Stand Polens genannt werden. Unsere Statistik-Kompendienmacher, die an alles den deutschen, wenigstens den französischen Maßstab legen, schreiben also mit Unrecht: daß Polen keinen tiers état habe, weil dort dieser Stand von den übrigen schroffer abgesondert ist, weil seine Glieder am Mißverständnisse des Alten Testaments – Gefallen finden – – – und weil dieselben vom Ideal gemütlicher Bürgerlichkeit, wie dasselbe in einem Nürnberger Frauentaschenbuche, unter dem Bilde reichsstädtischer Philiströsität, so niedlich und sonntäglich schmuck dargestellt wird, äußerlich noch sehr entfernt sind. Sie sehen also, daß die Juden in Polen durch Zahl und Stellung von größerer staatswirtschaftlicher Wichtigkeit sind als bei uns in Deutschland und daß, um Gediegenes über dieselben zu sagen, etwas mehr dazu gehört, als die großartige Leihhaus-Anschauung gefühlvoller Romanenschreiber des Nordens oder der naturphilosophische Tiefsinn geistreicher Ladendiener des Südens. Man sagte mir, daß die Juden des Großherzogtums auf einer niedrigeren Humanitätsstufe ständen als ihre östlicheren Glaubensgenossen; ich will daher nichts Bestimmtes von polnischen Juden überhaupt sprechen und verweise Sie lieber auf David Friedländer: »Über die Verbesserung der Israeliten (Juden) im Königreich Polen; Berlin 1819.« Seit dem Erscheinen dieses Buches, das, bis auf eine zu ungerechte Verkennung der Verdienste und der sittlichen Bedeutung der Rabbinen, mit einer seltenen Wahrheit- und Menschenliebe geschrieben ist, hat sich der Zustand der polnischen Juden wahrscheinlich nicht gar besonders verändert. Im Großherzogtum sollen sie einst, wie noch im übrigen Polen, alle Handwerke ausschließlich getrieben haben; jetzt aber sieht man viele christliche Handwerker aus Deutschland einwandern, und auch die polnischen Bauern scheinen an Handwerken und andern Gewerben mehr Geschmack zu finden. Seltsam aber ist es, daß der gemeine Pole gewöhnlich Schuster oder Bierbrauer und Branntweinbrenner wird. In der Wallischei, einer Vorstadt Posens, fand ich das zweite Haus immer mit einem Schuhmacherschilde verziert, und ich dachte an die Stadt Bradford in Shakespeares »Flurschütz von Wakefield«. Im preußischen Polen erlangen die Juden kein Staatsamt, die sich nicht taufen lassen; im russischen Polen werden auch die Juden zu allen Staatsämtern zugelassen, weil man es dort für zweckmäßig hält. Übrigens ist der Arsenik in den dortigen Bergwerken auch noch nicht zu einer überfrommen Philosophie sublimiert, und die Wölfe in den altpolnischen Wäldern sind noch nicht darauf abgerichtet, mit historischen Zitaten zu heulen.

Es wäre zu wünschen, daß unsere Regierung, durch zweckmäßige Mittel, den Juden des Großherzogtums mehr Liebe zum Ackerbau einzuflößen suchte; denn jüdische Ackerbauer soll es hier nur sehr wenige geben. Im russischen Polen sind sie häufig. Die Abneigung gegen den Pflug soll bei den polnischen Juden daher entstanden sein, weil sie ehemals den leibeigenen Bauer in einem äußerlich so sehr traurigen Zustande sahen. Hebt sich jetzt der Bauernstand aus seiner Erniedrigung, so werden auch die Juden zum Pflug greifen. – Bis auf wenige Ausnahmen sind alle Wirtshäuser Polens in den Händen der Juden, und ihre vielen Branntweinbrennereien werden dem Lande sehr schädlich, indem die Bauern dadurch zur Völlerei angereizt werden. Aber ich habe ja schon oben gezeigt, wie das Branntweintrinken zur Seligmachung der Bauern gehört. – Jeder Edelmann hat einen Juden im Dorf oder in der Stadt, den er Faktor nennt und der alle seine Kommissionen, Ein- und Verkäufe, Erkundigungen usw. ausführt. Eine originelle Einrichtung, welche ganz die Bequemlichkeitsliebe der polnischen Edelleute zeigt. Das Äußere des polnischen Juden ist schrecklich. Mich überläuft ein Schauder, wenn ich daran denke, wie ich hinter Meseritz zuerst ein polnisches Dorf sah, meistens von Juden bewohnt. Das W-cksche Wochenblatt, auch zu physischem Brei gekocht, hätte mich nicht so brechpulverisch anwidern können als der Anblick jener zerlumpten Schmutzgestalten; und die hochherzige Rede eines für Turnplatz und Vaterland begeisterten Tertianers hätte nicht so zerreißend meine Ohren martern können als der polnische Judenjargon. Dennoch wurde der Ekel bald verdrängt von Mitleid, nachdem ich den Zustand dieser Menschen näher betrachtete und die schweinestallartigen Löcher sah, worin sie wohnen, mauscheln, beten, schachern und – elend sind. Ihre Sprache ist ein mit Hebräisch durchwirktes und mit Polnisch façonniertes Deutsch. Sie sind in sehr frühen Zeiten wegen Religionsverfolgung aus Deutschland nach Polen eingewandert; denn die Polen haben sich in solchen Fällen immer durch Toleranz ausgezeichnet. Als Frömmlinge einem polnischen Könige rieten, die polnischen Protestanten zum Katholizismus zurückzuzwingen, antwortete derselbe: »Sum rex populorum sed non conscientiarum!« – Die Juden brachten zuerst Gewerbe und Handel nach Polen und wurden unter Kasimir dem Großen mit bedeutenden Privilegien begünstigt. Sie scheinen dem Adel weit näher gestanden zu haben als den Bauern; denn nach einem alten Gesetze wurde der Jude durch seinen Übertritt zum Christentum eo ipso in den Adelstand erhoben. Ich weiß nicht, ob und warum dieses Gesetz untergegangen und was etwa mit Bestimmtheit im Werte gesunken ist. – In jenen frühern Zeiten standen indessen die Juden in Kultur und Geistesausbildung gewiß weit über dem Edelmann, der nur das rauhe Kriegshandwerk trieb und noch den französischen Firnis entbehrte. Jene aber beschäftigten sich wenigstens immer mit ihren hebräischen Wissenschafts- und Religionsbüchern, um derentwillen eben sie Vaterland und Lebensbehaglichkeit verlassen. Aber sie sind offenbar mit der europäischen Kultur nicht fortgeschritten, und ihre Geisteswelt versumpfte zu einem unerquicklichen Aberglauben, den eine spitzfindige Scholastik in tausenderlei wunderliche Formen hineinquetscht. Dennoch, trotz der barbarischen Pelzmütze, die seinen Kopf bedeckt, und der noch barbarischeren Ideen, die denselben füllen, schätze ich den polnischen Juden weit höher als so manchen deutschen Juden, der seinen Bolivar auf dem Kopf und seinen Jean Paul im Kopfe trägt. In der schroffen Abgeschlossenheit wurde der Charakter des polnischen Juden ein Ganzes; durch das Einatmen toleranter Luft bekam dieser Charakter den Stempel der Freiheit. Der innere Mensch wurde kein quodlibetartiges Kompositum heterogener Gefühle und verkümmerte nicht durch die Einzwängung Frankfurter Judengaßmauern, hochweiser Stadtverordnungen und liebreicher Gesetzbeschränkungen. Der polnische Jude mit seinem schmutzigen Pelze, mit seinem bevölkerten Barte und Knoblauchgeruch und Gemauschel ist mir noch immer lieber als mancher in all seiner staatspapiernen Herrlichkeit.

Wie ich bereits oben bemerkt, dürfen Sie in diesem Briefe keine Schilderungen reizender Naturszenen, herrlicher Kunstwerke usw. erwarten; nur die Menschen, und zwar besonders die nobelste Sorte, die Edelleute, verdienen hier in Polen die Aufmerksamkeit des Reisenden. Und wahrlich, ich sollte denken, wenn man einen kräftigen, echten polnischen Edelmann oder eine schöne edle Polin in ihrem wahren Glanze sieht, so könnte dieses die Seele ebenso erfreuen wie etwa der Anblick einer romantischen Felsenburg oder einer marmornen Medizäerin. Ich lieferte Ihnen sehr gerne eine Charakterschilderung der polnischen Edelleute, und das gäbe eine sehr kostbare Mosaikarbeit von den Adjektiven: gastfrei, stolz, mutig, geschmeidig, falsch (dieses gelbe Steinchen darf nicht fehlen), reizbar, enthusiastisch, spielsüchtig, lebenslustig, edelmütig und übermütig. Aber ich selbst habe zu oft geeifert gegen unsre Broschürenskribler, die, wenn sie einen Pariser Tanzmeister hüpfen sehen, aus dem Stegreif die Charakteristik eines Volkes schreiben – – – – – – – – – – – und die, wenn sie einen dicken Liverpooler Baumwollhändler jähnen sahen, auf der Stelle eine Beurteilung jenes Volkes liefern – – – – – – – – – Diese allgemeinen Charakteristiken sind die Quelle aller Übel. Es gehört mehr als ein Menschenalter dazu, um den Charakter eines einzigen Menschen zu begreifen: und aus Millionen einzelnen Menschen besteht eine Nation. Nur wenn wir die Geschichte eines Menschen, die Geschichte seiner Erziehung und seines Lebens, betrachten, wird es uns möglich, einzelne Hauptzüge seines Charakters aufzufassen. – Bei Menschenklassen, deren einzelne Glieder durch Erziehung und Leben eine gleiche Richtung gewinnen, müssen sich indessen einige hervortretende Charakterzüge bemerken lassen; dies ist bei den polnischen Edelleuten der Fall, und nur von diesem Standpunkte aus läßt sich etwas Allgemeines über ihren Charakter ausmitteln. Die Erziehung selbst wird überall und immer bedingt durch das Lokale und durch das Temporale, durch den Boden und durch die politische Geschichte. In Polen ist ersteres weit mehr der Fall als irgendwo. Polen liegt zwischen Rußland und – Frankreich. Das noch vor Frankreich liegende Deutschland will ich nicht rechnen, da ein großer Teil der Polen es ungerechterweise wie einen breiten Sumpf ansah, den man schnell überspringen müsse, um nach dem gebenedeiten Lande zu gelangen, wo die Sitten und die Pomaden am feinsten fabriziert werden. Den heterogensten Einflüssen war Polen dadurch ausgesetzt. Eindringende Barbarei von Osten, durch die feindlichen Berührungen mit Rußland; eindringende Überkultur von Westen, durch die freundschaftlichen Berührungen mit Frankreich: daher jene seltsamen Mischungen von Kultur und Barbarei im Charakter und im häuslichen Leben der Polen. Ich sage just nicht, daß alle Barbarei von Osten eingedrungen, ein sehr beträchtlicher Teil mag im Lande selbst vorrätig gewesen sein; aber in der neuern Zeit war dieses Eindrängen sehr sichtbar. Einen Haupteinfluß übt das Landleben auf den Charakter der polnischen Edelleute. Nur wenige derselben werden in den Städten erzogen; die meisten Knaben bleiben auf den Landgütern ihrer Angehörigen, bis sie erwachsen sind und durch die nicht gar zu großen Bemühungen eines Hofmeisters oder durch einen nicht gar zu langen Schulbesuch oder durch das bloße Walten der lieben Natur in den Stand gesetzt sind, Kriegsdienste zu nehmen oder eine Universität zu beziehen oder von der bärenleckenden Lutetia die Weihe der höchsten Ausbildung zu empfangen. Da nicht allen hierzu dieselben Mittel zu Gebot stehen, so ist es einleuchtend, daß man einen Unterschied machen muß zwischen armen Edelleuten, reichen Edelleuten und Magnaten. Erstere leben oft höchst jämmerlich, fast wie der Bauer, und machen keine besonderen Ansprüche an Kultur. Bei den reichen Edelleuten und den Magnaten ist die Unterscheidung nicht schroff, dem

Fremden ist sie sogar sehr wenig bemerkbar. An und für sich selbst ist die Würde eines polnischen Edelmanns (civis polonus) bei dem ärmsten wie bei dem reichsten von demselben Umfange und demselben innern Werte. Aber an die Namen gewisser Familien, die sich immer durch großen Güterbesitz und durch Verdienste um den Staat ausgezeichnet, hat sich die Idee einer höhern Würde geknüpft, und man bezeichnet sie gemeiniglich mit dem Namen Magnaten. Die Czartoryskis, die Radziwills, die Zamoyskis, die Sapiehas, die Poniatowskis, die Potockis usw. werden zwar ebenso gut als bloße polnische Edelleute betrachtet wie mancher arme Edelmann, der vielleicht hinterm Pflug geht; dennoch sind sie der höhere Adel de facto, wenn auch nicht de nomine. Ihr Ansehen ist sogar fester begründet als das von unserm hohen Adel, weil sie selbst sich ihre Würde gegeben und weil nicht bloß manches geschnürte alte Fräulein, sondern das ganze Volk ihren Stammbaum im Kopfe trägt. Die Benennung Starost findet man jetzt selten, und sie ist ein bloßer Titel geworden. Der Name Graf ist ebenfalls bei den Polen ein bloßer Titel, und es sind nur von Preußen und Österreich einige derselben verteilt. Von Adelstolz gegen Bürgerliche wissen die Polen nichts, und er kann sich nur in Ländern bilden, wo ein mächtiger und mit Ansprüchen hervortretender Bürgerstand sich erhebt. Erst dann, wenn der polnische Bauer Güter kaufen wird und der polnische Jude sich nicht mehr dem Edelmann zuvorkommend erzeigt, möchte sich bei diesem der Adelstolz regen, der also das Emporkommen des Landes beweisen würde. Weil hier die Juden höher als die Bauern gestellt sind, müssen sie zuerst mit diesem Adelstolze kollidieren; aber die Sache wird gewiß alsdann einen religiöseren Namen annehmen.

Dieses hier nur flüchtig angedeutete Wesen des polnischen Adels hat, wie man sich denken kann, am meisten beigetragen zu der höchst wunderlichen Gestaltung von Polens politischer Geschichte, und die Einflüsse dieser letztern auf die Erziehung der Polen, und also auf ihren Nationalcharakter, waren fast noch wichtiger als die oben erwähnten Einflüsse des Bodens. Durch die Idee der Gleichheit entwickelte sich bei den polnischen Edelleuten jener Nationalstolz, der uns oft so sehr überrascht durch seine Herrlichkeit, der uns oft auch so sehr ärgert durch seine Geringschätzung des Deutschen und der so sehr kontrastiert mit eingeknuteter Bescheidenheit. Durch eben jene Gleichheit entwickelte sich der bekannte großartige Ehrgeiz, der den Geringsten wie den Höchsten beseelte und der oft nach dem Gipfel der Macht strebte: da

Polen meistens ein Wahlreich war. Herrschen hieß die süße Frucht, nach der es jedem Polen gelüstete. Nicht durch Geisteswaffen wollte der Pole sie erbeuten, diese führen nur langsam zum Ziele; ein kühner Schwerthieb sollte die süße Frucht zum raschen Genuß herunterhauen. Daher aber bei den Polen die Vorliebe für den Militärstand, wozu ihr heftiger und streitlustiger Charakter sie hinzog; daher bei den Polen gute Soldaten und Generale, aber gar wenige seidene Staatsmänner, noch viel weniger zu Ansehen gestiegene Gelehrte. Die Vaterlandsliebe ist bei den Polen das große Gefühl, worin alle anderen Gefühle, wie der Strom in das Weltmeer, zusammenfließen; und dennoch trägt dieses Vaterland kein sonderlich reizendes Äußere. Ein Franzose, der diese Liebe nicht begreifen konnte, betrachtete eine trübselige polnische Sumpfgegend, stampfte ein Stück aus dem Boden und sprach pfiffig und kopfschüttelnd: »Und das nennen die Kerls ein Vaterland!« Aber nicht aus dem Boden selbst, nur aus dem Kampfe um Selbständigkeit, aus historischen Erinnerungen und aus dem Unglück ist bei den Polen diese Vaterlandsliebe entsprossen. Sie flammt jetzt noch immer so glühend wie in den Tagen Kosciuszkos: vielleicht noch glühender. Fast bis zur Lächerlichkeit ehren jetzt die Polen alles, was vaterländisch ist. Wie ein Sterbender, der sich in krampfhafter Angst gegen den Tod sträubt, so empört und sträubt sich ihr Gemüt gegen die Idee der Vernichtung ihrer Nationalität. Dieses Todeszucken des polnischen Volkskörpers ist ein entsetzlicher Anblick! Aber alle Völker Europas und der ganzen Erde werden diesen Todeskampf überstehen müssen, damit aus dem Tode das Leben, aus der heidnischen Nationalität die christliche Fraternität hervorgehe. Ich meine hier nicht alles Aufgeben schöner Besonderheiten, worin sich die Liebe am liebsten abspiegelt, sondern jene von uns Deutschen am meisten erstrebte und von unsern edelsten Volkssprechern, Lessing, Herder, Schiller usw., am schönsten ausgesprochene allgemeine Menschenverbrüderung, das Urchristentum. Von diesem sind die polnischen Edelleute, ebenso gut wie wir, noch sehr entfernt. Ein großer Teil lebt noch in den Formen des Katholizismus, ohne leider den großen Geist dieser Formen und ihren jetzigen Übergang zum Weltgeschichtlichen zu ahnen; ein größerer Teil bekennt sich zur französischen Philosophie. Ich will hier diese gewiß nicht verunglimpfen: es gibt Stunden, wo ich sie verehre, und sehr verehre; ich selbst bin gewissermaßen ein Kind derselben. Aber ich glaube doch, es fehlt ihr die Hauptsache – die Liebe. Wo dieser Stern nicht leuchtet, da ist es Nacht, und wenn auch alle Lichter der Enzyklopädie ihr Brillantfeuer umhersprühen. – Wenn Vaterland das erste Wort des Polen ist, so ist Freiheit das zweite. Ein schönes Wort! Nächst der Liebe gewiß das schönste. Aber es ist auch nächst der Liebe das Wort, das am meisten mißverstanden wird und ganz entgegengesetzten Dingen zur Bezeichnung dienen muß. Hier ist das der Fall. Die Freiheit der meisten Polen ist nicht die göttliche, die washingtonsche; nur ein geringer Teil, nur Männer wie Kosciuszko haben letztere begriffen und zu verbreiten gesucht. Viele zwar sprechen enthusiastisch von dieser Freiheit, aber sie machen keine Anstalt, ihre Bauern zu emanzipieren. Das Wort Freiheit, das so schön und volltönend in der polnischen Geschichte durchklingt, war nur der Wahlspruch des Adels, der dem Könige so viel Rechte als möglich abzuzwängen suchte, um seine eigne Macht zu vergrößern und auf solche Weise die Anarchie hervorzurufen. C'était tout comme chez nous, wo ebenfalls deutsche Freiheit einst nichts anders hieß als den Kaiser zum Bettler machen, damit der Adel desto reichlicher schlemmen und desto willkürlicher herrschen konnte; und ein Reich mußte untergehen, dessen Vogt auf seinem Stuhle festgebunden war und endlich nur ein Holzschwert in der Hand trug. In der Tat, die polnische Geschichte ist die Miniaturgeschichte Deutschlands; nur daß in Polen die Großen sich vom Reichsoberhaupte nicht so ganz losgerissen und selbständig gemacht hatten wie bei uns und daß durch die deutsche Bedächtigkeit doch immer einige Ordnung in die Anarchie hineingelangsamt wurde. Hätte Luther, der Mann Gottes und Katharinas, vor einem Krakauer Reichstage gestanden, so hätte man ihn sicher nicht so ruhig wie in Augsburg aussprechen lassen. Jener Grundsatz von der stürmischen Freiheit, die besser sein mag als ruhige Knechtschaft, hat dennoch, trotz seiner Herrlichkeit, die Polen ins Verderben gestürzt. Aber es ist auch erstaunlich, wenn man sieht, welche Macht schon das bloße Wort Freiheit auf ihre Gemüter ausübt; sie glühen und flammen, wenn sie hören, daß irgend für die Freiheit gestritten wird; ihre Augen schauen leuchtend nach Griechenland und Südamerika. In Polen selbst aber wird, wie ich oben schon gesagt, unter Niederdrückung der Freiheit bloß die Beschränkung der Adelsrechte verstanden oder gar die allmählige Ausgleichung der Stände. Wir wissen das besser; die Freiheiten müssen untergehn, wo die allgemeine gesetzliche Freiheit gedeihen soll.

Jetzt aber knien Sie nieder, oder wenigstens ziehen Sie den Hut ab – ich spreche von Polens Weibern. Mein Geist schweift an den Ufern des

Ganges und sucht die zartesten und lieblichsten Blumen, um sie damit zu vergleichen. Aber was sind gegen diese Holden alle Reize der Mallika, der Kuwalaya, der Oschaddi, der Nagakesarblüten, der heiligen Lotosblumen, und wie sie alle heißen mögen – Kamalata, Pedma, Kamala, Tamala, Sirischa usw.!! Hätte ich den Pinsel Raphaels, die Melodien Mozarts und die Sprache Calderons, so gelänge es mir vielleicht, Ihnen ein Gefühl in die Brust zu zaubern, die Sie empfinden würden, wenn eine wahre Polin, eine Weichsel-Aphrodite, vor Ihren hochbegnadigten Augen leibhaftig erschiene. Aber was sind raphaelsche Farbenkleckse gegen diese Altarbilder der Schönheit, die der lebendige Gott in seinen heitersten Stunden fröhlich hingezeichnet! Was sind mozartsche Klimpereien gegen die Worte, die gefüllten Bonbons für die Seele, die aus den Rosenlippen dieser Süßen hervorquellen! Was sind alle calderonischen Sterne der Erde und Blumen des Himmels gegen diese Holden, die ich ebenfalls, auf gut calderonisch, Engel der Erde benamse, weil ich die Engel selbst Polinnen des Himmels nenne! Ja, mein Lieber, wer in ihre Gazellenaugen blickt, glaubt an den Himmel, und wenn er der eifrigste Anhänger des Barons Holbach war; – Wenn ich über den Charakter der Polinnen sprechen soll, so bemerke ich bloß: sie sind Weiber. Wer will sich anheischig machen, den Charakter dieser letztern zu zeichnen!

Ein sehr werter Weltweiser, der zehn Oktavbände »weibliche Charaktere« geschrieben, hat endlich seine eigne Frau in militärischen Umarmungen gefunden. Ich will hier nicht sagen, die Weiber hätten gar keinen Charakter. Beileibe nicht! Sie haben vielmehr jeden Tag einen andern. Diesen immerwährenden Wechsel des Charakters will ich ebenfalls durchaus nicht tadeln. Es ist sogar ein Vorzug. Ein Charakter entsteht durch ein System stereotyper Grundsätze. Sind letztere irrig, so wird das ganze Leben desjenigen Menschen, der sie systematisch in seinem Geiste aufgestellt, nur ein großer, langer Irrtum sein. Wir loben das und nennen es »Charakter haben«, wenn ein Mensch nach festen Grundsätzen handelt, und bedenken nicht, daß in einem solchen Menschen die Willensfreiheit untergegangen, daß sein Geist nicht fortschreitet und daß er selbst ein blinder Knecht seiner verjährten Gedanken ist. Wir nennen das auch Konsequenz, wenn jemand dabei bleibt, was er ein für allemal in sich aufgestellt und ausgesprochen hat, und wir sind oft tolerant genug, Narren zu bewundern und Bösewichter zu entschuldigen, wenn sich nur von ihnen sagen läßt: daß sie konsequent gehandelt. Diese moralische Selbstunterjochung findet sich aber fast nur bei Männern; im Geiste der Frauen bleibt immer lebendig und in lebendiger Bewegung das Element der Freiheit. Jeden Tag wechseln sie ihre Weltansichten, meistens ohne sich dessen bewußt zu sein. Sie stehen des Morgens auf wie unbefangene Kinder, bauen des Mittags ein Gedankensystem, das, wie ein Kartenhaus, des Abends wieder zusammenfällt. Haben sie heute schlechte Grundsätze, so wette ich darauf, haben sie morgen die allerbesten. Sie wechseln ihre Meinungen so oft wie ihre Kleider. Wenn in ihrem Geiste just kein herrschender Gedanke steht, so zeigt sich das Allererfreulichste, das Interregnum des Gemüts. Und dieses ist bei den Frauen am reinsten und am stärksten und führt sie sicherer als die Verstandes-Abstraktions-Laternen, die uns Männer so oft irre leiten. Glauben Sie nicht etwa, ich wollte hier den Advocatus diaboli spielen und die Weiber noch obendrein preisen wegen jenes Charaktermangels, den unsere Gelbschnäbel und Grauschnäbel – die einen durch Amor, die andern durch Hymen malträtiert – mit so vielen Stoßseufzern beklagen. Auch müssen Sie bemerken, daß, bei diesem allgemeinen Ausspruch über die Weiber, die Polinnen hauptsächlich gemeint sind und die deutschen Frauen so halb und halb ausgenommen werden. Das ganze deutsche Volk hat, durch seinen angeborenen Tiefsinn, ganz besondere Anlage zu einem festen Charakter, und auch den Frauen hat sich ein Anflug davon mitgeteilt, der durch die Zeit sich immer mehr und mehr verdichtet, so daß man bei ältlichen deutschen Damen, sogar bei Frauen aus dem Mittelalter, d. h. bei Vierzigerinnen, eine ziemlich dicke, schuppige Charakterhornhaut vorfindet. Unendlich verschieden sind die Polinnen von den deutschen Frauen. Das slavische Wesen überhaupt, und die polnische Sitte insbesondere, mag dieses hervorgebracht haben. In Hinsicht der Liebenswürdigkeit will ich die Polin nicht über die Deutsche erheben: sie sind nicht zu vergleichen. Wer will eine Venus von Tizian über eine Maria von Correggio setzen? In einem sonnenhellen Blumentale würde ich mir eine Polin zur Begleiterin wählen; in einem mondbeleuchteten Lindengarten wählte ich eine Deutsche. Zu einer Reise durch Spanien, Frankreich und Italien wünschte ich eine Polin zur Begleiterin; zu einer Reise durch das Leben wünschte ich eine Deutsche. Muster von Häuslichkeit, Kindererziehung, frommer Demut und allen jenen stillen Tugenden der deutschen Frauen wird man wenige unter den Polinnen finden. Jene Haus-Tugenden finden sich aber auch bei uns meistens nur im Bürgerstande und einem Teile des Adels, der sich in Sitten und Ansprüchen dem Bürgerstande angeschlossen. Bei dem übrigen Teile des deutschen Adels werden oft jene Haus-Tugenden in höherem Grade und auf eine weit empfindlichere Weise vermißt als bei den Frauen des polnischen Adels. Ja, bei diesen ist es doch nie der Fall, daß auf diesen Mangel sogar ein Wert gelegt wird, daß man sich etwas darauf einbildet; wie von so manchen deutschen adligen Damen geschieht, die nicht Geld- oder Geisteskraft genug besitzen, um sich über den Bürgerstand zu erheben, und die sich wenigstens durch Verachtung bürgerlicher Tugenden und Beibehaltung nichtskostender altadliger Gebrechen auszuzeichnen suchen. Auch die Frauen der Polen sind nicht ahnenstolz, und es fällt keinem polnischen Fräulein ein, sich etwas darauf einzubilden, daß vor einigen hundert Jahren ihr wegelagernder Ahnherr, der Raubritter, der verdienten Strafe – entgangen ist. – Das religiöse Gefühl ist bei den deutschen Frauen tiefer als bei den Polinnen. Diese leben mehr nach außen als nach innen; sie sind heitere Kinder, die sich vor Heiligenbildern bekreuzen, durch das Leben wie durch einen schönen Redoutensaal gaukeln und lachen und tanzen und liebenswürdig sind. Ich möchte wahrlich nicht Leichtfertigkeit, und nicht einmal Leichtsinn, nennen jenen leichten Sinn der Polinnen, der so begünstigt wird durch die leichten polnischen Sitten überhaupt, durch den leichten französischen Ton, der sich mit diesen vermischt, durch die leichte französische Sprache, die in Polen mit Vorliebe, und fast wie eine Muttersprache, gesprochen wird, und durch die leichte französische Literatur, deren Dessert, die Romane, von den Polinnen verschlungen werden; und was die Sittenreinheit betrifft, so bin ich überzeugt, daß die Polinnen hierin den deutschen Frauen nicht nachzustehen brauchen. Die Ausschweifungen einiger polnischen Magnatenweiber haben, wegen ihrer Großartigkeit, zu verschiedenen Zeiten viele Augen auf sich gezogen, und unser Pöbel, wie ich schon oben bemerkt, beurteilt eine ganze Nation nach den paar schmutzigen Exemplaren, die ihm davon zu Gesicht gekommen. Außerdem muß man bedenken, daß die Polinnen schön sind und daß schöne Frauen, aus bekannten Gründen, dem bösen Leumund am meisten ausgesetzt sind und demselben nie entgehen, wenn sie, wie die Polinnen, freudig dahinleben in leichter, anmutiger Unbefangenheit. Glauben Sie mir, man ist in Warschau um nichts weniger tugendhaft wie in Berlin, nur daß die Wogen der Weichsel etwas wilder brausen als die stillen Wasser der seichten Spree.

2

Von den Weibern gehe ich über zu dem politischen Gemütszustande der Polen und muß bekennen, daß ich bei diesem exaltierten Volke es immerwährend bemerkte, wie schmerzlich es die Brust des polnischen Edelmanns bewegt, wenn er die Begebenheiten der letzten Zeit überschaut. Auch die Brust des Nicht-Polen wird von Mitgefühl durchdrungen, wenn man sich die politischen Leiden aufzählt, die in einer kleinen Zahl von Jahren die Polen betroffen. Viele unserer Journalisten schaffen sich dieses Gefühl gemächlich vom Halse, indem sie leichthin aussprechen: die Polen haben sich durch ihre Uneinigkeit ihr Schicksal selbst zugezogen und sind also nicht zu bedauern. Das ist eine törigte Beschwichtigung. Kein Volk, als ein Ganzes gedacht, verschuldet etwas; sein Treiben entspringt aus einer inneren Notwendigkeit, und seine Schicksale sind stets Resultate derselben. Dem Forscher offenbart sich der erhabenere Gedanke: daß die Geschichte (Natur, Gott, Vorsehung usw.), wie mit einzelnen Menschen, auch mit ganzen Völkern eigene große Zwecke beabsichtigt und daß manche Völker leiden müssen, damit das Ganze erhalten werde und blühender fortschreite. Die Polen, ein slavisches Grenzvolk an der Pforte der germanischen Welt, scheinen durch ihre Lage schon ganz besonders dazu bestimmt, gewisse Zwecke in den Weltbegebenheiten zu erfüllen. Ihr moralischer Kampf gegen den Untergang ihrer Nationalität rief stets Erscheinungen hervor, die dem ganzen Volke einen andern Charakter aufdrücken und auch auf den Charakter der Nachbarvölker einwirken müssen. – Der Charakter der Polen war bisher militärisch, wie ich oben schon bemerkte; jeder polnische Edelmann war Soldat und Polen eine große Kriegsschule. Jetzt aber ist dies nicht mehr der Fall, es suchen sehr wenige Militärdienste. Die Jugend Polens verlangt jedoch Beschäftigung, und da haben die meisten ein anderes Feld erwählt als den Kriegsdienst, nämlich – die Wissenschaften. Überall zeigen sich die Spuren dieser neuen Geistesrichtung; durch die Zeit und das Lokal vielfach begünstigt, wird sie in einigen Dezennien, wie schon angedeutet ist, dem ganzen Volkscharakter eine neue Gestalt verleihen. Noch unlängst haben Sie in Berlin jenen freudigen Zusammenfluß junger Polen gesehen, die mit edler Wißbegier und musterhaftem Fleiße in alle Teile der Wissenschaften eindrangen, besonders die Philosophie an der Quelle, im Hörsaale Hegels, schöpften und jetzt leider, veranlaßt durch einige unselige Ereignisse, sich von

Berlin entfernten. Es ist ein erfreuliches Zeichen, daß die Polen ihre blinde Vorliebe für die französische Literatur allmählig ablegen, die lange übersehene tiefere deutsche Literatur würdigen lernen und, wie oben erwähnt ist, just dem tiefsinnigsten deutschen Philosophen Geschmack abgewinnen konnten. Letzteres zeigt, daß sie den Geist unserer Zeit begriffen haben, deren Stempel und Tendenz die Wissenschaft ist. Viele Polen lernen jetzt Deutsch, und eine Menge guter deutscher Bücher wird ins Polnische übersetzt. Der Patriotismus hat ebenfalls Teil an diesen Erscheinungen. Die Polen fürchten den gänzlichen Untergang ihrer Nationalität; sie merken jetzt, wie viel zur Erhaltung derselben durch eine Nationalliteratur bewirkt wird, und (wie drollig es auch klingt, so ist es doch wahr, was mir viele Polen ernsthaft sagten) in Warschau wird an einer – polnischen Literatur gearbeitet. Es ist nun freilich ein großes Mißverständnis, wenn man glaubt, eine Literatur, die ein aus dem ganzen Volke organisch Hervorgegangenes sein muß, könne im literarischen Treibhause der Hauptstadt von einer Gelehrtengesellschaft zusammengeschrieben werden; aber durch diesen guten Willen ist doch schon ein Anfang gemacht, und Herrliches muß in einer Literatur hervorblühen, wenn sie als eine Vaterlandssache betrachtet wird. Dieser patriotische Sinn muß freilich auf eigene Irrtümer führen, meistens in der Poesie und in der Geschichte. Die Poesie wird das Erhebungskolorit tragen, hoffentlich aber den französischen Zuschnitt verlieren und sich dem Geiste der deutschen Romantik nähern. – Ein geliebter polnischer Freund sagte mir, um mich besonders zu necken: wir haben ebenso gut romantische Dichter als ihr, aber sie sitzen bei uns noch – im Tollhause! – In der Geschichte kann der politische Schmerz die Polen nicht immer zur Unparteilichkeit führen, und die Geschichte Polens wird sich zu einseitig und zu unverhältnismäßig aus der Universalgeschichte hervorheben; aber desto mehr wird man auch für Erhaltung alles desjenigen Sorge tragen, was für die polnische Geschichte wichtig ist, und dieses um so ängstlicher, da man, wegen der heillosen Weise, wie man mit den Büchern der Warschauer Bibliothek im letzten Kriege verfahren, in Sorge ist, alle polnischen Nationaldenkmale und Urkunden möchten untergehen; deshalb, scheint es, hat kürzlich ein Zamoyski eine Bibliothek für die polnische Geschichte im fernen – Edinburg gegründet. Ich mache Sie aufmerksam auf die vielen neuen Werke, welche nächstens die Pressen Warschaus verlassen, und was die schon vorhandene polnische Literatur betrifft, so verweise ich Sie deshalb auf das sehr geistreiche

Werk von Kaulfuß. – Ich hege die größten Erwartungen von dieser geistigen Umwälzung Polens, und das ganze Volk kommt mir vor wie ein alter Soldat, der sein erprobtes Schwert mit dem Lorbeer an den Nagel hängt, zu den milderen Künsten des Friedens sich wendet, den Geschichten der Vergangenheit nachsinnt, die Kräfte der Natur erforscht und die Sterne mißt oder gar die Kürze und Länge der Silben, wie wir es bei Carnot sehen. Der Pole wird die Feder ebenso gut führen wie die Lanze und wird sich ebenso tapfer zeigen auf dem Gebiete des Wissens als auf den bekannten Schlachtfeldern. Eben weil die Geister so lange brach lagen, wird die Saat in ihnen desto mannigfaltigere und üppigere Früchte tragen. Bei vielen Völkern Europas ist der Geist, eben durch seine vielen Reibungen, schon ziemlich abgestumpft, und durch den Triumph seines Bestrebens, durch sein Sichselbsterkennen, hat er sich sogar hie und da selbst zerstören müssen. Außerdem werden die Polen von den vielhundertjährigen Geistesanstrengungen des übrigen Europa die reinen Resultate in Empfang nehmen, und während diejenigen Völker, welche bisher an dem babylonischen Turmbau europäischer Kultur mühsam arbeiteten, erschöpft sind, werden unsere neuen Ankömmlinge, mit ihrer slavischen Behendigkeit und noch unerschlafften Rüstigkeit, das Werk weiter fördern. Hierzu kommt noch, daß die wenigsten dieser neuen Arbeiter für Tagelohn handlangern, wie der Fall ist bei uns in Deutschland, wo die Wissenschaften ein Gewerbe und zünftig sind und wo selbst die Muse eine Milchkuh ist, die so lange für Honorar abgemelkt wird, bis sie reines Wasser gibt. Die Polen, welche sich jetzt auf Wissenschaften und Künste werfen, sind Edelleute und haben meistens Privatvermögen genug, um nicht zu ihrem Lebensunterhalt auf den Ertrag ihrer Kenntnisse und wissenschaftlichen Leistungen angewiesen zu sein. Unberechenbar ist dieser Vorzug. Herrliches zwar hat schon der Hunger hervorgebracht, aber noch viel Herrlicheres die Liebe. Auch das Lokal begünstigt die geistigen Fortschritte der Polen: nämlich ihre Erziehung auf dem Lande. Das polnische Landleben ist nicht so geräuschlos und einsamlich wie das unsrige, da die polnischen Edelleute sich auf zehn Stunden weit besuchen, oft Wochen lang mit der sämtlichen Familie beisammenbleiben, mit wohleingepackten Betten nomadisch herumreisen; so daß es mir vorkam, als sei das ganze Großherzogtum Posen eine große Stadt, wo nur die Häuser etwas meilenweit voneinander entfernt stehen, und in mancher Hinsicht sogar eine kleine Stadt, weil die Polen sich alle kennen, jeder mit den Familienverhältnissen und Angelegenheiten des andern genau bekannt ist und diese gar oft, auf kleinstädtische Weise, Gegenstände der Unterhaltung werden. Dennoch ist dieses rauschende Treiben, welches dann und wann auf den polnischen Landgütern herrscht, der Erziehung der Jugend nicht so schädlich wie das Geräusch der Städte, das sich jeden Augenblick in seinen Tonarten verändert, den Geist der Jugend von der Naturanschauung abwendet, durch Mannigfaltigkeit zersplittert und durch Überreiz abstumpft. Ja, jene zuweilige Störung im ländlichen Stilleben ist der Jugend sogar heilsam, da sie wieder anregt und aufwühlt, wenn der Geist durch die immerwährende äußere Ruhe versumpfen oder, wie man es nennt, versauern möchte: eine Gefahr, die bei uns so oft vorhanden. Das frische, freie Landleben in der Jugend hat gewiß am meisten dazu beigetragen, den Polen jenen großen starken Charakter zu verleihen, den sie im Kriege und im Unglück zeigen. Sie bekommen dadurch einen gesunden Geist in einem gesunden Körper; dieses bedarf der Gelehrte ebenso gut wie der Soldat. Die Geschichte zeigt uns, wie die meisten Menschen, die etwas Großes getan, ihre Jugend im Stilleben verbrachten. – Ich habe in der letzten Zeit die Erziehung der Mönche im Mittelalter so sehr lobpreisen gehört; man rühmte die Methode in den Klosterschulen und nannte die daraus hervorgegangenen großen Männer, deren Geist sogar in unserer absonderlich geistreichen Zeit etwas gelten würde; aber man vergaß, daß es nicht die Mönche, sondern die mönchische Eingezogenheit, nicht die Kloster-Schulmethode, sondern die stille Klösterlichkeit selbst war, die jene Geister nährte und stärkte. Wenn man unsere Erziehungsinstitute mit einer Mauer umgäbe, so würde dieses mehr wirken als alle unsere pädagogischen Systeme, sowohl idealisch-humanistische als praktisch-basedowsche. Geschähe dasselbe bei unsern Mädchenpensionen, die jetzt so hübsch frei dastehen zwischen dem Schauspielhause und dem Tanzhause und der Wachtparade gegenüber, so verlören unsere Pensionärrinnen ihre kaleidoskopartige Phantasterei und neudramatische Wassersuppen-Sentimentalität.

Von den Bewohnern der preußisch-polnischen Städte will ich Ihnen nicht viel schreiben; es ist ein Mischvolk von preußischen Beamten, ausgewanderten Deutschen, Wasserpolen, Polen, Juden, Militär usw. Die preußischen deutschen Beamten fühlen sich von den polnischen Edelleuten nicht eben zuvorkommend behandelt. Viele deutsche Beamten werden oft, ohne ihren Willen, nach Polen versetzt, suchen aber so bald als möglich wieder herauszukommen; andere sind von häuslichen Verhältnissen in Polen festgehalten. Unter ihnen finden sich auch solche, die sich darin gefallen, daß sie von Deutschland isoliert sind; die sich bestreben, das bißchen Wissenschaftlichkeit, das sich ein Beamter, zum Behuf des Examens, erworben haben mußte, so schnell als möglich wieder auszugähnen; die ihre Lebensphilosophie auf eine gute Mahlzeit basiert haben und die, bei ihrer Kanne schlechten Bieres, geifern gegen die polnischen Edelleute, die alle Tage Ungarwein trinken und keine Aktenstöße durchzuarbeiten brauchen. Von dem preußischem Militär, das in dieser Gegend liegt, brauche ich nicht viel zu sagen; dieses ist, wie überall, brav, wacker, höflich, treuherzig und ehrlich. Es wird von dem Polen geachtet, weil dieser selbst soldatischen Sinn hat und der Brave alles Brave schätzt; aber von einem näheren Gefühle ist noch nicht die Rede.

Posen, die Hauptstadt des Großherzogtums, hat ein trübsinniges, unerfreuliches Ansehen. Das einzige Anziehende ist, daß sie eine große Menge katholischer Kirchen hat. Aber keine einzige ist schön. Vergebens wallfahrte ich alle Morgen von einer Kirche zur andern, um schöne alte Bilder aufzusuchen. Die alten Gemälde finde ich hier nicht schön, und die einigermaßen schönen sind nicht alt. Die Polen haben die fatale Gewohnheit, ihre Kirchen zu renovieren. Im uralten Dom zu Gnesen, der ehemaligen Hauptstadt Polens, fand ich lauter neue Bilder und neue Verzierungen. Dort interessierte mich nur die figurenreiche, aus Eisen gegossene Kirchentür, die einst das Tor von Kiew war, welches der siegreiche Boguslaw erbeutete und worin noch sein Schwerthieb zu sehen ist. Der Kaiser Napoleon hat sich, als er in Gnesen war, ein Stückchen aus dieser Tür herausschneiden lassen, und diese hat, durch solche hohe Aufmerksamkeit, noch mehr an Wert gewonnen. In dem Gnesener Dom hörte ich auch, nach der ersten Messe, einen vierstimmigen Gesang, den der heilige Adalbert, der dort begraben liegt, selbst komponiert haben soll und der alle Sonntage gesungen wird. Der Dom hier in Posen ist neu, hat wenigstens ein neues Ansehen; und folglich gefiel er mir nicht. Neben demselben liegt der Palast des Erzbischofs, der auch zugleich Erzbischof von Gnesen und folglich zugleich römischer Kardinal ist und folglich rote Strümpfe trägt. Er ist ein sehr gebildeter, französisch-urbaner Mann, weißhaarig und klein. Der hohe Klerus in Polen gehört immer zu den vornehmsten adligen Familien; der niedere Klerus gehört zum Plebs, ist roh, unwissend und rauschliebend. – Ideenassoziation führt mich direkt auf das Theater. Ein schönes Gebäude haben die hiesigen Einwohner den Musen zur Wohnung angewiesen; aber die göttlichen Damen sind nicht eingezogen und schickten nach Posen bloß ihre Kammerjungfern, die sich mit der Garderobe ihrer Herrschaft putzen und auf den geduldigen Brettern ihr Wesen treiben. Die eine spreizt sich wie ein Pfau, die andere flattert wie eine Schnepfe, die dritte kollert wie ein Truthahn, und die vierte hüpft auf einem Beine wie ein Storch. Das entzückte Publikum aber sperrt ellenweit den Mund auf, der Epaulett-Mensch ruft: »Auf Ehre, Melpomene! Thalia! Polyhymnia! Terpsichore!« – Auch einen Theaterrezensenten gibt es hier. Als wenn die unglückliche Stadt nicht genug hätte an dem bloßen Theater! Die trefflichen Rezensionen dieses trefflichen Rezensenten stehen bis jetzt nur in der Posener Stadtzeitung, werden aber bald als eine Fortsetzung der Lessingschen Dramaturgie gesammelt erscheinen!! Doch mag sein, daß mir dieses Provinzialtheater so schlecht erscheint, weil ich just von Berlin komme und noch zuletzt die Schröck und die Stich sah. Nein, ich will nicht das ganze posensche Theater verdammen; ich bekenne sogar, daß es ein ganz ausgezeichnetes Talent, zwei gute Subjekte und einige nicht ganz schlechte besitzt. Das ausgezeichnete Talent, wovon ich hier spreche, ist Demois. Paien. Ihre gewöhnliche Rolle ist erste Liebhaberin. Da ist nicht das weinerliche Lamento und das zierliche Geträtsche jener Gefühlvollen, die sich für die Bühne berufen glauben, weil sie vielleicht im Leben die sentimentale oder kokette Rolle mit einigem Succès gespielt, und die man von den Brettern fortpfeifen möchte, eben weil man sie im einsamen Closet herzlich applaudieren würde. Demois. Paien spielt mit gleichem Glücke auch die heterogensten Rollen, eine »Elisabeth« so gut wie eine »Maria«. Am besten gefiel sie mir jedoch im Lustspiel, in Konversationsstücken, und da besonders in jovialen, nekkenden Rollen. Sie ergötzte mich königlich als »Pauline« in »Sorgen ohne Not und Not ohne Sorge«. Bei Demois. Paien fand ich ein freies Spielen von innen heraus, eine wohltuende Sicherheit, eine fortreißende Kühnheit, ja fast Verwegenheit des Spiels, wie wir es nur bei einem echten, großen Talente gewahren. Ich sah sie ebenfalls mit Entzücken in einigen Männerrollen, z. B. in der »Liebeserklärung« und in Wolffs »Cäsario«; nur hätte ich hier eine etwas eckige Bewegung der Arme zu rügen, welchen Fehler ich aber auf Rechnung der Männer setze, die ihr zum Muster dienen. Demois. Paien ist zu gleicher Zeit Sängerin und Tänzerin, hat ein günstiges Äußere, und es wäre schade, wenn dieses kunstbegabte Mädchen in den Sümpfen herumziehender Truppen untergehen müßte.

Ein brauchbares Subjekt der Posener Bühne ist Herr Carlsen, er verdirbt keine Rolle; auch muß man Madam Paien eine gute Schauspielerin nennen. Sie glänzt in den Rollen lächerlicher Alten. Als Geliebte »Schieberles« gefiel sie mir besonders. Sie spielt ebenfalls keck und frei und hat nicht den gewöhnlichen Fehler derjenigen Schauspielerinnen, die zwar mit vieler Kunst solche Alte-Weiber-Rollen darstellen, uns aber doch gern merken lassen möchten, daß in der alten Schachtel noch immer eine ämable Frau stecke. Herr Oldenburg, ein schöner Mann, ist als Liebhaber im Lustspiel unerquicklich und ein Muster von Steifheit und Unbeholfenheit; als Held-Liebhaber im Trauerspiel ist er ziemlich erträglich. Es ist nicht zu verkennen, daß er Anlage zum Tragischen hat; aber seinen langen Armen, die bei den Knien perpendikelartig hin und her fliegen, muß ich alles Schauspielertalent durchaus absprechen. Als »Richard« in »Rosamunde« gefiel er mir aber, und ich übersah manchmal den falschen Pathos, weil solcher im Stücke selbst liegt. In diesem Trauerspiel gefiel mir sogar Herr Munsch, als König, am Ende des zweiten Akts in der unübertrefflichen Knall-Effektszene. Herr Munsch pflegt gewöhnlich, wenn er in Leidenschaft gerät, einem Gebell ähnliche Töne auszustoßen. Demois. Franz, ebenfalls erste Liebhaberin, spielt schlecht aus Bescheidenheit; sie hat etwas Sprechendes im Gesicht, nämlich einen Mund. Madam Fabrizius ist ein niedliches Figürchen und gewiß enchantierend außer dem Theater. Ihr Mann, Herr Fabrizius, hat in dem Lustspiel »Des Herzogs Befehl« den großen Fritz so meisterhaft parodiert, daß sich die Polizei hätte drein mischen sollen. Madam Carlsen ist die Frau von Herrn Carlsen. Aber Herr Vogt ist der Komiker: er sagt es ja selbst, denn er macht den Komödienzettel. Er ist der Liebling der Galerie, hat den Grundsatz, daß man eine Rolle wie die andere spielen müsse, und ich sah mit Bewunderung, daß er demselben getreu blieb als »Fels von Felsenburg«, als dummer »Baron« im »Alpenröschen«, als »Spießbürgeranführer« im »Vogelschießen« usw. Es war immer ein und derselbe Herr Ernst Vogt mit seiner Fistelkomik. Einen andern Komiker hat Posen kürzlich gewonnen in Herrn Ackermann, von welchem ich den »Staberle« und die »falsche Catalani« mit vielem Vergnügen gesehen. Madam Leutner ist die Direktrice der Posener Bühne und findet nichts weniger als ihre Rechnung dabei. Vor ihr spielte hier die Köhlersche Truppe, die jetzt in Gnesen ist, und zwar im allerdesolatesten Zustande. Der Anblick dieser armen Waisenkinder der deutschen Kunst, die, ohne Brot und ohne aufmunternde Liebe, in dem fremden, kalten Polen herumirren, erfüllte meine Seele mit Wehmut. Ich habe sie bei Gnesen, auf einem freien, mit hohen Eichen romantisch umzäunten Platze, genannt der Waldkrug, spielen sehen; sie führten ein Schauspiel auf, betitelt: »Bianka von Toredo, oder die Bestürmung von Castelnero«, ein großes Ritterschauspiel in fünf Aufzügen von Winkler; es wurde viel darin geschossen und gefochten und geritten, und innig rührten mich die armen, geängstigten Prinzessinnen, deren wirkliche Betrübnis merklich schimmerte durch ihre betrübte Deklamation, deren häusliche Dürftigkeit sichtbar hervorguckte aus ihrem fürstlichen Goldflitterstaate und auf deren Wangen das Elend nicht ganz von der Schminke bedeckt war. – Vor kurzem spielte hier auch eine polnische Gesellschaft aus Krakau. Für zweihundert Taler Abstandsgeld überließ ihr Madam Leutner die Benutzung des Schauspielhauses auf vierzehn Darstellungen. Die Polen gaben meistens Opern. An Parallelen zwischen ihnen und der deutschen Truppe konnte es nicht fehlen. Die Posener von deutscher Zunge gestanden zwar, daß die polnischen Schauspieler schöner spielten als die deutschen und schöner sangen und eine schönere Garderobe führten usw.; aber sie bemerkten doch: die Polen hätten keinen Anstand. Und das ist wahr; es fehlte ihnen jene traditionelle Theateretikette und pompöse, präziöse und graziöse Gravität deutscher Komödianten. Die Polen spielen im Lustspiel, im bürgerlichen Schauspiel und in der Oper nach leichten, französischen Mustern; aber doch mit der originalpolnischen Unbefangenheit. Ich habe leider keine Tragödie von ihnen gesehen. Ich glaube, ihre Hauptforce ist das Sentimentale. Dieses bemerkte ich in einer Vorstellung des »Taschenbuchs« von Kotzebue, das man hier gab unter dem Titel: »Jan Grudczynski, Starost von Rawa«, Schauspiel in drei Akten, nach dem Deutschen von L. A. Dmuszewski. Ich wurde ergriffen von dem hinreißend schmelzenden Klagenerguß der Madam Szymkaylowa, welche die »Jadwiga«, Tochter des in Anklagezustand gesetzten Starosts, spielte. Die Sprache des Herrn Wlodek, Liebhaber »Jadwigas«, trug dasselbe sentimentale Kolorit. An die Stelle der tabakschnupfenden Alten war ein schnupfender Haushofmeister, »Tadeusz Telempski«, substituiert, den Herr Zebrowski ziemlich unbedeutend gab. Eine unvergleichliche Anmut zeigten die polnischen Sängerinnen, und das sonst so rohe Polnische klang mir wie Italienisch, als ich es singen hörte. Madam Skibinska beseligte meine Seele als »Prinzessin von Navarra«, als »Zetulba« im »Kalifen von

Bagdad« und als »Aline«. Eine solche »Aline« habe ich noch nie gehört. In der Szene, da sie ihren Geliebten in den Schlaf singt und die bedrängenden Botschaften erhält, zeigte sie auch ein Spiel, wie es selten bei einer Sängerin gefunden wird. Sie und ihr heiteres Golconda werden mir noch lange vor den Augen schweben und in den Ohren klingen. Madam Zawadzka ist eine liebliche »Lorezza«, ein freundlich schönes Mädchenbild. Auch Madame Wlodkowa singt trefflich. Herr Zawadzki singt den »Olivier« ganz vorzüglich, spielt ihn aber schlecht. Herr Romanowski gibt einen guten »Johann«. Herr Szymkaylo ist ein gar köstlicher Buffo. Aber die Polen haben keinen Anstand! Viel mag der Reiz der Neuheit dazu beigetragen haben, daß mich die polnischen Schauspieler so sehr ergötzt. Bei jeder Vorstellung, die sie gaben, war das Haus gedrängt voll. Alle Polen, die in Posen sind, besuchten aus Patriotismus das Theater. Die meisten polnischen Edelleute, deren Güter nicht gar zu weit von hier entfernt liegen, reisten nach Posen, um polnisch spielen zu sehen. Der erste Rang war gewöhnlich garniert von polnischen Schönen, die, Blume an Blume gedrängt, heiter beisammensaßen und vom Parterre aus den herrlichsten Anblick gewährten.

Reisebilder

Erster Teil

Vorwort zur zweiten Auflage

Einige Gedichte, die in der ersten Auflage dieses Buches den Schluß der Heimkehr bildeten, durften dieser zweiten Auflage um so eher entzogen werden, da sie den Einklang des Buches mehr störten als förderten und außerdem in einer neueren Gesamtausgabe meiner Gedichte zu finden sind. In letzterer, »Buch der Lieder von H. Heine. Hamburg, bei Hoffmann und Campe. 1827«, erlaubte ich mir weder eine spätere Nachfeile noch irgendeine Abweichung von der chronologischen Ordnung, so daß darin die frühesten Anfänge und letzten Ausbildungen jener Gedichte, die seitdem als eine Art Volkslieder der neueren Gesellschaft so mannigfach nachgeklungen, bequem und belehrsam zu überschauen sind.

Hamburg den 24. Juni 1830. Heinrich Heine.

Die Harzreise

(1824)

Nichts ist dauernd als der Wechsel, nichts beständig als der Tod. Jeder Schlag des Herzens schlägt uns eine Wunde, und das Leben wäre ein ewiges Verbluten, wenn nicht die Dichtkunst wäre. Sie gewährt uns, was uns die Natur versagt: eine goldene Zeit, die nicht rostet, einen Frühling, der nicht abblüht, wolkenloses Glück und ewige Jugend.

Börne.

Schwarze Röcke, seidne Strümpfe,
Weiße, höfliche Manschetten,
Sanfte Reden, Embrassieren –
Ach, wenn sie nur Herzen hätten!

Herzen in der Brust und Liebe,
Warme Liebe in dem Herzen –
Ach, mich tötet ihr Gesinge
Von erlognen Liebesschmerzen.

Auf die Berge will ich steigen,
Wo die frommen Hütten stehen,
Wo die Brust sich frei erschließet
Und die freien Lüfte wehen.

Auf die Berge will ich steigen,
Wo die dunkeln Tannen ragen,
Bäche rauschen, Vögel singen
Und die stolzen Wolken jagen.

Lebet wohl, ihr glatten Säle,
Glatte Herren! Glatte Frauen!
Auf die Berge will ich steigen,
Lachend auf Euch niederschauen.

Die Stadt Göttingen, berühmt durch ihre Würste und Universität, gehört dem Könige von Hannover und enthält 999 Feuerstellen, diverse Kirchen, eine Entbindungsanstalt, eine Sternwarte, einen Karzer, eine Bibliothek und einen Ratskeller, wo das Bier sehr gut ist. Der vorbeifließende Bach heißt »die Leine« und dient des Sommers zum Baden; das Wasser ist sehr kalt und an einigen Orten so breit, daß Lüder wirklich einen großen Anlauf nehmen mußte, als er hinübersprang. Die Stadt selbst ist schön und gefällt einem am besten, wenn man sie mit dem Rükken ansieht. Sie muß schon sehr lange stehen; denn ich erinnere mich, als ich vor fünf Jahren dort immatrikuliert und bald darauf konsiliiert wurde, hatte sie schon dasselbe graue, altkluge Ansehen und war schon vollständig eingerichtet mit Schnurren, Pudeln, Dissertationen, Teedansants, Wäscherinnen, Kompendien, Taubenbraten, Guelfenorden,

Promotionskutschen, Pfeifenköpfen, Hofräten, Justizräten, Relegationsräten, Profaxen und anderen Faxen. Einige behaupten sogar, die Stadt sei zur Zeit der Völkerwanderung erbaut worden, jeder deutsche Stamm habe damals ein ungebundenes Exemplar seiner Mitglieder darin zurückgelassen, und davon stammten all die Vandalen, Friesen, Schwaben, Teutonen, Sachsen, Thüringer usw., die noch heutzutage in Göttingen, hordenweis und geschieden durch Farben der Mützen und der Pfeifenquäste, über die Weenderstraße einherziehen, auf den blutigen Walstätten der Rasenmühle, des Ritschenkrugs und Bovdens sich ewig untereinander herumschlagen, in Sitten und Gebräuchen noch immer wie zur Zeit der Völkerwanderung dahinleben und teils durch ihre Duces, welche Haupthähne heißen, teils durch ihr uraltes Gesetzbuch, welches Comment heißt und in den legibus barbarorum eine Stelle verdient, regiert werden.

Im allgemeinen werden die Bewohner Göttingens eingeteilt in Studenten, Professoren, Philister und Vieh; welche vier Stände doch nichts weniger als streng geschieden sind. Der Viehstand ist der bedeutendste. Die Namen aller Studenten und aller ordentlichen und unordentlichen Professoren hier herzuzählen wäre zu weitläuftig; auch sind mir in diesem Augenblick nicht alle Studentennamen im Gedächtnis, und unter den Professoren sind manche, die noch gar keinen Namen haben. Die Zahl der Göttinger Philister muß sehr groß sein, wie Sand, ober besser gesagt, wie Kot am Meer; wahrlich, wenn ich sie des Morgens, mit ihren schmutzigen Gesichtern und weißen Rechnungen, vor den Pforten des akademischen Gerichtes aufgepflanzt sah, so mochte ich kaum begreifen, wie Gott nur so viel Lumpenpack erschaffen konnte.

Ausführlicheres über die Stadt Göttingen läßt sich sehr bequem nachlesen in der Topographie derselben von K. F. H. Marx. Obzwar ich gegen den Verfasser, der mein Arzt war und mir viel Liebes erzeigte, die heiligsten Verpflichtungen hege, so kann ich doch sein Werk nicht unbedingt empfehlen, und ich muß tadeln, daß er jener falschen Meinung, als hätten die Göttingerinnen allzu große Füße, nicht streng genug widerspricht. Ja, ich habe mich sogar seit Jahr und Tag mit einer ernsten Widerlegung dieser Meinung beschäftigt, ich habe deshalb vergleichende Anatomie gehört, die seltensten Werke auf der Bibliothek exzerpiert, auf der Weenderstraße stundenlang die Füße der vorübergehenden Damen studiert, und in der grundgelehrten Abhandlung, so die Resultate dieser Studien enthalten wird, spreche ich 1° von den Füßen überhaupt, 2° von den Füßen bei den Alten, 3° von den Füßen der Elefanten, 4° von den Füßen der Göttingerinnen, 5° stelle ich alles zusammen, was über diese Füße auf Ullrichs Garten schon gesagt worden, 6° betrachte ich diese Füße in ihrem Zusammenhang und verbreite mich bei dieser Gelegenheit auch über Waden, Knie usw., und endlich 7°, wenn ich nur so großes Papier auftreiben kann, füge ich noch hinzu einige Kupfertafeln mit dem Faksimile göttingischer Damenfüße.

Es war noch sehr früh, als ich Göttingen verließ, und der gelehrte** lag gewiß noch im Bette und träumte wie gewöhnlich: er wandle in einem schönen Garten, auf dessen Beeten lauter weiße, mit Zitaten beschriebene Papierchen wachsen, die im Sonnenlichte lieblich glänzen und von denen er hier und da mehrere pflückt und mühsam in ein neues Beet verpflanzt, während die Nachtigallen mit ihren süßesten Tönen sein altes Herz erfreuen.

Vor dem Weender Tore begegneten mir zwei eingeborne kleine Schulknaben, wovon der eine zum andern sagte: »Mit dem Theodor will ich gar nicht mehr umgehen, er ist ein Lumpenkerl, denn gestern wußte er nicht mal, wie der Genitiv von Mensa heißt.« So unbedeutend diese Worte klingen, so muß ich sie doch wieder erzählen, ja, ich möchte sie als Stadtmotto gleich auf das Tor schreiben lassen; denn die Jungen piepsen, wie die Alten pfeifen, und jene Worte bezeichnen ganz den engen, trocknen Notizenstolz der hochgelahrten Georgia Augusta.

Auf der Chaussee wehte frische Morgenluft, und die Vögel sangen gar freudig, und auch mir wurde allmählig wieder frisch und freudig zumute. Eine solche Erquickung tat not. Ich war die letzte Zeit nicht aus dem Pandektenstall herausgekommen, römische Kasuisten hatten mir den Geist wie mit einem grauen Spinnweb überzogen, mein Herz war wie eingeklemmt zwischen den eisernen Paragraphen selbstsüchtiger Rechtssysteme, beständig klang es mir noch in den Ohren wie »Tribonian, Justinian, Hermogenian und Dummerjahn«, und ein zärtliches Liebespaar, das unter einem Baum saß, hielt ich gar für eine Corpusjuris-Ausgabe mit verschlungenen Händen. Auf der Landstraße fing es an, lebendig zu werden. Milchmädchen zogen vorüber, auch Eseltreiber mit ihren grauen Zöglingen. Hinter Weende begegneten mir der Schäfer und Doris. Dieses ist nicht das idyllische Paar, wovon Geßner singt, sondern es sind wohlbestallte Universitätspedelle, die wachsam aufpassen müssen, daß sich keine Studenten in Bovden duellieren und daß keine neue Ideen, die noch immer einige Dezennien vor Göttingen

Quarantäne halten müssen, von einem spekulierenden Privatdozenten eingeschmuggelt werden. Schäfer grüßte mich sehr kollegialisch; denn er ist ebenfalls Schriftsteller und hat meiner in seinen halbjährigen Schriften oft erwähnt; wie er mich denn auch außerdem oft zitiert hat und, wenn er mich nicht zu Hause fand, immer so gütig war, die Zitation mit Kreide auf meine Stubentür zu schreiben. Dann und wann rollte auch ein Einspänner vorüber, wohlbepackt mit Studenten, die für die Ferienzeit, oder auch für immer, wegreisten. In solch einer Universitätsstadt ist ein beständiges Kommen und Abgehen, alle drei Jahre findet man dort eine neue Studentengeneration, das ist ein ewiger Menschenstrom, wo eine Semesterwelle die andere fortdrängt, und nur die alten Professoren bleiben stehen in dieser allgemeinen Bewegung, unerschütterlich fest, gleich den Pyramiden Ägyptens – nur daß in diesen Universitätspyramiden keine Weisheit verborgen ist.

Aus den Myrtenlauben bei Rauschenwasser sah ich zwei hoffnungsvolle Jünglinge hervorreiten. Ein Weibsbild, das dort sein horizontales Handwerk treibt, gab ihnen bis auf die Landstraße das Geleit, klätschelte mit geübter Hand die mageren Schenkel der Pferde, lachte laut auf, als der eine Reuter ihr hinten, auf die breite Spontaneität, einige Galanterien mit der Peitsche überlangte, und schob sich alsdann gen Bovden. Die Jünglinge aber jagten nach Nörten und johlten gar geistreich und sangen gar lieblich das Rossinische Lied: »Trink Bier, liebe, liebe Liese!« Diese Töne hörte ich noch lange in der Ferne; doch die holden Sänger selbst verlor ich bald völlig aus dem Gesichte, sintemal sie ihre Pferde, die im Grunde einen deutsch langsamen Charakter zu haben schienen, gar entsetzlich anspornten und vorwärtspeitschten. Nirgends wird die Pferdeschinderei stärker getrieben als in Göttingen, und oft, wenn ich sah, wie solch eine schweißtriefende, lahme Kracke, für das bißchen Lebensfutter, von unsern Rauschenwasserrittern abgequält ward oder wohl gar einen ganzen Wagen voll Studenten fortziehen mußte, so dachte ich auch: »O du armes Tier, gewiß haben deine Voreltern im Paradiese verbotenen Hafer gefressen!«

Im Wirtshause zu Nörten traf ich die beiden Jünglinge wieder. Der eine verzehrte einen Heringsalat, und der andere unterhielt sich mit der gelbledernen Magd, Fusia Canina, auch Trittvogel genannt. Er sagte ihr einige Anständigkeiten, und am Ende wurden sie hand-gemein. Um meinen Ranzen zu erleichtern, nahm ich die eingepackten blauen Hosen, die in geschichtlicher Hinsicht sehr merkwürdig sind, wieder heraus und schenkte sie dem kleinen Kellner, den man Kolibri nennt. Die Bussenia, die alte Wirtin, brachte mir unterdessen ein Butterbrot und beklagte sich, daß ich sie jetzt so selten besuche; denn sie liebt mich sehr.

Hinter Nörten stand die Sonne hoch und glänzend am Himmel. Sie meinte es recht ehrlich mit mir und erwärmte mein Haupt, daß alle unreife Gedanken darin zur Vollreife kamen. Die liebe Wirtshaussonne in Nordheim ist auch nicht zu verachten; ich kehrte hier ein und fand das Mittagessen schon fertig. Alle Gerichte waren schmackhaft zubereitet und wollten mir besser behagen als die abgeschmackten akademischen Gerichte, die salzlosen, ledernen Stockfische mit ihrem alten Kohl, die mir in Göttingen vorgesetzt wurden.

Nachdem ich meinen Magen etwas beschwichtigt hatte, bemerkte ich in derselben Wirtsstube einen Herrn mit zwei Damen, die im Begriff waren abzureisen. Dieser Herr war ganz grün gekleidet, trug sogar eine grüne Brille, die auf seine rote Kupfernase einen Schein wie Grünspan warf, und sah aus, wie der König Nebukadnezar in seinen spätern Jahren ausgesehen hat, als er, der Sage nach, gleich einem Tiere des Waldes, nichts als Salat aß. Der Grüne wünschte, daß ich ihm ein Hotel in Göttingen empfehlen möchte, und ich riet ihm, dort von dem ersten besten Studenten das Hotel de Brühbach zu erfragen. Die eine Dame war die Frau Gemahlin, eine gar große, weitläuftige Dame, ein rotes Quadratmeilengesicht mit Grübchen in den Wangen, die wie Spucknäpfe für Liebesgötter aussahen, ein langfleischig herabhängendes Unterkinn, das eine schlechte Fortsetzung des Gesichtes zu sein schien, und ein hochaufgestapelter Busen, der mit steifen Spitzen und vielzackig festonierten Krägen wie mit Türmchen und Bastionen umbaut war. Die andere Dame, die Frau Schwester, bildete ganz den Gegensatz der eben beschriebenen. Stammte jene von Pharaos fetten Kühen, so stammte diese von den magern. Das Gesicht nur ein Mund zwischen zwei Ohren, die Brust trostlos öde, wie die Lüneburger Heide; die ganze ausgekochte Gestalt glich einem Freitisch für arme Theologen. Beide Damen fragten mich zu gleicher Zeit: ob im Hotel de Brühbach auch ordentliche Leute logierten. Ich bejahte es mit gutem Gewissen, und als das holde Kleeblatt abfuhr, grüßte ich nochmals zum Fenster hinaus. Der Sonnenwirt lächelte gar schlau und mochte wohl wissen, daß der Karzer von den Studenten in Göttingen Hotel de Brühbach genannt wird.

Hinter Nordheim wird es schon gebirgig, und hier und da treten schöne Anhöhen hervor. Auf dem Wege traf ich meistens Krämer, die nach der Braunschweiger Messe zogen, auch einen Schwarm Frauenzimmer, deren jede ein großes, fast häuserhohes, mit weißem Leinen überzogenes Behältnis auf dem Rücken trug. Darin saßen allerlei eingefangene Singvögel, die beständig piepsten und zwitscherten, während ihre Trägerinnen lustig dahinhüpften und schwatzten. Mir kam es gar närrisch vor, wie so ein Vogel den andern zu Markte trägt.

In pechdunkler Nacht kam ich an zu Osterode. Es fehlte mir der Appetit zum Essen, und ich legte mich gleich zu Bette. Ich war müde wie ein Hund und schlief wie ein Gott. Im Traume kam ich wieder nach Göttingen zurück, und zwar nach der dortigen Bibliothek. Ich stand in einer Ecke des juristischen Saals, durchstöberte alte Dissertationen, vertiefte mich im Lesen, und als ich aufhörte, bemerkte ich zu meiner Verwunderung, daß es Nacht war und herabhängende Kristall-Leuchter den Saal erhellten. Die nahe Kirchenglocke schlug eben zwölf, die Saaltüre öffnete sich langsam, und herein trat eine stolze, gigantische Frau, ehrfurchtsvoll begleitet von den Mitgliedern und Anhängern der juristischen Fakultät. Das Riesenweib, obgleich schon bejahrt, trug dennoch im Antlitz die Züge einer strengen Schönheit, jeder ihrer Blicke verriet die hohe Titanin, die gewaltige Themis. Schwert und Waage hielt sie nachlässig zusammen in der einen Hand, in der andern hielt sie eine Pergamentrolle, zwei junge Doctores juris trugen die Schleppe ihres grau verblichenen Gewandes; an ihrer rechten Seite sprang windig hin und her der dünne Hofrat Rusticus, der Lykurg Hannovers, und deklamierte aus seinem neuen Gesetzentwurf; an ihrer linken Seite humpelte, gar galant und wohlgelaunt, ihr Cavaliere servente, der geheime Justizrat Cujacius, und riß beständig juristische Witze und lachte selbst darüber so herzlich, daß sogar die ernste Göttin sich mehrmals lächelnd zu ihm herabbeugte, mit der großen Pergamentrolle ihm auf die Schulter klopfte und freundlich flüsterte: »Kleiner, loser Schalk, der die Bäume von oben herab beschneidet!« Jeder von den übrigen Herren trat jetzt ebenfalls näher und hatte etwas hin zu bemerken und hin zu lächeln, etwa ein neu ergrübeltes Systemchen oder Hypotheschen oder ähnliches Mißgebürtchen des eigenen Köpfchens. Durch die geöffnete Saaltüre traten auch noch mehrere fremde Herren herein, die sich als die andern großen Männer des illustren Ordens kund gaben, meistens eckige, lauernde Gesellen, die mit breiter Selbstzufriedenheit gleich drauflos definierten und distinguierten und über jedes Titelchen eines Pandektentitels disputierten. Und immer kamen noch neue Gestalten herein, alte Rechtsgelehrten, in verschollenen Trachten, mit weißen Allongeperucken und längst vergessenen Gesichtern und sehr erstaunt, daß man sie, die Hochberühmten des verflossenen Jahrhunderts, nicht sonderlich regardierte; und diese stimmten nun ein, auf ihre Weise, in das allgemeine Schwatzen und Schrillen und Schreien, das, wie Meeresbrandung, immer verwirrter und lauter die hohe Göttin umrauschte, bis diese die Geduld verlor und in einem Tone des entsetzlichsten Riesenschmerzes plötzlich aufschrie: »Schweigt! schweigt! Ich höre die Stimme des teuren Prometheus, die höhnende Kraft und die stumme Gewalt schmieden den Schuldlosen an den Marterfelsen, und all euer Geschwätz und Gezänke kann nicht seine Wunden kühlen und seine Fesseln zerbrechen!« So rief die Göttin, und Tränenbäche stürzten aus ihren Augen, die ganze Versammlung heulte wie von Todesangst ergriffen, die Decke des Saales krachte, die Bücher taumelten herab von ihren Brettern, vergebens trat der alte Münchhausen aus seinem Rahmen hervor, um Ruhe zu gebieten, es tobte und kreischte immer wilder – und fort aus diesem drängenden Tollhauslärm rettete ich mich in den historischen Saal, nach jener Gnadenstelle, wo die heiligen Bilder des belvederischen Apolls und der mediceischen Venus nebeneinander stehen, und ich stürzte zu den Füßen der Schönheitsgöttin, in ihrem Anblick vergaß ich all das wüste Treiben, dem ich entronnen, meine Augen tranken entzückt das Ebenmaß und die ewige Lieblichkeit ihres hochgebenedeiten Leibes, griechische Ruhe zog durch meine Seele, und über mein Haupt, wie himmlischen Segen, goß seine süßesten Lyraklänge Phöbus Apollo.

Erwachend hörte ich noch immer ein freundliches Klingen. Die Herden zogen auf die Weide, und es läuteten ihre Glöckchen. Die liebe, goldene Sonne schien durch das Fenster und beleuchtete die Schildereien an den Wänden des Zimmers. Es waren Bilder aus dem Befreiungskriege, worauf treu dargestellt stand, wie wir alle Helden waren, dann auch Hinrichtungsszenen aus der Revolutionszeit, Ludwig XVI. auf der Guillotine und ähnliche Kopfabschneidereien, die man gar nicht ansehen kann, ohne Gott zu danken, daß man ruhig im Bette liegt und guten Kaffee trinkt und den Kopf noch so recht komfortabel auf den Schultern sitzen hat.

Nachdem ich Kaffee getrunken, mich angezogen, die Inschriften auf den Fensterscheiben gelesen und alles im Wirtshause berichtigt hatte, verließ ich Osterode.

Diese Stadt hat so und so viel Häuser, verschiedene Einwohner, worunter auch mehrere Seelen, wie in Gottschalks »Taschenbuch für Harzreisende« genauer nachzulesen ist. Ehe ich die Landstraße einschlug, bestieg ich die Trümmer der uralten Osteroder Burg. Sie bestehen nur noch aus der Hälfte eines großen, dickmaurigen, wie von Krebsschäden angefressenen Turms. Der Weg nach Klausthal führte mich wieder bergauf, und von einer der ersten Höhen schaute ich nochmals hinab in das Tal, wo Osterode mit seinen roten Dächern aus den grünen Tannenwäldern hervorguckt, wie eine Moosrose. Die Sonne gab eine gar liebe, kindliche Beleuchtung. Von der erhaltenen Turmhälfte erblickt man hier die imponierende Rückseite.

Nachdem ich eine Strecke gewandert, traf ich zusammen mit einem reisenden Handwerksburschen, der von Braunschweig kam und mir als ein dortiges Gerücht erzählte: der junge Herzog sei auf dem Wege nach dem gelobten Lande von den Türken gefangen worden und könne nur gegen ein großes Lösegeld frei kommen. Die große Reise des Herzogs mag diese Sage veranlaßt haben. Das Volk hat noch immer den traditionell fabelhaften Ideengang, der sich so lieblich ausspricht in seinem »Herzog Ernst«. Der Erzähler jener Neuigkeit war ein Schneidergesell, ein niedlicher, kleiner Mensch, so dünn, daß die Sterne durchschimmern konnten, wie durch Ossians Nebelgeister, und im Ganzen eine volkstümlich barocke Mischung von Laune und Wehmut. Dieses äußerte sich besonders in der drollig rührenden Weise, womit er das wunderbare Volkslied sang: »Ein Käfer auf dem Zaune saß; summ, summ!« Das ist schön bei uns Deutschen; keiner ist so verrückt, daß er nicht einen noch Verrückteren fände, der ihn versteht. Nur ein Deutscher kann jenes Lied nachempfinden und sich dabei totlachen und totweinen. Wie tief das Goethesche Wort ins Leben des Volks gedrungen, bemerkte ich auch hier. Mein dünner Weggenosse trillerte ebenfalls zuweilen vor sich hin: »Leidvoll und freudvoll, Gedanken sind frei!« Solche Korruption des Textes ist beim Volke etwas Gewöhnliches. Er sang auch ein Lied, wo »Lottchen bei dem Grabe ihres Werthers« trauert. Der Schneider zerfloß vor Sentimentalität bei den Worten: »Einsam wein ich an der Rosenstelle, wo uns oft der späte Mond belauscht! Jammernd irr ich an der Silberquelle, die uns lieblich Wonne zugerauscht!« Aber bald darauf ging er in Mutwillen über und erzählte mir: »Wir haben einen Preußen in der Herberge zu Kassel, der eben solche Lieder selbst macht; er kann keinen seligen Stich nähen; hat er einen Groschen in der Tasche, so hat er für zwei Groschen Durst, und wenn er im Tran ist, hält er den Himmel für ein blaues Kamisol und weint wie eine Dachtraufe und singt ein Lied mit der doppelten Poesie!« Von letzterem Ausdruck wünschte ich eine Erklärung, aber mein Schneiderlein, mit seinen Ziegenhainer Beinchen, hüpfte hin und her und rief beständig: »Die doppelte Poesie ist die doppelte Poesie!« Endlich brachte ich es heraus, daß er doppelt gereimte Gedichte, namentlich Stanzen, im Sinne hatte. – Unterdes, durch die große Bewegung und durch den konträren Wind, war der Ritter von der Nadel sehr müde geworden. Er machte freilich noch einige große Anstalten zum Gehen und bramarbasierte: »Jetzt will ich den Weg zwischen die Beine nehmen!« Doch bald klagte er, daß er sich Blasen unter die Füße gegangen und die Welt viel zu weitläuftig sei; und endlich, bei einem Baumstamme, ließ er sich sachte niedersinken, bewegte sein zartes Häuptlein wie ein betrübtes Lämmerschwänzchen, und wehmütig lächelnd rief er: »Da bin ich armes Schindluderchen schon wieder marode!«

Die Berge wurden hier noch steiler, die Tannenwälder wogten unten wie ein grünes Meer, und am blauen Himmel oben schifften die weißen Wolken. Die Wildheit der Gegend war durch ihre Einheit und Einfachheit gleichsam gezähmt. Wie ein guter Dichter liebt die Natur keine schroffen Übergänge. Die Wolken, so bizarr gestaltet sie auch zuweilen erscheinen, tragen ein weißes oder doch ein mildes, mit dem blauen Himmel und der grünen Erde harmonisch korrespondierendes Kolorit, so daß alle Farben einer Gegend wie leise Musik ineinander schmelzen und jeder Naturanblick krampfstillend und gemütberuhigend wirkt. – Der selige Hoffmann würde die Wolken buntscheckig bemalt haben. – Eben wie ein großer Dichter weiß die Natur auch mit den wenigsten Mitteln die größten Effekte hervorzubringen. Da sind nur eine Sonne, Bäume, Blumen, Wasser und Liebe. Freilich, fehlt letztere im Herzen des Beschauers, so mag das Ganze wohl einen schlechten Anblick gewähren, und die Sonne hat dann bloß so und so viel Meilen im Durchmesser, und die Bäume sind gut zum Einheizen, und die Blumen werden nach den Staubfäden klassifiziert, und das Wasser ist naß.

Ein kleiner Junge, der für seinen kranken Oheim im Walde Reisig suchte, zeigte mir das Dorf Lerbach, dessen kleine Hütten, mit grauen Dächern, sich über eine halbe Stunde durch das Tal hinziehen. »Dort«, sagte er, »wohnen dumme Kropfleute und weiße Mohren« – mit letzterem Namen werden die Albinos vom Volke benannt. Der kleine Junge stand mit den Bäumen in gar eigenem Einverständnis; er grüßte sie wie gute Bekannte, und sie schienen rauschend seinen Gruß zu erwidern. Er pfiff wie ein Zeisig, ringsum antworteten zwitschernd die andern Vögel, und ehe ich mich dessen versah, war er mit seinen nackten Füßchen und seinem Bündel Reisig ins Walddickicht fortgesprungen. Die Kinder, dacht ich, sind jünger als wir, können sich noch erinnern, wie sie ebenfalls Bäume oder Vögel waren, und sind also noch imstande, dieselben zu verstehen; unsereins aber ist schon alt und hat zu viel Sorgen, Jurisprudenz und schlechte Verse im Kopf. Jene Zeit, wo es anders war, trat mir bei meinem Eintritt in Klausthal wieder recht lebhaft ins Gedächtnis. In dieses nette Bergstädtchen, welches man nicht früher erblickt, als bis man davor steht, gelangte ich, als eben die Glocke zwölf schlug und die Kinder jubelnd aus der Schule kamen. Die lieben Knaben, fast alle rotbäckig, blauäugig und flachshaarig, sprangen und jauchzten und weckten in mir die wehmütig-heitere Erinnerung, wie ich einst selbst, als ein kleines Bübchen, in einer dumpf-katholischen Klosterschule zu Düsseldorf den ganzen lieben Vormittag von der hölzernen Bank nicht aufstehen durfte und so viel Latein, Prügel und Geographie ausstehen mußte und dann ebenfalls unmäßig jauchzte und jubelte, wenn die alte Franziskanerglocke endlich zwölf schlug. Die Kinder sahen an meinem Ranzen, daß ich ein Fremder sei, und grüßten mich recht gastfreundlich. Einer der Knaben erzählte mir, sie hätten eben Religionsunterricht gehabt, und er zeigte mir den Königl. Hannöv. Katechismus, nach welchem man ihnen das Christentum abfragt. Dieses Büchlein war sehr schlecht gedruckt, und ich fürchte, die Glaubenslehren machen dadurch schon gleich einen unerfreulich löschpapierigen Eindruck auf die Gemüter der Kinder; wie es mir denn auch erschrecklich mißfiel, daß das Einmaleins, welches doch mit der heiligen Dreiheitslehre bedenklich kollidiert, im Katechismus selbst, und zwar auf dem letzten Blatte desselben, abgedruckt ist und die Kinder dadurch schon frühzeitig zu sündhaften Zweifeln verleitet werden können. Da sind wir im Preußischen viel klüger, und bei unserem Eifer zur Bekehrung jener Leute, die sich so gut aufs Rechnen verstehen, hüten wir uns wohl, das Einmaleins hinter dem Katechismus abdrucken zu lassen.

In der »Krone« zu Klausthal hielt ich Mittag. Ich bekam frühlingsgrüne Petersiliensuppe, veilchenblauen Kohl, einen Kalbsbraten, groß wie der Chimborasso in Miniatur, so wie auch eine Art geräucherter Heringe, die Bückinge heißen, nach dem Namen ihres Erfinders, Wilhelm Bücking, der 1447 gestorben und um jener Erfindung willen von

Karl V. so verehrt wurde, daß derselbe anno 1556 von Middelburg nach Bievlied in Seeland reiste, bloß um dort das Grab dieses großen Mannes zu sehen. Wie herrlich schmeckt doch solch ein Gericht, wenn man die historischen Notizen dazu weiß und es selbst verzehrt! Nur der Kaffee nach Tische wurde mir verleidet, indem sich ein junger Mensch diskursierend zu mir setzte und so entsetzlich schwadronierte, daß die Milch auf dem Tische sauer wurde. Es war ein junger Handlungsbeflissener mit fünfundzwanzig bunten Westen und ebenso viel goldenen Petschaften, Ringen, Brustnadeln usw. Er sah aus wie ein Affe, der eine rote Jacke angezogen hat und nun zu sich selber sagt: Kleider machen Leute. Eine ganze Menge Charaden wußte er auswendig, so wie auch Anekdoten, die er immer da anbrachte, wo sie am wenigsten paßten. Er fragte mich, was es in Göttingen Neues gäbe, und ich erzählte ihm: daß vor meiner Abreise von dort ein Dekret des akademischen Senats erschienen, worin bei drei Taler Strafe verboten wird, den Hunden die Schwänze abzuschneiden, indem die tollen Hunde in den Hundstagen die Schwänze zwischen den Beinen tragen und man sie dadurch von den Nichttollen unterscheidet, was doch nicht geschehen könnte, wenn sie gar keine Schwänze haben. – Nach Tische machte ich mich auf den Weg, die Gruben, die Silberhütten und die Münze zu besuchen.

In den Silberhütten habe ich, wie oft im Leben, den Silberblick verfehlt. In der Münze traf ich es schon besser und konnte zusehen, wie das Geld gemacht wird. Freilich, weiter hab ich es auch nie bringen können. Ich hatte bei solcher Gelegenheit immer das Zusehen, und ich glaube, wenn mal die Taler vom Himmel herunterregneten, so bekäme ich davon nur Löcher in den Kopf, während die Kinder Israel die silberne Manna mit lustigem Mute einsammeln würden. Mit einem Gefühle, worin gar komisch Ehrfurcht und Rührung gemischt waren, betrachtete ich die neugebornen, blanken Taler, nahm einen, der eben vom Prägstocke kam, in die Hand und sprach zu ihm: Junger Taler! welche Schicksale erwarten dich! wie viel Gutes und wie viel Böses wirst du stiften! wie wirst du das Laster beschützen und die Tugend flicken, wie wirst du geliebt und dann wieder verwünscht werden! wie wirst du rastlos unherirren, durch reine und schmutzige Hände, jahrhundertelang, bis du endlich, schuldbeladen und sündenmüd, versammelt wirst zu den Deinen im Schoße Abrahams, der dich einschmelzt und läutert und umbildet zu einem neuen besseren Sein.

Das Befahren der zwei vorzüglichsten Klausthaler Gruben, der »Dorothea« und »Carolina«, fand ich sehr interessant, und ich muß ausführlich davon erzählen.

Eine halbe Stunde vor der Stadt gelangt man zu zwei großen schwärzlichen Gebäuden. Dort wird man gleich von den Bergleuten in Empfang genommen. Diese tragen dunkle, gewöhnlich stahlblaue, weite, bis über den Bauch herabhängende Jacken, Hosen von ähnlicher Farbe, ein hinten aufgebundenes Schurzfell und kleine grüne Filzhüte, ganz randlos, wie ein abgekappter Kegel. In eine solche Tracht, bloß ohne Hinterleder, wird der Besuchende ebenfalls eingekleidet, und ein Bergmann, ein Steiger, nachdem er sein Grubenlicht angezündet, führt ihn nach einer dunklen Öffnung, die wie ein Kaminfegeloch aussieht, steigt bis an die Brust hinab, gibt Regeln, wie man sich an den Leitern fest zu halten habe, und bittet, angstlos zu folgen. Die Sache selbst ist nichts weniger als gefährlich; aber man glaubt es nicht im Anfang, wenn man gar nichts vom Bergwerkswesen versteht. Es gibt schon eine eigene Empfindung, daß man sich ausziehen und die dunkle Delinquententracht anziehen muß. Und nun soll man auf allen Vieren hinabklettern, und das dunkle Loch ist so dunkel, und Gott weiß, wie lang die Leiter sein mag. Aber bald merkt man doch, daß es nicht eine einzige, in die schwarze Ewigkeit hinablaufende Leiter ist, sondern daß es mehrere von funfzehn bis zwanzig Sprossen sind, deren jede auf ein kleines Brett leitet, worauf man stehen kann und worin wieder ein neues Loch nach einer neuen Leiter hinabführt. Ich war zuerst in die Carolina gestiegen. Das ist die schmutzigste und unerfreulichste Carolina, die ich je kennen gelernt habe. Die Leitersprossen sind kotig naß. Und von einer Leiter zur andern geht's hinab, und der Steiger voran, und dieser beteuert immer: es sei gar nicht gefährlich, nur müsse man sich mit den Händen fest an den Sprossen halten und nicht nach den Füßen sehen und nicht schwindlicht werden und nur beileibe nicht auf das Seitenbrett treten, wo jetzt das schnurrende Tonnenseil heraufgeht und wo, vor vierzehn Tagen, ein unvorsichtiger Mensch hinuntergestürzt und leider den Hals gebrochen. Da unten ist ein verworrenes Rauschen und Summen, man stößt beständig an Balken und Seile, die in Bewegung sind, um die Tonnen mit geklopften Erzen, oder das hervorgesinterte Wasser, heraufzuwinden. Zuweilen gelangt man auch in durchgehauene Gänge, Stollen genannt, wo man das Erz wachsen sieht und wo der einsame Bergmann den ganzen Tag sitzt und mühsam mit dem Hammer die Erzstücke aus der Wand herausklopft. Bis in die unterste Tiefe, wo man, wie einige behaupten, schon hören kann, wie die Leute in Amerika »Hurrah Lafayette!« schreien, bin ich nicht gekommen; unter uns gesagt, dort, bis wohin ich kam, schien es mir bereits tief genug: – immerwährendes Brausen und Sausen, unheimliche Maschinenbewegung, unterirdisches Quellengeriesel, von allen Seiten herabtriefendes Wasser, qualmig aufsteigende Erddünste und das Grubenlicht immer bleicher hineinflimmernd in die einsame Nacht. Wirklich, es war betäubend, das Atmen wurde mir schwer, und mit Mühe hielt ich mich an den glitschrigen Leitersprossen. Ich habe keinen Anflug von sogenannter Angst empfunden, aber, seltsam genug, dort unten in der Tiefe erinnerte ich mich, daß ich im vorigen Jahre, ungefähr um dieselbe Zeit, einen Sturm auf der Nordsee erlebte, und ich meinte jetzt, es sei doch eigentlich recht traulich angenehm, wenn das Schiff hin und her schaukelt, die Winde ihre Trompeterstückchen losblasen, zwischendrein der lustige Matrosenlärmen erschallt und alles frisch überschauert wird von Gottes lieber, freier Luft. Ja, Luft! – Nach Luft schnappend stieg ich einige Dutzend Leitern wieder in die Höhe, und mein Steiger führte mich durch einen schmalen, sehr langen, in den Berg gehauenen Gang nach der Grube Dorothea. Hier ist es luftiger und frischer, und die Leitern sind reiner, aber auch länger und steiler als in der Carolina. Hier wurde mir schon besser zumute, besonders da ich wieder Spuren lebendiger Menschen gewahrte. In der Tiefe zeigten sich nämlich wandelnde Schimmer; Bergleute mit ihren Grubenlichtern kamen allmählig in die Höhe, mit dem Gruße »Glückauf!« und mit demselben Wiedergruße von unserer Seite stiegen sie an uns vorüber; und wie eine befreundet ruhige und doch zugleich quälend rätselhafte Erinnerung trafen mich, mit ihren tiefsinnig klaren Blicken, die ernstfrommen, etwas blassen und vom Grubenlicht geheimnisvoll beleuchteten Gesichter dieser jungen und alten Männer, die in ihren dunkeln, einsamen Bergschachten den ganzen Tag gearbeitet hatten und sich jetzt hinaufsehnten nach dem lieben Tageslicht und nach den Augen von Weib und Kind.

Mein Cicerone selbst war eine kreuzehrliche, pudeldeutsche Natur. Mit innerer Freudigkeit zeigte er mir jene Stolle, wo der Herzog von Cambridge, als er die Grube befahren, mit seinem ganzen Gefolge gespeist hat und wo noch der lange hölzerne Speisetisch steht, so wie auch der große Stuhl von Erz, worauf der Herzog gesessen. Dieser bleibe zum ewigen Andenken stehen, sagte der gute Bergmann, und mit Feuer erzählte er: wie viele Festlichkeiten damals statt gefunden, wie der ganze

Stollen mit Lichtern, Blumen und Laubwerk verziert gewesen, wie ein Bergknappe die Zither gespielt und gesungen, wie der vergnügte, liebe, dicke Herzog sehr viele Gesundheiten ausgetrunken habe und wie viele Bergleute, und er selbst ganz besonders, sich gern würden tot schlagen lassen für den lieben, dicken Herzog und das ganze Haus Hannover. – Innig rührt es mich jedesmal, wenn ich sehe, wie sich dieses Gefühl der Untertanstreue in seinen einfachen Naturlauten ausspricht. Es ist ein so schönes Gefühl! Und es ist ein so wahrhaft deutsches Gefühl! Andere Völker mögen gewandter sein und witziger und ergötzlicher, aber keines ist so treu wie das treue deutsche Volk. Wüßte ich nicht, daß die Treue so alt ist wie die Welt, so würde ich glauben, ein deutsches Herz habe sie erfunden. Deutsche Treue! sie ist keine moderne Adressenfloskel. An Euren Höfen, Ihr deutschen Fürsten, sollte man singen und wieder singen das Lied von dem getreuen Eckart und dem bösen Burgund, der ihm die lieben Kinder töten lassen und ihn alsdann doch noch immer treu befunden hat. Ihr habt das treueste Volk, und Ihr irrt, wenn Ihr glaubt, der alte, verständige, treue Hund sei plötzlich toll geworden und schnappe nach Euren geheiligten Waden.

Wie die deutsche Treue hatte uns jetzt das kleine Grubenlicht, ohne viel Geflacker, still und sicher geleitet durch das Labyrinth der Schachten und Stollen; wir stiegen hervor aus der dumpfigen Bergnacht, das Sonnenlicht strahlt' – Glück auf!

Die meisten Bergarbeiter wohnen in Klausthal und in dem damit verbundenen Bergstädtchen Zellerfeld. Ich besuchte mehrere dieser wakkern Leute, betrachtete ihre kleine häusliche Einrichtung, hörte einige ihrer Lieder, die sie mit der Zither, ihrem Lieblingsinstrumente, gar hübsch begleiten, ließ mir alte Bergmärchen von ihnen erzählen und auch die Gebete hersagen, die sie in Gemeinschaft zu halten pflegen, ehe sie in den dunkeln Schacht hinuntersteigen, und manches gute Gebet habe ich mit gebetet. Ein alter Steiger meinte sogar, ich sollte bei ihnen bleiben und Bergmann werden; und als ich dennoch Abschied nahm, gab er mir einen Auftrag an seinen Bruder, der in der Nähe von Goslar wohnt, und viele Küsse für seine liebe Nichte.

So stillstehend ruhig auch das Leben dieser Leute erscheint, so ist es dennoch ein wahrhaftes, lebendiges Leben. Die steinalte, zitternde Frau, die, dem großen Schranke gegenüber, hinterm Ofen saß, mag dort schon ein Vierteljahrhundert lang gesessen haben, und ihr Denken und Fühlen ist gewiß innig verwachsen mit allen Ecken dieses Ofens und allen Schnitzeleien dieses Schrankes. Und Schrank und Ofen leben, denn ein Mensch hat ihnen einen Teil seiner Seele eingeflößt.

Nur durch solch tiefes Anschauungsleben, durch die »Unmittelbarkeit«, entstand die deutsche Märchenfabel, deren Eigentümlichkeit darin besteht, daß nicht nur die Tiere und Pflanzen, sondern auch ganz leblos scheinende Gegenstände sprechen und handeln. Sinnigem, harmlosen Volke, in der stillen, umfriedeten Heimlichkeit seiner niedern Berg- oder Waldhütten, offenbarte sich das innere Leben solcher Gegenstände, diese gewannen einen notwendigen, konsequenten Charakter, eine süße Mischung von phantastischer Laune und rein menschlicher Gesinnung; und so sehen wir im Märchen, wunderbar und doch, als wenn es sich von selbst verstände: Nähnadel und Stecknadel kommen von der Schneiderherberge und verirren sich im Dunkeln; Strohhalm und Kohle wollen über den Bach setzen und verunglücken; Schippe und Besen stehen auf der Treppe und zanken und schmeißen sich; der befragte Spiegel zeigt das Bild der schönsten Frau; sogar die Blutstropfen fangen an zu sprechen, bange, dunkle Worte des besorglichsten Mitleids. – Aus demselben Grunde ist unser Leben in der Kindheit so unendlich bedeutend, in jener Zeit ist uns alles gleich wichtig, wir hören alles, wir sehen alles, bei allen Eindrücken ist Gleichmäßigkeit, statt daß wir späterhin absichtlicher werden, uns mit dem Einzelnen ausschließlicher beschäftigen, das klare Gold der Anschauung für das Papiergeld der Bücherdefinitionen mühsam einwechseln und an Lebensbreite gewinnen, was wir an Lebenstiefe verlieren. Jetzt sind wir ausgewachsene, vornehme Leute; wir beziehen oft neue Wohnungen, die Magd räumt täglich auf und verändert nach Gutdünken die Stellung der Möbeln, die uns wenig interessieren, da sie entweder neu sind oder heute dem Hans, morgen dem Isaak gehören; selbst unsere Kleider bleiben uns fremd, wir wissen kaum, wie viel Knöpfe an dem Rocke sitzen, den wir eben jetzt auf dem Leibe tragen; wir wechseln ja so oft als möglich mit Kleidungsstücken, keines derselben bleibt im Zusammenhange mit unserer inneren und äußeren Geschichte; – kaum vermögen wir uns zu erinnern, wie jene braune Weste aussah, die uns einst so viel Gelächter zugezogen hat und auf deren breiten Streifen dennoch die liebe Hand der Geliebten so lieblich ruhte!

Die alte Frau, dem großen Schrank gegenüber, hinterm Ofen, trug einen geblümten Rock von verschollenem Zeuge, das Brautkleid ihrer seligen Mutter. Ihr Urenkel, ein als Bergmann gekleideter, blonder, blitzäugiger Knabe, saß zu ihren Füßen und zählte die Blumen ihres Rockes, und sie mag ihm von diesem Rocke wohl schon viele Geschichten erzählt haben, viele ernsthafte, hübsche Geschichten, die der Junge gewiß nicht so bald vergißt, die ihm noch oft vorschweben werden, wenn er bald, als ein erwachsener Mann, in den nächtlichen Stollen der Carolina einsam arbeitet, und die er vielleicht wieder erzählt, wenn die liebe Großmutter längst tot ist und er selber, ein silberhaariger, erloschener Greis, im Kreise seiner Enkel sitzt, dem großen Schranke gegenüber, hinterm Ofen.

Ich blieb die Nacht ebenfalls in der »Krone«, wo unterdessen auch der Hofrat B. aus Göttingen angekommen war. Ich hatte das Vergnügen, dem alten Herrn meine Aufwartung zu machen. Als ich mich ins Fremdenbuch einschrieb und im Monat Juli blätterte, fand ich auch den vielteuern Namen Adalbert von Chamisso, den Biographen des unsterblichen Schlemihl. Der Wirt erzählte mir: dieser Herr sei in einem unbeschreibbar schlechten Wetter angekommen und in einem ebenso schlechten Wetter wieder abgereist.

Den andern Morgen mußte ich meinen Ranzen nochmals erleichtern, das eingepackte Paar Stiefel warf ich über Bord, und ich hob auf meine Füße und ging nach Goslar. Ich kam dahin, ohne zu wissen, wie. Nur so viel kann ich mich erinnern: ich schlenderte wieder bergauf, bergab; schaute hinunter in manches hübsche Wiesental; silberne Wasser brausten, süße Waldvögel zwitscherten, die Herdenglöckchen läuteten, die mannigfaltig grünen Bäume wurden von der lieben Sonne goldig angestrahlt, und oben war die blauseidene Decke des Himmels so durchsichtig, daß man tief hineinschauen konnte, bis ins Allerheiligste, wo die Engel zu den Füßen Gottes sitzen und in den Zügen seines Antlitzes den Generalbaß studieren. Ich aber lebte noch in dem Traum der vorigen Nacht, den ich nicht aus meiner Seele verscheuchen konnte. Es war das alte Märchen, wie ein Ritter hinabsteigt in einen tiefen Brunnen, wo unten die schönste Prinzessin zu einem starren Zauberschlafe verwünscht ist. Ich selbst war der Ritter und der Brunnen die dunkle Klausthaler Grube, und plötzlich erschienen viele Lichter, aus allen Seitenlöchern stürzten die wachsamen Zwerglein, schnitten zornige Gesichter, hieben nach mir mit ihren Schwertern, bliesen gellend ins Horn, daß immer mehr und mehre herzueilten, und es wackelten entsetzlich ihre breiten Häupter. Wie ich darauf zuschlug und das Blut herausfloß, merkte ich erst, daß es die rotblühenden, langbärtigen Distelköpfe waren, die ich den Tag vorher an der Landstraße mit dem Stocke abgeschlagen hatte. Da waren sie auch gleich alle verscheucht, und ich gelangte in einen hellen Prachtsaal; in der Mitte stand, weiß verschleiert und wie eine Bildsäule starr und regungslos, die Herzgeliebte, und ich küßte ihren Mund, und, beim lebendigen Gott! ich fühlte den beseligenden Hauch ihrer Seele und das süße Beben der lieblichen Lippen. Es war mir, als hörte ich, wie Gott rief: »Es werde Licht!«, blendend schoß herab ein Strahl des ewigen Lichts; aber in demselben Augenblick wurde es wieder Nacht, und alles rann chaotisch zusammen in ein wildes, wüstes Meer. Ein wildes, wüstes Meer! Über das gärende Wasser jagten ängstlich die Gespenster der Verstorbenen, ihre weißen Totenhemde flatterten im Winde, hinter ihnen her, hetzend, mit klatschender Peitsche, lief ein buntscheckiger Harlekin, und dieser war ich selbst – und plötzlich aus den dunkeln Wellen reckten die Meerungetüme ihre mißgestalteten Häupter und langten nach mir mit ausgebreiteten Krallen, und vor Entsetzen erwacht ich.

Wie doch zuweilen die allerschönsten Märchen verdorben werden! Eigentlich muß der Ritter, wenn er die schlafende Prinzessin gefunden hat, ein Stück aus ihrem kostbaren Schleier herausschneiden; und wenn durch seine Kühnheit ihr Zauberschlaf gebrochen ist und sie wieder in ihrem Palast auf dem goldenen Stuhle sitzt, muß der Ritter zu ihr treten und sprechen: Meine allerschönste Prinzessin, kennst du mich? Und dann antwortet sie: Mein allertapferster Ritter, ich kenne dich nicht. Und dieser zeigt ihr alsdann das aus ihrem Schleier herausgeschnittene Stück, das just in denselben wieder hineinpaßt, und beide umarmen sich zärtlich, und die Trompeter blasen, und die Hochzeit wird gefeiert.

Es ist wirklich ein eigenes Mißgeschick, daß meine Liebesträume selten ein so schönes Ende nehmen.

Der Name Goslar klingt so erfreulich, und es knüpfen sich daran so viele uralte Kaisererinnerungen, daß ich eine imposante, stattliche Stadt erwartete. Aber so geht es, wenn man die Berühmten in der Nähe besieht! Ich fand ein Nest mit meistens schmalen, labyrinthisch krummen Straßen, allwo mittendurch ein klares Wasser, wahrscheinlich die Gose, fließt, verfallen und dumpfig, und ein Pflaster, so holprig wie Berliner Hexameter. Nur die Altertümlichkeiten der Einfassung, nämlich Reste von Mauern, Türmen und Zinnen, geben der Stadt etwas Pikantes. Einer dieser Türme, der Zwinger genannt, hat so dicke Mauern, daß ganze Gemächer darin ausgehauen sind. Der Platz vor der Stadt, wo der weitberühmte Schützenhof gehalten wird, ist eine schöne große Wiese, ringsum hohe Berge. Der Markt ist klein, in der Mitte steht ein Springbrunnen, dessen Wasser sich in ein großes Metallbecken ergießt. Bei Feuersbrünsten wird einige Male daran geschlagen; es gibt dann einen weitschallenden Ton. Man weiß nichts vom Ursprunge dieses Beckens. Einige sagen, der Teufel habe es einst, zur Nachtzeit, dort auf den Markt hingestellt. Damals waren die Leute noch dumm, und der Teufel war auch dumm, und sie machten sich wechselseitig Geschenke.

Das Rathaus zu Goslar ist eine weißangestrichene Wachtstube. Das daneben stehende Gildenhaus hat schon ein besseres Ansehen. Ungefähr von der Erde und vom Dach gleich weit entfernt stehen da die Standbilder deutscher Kaiser, räucherig schwarz und zum Teil vergoldet, in der einen Hand das Szepter, in der andern die Weltkugel; sehen aus wie gebratene Universitätspedelle. Einer dieser Kaiser hält ein Schwert, statt des Szepters. Ich konnte nicht erraten, was dieser Unterschied sagen soll; und es hat doch gewiß seine Bedeutung, da die Deutschen die merkwürdige Gewohnheit haben, daß sie bei allem, was sie tun, sich auch etwas denken.

In Gottschalks »Handbuch« hatte ich von dem uralten Dom und von dem berühmten Kaiserstuhl zu Goslar viel gelesen. Als ich aber beides besehen wollte, sagte man mir: der Dom sei niedergerissen und der Kaiserstuhl nach Berlin gebracht worden. Wir leben in einer bedeutungsschweren Zeit: tausendjährige Dome werden abgebrochen und Kaiserstühle in die Rumpelkammer geworfen.

Einige Merkwürdigkeiten des seligen Doms sind jetzt in der Stephanskirche aufgestellt. Glasmalereien, die wunderschön sind, einige schlechte Gemälde, worunter auch ein Lukas Cranach sein soll, ferner ein hölzerner Christus am Kreuz und ein heidnischer Opferaltar aus unbekanntem Metall; er hat die Gestalt einer länglich viereckigen Lade und wird von vier Karyatiden getragen, die, in geduckter Stellung, die Hände stützend über dem Kopfe halten und unerfreulich häßliche Gesichter schneiden. Indessen noch unerfreulicher ist das dabeistehende, schon erwähnte große hölzerne Kruzifix. Dieser Christuskopf, mit natürlichen Haaren und Dornen und blutbeschmiertem Gesichte, zeigt freilich höchst meisterhaft das Hinsterben eines Menschen, aber nicht eines gottgebornen Heilands. Nur das materielle Leiden ist in dieses Gesicht hineingeschnitzelt, nicht die Poesie des Schmerzes. Solch Bild gehört eher in einen antomischen Lehrsaal als in ein Gotteshaus.

Ich logierte in einem Gasthofe nahe dem Markte, wo mir das Mittagessen noch besser geschmeckt haben würde, hätte sich nur nicht der Herr Wirt mit seinem langen, überflüssigen Gesichte und seinen langweiligen Fragen zu mir hingesetzt; glücklicher Weise ward ich bald erlöst durch die Ankunft eines andern Reisenden, der dieselben Fragen in derselben Ordnung aushalten mußte: quis? quid? ubi? quibus auxiliis? cur? quomodo? quando? Dieser Fremde war ein alter, müder, abgetragener Mann, der, wie aus seinen Reden hervorging, die ganze Welt durchwandert, besonders lang auf Batavia gelebt, viel Geld erworben und wieder alles verloren hatte und jetzt, nach dreißigjähriger Abwesenheit, nach Quedlinburg, seiner Vaterstadt, zurückkehrte – »denn«, setzte er hinzu, »unsere Familie hat dort ihr Erbbegräbnis«. Der Herr Wirt machte die sehr aufgeklärte Bemerkung: daß es doch für die Seele gleichgültig sei, wo unser Leib begraben wird. »Haben Sie es schriftlich?« antwortete der Fremde, und dabei zogen sich unheimlich schlaue Ringe um seine kümmerlichen Lippen und verblichenen Äugelein. »Aber«, setzte er ängstlich begütigend hinzu, »ich will darum über fremde Gräber doch nichts Böses gesagt haben; – die Türken begraben ihre Toten noch weit schöner als wir, ihre Kirchhöfe sind ordentlich Gärten, und da sitzen sie auf ihren weißen, beturbanten Grabsteinen, unter dem Schatten einer Zypresse, und streichen ihre ernsthaften Bärte und rauchen ruhig ihren türkischen Tabak, aus ihren langen türkischen Pfeifen; – und bei den Chinesen gar ist es eine ordentliche Lust zuzusehen, wie sie auf den Ruhestätten ihrer Toten manierlich herumtänzeln und beten und Tee trinken und die Geige spielen und die geliebten Gräber gar hübsch zu verzieren wissen mit allerlei vergoldetem Lattenwerk, Porzellanfigürchen, Fetzen von buntem Seidenzeug, künstlichen Blumen und farbigen Laternchen – alles sehr hübsch – wie weit hab ich noch bis Quedlinburg?«

Der Kirchhof in Goslar hat mich nicht sehr angesprochen. Desto mehr aber jenes wunderschöne Lockenköpfchen, das bei meiner Ankunft in der Stadt aus einem etwas hohen Parterrefenster lächelnd herausschaute. Nach Tische suchte ich wieder das liebe Fenster; aber jetzt stand dort nur ein Wasserglas mit weißen Glockenblümchen. Ich kletterte hinauf, nahm die artigen Blümchen aus dem Glase, steckte sie ruhig auf meine Mütze und kümmerte mich wenig um die aufgesperrten Mäuler, versteinerten Nasen und Glotzaugen, womit die Leute auf der Straße, besonders die alten Weiber, diesem qualifizierten Diebstahle zusahen. Als ich eine Stunde später an demselben Hause vorbeiging, stand die Holde am Fenster, und wie sie die Glockenblümchen auf meiner Mütze gewahrte, wurde sie blutrot und stürzte zurück. Ich hatte jetzt das schöne Antlitz noch genauer gesehen; es war eine süße, durchsichtige Verkörperung von Sommerabendhauch, Mondschein, Nachtigallenlaut und Rosenduft. – Später, als es ganz dunkel geworden, trat sie vor die Türe. Ich kam – ich näherte mich – sie zieht sich langsam zurück in den dunkeln Hausflur – ich fasse sie bei der Hand und sage: ich bin ein Liebhaber von schönen Blumen und Küssen, und was man mir nicht freiwillig gibt, das stehle ich – und ich küßte sie rasch – und wie sie entfliehen will, flüstere ich beschwichtigend: morgen reis ich fort und komme wohl nie wieder – und ich fühle den geheimen Widerdruck der lieblichen Lippen und der kleinen Hände – und lachend eile ich von hinnen. Ja, ich muß lachen, wenn ich bedenke, daß ich unbewußt jene Zauberformel ausgesprochen, wodurch unsere Rot- und Blauröcke, öfter als durch ihre schnurrbärtige Liebenswürdigkeit, die Herzen der Frauen bezwingen: »Ich reise morgen fort und komme wohl nie wieder!«

Mein Logis gewährte eine herrliche Aussicht nach dem Rammelsberg. Es war ein schöner Abend. Die Nacht jagte auf ihrem schwarzen Rosse, und die langen Mähnen flatterten im Winde. Ich stand am Fenster und betrachtete den Mond. Gibt es wirklich einen Mann im Monde? Die Slawen sagen, er heiße Clotar, und das Wachsen des Mondes bewirke er durch Wasseraufgießen. Als ich noch klein war, hatte ich gehört: der Mond sei eine Frucht, die, wenn sie reif geworden, vom lieben Gott abgepflückt und, zu den übrigen Vollmonden, in den großen Schrank gelegt werde, der am Ende der Welt steht, wo sie mit Brettern zugenagelt ist. Als ich größer wurde, bemerkte ich, daß die Welt nicht so eng begrenzt ist und daß der menschliche Geist die hölzernen Schranken durchbrochen und mit einem riesigen Petri-Schlüssel, mit der Idee der Unsterblichkeit, alle sieben Himmel aufgeschlossen hat. Unsterblichkeit! schöner Gedanke! wer hat dich zuerst erdacht? War es ein Nürnberger Spießbürger, der, mit weißer Nachtmütze auf dem Kopfe und weißer Tonpfeife im Maule, am lauen Sommerabend vor seiner Haustüre saß und recht behaglich meinte: es wäre doch hübsch, wenn er nun so immer fort, ohne daß sein Pfeifchen und sein Lebensatemchen ausgingen, in die liebe Ewigkeit hineinvegetieren könnte! Oder war es ein junger Liebender, der in den Armen seiner Geliebten jenen Unsterblichkeitsgedanken dachte und ihn dachte, weil er ihn fühlte und weil er nichts anders fühlen und denken konnte! – Liebe! Unsterblichkeit! – in meiner Brust ward es plötzlich so heiß, daß ich glaubte, die Geographen hätten den Äquator verlegt, und er laufe jetzt gerade durch mein Herz. Und aus meinem Herzen ergossen sich die Gefühle der Liebe, ergossen sich sehnsüchtig in die weite Nacht. Die Blumen im Garten unter meinem Fenster dufteten stärker. Düfte sind die Gefühle der Blumen, und wie das Menschenherz in der Nacht, wo es sich einsam und unbelauscht glaubt, stärker fühlt, so scheinen auch die Blumen, sinnig verschämt, erst die umhüllende Dunkelheit zu erwarten, um sich gänzlich ihren Gefühlen hinzugeben und sie auszuhauchen in süßen Düften. – Ergießt euch, ihr Düfte meines Herzens! und sucht hinter jenen Bergen die Geliebte meiner Träume! Sie liegt jetzt schon und schläft; zu ihren Füßen knien Engel, und wenn sie im Schlafe lächelt, so ist es ein Gebet, das die Engel nachbeten; in ihrer Brust liegt der Himmel mit allen seinen Seligkeiten, und wenn sie atmet, so bebt mein Herz in der Ferne; hinter den seidnen Wimpern ihrer Augen ist die Sonne untergegangen, und wenn sie die Augen wieder aufschlägt, so ist es Tag, und die Vögel singen, und die Herdenglöckchen läuten, und die Berge schimmern in ihren schmaragdenen Kleidern, und ich schnüre den Ranzen und wandre.

In jener Nacht, die ich in Goslar zubrachte, ist mir etwas höchst Seltsames begegnet. Noch immer kann ich nicht ohne Angst daran zurückdenken. Ich bin von Natur nicht ängstlich, aber vor Geistern fürchte ich mich fast so sehr wie der Östreichische Beobachter. Was ist Furcht? Kommt sie aus dem Verstande oder aus dem Gemüt? Über diese Frage disputierte ich so oft mit dem Doktor Saul Ascher, wenn wir zu Berlin, im Café royal, wo ich lange Zeit meinen Mittagstisch hatte, zufällig zusammentrafen. Er behauptete immer: wir fürchten etwas, weil wir es durch Vernunftschlüsse für furchtbar erkennen. Nur die Vernunft sei eine Kraft, nicht das Gemüt. Während ich gut aß und gut trank, demonstrierte er mir fortwährend die Vorzüge der Vernunft. Gegen das Ende seiner Demonstration pflegte er oft nach seiner Uhr zu sehen, und immer schloß er damit: »Die Vernunft ist das höchste Prinzip!« – Vernunft! Wenn ich jetzt dieses Wort höre, so sehe ich noch immer den Doktor Saul Ascher mit seinen abstrakten Beinen, mit seinem engen, transzendentalgrauen Leibrock und mit seinem schroffen, frierend kalten Gesichte, das einem Lehrbuche der Geometrie als Kupfertafel dienen konnte. Dieser Mann, tief in den Funfzigern, war eine personifizierte grade Linie. In seinem Streben nach dem Positiven hatte der arme Mann sich alles Herrliche aus dem Leben herausphilosophiert, alle Sonnenstrahlen, allen Glauben und alle Blumen, und es blieb ihm nichts übrig als das kalte, positive Grab. Auf den Apoll von Belvedere und auf das Christentum hatte er eine spezielle Malice. Gegen letzteres schrieb er sogar eine Broschüre, worin er dessen Unvernünftigkeit und Unhaltbarkeit bewies. Er hat überhaupt eine ganze Menge Bücher geschrieben, worin immer die Vernunft von ihrer eigenen Vortrefflichkeit renommiert und wobei es der arme Doktor gewiß ernsthaft genug meinte und also in dieser Hinsicht alle Achtung verdiente. Darin aber bestand ja eben der Hauptspaß, daß er ein so ernsthaft närrisches Gesicht schnitt, wenn er dasjenige nicht begreifen konnte, was jedes Kind begreift, eben weil es ein Kind ist. Einige Mal besuchte ich auch den Vernunftdoktor in seinem eigenen Hause, wo ich schöne Mädchen bei ihm fand; denn die Vernunft verbietet nicht die Sinnlichkeit. Als ich ihn einst ebenfalls besuchen wollte, sagte mir sein Bedienter: der Herr Doktor ist eben gestorben. Ich fühlte nicht viel mehr dabei, als wenn er gesagt hätte: der Herr Doktor ist ausgezogen.

Doch zurück nach Goslar. »Das höchste Prinzip ist die Vernunft!« sagte ich beschwichtigend zu mir selbst, als ich ins Bett stieg. Indessen, es half nicht. Ich hatte eben in Varnhagen von Enses »Deutsche Erzählungen«, die ich von Klausthal mitgenommen hatte, jene entsetzliche Geschichte gelesen, wie der Sohn, den sein eigener Vater ermorden wollte, in der Nacht von dem Geiste seiner toten Mutter gewarnt wird. Die wunderbare Darstellung dieser Geschichte bewirkte, daß mich während des Lesens ein inneres Grauen durchfröstelte. Auch erregen Gespenstererzählungen ein noch schauerlicheres Gefühl, wenn man sie auf der Reise liest, und zumal des Nachts, in einer Stadt, in einem Hause, in einem Zimmer, wo man noch nie gewesen. Wie viel Gräßliches mag sich schon zugetragen haben auf diesem Flecke, wo du eben liegst?, so denkt man unwillkürlich. Überdies schien jetzt der Mond so zweideutig ins Zimmer herein, an der Wand bewegten sich allerlei unberufene Schatten, und als ich mich im Bett aufrichtete, um hinzusehen, erblickte ich –

Es gibt nichts Unheimlicheres, als wenn man, bei Mondschein, das eigene Gesicht zufällig im Spiegel sieht. In demselben Augenblicke schlug eine schwerfällige, gähnende Glocke, und zwar so lang und langsam, daß ich nach dem zwölften Glockenschlage sicher glaubte, es seien unterdessen volle zwölf Stunden verflossen, und es müßte wieder von vorn anfangen, zwölf zu schlagen. Zwischen dem vorletzten und letzten Glockenschlage schlug noch eine andere Uhr, sehr rasch, fast keifend grell und vielleicht ärgerlich über die Langsamkeit ihrer Frau Gevatterin. Als beide eiserne Zungen schwiegen und tiefe Todesstille im ganzen Hause herrschte, war es mir plötzlich, als hörte ich auf dem Korridor, vor meinem Zimmer, etwas schlottern und schlappen, wie der unsichere Gang eines alten Mannes. Endlich öffnete sich meine Tür, und langsam trat herein der verstorbene Doktor Saul Ascher. Ein kaltes Fieber rieselte mir durch Mark und Bein, ich zitterte wie Espenlaub, und kaum wagte ich das Gespenst anzusehen. Er sah aus wie sonst, derselbe transzendentalgraue Leibrock, dieselben abstrakten Beine und dasselbe mathematische Gesicht; nur war dieses etwas gelblicher als sonst, auch der Mund, der sonst zwei Winkel von 22½ Grad bildete, war zusammengekniffen, und die Augenkreise hatten einen größeren Radius. Schwankend und wie sonst sich auf sein spanisches Röhrchen stützend, näherte er sich mir, und in seinem gewöhnlichen mundfaulen Dialekte sprach er freundlich: »Fürchten Sie sich nicht und glauben Sie nicht, daß ich ein Gespenst sei. Es ist Täuschung Ihrer Phantasie, wenn Sie mich als Gespenst zu sehen glauben. Was ist ein Gespenst? Geben Sie mir eine Definition? Deduzieren Sie mir die Bedingungen der Möglichkeit eines Gespenstes? In welchem vernünftigen Zusammenhange stände eine solche Erscheinung mit der Vernunft? Die Vernunft, ich sage die Vernunft –« Und nun schritt das Gespenst zu einer Analyse der Vernunft, zitierte Kants »Kritik der reinen Vernunft«, 2ter Teil, 1ster Abschnitt, 2tes Buch, 3tes Hauptstück, die Unterscheidung von Phänomena und Noumena, konstruierte alsdann den problematischen Gespensterglauben, setzte einen Syllogismus auf den andern und schloß mit dem logischen Beweise: daß es durchaus keine Gespenster gibt. Mir unterdessen lief der kalte Schweiß über den Rücken, meine Zähne klapperten wie Kastagnetten, aus Seelenangst nickte ich unbedingte Zustimmung bei jedem Satz, womit der spukende Doktor die Absurdität aller Gespensterfurcht bewies, und derselbe demonstrierte so eifrig, daß er einmal in der Zerstreuung, statt seiner goldenen Uhr, eine Hand voll Würmer aus der Uhrtasche zog und, seinen Irrtum bemerkend, mit possierlich ängstlicher Hastigkeit wieder einsteckte. »Die Vernunft ist das höchste – « Da schlug die Glocke eins, und das Gespenst verschwand.

Von Goslar ging ich den andern Morgen weiter, halb auf Geratewohl, halb in der Absicht, den Bruder des Klausthaler Bergmanns aufzusuchen. Wieder schönes, liebes Sonntagswetter. Ich bestieg Hügel und Berge, betrachtete, wie die Sonne den Nebel zu verscheuchen suchte, wanderte freudig durch die schauernden Wälder, und um mein träumendes Haupt klingelten die Glockenblümchen von Goslar. In ihren weißen Nachtmänteln standen die Berge, die Tannen rüttelten sich den Schlaf aus den Gliedern, der frische Morgenwind frisierte ihnen die herabhängenden, grünen Haare, die Vöglein hielten Betstunde, das Wiesental blitzte wie eine diamantenbesäete Golddecke, und der Hirt schritt darüber hin mit seiner läutenden Herde. Ich mochte mich wohl eigentlich verirrt haben. Man schlägt immer Seitenwege und Fußsteige ein und glaubt dadurch näher zum Ziele zu gelangen. Wie im Leben überhaupt, geht's uns auch auf dem Harze. Aber es gibt immer gute Seelen, die uns wieder auf den rechten Weg bringen; sie tun es gern und finden noch obendrein ein besonderes Vergnügen daran, wenn sie uns mit selbstgefälliger Miene und wohlwollend lauter Stimme bedeuten: welche große Umwege wir gemacht, in welche Abgründe und Sümpfe wir versinken konnten und welch ein Glück es sei, daß wir so wegkundige Leute, wie sie sind, noch zeitig angetroffen. Einen solchen Berichtiger fand ich unweit der Harzburg. Es war ein wohlgenährter Bürger von Goslar, ein glänzend wampiges, dummkluges Gesicht; er sah aus, als habe er die Viehseuche erfunden. Wir gingen eine Strecke zusammen, und er erzählte mir allerlei Spukgeschichten, die hübsch klingen konnten, wenn sie nicht alle darauf hinaus liefen, daß es doch kein wirklicher Spuk gewesen, sondern daß die weiße Gestalt ein Wilddieb war und daß die wimmernden Stimmen von den eben geworfenen Jungen einer Bache (wilden Sau) und das Geräusch auf dem Boden von der Hauskatze herrührte. Nur wenn der Mensch krank ist, setzte er hinzu, glaubt er Gespenster zu sehen; was aber seine Wenigkeit anbelange, so sei er selten krank, nur zuweilen leide er an Hautübeln, und dann kuriere er sich jedesmal mit nüchternem Speichel. Er machte mich auch aufmerksam auf die Zweckmäßigkeit und Nützlichkeit in der Natur. Die Bäume sind grün, weil Grün gut für die Augen ist. Ich gab ihm recht und fügte hinzu, daß Gott das Rindvieh erschaffen, weil Fleischsuppen den Menschen stärken, daß er die Esel erschaffen, damit sie dem Menschen zu Vergleichungen dienen können, und daß er den Menschen selbst erschaffen, damit er Fleischsuppen essen und kein Esel sein soll. Mein Begleiter war entzückt, einen Gleichgestimmten gefunden zu haben, sein

Antlitz erglänzte noch freudiger, und bei dem Abschiede war er gerührt.

Solange er neben mir ging, war gleichsam die ganze Natur entzaubert, sobald er aber fort war, fingen die Bäume wieder an zu sprechen, und die Sonnenstrahlen erklangen, und die Wiesenblümchen tanzten, und der blaue Himmel umarmte die grüne Erde. Ja, ich weiß es besser: Gott hat den Menschen erschaffen, damit er die Herrlichkeit der Welt bewundere. Jeder Autor, und sei er noch so groß, wünscht, daß sein Werk gelobt werde. Und in der Bibel, den Memoiren Gottes, steht ausdrücklich: daß er die Menschen erschaffen zu seinem Ruhm und Preis.

Nach einem langen Hin- und Herwandern gelangte ich zu der Wohnung des Bruders meines Klausthaler Freundes, übernachtete alldort und erlebte folgendes schöne Gedicht:

I

Auf dem Berge steht die Hütte,
Wo der alte Bergmann wohnt;
Dorten rauscht die grüne Tanne
Und erglänzt der goldne Mond.

In der Hütte steht ein Lehnstuhl,
Reich geschnitzt und wunderlich,
Der darauf sitzt, der ist glücklich,
Und der Glückliche bin ich!

Auf dem Schemel sitzt die Kleine,
Stützt den Arm auf meinen Schoß;
Äuglein wie zwei blaue Sterne,
Mündlein wie die Purpurros.

Und die lieben, blauen Sterne
Schaun mich an so himmelgroß,
Und sie legt den Liljenfinger
Schalkhaft auf die Purpurros.

Nein, es sieht uns nicht die Mutter,
Denn sie spinnt mit großem Fleiß,
Und der Vater spielt die Zither,
Und er singt die alte Weis.

Und die Kleine flüstert leise,
Leise, mit gedämpftem Laut;
Manches wichtige Geheimnis
Hat sie mir schon anvertraut.

»Aber seit die Muhme tot ist,
Können wir ja nicht mehr gehn
Nach dem Schützenhof zu Goslar,
Und dort ist es gar zu schön.

Hier dagegen ist es einsam,
Auf der kalten Bergeshöh,
Und des Winters sind wir gänzlich
Wie vergraben in dem Schnee.

Und ich bin ein banges Mädchen,
Und ich fürcht mich wie ein Kind
Vor den bösen Bergesgeistern,
Die des Nachts geschäftig sind!«

Plötzlich schweigt die liebe Kleine,
Wie vom eignen Wort erschreckt,
Und sie hat mit beiden Händchen
Ihre Äugelein bedeckt.

Lauter rauscht die Tanne draußen,
Und das Spinnrad schnarrt und brummt,
Und die Zither klingt dazwischen,
Und die alte Weise summt:

»Fürcht dich nicht, du liebes Kindchen,
Vor der bösen Geister Macht;
Tag und Nacht, du liebes Kindchen,
Halten Englein bei dir Wacht!«

II

Tannenbaum, mit grünen Fingern,
Pocht ans niedre Fensterlein,
Und der Mond, der gelbe Lauscher,
Wirft sein süßes Licht herein.

Vater, Mutter schnarchen leise
In dem nahen Schlafgemach,
Doch wir beide, selig schwatzend,
Halten uns einander wach.

»Daß du gar zu oft gebetet,
Daß zu glauben wird mir schwer,
Jenes Zucken deiner Lippen
Kommt wohl nicht vom Beten her.

Jenes böse, kalte Zucken,
Das erschreckt mich jedesmal,
Doch die dunkle Angst beschwichtigt
Deiner Augen frommer Strahl.

Auch bezweifl ich, daß du glaubest,
Was so rechter Glauben heißt,
Glaubst wohl nicht an Gott den Vater,
An den Sohn und heilgen Geist?«

Ach, mein Kindchen, schon als Knabe,
Als ich saß auf Mutters Schoß,
Glaubte ich an Gott den Vater,
Der da waltet gut und groß;

Der die schöne Erd erschaffen,
Und die schönen Menschen drauf,
Der den Sonnen, Monden, Sternen
Vorgezeichnet ihren Lauf.

Als ich größer wurde, Kindchen,
Noch viel mehr begriff ich schon
Und begriff und ward vernünftig,
Und ich glaub auch an den Sohn;

An den lieben Sohn, der liebend
Uns die Liebe offenbart
Und zum Lohne, wie gebräuchlich,
Von dem Volk gekreuzigt ward.

Jetzo, da ich ausgewachsen,
Viel gelesen, viel gereist,
Schwillt mein Herz, und ganz von Herzen
Glaub ich an den heilgen Geist.

Dieser tat die größten Wunder,
Und viel größre tut er noch;
Er zerbrach die Zwingherrnburgen
Und zerbrach des Knechtes Joch.

Alte Todeswunden heilt er
Und erneut das alte Recht:
Alle Menschen, gleichgeboren,
Sind ein adliges Geschlecht.

Er verscheucht die bösen Nebel
Und das dunkle Hirngespinst,
Das uns Lieb und Lust verleidet,
Tag und Nacht uns angegrinst.

Tausend Ritter, wohl gewappnet,
Hat der heilge Geist erwählt,
Seinen Willen zu erfüllen,
Und er hat sie mutbeseelt.

Ihre teuern Schwerter blitzen,
Ihre guten Banner wehn!

Ei, du möchtest wohl, mein Kindchen,
Solche stolze Ritter sehn?

Nun, so schau mich an, mein Kindchen,
Küsse mich und schaue dreist;
Denn ich selber bin ein solcher
Ritter von dem heilgen Geist.

III

Still versteckt der Mond sich draußen
Hinterm grünen Tannenbaum,
Und im Zimmer unsre Lampe
Flackert matt und leuchtet kaum.

Aber meine blauen Sterne
Strahlen auf in hellerm Licht,
Und es glüht die Purpurrose,
Und das liebe Mädchen spricht:

»Kleines Völkchen, Wichtelmännchen,
Stehlen unser Brot und Speck,
Abends liegt es noch im Kasten,
Und des Morgens ist es weg.

Kleines Völkchen, unsre Sahne
Nascht es von der Milch und läßt
Unbedeckt die Schüssel stehen,
Und die Katze säuft den Rest.

Und die Katz ist eine Hexe,
Denn sie schleicht, bei Nacht und Sturm,
Drüben nach dem Geisterberge,
Nach dem altverfallnen Turm.

Dort hat einst ein Schloß gestanden,
Voller Lust und Waffenglanz;

Blanke Ritter, Fraun und Knappen
Schwangen sich im Fackeltanz.

Da verwünschte Schloß und Leute
Eine böse Zauberin,
Nur die Trümmer blieben stehen,
Und die Eulen nisten drin.

Doch die selge Muhme sagte:
Wenn man spricht das rechte Wort,
Nächtlich zu der rechten Stunde,
Drüben an dem rechten Ort:

So verwandeln sich die Trümmer
Wieder in ein helles Schloß,
Und es tanzen wieder lustig
Ritter, Fraun und Knappentroß;

Und wer jenes Wort gesprochen,
Dem gehören Schloß und Leut,
Pauken und Trompeten huldgen
Seiner jungen Herrlichkeit.«

Also blühen Märchenbilder
Aus des Mundes Röselein,
Und die Augen gießen drüber
Ihren blauen Sternenschein.

Ihre goldnen Haare wickelt
Mir die Kleine um die Händ,
Gibt den Fingern hübsche Namen,
Lacht und küßt und schweigt am End.

Und im stillen Zimmer alles
Blickt mich an so wohlvertraut;
Tisch und Schrank, mir ist, als hätt ich
Sie schon früher mal geschaut.

Freundlich ernsthaft schwatzt die Wanduhr,
Und die Zither, hörbar kaum,
Fängt von selber an zu klingen,
Und ich sitze wie im Traum.

Jetzo ist die rechte Stunde,
Und es ist der rechte Ort;
Ei, was gilt's, mit kühnen Lippen
Sprech ich aus das rechte Wort.

Siehst du schon, mein Kind, es dämmert
Und erhebt die Mitternacht,
Bach und Tannen brausen lauter,
Und der alte Berg erwacht.

Zitherklang und Zwergenlieder
Tönen aus des Berges Spalt,
Und es sprießt, wie 'n toller Frühling,
Draus hervor ein Blumenwald;

Blumen, kühne Wunderblumen,
Blätter, breit und fabelhaft,
Duftig bunt und hastig regsam,
Wie gedrängt von Leidenschaft.

Rosen, wild wie rote Flammen,
Sprühn aus dem Gewühl hervor;
Liljen, wie kristallne Pfeiler,
Schießen himmelhoch empor.

Und die Sterne, groß wie Sonnen,
Schaun herab mit Sehnsuchtglut;
In der Liljen Riesenkelche
Strömet ihre Strahlenflut.

Doch wir selber, süßes Kindchen,
Sind verwandelt noch viel mehr;

Fackelglanz und Gold und Seide
Schimmern lustig um uns her.

Du, du wurdest zur Prinzessin,
Diese Hütte ward zum Schloß,
Und da jubeln und da tanzen
Ritter, Fraun und Knappentroß.

Aber ich, ich hab erworben
Dich und alles, Schloß und Leut;
Pauken und Trompeten huldgen
Meiner jungen Herrlichkeit!

Die Sonne ging auf. Die Nebel flohen, wie Gespenster beim dritten Hahnenschrei. Ich stieg wieder bergauf und bergab, und vor mir schwebte die schöne Sonne, immer neue Schönheiten beleuchtend. Der Geist des Gebirges begünstigte mich ganz offenbar; er wußte wohl, daß so ein Dichtermensch viel Hübsches wieder erzählen kann, und er ließ mich diesen Morgen seinen Harz sehen, wie ihn gewiß nicht jeder sah. Aber auch mich sah der Harz, wie mich nur wenige gesehen, in meinen Augenwimpern flimmerten ebenso kostbare Perlen wie in den Gräsern des Tals. Morgentau der Liebe feuchtete meine Wangen, die rauschenden Tannen verstanden mich, ihre Zweige taten sich voneinander, bewegten sich herauf und herab, gleich stummen Menschen, die mit den Händen ihre Freude bezeigen, und in der Ferne klang's wunderbar geheimnisvoll, wie Glockengeläute einer verlornen Waldkirche. Man sagt, das seien die Herdenglöckchen, die im Harz so lieblich, klar und rein gestimmt sind.

Nach dem Stand der Sonne war es Mittag, als ich auf eine solche Herde stieß, und der Hirt, ein freundlich blonder junger Mensch, sagte mir: der große Berg, an dessen Fuß ich stände, sei der alte, weltberühmte Brocken. Viele Stunden ringsum liegt kein Haus, und ich war froh genug, daß mich der junge Mensch einlud, mit ihm zu essen. Wir setzten uns nieder zu einem Dejeuner dinatoire, das aus Käse und Brot bestand; die Schäfchen erhaschten die Krumen, die lieben, blanken Kühlein sprangen um uns herum und klingelten schelmisch mit ihren Glöckchen und lachten uns an mit ihren großen, vergnügten Augen. Wir tafelten recht königlich; überhaupt schien mir mein Wirt ein echter König, und weil er bis jetzt der einzige König ist, der mir Brot gegeben hat, so will ich ihn auch königlich besingen.

König ist der Hirtenknabe,
Grüner Hügel ist sein Thron,
Über seinem Haupt die Sonne
Ist die schwere, goldne Kron.

Ihm zu Füßen liegen Schafe,
Weiche Schmeichler, rotbekreuzt;
Kavaliere sind die Kälber,
Und sie wandeln stolz gespreizt.

Hofschauspieler sind die Böcklein,
Und die Vögel und die Küh,
Mit den Flöten, mit den Glöcklein,
Sind die Kammermusici.

Und das klingt und singt so lieblich,
Und so lieblich rauschen drein
Wasserfall und Tannenbäume,
Und der König schlummert ein.

Unterdessen muß regieren
Der Minister, jener Hund,
Dessen knurriges Gebelle
Widerhallet in der Rund.

Schläfrig lallt der junge König:
»Das Regieren ist so schwer,
Ach, ich wollt, daß ich zu Hause
Schon bei meiner Köngin wär!

In den Armen meiner Köngin
Ruht mein Königshaupt so weich,
Und in ihren lieben Augen
Liegt mein unermeßlich Reich!«

Wir nahmen freundschaftlich Abschied, und fröhlich stieg ich den Berg hinauf. Bald empfing mich eine Waldung himmelhoher Tannen, für die ich, in jeder Hinsicht, Respekt habe. Diesen Bäumen ist nämlich das Wachsen nicht so ganz leicht gemacht worden, und sie haben es sich in der Jugend sauer werden lassen. Der Berg ist hier mit vielen großen Granitblöcken übersäet, und die meisten Bäume mußten mit ihren Wurzeln diese Steine umranken oder sprengen und mühsam den Boden suchen, woraus sie Nahrung schöpfen können. Hier und da liegen die Steine, gleichsam ein Tor bildend, übereinander, und oben darauf stehen die Bäume, die nackten Wurzeln über jene Steinpforte hinziehend und erst am Fuße derselben den Boden erfassend, so daß sie in der freien Luft zu wachsen scheinen. Und doch haben sie sich zu jener gewaltigen Höhe emporgeschwungen, und mit den umklammerten Steinen wie zusammengewachsen, stehen sie fester als ihre bequemen Kollegen im zahmen Forstboden des flachen Landes. So stehen auch im Leben jene großen Männer, die durch das Überwinden früher Hemmungen und Hindernisse sich erst recht gestärkt und befestigt haben. Auf den Zweigen der Tannen kletterten Eichhörnchen, und unter denselben spazierten die gelben Hirsche. Wenn ich solch ein liebes, edles Tier sehe, so kann ich nicht begreifen, wie gebildete Leute Vergnügen daran finden, es zu hetzen und zu töten. Solch ein Tier war barmherziger als die Menschen und säugte den schmachtenden Schmerzenreich der heiligen Genoveva.

Allerliebst schossen die goldenen Sonnenlichter durch das dichte Tannengrün. Eine natürliche Treppe bildeten die Baumwurzeln. Überall schwellende Moosbänke; denn die Steine sind fußhoch von den schönsten Moosarten, wie mit hellgrünen Sammetpolstern, bewachsen. Liebliche Kühle und träumerisches Quellengemurmel. Hier und da sieht man, wie das Wasser unter den Steinen silberhell hinrieselt und die nackten Baumwurzeln und Fasern bespült. Wenn man sich nach diesem Treiben hinabbeugt, so belauscht man gleichsam die geheime Bildungsgeschichte der Pflanzen und das ruhige Herzklopfen des Berges. An manchen Orten sprudelt das Wasser aus den Steinen und Wurzeln stärker hervor und bildet kleine Kaskaden. Da läßt sich gut sitzen. Es murmelt und rauscht so wunderbar, die Vögel singen abgebrochene Sehnsuchtslaute, die Bäume flüstern wie mit tausend Mädchenzungen, wie mit tausend Mädchenaugen schauen uns an die seltsamen Bergblumen, sie strecken nach uns aus die wundersam breiten, drollig gezackten Blätter, spielend flimmern hin und her die lustigen Sonnenstrahlen, die sinnigen Kräutlein erzählen sich grüne Märchen, es ist alles wie verzaubert, es wird immer heimlicher und heimlicher, ein uralter Traum wird lebendig, die Geliebte erscheint – ach, daß sie so schnell wieder verschwindet!

Je höher man den Berg hinaufsteigt, desto kürzer, zwerghafter werden die Tannen, sie scheinen immer mehr und mehr zusammenzuschrumpfen, bis nur Heidelbeer- und Rotbeersträuche und Bergkräuter übrig bleiben. Da wird es auch schon fühlbar kälter. Die wunderlichen Gruppen der Granitblöcke werden hier erst recht sichtbar; diese sind oft von erstaunlicher Größe. Das mögen wohl die Spielbälle sein, die sich die bösen Geister einander zuwerfen in der Walpurgisnacht, wenn hier die Hexen auf Besenstielen und Mistgabeln einhergeritten kommen und die abenteuerlich verruchte Lust beginnt, wie die glaubhafte Amme es erzählt und wie es zu schauen ist auf den hübschen Faustbildern des Meister Retzsch. Ja, ein junger Dichter, der auf einer Reise von Berlin nach Göttingen in der ersten Mainacht am Brocken vorbeiritt, bemerkte sogar, wie einige belletristische Damen auf einer Bergecke ihre ästhetische Teegesellschaft hielten, sich gemütlich die »Abendzeitung« vorlasen, ihre poetischen Ziegenböckchen, die meckernd den Teetisch umhüpften, als Universalgenies priesen und über alle Erscheinungen in der deutschen Literatur ihr Endurteil fällten; doch, als sie auch auf den »Ratcliff« und »Almansor« gerieten und dem Verfasser alle Frömmigkeit und Christlichkeit absprachen, da sträubte sich das Haar des jungen Mannes, Entsetzen ergriff ihn – ich gab dem Pferde die Sporen und jagte vorüber.

In der Tat, wenn man die obere Hälfte des Brockens besteigt, kann man sich nicht erwehren, an die ergötzlichen Blocksbergsgeschichten zu denken, und besonders an die große, mystische, deutsche Nationaltragödie vom Doktor Faust. Mir war immer, als ob der Pferdefuß neben mir hinaufklettere und jemand humoristisch Atem schöpfe. Und ich glaube, auch Mephisto muß mit Mühe Atem holen, wenn er seinen Lieblingsberg ersteigt; es ist ein äußerst erschöpfender Weg, und ich war froh, als ich endlich das langersehnte Brockenhaus zu Gesicht bekam.

Dieses Haus, das, wie durch vielfache Abbildungen bekannt ist, bloß aus einem Rez-de-Chaussee besteht und auf der Spitze des Berges liegt, wurde erst 1800 vom Grafen Stolberg-Wernigerode erbaut, für dessen Rechnung es auch, als Wirtshaus, verwaltet wird. Die Mauern sind erstaunlich dick, wegen des Windes und der Kälte im Winter; das Dach ist niedrig, in der Mitte desselben steht eine turmartige Warte, und bei dem Hause liegen noch zwei kleine Nebengebäude, wovon das eine, in frühern Zeiten, den Brockenbesuchern zum Obdach diente.

Der Eintritt in das Brockenhaus erregte bei mir eine etwas ungewöhnliche, märchenhafte Empfindung. Man ist nach einem langen, einsamen Umhersteigen durch Tannen und Klippen plötzlich in ein Wolkenhaus versetzt; Städte, Berge und Wälder blieben unten liegen, und oben findet man eine wunderlich zusammengesetzte, fremde Gesellschaft, von welcher man, wie es an dergleichen Orten natürlich ist, fast wie ein erwarteter Genosse, halb neugierig und halb gleichgültig, empfangen wird. Ich fand das Haus voller Gäste, und wie es einem klugen Manne geziemt, dachte ich schon an die Nacht, an die Unbehaglichkeit eines Strohlagers; mit hinsterbender Stimme verlangte ich gleich Tee, und der Herr Brockenwirt war vernünftig genug, einzusehen, daß ich kranker Mensch für die Nacht ein ordentliches Bett haben müsse. Dieses verschaffte er mir in einem engen Zimmerchen, wo schon ein junger Kaufmann, ein langes Brechpulver in einem braunen Oberrock, sich etabliert hatte.

In der Wirtsstube fand ich lauter Leben und Bewegung. Studenten von verschiedenen Universitäten. Die einen sind kurz vorher angekommen und restaurierten sich, andere bereiten sich zum Abmarsch, schnüren ihre Ranzen, schreiben ihre Namen ins Gedächtnisbuch, erhalten Brockensträuße von den Hausmädchen: da wird in die Wangen gekniffen, gesungen, gesprungen, gejohlt, man fragt, man antwortet, gut Wetter, Fußweg, Prosit, Adieu. Einige der Abgehenden sind auch etwas angesoffen, und diese haben von der schönen Aussicht einen doppelten Genuß, da ein Betrunkener alles doppelt sieht.

Nachdem ich mich ziemlich rekreiert, bestieg ich die Turmwarte und fand daselbst einen kleinen Herrn mit zwei Damen, einer jungen und einer ältlichen. Die junge Dame war sehr schön. Eine herrliche Gestalt, auf dem lockigen Haupte ein helmartiger, schwarzer Atlashut, mit dessen weißen Federn die Winde spielten, die schlanken Glieder von einem schwarzseidenen Mantel so fest umschlossen, daß die edlen Formen hervortraten, und das freie, große Auge ruhig hinabschauend in die freie, große Welt.

Als ich noch ein Knabe war, dachte ich an nichts als an Zauber- und Wundergeschichten, und jede schöne Dame, die Straußfedern auf dem Kopfe trug, hielt ich für eine Elfenkönigin, und bemerkte ich gar, daß die Schleppe ihres Kleides naß war, so hielt ich sie für eine Wassernixe. Jetzt denke ich anders, seit ich aus der Naturgeschichte weiß, daß jene symbolischen Federn von dem dümmsten Vogel herkommen und daß die Schleppe eines Damenkleides auf sehr natürliche Weise naß werden kann. Hätte ich mit jenen Knabenaugen die erwähnte junge Schöne, in erwähnter Stellung, auf dem Brocken gesehen, so würde ich sicher gedacht haben: das ist die Fee des Berges, und sie hat eben den Zauber ausgesprochen, wodurch dort unten alles so wunderbar erscheint. Ja, in hohem Grade wunderbar erscheint uns alles beim ersten Hinabschauen vom Brocken, alle Seiten unseres Geistes empfangen neue Eindrücke, und diese, meistens verschiedenartig, sogar sich widersprechend, verbinden sich in unserer Seele zu einem großen, noch unentworrenen, unverstandenen Gefühl. Gelingt es uns, dieses Gefühl in seinem Begriffe zu erfassen, so erkennen wir den Charakter des Berges. Dieser Charakter ist ganz deutsch, sowohl in Hinsicht seiner Fehler als auch seiner Vorzüge. Der Brocken ist ein Deutscher. Mit deutscher Gründlichkeit zeigt er uns, klar und deutlich, wie ein Riesenpanorama, die vielen hundert Städte, Städtchen und Dörfer, die meistens nördlich liegen, und ringsum alle Berge, Wälder, Flüsse, Flächen, unendlich weit. Aber eben dadurch erscheint alles wie eine scharf gezeichnete, rein illuminierte Spezialkarte, nirgends wird das Auge durch eigentlich schöne Landschaften erfreut; wie es denn immer geschieht, daß wir deutschen Kompilatoren wegen der ehrlichen Genauigkeit, womit wir alles und alles hingeben wollen, nie daran denken können, das einzelne auf eine schöne Weise zu geben. Der Berg hat auch so etwas Deutsch-Ruhiges, Verständiges, Tolerantes; eben weil er die Dinge so weit und klar überschauen kann. Und wenn solch ein Berg seine Riesenaugen öffnet, mag er wohl noch etwas mehr sehen als wir Zwerge, die wir mit unsern blöden Äuglein auf ihm herumklettern. Viele wollen zwar behaupten, der Brocken sei sehr philiströse, und Claudius sang: »Der Blocksberg ist der lange Herr Philister!« Aber das ist Irrtum. Durch seinen Kahlkopf, den er zuweilen mit einer weißen Nebelkappe bedeckt, gibt er sich zwar einen Anstrich von Philiströsität; aber wie bei manchen andern großen Deutschen geschieht es aus purer Ironie. Es ist sogar notorisch, daß der Brokken seine burschikosen, phantastischen Zeiten hat, z. B. die erste Mainacht. Dann wirft er seine Nebelkappe jubelnd in die Lüfte und wird, ebenso gut wie wir übrigen, recht echtdeutsch romantisch verrückt.

Ich suchte gleich die schöne Dame in ein Gespräch zu verflechten:

denn Naturschönheiten genießt man erst recht, wenn man sich auf der Stelle darüber aussprechen kann. Sie war nicht geistreich, aber aufmerksam sinnig. Wahrhaft vornehme Formen. Ich meine nicht die gewöhnliche, steife, negative Vornehmheit, die genau weiß, was unterlassen werden muß; sondern jene seltnere, freie, positive Vornehmheit, die uns genau sagt, was wir tun dürfen, und die uns, bei aller Unbefangenheit, die höchste gesellige Sicherheit gibt. Ich entwickelte, zu meiner eigenen Verwunderung, viele geographische Kenntnisse, nannte der wißbegierigen Schönen alle Namen der Städte, die vor uns lagen, suchte und zeigte ihr dieselben auf meiner Landkarte, die ich über den Steintisch, der in der Mitte der Turmplatte steht, mit echter Dozentenmiene ausbreitete. Manche Stadt konnte ich nicht finden, vielleicht weil ich mehr mit den Fingern suchte als mit den Augen, die sich unterdessen auf dem Gesicht der holden Dame orientierten und dort schönere Partien fanden als »Schierke« und »Elend«. Dieses Gesicht gehörte zu denen, die nie reizen, selten entzücken und immer gefallen. Ich liebe solche Gesichter, weil sie mein schlimmbewegtes Herz zur Ruhe lächeln.

In welchem Verhältnis der kleine Herr, der die Damen begleitete, zu denselben stehen mochte, konnte ich nicht erraten. Es war eine dünne, merkwürdige Figur. Ein Köpfchen, sparsam bedeckt mit grauen Härchen, die über die kurze Stirn bis an die grünlichen Libellenaugen reichten, die runde Nase weit hervortretend, dagegen Mund und Kinn sich wieder ängstlich nach den Ohren zurückziehend. Dieses Gesichtchen schien aus einem zarten, gelblichen Tone zu bestehen, woraus die Bildhauer ihre ersten Modelle kneten; und wenn die schmalen Lippen zusammenkniffen, zogen sich über die Wangen einige tausend halbkreisartige, feine Fältchen. Der kleine Mann sprach kein Wort, und nur dann und wann, wenn die ältere Dame ihm etwas Freundliches zuflüsterte, lächelte er wie ein Mops, der den Schnupfen hat.

Jene ältere Dame war die Mutter der jüngeren, und auch sie besaß die vornehmsten Formen. Ihr Auge verriet einen krankhaft schwärmerischen Tiefsinn, um ihren Mund lag strenge Frömmigkeit, doch schien mir's, als ob er einst sehr schön gewesen sei und viel gelacht und viele Küsse empfangen und viele erwidert habe. Ihr Gesicht glich einem Codex palimpsestus, wo, unter der neuschwarzen Mönchsschrift eines Kirchenvatertextes, die halberloschenen Verse eines altgriechischen Liebesdichters hervorlauschen. Beide Damen waren mit ihrem Begleiter dieses Jahr in Italien gewesen und erzählten mir allerlei Schönes von

Rom, Florenz und Venedig. Die Mutter erzählte viel von den Raphaelschen Bildern in der Peterskirche; die Tochter sprach mehr von der Oper im Theater Fenice.

Derweilen wir sprachen, begann es zu dämmern: die Luft wurde noch kälter, die Sonne neigte sich tiefer, und die Turmplatte füllte sich mit Studenten, Handwerksburschen und einigen ehrsamen Bürgerleuten samt deren Ehefrauen und Töchtern, die alle den Sonnenuntergang sehen wollten. Es ist ein erhabener Anblick, der die Seele zum Gebet stimmt. Wohl eine Viertelstunde standen alle ernsthaft schweigend und sahen, wie der schöne Feuerball im Westen allmählich versank; die Gesichter wurden vom Abendrot angestrahlt, die Hände falteten sich unwillkürlich; es war, als ständen wir, eine stille Gemeinde, im Schiffe eines Riesendoms und der Priester erhöbe jetzt den Leib des Herrn und von der Orgel herab ergösse sich Palestrinas ewiger Choral.

Während ich so in Andacht versunken stehe, höre ich, daß neben mir jemand ausruft: »Wie ist die Natur doch im allgemeinen so schön!« Diese Worte kamen aus der gefühlvollen Brust meines Zimmergenossen, des jungen Kaufmanns. Ich gelangte dadurch wieder zu meiner Werkeltagsstimmung, war jetzt imstande, den Damen über den Sonnenuntergang recht viel Artiges zu sagen und sie ruhig, als wäre nichts passiert, nach ihrem Zimmer zu führen. Sie erlaubten mir auch, sie noch eine Stunde zu unterhalten. Wie die Erde selbst drehte sich unsre Unterhaltung um die Sonne. Die Mutter äußerte: die in Nebel versinkende Sonne habe ausgesehen wie eine glühende Rose, die der galante Himmel herabgeworfen in den weit ausgebreiteten, weißen Brautschleier seiner geliebten Erde. Die Tochter lächelte und meinte, der öftere Anblick solcher Naturerscheinungen schwäche ihren Eindruck. Die Mutter berichtigte diese falsche Meinung durch eine Stelle aus Goethes Reisebriefen und frug mich, ob ich den Werther gelesen? Ich glaube, wir sprachen auch von Angorakatzen, etruskischen Vasen, türkischen Shawls, Makkaroni und Lord Byron, aus dessen Gedichten die ältere Dame einige Sonnenuntergangsstellen, recht hübsch lispelnd und seufzend, rezitierte. Der jüngern Dame, die kein Englisch verstand und jene Gedichte kennen lernen wollte, empfahl ich die Übersetzungen meiner schönen, geistreichen Landsmännin, der Baronin Elise von Hohenhausen; bei welcher Gelegenheit ich nicht ermangelte, wie ich gegen junge Damen zu tun pflege, über Byrons Gottlosigkeit, Lieblosigkeit, Trostlosigkeit, und der Himmel weiß was noch mehr, zu eifern.

Nach diesem Geschäfte ging ich noch auf dem Brocken spazieren; denn ganz dunkel wird es dort nie. Der Nebel war nicht stark, und ich betrachtete die Umrisse der beiden Hügel, die man den Hexenaltar und die Teufelskanzel nennt. Ich schoß meine Pistolen ab, doch es gab kein Echo. Plötzlich aber höre ich bekannte Stimmen und fühle mich umarmt und geküßt. Es waren meine Landsleute, die Göttingen vier Tage später verlassen hatten und bedeutend erstaunt waren, mich ganz allein auf dem Blocksberge wieder zu finden. Da gab es ein Erzählen und Verwundern und Verabreden, ein Lachen und Erinnern, welches freudige Wiedersehen!

Im großen Zimmer wurde eine Abendmahlzeit gehalten. Ein langer Tisch mit zwei Reihen hungriger Studenten. Im Anfange gewöhnliches Universtitätsgespräch: Duelle, Duelle und wieder Duelle. Die Gesellschaft bestand meistens aus Hallensern, und Halle wurde daher Hauptgegenstand der Unterhaltung. Die Fensterscheiben des Hofrats Schütz wurden exegetisch beleuchtet. Dann erzählte man, daß die letzte Cour bei dem König von Cypern sehr glänzend gewesen sei, daß er einen natürlichen Sohn erwählt, daß er sich eine lichtensteinsche Prinzessin ans linke Bein antrauen lassen, daß er die Staatsmätresse abgedankt und daß das ganze gerührte Ministerium vorschriftmäßig geweint habe. Ich brauche wohl nicht zu erwähnen, daß sich dieses auf Hallesche Bierwürden bezieht. Hernach kamen die zwei Chinesen aufs Tapet, die sich vor zwei Jahren in Berlin sehen ließen und jetzt in Halle zu Privatdozenten der chinesischen Ästhetik abgerichtet werden. Nun wurden Witze gerissen. Man setzte den Fall: ein Deutscher ließe sich in China für Geld sehen; und zu diesem Zwecke wurde ein Anschlagzettel geschmiedet, worin die Mandarinen Tsching-Tschang-Tschung und Hi-Ha-Ho begutachteten, daß es ein echter Deutscher sei, worin ferner seine Kunststücke aufgerechnet wurden, die hauptsächlich in Philosophieren, Tabakrauchen und Geduld bestanden, und worin noch schließlich bemerkt wurde, daß man um zwölf Uhr, welches die Fütterungsstunde sei, keine Hunde mitbringen dürfe, indem diese dem armen Deutschen die besten Brocken wegzuschnappen pflegten.

Ein junger Burschenschafter, der kürzlich zur Purifikation in Berlin gewesen, sprach viel von dieser Stadt; aber sehr einseitig. Er hatte Wisotzki und das Theater besucht; beide beurteilte er falsch. »Schnell fertig ist die Jugend mit dem Wort usw.« Er sprach von Garderobeaufwand, Schauspieler- und Schauspielerinnenskandal usw. Der junge Mensch wußte nicht, daß, da in Berlin überhaupt der Schein der Dinge am meisten gilt, was schon die allgemeine Redensart »man so duhn« hinlänglich andeutet, dieses Scheinwesen auf den Brettern erst recht florieren muß und daß daher die Intendanz am meisten zu sorgen hat für die »Farbe des Barts, womit eine Rolle gespielt wird«, für die Treue der Kostüme, die von beeidigten Historikern vorgezeichnet und von wissenschaftlich gebildeten Schneidern genäht werden. Und das ist notwendig. Denn trüge mal Maria Stuart eine Schürze, die schon zum Zeitalter der Königin Anna gehört, so würde gewiß der Bankier Christian Gumpel sich mit Recht beklagen, daß ihm dadurch alle Illusion verloren gehe; und hätte mal Lord Burleigh aus Versehen die Hosen von Heinrich IV. angezogen, so würde gewiß die Kriegsrätin von Steinzopf, geb. Lilientau, diesen Anachronismus den ganzen Abend nicht aus den Augen lassen. Solche täuschende Sorgfalt der Generalintendanz erstreckt sich aber nicht bloß auf Schürzen und Hosen, sondern auch auf die darin verwikkelten Personen. So soll künftig der Othello von einem wirklichen Mohren gespielt werden, den Professor Lichtenstein schon zu diesem Behufe aus Afrika verschrieben hat; in »Menschenhaß und Reue« soll künftig die Eulalia von einem wirklich verlaufenen Weibsbilde, der Peter von einem wirklich dummen Jungen und der Unbekannte von einem wirklich geheimen Hahnrei gespielt werden, die man alle drei nicht erst aus Afrika zu verschreiben braucht. Hatte nun obenerwähnter junger Mensch die Verhältnisse des Berliner Schauspiels schlecht begriffen, so merkte er noch viel weniger, daß die Spontinische Janitscharen-Oper, mit ihren Pauken, Elefanten, Trompeten und Tamtams, ein heroisches Mittel ist, um unser erschlafftes Volk kriegerisch zu stärken, ein Mittel, das schon Plato und Cicero staatspfiffig empfohlen haben. Am allerwenigsten begriff der junge Mensch die diplomatische Bedeutung des Balletts. Mit Mühe zeigte ich ihm, wie in Hoguets Füßen mehr Politik sitzt als in Buchholz' Kopf, wie alle seine Tanztouren diplomatische Verhandlungen bedeuten, wie jede seiner Bewegungen eine politische Beziehung habe, so z. B., daß er unser Kabinett meint, wenn er, sehnsüchtig vorgebeugt, mit den Händen weit ausgreift; daß er den Bundestag meint, wenn er sich hundertmal auf einem Fuße herumdreht, ohne vom Fleck zu kommen; daß er die kleinen Fürsten im Sinne hat, wenn er wie mit gebundenen Beinen herumtrippelt; daß er das europäische Gleichgewicht bezeichnet, wenn er wie ein Trunkener hin und her schwankt; daß er einen Kongreß andeutet, wenn er die gebogenen Arme knäuelartig ineinander verschlingt, und endlich, daß er unsern allzu großen Freund im Osten darstellt, wenn er in allmähliger Entfaltung sich in die Höhe hebt, in dieser Stellung lange ruht und plötzlich in die erschrecklichsten Sprünge ausbricht. Dem jungen Manne fielen die Schuppen von den Augen, und jetzt merkte er, warum Tänzer besser honoriert werden als große Dichter, warum das Ballett beim diplomatischen Korps ein unerschöpflicher Gegenstand des Gesprächs ist und warum oft eine schöne Tänzerin noch privatim von dem Minister unterhalten wird, der sich gewiß Tag und Nacht abmüht, sie für sein politisches Systemchen empfänglich zu machen. Beim Apis! wie groß ist die Zahl der exoterischen und wie klein die Zahl der esoterischen Theaterbesucher! Da steht das blöde Volk und gafft und bewundert Sprünge und Wendungen und studiert Anatomie in den Stellungen der Lemiere und applaudiert die Entrechats der Röhnisch und schwatzt von Grazie, Harmonie und Lenden – und keiner merkt, daß er in getanzten Chiffern das Schicksal des deutschen Vaterlandes vor Augen hat.

Während solcherlei Gespräche hin und her flogen, verlor man doch das Nützliche nicht aus den Augen, und den großen Schüsseln, die mit Fleisch, Kartoffeln usw. ehrlich angefüllt waren, wurde fleißig zugesprochen. Jedoch das Essen war schlecht. Dieses erwähnte ich leichthin gegen meinen Nachbar, der aber, mit einem Akzente, woran ich den Schweizer erkannte, gar unhöflich antwortete: daß wir Deutschen wie mit der wahren Freiheit, so auch mit der wahren Genügsamkeit unbekannt seien. Ich zuckte die Achseln und bemerkte: daß die eigentlichen Fürstenknechte und Leckerkramverfertiger überall Schweizer sind und vorzugsweise so genannt werden und daß überhaupt die jetzigen schweizerischen Freiheitshelden, die so viel Politisch-Kühnes ins Publikum hineinschwatzen, mir immer vorkommen wie Hasen, die auf öffentlichen Jahrmärkten Pistolen abschießen, alle Kinder und Bauern durch ihre Kühnheit in Erstaunen setzen und dennoch Hasen sind.

Der Sohn der Alpen hatte es gewiß nicht böse gemeint, »es war ein dicker Mann, folglich ein guter Mann«, sagt Cervantes. Aber mein Nachbar von der andern Seite, ein Greifswalder, war durch jene Äußerung sehr pikiert; er beteuerte, daß deutsche Tatkraft und Einfältigkeit noch nicht erloschen sei, schlug sich dröhnend auf die Brust und leerte eine ungeheure Stange Weißbier. Der Schweizer sagte: »Nu! Nu!« Doch, je beschwichtigender er dieses sagte, desto eifriger ging der Greifswalder ins Geschirr. Dieser war ein Mann aus jenen Zeiten, als die

Läuse gute Tage hatten und die Friseure zu verhungern fürchteten. Er trug herabhängend langes Haar, ein ritterliches Barett, einen schwarzen, altdeutschen Rock, ein schmutziges Hemd, das zugleich das Amt einer Weste versah, und darunter ein Medaillon mit einem Haarbüschel von Blüchers Schimmel. Er sah aus wie ein Narr in Lebensgröße. Ich mache mir gern einige Bewegung beim Abendessen und ließ mich daher von ihm in einen patriotischen Streit verflechten. Er war der Meinung, Deutschland müsse in 33 Gauen geteilt werden. Ich hingegen behauptete: es müßten 48 sein, weil man alsdann ein systematischeres Handbuch über Deutschland schreiben könne und es doch notwendig sei, das Leben mit der Wissenschaft zu verbinden. Mein Greifswalder Freund war auch ein deutscher Barde, und wie er mir vertraute, arbeitete er an einem Nationalheldengedicht zur Verherrlichung Hermanns und der Hermannsschlacht. Manchen nützlichen Wink gab ich ihm für die Anfertigung dieses Epos. Ich machte ihn darauf aufmerksam, daß er die Sümpfe und Knüppelwege des Teutoburger Waldes sehr onomatopöisch durch wäßrige und holprige Verse andeuten könne und daß es eine patriotische Feinheit wäre, wenn er den Varus und die übrigen Römer lauter Unsinn sprechen ließe. Ich hoffe, dieser Kunstkniff wird ihm, ebenso erfolgreich wie andern Berliner Dichtern, bis zur bedenklichsten Illusion gelingen.

An unserem Tische wurde es immer lauter und traulicher, der Wein verdrängte das Bier, die Punschbowlen dampften, es wurde getrunken, smolliert und gesungen. Der alte Landesvater und herrliche Lieder von W. Müller, Rückert, Uhland usw. erschollen. Schöne Methfesselsche Melodien. Am allerbesten erklangen unseres Arndts deutsche Worte: »Der Gott, der Eisen wachsen ließ, der wollte keine Knechte!« Und draußen brauste es, als ob der alte Berg mitsänge, und einige schwankende Freunde behaupteten sogar, er schüttle freudig sein kahles Haupt und unser Zimmer werde dadurch hin und her bewegt. Die Flaschen wurden leerer und die Köpfe voller. Der eine brüllte, der andere fistulierte, ein dritter deklamierte aus der »Schuld«, ein vierter sprach Latein, ein fünfter predigte von der Mäßigkeit, und ein sechster stellte sich auf den Stuhl und dozierte: »Meine Herren! Die Erde ist eine runde Walze, die Menschen sind einzelne Stiftchen darauf, scheinbar arglos zerstreut; aber die Walze dreht sich, die Stiftchen stoßen hier und da an und tönen, die einen oft, die andern selten, das gibt eine wunderbare, komplizierte Musik, und diese heißt Weltgeschichte. Wir sprechen also erst von der

Musik, dann von der Welt und endlich von der Geschichte; letztere aber teilen wir ein in Positiv und spanische Fliegen –« Und so ging's weiter mit Sinn und Unsinn.

Ein gemütlicher Mecklenburger, der seine Nase im Punschglase hatte und selig lächelnd den Dampf einschnupfte, machte die Bemerkung: es sei ihm zumute, als stände er wieder vor dem Theaterbüffet in Schwerin! Ein anderer hielt sein Weinglas wie ein Perspektiv vor die Augen und schien uns aufmerksam damit zu betrachten, während ihm der rote Wein über die Backen ins hervortretende Maul hinablief. Der Greifswalder, plötzlich begeistert, warf sich an meine Brust und jauchzte: »O, verständest du mich, ich bin ein Liebender, ich bin ein Glücklicher, ich werde wieder geliebt, und, Gott verdamm mich! es ist ein gebildetes Mädchen, denn sie hat volle Brüste und trägt ein weißes Kleid und spielt Klavier!« – Aber der Schweizer weinte und küßte zärtlich meine Hand und wimmerte beständig: »O Bäbeli! O Bäbeli!«

In diesem verworrenen Treiben, wo die Teller tanzen und die Gläser fliegen lernten, saßen mir gegenüber zwei Jünglinge, schön und blaß wie Marmorbilder, der eine mehr dem Adonis, der andere mehr dem Apollo ähnlich. Kaum bemerkbar war der leichte Rosenhauch, den der Wein über ihre Wangen hinwarf. Mit unendlicher Liebe sahen sie sich einander an, als wenn einer lesen könnte in den Augen des andern, und in diesen Augen strahlte es, als wären einige Lichttropfen hineingefallen aus jener Schale voll lodernder Liebe, die ein frommer Engel dort oben von einem Stern zum andern hinüberträgt. Sie sprachen leise, mit sehnsuchtbebender Stimme, und es waren traurige Geschichten, aus denen ein wunderschmerzlicher Ton hervorklang. »Die Lore ist jetzt auch tot!« sagte der eine und seufzte, und nach einer Pause erzählte er von einem Halleschen Mädchen, das in einen Studenten verliebt war und, als dieser Halle verließ, mit niemand mehr sprach und wenig aß und Tag und Nacht weinte und immer den Kanarienvogel betrachtete, den der Geliebte ihr einst geschenkt hatte. »Der Vogel starb, und bald darauf ist auch die Lore gestorben!«, so schloß die Erzählung, und beide Jünglinge schwiegen und seufzten, als wollte ihnen das Herz zerspringen. Endlich sprach der andere: »Meine Seele ist traurig! Komm mit hinaus in die dunkle Nacht! Einatmen will ich den Hauch der Wolken und die Strahlen des Mondes. Genosse meiner Wehmut! ich liebe dich, deine Worte tönen wie Rohrgeflüster, wie gleitende Ströme, sie tönen wider in meiner Brust, aber meine Seele ist traurig!«

Nun erhoben sich die beiden Jünglinge, einer schlang den Arm um den Nacken des andern, und sie verließen das tosende Zimmer. Ich folgte ihnen nach und sah, wie sie in eine dunkle Kammer traten, wie der eine, statt des Fensters, einen großen Kleiderschrank öffnete, wie beide vor demselben, mit sehnsüchtig ausgestreckten Armen, stehen blieben und wechselweise sprachen. »Ihr Lüfte der dämmernden Nacht!« rief der erste, »wie erquickend kühlt ihr meine Wangen! Wie lieblich spielt ihr mit meinen flatternden Locken! Ich steh auf des Berges wolkigem Gipfel, unter mir liegen die schlafenden Städte der Menschen und blinken die blauen Gewässer. Horch! dort unten im Tale rauschen die Tannen! Dort über die Hügel ziehen, in Nebelgestalten, die Geister der Väter. O, könnt ich mit euch jagen, auf dem Wolkenroß, durch die stürmische Nacht, über die rollende See, zu den Sternen hinauf! Aber ach! ich bin beladen mit Leid, und meine Seele ist traurig!« – Der andere Jüngling hatte ebenfalls seine Arme sehnsuchtsvoll nach dem Kleiderschrank ausgestreckt, Tränen stürzten aus seinen Augen, und zu einer gelbledernen Hose, die er für den Mond hielt, sprach er mit wehmütiger Stimme: »Schön bist du, Tochter des Himmels! Holdselig ist deines Antlitzes Ruhe! Du wandelst einher in Lieblichkeit! Die Sterne folgen deinen blauen Pfaden im Osten. Bei deinem Anblick erfreuen sich die Wolken, und es lichten sich ihre düstern Gestalten. Wer gleicht dir am Himmel, Erzeugte der Nacht? Beschämt in deiner Gegenwart sind die Sterne und wenden ab die grünfunkelnden Augen. Wohin, wenn des Morgens dein Antlitz erbleicht, entfliehst du von deinem Pfade? Hast du gleich mir deine Halle? Wohnst du im Schatten der Wehmut? Sind deine Schwestern vom Himmel gefallen? Sie, die freudig mit dir die Nacht durchwallten, sind sie nicht mehr? Ja, sie fielen herab, o schönes Licht, und du verbirgst dich oft, sie zu betrauern. Doch einst wird kommen die Nacht, und du, auch du bist vergangen und hast deine blauen Pfade dort oben verlassen. Dann erheben die Sterne ihre grünen Häupter, die einst deine Gegenwart beschämt, sie werden sich freuen. Doch jetzt bist du gekleidet in deiner Strahlenpracht und schaust herab aus den Toren des Himmels. Zerreißt die Wolken, o Winde, damit die Erzeugte der Nacht hervorzuleuchten vermag und die buschigen Berge erglänzen und das Meer seine schäumenden Wogen rolle in Licht!«

Ein wohlbekannter, nicht sehr magerer Freund, der mehr getrunken als gegessen hatte, obgleich er auch heute abend, wie gewöhnlich, eine Portion Rindfleisch verschlungen, wovon sechs Gardeleutnants und ein unschuldiges Kind satt geworden wären, dieser kam jetzt in allzu gutem Humor, d. h. ganz en Schwein, vorbeigerannt, schob die beiden elegischen Freunde etwas unsanft in den Schrank hinein, polterte nach der Haustüre und wirtschaftete draußen ganz mörderisch. Der Lärm im Saal wurde auch immer verworrener und dumpfer. Die beiden Jünglinge im Schranke jammerten und wimmerten, sie lägen zerschmettert am Fuße des Berges; aus dem Hals strömte ihnen der edle Rotwein, sie überschwemmten sich wechselseitig, und der eine sprach zum andern: »Lebe wohl! Ich fühle, daß ich verblute. Warum weckst du mich, Frühlingsluft? Du buhlst und sprichst: ich betaue dich mit Tropfen des Himmels. Doch die Zeit meines Welkens ist nahe, nahe der Sturm, der meine Blätter herabstört! Morgen wird der Wanderer kommen, kommen, der mich sah in meiner Schönheit, ringsum wird sein Auge im Felde mich suchen und wird mich nicht finden. –« Aber alles übertobte die wohlbekannte Baßstimme, die draußen vor der Türe, unter Fluchen und Jauchzen, sich gottlästerlich beklagte: daß auf der ganzen dunkeln Weenderstraße keine einzige Laterne brenne und man nicht einmal sehen könne, bei wem man die Fensterscheiben eingeschmissen habe.

Ich kann viel vertragen – die Bescheidenheit erlaubt mir nicht, die Bouteillenzahl zu nennen –, und ziemlich gut konditioniert gelangte ich nach meinem Schlafzimmer. Der junge Kaufmann lag schon im Bette, mit seiner kreideweißen Nachtmütze und safrangelben Jacke von Gesundheitflanell. Er schlief noch nicht und suchte ein Gespräch mit mir anzuknüpfen. Er war ein Frankfurt-am-Mainer, und folglich sprach er gleich von den Juden, die alles Gefühl für das Schöne und Edle verloren haben und die englischen Waren 25 Prozent unter dem Fabrikpreise verkaufen. Es ergriff mich die Lust, ihn etwas zu mystifizieren; deshalb sagte ich ihm: ich sei ein Nachtwandler und müsse im voraus um Entschuldigung bitten, für den Fall, daß ich ihn etwa im Schlafe stören möchte. Der arme Mensch hat deshalb, wie er mir den andern Tag gestand, die ganze Nacht nicht geschlafen, da er die Besorgnis hegte, ich könnte mit meinen Pistolen, die vor meinem Bette lagen, im Nachtwandlerzustande ein Malheur anrichten. Im Grunde war es mir nicht viel besser als ihm gegangen, ich hatte sehr schlecht geschlafen. Wüste, beängstigende Phantasiegebilde. Ein Klavierauszug aus Dantes »Hölle«. Am Ende träumte mir gar, ich sähe die Aufführung einer juristischen Oper, die Falcidia geheißen, erbrechtlicher Text von Gans und Musik von Spontini. Ein toller Traum. Das römische Forum leuchtete prächtig, Serv. Asinius Göschenus als Prätor auf seinem Stuhle, die Toga in stolze Falten werfend, ergoß sich in polternden Rezitativen; Marcus Tullius Elversus, als Prima Donna legataria, all seine holde Weiblichkeit offenbarend, sang die liebeschmelzende Bravourarie quicunque civis romanus; ziegelrot geschminkte Referendarien brüllten als Chor der Unmündigen; Privatdozenten, als Genien in fleischfarbigen Trikot gekleidet, tanzten ein antejustinianeisches Ballett und bekränzten mit Blumen die zwölf Tafeln, unter Donner und Blitz stieg aus der Erde der beleidigte Geist der römischen Gesetzgebung, hierauf Posaunen, Tamtam, Feuerregen, cum omni causa.

Aus diesem Lärmen zog mich der Brockenwirt, indem er mich weckte, um den Sonnenaufgang anzusehen. Auf dem Turm fand ich schon einige Harrende, die sich die frierenden Hände rieben, andere, noch den Schlaf in den Augen, taumelten herauf. Endlich stand die stille Gemeinde von gestern abend wieder ganz versammelt, und schweigend sahen wir, wie am Horizonte die kleine, karmoisinrote Kugel emporstieg, eine winterlich dämmernde Beleuchtung sich verbreitete, die Berge wie in einem weißwallenden Meere schwammen und bloß die Spitzen derselben sichtbar hervortraten, so daß man auf einem kleinen Hügel zu stehen glaubte, mitten auf einer überschwemmten Ebene, wo nur hier und da eine trockene Erdscholle hervortritt. Um das Gesehene und Empfundene in Worten festzuhalten, zeichnete ich folgendes Gedicht:

Heller wird es schon im Osten
Durch der Sonne kleines Glimmen,
Weit und breit die Bergesgipfel
In dem Nebelmeere schwimmen.

Hätt ich Siebenmeilenstiefel,
Lief ich mit der Hast des Windes
Über jene Bergesgipfel,
Nach dem Haus des lieben Kindes.

Von dem Bettchen, wo sie schlummert,
Zög ich leise die Gardinen,
Leise küßt ich ihre Stirne,
Leise ihres Munds Rubinen.

Und noch leiser wollt ich flüstern
In die kleinen Liljenohren:
Denk im Traum, daß wir uns lieben
Und daß wir uns nie verloren.

Indessen, meine Sehnsucht nach einem Frühstück war ebenfalls groß, und nachdem ich meinen Damen einige Höflichkeiten gesagt, eilte ich hinab, um in der warmen Stube Kaffee zu trinken. Es tat not; in meinem Magen sah es so nüchtern aus wie in der Goslarschen Stephanskirche. Aber mit dem arabischen Trank rieselte mir auch der warme Orient durch die Glieder, östliche Rosen umdufteten mich, süße Bulbul-Lieder erklangen, die Studenten verwandelten sich in Kamele, die Brockenhausmädchen, mit ihren Congrevischen Blicken, wurden zu Houris, die Philisternasen wurden Minarets usw.

Das Buch, das neben mir lag, war aber nicht der Koran. Unsinn enthielt es freilich genug. Es war das sogenannte Brockenbuch, worin alle Reisende, die den Berg erstiegen, ihre Namen schreiben und die meisten noch einige Gedanken und, in Ermangelung derselben, ihre Gefühle hinzunotieren. Viele drücken sich sogar in Versen aus. In diesem Buche sieht man, welche Greuel entstehen, wenn der große Philistertroß bei gebräuchlichen Gelegenheiten, wie hier auf dem Brocken, sich vorgenommen hat, poetisch zu werden. Der Palast des Prinzen von Pallagonia enthält keine so große Abgeschmacktheiten wie dieses Buch, wo besonders hervorglänzen die Herren Akziseeinnehmer mit ihren verschimmelten Hochgefühlen, die Comptoirjünglinge mit ihren pathetischen Seelenergüssen, die altdeutschen Revolutionsdilettanten mit ihren Turngemeinplätzen, die Berliner Schullehrer mit ihren verunglückten Entzückungsphrasen usw. Herr Johannes Hagel will sich auch mal als Schriftsteller zeigen. Hier wird des Sonnenaufgangs majestätische Pracht beschrieben; dort wird geklagt über schlechtes Wetter, über getäuschte Erwartungen, über den Nebel, der alle Aussicht versperrt. »Benebelt heraufgekommen und benebelt hinuntergegangen!« ist ein stehender Witz, der hier von Hunderten nachgerissen wird.

Das ganze Buch riecht nach Käse, Bier und Tabak; man glaubt einen Roman von Clauren zu lesen.

Während ich nun besagtermaßen Kaffee trank und im Brockenbuche blätterte, trat der Schweizer mit hochroten Wangen herein, und voller Begeisterung erzählte er von dem erhabenen Anblick, den er oben auf dem Turm genossen, als das reine, ruhige Licht der Sonne, Sinnbild der Wahrheit, mit den nächtlichen Nebelmassen gekämpft, daß es ausgesehen habe wie eine Geisterschlacht, wo zürnende Riesen ihre langen Schwerter ausstrecken, geharnischte Ritter, auf bäumenden Rossen, einherjagen, Streitwagen, flatternde Banner, abenteuerliche Tierbildungen aus dem wildesten Gewühle hervortauchen, bis endlich alles in den wahnsinnigsten Verzerrungen zusammenkräuselt, blasser und blasser zerrinnt und spurlos verschwindet. Diese demagogische Naturerscheinung hatte ich versäumt, und ich kann, wenn es zur Untersuchung kommt, eidlich versichern: daß ich von nichts weiß als vom Geschmack des guten braunen Kaffees. Ach, dieser war sogar schuld, daß ich meine schöne Dame vergessen, und jetzt stand sie vor der Tür, mit Mutter und Begleiter, im Begriff, den Wagen zu besteigen. Kaum hatte ich noch Zeit, hinzueilen und ihr zu versichern, daß es kalt sei. Sie schien unwillig, daß ich nicht früher gekommen; doch ich glättete bald die mißmütigen Falten ihrer schönen Stirn, indem ich ihr eine wunderliche Blume schenkte, die ich den Tag vorher, mit halsbrechender Gefahr, von einer steilen Felsenwand gepflückt hatte. Die Mutter verlangte den Namen der Blume zu wissen, gleichsam als ob sie es unschicklich fände, daß ihre Tochter eine fremde, unbekannte Blume vor die Brust stecke – denn wirklich, die Blume erhielt diesen beneidenswerten Platz, was sie sich gewiß gestern auf ihrer einsamen Höhe nicht träumen ließ. Der schweigsame Begleiter öffnete jetzt auf einmal den Mund, zählte die Staubfäden der Blume und sagte ganz trocken: »Sie gehört zur achten Klasse.«

Es ärgert mich jedesmal, wenn ich sehe, daß man auch Gottes liebe Blumen, ebenso wie uns, in Kasten geteilt hat und nach ähnlichen Äußerlichkeiten, nämlich nach Staubfäden-Verschiedenheit. Soll doch mal eine Einteilung stattfinden, so folge man dem Vorschlage Theophrasts, der die Blumen mehr nach dem Geiste, nämlich nach ihrem Geruch, einteilen wollte. Was mich betrifft, so habe ich in der Naturwissenschaft mein eigenes System, und demnach teile ich alles ein: in dasjenige, was man essen kann, und in dasjenige, was man nicht essen kann.

Jedoch, der ältern Dame war die geheimnisvolle Natur der Blumen nichts weniger als verschlossen, und unwillkürlich äußerte sie: daß sie von den Blumen, wenn sie noch im Garten oder im Topfe wachsen, recht erfreut werde, daß hingegen ein leises Schmerzgefühl, traumhaft beängstigend, ihre Brust durchzittere, wenn sie eine abgebrochene

Blume sehe – da eine solche doch eigentlich eine Leiche sei und so eine gebrochene, zarte Blumenleiche ihr welkes Köpfchen recht traurig herabhängen lasse, wie ein totes Kind. Die Dame war fast erschrocken über den trüben Widerschein ihrer Bemerkung, und es war meine Pflicht, denselben mit einigen Voltaireschen Versen zu verscheuchen. Wie doch ein paar französische Worte uns gleich in die gehörige Konvenienzstimmung zurückversetzen können! Wir lachten, Hände wurden geküßt, huldreich wurde gelächelt, die Pferde wieherten, und der Wagen holperte, langsam und beschwerlich, den Berg hinunter.

Nun machten auch die Studenten Anstalt zum Abreisen, die Ranzen wurden geschnürt, die Rechnungen, die über alle Erwartung billig ausfielen, berichtigt; die empfänglichen Hausmädchen, auf deren Gesichtern die Spuren glücklicher Liebe, brachten, wie gebräuchlich ist, die Brockensträußchen, halfen solche auf die Mützen befestigen, wurden dafür mit einigen Küssen oder Groschen honoriert; und so stiegen wir alle den Berg hinab, indem die einen, wobei der Schweizer und Greifswalder, den Weg nach Schierke einschlugen und die andern, ungefähr zwanzig Mann, wobei auch meine Landsleute und ich, angeführt von einem Wegweiser, durch die sogenannten Schneelöcher hinabzogen nach Ilsenburg.

Das ging über Hals und Kopf. Hallesche Studenten marschieren schneller als die östreichische Landwehr. Ehe ich mich dessen versah, war die kahle Partie des Berges mit den darauf zerstreuten Steingruppen schon hinter uns, und wir kamen durch einen Tannenwald, wie ich ihn den Tag vorher gesehen. Die Sonne goß schon ihre festlichen Strahlen herab und beleuchtete die humoristisch buntgekleideten Burschen, die so munter durch das Dickicht drangen, hier verschwanden, dort wieder zum Vorschein kamen, bei Sumpfstellen über die quergelegten Baumstämme liefen, bei abschüssigen Tiefen an den rankenden Wurzeln kletterten, in den ergötzlichsten Tonarten emporjohlten und ebenso lustige Antwort zurückerhielten von den zwitschernden Waldvögeln, von den rauschenden Tannen, von den unsichtbar plätschernden Quellen und von dem schallenden Echo. Wenn frohe Jugend und schöne Natur zusammenkommen, so freuen sie sich wechselseitig.

Je tiefer wir hinabstiegen, desto lieblicher rauschte das unterirdische Gewässer, nur hier und da, unter Gestein und Gestrippe, blickte es hervor und schien heimlich zu lauschen, ob es ans Licht treten dürfe, und endlich kam eine kleine Welle entschlossen hervorgesprungen. Nun zeigt sich die gewöhnliche Erscheinung: ein Kühner macht den Anfang, und der große Troß der Zagenden wird plötzlich, zu seinem eigenen Erstaunen, von Mut ergriffen und eilt, sich mit jenem ersten zu vereinigen. Eine Menge anderer Quellen hüpften jetzt hastig aus ihrem Versteck, verbanden sich mit der zuerst hervorgesprungenen, und bald bildeten sie zusammen ein schon bedeutendes Bächlein, das in unzähligen Wasserfällen und in wunderlichen Windungen das Bergtal hinabrauscht. Das ist nun die Ilse, die liebliche, süße Ilse. Sie zieht sich durch das gesegnete Ilsetal, an dessen beiden Seiten sich die Berge allmählig höher erheben, und diese sind, bis zu ihrem Fuße, meistens mit Buchen, Eichen und gewöhnlichem Blattgesträuche bewachsen, nicht mehr mit Tannen und anderm Nadelholz. Denn jene Blätterholzart wird vorherrschend auf dem »Unterharze«, wie man die Ostseite des Brockens nennt, im Gegensatz zur Westseite desselben, die der »Oberharz« heißt und wirklich viel höher ist und also auch viel geeigneter zum Gedeihen der Nadelhölzer.

Es ist unbeschreibbar, mit welcher Fröhlichkeit, Naivetät und Anmut die Ilse sich hinunterstürzt über die abenteuerlich gebildeten Felsstücke, die sie in ihrem Laufe findet, so daß das Wasser hier wild emporzischt oder schäumend überläuft, dort aus allerlei Steinspalten, wie aus tollen Gießkannen, in reinen Bögen sich ergießt und unten wieder über die kleinen Steine hintrippelt, wie ein munteres Mädchen. Ja, die Sage ist wahr, die Ilse ist eine Prinzessin, die lachend und blühend den Berg hinabläuft. Wie blinkt im Sonnenschein ihr weißes Schaumgewand! Wie flattern im Winde ihre silbernen Busenbänder! Wie funkeln und blitzen ihre Diamanten! Die hohen Buchen stehen dabei gleich ernsten Vätern, die verstohlen lächelnd dem Mutwillen des lieblichen Kindes zusehen; die weißen Birken bewegen sich tantenhaft vergnügt und doch zugleich ängstlich über die gewagten Sprünge; der stolze Eichbaum schaut drein wie ein verdrießlicher Oheim, der das schöne Wetter bezahlen soll; die Vögelein in den Lüften jubeln ihren Beifall, die Blumen am Ufer flüstern zärtlich: O, nimm uns mit, nimm uns mit, lieb Schwesterchen! – aber das lustige Mädchen springt unaufhaltsam weiter, und plötzlich ergreift sie den träumenden Dichter, und es strömt auf mich herab ein Blumenregen von klingenden Strahlen und strahlenden Klängen, und die Sinne vergehen mir vor lauter Herrlichkeit, und ich höre nur noch die flötensüße Stimme:

Ich bin die Prinzessin Ilse
Und wohne im Ilsenstein;
Komm mit nach meinem Schlosse,
Wir wollen selig sein.

Dein Haupt will ich benetzen
Mit meiner klaren Well,
Du sollst deine Schmerzen vergessen,
Du sorgenkranker Gesell!

In meinen weißen Armen,
An meiner weißen Brust,
Da sollst du liegen und träumen
Von alter Märchenlust.

Ich will dich küssen und herzen,
Wie ich geherzt und geküßt
Den lieben Kaiser Heinrich,
Der nun gestorben ist.

Es bleiben tot die Toten,
Und nur der Lebendige lebt;
Und ich bin schön und blühend,
Mein lachendes Herze bebt.

Komm in mein Schloß herunter,
In mein kristallenes Schloß,
Da tanzen die Fräulein und Ritter,
Es jubelt der Knappentroß.

Es rauschen die seidenen Schleppen,
Es klirren die Eisensporn,
Die Zwerge trompeten und pauken
Und fiedeln und blasen das Horn.

Doch dich soll mein Arm umschlingen,
Wie er Kaiser Heinrich umschlang;
Ich hielt ihm zu die Ohren,
Wenn die Trompet erklang.

Unendlich selig ist das Gefühl, wenn die Erscheinungswelt mit unserer Gemütswelt zusammenrinnt und grüne Bäume, Gedanken, Vogelsang, Wehmut, Himmelsbläue, Erinnerung und Kräuterduft sich in süßen Arabesken verschlingen. Die Frauen kennen am besten dieses Gefühl, und darum mag auch ein so holdselig ungläubiges Lächeln um ihre Lippen schweben, wenn wir mit Schulstolz unsere logischen Taten rühmen, wie wir alles so hübsch eingeteilt in objektiv und subjektiv, wie wir unsere Köpfe apothekenartig mit tausend Schubladen versehen, wo in der einen Vernunft, in der andern Verstand, in der dritten Witz, in der vierten schlechter Witz und in der fünften gar nichts, nämlich die Idee, enthalten ist.

Wie im Traume fortwandelnd, hatte ich fast nicht bemerkt, daß wir die Tiefe des Ilsetals verlassen und wieder bergauf stiegen. Dies ging sehr steil und mühsam, und mancher von uns kam außer Atem. Doch wie unser seliger Vetter, der zu Mölln begraben liegt, dachten wir im voraus ans Bergabsteigen und waren um so vergnügter. Endlich gelangten wir auf den Ilsenstein.

Das ist ein ungeheurer Granitfelsen, der sich lang und keck aus der Tiefe erhebt. Von drei Seiten umschließen ihn die hohen, waldbedeckten Berge, aber die vierte, die Nordseite, ist frei, und hier schaut man das unten liegende Ilsenburg und die Ilse, weit hinab ins niedere Land. Auf der turmartigen Spitze des Felsens steht ein großes, eisernes Kreuz, und zur Not ist da noch Platz für vier Menschenfüße.

Wie nun die Natur, durch Stellung und Form, den Ilsenstein mit phantastischen Reizen geschmückt, so hat auch die Sage ihren Rosenschein darüber ausgegossen. Gottschalk berichtet: »Man erzählt, hier habe ein verwünschtes Schloß gestanden, in welchem die reiche, schöne Prinzessin Ilse gewohnt, die sich noch jetzt jeden Morgen in der Ilse bade; und wer so glücklich ist, den rechten Zeitpunkt zu treffen, werde von ihr in den Felsen, wo ihr Schloß sei, geführt und königlich belohnt!« Andere erzählen von der Liebe des Fräuleins Ilse und des Ritters von Westenberg eine hübsche Geschichte, die einer unserer bekanntesten Dichter romantisch in der »Abendzeitung« besungen hat. Andere wieder erzählen anders: es soll der altsächsische Kaiser Heinrich gewesen sein, der mit Ilse, der schönen Wasserfee, in ihrer verzauberten Felsenburg die kaiserlichsten Stunden genossen. Ein neuerer Schriftsteller, Herr Niemann, Wohlgeb., der ein Harzreisebuch geschrieben, worin er die Gebirgshöhen, Abweichungen der Magnetnadel, Schulden der

Städte und dergleichen mit löblichem Fleiße und genauen Zahlen angegeben, behauptet indes: »Was man von der Prinzessin Ilse erzählt, gehört dem Fabelreiche an.« So sprechen alle diese Leute, denen eine solche Prinzessin niemals erschienen ist, wir aber, die wir von schönen Damen besonders begünstigt werden, wissen das besser. Auch Kaiser Heinrich wußte es. Nicht umsonst hingen die altsächsischen Kaiser so sehr an ihrem heimischen Harze. Man blättere nur in der hübschen Lüneburger Chronik, wo die guten, alten Herren in wunderlich treuherzigen Holzschnitten abkonterfeit sind, wohlgeharnischt, hoch auf ihrem gewappneten Schlachtroß, die heilige Kaiserkrone auf dem teuren Haupte, Szepter und Schwert in festen Händen; und auf den lieben, knebelbärtigen Gesichtern kann man deutlich lesen, wie oft sie sich nach den süßen Herzen ihrer Harzprinzessinnen und dem traulichen Rauschen der Harzwälder zurücksehnten, wenn sie in der Fremde weilten, wohl gar in dem zitronen- und giftreichen Welschland, wohin sie und ihre Nachfolger so oft verlockt wurden von dem Wunsche, römische Kaiser zu heißen, einer echtdeutschen Titelsucht, woran Kaiser und Reich zugrunde gingen.

Ich rate aber jedem, der auf der Spitze des Ilsensteins steht, weder an Kaiser und Reich noch an die schöne Ilse, sondern bloß an seine Füße zu denken. Denn als ich dort stand, in Gedanken verloren, hörte ich plötzlich die unterirdische Musik des Zauberschlosses, und ich sah, wie sich die Berge ringsum auf die Köpfe stellten und die roten Ziegeldächer zu Ilsenburg anfingen zu tanzen und die grünen Bäume in der blauen Luft herumflogen, daß es mir blau und grün vor den Augen wurde und ich sicher, vom Schwindel erfaßt, in den Abgrund gestürzt wäre, wenn ich mich nicht, in meiner Seelennot, ans eiserne Kreuz festgeklammert hätte. Daß ich, in so mißlicher Stellung, dieses letztere getan habe, wird mir gewiß niemand verdenken.

Die »Harzreise« ist und bleibt Fragment, und die bunten Fäden, die so hübsch hineingesponnen sind, um sich im Ganzen harmonisch zu verschlingen, werden plötzlich, wie von der Schere der unerbittlichen Parze, abgeschnitten. Vielleicht verwebe ich sie weiter in künftigen Liedern, und was jetzt kärglich verschwiegen ist, wird alsdann vollauf gesagt. Am Ende kommt es auch auf eins heraus, wann und wo man etwas ausgesprochen hat, wenn man es nur überhaupt einmal ausspricht. Mögen die einzelnen Werke immerhin Fragmente bleiben, wenn sie nur in ihrer Vereinigung ein Ganzes bilden. Durch solche Vereinigung mag hier und da das Mangelhafte ergänzt, das Schroffe ausgeglichen und das Allzuherbe gemildert werden. Dieses würde vielleicht schon bei den ersten Blättern der »Harzreise« der Fall sein, und sie könnten wohl einen minder sauern Eindruck hervorbringen, wenn man anderweitig erführe, daß der Unmut, den ich gegen Göttingen im allgemeinen hege, obschon er noch größer ist, als ich ihn ausgesprochen, doch lange nicht so groß ist wie die Verehrung, die ich für einige Individuen dort empfinde. Und warum sollte ich es verschweigen, ich meine hier ganz besonders jenen viel teueren Mann, der schon in frühern Zeiten sich so freundlich meiner annahm, mir schon damals eine innige Liebe für das Studium der Geschichte einflößte, mich späterhin in dem Eifer für dasselbe bestärkte und dadurch meinen Geist auf ruhigere Bahnen führte, meinem Lebensmute heilsamere Richtungen anwies und mir überhaupt jene historischen Tröstungen bereitete, ohne welche ich die qualvollen Erscheinungen des Tages nimmermehr ertragen würde. Ich spreche von Georg Sartorius, dem großen Geschichtsforscher und Menschen, dessen Auge ein klarer Stern ist in unserer dunkeln Zeit und dessen gastliches Herz offen steht für alle fremde Leiden und Freuden, für die Besorgnisse des Bettlers und des Königs und für die letzten Seufzer untergehender Völker und ihrer Götter. –

Ich kann nicht umhin, hier ebenfalls anzudeuten: daß der Oberharz, jener Teil des Harzes, den ich bis zum Anfang des Ilsetals beschrieben habe, bei weitem keinen so erfreulichen Anblick wie der romantisch malerische Unterharz gewährt und in seiner wildschroffen, tannendüstern Schönheit gar sehr mit demselben kontrastiert; so wie ebenfalls die drei, von der Ilse, von der Bode und von der Selke gebildeten Täler des Unterharzes gar anmutig untereinander kontrastieren, wenn man den Charakter jedes Tales zu personifizieren weiß. Es sind drei Frauengestalten, wovon man nicht so leicht zu entscheiden vermag, welche die schönste sei.

Von der lieben, süßen Ilse und wie süß und lieblich sie mich empfangen, habe ich schon gesagt und gesungen. Die düstere Schöne, die Bode, empfing mich nicht so gnädig, und als ich sie im schmiededunkeln Rübeland zuerst erblickte, schien sie gar mürrisch und verhüllte sich in einen silbergrauen Regenschleier. Aber mit rascher Liebe warf sie ihn ab, als ich auf die Höhe der Roßtrappe gelangte, ihr Antlitz leuchtete mir entgegen in sonnigster Pracht, aus allen Zügen hauchte eine kolossale

Zärtlichkeit, und aus der bezwungenen Felsenbrust drang es hervor wie Sehnsuchtseufzer und schmelzende Laute der Wehmut. Minder zärtlich, aber fröhlicher zeigte sich mir die schöne Selke, die schöne, liebenswürdige Dame, deren edle Einfalt und heitre Ruhe alle sentimentale Familiarität entfernt hält, die aber doch durch ein halbverstecktes Lächeln ihren neckenden Sinn verrät; und diesem möchte ich es wohl zuschreiben, daß mich im Selketal gar mancherlei kleines Ungemach heimsuchte, daß ich, indem ich über das Wasser springen wollte, just in die Mitte hineinplumpste, daß nachher, als ich das nasse Fußzeug mit Pantoffeln vertauscht hatte, einer derselben mir abhanden oder vielmehr abfüßen kam, daß mir ein Windstoß die Mütze entführte, daß mir Walddorne die Beine zerfetzten, u. leider s. w. Doch all dieses Ungemach verzeihe ich gern der schönen Dame, denn sie ist schön. Und jetzt steht sie vor meiner Eintbildung mit all ihrem stillen Liebreiz und scheint zu sagen: wenn ich auch lache, so meine ich es doch gut mit Ihnen, und ich bitte Sie, besingen Sie mich. Die herrliche Bode tritt ebenfalls hervor in meiner Erinnerung, und ihr dunkles Auge spricht: du gleichst mir im Stolz und im Schmerze, und ich will, daß du mich liebst. Auch die schöne Ilse kommt herangesprungen, zierlich und bezaubernd in Miene, Gestalt und Bewegung; sie gleicht ganz dem holden Wesen, das meine Träume beseligt, und ganz wie Sie schaut sie mich an, mit unwiderstehlicher Gleichgültigkeit und doch zugleich so innig, so ewig, so durchsichtig wahr – Nun, ich bin Paris, die drei Göttinnen stehen vor mir, und den Apfel gebe ich der schönen Ilse.

Es ist heute der erste Mai. Wie ein Meer des Lebens ergießt sich der Frühling über die Erde, der weiße Blütenschaum bleibt an den Bäumen hängen, ein weiter, warmer Nebelglanz verbreitet sich überall. In der Stadt blitzen freudig die Fensterscheiben der Häuser, an den Dächern bauen die Spatzen wieder ihre Nestchen, auf der Straße wandeln die Leute und wundern sich, daß die Luft so angreifend und ihnen selbst so wunderlich zumute ist; die bunten Vierlanderinnen bringen Veilchensträußer; die Waisenkinder, mit ihren blauen Jäckchen und ihren lieben, unehelichen Gesichtchen, ziehen über den Jungfernstieg und freuen sich, als sollten sie heute einen Vater wiederfinden; der Bettler an der Brücke schaut so vergnügt, als hätte er das große Los gewonnen, sogar den schwarzen, noch ungehenkten Makler, der dort mit seinem spitzbübischen Manufakturwaren-Gesicht einherläuft, bescheint die Sonne mit ihren tolerantesten Strahlen – ich will hinauswandern vor das Tor.

Es ist der erste Mai, und ich denke deiner, du schöne Ilse – oder soll ich dich »Agnes« nennen, weil dir dieser Name am besten gefällt? – ich denke deiner, und ich möchte wieder zusehen, wie du leuchtend den Berg hinabläufst. Am liebsten aber möchte ich unten im Tale stehen und dich auffangen in meine Arme. – Es ist ein schöner Tag! Überall sehe ich die grüne Farbe, die Farbe der Hoffnung. Überall, wie holde Wunder, blühen hervor die Blumen, und auch mein Herz will wieder blühen. Dieses Herz ist auch eine Blume, eine gar wunderliche. Es ist kein bescheidenes Veilchen, keine lachende Rose, keine reine Lilie oder sonstiges Blümchen, das mit artiger Lieblichkeit den Mädchensinn erfreut und sich hübsch vor den hübschen Busen stecken läßt und heute welkt und morgen wieder blüht. Dieses Herz gleicht mehr jener schweren, abenteuerlichen Blume aus den Wäldern Brasiliens, die, der Sage nach, alle hundert Jahre nur einmal blüht. Ich erinnere mich, daß ich als Knabe eine solche Blume gesehen. Wir hörten in der Nacht einen Schuß, wie von einer Pistole, und am folgenden Morgen erzählten mir die Nachbarskinder, daß es ihre »Aloe« gewesen, die mit solchem Knalle plötzlich aufgeblüht sei. Sie führten mich in ihren Garten, und da sah ich, zu meiner Verwunderung, daß das niedrige, harte Gewächs mit den närrisch breiten, scharfgezackten Blättern, woran man sich leicht verletzen konnte, jetzt ganz in die Höhe geschossen war und oben, wie eine goldene Krone, die herrlichste Blüte trug. Wir Kinder konnten nicht so hoch hinaufsehen, und der alte, schmunzelnde Christian, der uns lieb hatte, baute eine hölzerne Treppe um die Blume herum, und da kletterten wir hinauf, wie die Katzen, und schauten neugierig in den offenen Blumenkelch, woraus die gelben Strahlenfäden und wildfremden Düfte mit unerhörter Pracht hervordrangen.

Ja, Agnes, oft und leicht kommt dieses Herz nicht zum Blühen; so viel ich mich erinnere, hat es nur ein einziges Mal geblüht, und das mag schon lange her sein, gewiß schon hundert Jahr. Ich glaube, so herrlich auch damals seine Blüte sich entfaltete, so mußte sie doch aus Mangel an Sonnenschein und Wärme elendiglich verkümmern, wenn sie nicht gar von einem dunkeln Wintersturme gewaltsam zerstört worden. Jetzt aber regt und drängt es sich wieder in meiner Brust, und hörst du plötzlich den Schuß – Mädchen, erschrick nicht! ich hab mich nicht tot geschossen, sondern meine Liebe sprengt ihre Knospe und schießt empor in strahlenden Liedern, in ewigen Dithyramben, in freudigster Sangesfülle.

Ist dir aber diese hohe Liebe zu hoch, Mädchen, so mach es dir bequem und besteige die hölzerne Treppe und schaue von dieser hinab in mein blühendes Herz.

Es ist noch früh am Tage, die Sonne hat kaum die Hälfte ihres Weges zurückgelegt, und mein Herz duftet schon so stark, daß es mir betäubend zu Kopfe steigt, daß ich nicht mehr weiß, wo die Ironie aufhört und der Himmel anfängt, daß ich die Luft mit meinen Seufzern bevölkere und daß ich selbst wieder zerrinnen möchte in süße Atome, in die unerschaffene Gottheit; – wie soll das erst gehen, wenn es Nacht wird und die Sterne am Himmel erscheinen, »die unglückselgen Sterne, die dir sagen können ––«

Es ist der erste Mai, der lumpigste Ladenschwengel hat heute das Recht, sentimental zu werden, und dem Dichter wolltest du es verwehren?

Die Nordsee

(1825-1826)

Erste und zweite Abteilung

Motto: Xenophons Anabasis IV 7.

Herrn Friedrich Merckel
widmet
diese Bilder der Nordsee
der Verfasser

Erste Abteilung

1825

I

Abenddämmerung

Am blassen Meeresstrande
Saß ich gedankenbekümmert und einsam.
Die Sonne neigte sich tiefer und warf
Glührote Streifen auf das Wasser,
Und die weißen, weiten Wellen,
Von der Flut gedrängt,
Schäumten und rauschten näher und näher –
Ein seltsam Geräusch, ein Flüstern und Pfeifen,
Ein Lachen und Murmeln, Seufzen und Sausen,
Dazwischen ein wiegenliedheimliches Singen –
Mir war, als hört ich verschollne Sagen,
Uralte, liebliche Märchen,
Die ich einst, als Knabe,
Von Nachbarskindern vernahm,
Wenn wir am Sommerabend,
Auf den Treppensteinen der Haustür,
Zum stillen Erzählen niederkauerten,
Mit kleinen, horchenden Herzen
Und neugierklugen Augen; –
Während die großen Mädchen,
Neben duftenden Blumentöpfen,
Gegenüber am Fenster saßen,
Rosengesichter,
Lächelnd und mondbeglänzt.

II

Sonnenuntergang

Die glühend rote Sonne steigt
Hinab ins weitaufschauernde,
Silbergraue Weltmeer;
Luftgebilde, rosig angehaucht,
Wallen ihr nach, und gegenüber,
Aus herbstlich dämmernden Wolkenschleiern,
Ein traurig todblasses Antlitz,
Bricht hervor der Mond,
Und hinter ihm, Lichtfünkchen,
Nebelweit, schimmern die Sterne.

Einst am Himmel glänzten,
Ehlich vereint,
Luna, die Göttin, und Sol, der Gott,
Und es wimmelten um sie her die Sterne,
Die kleinen, unschuldigen Kinder.

Doch böse Zungen zischelten Zwiespalt,
Und es trennte sich feindlich
Das hohe, leuchtende Ehpaar.

Jetzt, am Tage, in einsamer Pracht,
Ergeht sich dort oben der Sonnengott,
Ob seiner Herrlichkeit
Angebetet und vielbesungen
Von stolzen, glückgehärteten Menschen.
Aber des Nachts,
Am Himmel, wandelt Luna,
Die arme Mutter,
Mit ihren verwaisten Sternenkindern,
Und sie glänzt in stummer Wehmut,
Und liebende Mädchen und sanfte Dichter
Weihen ihr Tränen und Lieder.

Die weiche Luna! Weiblich gesinnt,
Liebt sie noch immer den schönen Gemahl.
Gegen Abend, zitternd und bleich,
Lauscht sie hervor aus leichtem Gewölk
Und schaut nach dem Scheidenden, schmerzlich,
Und möchte ihm ängstlich rufen: »Komm!
Komm! die Kinder verlangen nach dir –«
Aber der trotzige Sonnengott,
Bei dem Anblick der Gattin erglüht er
In doppeltem Purpur,
Vor Zorn und Schmerz,
Und unerbittlich eilt er hinab
In sein flutenkaltes Witwerbett.

*

Böse, zischelnde Zungen
Brachten also Schmerz und Verderben
Selbst über ewige Götter.
Und die armen Götter, oben am Himmel
Wandeln sie, qualvoll,
Trostlos unendliche Bahnen
Und können nicht sterben
Und schleppen mit sich
Ihr strahlendes Elend.

Ich aber, der Mensch,
Der niedriggepflanzte, der Tod-beglückte,
Ich klage nicht länger.

III

Die Nacht am Strande

Sternlos und kalt ist die Nacht,
Es gärt das Meer;
Und über dem Meer, platt auf dem Bauch,

Liegt der ungestaltete Nordwind,
Und heimlich, mit ächzend gedämpfter Stimme,
Wie 'n störriger Griesgram, der gutgelaunt wird,
Schwatzt er ins Wasser hinein
Und erzählt viel tolle Geschichten,
Riesenmärchen, totschlaglaunig,
Uralte Sagen aus Norweg,
Und dazwischen, weitschallend, lacht er und heult er
Beschwörungslieder der Edda,
Graue Runensprüche,
So dunkeltrotzig und zaubergewaltig,
Daß die weißen Meerkinder
Hochaufspringen und jauchzen,
Übermut-berauscht.

Derweilen, am flachen Gestade,
Über den flutbefeuchteten Sand,
Schreitet ein Fremdling, mit einem Herzen,
Das wilder noch als Wind und Wellen;
Wo er hintritt,
Sprühen Funken und knistern die Muscheln,
Und er hüllt sich fest in den grauen Mantel
Und schreitet rasch durch die wehende Nacht –
Sicher geleitet vom kleinen Lichte,
Das lockend und lieblich schimmert
Aus einsamer Fischerhütte.

Vater und Bruder sind auf der See,
Und mutterseelallein blieb dort
In der Hütte die Fischertochter,
Die wunderschöne Fischertochter.
Am Herde sitzt sie
Und horcht auf des Wasserkessels
Ahnungsüßes, heimliches Summen
Und schüttet knisterndes Reisig ins Feuer
Und bläst hinein,
Daß die flackernd roten Lichter
Zauberlieblich widerstrahlen

Auf das blühende Antlitz,
Auf die zarte, weiße Schulter,
Die rührend hervorlauscht
Aus dem groben, grauen Hemde,
Und auf die kleine, sorgsame Hand,
Die das Unterröckchen fester bindet
Um die feine Hüfte.

Aber plötzlich, die Tür springt auf,
Und es tritt herein der nächtige Fremdling;
Liebesicher ruht sein Auge
Auf dem weißen, schlanken Mädchen,
Das schauernd vor ihm steht,
Gleich einer erschrockenen Lilje;
Und er wirft den Mantel zur Erde,
Und lacht und spricht:

Siehst du, mein Kind, ich halte Wort,
Und ich komme, und mit mir kommt
Die alte Zeit, wo die Götter des Himmels
Niederstiegen zu Töchtern der Menschen
Und die Töchter der Menschen umarmten
Und mit ihnen zeugten
Zeptertragende Königsgeschlechter
Und Helden, Wunder der Welt.
Doch staune, mein Kind, nicht länger
Ob meiner Göttlichkeit,
Und ich bitte dich, koche mir Tee mit Rum,
Denn draußen war's kalt,
Und bei solcher Nachtluft
Frieren auch wir, wir ewigen Götter,
Und kriegen wir leicht den göttlichsten Schnupfen
Und einen unsterblichen Husten.

IV

Poseidon

Die Sonnenlichter spielten
Über das weithinrollende Meer;
Fern auf der Reede glänzte das Schiff,
Das mich zur Heimat tragen sollte;
Aber es fehlte an gutem Fahrwind,
Und ich saß noch ruhig auf weißer Düne,
Am einsamen Strand,
Und ich las das Lied vom Odysseus,
Das alte, ewig junge Lied,
Aus dessen meerdurchrauschten Blättern
Mir freudig entgegenstieg
Der Atem der Götter
Und der leuchtende Menschenfrühling
Und der blühende Himmel von Hellas.

Mein edles Herz begleitete treulich
Den Sohn des Laertes, in Irrfahrt und Drangsal,
Setzte sich mit ihm, seelenbekümmert,
An gastliche Herde,
Wo Königinnen Purpur spinnen,
Und half ihm lügen und glücklich entrinnen
Aus Riesenhöhlen und Nymphenarmen,
Folgte ihm nach in kümerische Nacht
Und in Sturm und Schiffbruch
Und duldete mit ihm unsägliches Elend.

Seufzend sprach ich: Du böser Poseidon,
Dein Zorn ist furchtbar,
Und mir selber bangt
Ob der eigenen Heimkehr.

Kaum sprach ich die Worte,
Da schäumte das Meer,
Und aus den weißen Wellen stieg

Das schilfbekränzte Haupt des Meeresgotts,
Und höhnisch rief er:

Fürchte dich nicht, Poetlein!
Ich will nicht im gringsten gefährden
Dein armes Schiffchen
Und nicht dein liebes Leben beängstgen
Mit allzu bedenklichem Schaukeln.
Denn du, Poetlein, hast nie mich erzürnt,
Du hast kein einziges Türmchen verletzt
An Priamos' heiliger Feste,
Kein einziges Härchen hast du versengt
Am Aug meines Sohns Polyphemos,
Und dich hat niemals ratend beschützt
Die Göttin der Klugheit, Pallas Athene.

Also rief Poseidon
Und tauchte zurück ins Meer;
Und über den groben Seemannswitz
Lachten unter dem Wasser
Amphitrite, das plumpe Fischweib,
Und die dummen Töchter des Nereus.

V

Huldigung

Ihr Lieder! Ihr meine guten Lieder!
Auf, auf! und wappnet euch!
Laßt die Trompeten klingen
Und hebt mir auf den Schild
Dies junge Mädchen,
Das jetzt mein ganzes Herz
Beherrschen soll, als Königin.

Heil dir! du junge Königin!

Von der Sonne droben
Reiß ich das strahlend rote Gold
Und webe draus ein Diadem
Für dein geweihtes Haupt.
Von der flatternd blauseidnen Himmelsdecke,
Worin die Nachtdiamanten blitzen,
Schneid ich ein kostbar Stück
Und häng es dir, als Krönungsmantel,
Um deine königliche Schulter.
Ich gebe dir einen Hofstaat
Von steifgeputzten Sonetten,
Stolzen Terzinen und höflichen Stanzen;
Als Läufer diene dir mein Witz,
Als Hofnarr meine Phantasie,
Als Herold, die lachende Träne im Wappen,
Diene dir mein Humor.
Aber ich selber, Königin,
Ich knie vor dir nieder,
Und huldgend, auf rotem Sammetkissen,
Überreiche ich dir
Das bißchen Verstand,
Das mir, aus Mitleid, noch gelassen hat
Deine Vorgängerin im Reich.

VI

Erklärung

Herangedämmert kam der Abend,
Wilder toste die Flut,
Und ich saß am Strand und schaute zu
Dem weißen Tanz der Wellen,
Und meine Brust schwoll auf wie das Meer,
Und sehnend ergriff mich ein tiefes Heimweh
Nach dir, du holdes Bild,
Das überall mich umschwebt
Und überall mich ruft,

Überall, überall,
Im Sausen des Windes, im Brausen des Meers
Und im Seufzen der eigenen Brust.

Mit leichtem Rohr schrieb ich in den Sand:
»Agnes, ich liebe dich!«
Doch böse Wellen ergossen sich
Über das süße Bekenntnis
Und löschten es aus.

Zerbrechliches Rohr, zerstiebender Sand,
Zerfließende Wellen, euch trau ich nicht mehr!
Der Himmel wird dunkler, mein Herz wird wilder,
Und mit starker Hand aus Norwegs Wäldern
Reiß ich die höchste Tanne
Und tauche sie ein
In des Ätnas glühenden Schlund, und mit solcher
Feuergetränkten Riesenfeder
Schreib ich an die dunkle Himmelsdecke:
»Agnes, ich liebe dich!«

Jedwede Nacht lodert alsdann
Dort oben die ewige Flammenschrift,
Und alle nachwachsende Enkelgeschlechter
Lesen jauchzend die Himmelsworte:
»Agnes, ich liebe dich!«

VII

Nachts in der Kajüte

Das Meer hat seine Perlen,
Der Himmel hat seine Sterne,
Aber mein Herz, mein Herz,
Mein Herz hat seine Liebe.

Groß ist das Meer und der Himmel,
Doch größer ist mein Herz,
Und schöner als Perlen und Sterne
Leuchtet und strahlt meine Liebe.

Du kleines, junges Mädchen,
Komm an mein großes Herz;
Mein Herz und das Meer und der Himmel
Vergehn vor lauter Liebe.

*

An die blaue Himmelsdecke,
Wo die schönen Sterne blinken,
Möcht ich pressen meine Lippen,
Pressen wild und stürmisch weinen.

Jene Sterne sind die Augen
Meiner Liebsten, tausendfältig
Schimmern sie und grüßen freundlich
Aus der blauen Himmelsdecke.

Nach der blauen Himmelsdecke,
Nach den Augen der Geliebten
Heb ich andachtsvoll die Arme,
Und ich bete und ich flehe:

Holde Augen, Gnadenlichter,
O, beseligt meine Seele,
Laßt mich sterben und erwerben
Euch und euren ganzen Himmel!

*

Aus den Himmelsaugen droben
Fallen zitternd lichte Funken
Durch die Nacht, und meine Seele
Dehnt sich liebeweit und weiter.

O, ihr Himmelsaugen droben!
Weint euch aus in meine Seele,
Daß von lieben Sternentränen
Überfließet meine Seele.

*

Eingewiegt von Meereswellen
Und von träumenden Gedanken,
Lieg ich still in der Kajüte,
In dem dunkeln Winkelbette.

Durch die offne Luke schau ich
Droben hoch die hellen Sterne,
Die geliebten, süßen Augen
Meiner süßen Vielgeliebten.

Die geliebten, süßen Augen
Wachen über meinem Haupte,
Und sie klingen und sie winken
Aus der blauen Himmelsdecke.

Nach der blauen Himmelsdecke
Schau ich selig lange Stunden,
Bis ein weißer Nebelschleier
Mir verbirgt die lieben Augen.

*

An die bretterne Schiffswand,
Wo mein träumendes Haupt liegt,
Branden die Wellen, die wilden Wellen.
Sie rauschen und murmeln

Mir heimlich ins Ohr:
»Betörter Geselle!
Dein Arm ist kurz, und der Himmel ist weit,
Und die Sterne droben sind festgenagelt,
Vergebliches Sehnen, vergebliches Seufzen,
Das Beste wäre, du schliefest ein.«

*

Es träumte mir von einer weiten Heide,
Weit überdeckt von weißem, weißem Schnee,
Und unterm weißen Schnee lag ich begraben
Und schlief den einsam kalten Todesschlaf.

Doch droben aus dem dunkeln Himmel schauten
Herunter auf mein Grab die Sternenaugen,
Die süßen Augen! und sie glänzten sieghaft
Und ruhig heiter, aber voller Liebe.

VIII

Sturm

Es wütet der Sturm,
Und er peitscht die Welln,
Und die Wellen, wutschäumend und bäumend,
Türmen sich auf, und es wogen lebendig
Die weißen Wasserberge,
Und das Schifflein erklimmt sie,
Hastig mühsam,
Und plötzlich stürzt es hinab
In schwarze, weitgähnende Flutabgründe –

O Meer!
Mutter der Schönheit, der Schaumentstiegenen!
Großmutter der Liebe! schone meiner!
Schon flattert, leichenwitternd,

Die weiße, gespenstische Möwe
Und wetzt an dem Mastbaum den Schnabel
Und lechzt, voll Fraßbegier, nach dem Herzen,
Das den Ruhm deiner Tochter verkündet
Und das dein Enkel, der kleine Schalk,
Zum Spielzeug erwählt.

Vergebens mein Bitten und Flehn!
Mein Rufen verhallt im tosenden Sturm,
Im Schlachtlärm der Winde;
Es braust und pfeift und prasselt und heult,
Wie ein Tollhaus von Tönen!
Und zwischendurch hör ich vernehmbar
Lockende Harfenlaute,
Sehnsuchtwilden Gesang,
Seelenschmelzend und seelenzerreißend,
Und ich erkenne die Stimme.

Fern an schottischer Felsenküste,
Wo das graue Schlößlein hinausragt
Über die brandende See,
Dort am hochgewölbten Fenster
Steht eine schöne, kranke Frau,
Zartdurchsichtig und marmorblaß,
Und sie spielt die Harfe und singt,
Und der Wind durchwühlt ihre langen Locken
Und trägt ihr dunkles Lied
Über das weite, stürmende Meer.

IX

Meeresstille

Meeresstille! Ihre Strahlen,
Wirft die Sonne auf das Wasser,
Und im wogenden Geschmeide
Zieht das Schiff die grünen Furchen.

Bei dem Steuer liegt der Bootsmann,
Auf dem Bauch, und schnarchet leise.
Bei dem Mastbaum, segelflickend,
Kauert der beteerte Schiffsjung.

Hinterm Schmutze seiner Wangen
Sprüht es rot, wehmütig zuckt es
Um das breite Maul, und schmerzlich
Schaun die großen, schönen Augen.

Denn der Kapitän steht vor ihm,
Tobt und flucht und schilt ihn: Spitzbub.
»Spitzbub! einen Hering hast du
Aus der Tonne mir gestohlen!«

Meeresstille! Aus den Wellen
Taucht hervor ein kluges Fischlein,
Wärmt das Köpfchen in der Sonne,
Plätschert lustig mit dem Schwänzchen.

Doch die Möwe, aus den Lüften,
Schießt herunter auf das Fischlein,
Und den raschen Raub im Schnabel
Schwingt sie sich hinauf ins Blaue.

X

Seegespenst

Ich aber lag am Rande des Schiffes
Und schaute, träumenden Auges,
Hinab in das spiegelklare Wasser,
Und schaute tiefer und tiefer –
Bis tief im Meeresgrunde,
Anfangs wie dämmernde Nebel,
Jedoch allmählig farbenbestimmter,
Kirchenkuppel und Türme sich zeigten

Und endlich, sonnenklar, eine ganze Stadt,
Altertümlich niederländisch
Und menschenbelebt.
Bedächtige Männer, schwarzbemäntelt,
Mit weißen Halskrausen und Ehrenketten
Und langen Degen und langen Gesichtern,
Schreiten über den wimmelnden Marktplatz,
Nach dem treppenhohen Rathaus,
Wo steinerne Kaiserbilder
Wacht halten mit Zepter und Schwert.
Unferne, vor langen Häuserreihn
Mit spiegelblanken Fenstern,
Stehn pyramidisch beschnittene Linden
Und wandeln seidenrauschende Jungfraun,
Ein gülden Band um den schlanken Leib,
Die Blumengesichter sittsam umschlossen
Von schwarzen, samtnen Mützchen,
Woraus die Lockenfülle hervordringt.
Bunte Gesellen, in spanischer Tracht,
Stolzieren vorüber und nicken.
Bejahrte Frauen,
In braunen, verschollnen Gewändern,
Gesangbuch und Rosenkranz in der Hand,
Eilen, trippelnden Schritts,
Nach dem großen Dome,
Getrieben von Glockengeläute
Und rauschendem Orgelton.

Mich selbst ergreift des fernen Klangs
Geheimnisvoller Schauer,
Unendliches Sehnen, tiefe Wehmut
Beschleicht mein Herz,
Mein kaum geheiltes Herz;
Mir ist, als würden seine Wunden
Von lieben Lippen aufgeküßt
Und täten wieder bluten,
Heiße, rote Tropfen,
Die lang und langsam niederfalln

Auf ein altes Haus dort unten
In der tiefen Meerstadt,
Auf ein altes, hochgegiebeltes Haus,
Wo melancholisch einsam
Unten am Fenster ein Mädchen sitzt,
Den Kopf auf den Arm gelehnt,
Wie ein armes, vergessenes Kind –
Und ich kenne dich armes, vergessenes Kind!

So tief, so tief also
Verstecktest du dich vor mir,
Aus kindischer Laune,
Und konntest nicht mehr hinauf
Und saßest fremd unter fremden Leuten,
Fünfhundert Jahre lang,
Derweilen ich, die Seele voll Gram,
Auf der ganzen Erde dich suchte
Und immer dich suchte,
Du Immergeliebte,
Du Längstverlorene,
Du Endlichgefundene –
Ich hab dich gefunden und schaue wieder
Dein süßes Gesicht,
Die klugen, treuen Augen,
Das liebe Lächeln –
Und nimmer will ich dich wieder verlassen,
Und ich komme hinab zu dir,
Und mit ausgebreiteten Armen
Stürz ich hinab an dein Herz –

Aber zur rechten Zeit noch
Ergriff mich beim Fuß der Kapitän
Und zog mich vom Schiffsrand
Und rief, ärgerlich lachend:
Doktor, sind Sie des Teufels?

XI

Reinigung

Bleib du in deiner Meerestiefe,
Wahnsinniger Traum,
Der du einst so manche Nacht
Mein Herz mit falschem Glück gequält hast
und jetzt, als Seegespenst,
Sogar am hellen Tag mich bedrohest –
Bleib du dort unten, in Ewigkeit,
Und ich werfe noch zu dir hinab
All meine Schmerzen und Sünden
Und die Schellenkappe der Torheit,
Die so lange mein Haupt umklingelt,
Und die kalte, gleißende Schlangenhaut
Der Heuchelei,
Die mir so lang die Seele umwunden,
Die kranke Seele,
Die gottverleugnende, engelverleugnende,
Unselige Seele –
Hoiho! Hoiho! da kommt der Wind!
Die Segel auf! Sie flattern und schwelln;
Über die stillverderbliche Fläche
Eilet das Schiff,
Und es jauchzt die befreite Seele.

XII

Frieden

Hoch am Himmel stand die Sonne,
Von weißen Wolken umwogt,
Das Meer war still,
Und sinnend lag ich am Steuer des Schiffes,
Träumerisch sinnend – und halb im Wachen

Und halb im Schlummer schaute ich Christus,
Den Heiland der Welt.

Im wallend weißen Gewande
Wandelt' er riesengroß
Über Land und Meer;
Es ragte sein Haupt in den Himmel,
Die Hände streckte er segnend
Über Land und Meer;
Und als ein Herz in der Brust
Trug er die Sonne,
Die rote, flammende Sonne,
Und das rote, flammende Sonnenherz
Goß seine Gnadenstrahlen
Und sein holdes, liebseliges Licht,
Erleuchtend und wärmend,
Über Land und Meer.

Glockenklänge zogen feierlich
Hin und her, zogen wie Schwäne,
Am Rosenbande, das gleitende Schiff,
Und zogen es spielend ans grüne Ufer,
Wo Menschen wohnen, in hochgetürmter,
Ragender Stadt.

O Friedenswunder! Wie still die Stadt!
Es ruhte das dumpfe Geräusch
Der schwatzenden, schwülen Gewerbe,
Und durch die reinen, hallenden Straßen
Zogen Menschen, weißgekleidete,
Palmzweig-tragende,
Und wo sich zwei begegneten,
Sahn sie sich an, verständnisinnig,
Und schauernd, in Liebe und süßer Entsagung,
Küßten sie sich auf die Stirne
Und schauten hinauf
Nach des Heilands Sonnenherzen,

Das freudig versöhnend sein rotes Blut
Hinunterstrahlte,
Und dreimalselig sprachen sie:
Gelobt sei Jesu Christ!

*

Hättest du doch dies Traumbild ersonnen.
Was gäbest du drum,
Geliebtester!
Der du in Kopf und Lenden so schwach
Und im Glauben so stark bist
Und die Dreifaltigkeit ehrest in Einfalt
Und den Mops und das Kreuz und die Pfote
Der hohen Gönnerin täglich küssest
Und dich hinaufgefrömmelt hast
Zum Hofrat und dann zum Justizrat
Und endlich zum Rate bei der Regierung,
In der frommen Stadt,
Wo der Sand und der Glauben blüht
Und der heiligen Sprea geduldiges Wasser
Die Seelen wäscht und den Tee verdünnt –
Hättest du doch dies Traumbild ersonnen,
Geliebtester!
Du trügest es, höheren Ortes, zu Markt,
Dein weiches, blinzelndes Antlitz
Verschwämme ganz in Andacht und Demut,
Und die Hocherlauchte,
Verzückt und wonnebebend,
Sänke betend mit dir aufs Knie,
Und ihr Auge, selig strahlend,
Verhieße dir eine Gehaltzulage
Von hundert Talern Preußisch Courant,
Und du stammeltest händefaltend:
Gelobt sei Jesu Christ!

Zweite Abteilung

1826

I

Meergruß

Thalatta! Thalatta!
Sei mir gegrüßt, du ewiges Meer!
Sei mir gegrüßt zehntausendmal
Aus jauchzendem Herzen,
Wie einst dich begrüßten
Zehntausend Griechenherzen,
Unglückbekämpfende, heimatverlangende,
Weltberühmte Griechenherzen.

Es wogten die Fluten,
Sie wogten und brausten,
Die Sonne goß eilig herunter
Die spielenden Rosenlichter,
Die aufgescheuchten Möwenzüge
Flatterten fort, lautschreiend,
Es stampften die Rosse, es klirrten die Schilde,
Und weithin erscholl es, wie Siegesruf:
Thalatta! Thalatta!

Sei mir gegrüßt, du ewiges Meer,
Wie Sprache der Heimat rauscht mir dein Wasser,
Wie Träume der Kindheit seh ich es flimmern
Auf deinem wogenden Wellengebiet,
Und alte Erinnrung erzählt mir aufs neue
Von all dem lieben, herrlichen Spielzeug,
Von all den blinkenden Weihnachtsgaben,
Von all den roten Korallenbäumen,
Goldfischchen, Perlen und bunten Muscheln,

Die du geheimnisvoll bewahrst
Dort unten im klaren Kristallhaus.

O! wie hab ich geschmachtet in öder Fremde!
Gleich einer welken Blume
In des Botanikers blecherner Kapsel
Lag mir das Herz in der Brust;
Mir ist, als saß ich winterlange,
Ein Kranker, in dunkler Krankenstube,
Und nun verlaß ich sie plötzlich,
Und blendend strahlt mir entgegen
Der smaragdene Frühling, der sonnengeweckte,
Und es rauschen die weißen Blütenbäume,
Und die jungen Blumen schauen mich an,
Mit bunten, duftenden Augen,
Und es duftet und summt und atmet und lacht,
Und im blauen Himmel singen die Vöglein –
Thalatta! Thalatta!

Du tapferes Rückzugherz!
Wie oft, wie bitteroft
Bedrängten dich des Nordens Barbarinnen!
Aus großen, siegenden Augen
Schossen sie brennende Pfeile;
Mit krummgeschliffenen Worten
Drohten sie mir die Brust zu spalten,
Mit Keilschriftbillets zerschlugen sie mir
Das arme betäubte Gehirn –
Vergebens hielt ich den Schild entgegen,
Die Pfeile zischten, die Hiebe krachten,
Und von des Nordens Barbarinnen
Ward ich gedrängt bis ans Meer,
Und freiaufatmend begrüß ich das Meer,
Das liebe, rettende Meer,
Thalatta! Thalatta!

II

Gewitter

Dumpf liegt auf dem Meer das Gewitter,
Und durch die schwarze Wolkenwand
Zuckt der zackige Wetterstrahl,
Rasch aufleuchtend und rasch verschwindend,
Wie 'n Witz aus dem Haupte Kronions.
Über das wüste, wogende Wasser
Weithin rollen die Donner
Und springen die weißen Wellenrosse,
Die Boreas selber gezeugt
Mit des Erichthons reizenden Stuten,
Und es flattert ängstlich das Seegevögel,
Wie Schattenleichen am Styx,
Die Charon abwies vom nächtlichen Kahn.

Armes, lustiges Schifflein,
Das dort dahintanzt den schlimmsten Tanz!
Äolus schickt ihm die flinksten Gesellen,
Die wild aufspielen zum fröhlichen Reigen;
Der eine pfeift, der andere bläst,
Der dritte streicht den dumpfen Brummbaß –
Und der schwankende Seemann steht am Steuer
Und schaut beständig nach der Bussole,
Der zitternden Seele des Schiffes,
Und hebt die Hände flehend zum Himmel:
O rette mich, Kastor, reisiger Held,
Und du, Kämpfer der Faust, Polydeukes!

III

Der Schiffbrüchige

Hoffnung und Liebe! Alles zertrümmert!
Und ich selber, gleich einer Leiche,
Die grollend ausgeworfen das Meer,
Lieg ich am Strande,
Am öden, kahlen Strande.
Vor mir woget die Wasserwüste,
Hinter mir liegt nur Kummer und Elend,
Und über mich hin ziehen die Wolken,
Die formlos grauen Töchter der Luft,
Die aus dem Meer, in Nebeleimern,
Das Wasser schöpfen
Und es mühsam schleppen und schleppen
Und es wieder verschütten ins Meer,
Ein trübes, langweilges Geschäft
Und nutzlos, wie mein eignes Leben.

Die Wogen murmeln, die Möwen schrillen,
Alte Erinnrungen wehen mich an,
Vergessene Träume, erloschene Bilder,
Qualvoll süße, tauchen hervor!

Es lebt ein Weib im Norden,
Ein schönes Weib, königlich schön.
Die schlanke Zypressengestalt
Umschließt ein lüstern weißes Gewand;
Die dunkle Lockenfülle,
Wie eine selige Nacht, ergießt sich
Von dem hohen, flechtengekrönten Haupte,
Sie ringelt sich träumerisch süß
Um das süße, blasse Antlitz:
Und aus dem süßen, blassen Antlitz,
Groß und gewaltig, strahlt ein Auge,
Wie eine schwarze Sonne.

O, du schwarze Sonne, wie oft,
Entzückend oft, trank ich aus dir
Die wilden Begeistrungsflammen
Und stand und taumelte, feuerberauscht –
Dann schwebte ein taubenmildes Lächeln
Um die hochgeschürzten, stolzen Lippen,
Und die hochgeschürzten, stolzen Lippen
Hauchten Worte, süß wie Mondlicht
Und zart wie der Duft der Rose –
Und meine Seele erhob sich
Und flog, wie ein Aar, hinauf in den Himmel!

Schweigt, ihr Wogen und Möwen!
Vorüber ist alles, Glück und Hoffnung,
Hoffnung und Liebe! Ich liege am Boden,
Ein öder, schiffbrüchiger Mann,
Und drücke mein glühendes Antlitz
In den feuchten Sand.

IV

Untergang der Sonne

Die schöne Sonne
Ist ruhig hinabgestiegen ins Meer;
Die wogenden Wasser sind schon gefärbt
Von der dunkeln Nacht,
Nur noch die Abendröte
Überstreut sie mit goldnen Lichtern,
Und die rauschende Flutgewalt
Drängt ans Ufer die weißen Wellen,
Die lustig und hastig hüpfen,
Wie wollige Lämmerherden,
Die abends der singende Hirtenjunge
Nach Hause treibt.

Wie schön ist die Sonne!
So sprach nach langem Schweigen der Freund,
Der mit mir am Strande wandelte,
Und scherzend, halb und halb wehmütig,
Versichert' er mir: die Sonne sei
Eine schöne Frau, die den alten Meergott
Aus Konvenienz geheuratet;
Des Tages über wandle sie freudig
Am hohen Himmel, purpurgeputzt
Und diamantenblitzend
Und allgeliebt und allbewundert
Von allen Weltkreaturen
Und alle Weltkreaturen erfreuend
Mit ihres Blickes Licht und Wärme;
Aber des Abends, trostlos gezwungen,
Kehre sie wieder zurück
In das nasse Haus, in die öden Arme
Des greisen Gemahls.

»Glaub mir's« – setzte hinzu der Freund
Und lachte und seufzte und lachte wieder –
»Die führen dort unten die zärtlichste Ehe!
Entweder sie schlafen, oder sie zanken sich,
Daß hochaufbraust hier oben das Meer
Und der Schiffer im Wellengeräusch es hört,
Wie der Alte sein Weib ausschilt:
Runde Metze des Weltalls!
Strahlenbuhlende!
Den ganzen Tag glühst du für andere,
Und nachts, für mich, bist du frostig und müde!
Nach solcher Gardinenpredigt,
Versteht sich! bricht dann aus in Tränen
Die stolze Sonne und klagt ihr Elend,
Und klagt so jammerlang, daß der Meergott
Plötzlich verzweiflungsvoll aus dem Bett springt
Und schnell nach der Meeresfläche heraufschwimmt,
Um Luft und Besinnung zu schöpfen.

So sah ich ihn selbst, verflossene Nacht,
Bis an die Brust dem Meer enttauchen.
Er trug eine Jacke von gelbem Flanell
Und eine liljenweiße Schlafmütz
Und ein abgewelktes Gesicht.«

V

Der Gesang der Okeaniden

Abendlich blasser wird es am Meere,
Und einsam, mit seiner einsamen Seele,
Sitzt dort ein Mann auf dem kahlen Strand
und schaut, todkalten Blickes, hinauf
Nach der weiten, todkalten Himmelswölbung
Und schaut auf das weite, wogende Meer,
Und über das weite, wogende Meer,
Wie Lüftesegler, ziehn seine Seufzer
Und kehren wieder, trübselig,
Und hatten verschlossen gefunden das Herz,
Worin sie ankern wollten –
Und er stöhnt so laut, daß die weißen Möwen,
Aufgescheucht aus den sandigen Nestern,
Ihn herdenweis umflattern,
Und er spricht zu ihnen die lachenden Worte:

Schwarzbeinigte Vögel,
Mit weißen Flügeln Meer-überflatternde,
Mit krummen Schnäbeln Seewasser-saufende
Und tranigtes Robbenfleisch-fressende,
Eur Leben ist bitter wie eure Nahrung!
Ich aber, der Glückliche, koste nur Süßes!
Ich koste den süßen Duft der Rose,
Der Mondschein-gefütterten Nachtigallbraut,
Ich koste noch süßere Josty-Baisers,
Und das Allersüßeste kost ich:
Süße Liebe und süßes Geliebtsein.

Sie liebt mich! Sie liebt mich! die holde Jungfrau!
Jetzt steht sie daheim am Erker des Hauses
Und schaut in die Dämmrung hinaus, auf die Landstraß,
Und horcht und sehnt sich nach mir – wahrhaftig!
Vergebens späht sie umher, und sie seufzet,
und seufzend steigt sie hinab in den Garten
Und wandelt in Duft und Mondschein
Und spricht mit den Blumen, erzählet ihnen:
Wie ich, der Geliebte, so lieblich bin
Und so liebenswürdig – wahrhaftig!
Nachher im Bette, im Schlafe, im Traum
Umgaukelt sie selig mein teures Bild,
Sogar des Morgens, beim Frühstück,
Auf dem glänzenden Butterbrote,
Sieht sie mein lächelndes Antlitz,
Und sie frißt es auf vor Liebe – wahrhaftig!

Also prahlt er und prahlt er,
Und zwischendrein schrillen die Möwen,
Wie altes, ironisches Kichern;
Die Dämmrungsnebel steigen herauf;
Aus violettem Gewölk, unheimlich,
Schaut hervor der grasgelbe Mond;
Hochaufrauschen die Meereswogen,
Und tief aus hochaufrauschendem Meer,
Wehmütig wie flüsternder Windzug,
Tönt der Gesang der Okeaniden,
Der schönen, mitleidigen Wasserfraun,
Vor allen vernehmbar die liebliche Stimme
Der silberfüßigen Peleus-Gattin,
Und sie seufzen und singen:

O Tor, du Tor, du prahlender Tor!
Du Kummergequälter!
Dahingemordet sind all deine Hoffnungen,
Die tändelnden Kinder des Herzens,
Und ach! dein Herz, dein Niobe-Herz
Versteinert vor Gram!

In deinem Haupte wird's Nacht,
Und es zucken hindurch die Blitze des Wahnsinns,
Und du prahlst vor Schmerzen!
O Tor, du Tor! du prahlender Tor!
Halsstarrig bist du wie dein Ahnherr,
Der hohe Titane, der himmlisches Feuer
Den Göttern stahl und den Menschen schenkte
Und Geier-gequälet, Felsen-gefesselt
Olympauftrotzte und trotzte und stöhnte,
Daß wir es hörten im tiefen Meer
Und zu ihm kamen mit Trostgesang.
O Tor, du Tor! du prahlender Tor!
Du aber bist ohnmächtiger noch,
Und es wäre vernünftig, du ehrtest die Götter
Und trügest geduldig die Last des Elends,
Und trügest geduldig so lange, so lange,
Bis Atlas selbst die Geduld verliert
Und die schwere Welt von den Schultern abwirft
In die ewige Nacht.

So scholl der Gesang der Okeaniden,
Der schönen mitleidigen Wasserfraun,
Bis lautere Wogen ihn überrauschten –
Hinter die Wolken zog sich der Mond,
Es gähnte die Nacht,
Und ich saß noch lange im Dunkeln und weinte.

VI

Die Götter Griechenlands

Vollblühender Mond! In deinem Licht,
Wie fließendes Gold, erglänzt das Meer;
wie Tagesklarheit, doch dämmrig verzaubert,
Liegt's über der weiten Strandesfläche;
Und am hellblaun, sternlosen Himmel
Schweben die weißen Wolken,

Wie kolossale Götterbilder
Von leuchtendem Marmor.

Nein, nimmermehr, das sind keine Wolken!
Das sind sie selber, die Götter von Hellas,
Die einst so freudig die Welt beherrschten,
Doch jetzt, verdrängt und verstorben,
Als ungeheure Gespenster dahinziehn
Am mitternächtlichen Himmel.
Staunend und seltsam geblendet, betracht ich
Das luftige Pantheon,
Die feierlich stummen, graunhaft bewegten
Riesengestalten.
Der dort ist Kronion, der Himmelskönig,
Schneeweiß sind die Locken des Haupts,
Die berühmten, olymposerschütternden Locken,
Er hält in der Hand den erloschenen Blitz,
In seinem Gesichte liegt Unglück und Gram
Und doch noch immer der alte Stolz.
Das waren bessere Zeiten, o Zeus,
Als du dich himmlisch ergötztest
An Knaben und Nymphen und Hekatomben!
Doch auch die Götter regieren nicht ewig,
Die jungen verdrängen die alten,
Wie du einst selber den greisen Vater
Und deine Titanen-Öhme verdrängt hast,
Jupiter Parricida!
Auch dich erkenn ich, stolze Here!
Trotz all deiner eifersüchtigen Angst
Hat doch eine andre das Zepter gewonnen,
Und du bist nicht mehr die Himmelsköngin,
Und dein großes Aug ist erstarrt,
Und deine Liljenarme sind kraftlos,
Und nimmermehr trifft deine Rache
Die gottbefruchtete Jungfrau
Und den wundertätigen Gottessohn.
Auch dich erkenn ich, Pallas Athene!
Mit Schild und Weisheit konntest du nicht

Abwehren das Götterverderben?
Auch dich erkenn ich, auch dich, Aphrodite!
Einst die goldene! jetzt die silberne!
Zwar schmückt dich noch immer des Gürtels Liebreiz;
Doch graut mir heimlich vor deiner Schönheit,
Und wollt mich beglücken dein gütiger Leib,
Wie andre Helden, ich stürbe vor Angst;
Als Leichengöttin erscheinst du mir,
Venus Libitina!
Nicht mehr mit Liebe schaut nach dir,
Dort, der schreckliche Ares.
Es schaut so traurig Phöbos Apollo,
Der Jüngling. Es schweigt seine Leir,
Die so freudig erklungen beim Göttermahl.
Noch trauriger schaut Hephaistos,
Und wahrlich, der Hinkende! nimmermehr
Fällt er Heben ins Amt
Und schenkt geschäftig, in der Versammlung,
Den lieblichen Nektar. – Und längst ist erloschen
Das unauslöschliche Göttergelächter.

Ich hab euch niemals geliebt, ihr Götter!
Denn widerwärtig sind mir die Griechen,
Und gar die Römer sind mir verhaßt.
Doch heilges Erbarmen und schauriges Mitleid
Durchströmt mein Herz,
Wenn ich euch jetzt da droben schaue,
Verlassene Götter,
Tote, nachtwandelnde Schatten,
Nebelschwache, die der Wind verscheucht –
Und wenn ich bedenke, wie feig und windig
Die Götter sind, die euch besiegten,
Die neuen, herrschenden, tristen Götter,
Die Schadenfrohen im Schafspelz der Demut –
O da faßt mich ein düsterer Groll,
Und brechen möcht ich die neuen Tempel
Und kämpfen für euch, ihr alten Götter,
Für euch und eur gutes, ambrosisches Recht,

Und vor euren hohen Altären,
Den wiedergebauten, den opferdampfenden,
Möcht ich selber knien und beten
Und flehend die Arme erheben –

Denn, immerhin, ihr alten Götter,
Habt ihr's auch ehmals, in Kämpfen der Menschen,
Stets mit der Partei der Sieger gehalten,
So ist doch der Mensch großmütger als ihr,
Und in Götterkämpfen halt ich es jetzt
Mit der Partei der besiegten Götter.

*

Also sprach ich, und sichtbar erröteten
Droben die blassen Wolkengestalten
Und schauten mich an wie Sterbende,
Schmerzenverklärt, und schwanden plötzlich.
Der Mond verbarg sich eben
Hinter Gewölk, das dunkler heranzog;
Hochaufrauschte das Meer,
Und siegreich traten hervor am Himmel
Die ewigen Sterne.

VII

Fragen

Am Meer, am wüsten, nächtlichen Meer
Steht ein Jüngling-Mann,
Die Brust voll Wehmut, das Haupt voll Zweifel,
Und mit düstern Lippen fragt er die Wogen:

»O löst mir das Rätsel des Lebens,
Das qualvoll uralte Rätsel,
Worüber schon manche Häupter gegrübelt,
Häupter in Hieroglyphenmützen,

Häupter in Turban und schwarzem Barett,
Perückenhäupter und tausend andre
Arme, schwitzende Menschenhäupter –
Sagt mir, was bedeutet der Mensch?
Woher ist er kommen? Wo geht er hin?
Wer wohnt dort oben auf goldenen Sternen?«

Es murmeln die Wogen ihr ewges Gemurmel,
Es weht der Wind, es fliehen die Wolken,
Es blinken die Sterne, gleichgültig und kalt,
Und ein Narr wartet auf Antwort.

VIII

Der Phönix

Es kommt ein Vogel geflogen aus Westen,
Er fliegt gen Osten,
Nach der östlichen Gartenheimat,
Wo Spezereien duften und wachsen
Und Palmen rauschen und Brunnen kühlen –
Und fliegend singt der Wundervogel:

»Sie liebt ihn! sie liebt ihn!
Sie trägt sein Bildnis im kleinen Herzen
Und trägt es süß und heimlich verborgen
Und weiß es selbst nicht!
Aber im Traume steht er vor ihr,
Sie bittet und weint und küßt seine Hände
Und ruft seinen Namen,
Und rufend erwacht sie und liegt erschrocken
Und reibt sich verwundert die schönen Augen –
Sie liebt ihn! sie liebt ihn!«

IX

Echo

An den Mastbaum gelehnt, auf dem hohen Verdeck,
Stand ich und hört ich des Vogels Gesang.
Wie schwarzgrüne Rosse mit silbernen Mähnen
Sprangen die weißgekräuselten Wellen,
Wie Schwänenzüge schifften vorüber,
Mit schimmernden Segeln, die Helgolander,
Die kecken Nomaden der Nordsee;
Über mein Haupt, im ewigen Blau,
Hinflatterte weißes Gewölk
Und prangte die ewige Sonne,
Die Rose des Himmels, die feuerblühende,
Die freudvoll sich im Meer bespiegelte;
Und Himmel und Meer und mein eignes Herz
Ertönten im Nachhall:
Sie liebt ihn! sie liebt ihn!

X

Seekrankheit

Die grauen Nachmittagswolken
Senken sich tiefer hinab auf das Meer,
Das ihnen dunkel entgegensteigt,
Und zwischendurch jagt das Schiff.

Seekrank sitz ich noch immer am Mastbaum
Und mache Betrachtungen über mich selber,
uralte, aschgraue Betrachtungen,
Die schon der Vater Lot gemacht,
Als er des Guten zu viel genossen
Und sich nachher so übel befand.
Mitunter denk ich auch alter Geschichten:
Wie kreuzbezeichnete Pilger der Vorzeit,

Auf stürmischer Meerfahrt, das trostreiche Bildnis
Der heiligen Jungfrau gläubig küßten;
Wie kranke Ritter, in solcher Seenot,
Den lieben Handschuh ihrer Dame
An die Lippen preßten, gleichgetröstet –
Ich aber sitze und kaue verdrießlich
Einen alten Hering, den salzigen Tröster
In Katzenjammer und Hundetrübsal.

Unterdessen kämpft das Schiff
Mit der wilden, wogenden Flut;
Wie 'n bäumendes Schlachtroß stellt es sich jetzt
Auf das Hinterteil, daß das Steuer kracht,
Jetzt stürzt es kopfüber wieder hinab
In den heulenden Wasserschlund,
Dann wieder, wie sorglos liebematt,
Denkt es sich hinzulegen
An den schwarzen Busen der Riesenwelle,
Die mächtig heranbraust
Und plötzlich, ein wüster Meerwasserfall,
In weißem Gekräusel zusammenstürzt
Und mich selbst mit Schaum bedeckt.

Dieses Schwanken und Schweben und Schaukeln
Ist unerträglich!
Vergebens späht mein Auge und sucht
Die deutsche Küste. Doch ach! nur Wasser
Und abermals Wasser, bewegtes Wasser!

Wie der Winterwandrer des Abends sich sehnt
Nach einer warmen, innigen Tasse Tee,
So sehnt sich jetzt mein Herz nach dir,
Mein deutsches Vaterland!
Mag immerhin dein süßer Boden bedeckt sein
Mit Wahnsinn, Husaren, schlechten Versen
Und laulig dünnen Traktätchen;
Mögen immerhin deine Zebras
Mit Rosen sich mästen statt mit Disteln;

Mögen immerhin deine noblen Affen
In müßigem Putz sich vornehm spreizen
Und sich besser dünken als all das andre
Banausisch schwerhinwandelnde Hornvieh;
Mag immerhin deine Schneckenversammlung
Sich für unsterblich halten,
Weil sie so langsam dahinkriecht,
Und mag sie täglich Stimmen sammeln,
Ob den Maden des Käses der Käse gehört?
Und noch lange Zeit in Beratung ziehn,
Wie man die ägyptischen Schafe veredle,
Damit ihre Wolle sich beßre
Und der Hirt sie scheren könne wie andre,
Ohn Unterschied –
Immerhin, mag Torheit und Unrecht
Dich ganz bedecken, o Deutschland!
Ich sehne mich dennoch nach dir:
Denn wenigstens bist du doch festes Land.

XI

Im Hafen

Glücklich der Mann, der den Hafen erreicht hat
Und hinter sich ließ das Meer und die Stürme
Und jetzo warm und ruhig sitzt
Im guten Ratskeller zu Bremen.

Wie doch die Welt so traulich und lieblich
Im Römerglas sich widerspiegelt,
Und wie der wogende Mikrokosmus
Sonnig hinabfließt ins durstige Herz!
Alles erblick ich im Glas,
Alte und neue Völkergeschichte,
Türken und Griechen, Hegel und Gans,
Zitronenwälder und Wachtparaden,
Berlin und Schilda und Tunis und Hamburg,

Vor allem aber das Bild der Geliebten,
Das Engelköpfchen auf Rheinweingoldgrund.

O, wie schön! wie schön bist du, Geliebte!
Du bist wie eine Rose!
Nicht wie die Rose von Schiras,
Die hafisbesungene Nachtigallbraut;
Nicht wie die Rose von Saron,
Die heiligrote, prophetengefeierte;
Du bist wie die Ros im Ratskeller zu Bremen!
Das ist die Rose der Rosen,
Je älter sie wird, je lieblicher blüht sie,
Und ihr himmlischer Duft, er hat mich beseligt,
Er hat mich begeistert, er hat mich berauscht,
Und hielt' mich nicht fest, am Schopfe fest,
Der Ratskellermeister von Bremen,
Ich wäre gepurzelt!

Der brave Mann! wir saßen beisammen
Und tranken wie Brüder,
Wir sprachen von hohen, heimlichen Dingen,
Wir seufzten und sanken uns in die Arme,
Und er hat mich bekehrt zum Glauben der Liebe,
Ich trank auf das Wohl meiner bittersten Feinde,
Und allen schlechten Poeten vergab ich,
Wie einst mir selber vergeben soll werden;
Ich weinte vor Andacht, und endlich
Erschlossen sich mir die Pforten des Heils,
Wo die zwölf Apostel, die heilgen Stückfässer,
Schweigend predgen, und doch so verständlich
Für alle Völker.

Das sind Männer!
Unscheinbar von außen, in hölzernen Röcklein,
Sind sie von innen schöner und leuchtender
Denn all die stolzen Leviten des Tempels
Und des Herodes Trabanten und Höflinge,
Die goldgeschmückten, die purpurgekleideten –

Hab ich doch immer gesagt,
Nicht unter ganz gemeinen Leuten,
Nein, in der allerbesten Gesellschaft
Lebte beständig der König des Himmels.

Hallelujah! Wie lieblich umwehn mich
Die Palmen von Beth El!
Wie duften die Myrrhen von Hebron!
Wie rauscht der Jordan und taumelt vor Freude,
Auch meine unsterbliche Seele taumelt,
Und ich taumle mit ihr, und taumelnd
Bringt mich die Treppe hinauf, ans Tagslicht,
Der brave Ratskellermeister von Bremen.

Du braver Ratskellermeister von Bremen!
Siehst du, auf den Dächern der Häuser sitzen
Die Engel und sind betrunken und singen;
Die glühende Sonne droben am Himmel
Ist nur die rote betrunkene Nase,
Die der Weltgeist hinaussteckt,
Und um die rote Weltgeistnase
Dreht sich die ganze betrunkene Welt.

XII

Epilog

Wie auf dem Felde die Weizenhalmen,
So wachsen und wogen im Menschengeist
Die Gedanken.
Aber die zarten Gedanken der Dichter
Sind wie lustig dazwischenblühende,
Rot und blaue Blumen.

Rot und blaue Blumen!
Der mürrische Schnitter verwirft euch als nutzlos,
Hölzerne Flegel zerdreschen euch höhnend,

Sogar der hablose Wandrer,
Den eur Anblick ergötzt und erquickt,
Schüttelt das Haupt
Und nennt euch schönes Unkraut.
Aber die ländliche Jungfrau,
Die Kränzewinderin,
Verehrt euch und pflückt euch
Und schmückt mit euch die schönen Locken,
Und also geziert, eilt sie zum Tanzplatz,
Wo Pfeifen und Geigen lieblich ertönen,
Oder zur stillen Buche,
Wo die Stimme des Liebsten noch lieblicher tönt
Als Pfeifen und Geigen.

Reisebilder

Zweiter Teil

Vorwort zur zweiten Auflage

Die »zweite Abteilung Nordsee«, die bei der ersten Auflage diesen Band eröffnete, habe ich bei der zweiten Auflage bereits dem ersten Bande einverleibt, ferner habe ich ein Dutzend Blätter aus der »dritten Abteilung Nordsee« in dieser neuen Auflage unterdrückt, und endlich sind hier die »Briefe aus Berlin« ganz ausgeschieden worden. diese Ökonomie mag sich selber vertreten. Die Lücke, die dadurch in diesem Bande entstand, habe ich nicht mit einem Teile aus dem dritten Bande ergänzen wollen. Letzterer, der dritte Band der Reisebilder, hat nun einmal in seiner jetzigen Gestalt den Beifall meiner Freunde gewonnen, diese Gestalt scheint mit seine geistige Einheit zu bedingen, und ich möchte deshalb auch keine Zeile davon trennen oder irgend sonst eine Veränderung, und sei sie noch so geringfügig, damit vornehmen. Die Lücke, die sich in diesem zweiten Bande bildete, suchte ich daher mit neuen Frühlingsliedern zu füllen. Ich übergebe sie um so anspruchloser, da ich wohl weiß, daß Deutschland keinen Mangel hat an dergleichen lyrischen Gedichten. Außerdem ist es unmöglich, in dieser Gattung etwas Besseres zu geben, als schon von den älteren Meistern geliefert worden, namentlich von Ludwig Uhland, der die Lieder der Minne und des Glaubens so hold und lieblich hervorgesungen aus den Trümmern alter Burgen und Klosterhallen. Freilich, diese frommen und ritterlichen Töne, diese Nachklänge des Mittelalters, die noch unlängst in der Periode einer patriotischen Beschränktheit von allen Seiten widerhallten, verwehen jetzt im Lärmen der neuesten Freiheitskämpfe, im Getöse einer allgemein europäischen Völkerverbrüderung und im scharfen Schmerzjubel jener modernen Lieder, die keine katholische Harmonie der Gefühle erlügen wollen und vielmehr, jakobinisch unerbittlich, die Gefühle zerschneiden, der Wahrheit wegen. Es ist interessant zu beobachten, wie die eine von den beiden Liederarten je zuweilen von der anderen die äußere Form erborgt. Noch interessanter ist es, wenn in ein und demselben Dichterherzen sich beide Arten verschmelzen.

Ich weiß nicht, ob die »Erato« des Freiherrn Franz von Gaudy und das »Skizzenbuch« von Franz Kugler schon die gebührende Anerkennung gefunden; beide Büchlein, die erst jüngst erschienen, haben mich so innig angesprochen, daß ich sie, in jedem Fall, ganz besonders rühmen muß.

Ich würde mich vielleicht noch weitläuftig über deutsche Dichter aussprechen, aber einige andre Zeitgenossen, die jetzt damit beschäftigt sind, die Freiheit und Gleichheit in Europa zu begründen, nehmen zu sehr meine Aufmerksamkeit in Anspruch.

Paris den 20. Juni 1831. Heinrich Heine.

Die Nordsee

(1826)

Dritte Abteilung

Motto: Varnhagen von Enses »Biographische Denkmale«.
1. Teil, S. 1, 2.

(Geschrieben auf der Insel Norderney.)

– – – Die Eingeborenen sind meistens blutarm und leben vom Fischfang, der erst im nächsten Monat, im Oktober, bei stürmischem Wetter, seinen Anfang nimmt. Viele dieser Insulaner dienen auch als Matrosen auf fremden Kauffahrteischiffen und bleiben jahrelang vom Hause entfernt, ohne ihren Angehörigen irgendeine Nachricht von sich zukommen zu lassen. Nicht selten finden sie den Tod auf dem Wasser. Ich habe einige arme Weiber auf der Insel gefunden, deren ganze männliche Familie solcher Weise umgekommen; was sich leicht ereignet, da der Vater mit seinen Söhnen gewöhnlich auf demselben Schiffe zur See fährt.

Das Seefahren hat für diese Menschen einen großen Reiz; und dennoch, glaube ich, daheim ist ihnen allen am wohlsten zumute. Sind sie auch auf ihren Schiffen sogar nach jenen südlichen Ländern gekommen, wo die Sonne blühender und der Mond romantischer leuchtet, so können doch alle Blumen dort nicht den Leck ihres Herzens stopfen, und mitten in der duftigen Heimat des Frühlings sehnen sie sich wieder zurück nach ihrer Sandinsel, nach ihren kleinen Hütten, nach dem flakkernden Herde, wo die Ihrigen, wohlverwahrt in wollenen Jacken, herumkauern und einen Tee trinken, der sich von gekochtem Seewasser nur durch den Namen unterscheidet, und eine Sprache schwatzen, wovon kaum begreiflich scheint, wie es ihnen selber möglich ist, sie zu verstehen.

Was diese Menschen so fest und genügsam zusammenhält, ist nicht so sehr das innig mystische Gefühl der Liebe als vielmehr die Gewohnheit, das naturgemäße Ineinander-Hinüberleben, die gemeinschaftliche Unmittelbarkeit. Gleiche Geisteshöhe, oder, besser gesagt, Geistesniedrigkeit, daher gleiche Bedürfnisse und gleiches Streben; gleiche Erfahrungen und Gesinnungen, daher leichtes Verständnis untereinander; und sie sitzen verträglich am Feuer in den kleinen Hütten, rücken zusammen, wenn es kalt wird, an den Augen sehen sie sich ab, was sie denken, die Worte lesen sie sich von den Lippen, ehe sie gesprochen worden, alle gemeinsamen Lebensbeziehungen sind ihnen im Gedächtnisse, und durch einen einzigen Laut, eine einzige Miene, eine einzige stumme Bewegung erregen sie untereinander so viel Lachen oder Weinen oder Andacht, wie wir bei unseres Gleichen erst durch lange Expositionen, Expektorationen und Deklamationen hervorbringen können. Denn wir leben im Grunde geistig einsam; durch eine besondere Erziehungsmethode oder zufällig gewählte, besondere Lektüre hat jeder von uns eine verschiedene Charakterrichtung empfangen; jeder von uns, geistig verlarvt, denkt, fühlt und strebt anders als die andern, und des Mißverständnisses wird so viel, und selbst in weiten Häusern wird das Zusammenleben so schwer, und wir sind überall beengt, überall fremd und überall in der Fremde.

In jenem Zustande der Gedanken- und Gefühlsgleichheit, wie wir ihn bei unseren Insulanern sehen, lebten oft ganze Völker und haben oft ganze Zeitalter gelebt. Die römisch-christliche Kirche im Mittelalter hat vielleicht einen solchen Zustand in den Korporationen des ganzen Europa begründen wollen und nahm deshalb alle Lebensbeziehungen, alle Kräfte und Erscheinungen, den ganzen physischen und moralischen Menschen unter ihre Vormundschaft. Es läßt sich nicht leugnen, daß viel ruhiges Glück dadurch gegründet ward und das Leben warm-inniger blühte und die Künste, wie still hervorgewachsene Blumen, jene Herrlichkeit entfalteten, die wir noch jetzt anstaunen und mit all unserem hastigen Wissen nicht nachahmen können. Aber der Geist hat seine ewigen Rechte, er läßt sich nicht eindämmen durch Satzungen und nicht einlullen durch Glockengeläute; er zerbrach seinen Kerker und zerriß das eiserne Gängelband, woran ihn die Mutterkirche leitete, und er jagte im Befreiungstaumel über die ganze Erde, erstieg die höchsten Gipfel der Berge, jauchzte vor Übermut, gedachte wieder uralter Zweifel, grübelte über die Wunder des Tages und zählte die Sterne der Nacht. Wir kennen noch nicht die Zahl der Sterne, die Wunder des Tages haben wir noch nicht enträtselt, die alten Zweifel sind mächtig geworden in unserer Seele – ist jetzt mehr Glück darin als ehemals? Wir wissen, daß diese Frage, wenn sie den großen Haufen betrifft, nicht leicht bejaht werden kann; aber wir wissen auch, daß ein Glück, das wir der Lüge verdanken, kein wahres Glück ist und daß wir, in den einzelnen zerrissenen Momenten eines gottgleicheren Zustandes, einer höheren Geisteswürde, mehr Glück empfinden können als in den lang hinvegetierten Jahren eines dumpfen Köhlerglaubens.

Auf jeden Fall war jene Kirchenherrschaft eine Unterjochung der schlimmsten Art. Wer bürgte uns für die gute Absicht, wie ich sie eben ausgesprochen? Wer kann beweisen, daß sich nicht zuweilen eine schlimme Absicht beimischte? Rom wollte immer herrschen, und als seine Legionen fielen, sandte es Dogmen in die Provinzen. Wie eine Riesenspinne saß Rom im Mittelpunkte der lateinischen Welt und überzog sie mit seinem unendlichen Gewebe. Generationen der Völker lebten darunter ein beruhigtes Leben, indem sie das für einen nahen Himmel hielten, was bloß römisches Gewebe war; nur der höherstrebende Geist, der dieses Gewebe durchschaute, fühlte sich beengt und elend, und wenn er hindurchbrechen wollte, erhaschte ihn leicht die schlaue Weberin und sog ihm das kühne Blut aus dem Herzen; – und war das Traumglück der blöden Menge nicht zu teuer erkauft für solches Blut? Die Tage der Geistesknechtschaft sind vorüber; alterschwach, zwischen den gebrochenen Pfeilern ihres Colisäums, sitzt die alte Kreuzspinne und spinnt noch immer das alte Gewebe, aber es ist matt und morsch, und es verfangen sich darin nur Schmetterlinge und Fledermäuse und nicht mehr die Steinadler des Nordens.

– Es ist doch wirklich belächelnswert, während ich im Begriff bin, mich so recht wohlwollend über die Absichten der römischen Kirche zu verbreiten, erfaßt mich plötzlich der angewöhnte protestantische Eifer, der ihr immer das Schlimmste zumutet; und eben dieser Meinungszwiespalt in mir selbst gibt mir wieder ein Bild von der Zerrissenheit der Denkweise unserer Zeit. Was wir gestern bewundert, hassen wir heute, und morgen vielleicht verspotten wir es mit Gleichgültigkeit.

Auf einem gewissen Standpunkte ist alles gleich groß und gleich klein, und an die großen europäischen Zeitverwandlungen werde ich erinnert, indem ich den kleinen Zustand unserer armen Insulaner betrachte. Auch diese stehen an der Grenze einer solchen neuen Zeit, und ihre alte Sinneseinheit und Einfalt wird gestört durch das Gedeihen des hiesigen Seebades, indem sie dessen Gästen täglich etwas Neues ablauschen, was sie nicht mit ihrer altherkömmlichen Lebensweise zu vereinen wissen. Stehen sie des Abends vor den erleuchteten Fenstern des Konversationshauses und betrachten dort die Verhandlungen der Herren und Damen, die verständlichen Blicke, die begehrlichen Grimassen, das lüsterne Tanzen, das vergnügte Schmausen, das habsüchtige Spielen usw., so bleibt das für diese Menschen nicht ohne schlimme Folgen, die von dem Geldgewinn, der ihnen durch die Badeanstalt zufließt, nimmermehr aufgewogen werden. Dieses Geld reicht nicht hin für die eindringenden, neuen Bedürfnisse; daher innere Lebensstörung, schlimmer Anreiz, großer Schmerz. Als ich ein Knabe war, fühlte ich immer eine brennende Sehnsucht, wenn schöngebackene Torten, wovon ich nichts bekommen sollte, duftig-offen, bei mir vorübergetragen wurden; späterhin stachelte mich dasselbe Gefühl, wenn ich modisch entblößte, schöne

Damen vorbeispazieren sah; und ich denke jetzt, die armen Insulaner, die noch in einem Kindheitszustande leben, haben hier oft Gelegenheit zu ähnlichen Empfindungen, und es wäre gut, wenn die Eigentümer der schönen Torten und Frauen solche etwas mehr verdeckten. Diese vielen unbedeckten Delikatessen, woran jene Leute nur die Augen weiden können, müssen ihren Appetit sehr stark wecken, und wenn die armen Insulanerinnen, in ihrer Schwangerschaft, allerlei süßgebackene Gelüste bekommen und am Ende sogar Kinder zur Welt bringen, die den Badegästen ähnlich sehen, so ist das leicht zu erklären. Ich will hier durchaus auf kein unsittliches Verhältnis anspielen. Die Tugend der Insulanerinnen wird durch ihre Häßlichkeit, und gar besonders durch ihren Fischgeruch, der mir wenigstens unerträglich war, vor der Hand geschützt. Ich würde, wenn ihre Kinder mit badegästlichen Gesichtern zur Welt kommen, vielmehr ein psychologisches Phänomen erkennen und mir solches durch jene materialistisch-mystischen Gesetze erklären, die Goethe in den »Wahlverwandtschaften« so schön entwickelt.

Wie viele rätselhafte Naturerscheinungen sich durch jene Gesetze erklären lassen, ist erstaunlich. Als ich voriges Jahr, durch Seesturm, nach einer anderen ostfriesischen Insel verschlagen wurde, sah ich dort in einer Schifferhütte einen schlechten Kupferstich hängen, la tentation du vieillard überschrieben und einen Greis darstellend, der in seinen Studien gestört wird durch die Erscheinung eines Weibes, das bis an die nackten Hüften aus einer Wolke hervortaucht; und sonderbar! die Tochter des Schiffers hatte dasselbe lüsterne Mopsgesicht wie das Weib auf jenem Bilde. Um ein anderes Beispiel zu erwähnen: im Hause eines Geldwechslers, dessen geschäftführende Frau das Gepräge der Münzen immer am sorgfältigsten betrachtet, fand ich, daß die Kinder in ihren Gesichtern eine erstaunliche Ähnlichkeit hatten mit den größten Monarchen Europas, und wenn sie alle beisammen waren und miteinander stritten, glaubte ich einen kleinen Kongreß zu sehen.

Deshalb ist das Gepräge der Münzen kein gleichgültiger Gegenstand für den Politiker. Da die Leute das Geld so innig lieben und gewiß liebevoll betrachten, so bekommen die Kinder sehr oft die Züge des Landesfürsten, der darauf geprägt ist, und der arme Fürst kommt in den Verdacht, der Vater seiner Untertanen zu sein. Die Bourbonen haben ihre guten Gründe, die Napoleonsd'or einzuschmelzen; sie wollen nicht mehr unter ihren Franzosen so viele Napoleonsköpfe sehen. Preußen hat es in der Münzpolitik am weitesten gebracht, man weiß es dort, durch eine verständige Beimischung von Kupfer, so einzurichten, daß die Wangen des Königs auf der neuen Scheidemünze gleich rot werden, und seit einiger Zeit haben daher die Kinder in Preußen ein weit gesünderes Ansehen als früherhin, und es ist ordentlich eine Freude, wenn man ihre blühenden Silbergroschengesichtchen betrachtet.

Ich habe, indem ich das Sittenverderbnis andeutete, womit die Insulaner hier bedroht sind, die geistliche Schutzwehr, ihre Kirche, unerwähnt gelassen. Wie diese eigentlich aussieht, kann ich nicht genau berichten, da ich noch nicht darin gewesen. Gott weiß, daß ich ein guter Christ bin und oft sogar im Begriff stehe, sein Haus zu besuchen, aber ich werde immer fatalerweise daran verhindert, es findet sich gewöhnlich ein Schwätzer, der mich auf dem Wege festhält, und gelange ich auch einmal bis an die Pforten des Tempels, so erfaßt mich unversehens eine spaßhafte Stimmung, und dann halte ich es für sündhaft, hineinzutreten. Vorigen Sonntag begegnete mir etwas der Art, indem mir vor der Kirchtür die Stelle aus Goethes Faust in den Kopf kam, wo dieser mit dem Mephistopheles bei einem Kreuze vorübergeht und ihn fragt:

Mephisto, hast du Eil?
Was schlägst vorm Kreuz die Augen nieder?

Und worauf Mephistopheles antwortet:

Ich weiß es wohl, es ist ein Vorurteil;
Allein es ist mir mal zuwider.

Diese Verse sind, so viel ich weiß, in keiner Ausgabe des Fausts gedruckt, und bloß der selige Hofrat Moritz, der sie aus Goethes Manuskript kannte, teilt sie mit in seinem »Philipp Reiser«, einem schon verschollenen Romane, der die Geschichte des Verfassers enthält, oder vielmehr die Geschichte einiger hundert Taler, die der Verfasser nicht hatte und wodurch sein ganzes Leben eine Reihe von Entbehrungen und Entsagungen wurde, während doch seine Wünsche nichts weniger als unbescheiden waren, wie z. B. sein Wunsch, nach Weimar zu gehen und bei dem Dichter des Werthers Bedienter zu werden, unter welchen Bedingungen es auch sei, um nur in der Nähe desjenigen zu leben, der von allen Menschen auf Erden den stärksten Eindruck auf sein Gemüt gemacht hatte.

Wunderbar! damals schon erregte Goethe eine solche Begeisterung, und doch ist erst »unser drittes nachwachsendes Geschlecht« imstande, seine wahre Größe zu begreifen.

Aber dieses Geschlecht hat auch Menschen hervorgebracht, in deren Herzen nur faules Wasser sintert und die daher in den Herzen anderer alle Springquellen eines frischen Blutes verstopfen möchten, Menschen von erloschener Genußfähigkeit, die das Leben verleumden und anderen alle Herrlichkeit dieser Welt verleiden wollen, indem sie solche als die Lockspeisen schildern, die der Böse bloß zu unserer Versuchung hingestellt habe, gleichwie eine pfiffige Hausfrau die Zuckerdose, mit den gezählten Stückchen Zucker, in ihrer Abwesenheit offen stehen läßt, um die Enthaltsamkeit der Magd zu prüfen; und diese Menschen haben einen Tugendpöbel um sich versammelt und predigen ihm das Kreuz gegen den großen Heiden und gegen seine nackten Göttergestalten, die sie gern durch ihre vermummten dummen Teufel ersetzen möchten.

Das Vermummen ist so recht ihr höchstes Ziel, das Nacktgöttliche ist ihnen fatal, und ein Satyr hat immer seine guten Gründe, wenn er Hosen anzieht und darauf dringt, daß auch Apollo Hosen anziehe. Die Leute nennen ihn dann einen sittlichen Mann und wissen nicht, daß in dem Clauren-Lächeln eines vermummten Satyrs mehr Anstößiges liegt als in der ganzen Nacktheit des Wolfgang Apollo und daß just in den Zeiten, wo die Menschheit jene Pluderhosen trug, wozu sechzig Ellen Zeug nötig waren, die Sitten nicht anständiger gewesen sind als jetzt.

Aber werden es mir nicht die Damen übel nehmen, daß ich Hosen, statt Beinkleider, sage? O, über das Feingefühl der Damen! Am Ende werden nur Eunuchen für sie schreiben dürfen, und ihre Geistesdiener im Okzident werden so harmlos sein müssen wie ihre Leibdiener im Orient.

Hier kommt mir ins Gedächtnis eine Stelle aus »Bertholds Tagebuch«:

»›Wenn wir es recht überdenken, so stecken wir doch alle nackt in unseren Kleidern‹, sagte der Doktor M. zu einer Dame, die ihm eine etwas derbe Äußerung übel genommen hatte.«

Der hannövrische Adel ist mit Goethe sehr unzufrieden und behauptet: er verbreite Irreligiosität, und diese könne leicht auch falsche politische Ansichten hervorbringen, und das Volk müsse doch durch den alten Glauben zur alten Bescheidenheit und Mäßigung zurückgeführt werden. Auch hörte ich in der letzten Zeit viel diskutieren: ob Goethe größer sei als Schiller oder umgekehrt. Ich stand neulich hinter dem Stuhle einer Dame, der man schon von hinten ihre vierundsechzig Ahnen ansehen konnte, und hörte über jenes Thema einen eifrigen Diskurs zwischen ihr und zwei hannövrischen Nobilis, deren Ahnen schon auf dem Zodiakus von Dendera abgebildet sind und wovon der eine, ein langmagerer, quecksilbergefüllter Jüngling, der wie ein Barometer aussah, die Schillersche Tugend und Reinheit pries, während der andere, ebenfalls ein langaufgeschossener Jüngling, einige Verse aus der »Würde der Frauen« hinlispelte und dabei so süß lächelte wie ein Esel, der den Kopf in ein Syrupfaß gesteckt hatte und sich wohlgefällig die Schnauze ableckt. Beide Jünglinge verstärkten ihre Behauptungen beständig mit dem beteuernden Refrain: »Er ist doch größer, Er ist wirklich größer, wahrhaftig, Er ist größer, ich versichere Sie auf Ehre, Er ist größer.« Die Dame war so gütig, auch mich in dieses ästhetische Gespräch zu ziehen, und fragte: »Doktor, was halten Sie von Goethe?« Ich aber legte meine Arme kreuzweis auf die Brust, beugte gläubig das Haupt und sprach: »La illah il allah, wamohammed rasul allah!«

Die Dame hatte, ohne es selbst zu wissen, die allerschlaueste Frage getan. Man kann ja einen Mann nicht geradezu fragen: was denkst du von Himmel und Erde? was sind deine Ansichten über Menschen und Menschenleben? bist du ein vernünftiges Geschöpf oder ein dummer Teufel? Diese delikaten Fragen liegen aber alle in den unverfänglichen Worten: Was halten Sie von Goethe? Denn, indem uns allen Goethes Werke vor Augen liegen, so können wir das Urteil, das jemand darüber fället, mit dem unsrigen schnell vergleichen, wir bekommen dadurch einen festen Maßstab, womit wir gleich alle seine Gedanken und Gefühle messen können, und er hat unbewußt sein eignes Urteil gesprochen. Wie aber Goethe, auf diese Weise, weil er eine gemeinschaftliche Welt ist, die der Betrachtung eines jeden offen liegt, uns das beste Mittel wird, um die Leute kennen zu lernen, so können wir wiederum Goethe selbst am besten kennen lernen durch sein eignes Urteil über Gegenstände, die uns allen vor Augen liegen und worüber uns schon die bedeutendsten Menschen ihre Ansichten mitgeteilt haben. In dieser Hinsicht möchte ich am liebsten auf Goethes »Italienische Reise« hindeuten, indem wir alle, entweder durch eigne Betrachtung oder durch fremde Vermittelung, das

Land Italien kennen und dabei so leicht bemerken, wie jeder dasselbe mit subjektiven Augen ansieht, dieser mit Archenhölzern unmutigen Augen, die nur das Schlimme sehen, jener mit begeisterten Corinna-Augen, die überall nur das Herrliche sehen, während Goethe, mit seinem klaren Griechenauge, alles sieht, das Dunkle und das Helle, nirgends die Dinge mit seiner Gemütsstimmung koloriert und uns Land und Menschen schildert, in den wahren Umrissen und wahren Farben, womit sie Gott umkleidet.

Das ist ein Verdienst Goethes, das erst spätere Zeiten erkennen werden; denn wir, die wir meist alle krank sind, stecken viel zu sehr in unseren kranken, zerrissenen, romantischen Gefühlen, die wir aus allen Ländern und Zeitaltern zusammengelesen, als daß wir unmittelbar sehen könnten, wie gesund, einheitlich und plastisch sich Goethe in seinen Werken zeigt. Er selbst merkt es ebenso wenig; in seiner naiven Unbewußtheit des eignen Vermögens wundert er sich, wenn man ihm »ein gegenständliches Denken« zuschreibt, und indem er durch seine Selbstbiographie uns selbst eine kritische Beihülfe zum Beurteilen seiner Werke geben will, liefert er doch keinen Maßstab der Beurteilung an und für sich, sondern nur neue Fakta, woraus man ihn beurteilen kann, wie es ja natürlich ist, daß kein Vogel über sich selbst hinauszufliegen vermag.

Spätere Zeiten werden, außer jenem Vermögen des plastischen Anschauens, Fühlens und Denkens, noch vieles in Goethe entdecken, wovon wir jetzt keine Ahnung haben. Die Werke des Geistes sind ewig feststehend, aber die Kritik ist etwa Wandelbares, sie geht hervor aus den Ansichten der Zeit, hat nur für diese ihre Bedeutung, und wenn sie nicht selbst kunstwertlicher Art ist, wie z. B. die Schlegelsche, so geht sie mit ihrer Zeit zu Grabe. Jedes Zeitalter, wenn es neue Ideen bekömmt, bekömmt auch neue Augen und sieht gar viel Neues in den alten Geisteswerken. Ein Schubarth sieht jetzt in der Ilias etwas anderes und viel mehr als sämtliche Alexandriner; dagegen werden einst Kritiker kommen, die viel mehr als Schubarth in Goethe sehen.

So hätte ich mich dennoch an Goethe festgeschwatzt! Aber solche Abschweifungen sind sehr natürlich, wenn einem, wie auf dieser Insel, beständig das Meergeräusch in die Ohren dröhnt und den Geist nach Belieben stimmt.

Es geht ein starker Nordostwind, und die Hexen haben wieder viel Unheil im Sinne. Man hegt hier nämlich wunderliche Sagen von Hexen, die den Sturm zu beschwören wissen; wie es denn überhaupt auf allen nordischen Meeren viel Aberglauben gibt. Die Seeleute behaupten, manche Insel stehe unter der geheimen Herrschaft ganz besonderer Hexen, und dem bösen Willen derselben sei es zuzuschreiben, wenn den vorbeifahrenden Schiffen allerlei Widerwärtigkeiten begegnen. Als ich voriges Jahr einige Zeit auf der See lag, erzählte mir der Steuermann unseres Schiffes: die Hexen wären besonders mächtig auf der Insel Wight und suchten jedes Schiff, das bei Tage dort vorbeifahren wolle, bis zur Nachtzeit aufzuhalten, um es alsdann an Klippen oder an die Insel selbst zu treiben. In solchen Fällen höre man diese Hexen so laut durch die Luft sausen und um das Schiff herumheulen, daß der Klabotermann ihnen nur mit vieler Mühe widerstehen könne. Als ich nun fragte: wer der Klabotermann sei?, antwortete der Erzähler sehr ernsthaft: »Das ist der gute, unsichtbare Schutzpatron der Schiffe, der da verhütet, daß den treuen und ordentlichen Schiffen Unglück begegne, der da überall selbst nachsieht und sowohl für die Ordnung wie für die gute Fahrt sorgt.« Der wackere Steuermann versicherte mit etwas heimlicherer Stimme: ich könne ihn selber sehr gut im Schiffsraume hören, wo er die Waren gern noch besser nachstaue, daher das Knarren der Fässer und Kisten, wenn das Meer hoch gehe, daher bisweilen das Dröhnen unserer Balken und Bretter; oft hämmere der Klabotermann auch außen am Schiffe, und das gelte dann dem Zimmermanne, der dadurch gemahnt werde, eine schadhafte Stelle ungesäumt auszubessern; am liebsten aber setze er sich auf das Bramsegel, zum Zeichen, daß guter Wind wehe oder sich nahe. Auf meine Frage: ob man ihn nicht sehen könne? erhielt ich zur Antwort: Nein, man sähe ihn nicht, auch wünsche keiner ihn zu sehen, da er sich nur dann zeige, wenn keine Rettung mehr vorhanden sei. Einen solchen Fall hatte zwar der gute Steuermann noch nicht erlebt, aber von andern wollte er wissen: den Klabotermann höre man alsdann vom Bramsegel herab mit den Geistern sprechen, die ihm untertan sind; doch wenn der Sturm zu stark und das Scheitern unvermeidlich würde, setze er sich auf das Steuer, zeige sich da zum ersten Mal und verschwinde, indem er das Steuer zerbräche – diejenigen aber, die ihn in diesem furchtbaren Augenblick sähen, fänden unmittelbar darauf den Tod in den Wellen.

Der Schiffskapitän, der dieser Erzählung mit zugehört hatte, lächelte so fein, wie ich seinem rauhen, wind- und wetterdienenden Gesichte nicht zugetraut hätte, und nachher versicherte er mir: vor funfzig und gar vor hundert Jahren sei auf dem Meere der Glaube an den Klabotermann so stark gewesen, daß man bei Tische immer auch ein Gedeck für denselben aufgelegt und von jeder Speise, etwa das Beste, auf seinen Teller gelegt habe, ja, auf einigen Schiffen geschähe das noch jetzt. –

Ich gehe hier oft am Strande spazieren und gedenke solcher seemännischen Wundersagen. Die anziehendste derselben ist wohl die Geschichte vom fliegenden Holländer, den man im Sturm mit aufgespannten Segeln vorbeifahren sieht und der zuweilen ein Boot aussetzt, um den begegnenden Schiffern allerlei Briefe mitzugeben, die man nachher nicht zu besorgen weiß, da sie an längst verstorbene Personen adressiert sind. Manchmal gedenke ich auch des alten, lieben Märchens von dem Fischerknaben, der am Strande den nächtlichen Reigen der Meernixen belauscht hatte und nachher mit seiner Geige die ganze Welt durchzog und alle Menschen zauberhaft entzückte, wenn er ihnen die Melodie des Nixenwalzers vorspielte. Diese Sage erzählte mir einst ein lieber Freund, als wir, im Konzerte zu Berlin, solch einen wundermächtigen Knaben, den Felix Mendelssohn-Bartholdy, spielen hörten.

Einen eigentümlichen Reiz gewährt das Kreuzen um die Insel. Das Wetter muß aber schön sein, die Wolken müssen sich ungewöhnlich gestalten, und man muß rücklings auf dem Verdecke liegen und in den Himmel sehen und allenfalls auch ein Stückchen Himmel im Herzen haben. Die Wellen murmeln alsdann allerlei wunderliches Zeug, allerlei Worte, woran liebe Erinnerungen flattern, allerlei Namen, die wie süße Ahnung in der Seele widerklingen – »Evelina!« Dann kommen auch Schiffe vorbeigefahren, und man grüßt, als ob man sich alle Tage wiedersehen könnte. Nur des Nachts hat das Begegnen fremder Schiffe auf dem Meere etwas Unheimliches; man will sich dann einbilden, die besten Freunde, die wir seit Jahren nicht gesehen, führen schweigend vorbei und man verlöre sie auf immer.

Ich liebe das Meer wie meine Seele.

Oft wird mir sogar zumute, als sei das Meer eigentlich meine Seele selbst; und wie es im Meere verborgene Wasserpflanzen gibt, die nur im Augenblick des Aufblühens an dessen Oberfläche heraufschwimmen und im Augenblick des Verblühens wieder hinabtauchen: so kommen zuweilen auch wunderbare Blumenbilder heraufgeschwommen aus der Tiefe meiner Seele und duften und leuchten und verschwinden wieder – »Evelina!«

Man sagt, unfern dieser Insel, wo jetzt nichts als Wasser ist, hätten einst die schönsten Dörfer und Städte gestanden, das Meer habe sie plötzlich alle überschwemmt, und bei klarem Wetter sähen die Schiffer noch die leuchtenden Spitzen der versunkenen Kirchtürme, und mancher habe dort, in der Sonntagsfrühe, sogar ein frommes Glockengeläute gehört. Die Geschichte ist wahr; denn das Meer ist meine Seele –

»Eine schöne Welt ist da versunken,
Ihre Trümmer blieben unten stehn,
Lassen sich als goldne Himmelsfunken
Oft im Spiegel meiner Träume sehn.«
(W. Müller)

Erwachend höre ich dann ein verhallendes Glockengeläute und Gesang heiliger Stimmen – »Evelina!«

Geht man am Strande spazieren, so gewähren die vorbeifahrenden Schiffe einen schönen Anblick. Haben sie die blendend weißen Segel aufgespannt, so sehen sie aus wie vorbeiziehende, große Schwäne. Gar besonders schön ist dieser Anblick, wenn die Sonne hinter dem vorbeisegelnden Schiffe untergeht und dieses, wie von einer riesigen Glorie, umstrahlt wird.

Die Jagd am Strande soll ebenfalls ein großen Vergnügen gewähren. Was mich betrifft, so weiß ich es nicht sonderlich zu schätzen. Der Sinn für das Edle, Schöne und Gute läßt sich oft durch Erziehung den Menschen beibringen; aber der Sinn für die Jagd liegt im Blute. Wenn die Ahnen, schon seit undenklichen Zeiten, Rehböcke geschossen haben, so findet auch der Enkel ein Vergnügen an dieser legitimen Beschäftigung. Meine Ahnen gehörten aber nicht zu den Jagenden, viel eher zu den Gejagten, und soll ich auf die Nachkömmlinge ihrer ehemaligen Kollegen losdrücken, so empört sich dawider mein Blut. Ja, aus Erfahrung weiß ich, daß, nach abgesteckter Mensur, es mir weit leichter wird, auf einen Jäger loszudrücken, der die Zeiten zurückwünscht, wo auch Menschen zur hohen Jagd gehörten. Gottlob, diese Zeiten sind vorüber! Gelüstet es jetzt solche Jäger, wieder einen Menschen zu jagen, so müssen sie ihn dafür bezahlen, wie z. B. den Schnelläufer, den ich vor zwei Jahren in Göttingen sah. Der arme Mensch hatte sich schon in der schwülen Sonntagshitze ziemlich müde gelaufen, als einige hannövrische Junker, die dort Humaniora studierten, ihm ein paar Taler boten, wenn er den zurückgelegten Weg nochmals laufen wolle; und der Mensch lief, und er war todblaß und trug eine rote Jacke, und dicht hinter ihm, im wirbelnden Staube, galoppierten die wohlgenährten, edlen Jünglinge, auf hohen Rossen, deren Hufe zuweilen den gehetzten, keuchenden Menschen trafen, und es war ein Mensch.

Des Versuchs halber, denn ich muß mein Blut besser gewöhnen, ging ich gestern auf die Jagd. Ich schoß nach einigen Möwen, die gar zu sicher umherflatterten und doch nicht bestimmt wissen konnten, daß ich schlecht schieße. Ich wollte sie nicht treffen und sie nur warnen, sich ein andermal vor Leuten mit Flinten in Acht zu nehmen; aber mein Schuß ging fehl, und ich hatte das Unglück, eine junge Möwe tot zu schießen. Es ist gut, daß es keine alte war; denn was wäre dann aus den armen, kleinen Möwchen geworden, die noch unbefiedert im Sandneste der großen Düne liegen und ohne die Mutter verhungern müßten. Mir ahndete schon vorher, daß mich auf der Jagd ein Mißgeschick treffen würde; ein Hase war mir über den Weg gelaufen.

Gar besonders wunderbar wird mir zumute, wenn ich allein in der Dämmerung am Strande wandle – hinter mir flache Dünen, vor mir das wogende, unermeßliche Meer, über mir der Himmel wie eine riesige Kristallkuppel – ich erscheine mir dann selbst sehr ameisenklein, und dennoch dehnt sich meine Seele so weltenweit. Die hohe Einfachheit der Natur, wie sie mich hier umgibt, zähmt und erhebt mich zu gleicher Zeit, und zwar in stärkerem Grade als jemals eine andere erhabene Umgebung. Nie war mir ein Dom groß genug; meine Seele mit ihrem alten Titanengebet strebte immer höher als die gotischen Pfeiler und wollte immer hinausbrechen durch das Dach. Auf der Spitze der Roßtrappe haben mir, beim ersten Anblick, die kolossalen Felsen in ihren kühnen Gruppierungen ziemlich imponiert; aber dieser Eindruck dauerte nicht lange, meine Seele war nur überrascht, nicht überwältigt, und jene ungeheure Steinmassen wurden in meinen Augen allmählig kleiner, und am Ende erschienen sie mir nur wie geringe Trümmer eines zerschlagenen Riesenpalastes, worin sich meine Seele vielleicht komfortabel befunden hätte.

Mag es immerhin lächerlich klingen, ich kann es dennoch nicht verhehlen, das Mißverständnis zwischen Körper und Seele quält mich einigermaßen, und hier am Meere, in großartiger Naturumgebung, wird es mir zuweilen recht deutlich, und die Metempsychose ist oft der Gegenstand meines Nachdenkens. Wer kennt die große Gottesironie, die allerlei Widersprüche zwischen Seele und Körper hervorzubringen pflegt! Wer kann wissen, in welchem Schneider jetzt die Seele eines Platos und in welchem Schulmeister die Seele eines Cäsars wohnt! Wer weiß, ob die Seele Gregors VII. nicht in dem Leibe des Großtürken sitzt und sich unter tausend hätschelnden Weiberhändchen behaglicher fühlt als einst in ihrer purpurnen Zölibatskutte. Hingegen wie viele Seelen treuer Moslemim aus Alys Zeiten mögen sich jetzt in unseren antihellenischen Kabinettern befinden! Die Seelen der beiden Schächer, die zur Seite des Heilands gekreuzigt worden, sitzen vielleicht jetzt in dicken Konsistorialbäuchen und glühen für den orthodoxen Lehrbegriff. Die Seele Dschingischans wohnt vielleicht jetzt in einem Rezensenten, der täglich, ohne es zu wissen, die Seelen seiner treuesten Baschkiren und Kalmücken in einem kritischen Journale niedersäbelt. Wer weiß! wer weiß! die Seele des Pythagoras ist vielleicht in einen armen Kandidaten gefahren, der durch das Examen fällt, weil er den pythagoräischen Lehrsatz nicht beweisen konnte, während in seinen Herren Examinatoren die Seelen jener Ochsen wohnen, die einst Pythagoras, aus Freude über die Entdeckung seines Satzes, den ewigen Göttern geopfert hatte. Die Hindus sind so dumm nicht, wie unsere Missionäre glauben, sie ehren die Tiere wegen der menschlichen Seele, die sie in ihnen vermuten, und wenn sie Lazarette für invalide Affen stiften, in der Art unserer Akademien, so kann es wohl möglich sein, daß in jenen Affen die Seelen großer Gelehrten wohnen, da es hingegen bei uns ganz sichtbar ist, daß in einigen großen Gelehrten nur Affenseelen stecken.

Wer doch mit der Allwissenheit des Vergangenen auf das Treiben der Menschen von oben herabsehen könnte! Wenn ich des Nachts am Meere wandelnd, den Wellengesang höre und allerlei Ahnung und Erinnerung in mir erwacht, so ist mir, als habe ich einst solchermaßen von oben herabgesehen und sei vor schwindelndem Schrecken zur Erde heruntergefallen; es ist mir dann auch, als seien meine Augen so teleskopisch scharf gewesen, daß ich die Sterne in Lebensgröße am Himmel wandeln gesehen, und durch all den wirbelnden Glanz geblendet worden; – wie aus der Tiefe eines Jahrtausends kommen mir dann allerlei Gedanken in den Sinn, Gedanken uralter Weisheit, aber sie sind so neblicht, daß ich nicht erkenne, was sie wollen. Nur so viel weiß ich, daß all unser kluges Wissen, Streben und Hervorbringen irgendeinem höheren Geiste eben so klein und nichtig erscheinen muß, wie mir jene Spinne erschien, die ich in der Göttinger Bibliothek so oft betrachtete. Auf den Folianten der Weltgeschichte saß sie emsig webend, und sie blickte so philosophisch sicher auf ihre Umgebung und hatte ganz den göttingischen Gelahrtheitsdünkel und schien stolz zu sein auf ihre mathematischen Kenntnisse, auf ihre Kunstleistungen, auf ihr einsames Nachdenken – und doch wußte sie nichts von all den Wundern, die in dem Buche stehen, worauf sie geboren worden, worauf sie ihr ganzes Leben verbracht hatte und worauf sie auch sterben wird, wenn der schleichende Dr. L. sie nicht verjagt. Und wer ist der schleichende Dr. L.? Seine Seele wohnte vielleicht einst in eben einer solchen Spinne, und jetzt hütet er die Folianten, worauf er einst saß – und wenn er sie auch liest, er erfährt doch nicht ihren wahren Inhalt.

Was mag auf dem Boden einst geschehen sein, wo ich jetzt wandle? Ein Konrektor, der hier badete, wollte behaupten, hier sei einst der Dienst der Hertha oder, besser gesagt, Forsete begangen worden, wovon Tacitus so geheimnisvoll spricht. Wenn nur die Berichterstatter, denen Tacitus nacherzählt, sich nicht geirrt und eine Badekutsche für den heiligen Wagen der Göttin angesehen haben!

Im Jahr 1819, als ich zu Bonn, in einem und demselben Semester, vier Kollegien hörte, worin meistens deutsche Antiquitäten aus der blauesten Zeit traktiert wurden, nämlich 1° Geschichte der deutschen Sprache bei Schlegel, der fast drei Monat lang die barocksten Hypothesen über die Abstammung der Deutschen entwickelte, 2° die Germania des Tacitus bei Arndt, der in den altdeutschen Wäldern jene Tugenden suchte, die er in den Salons der Gegenwart vermißte, 3° germanisches Staatsrecht bei Hüllmann, dessen historische Ansichten noch am wenigsten vage sind, und 4° deutsche Urgeschichte bei Radloff, der am Ende des Semesters noch nicht weiter gekommen war als bis zur Zeit des Sesostris – damals möchte wohl die Sage von der alten Hertha mich mehr interessiert haben als jetzt. Ich ließ sie durchaus nicht auf Rügen residieren und versetzte sie vielmehr nach einer ostfriesischen Insel. Ein junger Gelehrter hat gern seine Privathypothese. Aber auf keinen Fall hätte ich damals geglaubt, daß ich einst am Strande der Nordsee wandeln würde, ohne an die alte Göttin mit patriotischer Begeisterung zu denken. Es ist wirklich nicht der Fall, und ich denke hier an ganz andre, jüngere Göttinnen. Absonderlich wenn ich am Strande über die schaurige Stelle wandle, wo noch jüngst die schönsten Frauen gleich Nixen geschwommen. Denn weder Herren noch Damen baden hier unter einem Schirm, sondern spazieren in die freie See. Deshalb sind auch die Badestellen beider Geschlechter voneinander geschieden, doch nicht allzu weit, und wer ein gutes Glas führt, kann überall in der Welt viel sehen. Es geht die Sage, ein neuer Aktäon habe auf solche Weise eine badende Diana erblickt, und wunderbar! nicht er, sondern der Gemahl der Schönen habe dadurch Hörner erworben.

Die Badekutschen, die Droschken der Nordsee, werden hier nur bis ans Wasser geschoben und bestehen meistens aus viereckigen Holzgestellen mit steifem Leinen überzogen. Jetzt, für die Winterzeit, stehen sie im Konversationssaale und führen dort gewiß ebenso hölzerne und steifleinene Gespräche wie die vornehme Welt, die noch unlängst dort verkehrte.

Wenn ich aber sage, die vornehme Welt, so verstehe ich nicht darunter die guten Bürger Ostfrieslands, ein Volk, das flach und nüchtern ist wie der Boden, den es bewohnt, das weder singen noch pfeifen kann, aber dennoch ein Talent besitzt, das besser ist als alle Triller und Schnurrpfeifereien, ein Talent, das den Menschen adelt und über jene windige Dienstseelen erhebt, die allein edel zu sein wähnen, ich meine das Talent der Freiheit. Schlägt das Herz für Freiheit, so ist ein solcher Schlag des Herzens ebenso gut wie ein Ritterschlag, und das wissen die freien Friesen, und sie verdienen ihr Volksepitheton; die Häuptlingsperiode abgerechnet, war die Aristokratie in Ostfriesland niemals vorherrschend, nur sehr wenige adlige Familien haben dort gewohnt, und der Einfluß des hannövrischen Adels, durch Verwaltungs- und Militärstand, wie er sich jetzt über das Land hinzieht, betrübt manches freie Friesenherz, und überall zeigt sich die Vorliebe für die ehemalige preußische Regierung.

Was aber die allgemeinen deutschen Klagen über hannövrischen Adelstolz betrifft, so kann ich nicht unbedingt einstimmen. Das hannövrische Offizierkorps gibt am wenigsten Anlaß zu solchen Klagen. Freilich, wie in Madagaskar nur Adlige das Recht haben, Metzger zu werden, so hatte früherhin der hannövrische Adel ein analoges Vorrecht, da nur Adlige zum Offizierrange gelangen konnten. Seitdem sich aber in der deutschen Legion so viele Bürgerliche ausgezeichnet und zu Offizierstellen emporgeschwungen, hat auch jenes üble Gewohnheitsrecht nachgelassen. Ja, das ganze Korps der deutschen Legion hat viel beigetragen zur Milderung alter Vorurteile, diese Leute sind weit herum in der Welt gewesen, und in der Welt sieht man viel, besonders in England, und sie haben viel gelernt, und es ist eine Freude, ihnen zuzuhören, wenn sie von Portugal, Spanien, Sizilien, den jonischen Inseln, Irland und anderen weiten Ländern sprechen, wo sie gefochten und »vieler Menschen Städte gesehen und Sitten gelernet«, so daß man glaubt, eine Odyssee zu hören, die leider keinen Homer finden wird. Auch ist unter den Offizieren dieses Korps viel freisinnige, englische Sitte geblieben, die mit dem altherkömmlichen hannövrischen Brauch stärker kontrastiert, als wir es im übrigen Deutschland glauben wollen, da wir gewöhnlich dem Beispiele Englands viel Einwirkung auf Hannover zuschreiben. In diesem Lande Hannover sieht man nichts als Stammbäume, woran Pferde gebunden sind, und vor lauter Bäumen bleibt das Land obskur, und trotz allen Pferden kömmt es nicht weiter. Nein, durch diesen hannövrischen Adelswald drang niemals ein Sonnenstrahl britischer Freiheit, und kein britischer Freiheitston konnte jemals vernehmbar werden im wiehernden Lärm hannövrischer Rosse.

Die allgemeine Klage über hannövrischen Adelstolz trifft wohl zumeist die liebe Jugend gewisser Familien, die das Land Hannover regieren oder mittelbar zu regieren glauben. Aber auch die edlen Jünglinge würden bald jene Fehler der Art oder, besser gesagt, jene Unart ablegen, wenn sie ebenfalls etwas in der Welt herumgedrängt würden oder eine bessere Erziehung genössen. Man schickt sie freilich nach Göttingen, doch da hocken sie beisammen und sprechen nur von ihren Hunden, Pferden und Ahnen und hören wenig neuere Geschichte, und wenn sie auch wirklich einmal dergleichen hören, so sind doch unterdessen ihre Sinne befangen durch den Anblick des Grafentisches, der, ein Wahrzeichen Göttingens, nur für hochgeborene Studenten bestimmt ist. Wahrlich, durch eine bessere Erziehung des jungen hannövrischen Adels ließe sich vielen Klagen vorbauen. Aber die Jungen werden wie die Alten. Derselbe Wahn: als wären sie die Blumen der Welt, während wir andern bloß das Gras sind; dieselbe Torheit: mit dem Verdienste der Ahnen den eigenen Unwert bedecken zu wollen; dieselbe Unwissenheit über das Problematische dieser Verdienste, indem die wenigsten bedenken, daß die Fürsten selten ihre treuesten und tugendhaftesten Diener, aber sehr oft den Kuppler, den Schmeichler und dergleichen Lieblingsschufte mit adelnder Huld beehrt haben. Die wenigsten jener Ahnenstolzen können bestimmt angeben, was ihre Ahnen getan haben, und sie zeigen nur, daß ihr Name in Rüxners Turnierbuch erwähnt sei; – ja, können sie auch nachweisen, daß diese Ahnen etwa als Kreuzritter bei der Eroberung Jerusalems zugegen waren, so sollten sie, ehe sie sich etwas darauf zugute tun, auch beweisen, daß jene Ritter ehrlich mitgefochten haben, daß ihre Eisenhosen nicht mit gelber Furcht wattiert worden und daß unter ihrem roten Kreuze das Herz eines honetten Mannes gesessen. Gäbe es keine Ilias, sondern bloß ein Namensverzeichnis der Helden, die vor Troja gestanden, und ihre Namen existierten noch jetzt – wie würde sich der Ahnenstolz derer von Thersites zu blähen wissen! Von der Reinheit des Blutes will ich gar nicht einmal sprechen; Philosophen und Stallknechte haben darüber gar seltsame Gedanken.

Mein Tadel, wie gesagt, treffe zumeist die schlechte Erziehung des hannövrischen Adels und dessen früh eingeprägten Wahn von der Wichtigkeit einiger andressierten Formen. O! wie oft habe ich lachen müssen, wenn ich bemerkte, wie viel man sich auf diese Formen zugute tat; – als sei es so gar überaus schwer zu erlernen, dieses Repräsentieren, dieses Präsentieren, dieses Lächeln, ohne etwas zu sagen, dieses Sagen, ohne etwas zu denken, und all diese adligen Künste, die der gute Bürgersmann als Meerwunder angafft und die doch jeder französische Tanzmeister besser inne hat als der deutsche Edelmann, dem sie in der bärenleckenden Lutetia mühsam eingeübt worden und der sie zu Hause wieder mit deutscher Gründlichkeit und Schwerfälligkeit seinen Deszendenten überliefert. Dies erinnert mich an die Fabel von dem Bären, der auf Märkten tanzte, seinem führenden Lehrer entlief, zu seinen Mitbären in den Wald zurückkehrte und ihnen vorprahlte: wie das Tanzen eine so gar schwere Kunst sei und wie weit er es darin gebracht habe – und in der Tat, den Proben, die er von seiner Kunst ablegte, konnten die armen Bestien ihre Bewunderung nicht versagen. Jene Nation, wie sie Werther nennt, bildete die vornehme Welt, die hier dieses Jahr zu Wasser und zu Lande geglänzt hat, und es waren lauter liebe, liebe Leute, und sie haben alle gut gespielt.

Auch fürstliche Personen gab es hier, und ich muß gestehen, daß diese in ihren Ansprüchen bescheidener waren als die geringere Noblesse. Ob aber diese Bescheidenheit in den Herzen dieser hohen Personen liegt oder ob sie durch ihre äußere Stellung hervorgebracht wird, das will ich unentschieden lassen. Ich sage dieses nur in Beziehung auf deutsche mediatisierte Fürsten. Diesen Leuten ist in der letzten Zeit ein großes Unrecht geschehen, indem man sie einer Souveränität beraubte, wozu sie ein ebenso gutes Recht haben wie die größeren Fürsten, wenn man nicht etwa annehmen will, daß dasjenige, was sich nicht durch eigene Kraft erhalten kann, auch kein Recht hat zu existieren. Für das vielzersplitterte

Deutschland war es aber eine Wohltat, daß diese Anzahl von Sedezdespötchen ihr Regieren einstellen mußten. Es ist schrecklich, wenn man bedenkt, wie viele derselben wir armen Deutschen zu ernähren haben. Wenn diese Mediatisierten auch nicht mehr das Zepter führen, so führen sie doch noch immer Löffel, Messer und Gabel, und sie essen keinen Hafer, und auch der Hafer wäre teuer genug. Ich denke, daß wir einmal durch Amerika etwas von dieser Fürstenlast erleichtert werden. Denn früh oder spät werden sich doch die Präsidenten dortiger Freistaaten in Souveräne verwandeln, und dann fehlt es diesen Herren an Gemahlinnen, die schon einen legitimen Anstrich haben, sie sind dann froh, wenn wir ihnen unsere Prinzessinnen überlassen, und wenn sie sechs nehmen, geben wir ihnen die siebente gratis, und auch unsre Prinzchen können sie späterhin bei ihren Töchtern employieren; – daher haben die mediatisierten Fürsten sehr politisch gehandelt, als sie sich wenigstens das Gleichbürtigkeitsrecht erhielten und ihre Stammbäume ebenso hoch schätzten wie die Araber die Stammbäume ihrer Pferde, und zwar aus derselben Absicht, indem sie wohl wissen, daß Deutschland von jeher das große Fürstengestüte war, das alle regierenden Nachbarhäuser mit den nötigen Mutterpferden und Beschälern versehen muß.

In allen Bädern ist es ein altes Gewohnheitsrecht, daß die abgegangenen Gäste von den zurückgebliebenen etwas stark kritisiert werden, und da ich der letzte bin, der noch hier weilt, so durfte ich wohl jenes Recht in vollem Maße ausüben.

Es ist aber jetzt so öde auf der Insel, daß ich mir vorkomme wie Napoleon auf St. Helena. Nur daß ich hier eine Unterhaltung gefunden, die jenem dort fehlte. Es ist nämlich der große Kaiser selbst, womit ich mich hier beschäftigt. Ein junger Engländer hat mir das eben erschienene Buch des Maitland mitgeteilt. Dieser Seemann berichtet die Art und Weise, wie Napoleon sich ihm ergab und auf dem Bellerophon sich betrug, bis er, auf Befehl des englischen Ministeriums, an Bord des Northumberland gebracht wurde. Aus diesem Buche ergibt sich sonnenklar, daß der Kaiser, in romantischem Vertrauen auf britische Großmut, und um der Welt endlich Ruhe zu schaffen, zu den Engländern ging, mehr als Gast denn als Gefangener. Das war ein Fehler, den gewiß kein anderer, und am allerwenigsten ein Wellington, begangen hätte. Die Geschichte aber wird sagen, dieser Fehler ist so schön, so erhaben, so herrlich, daß dazu mehr Seelengröße gehörte, als wir anderen zu allen unseren Großtaten erschwingen können.

Die Ursache, weshalb Cap. Maitland jetzt sein Buch herausgibt, scheint keine andere zu sein als das moralische Reinigungsbedürfnis, das jeder ehrliche Mann fühlt, den ein böses Geschick in eine zweideutige Handlung verflochten hat. Das Buch selbst ist aber ein unschätzbarer Gewinn für die Gefangenschaftsgeschichte Napoleons, die den letzten Akt seines Lebens bildet, alle Rätsel der früheren Akte wunderbar löst und, wie es eine echte Tragödie tun soll, die Gemüter erschüttert, reinigt und versöhnt. Der Charakterunterschied der vier Hauptschriftsteller, die uns von dieser Gefangenschaft berichten, besonders wie er sich in Stil und Anschauungsweise bekundet, zeigt sich erst recht durch ihre Zusammenstellung.

Maitland, der sturmkalte, englische Seemann, verzeichnet die Begebenheiten vorurteilslos und bestimmt, als wären es Naturerscheinungen, die er in sein Logbook einträgt; Las Cases, ein enthusiastischer Kammerherr, liegt in jeder Zeile, die er schreibt, zu den Füßen des Kaisers, nicht wie ein russischer Sklave, sondern wie ein freier Franzose, dem die Bewunderung einer unerhörten Heldengröße und Ruhmeswürde unwillkürlich die Knie beugt; O'Meara, der Arzt, obgleich in Irland geboren, dennoch ganz Engländer, als solcher ein ehemaliger Feind des Kaisers, aber jetzt anerkennend die Majestätsrechte des Unglücks, schreibt freimütig, schmucklos, tatbeständlich, fast im Lapidarstil; hingegen kein Stil, sondern ein Stilet ist die spitzige, zustoßende Schreibart des französischen Arztes Antommarchi, eines Italieners, der ganz besonnentrunken ist von dem Ingrimm und der Poesie seines Landes.

Beide Völker, Briten und Franzosen, lieferten von jeder Seite zwei Männer, gewöhnlichen Geistes und unbestochen von der herrschenden Macht, und diese Jury hat den Kaiser gerichtet und verurteilet: ewig zu leben, ewig bewundert, ewig bedauert.

Es sind schon viele große Männer über diese Erde geschritten, hier und da sehen wir die leuchtenden Spuren ihrer Fußstapfen, und in heiligen Stunden treten sie wie Nebelgebilde vor unsere Seele; aber ein ebenfalls großer Mann sieht seine Vorgänger weit deutlicher; aus einzelnen Funken ihrer irdischen Lichtspur erkennt er ihr geheimstes Tun, aus einem einzigen hinterlassenen Worte erkennt er alle Falten ihres Herzens; und solchermaßen, in einer mystischen Gemeinschaft, leben die großen Männer aller Zeiten, über die Jahrtausende hinweg nicken sie einander zu und sehen sich an bedeutungsvoll, und ihre Blicke begegnen sich auf den Gräbern untergegangener Geschlechter, die sich zwischen sie gedrängt hatten, und sie verstehen sich und haben sich lieb. Wir Kleinen aber, die wir nicht so intimen Umgang pflegen können mit den Großen der Vergangenheit, wovon wir nur selten die Spur und Nebelformen sehen, für uns ist es vom höchsten Werte, wenn wir über einen solchen Großen so viel erfahren, daß es uns leicht wird, ihn ganz lebensklar in unsre Seele aufzunehmen und dadurch unsre Seele zu erweitern. Ein solcher ist Napoleon Bonaparte. Wir wissen von ihm, von seinem Leben und Streben, mehr als von den andern Großen dieser Erde, und täglich erfahren wir davon noch mehr und mehr. Wir sehen, wie das verschüttete Götterbild langsam ausgegraben wird, und mit jeder Schaufel Erdschlamm, die man von ihm abnimmt, wächst unser freudiges Erstaunen über das Ebenmaß und die Pracht der edlen Formen, die da hervortreten, und die Geistesblitze der Feinde, die das große Bild zerschmettern wollen, dienen nur dazu, es desto glanzvoller zu beleuchten. Solches geschieht namentlich durch die Äußerungen der Frau von Staël, die in all ihrer Herbheit doch nichts anders sagt, als daß der Kaiser kein Mensch war wie die andern und daß sein Geist mit keinem vorhandenen Maßstab gemessen werden kann.

Ein solcher Geist ist es, worauf Kant hindeutet, wenn er sagt: daß wir uns einen Verstand denken können, der, weil er nicht wie der unsrige diskursiv, sondern intuitiv ist, vom synthetisch Allgemeinen, der Anschauung eines Ganzen als eines solchen, zum Besonderen geht, das ist, von dem Ganzen zu den Teilen. Ja, was wir durch langsames analytisches Nachdenken und lange Schlußfolgen erkennen, das hatte jener Geist im selben Momente angeschaut und tief begriffen. Daher sein Talent, die Zeit, die Gegenwart zu verstehen, ihren Geist zu kajolieren, ihn nie zu beleidigen und immer zu benutzen.

Da aber dieser Geist der Zeit nicht bloß revolutionär ist, sondern durch den Zusammenfluß beider Ansichten, der revolutionären und der contrerevolutionären, gebildet worden, so handelte Napoleon nie ganz revolutionär und nie ganz contrerevolutionär, sondern immer im Sinne beider Ansichten, beider Prinzipien, beider Bestrebungen, die in ihm ihre Vereinigung fanden, und demnach handelte er beständig naturgemäß, einfach, groß, nie krampfhaft barsch, immer ruhig milde. Daher intrigierte er nie im Einzelnen, und seine Schläge geschahen immer durch seine Kunst, die Massen zu begreifen und zu lenken. Zur verwikkelten, langsamen Intrige neigen sich kleine, analytische Geister, hingegen synthetische, intuitive Geister wissen auf wunderbar geniale Weise die Mittel, die ihnen die Gegenwart bietet, so zu verbinden, daß sie dieselben zu ihrem Zwecke schnell benutzen können. Erstere scheitern sehr oft, da keine menschliche Klugheit alle Vorfallenheiten des Lebens voraussehen kann und die Verhältnisse des Lebens nie lange stabil sind; letzteren hingegen, den intuitiven Menschen, gelingen ihre Vorsätze am leichtesten, da sie nur einer richtigen Berechnung des Vorhandenen bedürfen und so schnell handeln, daß dieses durch die Bewegung der Lebenswogen keine plötzliche, unvorhergesehene Veränderung erleiden kann.

Es ist ein glückliches Zusammentreffen, daß Napoleon gerade zu einer Zeit gelebt hat, die ganz besonders viel Sinn hat für Geschichte, ihre Erforschung und Darstellung. Es werden uns daher, durch die Memoiren der Zeitgenossen, wenige Notizen über Napoleon vorenthalten werden, und täglich vergrößert sich die Zahl der Geschichtsbücher, die ihn mehr oder minder im Zusammenhang mit der übrigen Welt schildern wollen. Die Ankündigung eines solchen Buches aus Walter Scotts Feder erregt daher die neugierigste Erwartung.

Alle Verehrer Scotts müssen für ihn zittern; denn ein solches Buch kann leicht der russische Feldzug jenes Ruhmes werden, den er mühsam erworben durch eine Reihe historischer Romane, die mehr durch ihr Thema als durch ihre poetische Kraft alle Herzen Europas bewegt haben. Dieses Thema ist aber nicht bloß eine elegische Klage über Schottlands volkstümliche Herrlichkeit, die allmählig verdrängt wurde von fremder Sitte, Herrschaft und Denkweise; sondern es ist der große Schmerz über den Verlust der Nationalbesonderheiten, die in der Allgemeinheit neuerer Kultur verloren gehen, ein Schmerz, der jetzt in den Herzen aller Völker zuckt. Denn Nationalerinnerungen liegen tiefer in der Menschen Brust, als man gewöhnlich glaubt. Man wage es nur, die alten Bilder wieder auszugraben, und über Nacht blüht hervor auch die alte Liebe mit ihren Blumen. Das ist nicht figürlich gesagt, sondern es ist eine Tatsache: als Bullock vor einigen Jahren ein altheidnisches Steinbild in Mexiko ausgegraben, fand er den andern Tag, daß es nächtlicher Weile mit Blumen bekränzt worden; und doch hatte Spanien, mit Feuer und Schwert, den alten Glauben der Mexikaner zerstört und seit drei Jahrhunderten ihre Gemüter gar stark umgewühlt und gepflügt und mit Christentum besäet. Solche Blumen aber blühen auch in den Walter Scottschen Dichtungen, diese Dichtungen selbst wecken die alten Gefühle, und wie einst in Granada Männer und Weiber mit dem Geheul der Verzweiflung aus den Häusern stürzten, wenn das Lied vom Einzug des Maurenkönigs auf den Straßen erklang, dergestalt, daß bei Todesstrafe verboten wurde, es zu singen: so hat der Ton, der in den Scottschen Dichtungen herrscht, eine ganze Welt schmerzhaft erschüttert. Dieser Ton klingt wieder in den Herzen unseres Adels, der seine Schlösser und Wappen verfallen sieht; er klingt wieder in den Herzen des Bürgers, dem die behaglich enge Weise der Altvordern verdrängt wird durch weite, unerfreuliche Modernität; er klingt wieder in katholischen Domen, woraus der Glaube entflohen, und in rabbinischen Synagogen, woraus sogar die Gläubigen fliehen; er klingt über die ganze Erde, bis in die Banianenwälder Hindostans, wo der seufzende Bramine das Absterben seiner Götter, die Zerstörung ihrer uralten Weltordnung und den ganzen Sieg der Engländer voraussieht.

Dieser Ton, der gewaltigste, den der schottische Barde auf seiner Riesenharfe anzuschlagen weiß, paßt aber nicht zu dem Kaiserliede von dem Napoleon, dem neuen Manne, dem Manne der neuen Zeit, dem Manne, worin diese neue Zeit so leuchtend sich abspiegelt, daß wir dadurch fast geblendet werden und unterdessen nimmermehr denken an die verschollene Vergangenheit und ihre verblichene Pracht. Es ist wohl zu vermuten, daß Scott, seiner Vorneigung gemäß, jenes angedeutete stabile Element im Charakter Napoleons, die contrerevolutionäre Seite seines Geistes, vorzugsweise auffassen wird, statt daß andere Schriftsteller bloß das revolutionäre Prinzip in ihm erkennen. Von dieser letzteren Seite würde ihn Byron geschildert haben, der in seinem ganzen Streben den Gegensatz zu Scott bildete und, statt gleich diesem den Untergang der alten Formen zu beklagen, sich sogar von denen, die noch stehen geblieben sind, verdrießlich beengt fühlt, sie mit revolutionärem Lachen und Zähnefletschen niederreißen möchte und in diesem Ärger die heiligsten Blumen des Lebens mit seinem melodischen Gifte beschädigt und sich wie ein wahnsinniger Harlekin den Dolch ins Herz stößt, um, mit dem hervorströmenden, schwarzen Blute, Herren und Damen neckisch zu bespritzen.

Wahrlich, in diesem Augenblicke fühle ich sehr lebhaft, daß ich kein Nachbeter oder, besser gesagt, Nachfrevler Byrons bin, mein Blut ist nicht so spleenisch schwarz, meine Bitterkeit kömmt nur aus den Galläpfeln meiner Dinte, und wenn Gift in mir ist, so ist es doch nur Gegengift, Gegengift wider jene Schlangen, die im Schutte der alten Dome und Burgen so bedrohlich lauern. Von allen großen Schriftstellern ist Byron just derjenige, dessen Lektüre mich am unleidlichsten berührt; wohingegen Scott mir, in jedem seiner Werke, das Herz erfreut, beruhigt und erkräftigt. Mich erfreut sogar die Nachahmung derselben, wie wir sie bei W. Alexis, Bronikowski und Cooper finden, welcher erstere, im ironischen »Walladmor«, seinem Vorbilde am nächsten steht und uns auch in einer späteren Dichtung so viel Gestalten- und Geistesreichtum gezeigt hat, daß er wohl imstande wäre, mit poetischer Ursprünglichkeit, die sich nur der scottischen Form bedient, uns die teuersten Momente deutscher Geschichte, in einer Reihe historischer Novellen, vor die Seele zu führen.

Aber keinem wahren Genius lassen sich bestimmte Bahnen vorzeichnen, diese liegen außerhalb aller kritischen Berechnung, und so mag es auch als ein harmloses Gedankenspiel betrachtet werden, wenn ich über W. Scotts Kaisergeschichte mein Vorurteil aussprach. »Vorurteil« ist hier der umfassendste Ausdruck. Nur eins läßt sich mit Bestimmtheit sagen: das Buch wird gelesen werden vom Aufgang bis zum Niedergang, und wir Deutschen werden es übersetzen.

Wir haben auch den Ségur übersetzt. Nicht wahr, es ist ein hübsches episches Gedicht? Wir Deutschen schreiben auch epische Gedichte, aber die Helden derselben existieren bloß in unserem Kopfe. Hingegen die Helden des französischen Epos sind wirkliche Helden, die viel größere Taten vollbracht und viel größere Leiden gelitten, als wir in unseren Dachstübchen ersinnen können. Und wir haben doch viel Phantasie, und die Franzosen haben nur wenig. Vielleicht hat deshalb der liebe Gott den Franzosen auf eine andere Art nachgeholfen, und sie brauchen nur treu zu erzählen, was sie in den letzten dreißig Jahren gesehen und getan, und sie haben eine erlebte Literatur, wie noch kein Volk und keine Zeit sie hervorgebracht. Diese Memoiren von Staatsleuten, Soldaten und edlen Frauen, wie sie in Frankreich täglich erscheinen, bilden einen Sagenkreis, woran die Nachwelt genug zu denken und zu singen hat und worin, als dessen Mittelpunkt, das Leben des großen Kaisers, wie ein Riesenbaum, emporragt. Die Ségursche Geschichte des Rußlandzuges ist ein Lied, ein französischen Volkslied, das zu diesem Sagenkreise gehört und, in seinem Tone und Stoffe, den epischen Dichtungen aller Zeiten gleicht und gleich steht. Ein Heldengedicht, das durch den Zauberspruch »Freiheit und Gleichheit« aus dem Boden Frankreichs emporgeschossen, hat, wie im Triumphzug, berauscht von Ruhm und geführt von dem Gotte des Ruhmes selbst, die Welt durchzogen, erschreckt und verherrlicht, tanzt endlich den rasselnden Waffentanz auf den Eisfeldern des Nordens, und diese brechen ein, und die Söhne des Feuers und der Freiheit gehen zugrunde durch Kälte und Sklaven.

Solche Beschreibung oder Prophezeiung des Untergangs einer Heldenwelt ist Grundton und Stoff der epischen Dichtungen aller Völker. Auf den Felsen von Ellore und anderer indischer Grottentempel steht solche epische Katastrophe eingegraben mit Riesenhieroglyphen, deren Schlüssel im »Mahabharata« zu finden ist; der Norden hat in nicht minder steinernen Worten, in seiner »Edda«, diesen Götteruntergang ausgesprochen; das Lied der Nibelungen besingt dasselbe tragische Verderben und hat, in seinem Schlusse, noch ganz besondere Ähnlichkeit mit der Ségurschen Beschreibung des Brandes von Moskau; das Rolandslied von der Schlacht bei Roncisval, dessen Worte verschollen, dessen Sage aber noch nicht erloschen und noch unlängst von einem der größten Dichter des Vaterlandes, von Immermann, heraufbeschworen worden, ist ebenfalls der alte Unglücksgesang; und gar das Lied von Ilion verherrlicht am schönsten das alte Thema und ist doch nicht großartiger und schmerzlicher als das französische Volkslied, worin Ségur den Untergang seiner Heroenwelt besungen hat. Ja, dieses ist ein wahres Epos, Frankreichs Heldenjugend ist der schöne Heros, der früh dahinsinkt, wie wir solches Leid schon sahen in dem Tode Baldurs, Siegfrieds, Rolands und Achilles', die ebenso durch Unglück und Verrat gefallen; und jene Helden, die wir in der Ilias bewundert, wir finden sie wieder im Liede des Ségur, wir sehen sie ratschlagen, zanken und kämpfen, wie einst vor dem skäischen Tore; ist auch die Jacke des Königs von Neapel etwas allzu buntscheckig modern, so ist doch sein Schlachtmut und Übermut ebenso groß wie der des Peliden; ein Hektor an Milde und Tapferkeit steht vor uns Prinz Eugène, der edle Ritter, Ney kämpft wie ein Ajax, Berthier ist ein Nestor ohne Weisheit, Davoust, Daru, Caulaincourt usw., in ihnen wohnen die Seelen des Menelaos, des Odysseus, des Diomedes – nur der Kaiser selbst findet nicht seines Gleichen, in seinem Haupte ist der Olymp des Gedichtes, und wenn ich ihn, in seiner äußeren Herrschererscheinung, mit dem Agamemnon vergleiche, so geschieht das, weil ihn, ebenso wie den größten Teil seiner herrlichen Kampfgenossen, ein tragisches Schicksal erwartete und weil sein Orestes noch lebt.

Wie die Scottschen Dichtungen hat auch das Ségursche Epos einen

Ton, der unsere Herzen bezwingt. Aber dieser Ton weckt nicht die Liebe zu längst verschollenen Tagen der Vorzeit, sondern es ist ein Ton, dessen Klangfigur uns die Gegenwart gibt, ein Ton, der uns für eben diese Gegenwart begeistert.

Wir Deutschen sind doch wahre Peter Schlemihle! Wir haben auch in der letzten Zeit viel gesehen, viel ertragen, z. B. Einquartierung und Adelstolz; und wir haben unser edelstes Blut hingegeben, z. B. an England, das noch jetzt jährlich eine anständige Summe für abgeschossene deutsche Arme und Beine ihren ehemaligen Eigentümern zu bezahlen hat; und wir haben im Kleinen so viel Großes getan, daß, wenn man es zusammenrechnete, die größten Taten herauskämen, z. B. in Tirol; und wir haben viel verloren, z. B. unsern Schlagschatten, den Titel des lieben, heiligen, römischen Reichs – und dennoch, mit allen Verlüsten, Opfern, Entbehrungen, Malheurs und Großtaten, hat unsere Literatur kein einziges solcher Denkmäler des Ruhmes gewonnen, wie sie bei unseren Nachbaren, gleich ewigen Trophäen, täglich emporsteigen. Unsere Leipziger Messen haben wenig profitiert durch die Schlacht bei Leipzig. Ein Gothaer, höre ich, will sie noch nachträglich in epischer Form besingen; da er aber noch nicht weiß, ob er zu den 100 000 Seelen gehört, die Hildburghausen bekömmt, oder zu den 150000, die Meiningen bekömmt, oder zu den 160 000, die Altenburg bekömmt, so kann er sein Epos noch nicht anfangen, er müßte denn beginnen: »Singe, unsterbliche Seele, Hildburghäusische Seele – Meiningsche Seele oder auch Altenburgische Seele – Gleichviel singe, singe der sündigen Deutschen Erlösung!« Dieser Seelenschacher im Herzen des Vaterlandes und dessen blutende Zerrissenheit läßt keinen stolzen Sinn und noch viel weniger ein stolzes Wort aufkommen, unsere schönsten Taten werden lächerlich durch den dummen Erfolg, und während wir uns unmutig einhüllen in den Purpurmantel des deutschen Heldenblutes, kömmt ein politischer Schalk und setzt uns die Schellenkappe aufs Haupt.

Eben die Literaturen unserer Nachbaren jenseits des Rheins und des Kanals muß man mit unserer Bagatell-Literatur vergleichen, um das Leere und Bedeutungslose unseres Bagatell-Lebens zu begreifen. Da ich selbst mich erst späterhin über dieses Thema, über deutsche Literaturmisere, verbreiten will, so liefere ich einen heitern Ersatz durch das Einschalten der folgenden Xenien, die aus der Feder Immermanns, meines hohen Mitstrebenden, geflossen sind. Die Gleichgesinnten danken mir gewiß für die Mitteilung dieser Verse, und bis auf wenige Ausnahmen, die ich mit Sternen bezeichne, will ich sie gern als meine eigne Gesinnung vertreten.

Der poetische Literator

Laß dein Lächeln, laß dein Flennen, sag uns ohne Hinterlist,
Wann Hans Sachs das Licht erblickte, Weckherlin gestorben ist.

»Alle Menschen müssen sterben«, spricht das Männlein mit Bedeutung.
Alter Junge, dessengleichen ist uns keine große Zeitung.

Mit vergeßnen, alten Schwarten schmiert er seine Autorstiefeln,
Daß er dazu heiter weine, frißt er fromm poetsche Zwiefeln.

*Willst du kommentieren, Fränzel, mindestens verschon den Luther,
Dieser Fisch behagt uns besser ohne die zerlaßne Butter.

Dramatiker

1

*»Nimmer schreib ich mehr Tragödien, mich am Publikum zu rächen!«
Schimpf uns, wie du willst, mein Guter, aber halte dein Versprechen.

2

Diesen Reiterleutnant müsset, Stachelverse, ihr verschonen;
Denn er kommandiert Sentenzen und Gefühl' in Eskadronen.

3

Wär Melpomene ein Mädchen, gut, gefühlvoll und natürlich,
Riet ich ihr: Heirate diesen, der so milde und so zierlich.

4

Seiner vielen Sünden wegen geht der tote Kotzebue
Um in diesem Ungetüme ohne Strümpfe, ohne Schuhe.

Und so kommt zu vollen Ehren tiefe Lehr aus grauen Jahren,
Daß die Seelen der Verstorbnen müssen in die Bestien fahren.

Östliche Poeten

Groß mérite ist es jetzo, nach Saadis Art zu girren,
Doch mir scheint's égal gepudelt, ob wir östlich, westlich irren.

Sonsten sang, beim Mondenscheine, Nachtigall seu Philomele;
Wenn jetzt Bülbül flötet, scheint es mir denn doch dieselbe Kehle.

Alter Dichter, du gemahnst mich, als wie Hamelns Rattenfänger;
Pfeifst nach Morgen, und es folgen all die lieben, kleinen Sänger.

Aus Bequemlichkeit verehren sie die Kühe frommer Inden,
Daß sie den Olympus mögen nächst in jedem Kuhstall finden.

Von den Früchten, die sie aus dem Gartenhain von Schiras stehlen,
Essen sie zu viel, die Armen, und vomieren dann Ghaselen.

**Glockentöne*

Seht den dicken Pastor dorten unter seiner Tür im Staate,
Läutet mit den Glocken, daß man ihn verehr in dem Ornate.

Und es kamen, ihn zu schauen, flugs die Blinden und die Lahmen,
Engebrust und Krampf, besonders hysteriegeplagte Damen.

Weiße Salbe weder heilet noch verschlimmert irgend Schäden,
Weiße Salbe findest jetzo du in allen Bücherläden.

Geht's so fort und läßt sich jeder Pfaffe ferner adorieren,
Werd ich in den Schoß der Kirche ehebaldigst retournieren.

Dort gehorch ich *einem* Papste und verehr *ein* praesens numen,
Aber hier macht sich zum numen jeglich ordiniertes lumen.

Orbis pictus

Hätte *einen* Hals das ganze weltverderbende Gelichter,
Einen Hals, ihr hohen Götter: Priester, Histrionen, Dichter!

In die Kirche ging ich morgens, um Komödien zu schauen,
Abends ins Theater, um mich an der Predigt zu erbauen.

Selbst der liebe Gott verlieret sehr bei mir an dem Gewichte,
Weil nach ihrem Ebenbilde schnitzen ihn viel tausend Wichte.

Wenn ich euch gefall, ihr Leute, dünk ich mich ein Leineweber,
Aber, wenn ich euch verdrieße, seht, das stärkt mir meine Leber.

»Ganz bewältigt er die Sprache«; ja, es ist, sich tot zu lachen,
Seht nur, was für tolle Sprünge lässet er die Arme machen.

Vieles Schlimme kann ich dulden, aber eins ist mir zum Ekel,
Wenn der nervenschwache Zärtling spielt den genialen Rekel.

*Damals mochtst du mir gefallen, als du buhltest mit Lucindchen,
Aber, o der frechen Liebschaft! mit Marien wollen sündgen.

Erst in England, dann in Spanien, jetzt in Brahmas Finsternissen,
Überall umhergestrichen, deutschen Rock und Schuh zerrissen.

Wenn die Damen schreiben, kramen stets sie aus von ihren Schmerzen,
Fausses couches touchierter Tugend – ach, die gar zu offnen Herzen!

Laßt die Damen mir zufrieden; daß sie schreiben, find ich rätlich:
Führt die Frau die Autorfeder, wird sie wenigstens nicht schädlich.

Glaubt, das Schriftentum wird gleichen bald den ärgsten Rockenstuben,
Die Gevatterinnen schnacken, und es hören zu die Buben.

Wär ich Dschingischan, o China, wärst du längst von mir vernichtet,
Dein verdammtes Teegeplätscher hat uns langsam hingerichtet.

Alles setzet sich zur Ruhe, und der Größte wird geduldig,
Streicht gemählich ein, was frühre Zeiten blieben waren schuldig.

Jene Stadt ist voller Verse, Töne, Statuen, Schilderein,
Wursthans steht mit der Trompete an dem Tor und schreit: »Herein!«

»Diese Reime klingen schändlich, ohne Metrum und Cäsuren«;
Wollt in Uniform ihr stecken literarische Panduren? –

»Sag, wie kommst du nur zu Worten, die so grob und ungezogen?«
Freund, im wüsten Marktgedränge braucht man seine Ellenbogen.

»Aber du hast auch bereimet, was unleugbar gut und groß.«
Mischt der Beste sich zum Plebse, duldet er des Plebses Los.

Wenn die Sommerfliegen schwärmen, tötet ihr sie mit den Klappen,
Und nach diesen Reimen werdet schlagen ihr mit euren Kappen.

Ideen
Das Buch Le Grand

(1826)

Das Geschlecht der Örindur,
Unsres Thrones feste Säule,
Soll bestehn, ob die Natur
Auch damit zu Ende eile.

Müllner.

Evelina
empfange diese Blätter
als
ein Zeichen der Freundschaft und Liebe
des Verfassers

Kapitel I

Sie war liebenswürdig, und Er liebte Sie; Er aber
war nicht liebenswürdig, und Sie liebte Ihn nicht.
(Altes Stück.)

Madame, kennen Sie das alte Stück? Es ist ein ganz außerordentliches Stück, nur etwas zu sehr melancholisch. Ich hab mal die Hauptrolle darin gespielt, und da weinten alle Damen, nur eine Einzige weinte nicht, nicht eine einzige Träne weinte sie, und das war eben die Pointe des Stücks, die eigentliche Katastrophe –

O diese einzige Träne! sie quält mich noch immer in Gedanken; der Satan, wenn er meine Seele verderben will, flüstert mir ins Ohr ein Lied von dieser ungeweinten Träne, ein fatales Lied mit einer noch fataleren Melodie – ach, nur in der Hölle hört man diese Melodie! – – – – – – –
– –
– –

Wie man im Himmel lebt, Madame, können Sie sich wohl vorstellen, um so eher, da Sie verheuratet sind. Dort amüsiert man sich ganz süperbe, man hat alle mögliche Vergnügungen, man lebt in lauter Lust und Plaisir, so recht wie Gott in Frankreich. Man speist von Morgen bis Abend, und die Küche ist so gut wie die Jagorsche, die gebratenen Gänse fliegen herum mit den Sauceschüsselchen im Schnabel und fühlen sich geschmeichelt, wenn man sie verzehrt, butterglänzende Torten wachsen wild wie Sonnenblumen, überall Bäche mit Bouillon und Champagner, überall Bäume, woran Servietten flattern, und man speist und wischt sich den Mund und speist wieder, ohne sich den Magen zu verderben, man singt Psalmen, oder man tändelt und schäkert mit den lieben, zärtlichen Engelein, oder man geht spazieren auf der grünen Halleluja-Wiese, und die weißwallenden Kleider sitzen sehr bequem, und nichts stört da das Gefühl der Seligkeit, kein Schmerz, kein Mißbehagen, ja sogar, wenn einer dem andern zufällig auf die Hühneraugen tritt und excusez! ausruft, so lächelt dieser wie verklärt und versichert: dein Tritt, Bruder, schmerzt nicht, sondern au contraire, mein Herz fühlt dadurch nur desto süßere Himmelswonne.

Aber von der Hölle, Madame, haben Sie gar keine Idee. Von allen Teufeln kennen Sie vielleicht nur den kleinsten, das Beelzebübchen Amor, den artigen Croupier der Hölle, und diese selbst kennen Sie nur aus dem »Don Juan«, und für diesen Weiberbetrüger, der ein böses Beispiel gibt, dünkt sie Ihnen niemals heiß genug, obgleich unsere hochlöblichen Theaterdirektionen so viel Flammenspektakel, Feuerregen, Pulver und Kolophonium dabei aufgehen lassen, wie es nur irgendein guter Christ in der Hölle verlangen kann.

Indessen, in der Hölle sieht es viel schlimmer aus, als unsre Theaterdirektoren wissen – sie würden auch sonst nicht so viele schlechte Stücke aufführen lassen – in der Hölle ist es ganz höllisch heiß, und als ich mal in den Hundstagen dort war, fand ich es nicht zum Aushalten. Sie haben keine Idee von der Hölle, Madame. Wir erlangen dorther wenig offizielle Nachrichten. Daß die armen Seelen da drunten den ganzen Tag all die schlechten Predigten lesen müssen, die hier oben gedruckt werden – das ist Verleumdung. So schlimm ist es nicht in der Hölle, so raffinierte Qualen wird Satan niemals ersinnen. Hingegen Dantes Schilderung ist etwas zu mäßig, im Ganzen allzu poetisch. Mir erschien die Hölle wie eine große bürgerliche Küche, mit einem unendlich langen Ofen, worauf drei Reihen eiserne Töpfe standen, und in diesen saßen die Verdammten und wurden gebraten. In der einen Reihe saßen die christlichen Sünder, und sollte man es wohl glauben! ihre Anzahl war nicht allzu klein, und die Teufel schürten unter ihnen das Feuer mit besonderer Geschäftigkeit. In der anderen Reihe saßen die Juden, die beständig schrien und von den Teufeln zuweilen geneckt wurden, wie es sich denn gar possierlich ausnahm, als ein dicker, pustender Pfänderverleiher über allzu große Hitze klagte und ein Teufelchen ihm einige Eimer kaltes Wasser über den Kopf goß, damit er sähe, daß die Taufe eine wahre erfrischende Wohltat sei. In der dritten Reihe saßen die Heiden, die, ebenso wie die Juden, der Seligkeit nicht teilhaftig werden können und ewig brennen müssen. Ich hörte, wie einer derselben, dem ein vierschrötiger Teufel neue Kohlen unterlegte, gar unwillig aus dem Topfe hervorrief: »Schone meiner, ich war Sokrates, der Weiseste der Sterblichen, ich habe Wahrheit und Gerechtigkeit gelehrt und mein Leben geopfert für die Tugend.« Aber der vierschrötige, dumme Teufel ließ sich in seinem Geschäfte nicht stören und brummte: »Ei was! alle Heiden müssen brennen, und wegen eines einzigen Menschen dürfen wir keine Ausnahme machen.« – – Ich versichere Sie, Madame, es war eine fürchterliche Hitze und ein Schreien, Seufzen, Stöhnen, Quäken, Greinen, Quirilieren – und durch all diese entsetzlichen Töne drang vernehmbar jene fatale Melodie des Liedes von der ungeweinten Träne.

Kapitel II

Sie war liebenswürdig, und Er liebte Sie; Er aber
war nicht liebenswürdig, und Sie liebte Ihn nicht.
(Altes Stück.)

Madame! das alte Stück ist eine Tragödie, obschon der Held darin weder ermordet wird noch sich selbst ermordet. Die Augen der Heldin sind schön, sehr schön – Madame, riechen Sie nicht Veilchenduft? – sehr schön, und doch so scharfgeschliffen, daß sie mir wie gläserne Dolche durch das Herz drangen und gewiß aus meinem Rücken wieder herausguckten – aber ich starb doch nicht an diesen meuchelmörderischen Augen. Die Stimme der Heldin ist auch schön – Madame, hörten Sie nicht eben eine Nachtigall schlagen? – eine schöne, seidne Stimme, ein süßes Gespinst der sonnigsten Töne, und meine Seele ward darin verstrickt und würgte sich und quälte sich. Ich selbst – es ist der Graf vom Ganges, der jetzt spricht, und die Geschichte spielt in Venedig – ich selbst hatte mal dergleichen Quälereien satt und dachte schon im ersten Akte dem Spiel ein Ende zu machen und die Schellenkappe mitsamt dem Kopfe herunterzuschießen, und ich ging nach einem Galanterieladen auf der Via Burstah, wo ich ein paar schöne Pistolen in einem Kasten ausgestellt fand – ich erinnere mich dessen noch sehr gut, es standen daneben viel freudige Spielsachen von Perlemutter und Gold, eiserne Herzen an güldenen Kettlein, Porzellantassen mit zärtlichen Devisen, Schnupftabaksdosen mit hübschen Bildern, z. B. die göttliche Geschichte von der Susanna, der Schwanengesang der Leda, der Raub der Sabinerinnen, die Lukrezia, das dicke Tugendmensch mit dem entblößten Busen, in den sie sich den Dolch nachträglich hineinstößt, die selige Bethmann, la belle ferronière, lauter lockende Gesichter – aber ich kaufte doch die Pistolen, ohne viel zu dingen, und dann kauft ich Kugeln, dann Pulver, und dann ging ich in den Keller des Signor Unbescheiden und ließ mir Austern und ein Glas Rheinwein vorstellen –

Essen konnt ich nicht und trinken noch viel weniger. Die heißen Tropfen fielen ins Glas, und im Glas sah ich die liebe Heimat, den blauen, heiligen Ganges, den ewigstrahlenden Himalaya, die riesigen Banianenwälder, in deren weiten Laubgängen die klugen Elefanten und die weißen Pilger ruhig wandelten, seltsam träumerische Blumen sahen mich an, heimlich mahnend, goldne Wundervögel jubelten wild, flim-

mernde Sonnenstrahlen und süßnärrische Laute von lachenden Affen neckten mich lieblich, aus fernen Pagoden ertönten die frommen Priestergebete, und dazwischen klang die schmelzend klagende Stimme der Sultanin von Delhi – in ihrem Teppichgemache rannte sie stürmisch auf und nieder, sie zerriß ihren silbernen Schleier, sie stieß zu Boden die schwarze Sklavin mit dem Pfauenwedel, sie weinte, sie tobte, sie schrie – Ich konnte sie aber nicht verstehen, der Keller des Signor Unbescheiden ist 3000 Meilen entfernt vom Harem zu Delhi, und dazu war die schöne Sultanin schon tot seit 3000 Jahren – und ich trank hastig den Wein, den hellen, freudigen Wein, und doch wurde es in meiner Seele immer dunkler und trauriger – Ich war zum Tode verurteilt – – – – – – – – – –
– –

Als ich die Kellertreppe wieder hinaufstieg, hörte ich das Armesünderglöckchen läuten, die Menschenmenge wogte vorüber; ich aber stellte mich an die Ecke der Strada San Giovanni und hielt folgenden Monolog:

In alten Märchen gibt es goldne Schlösser,
Wo Harfen klingen, schöne Jungfraun tanzen
Und schmucke Diener blitzen und Jasmin
Und Myrt und Rosen ihren Duft verbreiten –
Und doch, ein einziges Entzaubrungswort
Macht all die Herrlichkeit im Nu zerstieben,
Und übrig bleibt nur alter Trümmerschutt
Und krächzend Nachtgevögel und Morast.
So hab auch ich, mit einem einzgen Worte,
Die ganze blühende Natur entzaubert.
Da liegt sie nun, leblos und kalt und fahl,
Wie eine aufgeputzte Königsleiche,
Der man die Backenknochen rot gefärbt
Und in die Hand ein Zepter hat gelegt.
Die Lippen aber schauen gelb und welk,
Weil man vergaß sie gleichfalls rot zu schminken,
Und Mäuse springen um die Königsnase
Und spotten frech des großen, goldnen Zepters.–

Es ist allgemein rezipiert, Madame, daß man einen Monolog hält, ehe man sich totschießt. Die meisten Menschen benutzen bei solcher Gelegenheit das hamletische »Sein oder Nichtsein«. Es ist eine gute Stelle, und ich hätte sie hier auch gern zitiert – aber, jeder ist sich selbst der Nächste, und hat man, wie ich, ebenfalls Tragödien geschrieben, worin solche Lebensabiturienten-Reden enthalten sind, z. B. den unsterblichen »Almansor«, so ist es sehr natürlich, daß man seinen eignen Worten, sogar vor den Shakespearschen, den Vorzug gibt. Auf jeden Fall sind solche Reden ein sehr nützlicher Brauch; man gewinnt dadurch wenigstens Zeit – Und so geschah es, daß ich an der Ecke der Strada San Giovanni etwas lange stehen blieb – und als ich da stand, ein Verurteilter, der dem Tode geweiht war, da erblickte ich plötzlich *Sie*!

Sie trug ihr blauseidnes Kleid und den rosaroten Hut, und ihr Auge sah mich an so mild, so todbesiegend, so lebenschenkend – Madame, Sie wissen wohl aus der römischen Geschichte, daß, wenn die Vestalinnen im alten Rom auf ihrem Wege einem Verbrecher begegneten, der zur Hinrichtung geführt wurde, so hatten sie das Recht, ihn zu begnadigen, und der arme Schelm blieb am Leben. – Mit einem einzigen Blick hat sie mich vom Tode gerettet, und ich stand vor ihr wie neubelebt, wie geblendet vom Sonnenglanze ihrer Schönheit, und sie ging weiter – und ließ mich am Leben.

Kapitel III

Und sie ließ mich am Leben, und ich lebe, und das ist die Hauptsache.

Mögen andre das Glück genießen, daß die Geliebte ihr Grabmal mit Blumenkränzen schmückt und mit Tränen der Treue benetzt – O Weiber! haßt mich, verlacht mich, bekorbt mich! aber laßt mich leben! Das Leben ist gar zu spaßhaft süß; und die Welt ist so lieblich verworren; sie ist der Traum eines weinberauschten Gottes, der sich aus der zechenden Götterversammlung à la française fortgeschlichen und auf einem einsamen Stern sich schlafen gelegt und selbst nicht weiß, daß er alles das auch erschafft, was er träumt – und die Traumgebilde gestalten sich oft buntscheckig toll, oft auch harmonisch vernünftig – die Ilias, Plato, die Schlacht bei Marathon, Moses, die medizäische Venus, der Straßburger Münster, die französische Revolution, Hegel, die Dampfschiffe usw. sind einzelne gute Gedanken in diesem schaffenden Gottestraum – aber es wird nicht lange dauern, und der Gott erwacht und reibt sich die verschlafenen Augen und lächelt – und unsre Welt ist zerronnen in nichts, ja, sie hat nie existiert.

Gleichviel! ich lebe. Bin ich auch nur das Schattenbild in einem

Traum, so ist auch dieses besser als das kalte, schwarze, leere Nichtsein des Todes. Das Leben ist der Güter höchstes, und das schlimmste Übel ist der Tod. Mögen berlinische Gardeleutnants immerhin spötteln und es Feigheit nennen, daß der Prinz von Homburg zurückschaudert, wenn er sein offnes Grab erblickt – Heinrich Kleist hatte dennoch ebenso viel Courage wie seine hochbrüstigen, wohlgeschnürten Kollegen, und er hat es leider bewiesen. Aber alle kräftige Menschen lieben das Leben. Goethes Egmont scheidet nicht gern »von der freundlichen Gewohnheit des Daseins und Wirkens«. Immermanns Edwin hängt am Leben »wie 'n Kindlein an der Mutter Brüsten«, und obgleich es ihm hart ankömmt, durch fremde Gnade zu leben, so fleht er dennoch um Gnade:

»Weil Leben, Atmen doch das Höchste ist.«

Wenn Odysseus in der Unterwelt den Achilleus als Führer toter Helden sieht und ihn preist wegen seines Ruhmes bei den Lebendigen und seines Ansehens sogar bei den Toten, antwortet dieser:

»Nicht mir rede vom Tod ein Trostwort, edler Odysseus!
Lieber ja wollt ich das Feld als Tagelöhner bestellen
Einem dürftigen Mann, ohn Erbe und eigenen Wohlstand,
Als die sämtliche Schar der geschwundenen Toten beherrschen.«

Ja, als der Major Duvent den großen Israel Löwe auf Pistolen forderte und zu ihm sagte: »Wenn Sie sich nicht stellen, Herr Löwe, so sind Sie ein Hund«, da antwortete dieser: »Ich will lieber ein lebendiger Hund sein als ein toter Löwe!« Und er hatte recht – Ich habe mich oft genug geschlagen, Madame, um dieses sagen zu dürfen – Gottlob! ich lebe! In meinen Adern kocht das rote Leben, unter meinen Füßen zuckt die Erde, in Liebesglut umschlinge ich Bäume und Marmorbilder, und sie werden lebendig in meiner Umarmung. Jedes Weib ist mir eine geschenkte Welt, ich schwelge in den Melodien ihres Antlitzes, und mit einem einzigen Blick meines Auges kann ich mehr genießen als andre, mit ihren sämtlichen Gliedmaßen, zeit ihres Lebens. Jeder Augenblick ist mir ja eine Unendlichkeit; ich messe nicht die Zeit mit der Brabanter oder mit der kleinen Hamburger Elle, und ich brauche mir von keinem Priester ein zweites Leben versprechen zu lassen, da ich schon in diesem Leben genug erleben kann, wenn ich rückwärts lebe, im Leben der Vorfahren, und mir die Ewigkeit erobere im Reiche der Vergangenheit.

Und ich lebe! Der große Pulsschlag der Natur bebt auch in meiner Brust, und wenn ich jauchze, antwortet mir ein tausendfältiges Echo. Ich höre tausend Nachtigallen. Der Frühling hat sie gesendet, die Erde aus ihrem Morgenschlummer zu wecken, und die Erde schauert vor Entzücken, ihre Blumen sind die Hymnen, die sie in Begeisterung der Sonne entgegensingt – die Sonne bewegt sich viel zu langsam, ich möchte ihre Feuerrosse peitschen, damit sie schneller dahinjagen – Aber wenn sie zischend ins Meer hinabsinkt und die große Nacht heraufsteigt, mit ihrem großen sehnsüchtigen Auge, o! dann durchbebt mich erst recht die rechte Lust, wie schmeichelnde Mädchen legen sich die Abendlüfte an mein brausendes Herz, und die Sterne winken, und ich erhebe mich und schwebe über der kleinen Erde und den kleinen Gedanken der Menschen.

Kapitel IV

Aber einst wird kommen der Tag, und die Glut in meinen Adern ist erloschen, in meiner Brust wohnt der Winter, seine weißen Flocken umflattern spärlich mein Haupt, und seine Nebel verschleiern mein Auge. In verwitterten Gräbern liegen meine Freunde, ich allein bin zurückgeblieben, wie ein einsamer Halm, den der Schnitter vergessen, ein neues Geschlecht ist hervorgeblüht mit neuen Wünschen und neuen Gedanken, voller Verwundrung höre ich neue Namen und neue Lieder, die alten Namen sind verschollen, und ich selbst bin verschollen, vielleicht noch von wenigen geehrt, von vielen verhöhnt und von niemanden geliebt! Und es springen heran zu mir die rosenwangigen Knaben und drücken mir die alte Harfe in die zitternde Hand und sprechen lachend: du hast schon lange geschwiegen, du fauler Graukopf, sing uns wieder Gesänge von den Träumen deiner Jugend.

Dann ergreif ich die Harfe, und die alten Freuden und Schmerzen erwachen, die Nebel zerrinnen, Tränen blühen wieder aus meinen toten Augen, es frühlingt wieder in meiner Brust, süße Töne der Wehmut beben in den Saiten der Harfe, ich sehe wieder den blauen Fluß und die marmornen Paläste und die schönen Frauen- und Mädchengesichter – und ich singe ein Lied von den Blumen der Brenta.

Es wird mein letztes Lied sein, die Sterne werden mich anblicken wie in den Nächten meiner Jugend, das verliebte Mondlicht küßt wieder meine Wangen, die Geisterchöre verstorbener Nachtigallen flöten aus der Ferne, schlaftrunken schließen sich meine Augen, meine Seele verhallt wie die Töne meiner Harfe – es duften die Blumen der Brenta.

Ein Baum wird meinen Grabstein beschatten. Ich hätte gern eine Palme, aber diese gedeiht nicht im Norden. Es wird wohl eine Linde sein, und sommerabends werden dort die Liebenden sitzen und kosen; der Zeisig, der sich lauschend in den Zweigen wiegt, ist verschwiegen, und meine Linde rauscht traulich über den Häuptern der Glücklichen, die so glücklich sind, daß sie nicht einmal Zeit haben zu lesen, was auf dem weißen Leichensteine geschrieben steht. Wenn aber späterhin der Liebende sein Mädchen verloren hat, dann kommt er wieder zu der wohlbekannten Linde und seufzt und weint und betrachtet den Leichenstein, lang und oft, und liest darauf die Inschrift: – Er liebte die Blumen der Brenta.

Kapitel V

Madame! ich habe Sie belogen. Ich bin nicht der Graf vom Ganges. Niemals im Leben sah ich den heiligen Strom, niemals die Lotosblumen, die sich in seinen frommen Wellen bespiegeln. Niemals lag ich träumend unter indischen Palmen, niemals lag ich betend vor dem Diamantengott zu Jagernaut, durch den mir doch leicht geholfen wäre. Ich war ebenso wenig jemals in Kalkutta wie der Kalkuttenbraten, den ich gestern mittag gegessen. Aber ich stamme aus Hindostan, und daher fühl ich mich so wohl in den breiten Sangeswäldern Valmikis, die Heldenleiden des göttlichen Ramo bewegen mein Herz wie ein bekanntes Weh, aus den Blumenliedern Kalidasas blühn mir hervor die süßesten Erinnerungen, und als vor einigen Jahren eine gütige Dame in Berlin mir die hübschen Bilder zeigte, die ihr Vater, der lange Zeit Gouverneur in Indien war, von dort mitgebracht, schienen mir die zartgemalten, heiligstillen Gesichter so wohlbekannt, und es war mir, als beschaute ich meine eigne Familiengalerie.

Franz Bopp – Madame, Sie haben gewiß seinen »Nalus« und sein »Konjugationssystem des Sanskrit« gelesen – gab mir manche Auskunft über meine Ahnherren, und ich weiß jetzt genau, daß ich aus dem Haupte Brahmas entsprossen bin, und nicht aus seinen Hühneraugen; ich vermute sogar, daß der ganze Mahabharata mit seinen 200 000 Versen bloß ein allegorischer Liebesbrief ist, den mein Urahnherr an meine Ureltermutter geschrieben – O! sie liebten sich sehr, ihre Seelen küßten sich, sie küßten sich mit den Augen, sie waren beide nur ein einziger Kuß –

Eine verzauberte Nachtigall sitzt auf einem roten Korallenbaum im stillen Ozean und singt ein Lied von der Liebe meiner Ahnen, neugierig blicken die Perlen aus ihren Muschelzellen, die wunderbaren Wasserblumen schauern vor Wehmut, die klugen Meerschnecken, mit ihren bunten Porzellantürmchen auf dem Rücken, kommen herangekrochen, die Seerosen erröten verschämt, die gelben, spitzigen Meersterne und die tausendfarbigen gläsernen Quabben regen und recken sich, und alles wimmelt und lauscht –

Doch, Madame, dieses Nachtigallenlied ist viel zu groß, um es hierher zu setzen, es ist so groß wie die Welt selbst, schon die Dedikation an Anangas, den Gott der Liebe, ist so lang wie sämtliche Walter Scottsche Romane, und darauf bezieht sich eine Stelle im Aristophanes, welche zu deutsch heißt:

»Tiotio, tiotio, tiotinx,
»Totototo, totototo, tototinx.«
(Vossische Übers.)

Nein, ich bin nicht geboren in Indien; das Licht der Welt erblickte ich an den Ufern jenes schönen Stromes, wo auf grünen Bergen die Torheit wächst und im Herbste gepflückt, gekeltert, in Fässer gegossen und ins Ausland geschickt wird – Wahrhaftig, gestern bei Tische hörte ich jemanden eine Torheit sprechen, die Anno 1811 in einer Weintraube gesessen, welche ich damals selbst auf dem Johannisberge wachsen sah. – Viel Torheit wird aber auch im Lande selbst konsumiert, und die Menschen dort sind wie überall: – sie werden geboren, essen, trinken, schlafen, lachen, weinen, verleumden, sind ängstlich besorgt um die Fortpflanzung ihrer Gattung, suchen zu scheinen, was sie nicht sind, und zu tun, was sie nicht können, lassen sich nicht eher rasieren, als bis sie einen Bart haben, und haben oft einen Bart, ehe sie verständig sind, und wenn sie verständig sind, berauschen sie sich wieder mit weißer und roter Torheit.

Mon dieu! wenn ich doch so viel Glauben in mir hätte, daß ich Berge versetzen könnte – der Johannisberg wäre just derjenige Berg, den ich mir überall nachkommen ließe. Aber da mein Glaube nicht so stark ist, muß mir die Phantasie helfen, und sie versetzt mich selbst nach dem schönen Rhein.

O, da ist ein schönes Land, voll Lieblichkeit und Sonnenschein. Im blauen Strome spiegeln sich die Bergesufer mit ihren Burgruinen und Waldungen und altertümlichen Städten – Dort vor der Haustür sitzen die Bürgersleute des Sommerabends, und trinken aus großen Kannen und schwatzen vertraulich: wie der Wein, Gottlob! gedeiht und wie die Gerichte durchaus öffentlich sein müssen und wie die Maria Antoinette so mir nichts dir nichts guillotiniert worden und wie die Tabaksregie den Tabak verteuert und wie alle Menschen gleich sind und wie der Görres ein Hauptkerl ist.

Ich habe mich nie um dergleichen Gespräche bekümmert und saß lieber bei den Mädchen am gewölbten Fenster und lachte über ihr Lachen und ließ mich mit Blumen ins Gesicht schlagen und stellte mich böse, bis sie mir ihre Geheimnisse oder irgendeine andre wichtige Geschichte erzählten. Die schöne Gertrud war bis zum Tollwerden vergnügt, wenn ich mich zu ihr setzte; es war ein Mädchen wie eine flammende Rose, und als sie mir einst um den Hals fiel, glaubte ich, sie würde verbrennen und verduften in meinen Armen. Die schöne Katharine zerfloß in klingender Sanftheit, wenn sie mit mir sprach, und ihre Augen waren von einem so reinen, innigen Blau, wie ich es noch nie bei Menschen und Tieren und nur selten bei Blumen gefunden; man sah gern hinein und konnte sich so recht viel Süßes dabei denken. Aber die schöne Hedwig liebte mich; denn wenn ich zu ihr trat, beugte sie das Haupt zur Erde, so daß die schwarzen Locken über das errötende Gesicht herabfielen und die glänzenden Augen wie Sterne aus dunkelem Himmel hervorleuchteten. Ihre verschämten Lippen sprachen kein Wort, und auch ich konnte ihr nichts sagen. Ich hustete, und sie zitterte. Sie ließ mich manchmal durch ihre Schwester bitten, nicht so rasch die Felsen zu besteigen und nicht im Rheine zu baden, wenn ich mich heiß gelaufen oder getrunken. Ich behorchte mal ihr andächtiges Gebet vor dem Marienbildchen, das, mit Goldflittern geziert und von einem brennenden Lämpchen umflittert, in einer Nische der Hausflur stand; ich hörte deutlich, wie sie die Muttergottes bat: Ihm das Klettern, Trinken und Baden zu verbieten. Ich hätte mich gewiß in das schöne Mädchen verliebt, wenn sie gleichgültig gegen mich gewesen wäre; und ich war gleichgültig gegen sie, weil ich wußte, daß sie mich liebte – Madame, wenn man von mir geliebt sein will, muß man mich en canaille behandeln.

Die schöne Johanna war die Base der drei Schwestern, und ich setzte mich gern zu ihr. Sie wußte die schönsten Sagen, und wenn sie mit der weißen Hand zum Fenster hinauszeigte, nach den Bergen, wo alles passiert war, was sie erzählte, so wurde mir ordentlich verzaubert zumute, die alten Ritter stiegen sichtbar aus den Burgruinen und zerhackten sich die eisernen Kleider, die Lore-Ley stand wieder auf der Bergesspitze und sang hinab ihr süß verderbliches Lied, und der Rhein rauschte so vernünftig, beruhigend und doch zugleich neckend schauerlich – und die schöne Johanne sah mich an so seltsam, so heimlich, so rätselhaft traulich, als gehörte sie selbst zu den Märchen, wovon sie eben erzählte. Sie war ein schlankes, blasses Mädchen, sie war todkrank und sinnend, ihre Augen waren klar wie die Wahrheit selbst, ihre Lippen fromm gewölbt, in den Zügen ihres Antlitzes lag eine große Geschichte, aber es war eine heilige Geschichte – Etwa eine Liebeslegende? Ich weiß nicht, und ich hatte auch nie den Mut, sie zu fragen. Wenn ich sie lange ansah, wurde ich ruhig und heiter, es ward mir, als sei stiller Sonntag in meinem Herzen und die Engel darin hielten Gottesdienst.

In solchen guten Stunden erzählte ich ihr Geschichten aus meiner Kindheit, und sie hörte immer ernsthaft zu, und seltsam! wenn ich mich nicht mehr auf die Namen besinnen konnte, so erinnerte sie mich daran. Wenn ich sie alsdann mit Verwunderung fragte: woher sie die Namen wisse?, so gab sie lächelnd zur Antwort, sie habe sie von den Vögeln erfahren, die an den Fliesen ihres Fensters nisteten – und sie wollte mich gar glauben machen, dieses seien die nämlichen Vögel, die ich einst als Knabe mit meinem Taschengelde den hartherzigen Bauernjungen abgekauft habe und dann frei fortfliegen lassen. Ich glaube aber, sie wußte alles, weil sie so blaß war und wirklich bald starb. Sie wußte auch, wann sie sterben würde, und wünschte, daß ich Andernacht den Tag vorher verlassen möchte. Beim Abschied gab sie mir beide Hände – es waren weiße, süße Hände und rein wie eine Hostie –, und sie sprach: du bist sehr gut, und wenn du böse wirst, so denke wieder an die kleine, tote Veronika.

Haben ihr die geschwätzigen Vögel auch diesen Namen verraten? Ich hatte mir in erinnerungssüchtigen Stunden so oft den Kopf zerbrochen und konnte mich nicht mehr auf den lieben Namen erinnern.

Jetzt, da ich ihn wieder habe, will mir auch die früheste Kindheit wieder im Gedächtnisse hervorblühen, und ich bin wieder ein Kind und spiele mit andern Kindern auf dem Schloßplatze zu Düsseldorf am Rhein.

Kapitel VI

Ja, Madame, dort bin ich geboren, und ich bemerke dieses ausdrücklich für den Fall, daß etwa, nach meinem Tode, sieben Städte – Schilda, Krähwinkel, Polkwitz, Bockum, Dülken, Göttingen und Schöppenstädt – sich um die Ehre streiten, meine Vaterstadt zu sein. Düsseldorf ist eine Stadt am Rhein, es leben da 16000 Menschen, und viele hunderttausend Menschen liegen noch außerdem da begraben. Und darunter sind manche, von denen meine Mutter sagt, es wäre besser, sie lebten noch, z. B. mein Großvater und mein Oheim, der alte Herr v. Geldern und der junge Herr v. Geldern, die beide so berühmte Doktoren waren und so viele Menschen vom Tode kuriert und doch selber sterben mußten. Und die fromme Ursula, die mich als Kind auf den Armen getragen, liegt auch dort begraben, und es wächst ein Rosenstrauch auf ihrem Grab – Rosenduft liebte sie so sehr im Leben, und ihr Herz war lauter Rosenduft und Güte. Auch der alte kluge Kanonikus liegt dort begraben. Gott, wie elend sah er aus, als ich ihn zuletzt sah! Er bestand nur noch aus Geist und Pflastern und studierte dennoch Tag und Nacht, als wenn er besorgte, die Würmer möchten einige Ideen zu wenig in seinem Kopfe finden. Auch der kleine Wilhelm liegt dort, und daran bin ich schuld. Wir waren Schulkameraden im Franziskanerkloster und spielten auf jener Seite desselben, wo zwischen steinernen Mauern die Düssel fließt, und ich sagte: »Wilhelm, hol doch das Kätzchen, das eben hineingefallen« – und lustig stieg er hinab auf das Brett, das über dem Bach lag, riß das Kätzchen aus dem Wasser, fiel aber selbst hinein, und als man ihn herauszog, war er naß und tot. Das Kätzchen hat noch lange Zeit gelebt.

Die Stadt Düsseldorf ist sehr schön, und wenn man in der Ferne an sie denkt und zufällig dort geboren ist, wird einem wunderlich zumute. Ich bin dort geboren, und es ist mir, als müßte ich gleich nach Hause gehn. Und wenn ich sage nach Hause gehn, so meine ich die Bolkerstraße und das Haus, worin ich geboren bin. Dieses Haus wird einst sehr merkwürdig sein, und der alten Frau, die es besitzt, habe ich sagen lassen, daß sie beileibe das Haus nicht verkaufen solle. Für das ganze Haus bekäme sie jetzt doch kaum so viel, wie schon allein das Trinkgeld betragen wird, das einst die grünverschleierten, vornehmen Engländerinnen dem Dienstmädchen geben, wenn es ihnen die Stube zeigt, worin ich das Licht der Welt erblickt, und den Hühnerwinkel, worin mich Vater gewöhnlich einsperrte, wenn ich Trauben genascht, und auch die braune

Türe, worauf Mutter mich die Buchstaben mit Kreide schreiben lehrte – ach Gott! Madame, wenn ich ein berühmter Schriftsteller werde, so hat das meiner armen Mutter genug Mühe gekostet.

Aber mein Ruhm schläft jetzt noch in den Marmorbrüchen von Carrara, der Makulaturlorbeer, womit man meine Stirne geschmückt, hat seinen Duft noch nicht durch die ganze Welt verbreitet, und wenn jetzt die grünverschleierten, vornehmen Engländerinnen nach Düsseldorf kommen, so lassen sie das berühmte Haus noch unbesichtigt und gehen direkt nach dem Marktplatz und betrachten die dort in der Mitte stehende, schwarze, kolossale Reuterstatue. Diese soll den Kurfürsten Jan Wilhelm vorstellen. Er trägt einen schwarzen Harnisch, eine tiefherabhängende Allongeperücke – Als Knabe hörte ich die Sage, der Künstler, der diese Statue gegossen, habe während des Gießens mit Schrecken bemerkt, daß sein Metall nicht dazu ausreiche, und da wären die Bürger der Stadt herbeigelaufen und hätten ihm ihre silbernen Löffel gebracht, um den Guß zu vollenden – und nun stand ich stundenlang vor dem Reuterbilde und zerbrach mir den Kopf: wie viel silberne Löffel wohl darin stecken mögen, und wie viel Apfeltörtchen man wohl für all das Silber bekommen könnte? Apfeltörtchen waren nämlich damals meine Passion – jetzt ist es Liebe, Wahrheit, Freiheit und Krebssuppe – und eben unweit des Kurfürstenbildes, an der Theaterecke, stand gewöhnlich der wunderlich gebackene, säbelbeinige Kerl, mit der weißen Schürze und dem umgehängten Korbe voll lieblich dampfender Apfeltörtchen, die er mit einer unwiderstehlichen Diskantstimme anzupreisen wußte: »Die Apfeltörtchen sind ganz frisch, eben aus dem Ofen, riechen so delikat« – Wahrlich, wenn in meinen späteren Jahren der Versucher mir beikommen wollte, so sprach er mit solcher lockenden Diskantstimme, und bei Signora Giulietta wäre ich keine volle zwölf Stunden geblieben, wenn sie nicht den süßen, duftenden Apfeltörtchenton angeschlagen hätte. Und wahrlich, nie würden Apfeltörtchen mich so sehr angereizt haben, hätte der krumme Hermann sie nicht so geheimnisvoll mit seiner weißen Schürze bedeckt – und die Schürzen sind es, welche – doch sie bringen mich ganz aus dem Kontext, ich sprach ja von der Reuterstatue, die so viel silberne Löffel im Leibe hat, und keine Suppe, und den Kurfürsten Jan Wilhelm darstellt.

Er soll ein braver Herr gewesen sein und sehr kunstliebend und selbst sehr geschickt. Er stiftete die Gemäldegalerie in Düsseldorf, und auf dem dortigen Observatorium zeigt man noch einen überaus künstlichen

Einschachtelungsbecher von Holz, den er selbst in seinen Freistunden – er hatte deren täglich vierundzwanzig – geschnitzelt hat.

Damals waren die Fürsten noch keine geplagte Leute wie jetzt, und die Krone war ihnen am Kopfe festgewachsen, und des Nachts zogen sie noch eine Schlafmütze darüber und schliefen ruhig, und ruhig zu ihren Füßen schliefen die Völker, und wenn diese des Morgens erwachten, so sagten sie: »Guten Morgen, Vater!« – und jene antworteten: »Guten Morgen, liebe Kinder!«

Aber es wurde plötzlich anders; als wir eines Morgens zu Düsseldorf erwachten und »Guten Morgen, Vater!« sagen wollten, da war der Vater abgereist, und in der ganzen Stadt war nichts als stumpfe Beklemmung, es war überall eine Art Begräbnisstimmung, und die Leute schlichen schweigend nach dem Markte und lasen den langen papiernen Anschlag auf der Türe des Rathauses. Es war ein trübes Wetter, und der dünne Schneider Kilian stand dennoch in seiner Nanquinjacke, die er sonst nur im Hause trug, und die blauwollnen Strümpfe hingen ihm herab, daß die nackten Beinchen betrübt hervorguckten, und seine schmalen Lippen bebten, während er das angeschlagene Plakat vor sich hinmurmelte. Ein alter pfälzischer Invalide las etwas lauter, und bei manchem Worte träufelte ihm eine klare Träne in den weißen, ehrlichen Schnauzbart. Ich stand neben ihm und weinte mit und frug ihn: warum wir weinten? Und da antwortete er: »Der Kurfürst läßt sich bedanken.« Und dann las er wieder, und bei den Worten: »für die bewährte Untertanstreue« »und entbinden Euch Eurer Pflichten«, da weinte er noch stärker – Es ist wunderlich anzusehen, wenn so ein alter Mann mit verblichener Uniform und vernarbtem Soldatengesicht plötzlich so stark weint. Während wir lasen, wurde auch das kurfürstliche Wappen vom Rathause heruntergenommen, alles gestaltete sich so beängstigend öde, es war, als ob man eine Sonnenfinsternis erwarte, die Herren Ratsherren gingen so abgedankt und langsam umher, sogar der allgewaltige Gassenvogt sah aus, als wenn er nichts mehr zu befehlen hätte, und stand da so friedlich-gleichgültig, obgleich der tolle Alouisius sich wieder auf ein Bein stellte und mit närrischer Grimasse die Namen der französischen Generale herschnatterte, während der besoffene, krumme Gumpertz sich in der Gosse herumwälzte und »Ça ira, ça ira!« sang.

Ich aber ging nach Hause und weinte und klagte: »Der Kurfürst läßt sich bedanken.« Meine Mutter hatte ihre liebe Not, ich wußte, was ich wußte, ich ließ mir nichts ausreden, ich ging weinend zu Bette, und in der Nacht träumte mir: die Welt habe ein Ende – die schönen Blumengärten und grünen Wiesen wurden wie Teppiche vom Boden aufgenommen und zusammengerollt, der Gassenvogt stieg auf eine hohe Leiter und nahm die Sonne vom Himmel herab, der Schneider Kilian stand dabei und sprach zu sich selber: »Ich muß nach Hause gehn und mich hübsch anziehn, denn ich bin tot und soll noch heute begraben werden« – und es wurde immer dunkler, spärlich schimmerten oben einige Sterne, und auch diese fielen herab wie gelbe Blätter im Herbste, allmählig verschwanden die Menschen, ich armes Kind irrte ängstlich umher, stand endlich vor der Weidenhecke eines wüsten Bauerhofes und sah dort einen Mann, der mit dem Spaten die Erde aufwühlte, und neben ihm ein häßlich hämisches Weib, das etwas wie einen abgeschnittenen Menschenkopf in der Schürze hielt, und das war der Mond, und sie legte ihn ängstlich sorgsam in die offne Grube – und hinter mir stand der pfälzische Invalide und schluchzte und buchstabierte: »Der Kurfürst läßt sich bedanken.«

Als ich erwachte, schien die Sonne wieder wie gewöhnlich durch das Fenster, auf der Straße ging die Trommel, und als ich in unsre Wohnstube trat und meinem Vater, der im weißen Pudermantel saß, einen guten Morgen bot, hörte ich, wie der leichtfüßige Friseur ihm während des Frisierens haarklein erzählte: daß heute auf dem Rathause dem neuen Großherzog Joachim gehuldigt werde und daß dieser von der besten Familie sei und die Schwester des Kaisers Napoleon zur Frau bekommen und auch wirklich viel Anstand besitze und sein schönes schwarzes Haar in Locken trage und nächstens seinen Einzug halten und sicher allen Frauenzimmern gefallen müsse. Unterdessen ging das Getrommel, draußen auf der Straße, immer fort, und ich trat vor die Haustür und besah die einmarschierenden französischen Truppen, das freudige Volk des Ruhmes, das singend und klingend die Welt durchzog, die heiterernsten Grenadiergesichter, die Bärenmützen, die dreifarbigen Kokarden, die blinkenden Bajonette, die Voltigeurs voll Lustigkeit und Point d'honneur und den allmächtig großen, silbergestickten Tambour-Major, der seinen Stock mit dem vergoldeten Knopf bis an die erste Etage werfen konnte und seine Augen sogar bis zur zweiten Etage – wo ebenfalls schöne Mädchen am Fenster saßen. Ich freute mich, daß wir Einquartierung bekämen – meine Mutter freute sich nicht –, und ich eilte nach dem Marktplatz. Da sah es jetzt ganz anders aus, es war, als ob die Welt neu angestrichen worden, ein neues Wappen hing am Rathause, das Eisengeländer an dessen Balkon war mit gestickten Sammetdecken überhängt, französische Grenadiere standen Schildwache, die alten Herren Ratsherren hatten neue Gesichter angezogen und trugen ihre Sonntagsröcke und sahen sich an auf französisch und sprachen bon jour, aus allen Fenstern guckten Damen, neugierige Bürgersleute und blanke Soldaten füllten den Platz, und ich nebst andern Knaben, wir kletterten auf das große Kurfürstenpferd und schauten davon herab in das bunte Marktgewimmel.

Nachbars-Pitter und der lange Kurz hätten bei dieser Gelegenheit beinah den Hals gebrochen, und das wäre gut gewesen; denn der eine entlief nachher seinen Eltern, ging unter die Soldaten, desertierte und wurde in Mainz totgeschossen, der andre aber machte späterhin geographische Untersuchungen in fremden Taschen, wurde deshalb wirkendes Mitglied einer öffentlichen Spinnanstalt, zerriß die eisernen Bande, die ihn an diese und an das Vaterland fesselten, kam glücklich über das Wasser und starb in London durch eine allzu enge Krawatte, die sich von selbst zugezogen, als ihm ein königlicher Beamter das Brett unter den Beinen wegriß.

Der lange Kurz sagte uns, daß heute keine Schule sei, wegen der Huldigung. Wir mußten lange warten, bis diese losgelassen wurde. Endlich füllte sich der Balkon des Rathauses mit bunten Herren, Fahnen und Trompeten, und der Herr Bürgermeister, in seinem berühmten roten Rock, hielt eine Rede, die sich etwas in die Länge zog, wie Gummi-Elastikum oder wie eine gestrickte Schlafmütze, in die man einen Stein geworfen – nur nicht den Stein der Weisen – und manche Redensarten konnte ich ganz deutlich vernehmen, z. B. daß man uns glücklich machen wolle – und beim letzten Worte wurden die Trompeten geblasen und die Fahnen geschwenkt und die Trommel gerührt und Vivat gerufen – und während ich selber Vivat rief, hielt ich mich fest an den alten Kurfürsten. Und das tat not, denn mir wurde ordentlich schwindlig, ich glaubte schon, die Leute ständen auf den Köpfen, weil sich die Welt herumgedreht, das Kurfürstenhaupt mit der Allongeperücke nickte und flüsterte: »Halt fest an mir!« – und erst durch das Kanonieren, das jetzt auf dem Walle losging, ernüchterte ich mich und stieg vom Kurfürstenpferd langsam wieder herab.

Als ich nach Hause ging, sah ich wieder, wie der tolle Alouisius auf einem Beine tanzte, während er die Namen der französischen Generale schnarrte, und wie sich der krumme Gumpertz besoffen in der Gosse herumwälzte und »Ça ira, ça ira« brüllte, und zu meiner Mutter sagte ich: »Man will uns glücklich machen, und deshalb ist heute keine Schule.«

Kapitel VII

Den andern Tag war die Welt wieder ganz in Ordnung, und es war wieder Schule, nach wie vor, und es wurde wieder auswendig gelernt, nach wie vor – die römischen Könige, die Jahreszahlen, die nomina auf *im*, die verba irregularia, Griechisch, Hebräisch, Geographie, deutsche Sprache, Kopfrechnen – Gott! der Kopf schwindelt mir noch davon – alles mußte auswendig gelernt werden. Und manches davon kam mir in der Folge zustatten. Denn hätte ich nicht die römischen Könige auswendig gewußt, so wäre es mir ja späterhin ganz gleichgültig gewesen, ob Niebuhr bewiesen oder nicht bewiesen hat, daß sie niemals wirklich existiert haben. Und wußte ich nicht jene Jahrszahlen, wie hätte ich mich späterhin zurechtfinden wollen in dem großen Berlin, wo ein Haus dem andern gleicht, wie ein Tropfen Wasser oder wie ein Grenadier dem andern, und wo man seine Bekannten nicht zu finden vermag, wenn man nicht ihre Hausnummern im Kopfe hat; ich dachte mir damals bei jedem Bekannten zugleich eine historische Begebenheit, deren Jahrszahl mit seiner Hausnummer übereinstimmte, so daß ich mich dieser leicht erinnern konnte, wenn ich jener gedachte, und daher kam mir auch immer eine historische Begebenheit in den Sinn, sobald ich einen Bekannten erblickte. So z. B. wenn mir mein Schneider begegnete, dachte ich gleich an die Schlacht bei Marathon, begegnete mir der wohlgeputzte Bankier Christian Gumpel, so dachte ich gleich an die Zerstörung Jerusalems, erblickte ich einen stark verschuldeten portugiesischen Freund, so dachte ich gleich an die Flucht Mahomets, sah ich den Universitätsrichter, einen Mann, dessen strenge Rechtlichkeit bekannt ist, so dachte ich gleich an den Tod Hamans, sobald ich Wadzeck sah, dachte ich gleich an die Kleopatra – Ach, lieber Himmel, das arme Vieh ist jetzt tot, die Tränensäckchen sind vertrocknet, und man kann mit Hamlet sagen: nehmt alles in allem, es war ein altes Weib, wir werden noch oft seines Gleichen haben! Wie gesagt, die Jahrszahlen sind durchaus nötig, ich kenne Menschen, die gar nichts als ein paar Jahrszahlen im Kopfe hatten und damit in Berlin die rechten Häuser zu finden wußten und jetzt schon ordentliche Professoren sind. Ich aber hatte in der Schule meine Not mit den vielen Zahlen! Mit dem eigentlichen Rechnen ging es noch schlechter. Am besten begriff ich das Subtrahieren, und da gibt es eine sehr praktische Hauptregel: »Vier von drei geht nicht, da muß ich eins borgen« – ich rate aber jedem, in solchen Fällen immer einige Groschen mehr zu borgen; denn man kann nicht wissen.

Was aber das Lateinische betrifft, so haben Sie gar keine Idee davon, Madame, wie das verwickelt ist. Den Römern würde gewiß nicht Zeit genug übrig geblieben sein, die Welt zu erobern, wenn sie das Latein erst hätten lernen sollen. Diese glücklichen Leute wußten schon in der Wiege, welche Nomina den Akkusativ auf *im* haben. Ich hingegen mußte sie im Schweiße meines Angesichts auswendig lernen; aber es ist doch immer gut, daß ich sie weiß. Denn hätte ich z. B. den 20sten Juli 1825, als ich öffentlich in der Aula zu Göttingen lateinisch disputierte – Madame, es war der Mühe wert zuzuhören –, hätte ich da *sinapem* statt *sinapim* gesagt, so würden es vielleicht die anwesenden Füchse gemerkt haben, und das wäre für mich eine ewige Schande gewesen. *Vis, buris, sitis, tussis, cucumis, amussis, cannabis, sinapis* – Diese Wörter, die so viel Aufsehen in der Welt gemacht haben, bewirkten dieses, indem sie sich zu einer bestimmten Klasse schlugen und dennoch eine Ausnahme blieben; deshalb achte ich sie sehr, und daß ich sie bei der Hand habe, wenn ich sie etwa plötzlich brauchen sollte, das gibt mir in manchen trüben Stunden des Lebens viel innere Beruhigung und Trost. Aber, Madame, die verba irregularia – sie unterscheiden sich von den verbis regularibus dadurch, daß man bei ihnen noch mehr Prügel bekömmt –, sie sind gar entsetzlich schwer. In den dumpfen Bogengängen des Franziskanerklosters, unfern der Schulstube, hing damals ein großer, gekreuzigter Christus von grauem Holze, ein wüstes Bild, das noch jetzt zuweilen des Nachts durch meine Träume schreitet und mich traurig ansieht mit starren, blutigen Augen – vor diesem Bilde stand ich oft und betete: O du armer, ebenfalls gequälter Gott, wenn es dir nur irgend möglich ist, so sieh doch zu, daß ich die verba irregularia im Kopfe behalte.

Vom Griechischen will ich gar nicht sprechen; ich ärgere mich sonst zu viel. Die Mönche im Mittelalter hatten so ganz unrecht nicht, wenn sie behaupteten, daß das Griechische eine Erfindung des Teufels sei. Gott kennt die Leiden, die ich dabei ausgestanden. Mit dem Hebräischen ging es besser, denn ich hatte immer eine große Vorliebe für die Juden, obgleich sie, bis auf diese Stunde, meinen guten Namen kreuzigen; aber ich konnte es doch im Hebräischen nicht so weit bringen wie meine Taschenuhr, die viel intimen Umgang mit Pfänderverleihern hatte und dadurch manche jüdische Sitte annahm – z. B. des Sonnabends ging sie nicht – und die heilige Sprache lernte und sie auch späterhin grammatisch trieb; wie ich denn oft, in schlaflosen Nächten, mit Erstaunen hörte, daß sie beständig vor sich hin pickerte: *katal, katalta, katalti – kittel, kittalta, kittalti – – pokat, pokadeti – pikat – pik – pik – –*

Indessen von der deutschen Sprache begriff ich viel mehr, und die ist doch nicht so gar kinderleicht. Denn wir armen Deutschen, die wir schon mit Einquartierungen, Militärpflichten, Kopfsteuern und tausenderlei Abgaben genug geplagt sind, wir haben uns noch obendrein den Adelung aufgesackt und quälen uns einander mit dem Akkusativ und Dativ. Viel deutsche Sprache lernte ich vom alten Rektor Schallmeyer, einem braven geistlichen Herrn, der sich meiner von Kind auf annahm. Aber ich lernte auch etwas der Art von dem Professor Schramm, einem Manne, der ein Buch über den ewigen Frieden geschrieben hat und in dessen Klasse sich meine Mitbuben am meisten rauften.

Während ich in einem Zuge fort schrieb und allerlei dabei dachte, habe ich mich unversehens in die alten Schulgeschichten hineingeschwatzt, und ich ergreife diese Gelegenheit, um Ihnen zu zeigen, Madame, wie es nicht meine Schuld war, wenn ich von der Geographie so wenig lernte, daß ich mich späterhin nicht in der Welt zurecht zu finden wußte. Damals hatten nämlich die Franzosen alle Grenzen verrückt, alle Tage wurden die Länder neu illuminiert, die sonst blau gewesen, wurden jetzt plötzlich grün, manche wurden sogar blutrot, die bestimmten Lehrbuchseelen wurden so sehr vertauscht und vermischt, daß kein Teufel sie mehr erkennen konnte, die Landesprodukte änderten sich ebenfalls, Zichorien und Runkelrüben wuchsen jetzt, wo sonst nur Hasen und hinterherlaufende Landjunker zu sehen waren, auch die Charaktere der Völker änderten sich, die Deutschen wurden gelenkig, die Franzosen machten keine Komplimente mehr, die Engländer warfen das Geld nicht mehr zum Fenster hinaus, und die Venezianer waren nicht schlau genug, unter den Fürsten gab es viel Avancement, die alten Könige bekamen neue Uniformen, neue Königtümer wurden gebacken und hatten Absatz wie frische Semmel, manche Potentaten hingegen wurden von Haus und Hof gejagt und mußten auf andre Art ihr Brot zu verdienen suchen, und einige legten sich daher früh auf ein Handwerk und machten z. B. Siegellack oder – Madame, diese Periode hat endlich ein Ende, der Atem wollte mir ausgehen – kurz und gut, in solchen Zeiten kann man es in der Geographie nicht weit bringen.

Da hat man es doch besser in der Naturgeschichte, da können nicht so viele Veränderungen vorgehen, und da gibt es bestimmte Kupferstiche von Affen, Kinguruhs, Zebras, Nashornen usw. Weil mir solche Bilder im Gedächtnisse blieben, geschah es in der Folge sehr oft, daß mir manche Menschen beim ersten Anblick gleich wie alte Bekannte vorkamen.

Auch in der Mythologie ging es gut. Ich hatte meine liebe Freude an dem Göttergesindel, das so lustig nackt die Welt regierte. Ich glaube nicht, daß jemals ein Schulknabe im alten Rom die Hauptartikel seines Katechismus, z. B. die Liebschaften der Venus, besser auswendig gelernt hat als ich. Aufrichtig gestanden, da wir doch einmal die alten Götter auswendig lernen mußten, so hätten wir sie auch behalten sollen, und wir haben vielleicht nicht viel Vorteil bei unserer neurömischen Dreigötterei, oder gar bei unserem jüdischen Eingötzentum. Vielleicht war jene Mythologie im Grunde nicht so unmoralisch, wie man sie verschrien hat; es ist z. B. ein sehr anständiger Gedanke des Homers, daß er jener vielbeliebten Venus einen Gemahl zur Seite gab.

Am allerbesten aber erging es mir in der französischen Klasse des Abbé d'Aulnoi, eines emigrierten Franzosen, der eine Menge Grammatiken geschrieben und eine rote Perücke trug und gar pfiffig umhersprang, wenn er seine Art poétique und seine Histoire allemande vortrug – Er war im ganzen Gymnasium der einzige, welcher deutsche Geschichte lehrte. Indessen auch das Französische hat seine Schwierigkeiten, und zur Erlernung desselben gehört viel Einquartierung, viel Getrommel, viel apprendre par cœur, und vor allem darf man keine Bête allemande sein. Da gab es manches saure Wort, ich erinnere mich noch so gut, als wäre es erst gestern geschehen, daß ich durch la religion viel Unannehmlichkeiten erfahren. Wohl sechsmal erging an mich die Frage: »Henri, wie heißt der Glaube auf französisch?« Und sechsmal und immer weinerlicher antwortete ich: »Das heißt le crédit.« Und beim siebenten Male, kirschbraun im Gesichte, rief der wütende Examinator: »Es heißt la religion« – und es regnete Prügel, und alle Kameraden lachten. Madame! seit der Zeit kann ich das Wort religion nicht erwähnen hören, ohne daß mein Rücken blaß vor Schrecken und meine Wange rot vor Scham wird. Und ehrlich gestanden, le crédit hat mir im Leben mehr genützt als la religion – In diesem Augenblick fällt mir ein, daß ich dem Löwenwirt in Bologna noch fünf Taler schuldig bin – Und wahrhaftig, ich mache mich anheischig, dem Löwenwirt noch fünf Taler extra schuldig zu sein, wenn ich nur das unglückselige Wort la religion in diesem Leben nimmermehr zu hören brauche.

Parbleu, Madame! ich habe es im Französischen weit gebracht! Ich verstehe nicht nur Patois, sondern sogar adeliges Bonnenfranzösisch. Noch unlängst, in einer noblen Gesellschaft, verstand ich fast die Hälfte von dem Diskurs zweier deutschen Komtessen, wovon jede über vierundsechzig Jahr und ebenso viele Ahnen zählte. Ja, im Café Royal zu Berlin hörte ich einmal den Monsieur Hans Michel Martens französisch parlieren und verstand jedes Wort, obschon kein Verstand darin war. Man muß den Geist der Sprache kennen, und diesen lernt man am besten durch Trommeln. Parbleu! wie viel verdanke ich nicht dem französischen Tambour, der so lange bei uns in Quartier lag und wie ein Teufel aussah und doch von Herzen so engelgut war und so ganz vorzüglich trommelte.

Es war eine kleine, bewegliche Figur mit einem fürchterlichen, schwarzen Schnurrbarte, worunter sich die roten Lippen trotzig hervorbäumten, während die feurigen Augen hin und her schossen.

Ich kleiner Junge hing an ihm wie eine Klette und half ihm seine Knöpfe spiegelblank putzen und seine Weste mit Kreide weißen – denn Monsieur Le Grand wollte gerne gefallen – und ich folgte ihm auch auf die Wache, nach dem Appell, nach der Parade – da war nichts als Waffenglanz und Lustigkeit – les jours de fête sont passés! Monsieur Le Grand wußte nur wenig gebrochenes Deutsch, nur die Hauptausdrücke – Brot, Kuß, Ehre – doch konnte er sich auf der Trommel sehr gut verständlich machen, z. B. wenn ich nicht wußte, was das Wort »liberté« bedeute, so trommelte er den Marseiller Marsch – und ich verstand ihn. Wußte ich nicht die Bedeutung des Wortes »égalité«, so trommelte er den Marsch »Ça ira, ça ira – – – les aristocrates à la lanterne!« – und ich verstand ihn. Wußte ich nicht, was »bêtise« sei, so trommelte er den Dessauer Marsch, den wir Deutschen, wie auch Goethe berichtet, in der Champagne getrommelt – und ich verstand ihn. Er wollte mir mal das Wort »l'Allemagne« erklären, und er trommelte jene allzu einfache Urmelodie, die man oft an Markttagen bei tanzenden Hunden hört, nämlich Dum – Dum – Dum – ich ärgerte mich, aber ich verstand ihn doch.

Auf ähnliche Weise lehrte er mich auch die neuere Geschichte. Ich verstand zwar nicht die Worte, die er sprach, aber da er während des Sprechens beständig trommelte, so wußte ich doch, was er sagen wollte. Im Grunde ist das die beste Lehrmethode. Die Geschichte von der Bestürmung der Bastille, der Tuilerien usw. begreift man erst recht, wenn man weiß, wie bei solchen Gelegenheiten getrommelt wurde. In unseren Schulkompendien liest man bloß: »Ihre Exz. die Baronen und Grafen und hochdero Gemahlinnen wurden geköpft – Ihre Altessen die Herzöge und Prinzen und höchstdero Gemahlinnen wurden geköpft – Ihre Majestät der König und allerhöchstdero Gemahlin wurden geköpft –«, aber wenn man den roten Guillotinenmarsch trommeln hört, so begreift man dieses erst recht, und man erfährt das Warum und das Wie. Madame, das ist ein gar wunderlicher Marsch! Er durchschauerte mir Mark und Bein, als ich ihn zuerst hörte, und ich war froh, daß ich ihn vergaß – Man vergißt so etwas, wenn man älter wird, ein junger Mann hat jetzt so viel anderes Wissen im Kopf zu behalten – Whist, Boston, genealogische Tabellen, Bundestagsbeschlüsse, Dramaturgie, Liturgie, Vorschneiden – und wirklich, trotz allem Stirnreiben konnte ich mich lange Zeit nicht mehr auf jene gewaltige Melodie besinnen. Aber denken Sie sich, Madame! unlängst sitze ich an der Tafel mit einer ganzen Menagerie von Grafen, Prinzen, Prinzessinnen, Kammerherren, Hofmarschallinnen, Hofschenken, Oberhofmeisterinnen, Hofsilberbewahrern, Hofjägermeisterinnen, und wie diese vornehmen Domestiken noch außerdem heißen mögen, und ihre Unterdomestiken liefen hinter ihren Stühlen und schoben ihnen die gefüllten Teller vors Maul – ich aber, der übergangen und übersehen wurde, saß müßig, ohne die mindeste Kinnbackenbeschäftigung, und ich knetete Brotkügelchen und trommelte vor Langerweile mit den Fingern, und zu meinem Entsetzen trommelte ich plötzlich den roten, längstvergessenen Guillotinenmarsch.

»Und was geschah?« Madame, diese Leute lassen sich im Essen nicht stören und wissen nicht, daß andere Leute, wenn sie nichts zu essen haben, plötzlich anfangen zu trommeln, und zwar gar kuriose Märsche, die man längst vergessen glaubte.

Ist nun das Trommeln ein angeborenes Talent, oder hab ich es frühzeitig ausgebildet, genug, es liegt mir in den Gliedern, in Händen und Füßen, und äußert sich oft unwillkürlich. Unwillkürlich. Zu Berlin saß ich einst im Kollegium des Geheimerats Schmalz, eines Mannes, der den Staat gerettet durch sein Buch über die Schwarzmäntel- und Rotmäntelgefahr – Sie erinnern sich, Madame, aus dem Pausanias, daß einst durch das Geschrei eines Esels ein ebenso gefährliches Komplott entdeckt wurde, auch wissen Sie aus dem Livius, oder aus Beckers Weltgeschichte, daß die Gänse des Kapitol gerettet, und aus dem Sallust wissen Sie ganz genau, daß durch eine geschwätzige Pütaine, die Frau Fulvia, jene fürchterliche Verschwörung des Catilina an den Tag kam – Doch um wieder auf besagten Hammel zu kommen, im Kollegium des Herrn Geheimerats Schmalz hörte ich das Völkerrecht, und es war ein langweiliger Sommernachmittag, und ich saß auf der Bank und hörte immer weniger – der Kopf war mir eingeschlafen – doch plötzlich ward ich aufgeweckt durch das Geräusch meiner eigenen Füße, die wach geblieben waren und wahrscheinlich zugehört hatten, daß just das Gegenteil vom Völkerrecht vorgetragen und auf Konstitutionsgesinnung geschimpft wurde, und meine Füße, die mit ihren kleinen Hühneraugen das Treiben der Welt besser durchschauen als der Geheimerat mit seinen großen Juno-Augen, diese armen, stummen Füße, unfähig, durch Worte ihre unmaßgebliche Meinung auszusprechen, wollten sich durch Trommeln verständlich machen und trommelten so stark, daß ich dadurch schier ins Malheur kam.

Verdammte, unbesonnene Füße! sie spielten mir einen ähnlichen Streich, als ich einmal in Göttingen bei Professor Saalfeld hospitierte und dieser mit seiner steifen Beweglichkeit auf dem Katheder hin und her sprang und sich echauffierte, um auf den Kaiser Napoleon recht ordentlich schimpfen zu können – nein, arme Füße, ich kann es euch nicht verdenken, daß ihr damals getrommelt, ja ich würde es euch nicht mal verdacht haben, wenn ihr, in eurer stummen Naivetät, euch noch fußtrittdeutlicher ausgesprochen hättet. Wie darf ich, der Schüler Le Grands, den Kaiser schmähen hören? Den Kaiser! den Kaiser! den großen Kaiser!

Denke ich an den großen Kaiser, so wird es in meinem Gedächtnisse wieder recht sommergrün und goldig, eine lange Lindenallee taucht blühend empor, auf den laubigen Zweigen sitzen singende Nachtigallen, der Wasserfall rauscht, auf runden Beeten stehen Blumen und bewegen traumhaft ihre schönen Häupter – ich stand mit ihnen im wunderlichen Verkehr, die geschminkten Tulpen grüßten mich bettelstolz herablassend, die nervenkranken Lilien nickten wehmütig zärtlich, die trunkenroten Rosen lachten mir schon von weitem entgegen, die Nachtviolen seufzten – mit den Myrten und Lorbeeren hatte ich damals noch keine Bekanntschaft, denn sie lockten nicht durch schimmernde Blüte, aber mit den Reseden, womit ich jetzt so schlecht stehe, war ich ganz besonders intim – Ich spreche vom Hofgarten zu Düsseldorf, wo ich oft auf dem Rasen lag und andächtig zuhörte, wenn mir Monsieur Le Grand von den Kriegstagen des großen Kaisers erzählte und dabei die Märsche schlug, die während jener Taten getrommelt wurden, so daß ich alles lebendig sah und hörte. Ich sah den Zug über den Simplon – der Kaiser voran und hinterdrein klimmend die braven Grenadiere, während aufgescheuchtes Gevögel sein Krächzen erhebt und die Gletscher in der Ferne donnern – ich sah den Kaiser, die Fahne im Arm, auf der Brücke von Lodi – ich sah den Kaiser im grauen Mantel bei Marengo – ich sah den Kaiser zu Roß in der Schlacht bei den Pyramiden – nichts als Pulverdampf und Mamelucken – ich sah den Kaiser in der Schlacht bei Austerlitz – hui! wie pfiffen die Kugeln über die glatte Eisbahn! – ich sah, ich hörte die Schlacht bei Jena – dum, dum, dum – ich sah, ich hörte die Schlacht bei Eylau, Wagram – – – – – nein, kaum konnt ich es aushalten! Monsieur Le Grand trommelte, daß fast mein eigenes Trommelfell dadurch zerrissen wurde.

Kapitel VIII

Aber wie ward mir erst, als ich ihn selber sah, mit hochbegnadigten, eignen Augen, ihn selber, Hosiannah! den Kaiser.

Es war eben in der Allee des Hofgartens zu Düsseldorf. Als ich mich durch das gaffende Volk drängte, dachte ich an die Taten und Schlachten, die mir Monsieur Le Grand vorgetrommelt hatte, mein Herz schlug den Generalmarsch – und dennoch dachte ich zu gleicher Zeit an die Polizeiverordnung, daß man bei fünf Taler Strafe nicht mitten durch die Allee reiten dürfe. Und der Kaiser mit seinem Gefolge ritt mitten durch die Allee, die schauernden Bäume beugten sich vorwärts, wo er vorbeikam, die Sonnenstrahlen zitterten furchtsam neugierig durch das grüne Laub, und am blauen Himmel oben schwamm sichtbar ein goldner Stern. Der Kaiser trug seine scheinlose grüne Uniform und das kleine, welthistorische Hütchen. Er ritt ein weißes Rößlein, und das ging so ruhig stolz, so sicher, so ausgezeichnet – wär ich damals Kronprinz von Preußen gewesen, ich hätte dieses Rößlein beneidet. Nachlässig, fast hängend, saß der Kaiser, die eine Hand hielt hoch den Zaum, die andere klopfte gutmütig den Hals des Pferdchens – Es war eine sonnigmarmorne Hand, eine mächtige Hand, eine von den beiden Händen, die das vielköpfige Ungeheuer der Anarchie gebändigt und den Völkerzweikampf geordnet hatten – und sie klopfte gutmütig den Hals des Pferdes. Auch das Gesicht hatte jene Farbe, die wir bei marmornen Griechen- und Römerköpfen finden, die Züge desselben waren ebenfalls edel gemessen, wie die der Antiken, und auf diesem Gesichte stand geschrieben: Du sollst keine Götter haben außer mir. Ein Lächeln, das jedes Herz erwärmte und beruhigte, schwebte um die Lippen – und doch wußte man, diese Lippen brauchten nur zu pfeifen – et la Prusse n'existait plus – diese Lippen brauchten nur zu pfeifen – und die ganze Klerisei hatte ausgeklingelt – diese Lippen brauchten nur zu pfeifen – und das ganze heilige römische Reich tanzte. Und diese Lippen lächelten, und auch das Auge lächelte – Es war ein Auge klar wie der Himmel, es konnte lesen im Herzen der Menschen, es sah rasch auf einmal alle Dinge dieser Welt, während wir anderen sie nur nacheinander und nur ihre gefärbten Schatten sehen. Die Stirne war nicht so klar, es nisteten darauf die Geister zukünftiger Schlachten, und es zuckte bisweilen über dieser Stirn, und das waren die schaffenden Gedanken, die großen Siebenmeilenstiefel-Gedanken, womit der Geist des Kaisers unsichtbar über die Welt hinschritt – und ich glaube, jeder dieser Gedanken hätte einem deutschen Schriftsteller, zeit seines Lebens, vollauf Stoff zum Schreiben gegeben.

Der Kaiser ritt ruhig mitten durch die Allee, kein Polizeidiener widersetzte sich ihm, hinter ihm, stolz auf schnaubenden Rossen und belastet mit Gold und Geschmeide, ritt sein Gefolge, die Trommeln wirbelten, die Trompeten erklangen, neben mir drehte sich der tolle Alouisius und schnarrte die Namen seiner Generale, unferne brüllte der besoffene Gumpertz, und das Volk rief tausendstimmig: es lebe der Kaiser!

Kapitel IX

Der Kaiser ist tot. Auf einer öden Insel des indischen Meeres ist sein einsames Grab, und Er, dem die Erde zu eng war, liegt ruhig unter dem kleinen Hügel, wo fünf Trauerweiden gramvoll ihre grünen Haare herabhängen lassen und ein frommes Bächlein wehmütig klagend vorbeirieselt. Es steht keine Inschrift auf seinem Leichensteine; aber Klio, mit dem gerechten Griffel, schrieb unsichtbare Worte darauf, die wie Geistertöne durch die Jahrtausende klingen werden.

Britannia! dir gehört das Meer. Doch das Meer hat nicht Wasser genug, um von dir abzuwaschen die Schande, die der große Tote dir sterbend vermacht hat. Nicht dein windiger Sir Hudson, nein, du selbst warst der sizilianische Häscher, den die verschworenen Könige gedungen, um an dem Manne des Volkes heimlich abzurächen, was das Volk einst öffentlich an einem der Ihrigen verübt hatte – Und er war dein Gast und hatte sich gesetzt an deinen Herd –

Bis in die spätesten Zeiten werden die Knaben Frankreichs singen und sagen von der schrecklichen Gastfreundschaft des Bellerophon, und wenn diese Spott- und Tränenlieder den Kanal hinüberklingen, so erröten die Wangen aller ehrsamen Briten. Einst aber wird dieses Lied hinüberklingen, und es gibt kein Britannien mehr, zu Boden geworfen ist das Volk des Stolzes, Westminsters Grabmäler liegen zertrümmert, vergessen ist der königliche Staub, den sie verschlossen – Und Sankt Helena ist das heilige Grab, wohin die Völker des Orients und Okzidents wallfahrten in buntbewimpelten Schiffen und ihr Herz stärken durch große Erinnerung an die Taten des weltlichen Heilands, der gelitten unter Hudson Lowe, wie es geschrieben steht in den Evangelien Las Cases, O'Meara und Antommarchi.

Seltsam! die drei größten Widersacher des Kaisers hat schon ein schreckliches Schicksal getroffen: Londonderry hat sich die Kehle abgeschnitten, Ludwig XVIII. ist auf seinem Throne verfault, und Professor Saalfeld ist noch immer Professor in Göttingen.

Kapitel X

Es war ein klarer, fröstelnder Herbsttag, als ein junger Mensch von studentischem Ansehen durch die Allee des Düsseldorfer Hofgartens langsam wanderte, manchmal, wie aus kindischer Lust, das raschelnde Laub, das den Boden bedeckte, mit den Füßen aufwarf, manchmal aber auch wehmütig hinaufblickte nach den dürren Bäumen, woran nur noch wenige Goldblätter hingen. Wenn er so hinaufsah, dachte er an die Worte des Glaukos:

»Gleich wie Blätter im Walde, so sind die Geschlechter der Menschen;
Blätter verweht zur Erde der Wind nun, andere treibt dann
Wieder der knospende Wald, wenn neu auflebet der Frühling;
So der Menschen Geschlecht, dies wächst, und jenes verschwindet.«

In frühern Tagen hatte der junge Mensch mit ganz andern Gedanken an eben dieselben Bäume hinaufgesehen, und er war damals ein Knabe und suchte Vogelnester oder Sommerkäfer, die ihn gar sehr ergötzten, wenn sie lustig dahinsummten und sich der hübschen Welt erfreuten und zufrieden waren mit einem saftiggrünen Blättchen, mit einem Tröpfchen Tau, mit einem warmen Sonnenstrahl und mit dem süßen Kräuterduft. Damals war des Knaben Herz ebenso vergnügt wie die flatternden Tierchen. Jetzt aber war sein Herz älter geworden, die kleinen Sonnenstrahlen waren darin erloschen, alle Blumen waren darin abgestorben, sogar der schöne Traum der Liebe war darin verblichen, im armen Herzen war nichts als Mut und Gram, und damit ich das Schmerzlichste sage – es war mein Herz.

Denselben Tag war ich zur alten Vaterstadt zurückgekehrt, aber ich wollte nicht darin übernachten und sehnte mich nach Godesberg, um zu den Füßen meiner Freundin mich niederzusetzen und von der kleinen Veronika zu erzählen. Ich hatte die lieben Gräber besucht. Von allen lebenden Freunden und Verwandten hatte ich nur einen Ohm und eine Muhme wiedergefunden. Fand ich auch sonst noch bekannte Gestalten auf der Straße, so kannte mich doch niemand mehr, und die Stadt selbst sah mich an mit fremden Augen, viele Häuser waren unterdessen neu angestrichen worden, aus den Fenstern guckten fremde Gesichter, um die alten Schornsteine flatterten abgelebte Spatzen, alles sah so tot und doch so frisch aus, wie Salat, der auf einem Kirchhofe wächst; wo man sonst französisch sprach, ward jetzt preußisch gesprochen, sogar ein kleines preußisches Höfchen hatte sich unterdessen dort angesiedelt, und die Leute trugen Hoftitel, die ehemalige Friseurin meiner Mutter war Hoffriseurin geworden, und es gab jetzt dort Hofschneider, Hofschuster, Hofwanzenvertilgerinnen, Hofschnapsladen, die ganze Stadt schien ein Hoflazarett für Hofgeisteskranke. Nur der alte Kurfürst erkannte mich, er stand noch auf dem alten Platz; aber er schien magerer geworden zu sein. Eben weil er immer mitten auf dem Markte stand, hatte er alle Misere der Zeit mit angesehen, und von solchem Anblick wird man nicht fett. Ich war wie im Traume und dachte an das Märchen von den verzauberten Städten, und ich eilte zum Tor hinaus, damit ich nicht zu früh erwachte. Im Hofgarten vermißte ich manchen Baum, und mancher war verkrüppelt, und die vier großen Pappeln, die mir sonst wie grüne Riesen erschienen, waren klein geworden. Einige hübsche Mädchen gingen spazieren, buntgeputzt, wie wandelnde Tulpen. Und diese Tulpen hatte ich gekannt, als sie noch kleine Zwiebelchen waren; denn ach! es waren ja Nachbarskinder, womit ich einst »Prinzessin im Turme« gespielt hatte. Aber die schönen Jungfrauen, die ich einst als blühende Rosen gekannt, sah ich jetzt als verwelkte Rosen, und in manche hohe Stirne, deren Stolz mir einst das Herz entzückte, hatte Saturn mit seiner Sense tiefe Runzeln eingeschnitten. Jetzt erst, aber ach! viel zu spät, entdeckte ich, was der Blick bedeuten sollte, den sie einst dem schon jünglinghaften Knaben zugeworfen; ich hatte unterdessen in der Fremde manche Parallelstellen in schönen Augen bemerkt. Tief bewegte mich das demütige Hutabnehmen eines Mannes, den ich einst reich und vornehm gesehen und der seitdem zum Bettler herabgesunken war; wie man denn überall sieht, daß die Menschen, wenn sie einmal im Sinken sind, wie nach dem Newtonschen Gesetze, immer entsetzlich schneller und schneller ins Elend herabfallen. Wer mir aber gar nicht verändert schien, das war der kleine Baron, der lustig wie sonst durch den Hofgarten tänzelte, mit der einen Hand den linken Rockschoß in der Höhe haltend, mit der andern Hand sein dünnes Rohrstöckchen hin- und herschwingend; es war noch immer dasselbe freundliche Gesichtchen, dessen Rosenröte sich nach der Nase hin konzentriert, es war noch immer das alte Kegelhütchen, es war noch immer das alte Zöpfchen, nur daß aus diesem jetzt einige weiße Härchen statt der ehemaligen schwarzen Härchen hervorkamen. Aber so vergnügt er auch aussah, so wußte ich dennoch, daß der arme Baron unterdessen viel Kummer ausgestanden hatte, sein Gesichtchen wollte es mir verbergen, aber die weißen Härchen seines Zöpfchens haben es mir hinter seinem Rücken verraten. Und das Zöpfchen selber hätte es gerne wieder abgeleugnet und wackelte gar wehmütig lustig.

Ich war nicht müde, aber ich bekam doch Lust, mich noch einmal auf die hölzerne Bank zu setzen, in die ich einst den Namen meines Mädchens eingeschnitten. Ich konnte ihn kaum wiederfinden, es waren so viele neue Namen darüber hingeschnitzelt. Ach! einst war ich auf dieser Bank eingeschlafen und träumte von Glück und Liebe. »Träume sind Schäume.« Auch die alten Kinderspiele kamen mir wieder in den Sinn, auch die alten, hübschen Märchen; aber ein neues, falsches Spiel und ein neues, häßliches Märchen klang immer hindurch, und es war die Geschichte von zwei armen Seelen, die einander untreu wurden und es nachher in der Treulosigkeit so weit brachten, daß sie sogar dem lieben Gotte die Treue brachen. Es ist eine böse Geschichte, und wenn man just nichts Besseres zu tun weiß, kann man darüber weinen. O Gott! einst war die Welt so hübsch, und die Vögel sangen dein ewiges Lob, und die kleine Veronika sah mich an mit stillen Augen, und wir saßen vor der marmornen Statue auf dem Schloßplatz – auf der einen Seite liegt das alte, verwüstete Schloß, worin es spukt und nachts eine schwarzseidene Dame ohne Kopf mit langer, rauschender Schleppe herumwandelt; auf der andern Seite ist ein hohes, weißes Gebäude, in dessen oberen Gemächern die bunten Gemälde mit goldnen Rahmen wunderbar glänzten und in dessen Untergeschosse so viele tausend mächtige Bücher standen, die ich und die kleine Veronika oft mit Neugier betrachteten, wenn uns die fromme Ursula an die großen Fenster hinanhob – Späterhin, als ich ein großer Knabe geworden, erkletterte ich dort täglich die höchsten Leitersprossen und holte die höchsten Bücher herab und las darin so lange, bis ich mich vor nichts mehr, am wenigsten vor Damen ohne Kopf, fürchtete, und ich wurde so gescheut, daß ich alle alte Spiele und Märchen und Bilder und die kleine Veronika und sogar ihren Namen vergaß.

Während ich aber, auf der alten Bank des Hofgartens sitzend, in die Vergangenheit zurückträumte, hörte ich hinter mir verworrene Menschenstimmen, welche das Schicksal der armen Franzosen beklagten, die, im russischen Kriege als Gefangene nach Sibirien geschleppt, dort mehre lange Jahre, obgleich schon Frieden war, zurückgehalten worden und jetzt erst heimkehrten. Als ich aufsah, erblickte ich wirklich diese Waisenkinder des Ruhmes; durch die Risse ihrer zerlumpten Uniformen lauschte das nackte Elend, in ihren verwitterten Gesichtern lagen tiefe, klagende Augen, und obgleich verstümmelt, ermattet und meistens hinkend, blieben sie doch noch immer in einer Art militärischen Schrittes, und seltsam genug! ein Tambour mit einer Trommel schwankte voran; und mit innerem Grauen ergriff mich die Erinnerung an die Sage von den Soldaten, die des Tags in der Schlacht gefallen und des Nachts wieder vom Schlachtfelde aufstehen und mit dem Tambour an der Spitze nach ihrer Vaterstadt marschieren und wovon das alte Volkslied singt:

»Er schlug die Trommel auf und nieder,
Sie sind vorm Nachtquartier schon wieder,
Ins Gäßlein hell hinaus,
Trallerie, Trallerei, Trallera,
Sie ziehn vor Schätzels Haus.

Da stehen morgens die Gebeine
In Reih und Glied, wie Leichensteine,
Die Trommel geht voran,
Trallerie, Trallerei, Trallera,
Daß Sie ihn sehen kann.«

Wahrlich, der arme französische Tambour schien halb verwest aus dem Grabe gestiegen zu sein, es war nur ein kleiner Schatten in einer schmutzig zerfetzten grauen Capotte, ein verstorben gelbes Gesicht, mit einem großen Schnurrbarte, der wehmütig herabhing über die verblichenen Lippen, die Augen waren wie verbrannter Zunder, worin nur noch wenige Fünkchen glimmen, und dennoch, an einem einzigen dieser Fünkchen, erkannte ich Monsieur Le Grand.

Er erkannte auch mich und zog mich nieder auf den Rasen, und da saßen wir wieder wie sonst, als er mir auf der Trommel die französische Sprache und die neuere Geschichte dozierte. Es war noch immer die wohlbekannte, alte Trommel, und ich konnte mich nicht genug wundern, wie er sie vor russischer Habsucht geschützt hatte. Er trommelte jetzt wieder wie sonst, jedoch ohne dabei zu sprechen. Waren aber die Lippen unheimlich zusammengekniffen, so sprachen desto mehr seine Augen, die sieghaft aufleuchteten, indem er die alten Märsche trommelte. Die Pappeln neben uns erzitterten, als er wieder den roten Guillotinenmarsch erdröhnen ließ. Auch die alten Freiheitskämpfe, die alten Schlachten, die Taten des Kaisers trommelte er wie sonst, und es schien, als sei die Trommel selber ein lebendiges Wesen, das sich freute, seine innere Lust aussprechen zu können. Ich hörte wieder den Kanonendonner, das Pfeifen der Kugeln, den Lärm der Schlacht, ich sah wieder den Todesmut der Garde, ich sah wieder die flatternden Fahnen, ich sah wieder den Kaiser zu Roß – aber allmählig schlich sich ein trüber Ton in jene freudigsten Wirbel, aus der Trommel drangen Laute, worin das wildeste Jauchzen und das entsetzlichste Trauern unheimlich gemischt waren, es schien ein Siegesmarsch und zugleich ein Totenmarsch, die Augen Le Grands öffneten sich geisterhaft weit, und ich sah darin nichts als ein weites, weißes Eisfeld bedeckt mit Leichen – es war die Schlacht bei der Moskwa.

Ich hätte nie gedacht, daß die alte, harte Trommel so schmerzliche Laute von sich geben könnte, wie jetzt Monsieur Le Grand daraus hervorzulocken wußte. Es waren getrommelte Tränen, und sie tönten immer leiser, und wie ein trübes Echo brachen tiefe Seufzer aus der Brust Le Grands. Und dieser wurde immer matter und gespenstischer, seine dürren Hände zitterten vor Frost, er saß wie im Traume und bewegte mit seinen Trommelstöcken nur die Luft und horchte wie auf ferne Stimmen, und endlich schaute er mich an, mit einem tiefen, abgrundtiefen, flehenden Blick – ich verstand ihn – und dann sank sein Haupt herab auf die Trommel.

Monsieur Le Grand hat in diesem Leben nie mehr getrommelt. Auch seine Trommel hat nie mehr einen Ton von sich gegeben, sie sollte keinem Feinde der Freiheit zu einem servilen Zapfenstreich dienen, ich hatte den letzten, flehenden Blick Le Grands sehr gut verstanden und zog sogleich den Degen aus meinem Stock und zerstach die Trommel.

Kapitel XI

Du sublime au ridicule il n'y a qu'un pas, Madame!

Aber das Leben ist im Grunde so fatal ernsthaft, daß es nicht zu ertragen wäre ohne solche Verbindung des Pathetischen mit dem Komischen. Das wissen unsere Poeten. Die grauenhaftesten Bilder des menschlichen Wahnsinns zeigt uns Aristophanes nur im lachenden Spiegel des Witzes, den großen Denkerschmerz, der seine eigne Nichtigkeit begreift, wagt Goethe nur in den Knittelversen eines Puppenspiels auszusprechen, und die tödlichste Klage über den Jammer der Welt legt Shakespeare in den Mund eines Narren, während er dessen Schellenkappe ängstlich schüttelt.

Sie haben's alle dem großen Urpoeten abgesehen, der in seiner tausendaktigen Welttragödie den Humor aufs höchste zu treiben weiß, wie wir es täglich sehen: – nach dem Abgang der Helden kommen die Clowns und Graziosos mit ihren Narrenkolben und Pritschen, nach den blutigen Revolutionsszenen und Kaiseraktionen kommen wieder herangewatschelt die dicken Bourbonen mit ihren alten abgestandenen Späßchen und zartlegitimen Bonmots, und graziöse hüpft herbei die alte Noblesse mit ihrem verhungerten Lächeln, und hintendrein wallen die frommen Kapuzen mit Lichtern, Kreuzen und Kirchenfahnen; – sogar in das höchste Pathos der Welttragödie pflegen sich komische Züge einzuschleichen, der verzweifelnde Republikaner, der sich wie ein Brutus das Messer ins Herz stieß, hat vielleicht zuvor daran gerochen, ob auch kein Hering damit geschnitten worden, und auf dieser großen Weltbühne geht es auch außerdem ganz wie auf unseren Lumpenbrettern, auch auf ihr gibt es besoffene Helden, Könige, die ihre Rolle vergessen, Kulissen, die hängen geblieben, hervorschallende Souffleurstimmen, Tänzerinnen, die mit ihrer Lendenpoesie Effekt machen, Costümes, die als Hauptsache glänzen – Und im Himmel oben, im ersten Range, sitzen unterdessen die lieben Engelein und lorgnieren uns Komödianten hier unten, und der liebe Gott sitzt ernsthaft in seiner großen Loge und langweilt sich vielleicht oder rechnet nach, daß dieses Theater sich nicht lange mehr halten kann, weil der eine zu viel Gage und der andre zu wenig bekommt und alle viel zu schlecht spielen.

Du sublime au ridicule il n'y a qu'un pas, Madame! Während ich das Ende des vorigen Kapitels schrieb und Ihnen erzählte, wie Monsieur Le Grand starb und wie ich das testamentum militare, das in seinem letzten Blicke lag, gewissenhaft exekutierte, da klopfte es an meine Stubentüre, und herein trat eine arme, alte Frau, die mich freundlich frug: Ob ich ein Doktor sei? Und als ich dies bejahte, bat sie mich recht freundlich, mit ihr nach Hause zu gehen, um dort ihrem Manne die Hühneraugen zu schneiden.

Kapitel XII

Die deutschen Zensoren –
– –
– –
– –
– –
– –
– Dummköpfe – – – – – – – – – – –
– –
– –
– –
– – – – – – – – – – – – – – – – – – – –

Kapitel XIII

Madame! unter Ledas brütenden Hemisphären lag schon der ganze trojanische Krieg, und Sie können die berühmten Tränen des Priamos nimmermehr verstehen, wenn ich Ihnen nicht erst von den alten Schwaneneiern erzähle. Deshalb beklagen Sie sich nicht über meine Abschweifungen. In allen vorhergehenden Kapiteln ist keine Zeile, die nicht zur Sache gehörte, ich schreibe gedrängt, ich vermeide alles Überflüssige, ich übergehe sogar oft das Notwendige, z. B. ich habe noch nicht einmal ordentlich zitiert – ich meine nicht Geister, sondern im Gegenteil, ich meine Schriftsteller –, und doch ist das Zitieren alter und neuer Bücher das Hauptvergnügen eines jungen Autors, und so ein paar grundgelehrte Zitate zieren den ganzen Menschen. Glauben Sie nur nicht, Madame, es fehle mir an Bekanntschaft mit Büchertiteln. Außerdem kenne ich den Kunstgriff großer Geister, die es verstehen, die Korinthen aus den Semmeln und die Zitate aus den Kollegienheften herauszupicken; ich weiß auch, woher Bartels den Most holt. Im Notfall könnte ich bei meinen gelehrten Freunden eine Anleihe von Zitaten machen. Mein Freund G. in Berlin ist sozusagen ein kleiner Rothschild an Zitaten und leiht mir gern einige Millionen, und hat er sie nicht selbst vorrätig, so kann er sie leicht bei einigen andern kosmopolitischen Geistesbankiers zusammenbringen – Doch, ich brauche jetzt noch keine Anleihe zu machen, ich bin ein Mann, der sich gut steht, ich habe jährlich meine 10000 Zitate zu verzehren, ja, ich habe sogar die Erfindung gemacht, wie man falsche Zitate für echte ausgeben kann. Sollte irgendein großer, reicher Gelehrter, z. B. Michael Beer, mir dieses Geheimnis abkaufen wollen, so will ich es gerne für 19000 Taler Courant abstehen; auch ließe ich mich handeln. Eine andere Erfindung will ich zum Heile der Literatur nicht verschweigen und will sie gratis mitteilen:

Ich halte es nämlich für ratsam, alle obskuren Autoren mit ihrer Hausnummer zu zitieren.

Diese »guten Leute und schlechten Musikanten« – so wird im Ponce de Leon das Orchester angeredet –, diese obskuren Autoren besitzen doch immer selbst noch ein Exemplärchen ihres längstverschollenen Büchleins, und um dieses aufzutreiben, muß man also ihre Hausnummer wissen. Wollte ich z. B. »Spittas Sangbüchlein für Handwerksburschen« zitieren – meine liebe Madame, wo wollten Sie dieses finden? Zitiere ich aber: »vid. Sangbüchlein für Handwerksburschen, von P.

Spitta; Lüneburg; auf der Lünerstraße Nr. 2, rechts um die Ecke« – so können Sie, Madame, wenn Sie es der Mühe wert halten, das Büchlein auftreiben. Es ist aber nicht der Mühe wert.

Übrigens, Madame, haben Sie gar keine Idee davon, mit welcher Leichtigkeit ich zitieren kann. Überall finde ich Gelegenheit, meine tiefe Gelahrtheit anzubringen. Spreche ich z. B. vom Essen, so bemerke ich in einer Note, daß die Römer, Griechen und Hebräer ebenfalls gegessen haben, ich zitiere all die köstlichen Gerichte, die von der Köchin des Lucullus bereitet worden – weh mir! daß ich anderthalb Jahrtausend zu spät geboren bin! – ich bemerke auch, daß die gemeinschaftlichen Mahle bei den Griechen so und so hießen und daß die Spartaner schlechte schwarze Suppen gegessen – Es ist doch gut, daß ich damals noch nicht lebte, ich kann mir nichts Entsetzlicheres denken, als wenn ich armer Mensch ein Spartaner geworden wäre, Suppe ist mein Lieblingsgericht – Madame, ich denke nächstens nach London zu reisen, wenn es aber wirklich wahr ist, daß man dort keine Suppe bekommt, so treibt mich die Sehnsucht bald wieder zurück nach den Suppenfleischtöpfen des Vaterlandes. Über das Essen der alten Hebräer könnt ich weitläuftig mich aussprechen und bis auf die jüdische Küche der neuesten Zeit herabgehen – Ich zitiere bei dieser Gelegenheit den ganzen Steinweg – Ich könnte auch anführen, wie human sich viele Berliner Gelehrte über das Essen der Juden geäußert, ich käme dann auf die anderen Vorzüglichkeiten und Vortrefflichkeiten der Juden, auf die Erfindungen, die man ihnen verdankt, z. B. die Wechsel, das Christentum – aber halt! letzteres wollen wir ihnen nicht allzu hoch anrechnen, da wir eigentlich noch wenig Gebrauch davon gemacht haben – ich glaube, die Juden selbst haben dabei weniger ihre Rechnung gefunden als bei der Erfindung der Wechsel. Bei Gelegenheit der Juden könnte ich auch Tacitus zitieren – er sagt, sie verehrten Esel in ihren Tempeln – und bei Gelegenheit der Esel, welch ein weites Zitatenfeld eröffnet sich mir! Wie viel Merkwürdiges läßt sich anführen über antike Esel, im Gegensatz zu den modernen. Wie vernünftig waren jene, und ach! wie stupide sind diese. Wie verständig spricht z. B. Bileams Esel,

vid. Pentat. Lib. – – – – –

Madame, ich habe just das Buch nicht bei der Hand und will diese Stelle zum Ausfüllen offen lassen. Dagegen in Hinsicht der Abgeschmacktheit neuerer Esel zitiere ich:

vid. – – – –

– – – –

nein, ich will auch diese Stelle offen lassen, sonst werde ich ebenfalls zitiert, nämlich injuriarum. Die neueren Esel sind große Esel. Die alten Esel, die so hoch in der Kultur standen,

vid. Gesneri: De antiqua honestate asinorum. (In comment. Götting., T. II, p. 32),

sie würden sich im Grabe umdrehen, wenn sie hörten, wie man von ihren Nachkommen spricht. Einst war »Esel« ein Ehrenname – bedeutete so viel wie jetzt »Hofrat«, »Baron«, »Doctor Philosophiae« – Jakob vergleicht damit seinen Sohn Isaschar, Homer vergleicht damit seinen Helden Ajax, und jetzt vergleicht man damit den Herrn v.........! Madame, bei Gelegenheit solcher Esel könnte ich mich tief in die Literaturgeschichte versenken, ich könnte alle große Männer zitieren, die verliebt gewesen sind, z. B. den Abelardum, Picum Mirandulanum, Borbonium, Curtesium, Angelum Politianum, Raymundum Lullum und Henricum Heineum. Bei Gelegenheit der Liebe könnte ich wieder alle große Männer zitieren, die keinen Tabak geraucht haben, z. B. Cicero, Justinian, Goethe, Hugo, ich – zufällig sind wir alle fünf auch so halb und halb Juristen. Mabillon konnte nicht einmal den Rauch einer fremden Pfeife vertragen, in seinem »Itinere germanico« klagt er, in Hinsicht der deutschen Wirtshäuser, »quod molestus ipsi fuerit tabaci grave olentis foetor«. Dagegen wird andern großen Männern eine Vorliebe für den Tabak zugeschrieben. Raphael Thorus hat einen Hymnus auf den Tabak gedichtet – Madame, Sie wissen vielleicht noch nicht, daß ihn Isaak Elseverius Anno 1628 zu Leiden in Quart herausgegeben hat –, und Ludovicus Kinschot hat eine Vorrede in Versen dazu geschrieben. Grävius hat sogar ein Sonett auf den Tabak gemacht. Auch der große Boxhornius liebte den Tabak. Bayle, in seinem »Dict. hist. et critiq.«, meldet von ihm, er habe sich sagen lassen, daß der große Boxhornius beim Rauchen einen großen Hut mit einem Loch im Vorderrand getragen, in welches er oft die Pfeife gesteckt, damit sie ihn in seinen Studien nicht hindere – Apropos, bei Erwähnung des großen Boxhornius könnte ich auch all die großen Gelehrten zitieren, die sich ins Boxhorn jagen ließen und davonliefen. Ich verweise aber bloß auf Joh. Georg Martius: De fuga literatorum etc. etc. etc. Wenn wir die Geschichte durchgehen, Madame, so haben alle große Männer einmal in ihrem Leben davonlaufen müssen: – Lot, Tarquinius, Moses, Jupiter, Frau von Staël, Nebukadnezar, Benjowsky, Mahomet, die ganze preußische Armee, Gregor VII., Rabbi Jizchak Abarbanel, Rousseau – ich könnte noch sehr viele Namen anführen, z. B. die, welche an der Börse auf dem schwarzen Brette verzeichnet sind.

Sie sehen, Madame, es fehlt mir nicht an Gründlichkeit und Tiefe. Nur mit der Systematik will es noch nicht so recht gehen. Als ein echter Deutscher hätte ich dieses Buch mit einer Erklärung seines Titels eröffnen müssen, wie es im heiligen römischen Reiche Brauch und Herkommen ist. Phidias hat zwar zu seinem Jupiter keine Vorrede gemacht, ebenso wenig wie auf der medizäischen Venus – ich habe sie von allen Seiten betrachtet – irgendein Zitat gefunden wird; – aber die alten Griechen waren Griechen, unser einer ist ein ehrlicher Deutscher, kann die deutsche Natur nicht ganz verleugnen, und ich muß mich daher noch nachträglich über den Titel meines Buches aussprechen.

Madame, ich spreche demnach:

I. Von den Ideen.
  A. Von den Ideen im allgemeinen.
    a) Von vernünftigen Ideen.
    b) Von unvernünftigen Ideen.
      α. Von gewöhnlichen Ideen.
      β. Von den Ideen, die mit grünem Leder überzogen sind.

Diese werden wieder eingeteilt in – doch das wird sich alles schon finden.

Kapitel XIV

Madame, haben Sie überhaupt eine Idee von einer Idee? Was ist eine Idee? »Es liegen einige gute Ideen in diesem Rock«, sagte mein Schneider, indem er mit ernster Anerkennung den Oberrock betrachtete, der sich noch aus meinen berlinisch eleganten Tagen herschreibt und woraus jetzt ein ehrsamer Schlafrock gemacht werden sollte. Meine Wäscherin klagt: »der Pastor S. habe ihrer Tochter Ideen in den Kopf gesetzt, und sie sei dadurch unklug geworden und wolle keine Vernunft mehr annehmen.« Der Kutscher Pattensen brummt bei jeder Gelegenheit: »Das ist eine Idee! das ist eine Idee!« Gestern aber wurde er ordentlich verdrießlich, als ich ihn frug: was er sich unter einer Idee vorstelle? Und verdrießlich brummte er: »Nu, nu, eine Idee ist eine Idee! eine Idee ist alles dumme Zeug, was man sich einbildet.« In gleicher Bedeutung wird dieses Wort, als Buchtitel, von dem Hofrat Heeren in

Göttingen gebraucht.

Der Kutscher Pattensen ist ein Mann, der auf der weiten Lüneburger Heide, in Nacht und Nebel, den Weg zu finden weiß; der Hofrat Heeren ist ein Mann, der ebenfalls mit klugem Instinkt die alten Karawanenwege des Morgenlandes auffindet und dort schon, seit Jahr und Tag, so sicher und geduldig einherwandelt wie jemals ein Kamel des Altertums; auf solche Leute kann man sich verlassen, solchen Leuten darf man getrost nachfolgen, und darum habe ich dieses Buch »Ideen« betitelt.

Der Titel des Buches bedeutet daher ebenso wenig als der Titel des Verfassers, er ward von demselben nicht aus gelehrtem Hochmut gewählt und darf ihm für nichts weniger als Eitelkeit ausgedeutet werden. Nehmen Sie die wehmütigste Versicherung, Madame, ich bin nicht eitel. Es bedarf dieser Bemerkung, wie Sie mitunter merken werden. Ich bin nicht eitel – Und wüchse ein Wald von Lorbeeren auf meinem Haupte und ergösse sich ein Meer von Weihrauch in mein junges Herz – ich würde doch nicht eitel werden. Meine Freunde und übrigen Raum- und Zeitgenossen haben treulich dafür gesorgt – Sie wissen, Madame, daß alte Weiber ihre Pflegekinder ein bißchen anspucken, wenn man die Schönheit derselben lobt, damit das Lob den lieben Kleinen nicht schade – Sie wissen, Madame, wenn zu Rom der Triumphator, ruhmbekränzt und purpurgeschmückt, auf seinem goldnen Wagen mit weißen Rossen vom Campo Martii einherfuhr, wie ein Gott hervorragend aus dem feierlichen Zuge der Liktoren, Musikanten, Tänzer, Priester, Sklaven, Elefanten, Trophäenträger, Konsuln, Senatoren, Soldaten: dann sang der Pöbel hintendrein allerlei Spottlieder – Und Sie wissen, Madame, daß es im lieben Deutschland viel alte Weiber und Pöbel gibt.

Wie gesagt, Madame, die Ideen, von denen hier die Rede ist, sind von den platonischen ebenso weit entfernt wie Athen von Göttingen, und Sie dürfen von dem Buche selbst ebenso wenig große Erwartungen hegen als von dem Verfasser selbst. Wahrlich, wie dieser überhaupt jemals dergleichen Erwartungen erregen konnte, ist mir ebenso unbegreiflich als meinen Freunden. Gräfin Julie will die Sache erklären und versichert: wenn der besagte Verfasser zuweilen etwas wirklich Geistreiches und Neugedachtes ausspreche, so sei dies bloß Verstellung von ihm, und im Grunde sei er ebenso dumm wie die übrigen. Das ist falsch, ich verstelle mich gar nicht, ich spreche, wie mir der Schnabel gewachsen, ich schreibe in aller Unschuld und Einfalt, was mir in den Sinn kommt, und ich bin nicht daran schuld, wenn das etwas Gescheutes ist. Aber ich habe nun mal im Schreiben mehr Glück als in der Altonaer Lotterie – ich wollte, der Fall wäre umgekehrt –, und da kommt aus meiner Feder mancher Herztreffer, manche Gedankenquaterne, und das tut Gott; – denn ER, der den frömmsten Elohasängern und Erbauungspoeten alle schöne Gedanken und allen Ruhm in der Literatur versagt, damit sie nicht von ihren irdischen Mitkreaturen zu sehr gelobt werden und dadurch des Himmels vergessen, wo ihnen schon von den Engeln das Quartier zurecht gemacht wird: – ER pflegt uns andre, profane, sündhafte ketzerische Schriftsteller, für die der Himmel doch so gut wie vernagelt ist, desto mehr mit vorzüglichen Gedanken und Menschenruhm zu segnen, und zwar aus göttlicher Gnade und Barmherzigkeit, damit die arme Seele, die doch nun einmal erschaffen ist, nicht ganz leer ausgehe und wenigstens hienieden auf Erden einen Teil jener Wonne empfinde, die ihr dort oben versagt ist.

vid. Goethe und die Traktätchenverfasser.

Sie sehen also, Madame, Sie dürfen meine Schriften lesen, diese zeugen von der Gnade und Barmherzigkeit Gottes, ich schreibe im blinden Vertrauen auf dessen Allmacht, ich bin in dieser Hinsicht ein echter christlicher Schriftsteller, und, um mit Gubitz zu reden, während ich eben diese gegenwärtige Periode anfange, weiß ich noch nicht, wie ich sie schließe und was ich eigentlich sagen soll, und ich verlasse mich dafür auf den lieben Gott. Und wie könnte ich auch schreiben ohne diese fromme Zuversicht, in meinem Zimmer steht jetzt der Bursche aus der Langhoffschen Druckerei und wartet auf Manuskript, das kaum geborene Wort wandert warm und naß in die Presse, und was ich in diesem Augenblick denke und fühle, kann morgen mittag schon Makulatur sein.

Sie haben leicht reden, Madame, wenn Sie mich an das Horazische »nonum prematur in annum« erinnern. Diese Regel mag, wie manche andere der Art, sehr gut in der Theorie gelten, aber in der Praxis taugt sie nichts. Als Horaz dem Autor die berühmte Regel gab, sein Werk neun Jahre im Pult liegen zu lassen, hätte er ihm auch zu gleicher Zeit das Rezept geben sollen, wie man neun Jahre ohne Essen zubringen kann. Als Horaz diese Regel ersann, saß er vielleicht an der Tafel des Mäcenas und aß Truthähne mit Trüffeln, Fasanenpudding in Wildpretsauce, Lerchenrippchen mit Teltower Rübchen, Pfauenzungen, indianische Vogelnester und Gott weiß! was noch mehr, und alles umsonst. Aber wir, wir unglücklichen Spätgeborenen, wir leben in einer andern Zeit, unsere

Mäcenaten haben ganz andere Prinzipien, sie glauben, Autoren und Mispeln gedeihen am besten, wenn sie einige Zeit auf dem Stroh liegen, sie glauben, die Hunde taugten nicht auf der Bilder- und Gedankenjagd, wenn sie zu dick gefüttert würden, ach! und wenn sie ja mal einen armen Hund füttern, so ist es der unrechte, der die Brocken am wenigsten verdient, z. B. der Dachs, der die Hand leckt, oder der winzige Bologneser, der sich in den duftigen Schoß der Hausdame zu schmiegen weiß, oder der geduldige Pudel, der eine Brotwissenschaft gelernt und apportieren, tanzen und trommeln kann – Während ich dieses schreibe, steht hinter mir mein kleiner Mops und bellt – Schweig nur, Ami, dich hab ich nicht gemeint, denn du liebst mich und begleitest deinen Herrn in Not und Gefahr und würdest sterben auf seinem Grabe, ebenso treu wie mancher andere deutsche Hund, der, in die Fremde verstoßen, vor den Toren Deutschlands liegt und hungert und wimmert – Entschuldigen Sie, Madame, daß ich eben abschweifte, um meinem armen Hunde eine Ehrenerklärung zu geben, ich komme wieder auf die horazische Regel und ihre Unanwendbarkeit im neunzehnten Jahrhundert, wo die Poeten das Schürzenstipendium der Muse nicht entbehren können – Ma foi, Madame! ich könnte es keine 24 Stunden, viel weniger neun Jahre aushalten, mein Magen hat wenig Sinn für Unsterblichkeit, ich hab mir's überlegt, ich will nur halb unsterblich und ganz satt werden, und wenn Voltaire dreihundert Jahre seines ewigen Nachruhms für eine gute Verdauung des Essens hingeben möchte, so biete ich das Doppelte für das Essen selbst. Ach! und was für schönes, blühendes Essen gibt es auf dieser Welt! Der Philosoph Pangloß hat recht; es ist die beste Welt! Aber man muß Geld in dieser besten Welt haben, Geld in der Tasche und nicht Manuskripte im Pult. Der Wirt im »König von England«, Herr Marr, ist selbst Schriftsteller und kennt auch die horazische Regel, aber ich glaube nicht, daß er mir, wenn ich sie ausüben wollte, neun Jahr zu essen gäbe.

Im Grunde, warum sollte ich sie auch ausüben? Ich habe des Guten so viel zu schreiben, daß ich nicht lange Federlesens zu machen brauche. Solange mein Herz voll Liebe und der Kopf meiner Nebenmenschen voll Narrheit ist, wird es mir nie an Stoff zum Schreiben fehlen. Und mein Herz wird immer lieben, solange es Frauen gibt, erkaltet es für die eine, so erglüht es gleich für die andere; wie in Frankreich der König nie stirbt, so stirbt auch nie die Königin in meinem Herzen, und da heißt es: la reine est morte, vive la reine! Auf gleiche Weise wird auch die Narrheit meiner Nebenmenschen nie aussterben. Denn es gibt nur eine einzige Klugheit, und diese hat ihre bestimmten Grenzen; aber es gibt tausend unermeßliche Narrheiten. Der gelehrte Kasuist und Seelsorger Schupp sagt sogar: »In der Welt sind mehr Narren als Menschen –«

vid. Schuppii lehrreiche Schriften, S. 1121.

Bedenkt man, daß der große Schuppius in Hamburg gewohnt hat, so findet man diese statistische Angabe gar nicht übertrieben. Ich befinde mich an demselben Orte und kann sagen, daß mir ordentlich wohl wird, wenn ich bedenke, all diese Narren, die ich hier sehe, kann ich in meinen Schriften gebrauchen, sie sind bares Honorar, bares Geld. Ich befinde mich jetzt so recht in der Wolle. Der Herr hat mich gesegnet, die Narren sind dieses Jahr ganz besonders gut geraten, und als guter Wirt konsumiere ich nur wenige, suche mir die ergiebigsten heraus und bewahre sie für die Zukunft. Man sieht mich oft auf der Promenade und sieht mich lustig und fröhlich. Wie ein reicher Kaufmann, der händereibend vergnügt zwischen den Kisten, Fässern und Ballen seines Warenlagers umherwandelt, so wandle ich dann unter meinen Leuten. Ihr seid alle die Meinigen! Ihr seid mir alle gleich teuer, und ich liebe euch, wie ihr selbst euer Geld liebt, und das will viel sagen. Ich mußte herzlich lachen, als ich jüngst hörte: einer meiner Leute habe sich besorglich geäußert, er wisse nicht, wovon ich einst leben würde – und dennoch ist er selbst ein so kapitaler Narr, daß ich von ihm allein schon leben könnte wie von einem Kapitale. Mancher Narr ist mir aber nicht bloß bares Geld, sondern ich habe das bare Geld, das ich aus ihm erschreiben kann, schon zu irgendeinem Zwecke bestimmt. So z. B. für einen gewissen, wohlgepolsterten, dicken Millionarrn werde ich mir einen gewissen, wohlgepolsterten Stuhl anschaffen, den die Französinnen chaise percée nennen. Für seine dicke Millionärrin kaufe ich mir ein Pferd. Sehe ich nun den Dicken – ein Kamel kommt eher ins Himmelreich, als daß dieser Mann durch ein Nadelöhr geht –, sehe ich nun diesen auf der Promenade heranwatscheln, so wird mir wunderlich zumute; obschon ich ihm ganz unbekannt bin, so grüße ich ihn unwillkürlich, und er grüßt wieder so herzlich, so einladend, daß ich auf der Stelle von seiner Güte Gebrauch machen möchte und doch in Verlegenheit komme wegen der vielen geputzten Menschen, die just vorbeigehn. Seine Frau Gemahlin ist gar keine üble Frau – sie hat zwar nur ein einziges Auge, aber es ist dafür desto grüner, ihre Nase ist wie der Turm, der gen Damaskus schaut, ihr Busen ist groß wie das Meer, und es flattern darauf allerlei Bänder, wie Flaggen der Schiffe, die in diesen Meerbusen eingelaufen – man wird seekrank schon durch den bloßen Anblick – ihr Nacken ist gar hübsch und fettgewölbt wie ein – das vergleichende Bild befindet sich etwas tiefer unten – und an der veilchenblauen Gardine, die dieses vergleichende Bild bedeckt, haben gewiß tausend und abermals tausend Seidenwürmchen ihr ganzes Leben versponnen. Sie sehen, Madame, welch ein Roß ich mir anschaffe! Begegnet mir die Frau auf der Promenade, so geht mir ordentlich das Herz auf, es ist mir, als könnt ich mich schon aufschwingen, ich schwippe mit der Jerte, ich schnappe mit den Fingern, ich schnalze mit der Zunge, ich mache mit den Beinen allerlei Reuterbewegungen – hopp! hopp! – burr! burr! – und die liebe Frau sieht mich an so seelenvoll, so verständnisinnig, sie wiehert mit dem Auge, sie sperrt die Nüstern, sie kokettiert mit der Kruppe, sie kurbettiert, setzt sich plötzlich in einen kurzen Hundetrapp – Und ich stehe dann mit gekreuzten Armen und schaue ihr wohlgefällig nach und überlege, ob ich sie auf der Stange reiten soll oder auf der Trense, ob ich ihr einen englischen oder einen polnischen Sattel geben soll – usw. – Leute, die mich alsdann stehen sehen, begreifen nicht, was mich bei der Frau so sehr anzieht. Zwischentragende Zungen wollten schon ihren Herrn Gemahl in Unruhe setzen und gaben Winke, als ob ich seine Ehehälfte mit den Augen eines Roué betrachte. Aber meine ehrliche, weichlederne chaise percée soll geantwortet haben: er halte mich für einen unschuldigen, sogar etwas schüchternen, jungen Menschen, der ihn mit einer gewissen Benauigkeit ansähe, wie einer, der das Bedürfnis fühlt, sich näher anzuschließen, und doch von einer errötenden Blödigkeit zurückgehalten wird. Mein edles Roß meinte hingegen: ich hätte ein freies, unbefangenes, chevalereskes Wesen, und meine zuvorgrüßende Höflichkeit bedeute bloß den Wunsch, einmal von ihnen zu einem Mittagsessen eingeladen zu werden. –

Sie sehen, Madame, ich kann alle Menschen gebrauchen, und der Adreßkalender ist eigentlich mein Hausinventarium. Ich kann daher auch nie bankerott werden, denn meine Gläubiger selbst würde ich in Erwerbsquellen verwandeln. Außerdem, wie gesagt, lebe ich wirklich sehr ökonomisch, verdammt ökonomisch. Z. B. während ich dieses schreibe, sitze ich in einer dunkeln, betrübten Stube auf der Düsterstraße – aber, ich ertrage es gern, ich könnte ja, wenn ich nur wollte, im schönsten Garten sitzen, ebenso gut wie meine Freunde und Lieben; ich brauchte nur meine Schnapsklienten zu realisieren. Diese letzteren, Madame, bestehen aus verdorbenen Friseuren, heruntergekommenen

Kupplern, Speisewirten, die selbst nichts mehr zu essen haben, lauter Lumpen, die meine Wohnung zu finden wissen und für ein wirkliches Trinkgeld mir die Chronique scandaleuse ihres Stadtviertels erzählen – Madame, Sie wundern sich, daß ich solches Volk nicht ein für allemal zur Tür hinauswerfe? – Wo denken Sie hin, Madame! Diese Leute sind meine Blumen. Ich beschreibe sie einst in einem schönen Buche, für dessen Honorar ich mir einen Garten kaufe, und mit ihren roten, gelben, blauen und bunt gesprenkelten Gesichtern erscheinen sie mir jetzt schon wie Blumen dieses Gartens. Was kümmert es mich, daß fremde Nasen behaupten, diese Blumen röchen nur nach Kümmel, Tabak, Käse und Laster! meine eigne Nase, der Schornstein meines Kopfes, worin die Phantasie als Kaminfeger auf und ab steigt, behauptet das Gegenteil, sie riecht an jenen Leuten nichts als den Duft von Rosen, Jasminen, Veilchen, Nelken, Violen – O, wie behaglich werde ich einst des Morgens in meinem Garten sitzen und den Gesang der Vögel behorchen und die Glieder wärmen an der lieben Sonne und einatmen den frischen Hauch des Grünen und durch den Anblick der Blumen mich erinnern an die alten Lumpen!

Vor der Hand sitze ich aber noch auf der dunkeln Düsterstraße in meinem dunklen Zimmer und begnüge mich, in der Mitte desselben den größten Obskuranten des Landes aufzuhängen – »Mais, est-ce que vous verrez plus clair alors?« Augenscheinlichement, Madame – doch mißverstehen Sie mich nicht, ich hänge nicht den Mann selbst, sondern nur die kristallne Lampe, die ich für das Honorar, das ich aus ihm erschreibe, mir anschaffen werde. Indessen, ich glaube, es wäre noch besser, und es würde plötzlich im ganzen Lande hell werden, wenn man die Obskuranten in Natura aufhinge. Kann man aber die Leute nicht hängen, so muß man sie brandmarken. Ich spreche wieder figürlich, ich brandmarke in effigie. Freilich, Herr v. Weiß – er ist weiß und unbescholten wie eine Lilie – hat sich weis machen lassen, ich hätte in Berlin erzählt, er sei wirklich gebrandmarkt; der Narr ließ sich deshalb von der Obrigkeit besehen und schriftlich geben, daß seinem Rücken kein Wappen aufgedruckt sei, dieses negative Wappenzeugnis betrachtete er wie ein Diplom, das ihm Einlaß in die beste Gesellschaft verschaffen müsse, und wunderte sich, als man ihn dennoch hinauswarf, und kreischt jetzt Mord und Zeter über mich armen Menschen und will mich, mit einer geladenen Pistole, wo er mich findet, totschießen – Und was glauben Sie wohl, Madame, was ich dagegen tue? Madame, für diesen Narrn, d. h. für das Honorar, das ich aus ihm herausschreiben werde, kaufe ich mir ein gutes Faß Rüdesheimer Rheinwein. Ich erwähne dieses, damit Sie nicht glauben, es sei Schadenfreude, daß ich so lustig aussehe, wenn mir Herr v. Weiß auf der Straße begegnet. Wahrhaftig, ich sehe in ihm nur meinen lieben Rüdesheimer, sobald ich ihn erblicke, wird mir wonnig und angenehm zumute, und ich trällere unwillkürlich: »Am Rhein, am Rhein, da wachsen unsre Reben –« »Dies Bildnis ist bezaubernd schön –« »O weiße Dame —« Mein Rüdesheimer schaut alsdann sehr sauer, und man sollte glauben, er bestände nur aus Gift und Galle – Aber, ich versichere Sie, Madame, es ist ein echtes Gewächs; findet sich auch das Beglaubigungswappen nicht eingebrannt, so weiß doch der Kenner es zu würdigen, ich werde dieses Fäßchen gar freudig anzapfen, und wenn es allzu bedrohlich gärt und auf eine gefährliche Art zerspringen will, so soll es von Amts wegen mit einigen eisernen Reifen gesichert werden.

Sie sehen also, Madame, für mich brauchen Sie nichts zu besorgen. Ich kann alles ruhig ansehn in dieser Welt. Der Herr hat mich gesegnet mit irdischen Gütern, und wenn er mir auch den Wein nicht ganz bequem in den Keller geliefert hat, so erlaubt er mir doch, in seinem Weinberge zu arbeiten, ich brauche nur die Trauben zu lesen, zu keltern, zu pressen, zu bütten, und ich habe dann die klare Gottesgabe; und wenn mir auch nicht die Narren gebraten ins Maul fliegen, sondern mir gewöhnlich roh und abgeschmackt entgegenlaufen, so weiß ich sie doch so lange am Spieße herumzudrehen, zu schmoren, zu pfeffern, bis sie mürbe und genießbar werden. Sie sollen Ihre Freude haben, Madame, wenn ich mal meine große Fete gebe. Madame, Sie sollen meine Küche loben. Sie sollen gestehen, daß ich meine Satrapen ebenso pompöse bewirten kann wie einst der große Ahasveros, der da König war, von Indien bis zu den Mohren, über hundertundsiebenundzwanzig Provinzen. Ganze Hekatomben von Narren werde ich einschlachten. Jener große Philoschnaps, der, wie einst Jupiter, in der Gestalt eines Ochsen um den Beifall Europas buhlt, liefert den Ochsenbraten; ein trauriger Trauerspieldichter, der auf den Brettern, die ein traurig persisches Reich bedeuteten, uns einen traurigen Alexander gezeigt hat, liefert meiner Tafel einen ganz vorzüglichen Schweinskopf, wie gewöhnlich sauersüßlächelnd mit einer Zitronenscheibe im Maul und von der kunstverständigen Köchin mit Lorbeerblättern bedeckt; der Sänger der Korallenlippen, Schwanenhälse, hüpfenden Schneehügelchen, Dingelchen, Wädchen, Mimilichen, Küßchen und Assessorchen, nämlich H. Clauren oder, wie ihn auf der Friedrichstraße die frommen Bernhardinerinnen nennen, »Vater Clauren! unser Clauren!«, dieser Echte liefert mir all jene Gerichte, die er in seinen jährlichen Taschenbordellchen mit der Phantasie einer näscherischen Küchenjungfer so jettlich zu beschreiben weiß, und er gibt uns noch ein ganz besonderes Extra-Schüsselchen mit einem Selleriegemüschen, »wonach einem das Herzchen vor Liebe puppert«; eine kluge, dürre Hofdame, wovon nur der Kopf genießbar ist, liefert uns ein analoges Gericht, nämlich Spargel; und es wird kein Mangel sein an Göttinger Wurst, Hamburger Rauchfleisch, pommerschen Gänsebrüsten, Ochsenzungen, gedämpftem Kalbshirn, Rindsmaul, Stockfisch und allerlei Sorten Gelee, Berliner Pfannkuchen, Wiener Torte, Konfitüren –

Madame, ich habe mir schon in Gedanken den Magen überladen! Der Henker hole solche Schlemmerei! Ich kann nicht viel vertragen. Meine Verdauung ist schlecht. Der Schweinskopf wirkt auf mich wie auf das übrige deutsche Publikum – ich muß einen Wilibald-Alexis-Salat darauf essen, der reinigt – O! der unselige Schweinskopf mit der noch unseligern Sauce, die weder griechisch noch persisch, sondern wie Tee mit grüner Seife schmeckt – Ruft mir meinen dicken Millionarrn!

Kapitel XV

Madame, ich bemerke eine leichte Wolke des Unmuts auf Ihrer schönen Stirne, und Sie scheinen zu fragen: ob es nicht Unrecht sei, daß ich die Narren solchermaßen zurichte, an den Spieß stecke, zerhacke, spicke und viele sogar hinschlachte, die ich unverzehrt liegen lassen muß und die nun den scharfen Schnäbeln der Spaßvögel zum Raube dienen, während die Witwen und Waisen heulen und jammern –

Madame, c'est la guerre! Ich will Ihnen jetzt das ganze Rätsel lösen: Ich selbst bin zwar keiner von den Vernünftigen, aber ich habe mich zu dieser Partei geschlagen, und seit 5588 Jahren führen wir Krieg mit den Narren. Die Narren glauben sich von uns beeinträchtigt, indem sie behaupten: es gäbe in der Welt nur eine bestimmte Dosis Vernunft, diese ganze Dosis hätten nun die Vernünftigen, Gott weiß wie! ursurpiert, und es sei himmelschreiend, wie oft ein einziger Mensch so viel Vernunft an sich gerissen habe, daß seine Mitbürger und das ganze Land rund um ihn her ganz obskur geworden. Dies ist die geheime Ursache des Krieges, und es ist ein wahrer Vertilgungskrieg. Die Vernünftigen zeigen sich, wie gewöhnlich, als die Ruhigsten, Mäßigsten und Vernünftigsten, sie sitzen festverschanzt in ihren altaristotelischen Werken, haben viel Geschütz, haben auch Munition genug, denn sie haben ja selbst das Pulver erfunden, und dann und wann werfen sie wohlbewiesene Bomben unter ihre Feinde. Aber leider sind diese letztern allzu zahlreich, und ihr Geschrei ist groß, und täglich verüben sie Greuel; wie denn wirklich jede Dummheit dem Vernünftigen ein Greuel ist. Ihre Kriegslisten sind oft von sehr schlauer Art. Einige Häuptlinge der großen Armee hüten sich wohl, die geheime Ursache des Kriegs einzugestehen. Sie haben gehört, ein bekannter, falscher Mann, der es in der Falschheit so weit gebracht hatte, daß er am Ende sogar falsche Memoiren schrieb, nämlich Fouché, habe mal geäußert: les paroles sont faites pour cacher nos pensées; und nun machen sie viele Worte, um zu verbergen, daß sie überhaupt keine Gedanken haben, und halten lange Reden und schreiben dicke Bücher, und wenn man sie hört, so preisen sie die alleinseligmachende Quelle der Gedanken, nämlich die Vernunft, und wenn man sie sieht, so treiben sie Mathematik, Logik, Statistik, Maschinenverbesserung, Bürgersinn, Stallfütterung usw. – und wie der Affe um so lächerlicher wird, je mehr er sich dem Menschen ähnlich zeigt, so werden auch jene Narren desto lächerlicher, je vernünftiger sie sich gebärden. Andre Häuptlinge der großen Armee sind offenherziger und gestehen, daß ihr Vernunftteil sehr gering ausgefallen, daß sie vielleicht gar nichts von der Vernunft abbekommen; indessen können sie nicht umhin zu versichern, die Vernunft sei sehr sauer und im Grunde von geringem Werte. Dies mag vielleicht wahr sein, aber unglücklichermaßen haben sie nicht mal so viel Vernunft, als dazu gehört, es zu beweisen. Sie greifen daher zu allerlei Aushülfe, sie entdecken neue Kräfte in sich, erklären, daß solche ebenso wirksam seien wie die Vernunft, ja in gewissen Notfällen noch wirksamer, z. B. das Gemüt, der Glauben, die Inspiration usw., und mit diesem Vernunftsurrogat, mit dieser Runkelrübenvernunft, trösten sie sich. Mich Armen hassen sie aber ganz besonders, indem sie behaupten: ich sei von Haus aus einer der Ihrigen, ich sei ein Abtrünniger, ein Überläufer, der die heiligsten Bande zerrissen, ich sei jetzt sogar ein Spion, der heimlich auskundschafte, was sie, die Narren, zusammen treiben, um sie nachher dem Gelächter seiner neuen Genossen preiszugeben; und ich sei so dumm, nicht mal einzusehen, daß diese zu gleicher Zeit über mich selbst lachen und mich nimmermehr für ihres Gleichen halten – Und da haben die Narren vollkommen recht.

Es ist wahr, jene halten mich nicht für ihres Gleichen, und mir gilt oft ihr heimliches Gekicher. Ich weiß es sehr gut, aber ich laß mir nichts merken. Mein Herz blutet dann innerlich, und wenn ich allein bin, fließen drob meine Tränen. Ich weiß es sehr gut, meine Stellung ist unnatürlich; alles, was ich tue, ist den Vernünftigen eine Torheit und den Narren ein Greuel. Sie hassen mich, und ich fühle die Wahrheit des Spruches: »Stein ist schwer, und Sand ist Last, aber der Narren Zorn ist schwerer denn die beide.« Und sie hassen mich nicht mit Unrecht. Es ist vollkommen wahr, ich habe die heiligsten Bande zerrissen, von Gott und Rechts wegen hätte ich unter den Narren leben und sterben müssen. Und ach! ich hätte es unter diesen Leuten so gut gehabt! Sie würden mich, wenn ich umkehren wollte, noch immer mit offnen Armen empfangen. Sie würden mir an den Augen absehen, was sie mir nur irgend Liebes erweisen könnten. Sie würden mich alle Tage zu Tische laden und des Abends mitnehmen in ihre Teegesellschaften und Klubs, und ich könnte mit ihnen Whist spielen, Tabak rauchen, politisieren, und wenn ich dabei gähnte, hieße es hinter meinem Rücken: »Welch schönes Gemüt! eine Seele voll Glauben!« – erlauben Sie mir, Madame, daß ich eine Träne der Rührung weine – ach! und ich würde Punsch mit ihnen trinken, bis die rechte Inspiration käme, und dann brächten sie mich in einer Portechaise wieder nach Hause, ängstlich besorgt, daß ich mich nicht erkälte, und der eine reichte mir schnell die Pantoffeln, der andre den seidnen Schlafrock, der dritte die weiße Nachtmütze, und sie machten mich dann zum Professor extraordinarius oder zum Präsidenten einer Bekehrungsgesellschaft oder zum Oberkalkulator oder zum Direktor von römischen Ausgrabungen; – denn ich wäre so recht ein Mann, den man in allen Fächern gebrauchen könnte, sintemal ich die lateinischen Deklinationen sehr gut von den Konjugationen unterscheiden kann und nicht so leicht wie andre Leute einen preußischen Postillonsstiefel für eine etruskische Vase ansehe. Mein Gemüt, mein Glauben, meine Inspiration könnten noch außerdem in den Betstunden viel Gutes wirken, nämlich für mich; nun gar mein ausgezeichnet poetisches Talent würde mir gute Dienste leisten bei hohen Geburtstagen und Vermählungen, und es wär gar nicht übel, wenn ich, in einem großen Nationalepos, all jene Helden besänge, wovon wir ganz bestimmt wissen, daß aus ihren verwesten Leichnamen Würmer gekrochen sind, die sich für ihre Nachkommen ausgeben.

Manche Leute, die keine geborene Narren und einst mit Vernunft begabt gewesen, sind solcher Vorteile wegen zu den Narren übergegangen, leben bei ihnen ein wahres Schlaraffenleben, die Torheiten, die ihnen anfänglich noch immer einige Überwindung gekostet, sind ihnen jetzt schon zur zweiten Natur geworden, ja sie sind nicht mehr als Heuchler, sondern als wahre Gläubige zu betrachten. Einer derselben, in dessen Kopf noch keine gänzliche Sonnenfinsternis eingetreten, liebt mich sehr, und jüngsthin, als ich bei ihm allein war, verschloß er die Türe und sprach zu mir mit ernster Stimme: »O Tor, der du den Weisen spielst und dennoch nicht so viel Verstand hast wie ein Rekrut im Mutterleibe! weiß du denn nicht, daß die Großen des Landes nur denjenigen erhöhen, der sich selbst erniedrigt und ihr Blut für besser rühmt als das seinige. Und nun gar verdirbst du es mit den Frommen des Landes! Ist es denn so überaus schwer, die gnadenseligen Augen zu verdrehen, die gläubig verschränkten Hände in die Rockärmel zu vermuffen, das Haupt wie ein Lamm Gottes herabhängen zu lassen und auswendig gelernte Bibelsprüche zu wispern! Glaub mir, keine Hocherlauchte wird dich für deine Gottlosigkeit bezahlen, die Männer der Liebe werden dich hassen, verleumden und verfolgen, und du machst keine Karriere weder im Himmel noch auf Erden!«

Ach! das ist alles wahr! Aber ich hab nun mal diese unglückliche Passion für die Vernunft! Ich liebe sie, obgleich sie mich nicht mit Gegenliebe beglückt. Ich gebe ihr alles, und sie gewährt mir nichts. Ich kann nicht von ihr lassen. Und wie einst der jüdische König Salomon im Hohenliede die christliche Kirche besungen, und zwar unter dem Bilde eines schwarzen, liebeglühenden Mädchens, damit seine Juden nichts merkten, so habe ich in unzähligen Liedern just das Gegenteil, nämlich die Vernunft, besungen, und zwar unter dem Bilde einer weißen, kalten Jungfrau, die mich anzieht und abstößt, mir bald lächelt, bald zürnt und mir endlich gar den Rücken kehrt. Dieses Geheimnis meiner unglücklichen Liebe, das ich niemanden offenbare, gibt Ihnen, Madame, einen Maßstab zur Würdigung meiner Narrheit, Sie sehen daraus, daß solche von außerordentlicher Art ist und großartig hervorragt über das gewöhnliche närrische Treiben der Menschen. Lesen Sie meinen »Ratcliff«, meinen »Almansor«, mein »lyrisches Intermezzo« – Vernunft! Vernunft! nichts als Vernunft! – und Sie erschrecken ob der Höhe meiner Narrheit. Mit den Worten Agurs, des Sohnes Jake, kann ich sagen: »Ich bin der Allernärrischste, und Menschenverstand ist nicht bei mir.« Hoch in die Lüfte hebt sich der Eichwald, hoch über den Eichwald schwingt sich der Adler, hoch über dem Adler ziehen die Wolken, hoch über den Wolken blitzen die Sterne – Madame, wird Ihnen das nicht zu hoch? eh bien – hoch über den Sternen schweben die Engel, hoch über den Engeln ragt – nein, Madame, höher kann es meine Narrheit nicht bringen. Sie bringt es hoch genug! Ihr schwindelt vor ihrer eigenen Erhabenheit. Sie macht mich zum Riesen mit Siebenmeilenstiefeln. Mir ist des Mittags zumute, als könnte ich alle Elefanten Hindostans aufessen und mir mit dem Straßburger Münster die Zähne stochern; des Abends werde ich so sentimental, daß ich die Milchstraße des Himmels aussaufen möchte, ohne zu bedenken, daß einem die kleinen Fixsterne sehr unverdaulich im Magen liegen bleiben; und des Nachts geht der Spektakel erst recht los, in meinem Kopf gibt's dann einen Kongreß von allen Völkern der Gegenwart und Vergangenheit, es kommen die Assyrer, Ägypter, Meder, Perser, Hebräer, Philister, Frankfurter, Babylonier, Karthager, Berliner, Römer, Spartaner, Türken, Kümmeltürken – Madame, es wäre zu weitläuftig, wenn ich Ihnen all diese Völker beschreiben wollte, lesen Sie nur den Herodot, den Livius, die Haude- und Spenersche Zeitung, den Curtius, den Cornelius Nepos, den Gesellschafter – Ich will unterdessen frühstücken, es will heute morgen mit dem Schreiben nicht mehr so lustig fortgehn, ich merke, der liebe Gott läßt mich in Stich – Madame, ich fürchte sogar, Sie haben es früher bemerkt als ich –, ja, ich merke, die rechte Gotteshülfe ist heute noch gar nicht da gewesen – Madame, ich will ein neues Kapital anfangen und Ihnen erzählen, wie ich nach dem Tode Le Grands in Godesberg ankam.

Kapitel XVI

Als ich zu Godesberg ankam, setzte ich mich wieder zu den Füßen meiner schönen Freundin – und neben mir legte sich ihr brauner Dachshund – und wir beide sahen hinauf in ihr Auge.

Heiliger Gott! in diesem Auge lag alle Herrlichkeit der Erde und ein ganzer Himmel obendrein. Vor Seligkeit hätte ich sterben können, während ich in jenes Auge blickte, und starb ich in solchem Augenblicke, so flog meine Seele direkt in jenes Auge. O, ich kann jenes Auge nicht beschreiben! Ich will mir einen Poeten, der vor Liebe verrückt worden ist, aus dem Tollhause kommen lassen, damit er aus dem Abgrund des Wahnsinns ein Bild heraufhole, womit ich jenes Auge vergleiche – Unter uns gesagt, ich wäre wohl selbst verrückt genug, daß ich zu einem solchen Geschäfte keines Gehülfen bedürfte. God d-n! sagte mal ein Engländer, wenn Sie einen so recht ruhig von oben bis unten betrachtet, so schmelzen einem die kupfernen Knöpfe des Fracks und das Herz obendrein. F-e! sagte ein Franzose, sie hat Augen vom größten Kaliber, und wenn so ein Dreißigpfünder-Blick herausschießt, krach! so ist man verliebt. Da war ein rotköpfiger Advokat aus Mainz, der sagte: ihre Augen sehen aus wie zwei Tassen schwarzen Kaffee – Er wollte etwas sehr Süßes sagen, denn er warf immer unmenschlich viel Zucker in seinen Kaffee – Schlechte Vergleiche – Ich und der braune Dachshund lagen still zu den Füßen der schönen Frau und schauten und horchten. Sie saß neben einem alten, eisgrauen Soldaten, einer ritterlichen Gestalt mit Quernarben auf der gefurchten Stirne. Sie sprachen beide von den sieben Bergen, die das schöne Abendrot bestrahlte, und von dem blauen Rhein, der unfern, groß und ruhig, vorbeiflutete – Was kümmerte uns das Siebengebirge und das Abendrot und der blaue Rhein und diese segelweißen Kähne, die darauf schwammen, und die Musik, die aus einem Kahne erscholl, und der Schafskopf von Student, der darin so schmelzend und lieblich sang – ich und der braune Dachs, wir schauten in das Auge der Freundin und betrachteten ihr Antlitz, das aus den schwarzen Flechten und Locken, wie der Mond aus dunkeln Wolken, rosigbleich hervorglänzte – Es waren hohe, griechische Gesichtszüge, kühngewölbte Lippen, umspielt von Wehmut, Seligkeit und kindischer Laune, und wenn sie sprach, so wurden die Worte etwas tief, fast seufzend angehaucht und dennoch ungeduldig rasch hervorgestoßen – und wenn sie sprach und die Rede wie ein warmer heiterer Blumenregen aus dem schönen Munde herniederflockte – o! dann legte sich das Abendrot über meine Seele, es zogen hindurch mit klingendem Spiel die Erinnerungen der Kindheit, vor allem aber, wie Glöcklein, erklang in mir die Stimme der kleinen Veronika – und ich ergriff die schöne Hand der Freundin und drückte sie an meine Augen, bis das Klingen in meiner Seele vorüber war – und dann sprang ich auf und lachte, und der Dachs bellte, und die Stirne des alten Generals furchte sich ernster, und ich setzte mich wieder und ergriff wieder die schöne Hand und küßte sie und erzählte und sprach von der kleinen Veronika.

Kapitel XVII

Madame, Sie wünschen, daß ich erzähle, wie die kleine Veronika ausgesehen hat. Aber ich will nicht. Sie, Madame, können nicht gezwungen werden, weiter zu lesen, als Sie wollen, und ich habe wiederum das Recht, daß ich nur dasjenige zu schreiben brauche, was ich will. Ich will aber jetzt erzählen, wie die schöne Hand aussah, die ich im vorigen Kapitel geküßt habe.

Zuvörderst muß ich eingestehen: – ich war nicht wert, diese Hand zu küssen. Es war eine schöne Hand, so zart, durchsichtig, glänzend, süß, duftig, sanft, lieblich – wahrhaftig, ich muß nach der Apotheke schicken und mir für zwölf Groschen Beiwörter kommen lassen.

Auf dem Mittelfinger saß ein Ring mit einer Perle – ich sah nie eine Perle, die eine kläglichere Rolle spielte – auf dem Goldfinger trug sie einen Ring mit einer blauen Antike – ich habe Stunden lang Archäologie daran studiert – auf dem Zeigefinger trug sie einen Diamant – es war ein Talisman, solange ich ihn sah, war ich glücklich, denn wo er war, war ja auch der Finger, nebst seinen vier Kollegen – und mit allen fünf Fingern schlug sie mir oft auf den Mund. Seitdem ich solchermaßen manupoliert worden, glaube ich steif und fest an den Magnetismus. Aber sie schlug nicht hart, und wenn sie schlug, hatte ich es immer verdient durch irgendeine gottlose Redensart, und wenn sie mich geschlagen hatte, so bereuete sie es gleich und nahm einen Kuchen, brach ihn entzwei und gab mir die eine und dem braunen Dachse die andere Hälfte und lächelte dann und sprach: »Ihr beide habt keine Religion und werdet nicht selig, und man muß euch auf dieser Welt mit Kuchen füttern, da für euch im Himmel kein Tisch gedeckt wird.« So halb und halb hatte sie recht, ich war damals sehr irreligiös und las den Thomas Paine, das »Système de la nature«, den westfälischen Anzeiger und den Schleiermacher und ließ mir den Bart und den Verstand wachsen und wollte unter die Rationalisten gehen. Aber wenn mir die schöne Hand über die Stirn fuhr, blieb mir der Verstand stehen, und süßes Träumen erfüllte mich, und ich glaubte wieder fromme Marienliedchen zu hören, und ich dachte an die kleine Veronika.

Madame, Sie können sich kaum vorstellen, wie hübsch die kleine Veronika aussah, als sie in dem kleinen Särglein lag. Die brennenden Kerzen, die rund umher standen, warfen ihren Schimmer auf das bleiche, lächelnde Gesichtchen und auf die rotseidenen Röschen und rauschenden

Goldflitterchen, womit das Köpfchen und das weiße Totenhemdchen verziert war – die fromme Ursula hatte mich abends in das stille Zimmer geführt, und als ich die kleine Leiche, mit den Lichtern und Blumen, auf dem Tische ausgestellt sah, glaubte ich anfangs, es sei ein hübsches Heiligenbildchen von Wachs; doch bald erkannte ich das liebe Antlitz und frug lachend: warum die kleine Veronika so still sei?, und die Ursula sagte: Das tut der Tod.

Und als sie sagte: Das tut der Tod – Doch ich will heute diese Geschichte nicht erzählen, sie würde sich zu sehr in die Länge ziehen, ich müßte auch vorher von der lahmen Elster sprechen, die auf dem Schloßplatz herumhinkte und dreihundert Jahr alt war, und ich könnte ordentlich melancholisch werden – Ich bekomme plötzlich Lust, eine andere Geschichte zu erzählen, und die ist lustig und paßt auch an diesen Ort, denn es ist die eigentliche Geschichte, die in diesem Buche vorgetragen werden sollte.

Kapitel XVIII

In der Brust des Ritters war nichts als Nacht und Schmerz. Die Dolchstiche der Verleumdung hatten ihn gut getroffen, und wie er dahinging, über den Sankt-Markus-Platz, war ihm zumute, als wollte sein Herz brechen und verbluten. Seine Füße schwankten vor Müdigkeit – das edle Wild war den ganzen Tag gehetzt worden, und es war ein heißer Sommertag –, der Schweiß lag auf seiner Stirne, und als er in die Gondel stieg, seufzte er tief. Er saß gedankenlos in dem schwarzen Gondelzimmer, gedankenlos schaukelten ihn die weichen Wellen und trugen ihn den wohlbekannten Weg hinein in die Brenta – und als er vor dem wohlbekannten Palaste ausstieg, hörte er: Signora Laura sei im Garten.

Sie stand, gelehnt an die Statue des Laokoon, neben dem roten Rosenbaum, am Ende der Terrasse, unfern von den Trauerweiden, die sich wehmütig herabbeugen über den vorbeiziehenden Fluß. Da stand sie lächelnd, ein weiches Bild der Liebe, umduftet von Rosen. Er aber erwachte, wie aus einem schwarzen Traume, und war plötzlich wie umgewandelt in Milde und Sehnsucht. »Signora Laura!« – sprach er – »ich bin elend und bedrängt von Haß und Not und Lüge« – und dann stockte er und stammelte: – »aber ich liebe Euch« – und dann schoß eine freudige Träne in sein Auge, und mit feuchten Augen und flammenden Lippen rief er: »Sei mein Mädchen und liebe mich!«

Es liegt ein geheimnisdunkler Schleier über dieser Stunde, kein Sterblicher weiß, was Signora Laura geantwortet hat, und wenn man ihren guten Engel im Himmel darob befragt, so verhüllt er sich und seufzt und schweigt.

Einsam stand der Ritter noch lange bei der Statue des Laokoon, sein Antlitz war ebenso verzerrt und weiß, bewußtlos entblätterte er alle Rosen des Rosenbaums, er zerknickte sogar die jungen Knospen – der Baum hat nie wieder Blüten getragen –, in der Ferne klagte eine wahnsinnige Nachtigall, die Trauerweiden flüsterten ängstlich, dumpf murmelten die kühlen Wellen der Brenta, die Nacht kam heraufgestiegen mit ihrem Mond und ihren Sternen – ein schöner Stern, der schönste von allen, fiel vom Himmel herab.

Kapitel XIX

Vous pleurez, Madame?

O, mögen die Augen, die jetzt so schöne Tränen vergießen, noch lange die Welt mit ihren Strahlen erleuchten, und eine warme, liebe Hand möge sie einst zudrücken in der Stunde des Todes! Ein weiches Sterbekissen, Madame, ist auch eine gute Sache in der Stunde des Todes und möge Ihnen alsdann nicht fehlen; und wenn das schöne, müde Haupt darauf niedersinkt und die schwarzen Locken herabwallen über das verbleichende Antlitz: O, dann möge Ihnen Gott die Tränen vergelten, die für mich geflossen sind – denn ich bin selber der Ritter, für den Sie geweint haben, ich bin selber jener irrende Ritter der Liebe, der Ritter vom gefallenen Stern.

Vous pleurez, Madame?

O, ich kenne diese Tränen! Wozu soll die längere Verstellung? Sie, Madame, sind ja selbst die schöne Frau, die schon in Godesberg so lieblich geweint hat, als ich das trübe Märchen meines Lebens erzählte – Wie Perlen über Rosen rollten die schönen Tränen über die schönen Wangen – der Dachs schwieg, das Abendgeläute von Königswinter verhallte, der Rhein murmelte leiser, die Nacht bedeckte die Erde mit ihrem schwarzen Mantel, und ich saß zu Ihren Füßen, Madame, und sah in die Höhe, in den gestirnten Himmel – Im Anfang hielt ich Ihre Augen ebenfalls für zwei Sterne – Aber wie kann man solche schöne Augen mit Sternen verwechseln? Diese kalten Lichter des Himmels können nicht weinen über das Elend eines Menschen, der so elend ist, daß er nicht mehr weinen kann.

Und ich hatte noch besondere Gründe, diese Augen nicht zu verkennen – in diesen Augen wohnte die Seele der kleinen Veronika.

Ich habe nachgerechnet, Madame, Sie sind geboren just an dem Tage, als die kleine Veronika starb. Die Johanna in Andernacht hatte mir vorausgesagt, daß ich in Godesberg die kleine Veronika wiederfinden würde – Und ich habe Sie gleich wieder erkannt – Das war ein schlechter Einfall, Madame, daß Sie damals starben, als die hübschen Spiele erst recht losgehen sollten. Seit die fromme Ursula mir gesagt: »Das tut der Tod«, ging ich allein und ernsthaft in der großen Gemäldegalerie umher, die Bilder wollten mir nicht mehr so gut gefallen wie sonst, sie schienen mir plötzlich verblichen zu sein, nur ein einziges hatte Farbe und Glanz behalten – Sie wissen, Madame, welches Stück ich meine –:

Es ist der Sultan und die Sultanin von Delhi.

Erinnern Sie sich, Madame, wie wir oft Stunden lang davorstanden und die fromme Ursula so wunderlich schmunzelte, wenn es den Leuten auffiel, daß die Gesichter auf jenem Bilde mit den unsrigen so viele Ähnlichkeit hatten? Madame, ich finde, daß Sie auf jenem Bilde recht gut getroffen waren, und es ist unbegreiflich, wie der Maler Sie sogar bis auf die Kleidung darstellte, die Sie damals getragen. Man sagt, er sei wahnsinnig gewesen und habe Ihr Bild geträumt. Oder saß seine Seele vielleicht in dem großen, heiligen Affen, der Ihnen damals, wie ein Jokkey, aufwartete? – in diesem Falle mußte er sich wohl des silbergrauen Schleiers erinnern, den er einst mit rotem Wein überschüttet und verdorben hat – Ich war froh, daß Sie ihn ablegten, er kleidete Sie nicht sonderlich, wie denn überhaupt die europäische Tracht für Frauenzimmer viel kleidsamer ist als die indische. Freilich, schöne Frauen sind schön in jeder Tracht. Erinnern Sie sich, Madame, daß ein galanter Brahmine – er sah aus wie Ganesa, der Gott mit dem Elefantenrüssel, der auf einer Maus reitet – Ihnen einst das Kompliment gemacht hat: die göttliche Maneka, als sie aus Indras goldner Burg zum königlichen Büßer Wiswamitra hinabgestiegen, sei gewiß nicht schöner gewesen als Sie, Madame!

Sie erinnern sich dessen nicht mehr? Es sind ja kaum 3000 Jahre, seitdem Ihnen dieses gesagt worden, und schöne Frauen pflegen sonst eine zarte Schmeichelei nicht so schnell zu vergessen.

Indessen für Männer ist die indische Tracht weit kleidsamer als die europäische. O, meine rosaroten, lotosgeblümten Pantalons von Delhi! hätte ich euch getragen, als ich vor Signora Laura stand und um Liebe flehete – das vorige Kapitel hätte anders gelautet! Aber, ach! ich trug damals strohgelbe Pantalons, die ein nüchterner Chinese in Nanking gewebt – mein Verderben war hineingewebt – und ich wurde elend.

Oft sitzt ein junger Mensch in einem kleinen deutschen Kaffeestübchen und trinkt ruhig seine Tasse Kaffee, und unterdessen im weiten, fernen China wächst und blüht sein Verderben und wird dort gesponnen und verwebt, und trotz der hohen, chinesischen Mauer weiß es seinen Weg zu finden zu dem jungen Menschen, der es für ein Paar Nanquinhosen hält und diese arglos anzieht und elend wird – Und, Madame, in der kleinen Brust eines Menschen kann sich gar viel Elend verstecken und so gut versteckt halten, daß der arme Mensch selbst es tagelang nicht fühlt und guter Dinge ist und lustig tanzt und pfeift und trällert – lalarallala, lalarallala – lalaral – la – la – la.

Kapitel XX

Sie war liebenswürdig, und Er liebte Sie; Er aber
war nicht liebenswürdig, und Sie liebte ihn nicht.
(Altes Stück.)

Und wegen dieser dummen Geschichte haben Sie sich totschießen wollen? Madame, wenn ein Mensch sich totschießen will, so hat er dazu immer hinlängliche Gründe. Darauf können Sie sich verlassen. Aber ob er selbst diese Gründe kennt, das ist die Frage. Bis auf den letzten Augenblick spielen wir Komödie mit uns selber. Wir maskieren sogar unser Elend, und während wir an einer Brustwunde sterben, klagen wir über Zahnweh.

Madame, Sie wissen gewiß ein Mittel gegen Zahnweh?

Ich aber hatte Zahnweh im Herzen. Das ist ein schlimmstes Übel, und da hilft sehr gut das Füllen mit Blei und das Zahnpulver, das Barthold Schwarz erfunden hat.

Wie ein Wurm nagte das Elend in meinem Herzen und nagte – Der arme Chinese trägt keine Schuld, ich habe dieses Elend mit mir zur Welt gebracht. Es lag schon mit mir in der Wiege, und wenn meine Mutter mich wiegte, so wiegte sie es mit, und wenn sie mich in den Schlaf sang, so schlief es mit mir ein, und es erwachte, sobald ich wieder die Augen aufschlug. Als ich größer wurde, wuchs auch das Elend und wurde endlich ganz groß und zersprengte mein –

Wir wollen von andern Dingen sprechen, vom Jungfernkranz, von Maskenbällen, von Lust und Hochzeitfreude – lalarallala, lalarallala, lalaral – la – la – la. –

Reisebilder

Dritter Teil

Italien

(1828)

Hafis auch und Ulrich Hutten
Mußten ganz bestimmt sich rüsten
Wider braun und blaue Kutten,
Meine gehn wie andre Christen.

Goethe.

I

Reise von München nach Genua

Ein edles Gemüt kommt nie in Eure Rechnung; und daran scheitert heute Eure Weisheit. *(Er öffnet seinen Schreibtisch, nimmt zwei Pistolen heraus, wovon er das eine auf den Tisch legt und das andre ladet.)*

Roberts »Macht der Verhältnisse«.

Kapitel I

Ich bin der höflichste Mensch von der Welt. Ich tue mir was darauf zugute, niemals grob gewesen zu sein auf dieser Erde, wo es so viele unerträgliche Schlingel gibt, die sich zu einem hinsetzen und ihre Leiden erzählen oder gar ihre Verse deklamieren; mit wahrhaft christlicher Geduld habe ich immer solche Misere ruhig angehört, ohne nur durch eine Miene zu verraten, wie sehr sich meine Seele ennuyierte. Gleich einem büßenden Brahminen, der seinen Leib dem Ungeziefer preisgibt, damit auch diese Gottesgeschöpfe sich sättigen, habe ich dem fatalsten Menschengeschmeiß oft tagelang standgehalten und ruhig zugehört, und meine inneren Seufzer vernahm nur Er, der die Tugend belohnt.

Aber auch die Lebensklugheit gebietet uns, höflich zu sein und nicht verdrießlich zu schweigen oder gar Verdrießliches zu erwidern, wenn irgendein schwammiger Kommerzienrat oder dürrer Käsekrämer sich zu uns setzt und ein allgemein europäisches Gespräch anfängt mit den Worten: »Es ist heute eine schöne Witterung.« Man kann nicht wissen, wie man mit einem solchen Philister wieder zusammentrifft, und er kann es uns dann bitter eintränken, daß wir nicht höflich geantwortet: »Die Witterung ist sehr schön.« Es kann sich sogar fügen, lieber Leser, daß du zu Kassel an der Table d'hote neben besagtem Philister zu sitzen kömmst, und zwar an seine linke Seite, und er ist just der Mann, der die Schüssel mit braunen Karpfen vor sich stehen hat und lustig austeilt; – hat er nun eine alte Pike auf dich, dann reicht er die Teller immer rechts herum, so daß auch nicht das kleinste Schwanzstückchen für dich übrig bleibt. Denn ach! du bist just der Dreizehnte bei Tisch, welches immer bedenklich ist, wenn man links neben dem Trancheur sitzt und die Teller rechts herumgereicht werden. Und keine Karpfen bekommen ist ein großes Übel; nächst dem Verlust der Nationalkokarde vielleicht das größte. Der Philister, der dir dieses Übel bereitet, verhöhnt dich noch obendrein und offeriert dir die Lorbeeren, die in der braunen Sauce liegen geblieben; – ach! was helfen einem alle Lorbeeren, wenn keine Karpfen dabei sind! – und der Philister blinzelt dann mit den Äuglein und kichert und lispelt: »Es ist heute eine schöne Witterung.«

Ach, liebe Seele, es kann sich sogar fügen, daß du auf irgendeinem Kirchhofe neben diesem selben Philister zu liegen kömmst, und hörst du dann am Jüngsten Tage die Posaune erschallen und sagst zu deinem Nachbar: »Guter Freund, reichen Sie mir gefälligst die Hand, damit ich aufstehen kann, das linke Bein ist mir eingeschlafen von dem verdammt langen Liegen!«, dann bemerkst du plötzlich das wohlbekannte Philisterlächeln und hörst die höhnische Stimme: »Es ist heute eine schöne Witterung.«

Kapitel II

»Es ist heute eine scheene Witterung –«

Hättest du, lieber Leser, den Ton gehört, den unübertrefflichen Fistelbaß, womit diese Worte gesprochen wurden, und sahest du gar den Sprecher selbst, das erzprosaische Witwenkassengesicht, die stockgescheuten Äuglein, die aufgestülpt pfiffige Forschungsnase: so erkanntest du gleich, diese Blume ist keinem gewöhnlichen Sande entsprossen, und diese Töne sind die Sprache Charlottenburgs, wo man das Berlinische noch besser spricht als in Berlin selbst.

Ich bin der höflichste Mensch von der Welt und esse gern braune Karpfen und glaube zuweilen an Auferstehung, und ich antwortete: »In der Tat, die Witterung ist sehr scheene.«

Als der Sohn der Spree dermaßen geentert, ging er erst recht derb auf mich ein, und ich konnte mich nimmermehr losreißen von seinen Fragen und Selbstbeantwortungen, und absonderlich von seinen Parallelen zwischen Berlin und München, dem neuen Athen, dem er kein gutes Haar ließ.

Ich aber nahm das neue Athen sehr in Schutz, wie ich denn immer den Ort zu loben pflege, wo ich mich eben befinde. Daß solches diesmal auf Kosten Berlins geschah, das wirst du mir gern verzeihen, lieber Leser, wenn ich dir unter der Hand gestehe, dergleichen geschieht zumeist aus purer Politik; denn ich weiß, sobald ich anfange, meine guten Berliner zu loben, so hat mein Ruhm bei ihnen ein Ende, und sie zucken die Achsel und flüstern einander zu: »Der Mensch wird sehr seicht, uns sogar lobt er.« Keine Stadt hat nämlich weniger Lokalpatriotismus als Berlin. Tausend miserable Schriftsteller haben Berlin schon in Prosa und Versen gefeiert, und es hat in Berlin kein Hahn danach gekräht, und kein Huhn ist ihnen dafür gekocht worden, und man hat sie unter den Linden immer noch für miserable Poeten gehalten, nach wie vor. Dagegen hat man ebenso wenig Notiz davon genommen, wenn irgendein Afterpoet etwa in Parabasen auf Berlin losschalt. Wage es aber mal jemand, gegen Polkwitz, Innsbruck, Schilda, Posen, Krähwinkel und andre Hauptstädte etwas Anzügliches zu schreiben! Wie würde sich der respektive Patriotismus dort regen! Der Grund davon ist: Berlin ist gar keine Stadt, sondern Berlin gibt bloß den Ort dazu her, wo sich eine Menge Menschen, und zwar darunter viele Menschen von Geist, versammeln, denen der Ort ganz gleichgültig ist; diese bilden das geistige Berlin. Der durchreisende Fremde sieht nur die langgestreckten, uniformen Häuser, die langen, breiten Straßen, die nach der Schnur und meistens nach dem Eigenwillen eines Einzelnen gebaut sind und keine Kunde geben von der Denkweise der Menge. Nur Sonntagskinder vermögen etwas von der Privatgesinnung der Einwohner zu erraten, wenn sie die langen Häuserreihen betrachten, die sich, wie die Menschen selbst, voneinander fern zu halten streben, erstarrend im gegenseitigen Groll. Nur einmal, in einer Mondnacht, als ich etwas spät von Lutter und Wegener heimkehrte, sah ich, wie jene harte Stimmung sich in milde Wehmut aufgelöst hatte, wie die Häuser, die einander so feindlich gegenüber gestanden, sich gerührt baufällig christlich anblickten und sich versöhnt in die Arme stürzen wollten, so daß ich armer Mensch, der in der Mitte der Straße ging, zerquetscht zu werden fürchtete. Manche werden diese Furcht lächerlich finden, und auch ich lächelte darüber, als ich, nüchternen Blicks, den andern Morgen durch eben jene Straßen wanderte und sich die Häuser wieder so prosaisch entgegengähnten. Es sind wahrlich mehrere Flaschen Poesie dazu nötig, wenn man in Berlin etwas anderes sehen will als tote Häuser und Berliner. Hier ist es schwer, Geister zu sehen. Die Stadt enthält so wenig Altertümlichkeit und ist so neu; und doch ist dieses Neue schon so alt, so welk und abgestorben. Denn sie ist größtenteils, wie gesagt, nicht aus der Gesinnung der Masse, sondern Einzelner entstanden. Der große Fritz ist wohl unter diesen wenigen der vorzüglichste; was er vorfand, war nur feste Unterlage, erst von ihm erhielt die Stadt ihren eigentlichen Charakter, und wäre seit seinem Tode nichts mehr daran gebaut worden, so bliebe ein historisches Denkmal von dem Geiste jenes prosaisch wundersamen Helden, der die raffinierte Geschmacklosigkeit und blühende Verstandesfreiheit, das Seichte und das Tüchtige seiner Zeit recht deutsch-tapfer in sich ausgebildet hatte. Potsdam z. B. erscheint uns als ein solches Denkmal, durch seine öden Straßen wandern wir wie durch die hinterlassenen Schriftwerke des Philosophen von Sanssouci, es gehört zu dessen œuvres posthumes, und obgleich es jetzt nur steinernes Makulatur ist und des Lächerlichen genug enthält, so betrachten wir es doch mit ernstem Interesse und unterdrücken hie und da eine aufsteigende Lachlust, als fürchteten wir plötzlich einen Schlag auf den Rücken zu bekommen, wie von dem spanischen Röhrchen des alten Fritz. Solche Furcht aber befällt uns nimmermehr in Berlin, da fühlen wir, daß der alte Fritz und sein spanisches Röhrchen keine Macht mehr üben; denn sonst würde aus den alten, aufgeklärten Fenstern der gesunden Vernunftstadt nicht so manch krankes Obskurantengesicht herausglotzen, und so manch dummes, abergläubisches Gebäude würde sich nicht unter die alten skeptisch philosophischen Häuser eingesiedelt haben. Ich will nicht mißverstanden sein und bemerke ausdrücklich, ich stichle hier keinesweges auf die neue Werdersche Kirche, jenen gotischen Dom in verjüngtem Maßstabe, der nur aus Ironie zwischen die modernen Gebäude hingestellt ist, um allegorisch zu zeigen, wie läppisch und albern es erscheinen würde, wenn man alte, längst untergegangene Institutionen des Mittelalters wieder neu aufrichten wollte, unter den neuen Bildungen einer neuen Zeit.

Das oben Angedeutete gilt bloß von Berlins äußerlicher Erscheinung, und wollte man in dieser Beziehung München damit vergleichen, so könnte man mit Recht behaupten: letzteres bilde ganz den Gegensatz von Berlin. München nämlich ist eine Stadt, gebaut von dem Volke selbst, und zwar von aufeinander folgenden Generationen, deren Geist noch immer in ihren Bauwerken sichtbar, so daß man dort, wie in der Hexenszene des Macbeth, eine chronologische Geisterreihe erblickt, von dem dunkelrohen Geiste des Mittelalters, der geharnischt aus gotischen Kirchenpforten hervortritt, bis auf den gebildet lichten Geist unserer eignen Zeit, der uns einen Spiegel entgegenhält, worin jeder sich selbst mit Vergnügen anschaut. In dieser Reihenfolge liegt eben das Versöhnende; das Barbarische empört uns nicht mehr, und das Abgeschmackte verletzt uns nicht mehr, wenn wir es als Anfänge und notwendige Übergänge betrachten. Wir sind ernst, aber nicht unmutig bei dem Anblick jenes barbarischen Doms, der sich noch immer, in stiefelknechtlicher Gestalt, über die ganze Stadt erhebt und die Schatten und Gespenster des Mittelalters in seinem Schoße verbirgt. Mit ebenso wenig Unmut, ja sogar mit spaßhafter Rührung betrachten wir die haarbeuteligen Schlösser der spätern Periode, die plump deutschen Nachäffungen der glatt französischen Unnatur, die Prachtgebäude der Abgeschmacktheit, toll schnörkelhaft von außen, von innen noch putziger dekoriert mit schreiend bunten Allegorien, vergoldeten Arabesken, Stuckaturen und jenen Schildereien, worauf die seligen hohen Herrschaften abkonterfeit sind: die Kavaliere mit roten, betrunken nüchternen Gesichern, worüber die Allongeperücken, wie gepuderte Löwenmähnen, herabhängen, die Damen mit steifem Toupet, stählernem Korsett, das ihr Herz zusammenschnürte, und ungeheurem Reifrock, der ihnen desto mehr prosaische Ausdehnung gewährte. Wie gesagt, dieser Anblick verstimmt uns nicht, er trägt vielmehr dazu bei, uns die Gegenwart und ihren lichten Wert recht lebhaft fühlen zu lassen, und wenn wir die neuen Werke betrachten, die sich neben den alten erheben, so ist's, als würde uns eine schwere Perücke vom Haupte genommen und das Herz befreit von stählerner Fessel. Ich spreche hier von den heiteren Kunsttempeln und edlen Palästen, die in kühner Fülle hervorblühen aus dem Geiste Klenzes, des großen Meisters.

Kapitel III

Daß man aber die ganze Stadt ein neues Athen nennt, ist, unter uns gesagt, etwas ridikül, und es kostet mich viele Mühe, wenn ich sie in solcher Qualität vertreten soll. Dieses empfand ich aufs tiefste in dem Zweigespräch mit dem Berliner Philister, der, obgleich er schon eine Weile mit mir gesprochen hatte, unhöflich genug war, alles attische Salz im neuen Athen zu vermissen.

»Des«, rief er ziemlich laut, »gibt es nur in Berlin. Da nur ist Witz und Ironie. Hier gibt es gutes Weißbier, aber wahrhaftig keine Ironie.«

»Ironie haben wir nicht« – rief Nannerl, die schlanke Kellnerin, die in diesem Augenblick vorbeisprang – »aber jedes andre Bier können Sie doch haben.«

Daß Nannerl die Ironie für eine Sorte Bier gehalten, vielleicht für das beste Stettiner, war mir sehr leid, und damit sie sich in der Folge wenigstens keine solche Blöße mehr gebe, begann ich folgendermaßen zu dozieren: »Schönes Nannerl, die Ironie is ka Bier, sondern eine Erfindung der Berliner, der klügsten Leute von der Welt, die sich sehr ärgerten, daß sie zu spät auf die Welt gekommen sind, um das Pulver erfinden zu können, und die deshalb eine Erfindung zu machen suchten, die ebenso wichtig und eben denjenigen, die das Pulver nicht erfunden haben, sehr nützlich ist. Ehemals, liebes Kind, wenn jemand eine Dummheit beging, was war da zu tun? das Geschehene konnte nicht ungeschehen gemacht werden, und die Leute sagten: der Kerl war ein Rindvieh. Das war unangenehm. In Berlin, wo man am klügsten ist und die meisten Dummheiten begeht, fühlte man am tiefsten diese Unannehmlichkeit. Das Ministerium suchte dagegen ernsthafte Maßregeln zu ergreifen: bloß die größeren Dummheiten durften noch gedruckt werden, die kleineren erlaubte man nur in Gesprächen, solche Erlaubnis erstreckte sich nur auf Professoren und hohe Staatsbeamte, geringere Leute durften ihre Dummheiten bloß im verborgenen laut werden lassen; – aber alle diese Vorkehrungen halfen nichts, die unterdrückten Dummheiten traten bei außerordentlichen Anlässen desto gewaltiger hervor, sie wurden sogar heimlich von oben herab protegiert, sie stiegen öffentlich von unten hinauf, die Not war groß, bis endlich ein rückwirkendes Mittel erfunden ward, wodurch man jede Dummheit gleichsam ungeschehen machen und sogar in Weisheit umgestalten kann. Dieses Mittel ist ganz einfach und besteht darin, daß man erklärt, man habe jene Dummheit bloß aus Ironie begangen oder gesprochen. So, liebes Kind, avanciert alles in dieser Welt, die Dummheit wird Ironie, verfehlte Speichelleckerei wird Satire, natürliche Plumpheit wird kunstreiche Persiflage, wirklicher Wahnsinn wird Humor, Unwissenheit wird brillanter Witz, und du wirst am Ende noch die Aspasia des neuen Athens.«

Ich hätte noch mehr gesagt, aber das schöne Nannerl, das ich unterdessen am Schürzenzipfel festhielt, riß sich gewaltsam los, als man von allen Seiten »A Bier! A Bier!« gar zu stürmisch forderte. Der Berliner aber sah aus wie die Ironie selbst, als er bemerkte, mit welchem Enthusiasmus die hohen schäumenden Gläser in Empfang genommen wurden; und indem er auf eine Gruppe Biertrinker hindeutete, die sich den Hopfennektar von Herzen schmecken ließen und über dessen Vortrefflichkeit disputierten, sprach er lächelnd: »Das wollen Athenienser sin?«

Die Bemerkungen, die der Mann bei dieser Gelegenheit nachschob, taten mir ordentlich weh, da ich für unser neues Athen keine geringe Vorliebe hege, und ich bestrebte mich daher, dem raschen Tadler zu bedeuten: daß wir erst seit kurzem auf den Gedanken gekommen sind, uns als ein neues Athen aufzutun, daß wir erst junge Anfänger sind und unsere großen Geister, ja unser ganzes gebildetes Publikum noch nicht danach eingerichtet ist, sich in der Nähe sehen zu lassen. »Es ist alles noch im Entstehen, und wir sind noch nicht komplett. Nur die untersten Fächer, lieber Freund«, fügte ich hinzu, »sind erst besetzt, und es wird Ihnen nicht entgangen sein, daß wir z. B. an Eulen, Sykophanten und Phrynen keinen Mangel haben. Es fehlt uns nur an dem höhern Personal, und mancher muß mehrere Rollen zu gleicher Zeit spielen. Z. B. unser Dichter, der die zarte griechische Knabenliebe besingt, hat auch die aristophanische Grobheit übernehmen müssen; aber er kann alles machen, er hat alles, was zu einem großen Dichter gehört, außer etwa Phantasie und Witz, und wenn er viel Geld hätte, wäre er ein reicher Mann. Was uns aber an Quantität fehlt, das ersetzen wir durch Qualität. Wir haben nur einen großen Bildhauer – aber es ist ein ›Löwe‹! Wir haben nur einen großen Redner, aber ich bin überzeugt, daß Demosthenes über den Malzaufschlag in Attika nicht so gut donnern konnte. Wenn wir noch keinen Sokrates vergiftet haben, so war es wahrhaftig nicht das Gift, welches uns dazu fehlte. Und wenn wir noch keinen eigentlichen Demos, ein ganzes Demagogenvolk besitzen, so können wir doch mit einem Prachtexemplare dieser Gattung, mit einem Demagogen von Handwerk aufwarten, der ganz allein einen ganzen Demos, einen ganzen Haufen Großschwätzer, Maulaufsperrer, Poltrons und sonstigen Lumpengesindels, aufwiegt – und hier sehen Sie ihn selbst.«

Ich kann der Versuchung nicht widerstehen, die Figur, die sich uns jetzt präsentierte, etwas genauer zu bezeichnen. Ob diese Figur mit Recht behauptet, daß ihr Kopf etwas Menschliches habe und sie daher juristisch befugt sei, sich für einen Menschen auszugeben, das lasse ich dahingestellt sein. Ich würde diesen Kopf vielmehr für den eines Affen halten; nur aus Courtoisie will ich ihn für menschlich passieren lassen. Seine Bedeckung bestand aus einer Tuchmütze, in der Form ähnlich dem Helm des Mambrin, und steifschwarze Haare hingen lang herab und waren vorn à l'enfant gescheitelt. Auf diese Vorderseite des Kopfes, die sich für ein Gesicht ausgab, hatte die Göttin der Gemeinheit ihren Stempel gedrückt, und zwar so stark, daß die dort befindliche Nase fast zerquetscht worden; die niedergeschlagenen Augen schienen diese Nase vergebens zu suchen und deshalb betrübt zu sein; ein übelriechendes Lächeln spielte um den Mund, der überaus liebreizend war und durch eine gewisse frappante Ähnlichkeit unseren griechischen Afterdichter zu den zartesten Ghaselen begeistern konnte. Die Bekleidung war ein altdeutscher Rock, zwar schon etwas modifiziert nach den dringendsten Anforderungen der neueuropäischen Zivilisation, aber im Schnitt noch immer erinnernd an den, welchen Arminius im Teutoburger Walde getragen und dessen Urform sich unter einer patriotischen

Schneidergesellschaft ebenso geheimnisvoll traditionell erhalten hat wie einst die gotische Baukunst unter einer mystischen Maurergilde. Ein weißgewaschener Lappen, der mit dem bloßen, altdeutschen Halse tief bedeutsam kontrastierte, bedeckte den Kragen dieses famosen Rockes, aus seinen langen Ärmeln hingen lange schmutzige Hände, zwischen diesen zeigte sich ein langweiliger Leib, woran wieder zwei kurzweilige Beine schlotterten – die ganze Gestalt war eine katzenjämmerliche Parodie des Apoll von Belvedere.

»Und des ist der Demagog des neuen Athens?« frug spottlächelnd der Berliner. »Du juter Jott, des ist ja ein Landsmann von mich! Ich traue kaum meinen leiblichen Augen – des ist ja derjenige, welcher – Nee, des ist die Möglichkeit!«

»Ja, ihr verblendeten Berliner«, sprach ich, nicht ohne Feuer, »ihr verkennt eure heimischen Genies und steinigt eure Propheten. Wir aber können alles gebrauchen!«

»Und wozu braucht ihr denn diese unglückliche Fliege?«

»Er ist zu allem zu gebrauchen, wozu Springen, Kriechen, Gemüt, Fressen, Frömmigkeit, viel Altdeutsch, wenig Latein und gar kein Griechisch nötig ist. Er springt wirklich sehr gut übern Stock; macht auch Tabellen von allen möglichen Sprüngen und Verzeichnisse von allen möglichen Lesarten altdeutscher Gedichte. Dazu präsentiert er die Vaterlandsliebe, ohne im mindesten gefährlich zu sein. Denn man weiß sehr gut, daß er sich von den altdeutschen Demagogen, unter welchen er sich mal zufällig befunden, zu rechter Zeit zurückgezogen, als ihre Sache etwas gefährlich wurde und daher mit den christlichen Gefühlen seines weichen Herzens nicht mehr übereinstimmte. Seitdem aber die Gefahr verschwunden, die Märtyrer für ihre Gesinnung gelitten, fast alle sie von selbst aufgegeben und sogar unsere feurigsten Barbiere ihre deutschen Röcke ausgezogen haben, seitdem hat die Blütezeit unseres vorsichtigen Vaterlandsretters erst recht begonnen; er allein hat noch das Demagogenkostüm und die dazu gehörigen Redensarten beibehalten; er preist noch immer Arminius den Cherusker und Frau Thusnelda, als sei er ihr blonder Enkel; er bewahrt noch immer seinen germanisch-patriotischen Haß gegen welsches Babeltum, gegen die Erfindung der Seife, gegen Thierschs heidnisch-griechische Grammatik, gegen Quinctilius Varus, gegen Handschuh und gegen alle Menschen, die eine anständige Nase haben; – und so steht er da als wandelndes Denkmal einer untergegangenen Zeit, und wie der letzte Mohikan ist auch er allein übrig geblieben von einer ganzen tatkräftigen Horde, er, der letzte Demagoge. Sie sehen also, daß wir im neuen Athen, wo es noch ganz an Demagogen fehlt, diesen Mann brauchen können, wir haben an ihm einen sehr guten Demagogen, der zugleich so zahm ist, daß er jeden Speichelnapf beleckt und aus der Hand frißt, Haselnüsse, Kastanien, Käse, Würstchen, kurz alles frißt, was man ihm gibt; und da er jetzt einzig in seiner Art, so haben wir noch den besonderen Vorteil, daß wir späterhin, wenn er krepiert ist, ihn ausstopfen lassen und als den letzten Demagogen, mit Haut und Haar, für die Nachwelt aufbewahren können. Ich bitte Sie jedoch, sagen Sie das nicht dem Professor Lichtenstein in Berlin, der ließe ihn sonst für das zoologische Museum reklamieren, welches Anlaß zu einem Kriege zwischen Preußen und Bayern geben könnte, da wir ihn auf keinen Fall ausliefern werden. Schon haben die Engländer ihn aufs Korn genommen und zweitausendsiebenhundertsiebenundsiebzig Guineen für ihn geboten, schon haben die Östreicher ihn gegen die Giraffe eintauschen wollen; aber unser Ministerium soll geäußert haben: der letzte Demagoge ist uns für keinen Preis feil, er wird einst der Stolz unseres Naturalienkabinetts und die Zierde unserer Stadt.«

Der Berliner schien etwas zerstreut zuzuhören, schönere Gegenstände hatten seine Aufmerksamkeit in Anspruch genommen, und er fiel mir endlich in die Rede mit den Worten: »Erlauben Sie gehorsamst, daß ich Sie unterbreche, aber sagen Sie mir doch, was ist denn das für ein Hund, der dort läuft?«

»Das ist ein anderer Hund.«

»Ach, Sie verstehen mich nicht, ich meine jenen großen, weißzottigen Hund ohne Schwanz?«

»Mein lieber Herr, das ist der Hund des neuen Alcibiades.«

»Aber«, bemerkte der Berliner, »sagen Sie mir doch, wo ist denn der neue Alcibiades selbst?«

»Aufrichtig gestanden«, antwortete ich, »diese Stelle ist noch nicht besetzt, und wir haben erst den Hund.«

Kapitel IV

Der Ort, wo dieses Gespräch stattfand, heißt Bogenhausen, oder Neuburghausen, oder Villa Hompesch, oder Montgelasgarten, oder das Schlössel, ja man braucht ihn nicht einmal zu nennen, wenn man von München dort hinfahren will, der Kutscher versteht uns schon an einem gewissen durstigen Augenblinzeln, an einem gewissen vorseligen Kopfnicken und ähnlichen Bezeichnungsgrimassen. Tausend Ausdrücke hat der Araber für ein Schwert, der Franzose für die Liebe, der Engländer für das Hängen, der Deutsche für das Trinken und der neuere Athener sogar für die Orte, wo er trinkt. Das Bier ist an besagtem Orte wirklich sehr gut, selbst im Prytaneum, vulgo Bockkeller, ist es nicht besser, es schmeckt ganz vortrefflich, besonders auf jener Treppenterrasse, wo man die Tiroler Alpen vor Augen hat. Ich saß dort oft vorigen Winter und betrachtete die schneebedeckten Berge, die, glänzend in der Sonnenbeleuchtung, aus eitel Silber gegossen zu sein schienen.

Es war damals auch Winter in meiner Seele, Gedanken und Gefühle waren wie eingeschneit, es war mir so verdorrt und tot zumute, dazu kam die leidige Politik, die Trauer um ein liebes gestorbenes Kind und ein alter Nachärger und der Schnupfen. Außerdem trank ich viel Bier, weil man mich versicherte, das gäbe leichtes Blut. Doch der beste attische Breihahn wollte nicht fruchten bei mir, der ich mich in England schon an Porter gewöhnt hatte.

Endlich kam der Tag, wo alles ganz anders wurde. Die Sonne brach hervor aus dem Himmel und tränkte die Erde, das alte Kind, mit ihrer Strahlenmilch, die Berge schauerten vor Lust, und ihre Schneetränen flossen gewaltig, es krachten und brachen die Eisdecken der Seen, die Erde schlug die blauen Augen auf, aus ihrem Busen quollen hervor die liebenden Blumen und die klingenden Wälder, die grünen Paläste der Nachtigallen, die ganze Natur lächelte, und dieses Lächeln hieß Frühling. Da begann auch in mir ein neuer Frühling, neue Blumen sproßten aus dem Herzen, Freiheitsgefühle, wie Rosen, schossen hervor, auch heimliches Sehnen, wie junge Veilchen, dazwischen freilich manch unnütze Nessel. Über die Gräber meiner Wünsche zog die Hoffnung wieder ihr heiteres Grün, auch die Melodien der Poesie kamen wieder, wie Zugvögel, die den Winter im warmen Süden verbracht und das verlassene Nest im Norden wieder aufsuchen, und das verlassene nordische Herz klang und blühte wieder wie vormals – nur weiß ich nicht, wie das alles kam. Ist es eine braune oder blonde Sonne gewesen, die den Frühling in meinem Herzen aufs neue geweckt und all die schlafenden Blumen in diesem Herzen wieder aufgeküßt und die Nachtigallen wieder hineingelächelt? War es die wahlverwandte Natur selbst, die in meiner Brust ihr Echo suchte und sich gern darin bespiegelte mit ihrem neuen Frühlingsglanz? Ich weiß nicht, aber ich glaube, auf der Terrasse zu Bogenhausen, im Angesicht der Tiroler Alpen, geschah meinem Herzen solch neue Verzauberung. Wenn ich dort in Gedanken saß, war mir's oft, als sehe ich ein wunderschönes Jünglingsantlitz über jene Berge hervorlauschen, und ich wünschte mir Flügel, um hinzueilen nach seinem Residenzland Italien. Ich fühlte mich auch oft angeweht von Zitronen- und Orangendüften, die von den Bergen herüberwogten, schmeichelnd und verheißend, um mich hinzulocken nach Italien. Einst sogar, in der goldenen Abenddämmerung, sah ich auf der Spitze einer Alpe ihn ganz und gar, lebensgroß, den jungen Frühlingsgott, Blumen und Lorbeeren umkränzten das freudige Haupt, und mit lachendem Auge und blühendem Munde rief er: »Ich liebe dich, komm zu mir nach Italien!«

Kapitel V

Mein Blick mochte daher wohl etwas sehnsüchtig flimmern, als ich, in Verzweiflung über das unabsehbare Philistergespräch, nach den schönen Tiroler Bergen hinaussah und tief seufzte. Mein Berliner Philister nahm aber eben diesen Blick und Seufzer als neue Gesprächsfäden auf und seufzte mit: »Ach ja, ich möchte auch jetzt in Konstantinopel sein! Ach! Konstantinopel zu sehen war immer der eenzige Wunsch meines Lebens, und jetzt sind die Russen gewiß schon eingezogen, ach, in Konstantinopel! Haben Sie Petersburg gesehen?« Ich verneinte dieses und bat, mir davon zu erzählen. Aber nicht er selbst, sondern sein Herr Schwager, der Kammergerichtsrat, war vorigen Sommer da gewesen, und es soll eine ganz eenzige Stadt sein. – »Haben Sie Kopenhagen gesehen?« Da ich diese Frage ebenfalls verneinte und eine Schilderung dieser Stadt von ihm begehrte, lächelte er gar pfiffig und wiegte das Köpfchen recht vergnügt hin und her und versicherte mir auf Ehre, ich könne mir keine Vorstellung davon machen, wenn ich nicht selbst dort gewesen sei. »Dieses«, erwiderte ich, »wird vor der Hand noch nicht stattfinden, ich will jetzt eine andere Reise antreten, die ich schon diesen Frühling projektiert, ich reise nämlich nach Italien.«

Als der Mann dieses Wort hörte, sprang er plötzlich vom Stuhle auf, drehte sich dreimal auf einem Fuße herum und trillerte: »Tirily! Tirily! Tirily!«

Das gab mir den letzten Sporn. Morgen reise ich, beschloß ich auf der Stelle. Ich will nicht länger zögern, ich will so bald als möglich das Land sehen, das den trockensten Philister so sehr in Ekstase bringen kann, daß er bei dessen Erwähnung plötzlich wie eine Wachtel schlägt. Während ich zu Hause meinen Koffer packte, klang mir der Ton jenes Tirilys noch immer in den Ohren, und mein Bruder, Maximilian Heine, der mich den andern Tag bis Tirol begleitete, konnte nicht begreifen, warum ich auf dem ganzen Wege kein vernünftiges Wort sprach und beständig tirilyrte.

Kapitel VI

Tirily! Tirily! ich lebe! Ich fühle den süßen Schmerz der Existenz, ich fühle alle Freuden und Qualen der Welt, ich leide für das Heil des ganzen Menschengeschlechts, ich büße dessen Sünden, aber ich genieße sie auch.

Und nicht bloß mit den Menschen, auch mit den Pflanzen fühle ich, ihre tausend grünen Zungen erzählen mir allerliebste Geschichten, sie wissen, daß ich nicht menschenstolz bin und mit den niedrigsten Wiesenblümchen ebenso gern spreche wie mit den höchsten Tannen. Ach, ich weiß ja, wie es mit solchen Tannen beschaffen ist! Aus der Tiefe des Tals schießen sie himmelhoch empor, überragen fast die kühnsten Felsenberge – Aber wie lange dauert diese Herrlichkeit? Höchstens ein paar lumpige Jahrhunderte, dann krachen sie altersmüd zusammen und verfaulen auf dem Boden. Des Nachts kommen dann die hämischen Käuzlein aus ihren Felsenspalten hervorgehuscht und verhöhnen sie noch obendrein: »Seht, ihr starken Tannen, ihr glaubtet euch mit den Bergen messen zu können, jetzt liegt ihr gebrochen da unten, und die Berge stehen noch immer unerschüttert.«

Einem Adler, der auf seinem einsamen Lieblingsfelsen sitzt und solcher Verhöhnung zuhört, muß recht mitleidig zumute werden. Er denkt dann an das eigene Schicksal. Auch er weiß nicht, wie tief er einst gebettet wird. Aber die Sterne funkeln so beruhigend, die Waldwasser rauschen so trostvoll, und die eigene Seele überbraust so stolz all die kleinmütigen Gedanken, daß er sie bald wieder vergißt. Steigt gar die Sonne hervor, so fühlt er sich wieder wie sonst und fliegt zu ihr hinauf, und wenn er hoch genug ist, singt er ihr entgegen seine Lust und Qual. Seine Mittiere, besonders die Menschen, glauben, der Adler könne nicht singen, und sie wissen nicht, daß er dann nur singt, wenn er aus ihrem Bereich ist, und daß er aus Stolz nur von der Sonne gehört sein will. Und er hat recht; es könnte irgendeinem von der gefiederten Sippschaft da unten einfallen, seinen Gesang zu rezensieren. Ich habe selbst erfahren, wie solche Kritiken lauten: das Huhn stellt sich dann auf ein Bein und gluckt, der Sänger habe kein Gemüt; der Truthahn kullert, es fehle ihm der wahre Ernst; die Taube girrt, er kenne nicht die wahre Liebe; die Gans schnattert, er sei nicht wissenschaftlich; der Kapaun kikert, er sei nicht moralisch; der Dompfaff zwitschert, er habe leider keine Religion; der Sperling piepst, er sei nicht produktiv genug; Wiedehöpfchen, Elsterchen, Schuhuchen, alles krächzt und ächzt und schnarrt – Nur die Nachtigall stimmt nicht ein in diese Kritiken, unbekümmert um die ganze Mitwelt, ist nur die rote Rose ihr einziger Gedanke und ihr einziges Lied, sehnsüchtig umflattert sie die rote Rose und stürzt sich begeistert in die geliebten Dornen und blutet und singt.

Kapitel VII

Es gibt einen Adler im deutschen Vaterlande, dessen Sonnenlied so gewaltig erklingt, daß es auch hier unten gehört wird und sogar die Nachtigallen aufhorchen, trotz all ihren melodischen Schmerzen. Das bist du, Karl Immermann, und deiner dacht ich gar oft in dem Lande, wovon du so schön gesungen. Wie konnte ich durch Tirol reisen, ohne an das »Trauerspiel« zu denken?

Nun freilich, ich habe die Dinge in anderer Färbung gesehen; aber ich bewundere doch den Dichter, der aus der Fülle des Gemütes dasjenige, was er nie gesehen hat, der Wirklichkeit so ähnlich schafft. Am meisten ergötzte mich, daß »Das Trauerspiel in Tirol« in Tirol verboten ist. Ich gedachte der Worte, die mir mein Freund Moser schrieb, als er mir meldete, daß der zweite Band der »Reisebilder« verboten sei: »Die Regierung hätte aber das Buch gar nicht zu verbieten brauchen, es wäre dennoch gelesen worden.«

Zu Innsbruck im goldenen Adler, wo Andreas Hofer logiert hatte und noch jede Ecke mit seinen Bildnissen und Erinnerungen an ihn beklebt ist, fragte ich den Wirt, Herrn Niederkirchner, ob er mir noch viel von dem Sandwirt erzählen könne? Da war der alte Mann überfließend von Redseligkeit und vertraute mir mit klugen Augenzwinkern, daß jetzt die Geschichte auch ganz gedruckt heraus sei, aber auch ganz geheim verboten; und als er mich nach einem dunkeln Stübchen geführt, wo er seine Reliquien aus dem Tirolerkrieg aufbewahrt, wickelte er ein schmutzig blaues Papier von einem schon zerlesenen grünen Büchlein, das ich zu meiner Verwunderung als Immermanns »Trauerspiel in Tirol« erkannte. Ich sagte ihm, nicht ohne errötenden Stolz, der Mann, der es geschrieben, sei mein Freund. Herr Niederkirchner wollte nun so viel als möglich von dem Manne wissen, und ich sagte ihm, es sei ein gedienter Mann, von fester Statur, sehr ehrlich und sehr geschickt in Schreibsachen, so daß er nur wenige seines Gleichen finde. Daß er aber ein Preuße sei, wollte Herr Niederkirchner durchaus nicht glauben und rief mit mitleidigem Lächeln: »Warum nicht gar!« Er ließ sich nicht ausreden, daß der Immermann ein Tiroler sei und den Tirolerkrieg mitgemacht habe – »wie könnte er sonst alles wissen?«

Seltsame Grille des Volkes! Es verlangt seine Geschichte aus der Hand des Dichters und nicht aus der Hand des Historikers. Es verlangt nicht den treuen Bericht nackter Tatsachen, sondern jene Tatsachen wieder aufgelöst in die ursprüngliche Poesie, woraus sie hervorgegangen. Das wissen die Dichter, und nicht ohne geheime Schadenlust modeln sie willkürlich die Völkererinnerungen, vielleicht zur Verhöhnung stolztrockner Historiographen und pergamentener Staatsarchivare. Nicht wenig ergötzte es mich, als ich in den Buden des letzten Jahrmarkts die Geschichte des Belisars in grell kolorierten Bildern ausgehängt sah, und zwar nicht nach dem Prokop, sondern ganz treu nach Schenks Tragödie. »So wird die Geschichte verfälscht« – rief der gelahrte Freund, der mich begleitete – »sie weiß nichts von jener Rache einer beleidigten Gattin, von jenem gefangenen Sohn, von jener liebenden Tochter und dergleichen modernen Herzensgeburten!« Ist denn dies aber wirklich ein Fehler? soll man den Dichtern wegen dieser Fälschung gleich den Prozeß machen? nein, denn ich leugne die Anklage. Die Geschichte wird nicht von den Dichtern verfälscht. Sie geben den Sinn derselben ganz treu, und sei es auch durch selbsterfundene Gestalten und Umstände. Es gibt Völker, denen nur auf diese Dichterart ihre Geschichte überliefert worden, z. B. die Indier. Dennoch geben Gesänge wie der Mahabharata den Sinn indischer Geschichte viel richtiger als irgendein Kompendienschreiber mit all seinen Jahrzahlen. In gleicher Hinsicht möchte ich behaupten, Walter Scotts Romane gäben zuweilen den Geist der englischen Geschichte weit treuer als Hume; wenigstens hat Sartorius sehr recht, wenn er in seinen Nachträgen zu Spittler jene Romane zu den Quellen der englischen Geschichte rechnet.

Es geht den Dichtern wie den Träumern, die im Schlafe dasjenige innere Gefühl, welches ihre Seele durch wirkliche äußere Ursachen empfindet, gleichsam maskieren, indem sie an die Stelle dieser letzteren ganz andere äußere Ursachen erträumen, die aber insofern ganz adäquat sind, als sie dasselbe Gefühl hervorbringen. So sind auch in Immermanns »Trauerspiel« manche Außendinge ziemlich willkürlich geschaffen, aber der Held selbst, der Gefühlsmittelpunkt, ist identisch geträumt, und wenn diese Traumgestalt selbst träumerisch erscheint, so ist auch dieses der Wahrheit gemäß. Der Baron Hormayr, der hierin der kompetenteste Richter sein kann, hat mich, als ich jüngst das Vergnügen hatte, ihn zu sprechen, auf diesen Umstand aufmerksam gemacht. Das mystische Gemütsleben, die abergläubische Religiosität, das Epische des Mannes hat Immermann ganz richtig angedeutet. Er gab ganz treu jene treue Taube, die, mit dem blanken Schwert im Schnabel, wie die kriegerische Liebe, über den Bergen Tirols so heldenmütig umherschwebte, bis die Kugeln von Mantua ihr treues Herz durchbohrten.

Was aber dem Dichter am meisten zur Ehre gereicht, ist die ebenso treue Schilderung des Gegners, aus welchem er keinen wütenden Geßler gemacht, um seinen Hofer desto mehr zu heben; wie dieser eine Taube mit dem Schwerte, so ist jener ein Adler mit dem Ölzweig.

Kapitel VIII

In der Wirtshausstube des Herrn Niederkirchner zu Innsbruck hängen einträchtig nebeneinander die Bilder von Andreas Hofer, Napoleon Bonaparte und Ludwig von Bayern.

Innsbruck selbst ist eine unwöhnliche, blöde Stadt. Vielleicht mag sie im Winter etwas geistiger und behaglicher aussehen, wenn die hohen Berge, wovon sie eingeschlossen, mit Schnee bedeckt sind und die Lawinen dröhnen und überall das Eis kracht und blitzt.

Ich fand die Häupter jener Berge mit Wolken, wie mit grauen Turbanen, umwickelt. Man sieht dort die Martinswand, den Schauplatz der lieblichsten Kaisersage; wie denn überhaupt die Erinnerung an den ritterlichen Max in Tirol noch immer blüht und klingt.

In der Hofkirche stehen die oft besprochenen Standbilder der Fürsten und Fürstinnen aus dem Hause Östreich und ihrer Ahnen, worunter mancher gerechnet worden, der gewiß bis auf den heutigen Tag nicht begreift, wie er zu dieser Ehre gekommen. Sie stehen in gewaltiger Lebensgröße, aus Eisen gegossen, um das Grabmal des Maximilian. Da aber die Kirche klein und das Dach niedrig ist, so kommt's einem vor, als sähe man schwarze Wachsfiguren in einer Marktbude. Am Fußgestell der meisten liest man auch den Namen derjenigen hohen Personen, die sie vorstellen. Als ich jene Statuen betrachtete, traten Engländer in die Kirche: ein hagerer Mann mit aufgesperrtem Gesichte, die Daumen eingehakt in die Armöffnungen der weißen Weste und im Maul einen ledernen Guide des voyageurs; hinter ihm seine lange Lebensgefährtin, eine nicht mehr ganz junge, schon etwas abgeliebte, aber noch immer hinlänglich schöne Dame; hinter dieser ein rotes Portergesicht mit puderweißen Aufschlägen, steif einhertretend in einem dito Rock und die hölzernen Hände vollauf befrachtet mit Myladys Handschuhen, Alpenblumen und Mops.

Das Kleeblatt stieg schnurgerade nach dem obern Ende der Kirche, wo der Sohn Albions seiner Gemahlin die Statuen erklärte, und zwar nach seinem Guide des voyageurs, in welchem ausführlich zu lesen war: »Die erste Statue ist der König Chlodewig von Frankreich, die andere ist der König Arthur von England, die dritte ist Rudolf von Habsburg usw.« Da aber der arme Engländer die Reihe von oben anfing, statt von unten, wie es der Guide des voyageurs voraussetzte, so geriet er in die ergötzlichsten Verwechselungen, die noch komischer wurden, wenn er an eine Frauenstatue kam, die er für einen Mann hielt, und umgekehrt, so daß er nicht begriff, warum man Rudolf von Habsburg in Weibskleidern dargestellt, dagegen die Königin Maria mit eisernen Hosen und einem allzu langen Barte. Ich, der ich gerne mit meinem Wissen nachhelfe, bemerkte beiläufig: dergleichen habe wahrscheinlich das damalige Kostüm erfordert, auch könne es besonderer Wille der hohen Personen gewesen sein, so, und beileibe nicht anders, gegossen zu werden. So könne es ja dem jetzigen Kaiser einfallen, sich in einem Reifrock oder gar in Windeln gießen zu lassen; – wer würde was dagegen einwenden?

Der Mops bellte kritisch, der Lakai glotzte, sein Herr putzte sich die Nase, und Mylady sagte: »A fine exhibition, very fine indeed!« –

Kapitel IX

Brixen war die zweite, größere Stadt Tirols, wo ich einkehrte. Sie liegt in einem Tal, und als ich ankam, war sie mit Dampf und Abendschatten übergossen. Dämmernde Stille, melancholisches Glockengebimmel, die Schafe trippelten nach ihren Ställen, die Menschen nach den Kirchen; überall beklemmender Geruch von häßlichen Heiligenbildern und getrocknetem Heu.

»Die Jesuiten sind in Brixen«, hatte ich kurz vorher im »Hesperus« gelesen. Ich sah mich auf allen Straßen nach ihnen um; aber ich habe niemanden gesehen, der einem Jesuiten glich, es sei denn jener dicke Mann mit geistlich dreieckigem Hut und pfäffisch geschnittenem, schwarzen Rock, der alt und abgetragen war und mit den glänzend neuen schwarzen Hosen gar auffallend kontrastierte.

Das kann auch kein Jesuit sein, sprach ich endlich zu mir selber; denn ich habe mir immer die Jesuiten etwas mager gedacht. Ob es wirklich noch Jesuiten gibt? Manchmal will es mich bedünken, als sei ihre Existenz nur eine Schimäre, als spuke nur die Angst vor ihnen noch in unsren Köpfen, nachdem längst die Gefahr vorüber, und alles Eifern gegen Jesuiten mahnt mich dann an Leute, die, wenn es längst aufgehört hat zu regnen, noch immer mit aufgespannten Regenschirmen umhergehen. Ja, mich dünkt zuweilen, der Teufel, der Adel und die Jesuiten existieren nur so lange, als man an sie glaubt. Vom Teufel könnten wir es wohl ganz bestimmt behaupten, denn nur die Gläubigen haben ihn bisher gesehen. Auch in Betreff des Adels werden wir im Laufe einiger Zeit die Erfahrung machen, daß die bonne société aufhören wird, die bonne société zu sein, sobald der gute Bürgersmann nicht mehr die Güte hat, sie für die bonne société zu halten. Aber die Jesuiten? Wenigstens haben sie doch nicht mehr die alten Hosen an! Die alten Jesuiten liegen im Grabe mit ihren alten Hosen, Begierden, Weltplänen, Ränken, Distinktionen, Reservationen und Giften, und was wir jetzt in neuen, glänzenden Hosen durch die Welt schleichen sehen, ist nicht sowohl ihr Geist als vielmehr ihr Gespenst, ein albernes, blödsinniges Gespenst, das uns täglich durch Wort und Tat zu beweisen sucht, wie wenig es furchtbar sei; und wahrlich, es mahnt uns an die Geschichte von einem ähnlichen Gespenst im Thüringer Walde, das einst die Leute, so sich vor ihm fürchteten, von ihrer Furcht befreite, indem es, vor aller Augen, seinen Schädel von den Schultern herabnahm und jedem zeigte, daß er inwendig ganz hohl und leer sei.

Ich kann nicht umhin, nachträglich zu erzählen, daß ich Gelegenheit fand, den dicken Mann mit den glänzend neuen Hosen genauer zu beobachten und mich zu überzeugen, daß er kein Jesuit war, sondern ein ganz gewöhnliches Vieh Gottes. Ich traf ihn nämlich in der Gaststube meines Wirtshauses, wo er zu Nacht speiste, in Gesellschaft eines langen, magern, Exzellenz genannten Mannes, der jenem alten hagestolzlichen Landjunker, den uns Shakespeare geschildert, so ähnlich war, daß es schien, als habe die Natur ein Plagiat begangen. Beide würzten ihr Mahl, indem sie die Aufwärterin mit Karessen bedrängten, die das liebe, bildschöne Mädchen nicht wenig anzuekeln schienen, so daß sie sich mit Gewalt losriß, wenn der eine sie hinten klätschelte oder der andere sie gar zu embrassieren suchte. Dabei rissen sie ihre rohesten Zoten, die das Mädchen, wie sie wußten, nicht umhin konnte anzuhören, da sie zur Aufwartung der Gäste, und auch um mir den Tisch zu decken, im Zimmer bleiben mußte. Als jedoch die Ungebühr ganz unleidlich wurde, ließ die junge Person plötzlich alles stehen und liegen, eilte zur Tür hinaus und kam erst nach einigen Minuten ins Zimmer zurück, mit einem kleinen Kinde auf dem Arm, das sie die ganze Zeit auf dem Arm behielt, während sie im Gastzimmer ihre Geschäfte besorgte, obgleich ihr diese dadurch um so beschwerlicher wurden. Die beiden Kumpane aber, der geistliche und der adlige Herr, wagten keine einzige Belästigung mehr gegen das Mädchen, das jetzt ohne Unfreundlichkeit, jedoch mit seltsamen Ernst sie bediente; – das Gespräch nahm eine andere Wendung, beide schwatzten jetzt das gewöhnliche Geschwätz von der großen Verschwörung gegen Thron und Altar, sie verständigten sich über die Notwendigkeit strenger Maßregeln und reichten sich mehrmals die heiligen Allianzhände.

Kapitel X

Für die Geschichte von Tirol sind die Werke des Joseph von Hormayr unentbehrlich; für die neueste Geschichte ist er selbst die beste, oft die einzige Quelle. Er ist für Tirol, was Johannes von Müller für die Schweiz ist; eine Parallele dieser beiden Historiker drängt sich uns von selbst auf. Sie sind gleichsam Wandnachbarn, beide in ihrer Jugend gleich begeistert für ihre Geburtsalpen, beide fleißig, forschsam, von historischer Denkweise und Gefühlsrichtung; Johannes von Müller epischer gestimmt, den Geist wiegend in den Geschichten der Vergangenheit, Joseph von Hormayr hastiger fühlend, mehr in die Gegenwart hineingerissen, uneigennützig das Leben wagend für das, was ihm lieb war.

Bartholdys »Krieg der Tiroler Landleute im Jahr 1809« ist ein geistreich und schön geschriebenes Buch, und wenn Mängel darin sind, so entstanden sie notwendigerweise dadurch, weil der Verfasser, wie es edlen Gemütern eigen ist, für die unterdrückte Partei eine sichtbare Vorliebe hegte und weil noch Pulverdampf die Begebenheiten umhüllte, als er sie beschrieb.

Viele merkwürdige Ereignisse jener Zeit sind gar nicht aufgeschrieben und leben nur im Gedächtnisse des Volkes, das jetzt nicht gern mehr davon spricht, da die Erinnerung mancher getäuschten Hoffnung dabei auftaucht. Die armen Tiroler haben nämlich auch allerlei Erfahrungen machen müssen, und wenn man sie jetzt fragt, ob sie, zum Lohne ihrer Treue, alles erlangt, was man ihnen in der Not versprochen, so zucken sie gutmütig die Achsel und sagen naiv: »Es war vielleicht so ernst nicht gemeint, und der Kaiser hat viel zu denken, und da geht ihm manches durch den Kopf.«

Tröstet euch, arme Schelme! Ihr seid nicht die einzigen, denen etwas versprochen worden. Passiert es doch oft auf großen Sklavenschiffen, daß man bei großen Stürmen, und wenn das Schiff in Gefahr gerät, zu den schwarzen Menschen seine Zuflucht nimmt, die unten im dunkeln Schiffsraum zusammengestaut liegen. Man bricht dann ihre eisernen Ketten und verspricht heilig und teuer, ihnen die Freiheit zu schenken, wenn durch ihre Tätigkeit das Schiff gerettet werde. Die blöden Schwarzen jubeln nun hinauf ans Tageslicht, hurra! sie eilen zu den Pumpen, stampfen aus Leibeskräften, helfen, wo nur zu helfen ist, klettern, springen, kappen die Masten, winden die Taue, kurz, arbeiten so lange, bis die Gefahr vorüber ist. Alsdann werden sie, wie sich von selbst versteht, wieder nach dem Schiffsraum hinabgeführt, wieder ganz bequem angefesselt, und in ihrem dunkeln Elend machen sie demagogische Betrachtungen über Versprechungen von Seelenverkäufern, deren ganze Sorge, nach überstandener Gefahr, dahin geht, noch einige Seelen mehr einzutauschen.

O navis, referent in mare te novi
Fluctus? etc.

Als mein alter Lehrer diese Ode des Horaz, worin der Staat mit einem Schiffe verglichen wird, explizierte, hatte er allerlei politische Betrachtungen zu machen, die er bald einstellte, als die Schlacht bei Leipzig geschlagen worden und die ganze Klasse auseinanderging.

Mein alter Lehrer hat alles voraus gewußt. Als wir die erste Nachricht dieser Schlacht erhielten, schüttelte er das graue Haupt. Jetzt weiß ich, was dieses Schütteln bedeutete. Bald kamen die genaueren Berichte, und heimlich zeigte man einander die Bilder, wo gar bunt und erbaulich abkonterfeit war: wie die hohen Heerführer auf dem Schlachtfelde knieten und Gott dankten.

»Ja, sie konnten Gott danken«, sagte mein Lehrer und lächelte, wie er zu lächeln pflegte, wenn er den Sallust explizierte, »der Kaiser Napoleon hat sie so oft geklopft, daß sie es ihm doch am Ende ablernen konnten.«

Nun kamen die Alliierten und die schlechten Befreiungsgedichte, Hermann und Thusnelda, hurra, und der Frauenverein und die Vaterlandseicheln und das ewige Prahlen mit der Schlacht bei Leipzig und wieder die Schlacht bei Leipzig und kein Aufhören davon.

»Es geht diesen Leuten«, bemerkte mein Lehrer, »wie den Thebanern, als sie bei Leuktra endlich einmal jene unbesiegbaren Spartaner geschlagen und beständig mit dieser Schlacht prahlten, so daß Antisthenes von ihnen sagte: ›Sie machen es wie die Knaben, die vor Freude sich nicht zu lassen wissen, wenn sie einmal ihren Schulmeister ausgeprügelt haben.‹ Liebe Jungens, es wäre besser gewesen, wir hätten selbst die Prügel bekommen.«

Bald darauf ist der alte Mann gestorben. Auf seinem Grabe wächst preußisches Gras, und es weiden dort die adeligen Rosse unserer renovierten Ritter.

Kapitel XI

Die Tiroler sind schön, heiter, ehrlich, brav und von unergründlicher Geistesbeschränktheit. Sie sind eine gesunde Menschenrasse, vielleicht weil sie zu dumm sind, um krank sein zu können. Auch eine edle Rasse möchte ich sie nennen, weil sie sich in ihren Nahrungsmitteln sehr wählig und in ihren Gewöhnungen sehr reinlich zeigen; nur fehlt ihnen ganz und gar das Gefühl von der Würde der Persönlichkeit. Der Tiroler hat eine Sorte von lächelndem humoristischen Servilismus, der fast eine ironische Färbung trägt, aber doch grundehrlich gemeint ist. Die Frauenzimmer in Tirol begrüßen dich so zuvorkommend freundlich, die Männer drücken dir so derb die Hand und gebärden sich dabei so putzig herzlich, daß du fast glauben solltest, sie behandelten dich wie einen nahen Verwandten, wenigstens wie ihres Gleichen; aber weit gefehlt, sie verlieren dabei nie aus dem Gedächtnis, daß sie nur gemeine Leute sind und daß du ein vornehmer Herr bist, der es gewiß gern sieht, wenn gemeine Leute ohne Blödigkeit sich zu ihm herauflassen. Und darin haben sie einen naturrichtigen Instinkt; die starrsten Aristokraten sind froh, wenn sie Gelegenheit finden zur Herablassung, denn dadurch eben fühlen sie, wie hoch sie gestellt sind. Zu Hause üben die Tiroler diesen Servilismus gratis, in der Fremde suchen sie auch noch dadurch zu lukrieren. Sie geben ihre Persönlichkeit preis, ihre Nationalität. Diese bunten Deckenverkäufer, diese munteren Tiroler Bua, die wir in ihrem Nationalkostüm herumwandern sehen, lassen gern ein Späßchen mit sich treiben, aber du mußt ihnen auch etwas abkaufen. Jene Geschwister Rainer, die in England gewesen, haben es noch besser verstanden, und sie hatten noch obendrein einen guten Ratgeber, der den Geist der englischen Nobility gut kannte. Daher ihre gute Aufnahme im Foyer der europäischen Aristokratie, in the west end of the town. Als ich vorigen Sommer in den glänzenden Konzertsälen der Londoner fashionablen Welt diese Tiroler Sänger, gekleidet in ihre heimatliche Volkstracht, das Schaugerüst betreten sah und von da herab jene Lieder hörte, die in den Tiroler Alpen so naiv und fromm gejodelt werden und uns auch ins norddeutsche Herz so lieblich hinabklingen – da verzerrte sich alles in meiner Seele zu bitterem Unmut, das gefällige Lächeln vornehmer Lippen stach mich wie Schlangen, es war mir, als sähe ich die Keuschheit des deutschen Wortes aufs roheste beleidigt und die süßesten Mysterien des deutschen Gemütslebens vor fremdem Pöbel profaniert. Ich habe nicht mitklatschen können bei dieser schamlosen Verschacherung des Verschämtesten, und ein Schweizer, der gleich fühlend mit mir den Saal verließ, bemerkte ganz richtig: »Wir Schwyzer geben auch viel fürs Geld, unsere besten Käse und unser bestes Blut, aber das Alphorn können wir in der Fremde kaum blasen hören, viel weniger es selbst blasen für Geld.«

Kapitel XII

Tirol ist sehr schön, aber die schönsten Landschaften können uns nicht entzücken bei trüber Witterung und ähnlicher Gemütsstimmung. Diese ist bei mir immer die Folge von jener, und da es draußen regnete, so war auch in mir schlechtes Wetter. Nur dann und wann durfte ich den Kopf zum Wagen hinausstrecken, und dann schaute ich himmelhohe Berge, die mich ernsthaft ansahen und mir mit den ungeheuern Häuptern und langen Wolkenbärten eine glückliche Reise zunickten. Hie und da bemerkte ich auch ein fernblaues Berglein, das sich auf die Fußzehen zu stellen schien und den anderen Bergen recht neugierig über die Schultern blickte, wahrscheinlich um mich zu sehen. Dabei kreischten überall die Waldbäche, die sich wie toll von den Höhen herabstürzten und in den dunkeln Talstrudeln versammelten. Die Menschen steckten in ihren niedlichen, netten Häuschen, die über der Halde, an den schroffsten Abhängen und bis auf die Bergspitzen zerstreut liegen; niedliche, nette Häuschen, gewöhnlich mit einer langen, balkonartigen Galerie, und diese wieder mit Wäsche, Heiligenbildchen, Blumentöpfen und Mädchengesichtern ausgeschmückt. Auch hübsch bemalt sind diese Häuschen, meistens weiß und grün, als trügen sie ebenfalls die Tiroler Landestracht, grüne Hosenträger über dem weißen Hemde. Wenn ich solch Häuschen im einsamen Regen liegen sah, wollte mein Herz oft aussteigen und zu den Menschen gehen, die gewiß trocken und vergnügt da drinnen saßen. Da drinnen, dacht ich, muß sich's recht lieb und innig leben lassen, und die alte Großmutter erzählt gewiß die heimlichsten Geschichten. Während der Wagen unerbittlich vorbeifuhr, schaut ich noch oft zurück, um die bläulichen Rauchsäulen aus den kleinen Schornsteinen steigen zu sehen, und es regnete dann immer stärker, außer mir und in mir, daß mir fast die Tropfen aus den Augen herauskamen.

Oft hob sich auch mein Herz, und trotz dem schlechten Wetter klomm es zu den Leuten, die ganz oben auf den Bergen wohnen und vielleicht kaum einmal im Leben herabkommen und wenig erfahren von dem, was hier unten geschieht. Sie sind deshalb um nichts minder fromm und glücklich. Von der Politik wissen sie nichts, als daß sie einen Kaiser haben, der einen weißen Rock und rote Hosen trägt; das hat ihnen der alte Ohm erzählt, der es selbst in Innsbruck gehört von dem schwarzen Sepperl, der in Wien gewesen. Als nun die Patrioten zu ihnen hinaufkletterten und ihnen beredsam vorstellten, daß sie jetzt einen Fürsten bekommen, der einen blauen Rock und weiße Hosen trage, da griffen sie zu ihren Büchsen und küßten Weib und Kind und stiegen von den Bergen hinab und ließen sich totschlagen für den weißen Rock und die lieben alten roten Hosen.

Im Grunde ist es auch dasselbe, für was man stirbt, wenn nur für etwas Liebes gestorben wird, und so ein warmer, treuer Tod ist besser als ein kaltes, treuloses Leben. Schon allein die Lieder von einem solchen Tode, die süßen Reime und lichten Worte erwärmen unser Herz, wenn feuchte Nebelluft und zudringliche Sorgen es betrüben wollen.

Viel solcher Lieder klangen durch mein Herz, als ich über die Berge Tirols dahinfuhr. Die traulichen Tannenwälder rauschten mir so manch vergessenes Liebeswort ins Gedächtnis zurück. Besonders wenn mich die großen blauen Bergseen so unergründlich sehnsüchtig anschauten, dann dachte ich wieder an die beiden Kinder, die sich so lieb gehabt und zusammen gestorben sind. Es ist eine veraltete Geschichte, die auch jetzt niemand mehr glaubt und die ich selbst nur aus einigen Liederreimen kenne.

»Es waren zwei Königskinder,
Die hatten einander so lieb,
Sie konnten beisammen nicht kommen,
Das Wasser war viel zu tief –«

Diese Worte fingen von selbst wieder an in mir zu klingen, als ich, bei einem von jenen blauen Seen, am jenseitigen Ufer einen kleinen Knaben und am diesseitigen ein kleines Mädchen stehen sah, die beide in der bunten Volkstracht, mit bebänderten, grünen Spitzenhütchen auf dem Kopfe, gar wunderlieblich gekleidet waren und sich hinüber und herüber grüßten –

Sie konnten beisammen nicht kommen,
Das Wasser war viel zu tief.

Kapitel XIII

Im südlichen Tirol klärte sich das Wetter auf, die Sonne von Italien ließ schon ihre Nähe fühlen, die Berge wurden wärmer und glänzender, ich sah schon Weinreben, die sich daran hinaufrankten, und ich konnte mich schon öfter zum Wagen hinauslehnen. Wenn ich mich aber zum Wagen hinauslehne, so lehnt sich mein Herz mit mir hinaus und mit dem Herzen all seine Liebe, seine Wehmut und seine Torheit. Es ist mir oft geschehen, daß das arme Herz dadurch von den Dornen zerrissen wurde, wenn es sich nach den Rosenbüschen, die am Wege blühten, hinauslehnte, und die Rosen Tirols sind nicht häßlich. Als ich durch Steinach fuhr und den Markt besah, worauf Immermann den Sandwirt Hofer mit seinen Gesellen auftreten läßt, da fand ich, daß der Markt für eine Insurgentenversammlung viel zu klein wäre, aber noch immer groß genug ist, um sich darauf zu verlieben. Es sind da nur ein paar weiße Häuschen, und aus einem kleinen Fenster guckte eine kleine Sandwirtin und zielte und schoß aus ihren großen Augen; – wäre der Wagen nicht schnell vorübergerollt und hätte sie Zeit gehabt, noch einmal zu laden, so wäre ich gewiß geschossen. Ich rief: »Kutscher, fahr zu, mit einer solchen Schön-Elsy ist nicht zu spaßen; die steckt einem das Haus über dem Kopf in Brand.« Als gründlicher Reisender muß ich auch anführen, daß die Frau Wirtin in Sterzing zwar selbst eine alte Frau ist, aber dafür zwei junge Töchterlein hat, die einem das Herz, wenn es ausgestiegen ist, durch ihren Anblick recht wohltätig erwärmen. Aber dich darf ich nicht vergessen, du Schönste von allen, du schöne Spinnerin an den Marken Italiens! O hättest du mir, wie Ariadne dem Theseus, den Faden deines Gespinstes gegeben, um mich zu leiten durch das Labyrinth dieses Lebens, jetzt wäre der Minotaurus schon besiegt, und ich würde dich lieben und küssen und niemals verlassen!

»Es ist ein gutes Zeichen, wenn die Weiber lächeln«, sagt ein chinesischer Schriftsteller, und ein deutscher Schriftsteller war eben dieser Meinung, als er in Südtirol, wo Italien beginnt, einem Berge vorbeikam, an dessen Fuße, auf einem nicht sehr hohen Steindamm, eines von jenen Häuschen stand, die mit ihrer traulichen Galerie und ihren naiven Malereien uns so lieblich ansehen. Auf der einen Seite stand ein großes hölzernes Kruzifix, das einem jungen Weinstock als Stütze diente, so daß es fast schaurig heiter aussah, wie das Leben den Tod, die saftig grünen Reben den blutigen Leib und die gekreuzigten Arme und Beine des Heilands umrankten. Auf der anderen Seite des Häuschens stand ein runder Taubenkofen, dessen gefiedertes Völkchen flog hin und her, und eine ganz besonders anmutig weiße Taube saß auf dem hübschen Spitzdächlein, das, wie die fromme Steinkrone einer Heiligennische, über dem Haupte der schönen Spinnerin hervorragte. Diese saß auf der kleinen Galerie und spann, nicht nach der deutschen Spinnradmethode, sondern nach jener uralten Weise, wo ein flachsumzogener Wocken unter dem Arme gehalten wird und der abgesponnene Faden an der frei hängenden Spindel hinunterläuft. So spannen die Königstöchter in Griechenland, so spinnen noch jetzt die Parzen und alle Italienerinnen. Sie spann und lächelte, unbeweglich saß die Taube über ihrem Haupte, und über dem Hause selbst ragten hinten die hohen Berge, deren Schneegipfel die Sonne beschien, daß sie aussahen wie eine ernste Schutzwache von Riesen mit blanken Helmen auf den Häuptern.

Sie spann und lächelte, und ich glaube, sie hat mein Herz festgesponnen, während der Wagen etwas langsamer vorbeifuhr wegen des breiten Stromes der Eisach, die auf der andern Seite des Wegs dahinschoß. Die lieben Züge kamen mir den ganzen Tag nicht aus dem Gedächtnis, überall sah ich jenes holde Antlitz, das ein griechischer Bildhauer aus dem Dufte einer weißen Rose geformt zu haben schien, ganz so hingehaucht zart, so überselig edel, wie er es vielleicht einst als Jüngling geträumt in einer blühenden Frühlingsnacht. Die Augen freilich hätte kein Grieche erträumen und noch weniger begreifen können. Ich aber sah sie und begriff sie, diese romantischen Sterne, die so zauberhaft die antike Herrlichkeit beleuchteten. Den ganzen Tag sah ich diese Augen, und ich träumte davon in der folgenden Nacht. Da saß sie wieder und lächelte, die Tauben flatterten hin und her wie Liebesengel, auch die weiße Taube über ihrem Haupte bewegte mystisch die Flügel, hinter ihr hoben sich immer gewaltiger die behelmten Wächter, vor ihr hin jagte der Bach, immer stürmischer und wilder, die Weinreben umrankten mit ängstlicher Hast das gekreuzigte Holzbild, das sich schmerzlich regte und die leidenden Augen öffnete und aus den Wunden blutete – sie aber spann und lächelte, und an dem Faden ihres Wockens, gleich einer tanzenden Spindel, hing mein eigenes Herz.

Kapitel XIV

Während die Sonne immer schöner und herrlicher aus dem Himmel hervorblühte und Berg und Burgen mit Goldschleiern umkleidete, wurde es auch in meinem Herzen immer heißer und leuchtender, ich hatte wieder die ganze Brust voll Blumen, und diese sproßten hervor und wuchsen mir gewaltig über den Kopf, und durch die eignen Herzblumen hindurch lächelte wieder himmlisch die schöne Spinnerin. Befangen in solchen Träumen, selbst ein Traum, kam ich nach Italien, und da ich während der Reise schon ziemlich vergessen hatte, daß ich dorthin reiste, so erschrak ich fast, als mich all die großen italienischen Augen plötzlich ansahen und das buntverwirrte italienische Leben mir leibhaftig, heiß und summend, entgegenströmte.

Es geschah dieses aber in der Stadt Trient, wo ich an einem schönen Sonntag das Nachmittags ankam, zur Zeit, wo die Hitze sich legt und die Italiener aufstehen und in den Straßen auf und ab spazieren. Diese Stadt liegt alt und gebrochen in einem weiten Kreise von blühend grünen Bergen, die, wie ewig junge Götter, auf das morsche Menschenwerk herabsehen. Gebrochen und morsch liegt daneben auch die hohe Burg, die einst die Stadt beherrschte, ein abenteuerlicher Bau aus abenteuerlicher Zeit, mit Spitzen, Vorsprüngen, Zinnen und mit einem breitrunden Turm, worin nur noch Eulen und östreichische Invaliden hausen. Auch die Stadt selbst ist abenteuerlich gebaut, und wundersam wird einem zu Sinn beim ersten Anblick dieser uraltertümlichen Häuser mit ihren verblichenen Freskos, mit ihren zerbröckelten Heiligenbildern, mit ihren Türmchen, Erkern, Gitterfensterchen und jenen hervorstehenden Giebeln, die estradenartig auf grauen altersschwachen Pfeilern ruhen, welche selbst einer Stütze bedürften. Solcher Anblick wäre allzu wehmütig, wenn nicht die Natur diese abgestorbenen Steine mit neuem Leben erfrischte, wenn nicht süße Weinreben jene gebrechlichen Pfeiler, wie die Jugend das Alter, innig und zärtlich umrankten und wenn nicht noch süßere Mädchengesichter aus jenen trüben Bogenfenstern hervorguckten und über den deutschen Fremdling lächelten, der, wie ein schlafwandelnder Träumer, durch die blühenden Ruinen einherschwankt.

Ich war wirklich wie im Traum, wie in einem Traume, wo man sich auf irgend etwas besinnen will, was man ebenfalls einmal geträumt hat. Ich betrachtete abwechselnd die Häuser und die Menschen, und ich meinte fast, diese Häuser hätte ich einst in ihren besseren Tagen gesehen, als ihre hübschen Malereien noch farbig glänzten, als die goldenen Zieraten an den Fensterfriesen noch nicht so geschwärzt waren und als die marmorne Madonna, die das Kind auf dem Arme trägt, noch ihren wunderschönen Kopf auf hatte, den jetzt die bilderstürmende Zeit so pöbelhaft abgebrochen. Auch die Gesichter der alten Frauen schienen mir so bekannt, es kam mir vor, als wären sie herausgeschnitten aus jenen altitalienischen Gemälden, die ich einst als Knabe in der Düsseldorfer Galerie gesehen habe. Ebenfalls die alten Männer schienen mir so längst vergessen wohlbekannt, und sie schauten mich an mit ernsten Augen, wie aus der Tiefe eines Jahrtausends. Sogar die kecken jungen Mädchen hatten so etwas jahrtausendlich Verstorbenes und doch wieder blühend Aufgelebtes, daß mich fast ein Grauen anwandelte, ein süßes Grauen, wie ich es einst gefühlt, als ich in der einsamen Mitternacht meine Lippen preßte auf die Lippen Marias, einer wunderschönen Frau, die damals gar keinen Fehler hatte, außer daß sie tot war. Dann aber mußt ich wieder über mich selbst lächeln, und es wollte mich bedünken, als sei die ganze Stadt nichts anderes als eine hübsche Novelle, die ich einst einmal gelesen, ja, die ich selbst gedichtet, und ich sei jetzt in mein eigenes Gedicht hineingezaubert worden und erschräke vor den Gebilden meiner eigenen Schöpfung. Vielleicht auch, dacht ich, ist das Ganze wirklich nur ein Traum, und ich hätte herzlich gern einen Taler für eine einzige Ohrfeige gegeben, bloß um dadurch zu erfahren, ob ich wachte oder schlief.

Wenig fehlte, und ich hätte diesen Artikel noch wohlfeiler eingehandelt, als ich an der Ecke des Marktes über die dicke Obstfrau hinstolperte. Sie begnügte sich aber damit, mir einige wirkliche Feigen an die Ohren zu werfen, und ich gewann dadurch die Überzeugung, daß ich mich in der wirklichsten Wirklichkeit befand, mitten auf dem Marktplatz von Trient, neben dem großen Brunnen, aus dessen kupfernen Tritonen und Delphinen die silberklaren Wasser gar lieblich ermunternd emporsprangen. Links stand ein alter Palazzo, dessen Wände mit buntallegorischen Figuren bemalt waren und auf dessen Terrasse einige grau östreichische Soldaten zum Heldentume abgerichtet wurden. Rechts stand ein gotisch-lombardisch kapriziöses Häuslein, in dessen Innerem eine süße, flatterhafte Mädchenstimme so keck und lustig trillerte, daß die verwitterten Mauern vor Vergnügen oder Baufälligkeit zitterten, während oben aus dem Spitzfenster eine schwarze, labyrinthisch gekräuselte, komödiantenhafte Frisur herausguckte, worunter ein scharfgezeichnetes, dünnes Gesicht hervortrat, das nur auf der linken Wange geschminkt war und daher aussah wie ein Pfannkuchen, der erst auf einer Seite gebacken ist. Vor mir aber, in der Mitte, stand der uralte Dom, nicht groß, nicht düster, sondern wie ein heiterer Greis, recht bejahrt zutraulich und einladend.

Kapitel XV

Als ich den grünseidenen Vorhang, der den Eingang des Doms bedeckte, zurückschob und eintrat in das Gotteshaus, wurde mir Leib und Herz angenehm erfrischt von der lieblichen Luft, die dort wehte, und von dem besänftigend magischen Lichte, das durch die buntbemalten Fenster auf die betende Versammlung herabfloß. Es waren meistens Frauenzimmer, in lange Reihen hingestreckt auf den niedrigen Betbänken. Sie beteten bloß mit leiser Lippenbewegung und fächerten sich dabei beständig mit großen grünen Fächern, so daß man nichts hörte als ein unaufhörlich heimliches Wispern und nichts sah als Fächerschlag und wehende Schleier. Der knarrende Tritt meiner Stiefeln störte manche schöne Andacht, und große katholische Augen sahen mich an, halb neugierig, halb liebwillig, und mochten mir wohl raten, mich ebenfalls hinzustrecken und Seelensieste zu halten.

Wahrlich, ein solcher Dom mit seinem gedämpften Lichte und seiner wehenden Kühle ist ein angenehmer Aufenthalt, wenn draußen greller Sonnenschein und drückende Hitze. Davon hat man gar keinen Begriff in unserem protestantischen Norddeutschland, wo die Kirchen nicht so komfortabel gebaut sind und das Licht so frech durch die unbemalten Vernunftscheiben hineinschießt und selbst die kühlen Predigten vor der Hitze nicht genug schützen. Man mag sagen, was man will, der Katholizismus ist eine gute Sommerreligion. Es läßt sich gut liegen auf den Bänken dieser alten Dome, man genießt dort die kühle Andacht, ein heiliges Dolce far niente, man betet und träumt und sündigt in Gedanken, die Madonnen nicken so verzeihend aus ihren Nischen, weiblich gesinnt verzeihen sie sogar, wenn man ihre eignen holden Züge in die sündigen Gedanken verflochten hat, und zum Überfluß steht noch in jeder Ecke ein brauner Notstuhl des Gewissens, wo man sich seiner Sünden entledigen kann.

In einem solchen Stuhle saß ein junger Mönch mit ernster Miene, das

Gesicht der Dame, die ihm ihre Sünden beichtete, war mir aber teils durch ihren weißen Schleier, teils durch das Seitenbrett des Beichtstuhls verborgen. Doch kam außerhalb desselben eine Hand zum Vorschein, die mich gleichsam festhielt. Ich konnte nicht aufhören, diese Hand zu betrachten; das bläuliche Geäder und der vornehme Glanz der weißen Finger war mir so befremdlich wohlbekannt, und alle Traumgewalt meiner Seele kam in Bewegung, um ein Gesicht zu bilden, das zu dieser Hand gehören konnte. Es war eine schöne Hand, und nicht wie man sie bei jungen Mädchen findet, die, halb Lamm, halb Rose, nur gedankenlose, vegetabil-animalische Hände haben, sie hatte vielmehr so etwas Geistiges, so etwas geschichtlich Reizendes, wie die Hände von schönen Menschen, die sehr gebildet sind oder viel gelitten haben. Diese Hand hatte dabei auch so etwas rührend Unschuldiges, daß es schien, als ob sie nicht mitzubeichten brauche und auch nicht hören wolle, was ihre Eigentümerin beichtete, und gleichsam draußen warte, bis diese fertig sei. Das dauerte aber lange; die Dame mußte viele Sünden zu erzählen haben. Ich konnte nicht länger warten, meine Seele drückte einen unsichtbaren Abschiedskuß auf die schöne Hand, diese zuckte in demselben Momente, und zwar so eigentümlich, wie die Hand der toten Maria zu zucken pflegte, wenn ich sie berührte. Um Gottes willen, dacht ich, was tut die tote Maria in Trient? – und ich eilte aus dem Dome.

Kapitel XVI

Als ich wieder über den Marktplatz ging, grüßte mich an der Ecke die bereits erwähnte Obstfrau recht freundlich und recht zutraulich, als wären wir alte Bekannte. Gleichviel, dacht ich, wie man eine Bekanntschaft macht, wenn man nur miteinander bekannt wird. Ein paar an die Ohren geworfene Feigen sind zwar nicht immer die beste Introduktion; aber ich und die Obstfrau sahen uns jetzt doch so freundlich an, als hätten wir uns wechselseitig die besten Empfehlungsschreiben überreicht. Die Frau hatte auch keineswegs ein übles Aussehn. Sie war freilich schon etwas in jenem Alter, wo die Zeit unsere Dienstjahre mit fatalen Chevrons auf die Stirne anzeichnet; jedoch dafür war sie auch desto korpulenter, und was sie an Jugend eingebüßt, das hatte sie an Gewicht gewonnen. Dazu trug ihr Gesicht noch immer die Spuren großer Schönheit, und wie auf alten Töpfen stand darauf geschrieben: »Lieben und geliebt zu werden ist das größte Glück auf Erden.« Was ihr aber den köstlichsten Reiz verlieh, das war die Frisur, die gekräuselten Locken, kreideweiß gepudert, mit Pomade reichlich gedüngt und idyllisch mit weißen Glokkenblumen durchschlungen. Ich betrachtete diese Frau mit derselben Aufmerksamkeit, wie irgendein Antiquar seine ausgegrabenen Marmortorsos betrachtet, ich konnte an jener lebenden Menschenruine noch viel mehr studieren, ich konnte die Spuren aller Zivilisationen Italiens an ihr nachweisen, der etruskischen, römischen, gotischen, lombardischen, bis herab auf die gepudert moderne, und recht interessant war mir das zivilisierte Wesen dieser Frau im Kontrast mit Gewerb und leidenschaftlicher Gewöhnung. Nicht minder interessant waren mir die Gegenstände ihres Gewerbes, die frischen Mandeln, die ich noch nie in ihrer ursprünglich grünen Schale gesehn, und die duftig frischen Feigen, die hochaufgeschüttet lagen, wie bei uns die Birnen. Auch die großen Körbe mit frischen Zitronen und Orangen ergötzten mich; und wunderlieblicher Anblick! in einem leeren Korbe daneben lag ein bildschöner Knabe, der ein kleines Glöckchen in den Händen hielt und, während jetzt die große Domglocke läutete, zwischen jedem Schlag derselben mit seinem kleinen Glöckchen klingelte und dabei so weltvergessen selig in den blauen Himmel hineinlächelte, daß mir selbst wieder die drolligste Kinderlaune im Gemüte aufstieg und ich mich, wie ein Kind, vor die lachenden Körbe hinstellte und naschte und mit der Obstfrau diskurierte.

Wegen meines gebrochenen Italienischsprechens hielt sie mich im Anfang für einen Engländer; aber ich gestand ihr, daß ich nur ein Deutscher sei. Sie machte sogleich viel geographische, ökonomische, hortologische, klimatische Fragen über Deutschland und wunderte sich, als ich ihr ebenfalls gestand, daß bei uns keine Zitronen wachsen, daß wir die wenigen Zitronen, die wir aus Italien bekommen, sehr pressen müssen, wenn wir Punsch machen, und daß wir dann aus Verzweiflung desto mehr Rum zugießen. »Ach liebe Frau!« sagte ich ihr, »in unserem Lande ist es sehr frostig und feucht, unser Sommer ist nur ein grün angestrichener Winter, sogar die Sonne muß bei uns eine Jacke von Flanell tragen, wenn sie sich nicht erkälten will; bei diesem gelben Flanellsonnenschein können unsere Früchte nimmermehr gedeihen, sie sehen verdrießlich und grün aus, und unter uns gesagt, das einzige reife Obst, das wir haben, sind gebratene Äpfel. Was die Feigen betrifft, so müssen wir sie ebenfalls, wie die Zitronen und Orangen, aus fremden Ländern beziehen, und durch das lange Reisen werden sie dumm und mehlig; nur die schlechteste Sorte können wir frisch aus der ersten Hand bekommen, und diese ist so bitter, daß, wer sie umsonst bekommt, noch obendrein eine Realinjurienklage anstellt. Von den Mandeln haben wir bloß die geschwollenen. Kurz, uns fehlt alles edle Obst, und wir haben nichts als Stachelbeeren, Birnen, Haselnüsse, Zwetschen und dergleichen Pöbel.«

Kapitel XVII

Ich freute mich wirklich, schon gleich bei meiner Ankunft in Italien eine gute Bekanntschaft gemacht zu haben, und hätten mich nicht wichtige Gefühle nach Süden gezogen, so wäre ich vor der Hand in Trient geblieben, bei der guten Obstfrau, bei den guten Feigen und Mandeln, bei dem kleinen Glöckner und, soll ich die Wahrheit sagen, bei den schönen Mädchen, die rudelweise vorbeiströmten. Ich weiß nicht, ob andere Reisende hier das Beiwort »schön« billigen werden; mir aber gefielen die Trienterinnen ganz ausnehmend gut. Es war just die Sorte, die ich liebe: – und ich liebe diese blassen, elegischen Gesichter, wo die großen, schwarzen Augen so liebeskrank herausstrahlen; ich liebe auch den dunkeln Teint jener stolzen Hälse, die schon Phöbos geliebt und braun geküßt hat; ich liebe sogar jene überreife Nacken, worin purpurne Pünktchen, als hätten lüsterne Vögel daran gepickt; vor allem aber liebe ich jenen genialen Gang, jene stumme Musik des Leibes, jene Glieder, die sich in den süßesten Rhythmen bewegen, üppig, schmiegsam, göttlich liederlich, sterbefaul, dann wieder ätherisch erhaben und immer hochpoetisch. Ich liebe dergleichen, wie ich die Poesie selbst liebe, und diese melodisch bewegten Gestalten, dieses wunderbare Menschenkonzert, das an mir vorüberrauschte, fand sein Echo in meinem Herzen und weckte darin die verwandten Töne.

Es war jetzt nicht mehr die Zaubermacht der ersten Überraschung, die Märchenhaftigkeit der wildfremden Erscheinung, es war schon der ruhige Geist, der, wie ein wahrer Kritiker ein Gedicht liest, jene Frauenbilder mit entzückt besonnenem Auge betrachtete. Und bei solcher Betrachtung entdeckt man viel, viel Trübes, den Reichtum der Vergangenheit, die Armut der Gegenwart und den zurückgebliebenen Stolz. Gern möchten die Töchter Trients sich noch schmücken wie zu den Zeiten des Konziliums, wo die Stadt blühte in Samt und Seide; aber das Konzilium hat wenig ausgerichtet, der Samt ist abgeschabt, die Seide zerfetzt, und den armen Kindern blieb nichts als kümmerlicher Flitterstaat, den sie in der Woche ängstlich schonen und womit sie sich nur noch des Sonntags putzen. Manche aber entbehren auch dieser Reste eines verschollenen Luxus und müssen sich mit allerlei ordinären und wohlfeilen Fabrikaten unsers Zeitalters behelfen. Da gibt es nun gar rührende Kontraste zwischen Leib und Kleid; der feingeschnittene Mund scheint fürstlich gebieten zu dürfen und wird höhnisch überschattet von einem armseligen Basthut mit zerknitterten Papierblumen, der stolzeste Busen wogt in einer Krause von plump falschen Garnspitzen, und die geistreichsten Hüften umschließt der dümmste Kattun. Wehmut, dein Name ist Kattun, und zwar braungestreifter Kattun! Denn ach! nie hat mich etwas wehmütiger gestimmt als der Anblick einer Trienterin, die an Gestalt und Gesichtsfarbe einer marmornen Göttin glich und auf diesem antik edlen Leib ein Kleid von braungestreiftem Kattun trug, so daß es aussah, als sei die steinerne Niobe plötzlich lustig geworden und habe sich maskiert in unsere moderne Kleintracht und schreite bettelstolz und grandios unbeholfen durch die Straßen Trients.

Kapitel XVIII

Als ich nach der Lokanda dell' Grande Europa zurückkehrte, wo ich mir ein gutes Pranzo bestellt hatte, war mir wirklich so wehmütig zu Sinn, daß ich nicht essen konnte, und das will viel sagen. Ich setzte mich vor die Türe der nachbarlichen Bottega, erfrischte mich mit Sorbet und sprach in mich hinein:

»Grillenhaftes Herz! jetzt bist du ja in Italien – warum tirilierst du nicht? Sind vielleicht die alten deutschen Schmerzen, die kleinen Schlangen, die sich tief in dir verkrochen, jetzt mit nach Italien gekommen, und sie freuen sich jetzt, und eben ihr gemeinschaftlicher Jubel erregt nun in der Brust jenes pittoreske Weh, das darin so seltsam sticht und hüpft und pfeift? Und warum sollten sich die alten Schmerzen nicht auch einmal freuen? Hier in Italien ist es ja so schön, das Leiden selbst ist hier so schön, in diesen gebrochenen Marmorpalazzos klingen die Seufzer viel romantischer als in unseren netten Ziegelhäuschen, unter jenen Lorbeerbäumen läßt sich viel wollüstiger weinen als unter unseren mürrisch zackigen Tannen, und nach den idealischen Wolkenbildern des himmelblauen Italiens läßt sich viel süßer hinaufschmachten als nach dem aschgrau deutschen Werkeltagshimmel, wo sogar die Wolken nur ehrliche Spießbürgerfratzen schneiden und langweilig herabgähnen! Bleibt nur in meiner Brust, ihr Schmerzen! Ihr findet nirgends ein besseres Unterkommen. Ihr seid mir lieb und wert, und keiner weiß euch besser zu hegen und zu pflegen als ich, und ich gestehe euch, ihr macht mir Vergnügen. Und überhaupt, was ist denn Vergnügen? Vergnügen ist nichts als ein höchst angenehmer Schmerz.«

Ich glaube, die Musik, die, ohne daß ich darauf achtete, vor der Bottega erklang und einen Kreis von Zuschauern schon um sich gezogen, hatte melodramatisch diesen Monolog begleitet. Es war ein wunderliches Trio, bestehend aus zwei Männern und einem jungen Mädchen, das die Harfe spielte. Der eine von jenen beiden, winterlich gekleidet in einen weißen Flausrock, war ein stämmiger Mann, mit einem dickroten Banditengesicht, das aus den schwarzen Haupt- und Barthaaren, wie ein drohender Komet, hervorbrannte, und zwischen den Beinen hielt er eine ungeheure Baßgeige, die er so wütend strich, als habe er in den Abruzzen einen armen Reisenden niedergeworfen und wolle ihm geschwinde die Gurgel abfiedeln; der andre war ein langer, hagerer Greis, dessen morsche Gebeine in einem abgelebt schwarzen Anzuge schlotterten und dessen schneeweiße Haare mit seinem Buffogesang und seinen närrischen Kapriolen gar kläglich kontrastierten. Ist es schon betrübend, wenn ein alter Mann die Ehrfurcht, die man seinen Jahren schuldig ist, aus Not verkaufen und sich zur Possenreißerei hergeben muß: wieviel trübseliger ist es noch, wenn er solches in Gegenwart oder gar in Gesellschaft seines Kindes tut! und jenes Mädchen war die Tochter des alten Buffo, und sie akkompagnierte mit der Harfe die unwürdigsten Späße des greisen Vaters oder stellte auch die Harfe beiseite und sang mit ihm ein komisches Duett, wo er einen verliebten alten Gecken und sie seine junge neckische Amante vorstellte. Obendrein schien das Mädchen kaum aus den Kinderjahren getreten zu sein, ja es schien, als habe man das Kind, ehe es noch zur Jungfräulichkeit gelangt war, gleich zum Weibe gemacht, und zwar zu keinem züchtigen Weibe. Daher das bleichsüchtige Welken und der zuckende Mißmut des schönen Gesichtes, dessen stolzgeschwungene Formen jedes ahnende Mitleid gleichsam verhöhnten; daher die verborgene Kümmerlichkeit der Augen, die unter ihren schwarzen Triumphbogen so herausfordernd leuchteten; daher der tiefe Schmerzenston, der so unheimlich kontrastierte mit den lachend schönen Lippen, denen er entschlüpfte; daher die Krankhaftigkeit der überzarten Glieder, die ein kurzes, ängstlich violettes Seidenkleidchen so tief als möglich umflatterte. Dabei flaggten grellbunte Atlasbänder auf dem verjährten Strohhut, und die Brust zierte gar sinnbildlich eine offne Rosenknospe, die mehr gewaltsam aufgerissen als in eigener Entfaltung aus der grünen Hülle hervorgeblüht zu sein schien. Indessen, über dem unglücklichen Mädchen, diesem Frühling, den der Tod schon verderblich angehaucht, lag eine unbeschreibliche Anmut, eine Grazie, die sich in jeder Miene, in jeder Bewegung, in jedem Tone kund gab und selbst dann nicht ganz sich verleugnete, wenn sie mit vorgeworfenem Leibchen und ironischer Lüsternheit dem alten Vater entgegentänzelte, der ebenso unsittsam mit vorgestrecktem Bauchgerippe zu ihr heranwackelte. Je frecher sie sich gebärdete, desto tieferes Mitleid flößte sie mir ein, und wenn ihr Gesang dann weich und wunderbar aus ihrer Brust hervorstieg und gleichsam um Verzeihung bat, dann jauchzten in meiner Brust die kleinen Schlangen und bissen sich vor Vergnügen in den Schwanz. Auch die Rose schien mich dann wie bittend anzusehen, einmal sah ich sie sogar zittern, erbleichen – aber in demselben Augenblick schlugen die Triller des Mädchens um so lachender in die Höhe, der Alte meckerte noch verliebter, und das rote Kometgesicht marterte seine Bratsche so grimmig, daß sie die entsetzlich drolligsten Töne von sich gab und die Zuhörer noch toller jubelten.

Kapitel XIX

Es war eine echt italienisches Musikstück, aus irgendeiner beliebten Opera Buffa, jener wundersamen Gattung, die dem Humor den freiesten Spielraum gewährt und worin er sich all seiner springenden Lust, seiner tollen Empfindelei, seiner lachenden Wehmut und seiner lebenssüchtigen Todesbegeisterung überlassen kann. Es war ganz Rossinische Weise, wie sie sich im »Barbier von Sevilla« am lieblichsten offenbart. Die Verächter italienischer Musik, die auch dieser Gattung den Stab brechen, werden einst in der Hölle ihrer wohlverdienten Strafe nicht entgehen und sind vielleicht verdammt, die lange Ewigkeit hindurch nichts anderes zu hören als Fugen von Sebastian Bach. Leid ist es mir um so manchen meiner Kollegen, z. B. um Rellstab, der ebenfalls dieser Verdammnis nicht entgehen wird, wenn er sich nicht vor seinem Tode zu Rossini bekehrt. Rossini, divino Maestro, Helios von Italien, der du deine klingenden Strahlen über die Welt verbreitest! verzeih meinen armen Landsleuten, die dich lästern auf Schreibpapier und auf Löschpapier! Ich aber erfreue mich deiner goldenen Töne, deiner melodischen Lichter, deiner funkelnden Schmetterlingsträume, die mich so lieblich umgaukeln und mir das Herz küssen wie mit Lippen der Grazien! Divino Maestro, verzeih meinen armen Landsleuten, die deine Tiefe nicht sehen, weil du sie mit Rosen bedeckst, und denen du nicht gedankenschwer und gründlich genug bist, weil du so leicht flatterst, so gottbeflügelt! – Freilich, um die heutige italienische Musik zu lieben und durch die Liebe zu verstehn, muß man das Volk selbst vor Augen haben, seinen Himmel, seinen Charakter, seine Mienen, seine Leiden, seine Freuden, kurz seine ganze Geschichte, vom Romulus, der das heilige römische Reich gestiftet, bis auf die neueste Zeit, wo es zugrunde ging, unter Romulus Augustulus II. Dem armen geknechteten Italien ist ja das Sprechen verboten, und es darf nur durch Musik die Gefühle seines Herzens kund geben. All sein Groll gegen fremde Herrschaft, seine Begeisterung für die Freiheit, sein Wahnsinn über das Gefühl der Ohnmacht, seine Wehmut bei der Erinnerung an vergangene Herrlichkeit, dabei sein leises Hoffen, sein Lauschen, sein Lechzen nach Hülfe, alles dieses verkappt sich in jene Melodien, die von grotesker Lebenstrunkenheit zu elegischer Weichheit herabgleiten, und in jene Pantomimen, die von schmeichelnden Karessen zu drohendem Ingrimm überschnappen.

Das ist der esoterische Sinn der Opera Buffa. Die exoterische Schildwache, in deren Gegenwart sie gesungen und dargestellt wird, ahnt nimmermehr die Bedeutung dieser heiteren Liebesgeschichten, Liebesnöte und Liebesneckereien, worunter der Italiener seine tödlichsten Befreiungsgedanken verbirgt, wie Harmodius und Aristogiton ihren Dolch verbargen in einem Kranze von Myrten. Das ist halb närrisches Zeug, sagt die exoterische Schildwache, und es ist gut, daß sie nichts merkt. Denn sonst würde der Impresario mitsamt der Prima Donna und dem Primo Uomo bald jene Bretter betreten, die eine Festung bedeuten; es würde eine Untersuchungskommission niedergesetzt werden, alle staatsgefährliche Triller und revolutionärrische Koloraturen kämen zu Protokoll, man würde eine Menge Arlekine, die in weiteren Verzweigungen verbrecherischer Umtriebe verwickelt sind, auch den Tartaglia, den Brighella, sogar den alten bedächtigen Pantalon arretieren, dem

Dottore von Bologna würde man die Papiere versiegeln, er selbst würde sich in noch größeren Verdacht hineinschnattern, und Columbine müßte sich, über dieses Familienunglück, die Augen rot weinen. Ich denke aber, daß solches Unglück noch nicht über diese guten Leute hereinbrechen wird, indem die italienischen Demagogen pfiffiger sind als die armen Deutschen, die, Ähnliches beabsichtigend, sich als schwarze Narren mit schwarzen Narrenkappen vermummt hatten, aber so auffallend trübselig aussahen und bei ihren gründlichen Narrensprüngen, die sie Turnen nannten, sich so gefährlich anstellten und so ernsthafte Gesichter schnitten, daß die Regierungen endlich aufmerksam werden und sie einstecken mußten.

Kapitel XX

Die kleine Harfenistin mußte wohl bemerkt haben, daß ich, während sie sang und spielte, oft nach ihrer Busenrose hinblickte, und als ich nachher auf den zinnernen Teller, womit sie ihr Honorar einsammelte, ein Geldstück warf, das nicht allzu klein war, da lächelte sie schlau und frug heimlich: ob ich ihre Rose haben wolle?

Nun bin ich aber der höflichste Mensch von der Welt, und um die Welt! möchte ich nicht eine Rose beleidigen, und sei es auch eine Rose, die sich schon ein bißchen verduftet hat. Und wenn sie auch nicht mehr, so dacht ich, ganz frisch riecht und nicht mehr im Geruche der Tugend ist, wie etwa die Rose von Saron, was kümmert es mich, der ich ja doch den Stockschnupfen habe! Und nur die Menschen nehmen's so genau. Der Schmetterling fragt nicht die Blume: hat schon ein anderer dich geküßt? Und diese fragt nicht: hast du schon eine andere umflattert? Dazu kam noch, daß die Nacht hereinbrach, und des Nachts, dacht ich, sind alle Blumen grau, die sündigste Rose ebenso gut wie die tugendhafteste Petersilie. Kurz und gut, ohne allzu langes Zögern sagte ich zu der kleinen Harfenistin: »Si, Signora« – – –

Denk nur nichts Böses, lieber Leser. Es war dunkel geworden, und die Sterne sahen so klar und fromm herab in mein Herz. Im Herzen selbst aber zitterte die Erinnerung an die tote Maria. Ich dachte wieder an jene Nacht, als ich vor dem Bette stand, worauf der schöne, blasse Leib lag mit sanften stillen Lippen – Ich dachte wieder an den sonderbaren Blick, den mir die alte Frau zuwarf, die bei der Leiche wachen sollte und mir ihr Amt auf einige Stunden überließ – Ich dachte wieder an die Nachtviole, die im Glase auf dem Tische stand und so seltsam duftete – Auch durchschauerte mich wieder der Zweifel: ob es wirklich ein Windzug war, wovon die Lampe erlosch? Ob wirklich kein Dritter im Zimmer war?

Kapitel XXI

Ich ging bald zu Bette, schlief bald ein und verwickelte mich in närrische Träume. Ich träumte mich nämlich wieder einige Stunden zurück, ich kam wieder an in Trient, ich staunte wieder wie vorher, und jetzt um so mehr, da lauter Blumen statt Menschen in den Straßen spazieren gingen.

Da wandelten glühende Nelken, die sich wollüstig fächerten, kokettierende Balsaminen, Hyazinthen mit hübschen leeren Glockenköpfchen, hinterher ein Troß von schnurrbärtigen Narzissen und tölpelhaften Rittersporen. An der Ecke zankten sich zwei Maßliebchen. Aus dem Fenster eines alten Hauses von krankhaftem Aussehen guckte eine gesprenkelte Levkoje, gar närrisch buntgeputzt, und hinter ihr erklang eine niedlich duftende Veilchenstimme. Auf dem Balkon des großen Palazzos am Markte war der ganze Adel versammelt, die hohe Noblesse, nämlich jene Lilien, die nicht arbeiten und nicht spinnen und sich doch ebenso prächtig dünken wie König Salomon in all seiner Herrlichkeit. Auch die dicke Obstfrau glaubte ich dort zu sehen; doch als ich genauer hinblickte, war es nur eine verwinterte Ranunkel, die gleich auf mich loskeifte: »Was wollen Sie unreife Blite? Sie saure Jurke? Sie ordinäre Blume mit man eenen Stoobfaden? Ich will Ihnen schon begießen!« Vor Angst eilte ich in den Dom und überrannte fast ein altes hinkendes Stiefmütterchen, das sich von einem Gänseblümchen das Gebetbuch nachtragen ließ. Im Dome aber war es wieder recht angenehm; in langen Reihen saßen da Tulpen von allen Farben und bewegten andächtig die Köpfe. Im Beichtstuhl saß ein schwarzer Rettich, und vor ihm kniete eine Blume, deren Gesicht nicht zum Vorschein kam. Doch sie duftete so wohlbekannt schauerlich, daß ich seltsamerweise wieder an die Nachtviole dachte, die im Zimmer stand, wo die tote Maria lag.

Als ich wieder aus dem Dome trat, begegnete mir ein Leichenzug von lauter Rosen mit schwarzen Flören und weißen Taschentüchern, und ach! auf der Bahre lag die frühzerrissene Rose, die ich am Busen der kleinen Harfenistin kennen gelernt. Sie sah jetzt noch viel anmutiger aus, aber ganz kreideblaß, eine weiße Rosenleiche. Bei einer kleinen Kapelle wurde der Sarg niedergesetzt; da gab es nichts als Weinen und Schluchzen, und endlich trat eine alte Klatschrose hervor und hielt eine lange Leichenpredigt, worin sie viel schwatzte von den Tugenden der Hingeschiedenen, von einem irdischen Katzenjammertal, von einem besseren Sein, von Liebe, Hoffnung und Glaube, alles in einem näselnd singenden Tone, eine breitgewässerte Rede, und so lang und langweilig, daß ich davon erwachte.

Kapitel XXII

Mein Vetturin hatte früher denn Helios seine Gäule angeschirrt, und schon um Mittagszeit erreichten wir Ala. Hier pflegen die Vetturine einige Stunden zu halten, um ihre Wagen zu wechseln.

Ala ist schon ein echt italienisches Nest. Die Lage ist pittoresk, an einem Berghang, ein Fluß rauscht vorbei, heitergrüne Weinreben umranken hie und da die übereinanderstolpernden, zusammengeflickten Bettlerpaläste. An der Ecke des windschiefen Marktes, der so klein ist wie ein Hühnerhof, steht mit großmächtigen, gigantischen Buchstaben: Piazza di San Marco. Auf dem steinernen Bruchstück eines großen, altadligen Wappenschilds saß dort ein kleiner Knabe und notdürftelte. Die blanke Sonne beschien seine naive Rückseite, und in den Händen hielt er ein papiernes Heiligenbild, das er vorher inbrünstig küßte. Ein kleines, bildschönes Mädchen stand betrachtungsvoll daneben und blies zuweilen akkompagnierend in eine hölzerne Kindertrompete.

Das Wirtshaus, wo ich einkehrte und zu Mittag speiste, war ebenfalls schon von echt italienischer Art. Oben, auf dem ersten Stockwerk, eine freie Estrade mit der Aussicht nach dem Hofe, wo zerschlagene Wagen und sehnsüchtige Misthaufen lagen, Truthähne mit närrisch roten Schnabellappen und bettelstolze Pfauen einherspazierten und ein halb Dutzend zerlumpter, sonnverbrannter Buben sich nach der Bell- und Lancasterschen Methode lausten. Auf jener Estrade, längs dem gebrochenen Eisengeländer, gelangt man in ein weites, hallendes Zimmer. Fußboden von Marmor, in der Mitte ein breites Bett, worauf die Flöhe Hochzeit halten; überall großartiger Schmutz. Der Wirt sprang hin und her, um meine Wünsche zu vernehmen. Er trug einen hastig grünen

Leibrock und ein vielfältig bewegtes Gesicht, worin eine lange höckerige Nase, mit einer haarigen roten Warze, die mitten darauf saß wie ein rotjäckiger Affe auf dem Rücken eines Kamels. Er sprang hin und her, und es war dann, als ob das rote Äffchen auf seiner Nase ebenfalls hin und her spränge. Es dauerte aber eine Stunde, ehe er das Mindeste brachte, und wenn ich deshalb schalt, so beteuerte er, daß ich schon sehr gut italienisch spreche.

Ich mußte mich lange mit dem lieblichen Bratenduft begnügen, der mir entgegenwogte aus der türlosen Küche gegenüber, wo Mutter und Tochter nebeneinander saßen und sangen und Hühner rupften. Erstere war remarkabel korpulent; Brüste, die sich überreichlich hervorbäumten, die jedoch noch immer klein waren im Vergleich mit dem kolossalen Hintergestell, so daß jene erst die Institutionen zu sein schienen, dieses aber ihre erweiterte Ausführung als Pandekten. Die Tochter, eine nicht sehr große, aber stark geformte Person, schien sich ebenfalls zur Korpulenz hinzuneigen; aber ihr blühendes Fett war keineswegs mit dem alten Talg der Mutter zu vergleichen. Ihre Gesichtszüge waren nicht sanft, nicht jugendlich liebreizend, jedoch schön gemessen, edel, antik; Locken und Augen brennend schwarz. Die Mutter hingegen hatte flache, stumpfe Gesichtszüge, eine rosenrote Nase, blaue Augen, wie Veilchen in Milch gekocht, und liljenweiß gepuderte Haare. Dann und wann kam der Wirt, il Signor Padre, herangesprungen und fragte nach irgendeinem Geschirr oder Geräte, und im Rezitativ bekam er die ruhige Weisung, es selbst zu suchen. Denn schnalzte er mit der Zunge, kramte in den Schränken, kostete aus den kochenden Töpfen, verbrannte sich das Maul und sprang wieder fort, und mit ihm sein Nasenkamel und das rote Äffchen. Hinter ihnen drein schlugen dann die lustigen Triller, wie liebreiche Verhöhnung und Familienneckerei.

Aber diese gemütliche, fast idyllische Wirtschaft unterbrach plötzlich ein Donnerwetter; ein vierschrötiger Kerl mit einem brüllenden Mordgesicht stürzte herein und schrie etwas, das ich nicht verstand. Als beide Frauenzimmer verneinend die Köpfe schüttelten, geriet er in die tollste Wut und spie Feuer und Flamme, wie ein kleiner Vesuv, der sich ärgert. Die Wirtin schien in Angst zu geraten und flüsterte begütigende Worte, die aber eine entgegengesetzte Wirkung hervorbrachten, so daß der rasende Mensch eine eiserne Schaufel ergriff, einige unglückliche Teller und Flaschen zerschlug und auch die arme Frau geschlagen haben würde, hätte nicht die Tochter ein langes Küchenmesser erfaßt und ihn niederzustechen gedroht, im Fall er nicht sogleich abzöge.

Es war ein schöner Anblick, das Mädchen stand da blaßgelb und vor Zorn erstarrend, wie ein Marmorbild, die Lippen ebenfalls bleich, die Augen tief und tödlich, eine blaugeschwollene Ader quer über der Stirn, die schwarzen Locken wie flatternde Schlangen, in den Händen ihr blutiges Messer – Ich schauerte vor Lust, denn leibhaftig sah ich vor mir das Bild der Medea, wie ich es oft geträumt in meinen Jugendnächten, wenn ich entschlummert war an dem lieben Herzen Melpomenes, der finster schönen Göttin.

Während dieser Szene kam der Signor Padre nicht im mindesten aus dem Geleise, mit geschäftiger Seelenruhe raffte er die Scherben vom Boden auf, suchte die Teller zusammen, die noch am Leben geblieben, brachte mir darauf: Zuppa mit Parmesankäse, einen Braten derb und fest wie deutsche Treue, Krebse rot wie Liebe, grünen Spinat wie Hoffnung mit Eier und zum Dessert gestovte Zwiebeln, die mir Tränen der Rührung aus den Augen lockten. »Das hat nichts zu bedeuten, das ist nun mal Pietros Methode«, sprach er, als ich verwundert nach der Küche zeigte; und wirklich, nachdem der Urheber des Zanks sich entfernt hatte, schien es, als ob dort gar nichts vorgefallen sei, Mutter und Tochter saßen wieder ruhig nach wie vor und sangen und rupften Hühner.

Die Rechnung überzeugte mich, daß auch der Signor Padre sich aufs Rupfen verstand, und als ich ihm dennoch, außer der Zahlung, etwas für die gute Hand gab, da nieste er so vergnügt stark, daß das Äffchen beinah von seinem Sitze herabgefallen wäre. Hierauf winkte ich freundlich hinüber nach der Küche, freundlich war der Gegengruß, bald saß ich in dem eingetauschten Wagen, fuhr rasch hinab in die lombardische Ebene und erreichte gegen Abend die uralte, weltberühmte Stadt Verona.

Kapitel XXIII

Die bunte Gewalt der neuen Erscheinungen bewegte mich in Trient nur dämmernd und ahndungsvoll, wie Märchenschauer; in Verona aber erfaßte sie mich wie ein mächtiger Fiebertraum voll heißer Farben, scharfbestimmter Formen, gespenstischer Trompetenklänge und fernen Waffengeräusches. Da war manch verwitterter Palast, der mich so stier ansah, als wollte er mir ein altes Geheimnis anvertrauen, und er scheuete sich nur vor dem Gewühl der zudringlichen Tagesmenschen und bäte mich, zur Nachtzeit wieder zu kommen. Jedoch trotz dem Gelärm des Volkes und trotz der wilden Sonne, die ihr rotes Licht hineingoß, hat doch hie und da ein alter dunkler Turm mir ein bedeutendes Wort zugeworfen, hie und da vernahm ich das Geflüster zerbrochener Bildsäulen, und als ich gar über eine kleine Treppe ging, die nach der Piazza de' Signori führte, da erzählten mir die Steine eine furchtbar blutige Geschichte, und ich las an der Ecke die Worte: Scala Mazzanti.

Verona, die uralte, weltberühmte Stadt, gelegen auf beiden Seiten der Etsch, war immer gleichsam die erste Station für die germanischen Wandervölker, die ihre kaltnordischen Wälder verließen und über die Alpen stiegen, um sich im güldenen Sonnenschein des lieblichen Italiens zu erlustigen. Einige zogen weiter hinab, anderen gefiel es schon gut genug am Orte selbst, und sie machten es sich heimatlich bequem und zogen seidne Hausgewänder an und ergingen sich friedlich unter Blumen und Zypressen, bis neue Ankömmlinge, die noch ihre frischen Eisenkleider anhatten, aus dem Norden kamen und sie verdrängten – eine Geschichte, die sich oft wiederholte und von den Historikern die Völkerwanderung genannt wird. Wandelt man jetzt durch das Weichbild Veronas, so findet man überall die abenteuerlichen Spuren jener Tage, so wie auch die Spuren der älteren und der späteren Zeiten. An die Römer mahnt besonders das Amphitheater und der Triumphbogen; an die Zeit des Theoderichs, des Dietrichs von Bern, von dem die Deutschen noch singen und sagen, erinnern die fabelhaften Reste so mancher byzantinisch vorgotischen Bauwerke; tolle Trümmer erinnern an König Alboin und seine wütenden Longobarden; sagenreiche Denkmale mahnen an Carolum Magnum, dessen Paladine an der Pforte des Doms ebenso fränkisch roh gemeißelt sind, wie sie gewiß im Leben gewesen – es will uns bedünken, als sei die Stadt eine große Völkerherberge, und gleich wie man in Wirtshäusern seinen Namen auf Wand und Fenster zu schreiben pflegt, so habe dort jedes Volk die Spuren seiner Anwesenheit zurückgelassen, freilich oft nicht in der leserlichsten Schrift, die mancher deutsche Stamm noch nicht schreiben konnte und sich damit behelfen mußte, zum Andenken etwas zu zertrümmern, welches auch hinreichend war, da diese Trümmer noch deutlicher sprechen als zierliche Buchstaben. Die Barbaren, welche jetzt die alte Herberge bezogen haben, werden nicht ermangeln, eben solche Denkmäler ihrer holden Gegenwart zu hinterlassen, da es ihnen an Bildhauern und Dichtern fehlt, um sich durch mildere Mittel im Andenken der Menschen zu erhalten.

Ich blieb nur einen Tag in Verona, in beständiger Verwunderung ob des nie Gesehenen, anstarrend jetzt die altertümlichen Gebäude, dann die Menschen, die in geheimnisvoller Hast dazwischen wimmelten, und endlich wieder den gottblauen Himmel, der das seltsame Ganze wie ein kostbarer Rahmen umschloß und dadurch gleichsam zu einem Gemälde erhob. Es ist aber eigen, wenn man in dem Gemälde, das man eben betrachtet hat, selbst steckt und hie und da von den Figuren desselben angelächelt wird, und gar von den weiblichen, wie's mir auf der Piazza delle Erbe so lieblich geschah. Das ist nämlich der Gemüsemarkt, und da gab es vollauf ergötzliche Gestalten, Frauen und Mädchen, schmachtend großäugige Gesichter, süße wöhnliche Leiber, reizend gelb, naiv schmutzig, geschaffen viel mehr für die Nacht als für den Tag. Der weiße oder schwarze Schleier, den die Stadtfrauen auf dem Haupte tragen, war so listig um den Busen geschlagen, daß er die schönen Formen mehr verriet als verbarg. Die Mägde trugen Chignons, durchstochen mit einem oder mehreren goldenen Pfeilen, auch wohl mit einem eichelköpfigen Silberstäbchen. Die Bäuerinnen hatten meist kleine, tellerartige Strohhütchen mit kokettierenden Blumen an die eine Seite des Kopfes gebunden. Die Tracht der Männer war minder abweichend von der unsrigen, und nur die ungeheuren schwarzen Backenbärte, die aus der Krawatte hervorbuschten, waren mir hier, wo ich diese Mode zuerst bemerkte, etwas auffallend.

Betrachtete man aber genauer diese Menschen, die Männer wie die Frauen, so entdeckte man, in ihren Gesichtern und in ihrem ganzen Wesen, die Spuren einer Zivilisation, die sich von der unsrigen insofern unterscheidet, daß sie nicht aus der Mittelalterbarbarei hervorgegangen, sondern noch aus der Römerzeit herrührt, nie ganz vertilgt worden ist und sich nur nach dem jedesmaligen Charakter der Landesherrscher modifiziert hat. Die Zivilisation hat bei diesen Menschen keine so auffallend neue Politur wie bei uns, wo die Eichenstämme erst gestern gehobelt worden sind und alles noch nach Firnis riecht. Es scheint uns, als habe dieses Menschengewühl auf der Piazza delle Erbe im Laufe der Zeiten nur allmählig Röcke und Redensarten gewechselt, und der Geist der Gesittung habe sich dort wenig verändert. Die Gebäude aber, die diesen Platz umgeben, mögen nicht so leicht imstande gewesen sein, mit der Zeit fortzuschreiten; doch schauen sie darum nicht minder anmutig, und ihr Anblick bewegt wunderbar unsre Seele. Da stehen hohe Paläste im venezianisch-lombardischen Stil, mit unzähligen Balkonen und lachenden Freskobildern; in der Mitte erhebt sich eine einzelne Denksäule, ein Springbrunnen und eine steinerne Heilige; hier schaut man den launig rot- und weißgestreiften Podesta, der hinter einem mächtigen Pfeilertor emporragt; dort wieder erblickt man einen altviereckigen Kirchturm, woran oben der Zeiger und das Zifferblatt der Uhr zur Hälfte zerstört ist, so daß es aussieht, als wolle die Zeit sich selber vernichten – über dem ganzen Platz liegt derselbe romantische Zauber, der uns so lieblich anweht aus den phantastischen Dichtungen des Ludovico Ariosto oder des Ludovico Tieck.

Nahe bei diesem Platze steht ein Haus, das man wegen eines Hutes, der über dem inneren Tor in Stein gemeißelt ist, für den Palast der Capulets hält. Es ist jetzt eine schmutzige Kneipe für Fuhrleute und Kutscher, und als Herbergeschild hängt davor ein roter, durchlöcherter Blechhut. Unfern, in einer Kirche, zeigt man auch die Kapelle, worin, der Sage nach, das unglückliche Liebespaar getraut worden. Ein Dichter besucht gern solche Orte, wenn er auch selbst lächelt über die Leichtgläubigkeit seines Herzens. Ich fand in dieser Kapelle ein einsames Frauenzimmer, ein kümmerlich verblichenes Wesen, das, nach langem Knien und Beten, seufzend aufstand, aus kranken, stillen Augen mich befremdet ansah und endlich, wie mit gebrochenen Gliedern, fortschwankte.

Auch die Grabmäler der Scaliger sind unfern der Piazza delle Erbe. Sie sind so wundersam prächtig wie dieses stolze Geschlecht selbst, und es ist schade, daß sie in einem engen Winkel stehen, wo sie sich gleichsam zusammendrängen müssen, um so wenig Raum als möglich einzunehmen, und wo auch dem Beschauer nicht viel Platz bleibt, um sie ordentlich zu betrachten. Es ist, als sähen wir hier die geschichtliche Erscheinung dieses Geschlechtes vergleichnißt; diese füllt ebenfalls nur einen kleinen Winkel in der allgemeinen italienischen Geschichte, aber dieser Winkel ist gedrängt voll von Tatenglanz, Gesinnungspracht und Übermutsherrlichkeit. Wie in der Geschichte, so sieht man sie auch auf ihren Monumenten, stolze, eiserne Ritter, auf eisernen Rossen, vor allen herrlich Can Grande, der Oheim, und Mastino, der Neffe.

Kapitel XXIV

Über das Amphitheater von Verona haben viele gesprochen; man hat dort Platz genug zu Betrachtungen, und es gibt keine Betrachtungen, die sich nicht in den Kreis dieses berühmten Bauwerks einfangen ließen. Es ist ganz in jenem ernsten, tatsächlichen Stil gebaut, dessen Schönheit in der vollendeten Solidität besteht und, wie alle öffentlichen Gebäude der Römer, einen Geist ausspricht, der nichts anderes ist als der Geist von Rom selbst. Und Rom? Wer ist so gesund unwissend, daß nicht heimlich bei diesem Namen sein Herz erbebte und nicht wenigstens eine traditionelle Furcht seine Denkkraft aufrüttelte? Was mich betrifft, so gestehe ich, daß mein Gefühl mehr Angst als Freude enthielt, wenn ich daran dachte, bald umherzuwandeln auf dem Boden der alten Roma. Die alte Roma ist ja jetzt tot, beschwichtigte ich die zagende Seele, und du hast die Freude, ihre schöne Leiche ganz ohne Gefahr zu betrachten. Aber dann stieg wieder das Falstaffsche Bedenken in mir auf: wenn sie aber doch nicht ganz tot wäre und sich nur verstellt hätte und sie stände plötzlich wieder auf – es wäre entsetzlich!

Als ich das Amphitheater besuchte, wurde just Komödie darin gespielt; eine kleine Holzbude war nämlich in der Mitte errichtet, darauf ward eine italienische Posse aufgeführt, und die Zuschauer saßen unter freiem Himmel, teils auf kleinen Stühlchen, teils auf den hohen Steinbänken des alten Amphitheaters. Da saß ich nun und sah Brighellas und Tartaglias Spiegelfechtereien auf derselben Stelle, wo der Römer einst saß und seinen Gladiatoren und Tierhetzen zusah. Der Himmel über mir, die blaue Kristallschale, war noch derselbe wie damals. Es dunkelte allmählig, die Sterne schimmerten hervor, Truffaldino lachte, Smeraldina jammerte, endlich kam Pantalone und legte ihre Hände ineinander. Das Volk klatschte Beifall und zog jubelnd von dannen. Das ganze Spiel hatte keinen Tropfen Blut gekostet. Es war aber nur ein Spiel. Die Spiele der Römer hingegen waren keine Spiele, diese Männer konnten sich nimmermehr am bloßen Schein ergötzen, es fehlte ihnen dazu die kindliche Seelenheiterkeit, und ernsthaft, wie sie waren, zeigte sich auch in ihren Spielen der barste, blutigste Ernst. Sie waren keine großen Menschen, aber durch ihre Stellung waren sie größer als andre Erdenkinder, denn sie standen auf Rom. Sowie sie von den sieben Hügeln herabstiegen, waren sie klein. Daher die Kleinlichkeit, die wir da entdecken, wo ihr Privatleben sich ausspricht; und Herkulanum und Pompeji, jene Palimpsesten der Natur, wo jetzt wieder der alte Steintext hervorgegraben wird, zeigen dem Reisenden das römische Privatleben in kleinen Häuschen mit winzigen Stübchen, welche so auffallend kontrastieren gegen jene kolossalen Bauwerke, die das öffentliche Leben aussprachen, jene Theater, Wasserleitungen, Brunnen, Landstraßen, Brücken, deren Ruinen noch jetzt unser Staunen erregen. Aber das ist es ja eben; wie der Grieche groß ist durch die Idee der Kunst, der Hebräer durch die Idee eines heiligsten Gottes, so sind die Römer groß durch die Idee ihrer ewigen Roma, groß überall, wo sie in der Begeisterung dieser Idee gefochten, geschrieben und gebaut haben. Je größer Rom wurde, je mehr erweiterte sich diese Idee, der Einzelne verlor sich darin, die Großen, die noch hervorragen, sind nur getragen von dieser Idee, und sie macht die Kleinheit der Kleinen noch bemerkbarer. Die Römer sind deshalb zugleich die größten Helden und die größten Satiriker gewesen, Helden, wenn sie handelten, während sie an Rom dachten, Satiriker, wenn sie an Rom dachten, während sie die Handlungen ihrer Genossen beurteilten. Gemessen mit solchem ungeheuren Maßstab der Idee Rom, mußte selbst die größte Persönlichkeit zwerghaft erscheinen und somit der Spottsucht anheim fallen. Tacitus ist der grausamste Meister in dieser Satire, eben weil er die Größe Roms und die Kleinheit der Menschen am tiefsten fühlte. Recht in seinem Elemente ist er jedesmal, wenn er berichten kann, was die maliziösen Zungen auf dem Forum über irgendeine imperiale Schandtat räsonierten; recht ingrimmig glücklich ist er, wenn er irgendeine senatorische Blamage, etwa eine verfehlte Schmeichelei, zu erzählen hat.

Ich ging noch lange umher spazieren auf den höheren Bänken des Amphitheaters, zurücksinnend in die Vergangenheit. Wie alle Gebäude im Abendlichte ihren inwohnenden Geist am anschaulichsten offenbaren, so sprachen auch diese Mauern zu mir, in ihrem fragmentarischen Lapidarstil, tiefernste Dinge; sie sprachen von den Männern des alten Roms, und mir war dabei, als sähe ich sie selber umher wandeln, weiße Schatten unter mir im dunkeln Zirkus. Mir war, als sähe ich die Gracchen mit ihren begeisterten Märtyreraugen. »Tiberius Sempronius«, rief ich hinab, »ich werde mit dir stimmen für das agrarische Gesetz!« Auch Cäsar sah ich, Arm in Arm wandelte er mit Marcus Brutus. – »Seid ihr wieder versöhnt?« rief ich. »Wir glaubten beide recht zu haben«, lachte Cäsar zu mir herauf, »ich wußte nicht, daß es noch einen Römer gab, und hielt mich deshalb für berechtigt, Rom in die Tasche zu stecken, und weil mein Sohn Marcus eben dieser Römer war, so glaubte er sich berechtigt, mich deshalb umzubringen.« Hinter diesen beiden schlich Tiberius Nero mit Nebelbeinen und unbestimmten Mienen. Auch Weiber sah ich dort wandeln, darunter Agrippina mit ihrem schönen herrschsüchtigen Gesichte, das wundersam rührend anzusehen war, wie ein altes Marmorbild, in dessen Zügen der Schmerz wie versteinert erscheint. »Wen suchst du, Tochter des Germanicus?« Schon hörte ich sie klagen – da plötzlich erscholl das dumpfsinnige Geläute einer Betglocke und das fatale Getrommel des Zapfenstreichs. Die stolzen römischen Geister verschwanden, und ich war wieder ganz in der christlich östreichischen Gegenwart.

Kapitel XXV

Auf dem Platze La Bra spaziert, sobald es dunkel wird, die schöne Welt von Verona oder sitzt dort auf kleinen Stühlchen vor den Kaffeebuden und schlürft Sorbet und Abendkühle und Musik. Da läßt sich gut sitzen, das träumende Herz wiegt sich auf süßen Tönen und erklingt im Widerhall. Manchmal, wie schlaftrunken, taumelt es auf, wenn die Trompeten erschallen, und es stimmt ein mit vollem Orchester. Dann ist der Geist wieder sonnig ermuntert, großblumige Gefühle und Erinnerungen mit tiefen schwarzen Augen blühen hervor, und drüber hin ziehen die Gedanken, wie Wolkenzüge, stolz und langsam und ewig.

Ich wandelte noch bis spät nach Mitternacht durch die Straßen Veronas, die allmählig menschenleer wurden und wunderbar widerhallten. Im halben Mondlichte dämmerten die Gebäude und ihre Bildwerke, und bleich und schmerzhaft sah mich an manch marmornes Gesicht. Ich eilte schnell den Grabmälern der Scaliger vorüber; denn mir schien, als wolle Can Grande, artig, wie er immer gegen Dichter war, von seinem Rosse herabsteigen und mich als Wegweiser begleiten. »Bleib du nur sitzen«, rief ich ihm zu, »ich bedarf deiner nicht, mein Herz ist der beste Cicerone und erzählt mir überall die Geschichten, die in den Häusern passiert sind, und bis auf Namen und Jahrzahl erzählt es sie treu genug.«

Als ich an den römischen Triumphbogen kam, huschte eben ein schwarzer Mönch hindurch, und fernher erscholl ein deutsch brummendes Werda? »Gut Freund!« greinte ein vergnügter Diskant.

Welchem Weibe aber gehörte die Stimme, die mir so süß unheimlich in die Seele drang, als ich über die Scala Mazzanti stieg? Es war Gesang wie aus der Brust einer sterbenden Nachtigall, todzärtlich und wie hülferufend an den steinernen Häusern widerhallend. Auf dieser Stelle hat Antonio della Scala seinen Bruder Bartolomeo umgebracht, als dieser eben zur Geliebten gehen wollte. Mein Herz sagte mir, sie säße noch immer in ihrer Kammer und erwarte den Geliebten und sänge nur, um ihre ahnende Angst zu überstimmen. Aber bald schienen mir Lied und Stimme so wohl bekannt, ich hatte diese seidnen, schaurigen, verblutenden Töne schon früher gehört, sie umstrickten mich wie weiche flehende Erinnerungen, und – »O du dummes Herz«, sprach ich zu mir selber, »kennst du denn nicht mehr das Lied vom kranken Mohrenkönig, das die tote Maria so oft gesungen? Und die Stimme selbst – kennst du denn nicht mehr die Stimme der toten Maria?«

Die langen Töne verfolgten mich durch alle Straßen, bis zum Gasthof Due Torre, bis ins Schlafgemach, bis in den Traum – Und da sah ich wieder mein süßes gestorbenes Leben schön und regungslos liegen, die alte Wachfrau entfernte sich wieder mit rätselhaftem Seitenblick, die Nachtviole duftete, ich küßte wieder die lieblichen Lippen, und die holde Leiche erhob sich langsam, um mir den Gegenkuß zu bieten.

Wüßte ich nur, wer das Licht ausgelöscht hat.

Kapitel XXVI

»Kennst du das Land, wo die Zitronen blühen?«

Kennst du das Lied? Ganz Italien ist darin geschildert, aber mit den seufzenden Farben der Sehnsucht. In der »Italienischen Reise« hat es Goethe etwas ausführlicher besungen, und wo er malt, hat er das Original immer vor Augen, und man kann sich auf die Treue der Umrisse und der Farbengebung ganz verlassen. Ich finde es daher bequem, hier ein für allemal auf Goethes »Italienische Reise« hinzudeuten, um so mehr, da er, bis Verona, dieselbe Tour, durch Tirol, gemacht hat. Ich habe schon früherhin über jenes Buch gesprochen, ehe ich den Stoff, den es behandelt, gekannt habe, und ich finde jetzt mein ahnendes Urteil vollauf bestätigt. Wir schauen nämlich darin überall tatsächliche Auffassung und die Ruhe der Natur. Goethe hält ihr den Spiegel vor, oder, besser gesagt, er ist selbst der Spiegel der Natur. Die Natur wollte wissen, wie sie aussieht, und sie erschuf Goethe. Sogar die Gedanken, die Intentionen der Natur vermag er uns widerzuspiegeln, und es ist einem hitzigen Goethianer, zumal in den Hundstagen, nicht zu verargen, wenn er über die Identität der Spiegelbilder mit den Objekten selbst so sehr erstaunt, daß er dem Spiegel sogar Schöpfungskraft, die Kraft, ähnliche Objekte zu erschaffen, zutraut. Ein Herr Eckermann hat mal ein Buch über Goethe geschrieben, worin er ganz ernsthaft versichert: hätte der liebe Gott bei der Erschaffung der Welt zu Goethe gesagt: »Lieber Goethe, ich bin jetzt gottlob fertig, ich habe jetzt alles erschaffen, bis auf die Vögel und die Bäume, und du tätest mir eine Liebe, wenn du statt meiner diese Bagatellen noch erschaffen wolltest« – so würde Goethe, ebenso gut wie der liebe Gott, diese Tiere und Gewächse ganz im Geiste der übrigen Schöpfung, nämlich die Vögel mit Federn und die Bäume grün, erschaffen haben.

Es liegt Wahrheit in diesen Worten, und ich bin sogar der Meinung, daß Goethe manchmal seine Sache noch besser gemacht hätte als der liebe Gott selbst und daß er z. B. den Herrn Eckermann viel richtiger, ebenfalls mit Federn und grün, erschaffen hätte. Es ist wirklich ein Schöpfungsfehler, daß auf dem Kopfe des Herrn Eckermann keine grüne Federn wachsen, und Goethe hat diesem Mangel wenigstens dadurch abzuhelfen gesucht, daß er ihm einen Doktorhut aus Jena verschrieben und eigenhändig aufgesetzt hat.

Nächst Goethes »Italienischer Reise« ist Frau von Morgans »Italien« und Frau von Staëls »Corinna« zu empfehlen. Was diesen Frauen an Talent fehlt, um neben Goethe nicht unbedeutend zu erscheinen, das ersetzen sie durch männliche Gesinnungen, die jenem mangeln. Denn Frau v. Morgan hat wie ein Mann gesprochen, sie sprach Skorpionen in die Herzen frecher Söldner, und mutig und süß waren die Triller dieser flatternden Nachtigall der Freiheit. Ebenso, wie männiglich bekannt ist, war Frau v. Staël eine liebenswürdige Marketenderin im Heer der Liberalen und lief mutig durch die Reihen der Kämpfenden mit ihrem Enthusiasmusfäßchen und stärkte die Müden und focht selber mit, besser als die Besten.

Was überhaupt italienische Reisebeschreibungen betrifft, so hat W. Müller vor geraumer Zeit im »Hermes« eine Übersicht derselben gegeben. Ihre Zahl ist Legion. Unter den ältern deutschen Schriftstellern in diesem Fache sind, durch Geist oder Eigentümlichkeit, am ausgezeichnetsten: Moritz, Archenholz, Bartels, der brave Seume, Arndt, Meyer, Benkowitz und Rehfus. Die neueren kenne ich weniger, und nur wenige davon haben mir Vergnügen und Belehrung gewährt. Unter diesen nenne ich des allzu früh verstorbenen W. Müllers »Rom, Römer und Römerinnen« – ach, er war ein deutscher Dichter! – dann die Reise von Kephalides, die ein bißchen trocken ist, ferner Leßmanns »Cisalpinische Blätter«, die etwas zu flüssig sind, und endlich die »Reisen in Italien seit 1822, von Friedrich Thiersch, Lud, Schorn, Eduard Gerhardt und Leo v. Klenze«; von diesem Werke ist erst ein Teil erschienen, und er enthält meistens Mitteilungen von meinem lieben, edlen Thiersch, dessen humanes Auge aus jeder Zeile hervorblickt.

Kapitel XXVII

Kennst du das Land, wo die Zitronen blühn,
Im dunkeln Laub die Goldorangen glühn,
Ein sanfter Wind vom blauen Himmel weht,
Die Myrte still und hoch der Lorbeer steht,
Kennst du es wohl?
Dahin! dahin
Möcht ich mit dir, o mein Geliebter, ziehn.

– Aber reise nur nicht im Anfang August, wo man des Tags von der Sonne gebraten und des Nachts von den Flöhen verzehrt wird. Auch rate ich dir, mein lieber Leser, von Verona nach Mailand nicht mit dem Postwagen zu fahren.

Ich fuhr, in Gesellschaft von sechs Banditen, in einer schwerfälligen Carrozza, die, wegen des allzu gewaltigen Staubes, von allen Seiten so sorgfältig verschlossen wurde, daß ich von der Schönheit der Gegend wenig bemerken konnte. Nur zweimal, ehe wir Brescia erreichten, lüftete mein Nachbar das Seitenleder, um hinauszuspucken. Das eine Mal sah ich nichts als einige schwitzende Tannen, die in ihren grünen Winterröcken von der schwülen Sonnenhitze sehr zu leiden schienen; das andere Mal sah ich ein Stück von einem wunderklaren blauen See, worin die Sonne und ein magerer Grenadier sich spiegelten. Letzterer, ein östreichischer Narziß, bewunderte mit kindischer Freude, wie sein Spiegelbild ihm alles getreu nachmachte, wenn er das Gewehr präsentierte oder schulterte oder zum Schießen auslegte.

Von Brescia selbst weiß ich ebenfalls wenig zu erzählen, indem ich die

Zeit meines dortigen Aufenthalts dazu benutzte, ein gutes Pranzo einzunehmen. Man kann es einem armen Reisenden nicht verdenken, wenn er den Hunger des Leibes früher stillt als den des Geistes. Doch war ich gewissenhaft genug, ehe ich wieder in den Wagen stieg, einige Notizen über Brescia vom Cameriere zu erfragen; und da erfuhr ich unter anderen: die Stadt habe 40000 Einwohner, ein Rathaus, 21 Kaffeehäuser, 20 katholische Kirchen, ein Tollhaus, eine Synagoge, eine Menagerie, ein Zuchthaus, ein Krankenhaus, ein ebenso gutes Theater und einen Galgen für Diebe, die unter 100000 Taler stehlen.

Um Mitternacht arrivierte ich in Mailand und kehrte ein bei Herrn Reichmann, einem Deutschen, der sein Hotel ganz nach deutscher Weise eingerichtet. Es sei das beste Wirtshaus in ganz Italien, sagten mir einige Bekannte, die ich dort wiederfand und die über italienische Gastwirte und Flöhe sehr schlecht zu sprechen waren. Da hörte ich nichts als ärgerliche Histörchen von italienischen Prellereien, und besonders Sir William fluchte und versicherte: wenn Europa der Kopf der Welt sei, so sei Italien das Diebesorgan dieses Kopfes. Der arme Baronet hat in der Locanda Croce bianca zu Padua nicht weniger als zwölf Francs für ein mageres Frühstück bezahlen müssen, und zu Vicenza hat ihm jemand ein Trinkgeld abgefordert, als er ihm einen Handschuh aufhob, den er beim Einsteigen in den Wagen fallen lassen. Sein Vetter Tom sagte: alle Italiener seien Spitzbuben bis auf den einzigen Umstand, daß sie nicht stehlen. Hätte er liebenswürdiger ausgesehen, so würde er auch die Bemerkung gemacht haben, daß alle Italienerinnen Spitzbübinnen sind. Der Dritte im Bunde war ein Mister Liver, den ich in Brighton als ein junges Kalb verlassen hatte und jetzt in Mailand als einen bœuf à la mode wiederfand. Er war ganz als Dandy gekleidet, und ich habe nie einen Menschen gesehen, der es besser verstanden hätte, mit seiner Figur lauter Ecken hervorzubringen. Wenn er die Daumen in die Ärmelausschnitte der Weste einkrempte, machte er auch mit der Handwurzel und mit jedem Finger einige Ecken; ja sein Maul war sogar viereckig aufgesperrt. Dazu kommt ein eckiger Kopf, hinten schmal, oben spitz, mit kurzer Stirn und sehr langem Kinn. Unter den englischen Bekannten, die ich in Mailand wiedersah, war auch Livers dicke Tante; gleich einer Fettlawine war sie von den Alpen herabgekommen, in Gesellschaft zweier schneeweißen, schneekalten Schneegänschen, Miß Polly und Miß Molly.

Beschuldige mich nicht der Anglomanie, lieber Leser, wenn ich in diesem Buche sehr häufig von Engländern spreche; sie sind jetzt in Italien zu zahlreich, um sie übersehen zu können, sie durchziehen dieses Land in ganzen Schwärmen, lagern in allen Wirtshäusern, laufen überall umher, um alles zu sehen, und man kann sich keinen italienischen Zitronenbaum mehr denken ohne eine Engländerin, die daran riecht, und keine Galerie ohne ein Schock Engländer, die, mit ihrem Guide in der Hand, darin umherrennen und nachsehen, ob noch alles vorhanden, was in dem Buche als merkwürdig erwähnt ist. Wenn man jenes blonde, rotbäckige Volk mit seinen blanken Kutschen, bunten Lakaien, wiehernden Rennpferden, grünverschleierten Kammerjungfern und sonstig kostbaren Geschirren, neugierig und geputzt, über die Alpen ziehen und Italien durchwandern sieht, glaubt man eine elegante Völkerwanderung zu sehen. Und in der Tat, der Sohn Albions, obgleich er weiße Wäsche trägt und alles bar bezahlt, ist doch ein zivilisierter Barbar, in Vergleichung mit dem Italiener, der vielmehr eine in Barbarei übergehende Zivilisation bekundet. Jener zeigt in seinen Sitten eine zurückgehaltene Roheit, dieser eine ausgelassene Feinheit. Und gar die blassen italienischen Gesichter, in den Augen das leidende Weiß, die Lippen krankhaft zärtlich, wie heimlich vornehm sind sie gegen die steif britischen Gesichter mit ihrer pöbelhaft roten Gesundheit! Das ganze italienische Volk ist innerlich krank, und kranke Menschen sind immer wahrhaft vornehmer als gesunde; denn nur der kranke Mensch ist ein Mensch, seine Glieder haben eine Leidensgeschichte, sie sind durchgeistet. Ich glaube sogar, durch Leidenskämpfe könnten die Tiere zu Menschen werden; ich habe mal einen sterbenden Hund gesehen, der in seinen Todesqualen mich fast menschlich ansah.

Der leidende Gesichtsausdruck wird bei den Italienern am sichtbarsten, wenn man mit ihnen vom Unglück ihres Vaterlandes spricht, und dazu gibt's in Mailand genug Gelegenheit. Das ist die schmerzlichste Wunde in der Brust der Italiener, und sie zucken zusammen, sobald man diese nur leise berührt. Sie haben alsdann eine Bewegung der Achsel, die uns mit sonderbarem Mitleid erfüllt. Einer meiner Briten hielt die Italiener für politisch indifferent, weil sie gleichgültig zuzuhören schienen, wenn wir Fremde über die katholische Emanzipation und den Türkenkrieg politisierten; und er war ungerecht genug, gegen einen blassen Italiener mit pechschwarzem Barte sich darüber spöttisch zu äußern. Wir hatten den Abend vorher eine neue Oper in der Scala aufführen sehen und den Mordspektakel gehört, der, wie gebräuchlich, bei solchen Anlässen stattfindet. »Ihr Italiener«, sagte der Brite zu dem Blassen, »scheint für alles abgestorben zu sein, außer für Musik, und nur noch diese vermag euch zu begeistern.« »Sie tun uns Unrecht«, sagte der Blasse und bewegte die Achsel. »Ach!« seufzte er hinzu, »Italien sitzt elegisch träumend auf seinen Ruinen, und wenn es dann manchmal bei der Melodie irgendeines Liedes plötzlich erwacht und stürmisch emporspringt, so gilt diese Begeisterung nicht dem Liede selbst, sondern vielmehr den alten Erinnerungen und Gefühlen, die das Lied ebenfalls geweckt hat, die Italien immer im Herzen trug und die jetzt gewaltig hervorbrausen – und das ist die Bedeutung des tollen Lärms, den Sie in der Scala gehört haben.«

Vielleicht gewährt dieses Bekenntnis auch einigen Aufschluß über den Enthusiasmus, den jenseits der Alpen Rossinis oder Meyerbeers Opern überall hervorbringen. Habe ich jemals menschliche Raserei gesehen, so war es bei einer Aufführung des »Crociato in Egitto«, wenn die Musik manchmal aus dem weichen, wehmütigen Ton plötzlich in jauchzenden Schmerz übersprang. Jene Raserei heißt in Italien: furore.

Kapitel XXVIII

Obgleich ich, lieber Leser, jetzt schon Gelegenheit hätte, bei Erwähnung der Brera und Ambrosiana dir meine Kunsturteile aufzutischen, so will ich doch diesen Kelch an dir vorübergehen lassen und mich mit der Bemerkung begnügen, daß ich das spitze Kinn, das den Bildern der lombardischen Schule einen Anstrich von Sentimentalität gibt, auch auf den Straßen von Mailand bei mancher schönen Lombardin gesehen habe. Es war mir immer außerordentlich belehrend, wenn ich mit den Werken einer Schule auch die Originale vergleichen konnte, die ihr als Modelle gedient haben; der Charakter der Schule kam mir dann klarer zur Anschauung. So ist mir auf dem Jahrmarkt zu Rotterdam der Jan Steen in seiner göttlichsten Heiterkeit plötzlich verständlich geworden; so habe ich späterhin am Long-Arno die Formenwahrheit und den tüchtigen Geist der Florentiner und auf dem San Marco die Farbenwahrheit und die träumerische Oberflächlichkeit der Venezianer begreifen lernen. Geh nach Rom, liebe Seele, und vielleicht schwingst du dich dort hinauf zur Anschauung der Idealität und zum Verständnis des Raphael.

Indessen eine Merkwürdigkeit Mailands, die in jeder Hinsicht die größte ist, kann ich nicht unerwähnt lassen – Das ist der Dom.

In der Ferne scheint es, als sei er aus weißem Postpapier geschnitzelt, und in der Nähe erschrickt man, daß dieses Schnitzwerk aus unwiderlegbarem Marmor besteht. Die unzähligen Heiligenbilder, die das ganze Gebäude bedecken, die überall unter den gotischen Krondächlein hervorgucken und oben auf allen Spitzen gepflanzt stehen, dieses steinerne Volk verwirrt einem fast die Sinne. Betrachtet man das ganze Werk etwas länger, so findet man es doch recht hübsch, kolossal niedlich, ein Spielzeug für Riesenkinder. Im mitternächtlichen Mondschein gewährt es noch den besten Anblick, dann kommen all die weißen Steinmenschen aus ihrer wimmelnden Höhe herabgestiegen und gehen mit einem über die Piazza und flüstern einem alte Geschichten ins Ohr, putzig heilige, ganz geheime Geschichten von Galeazzo Visconti, der den Dombau begonnen, und von Napoleon Buonaparte, der ihn späterhin fortgesetzt.

»Siehst du« – sagte mir ein gar seltsamer Heiliger, der in der neuesten Zeit aus dem neuesten Marmor verfertigt war – »siehst du, meine älteren Kameraden können nicht begreifen, warum der Kaiser Napoleon den Dombau so eifrig betrieben hat. Aber ich weiß es sehr gut, er hat eingesehen, daß dieses große Steinhaus auf jeden Fall ein sehr nützliches Gebäude sein würde und auch dann noch brauchbar, wenn einst das Christentum vorüber ist.«

Wenn einst das Christentum vorüber ist – Ich war schier erschrocken, als ich hörte, daß es Heilige in Italien gibt, die eine solche Sprache führen, und dazu auf einem Platze, wo östreichische Schildwachen, mit Bärenmützen und Tornistern, auf und ab gehen. Indessen der steinerne Kauz hat gewissermaßen recht, das Innere des Domes ist hübsch kühl im Sommer und heiter und angenehm und würde auch bei veränderter Bestimmung seinen Wert behalten.

Die Vollendung des Domes war einer von Napoleons Lieblingsgedanken, und er war nicht weit vom Ziele entfernt, als seine Herrschaft gebrochen wurde. Die Östreicher vollenden jetzt das Werk. Auch an dem berühmten Triumphbogen, der die Simplonstraße beschließen sollte, wird weitergebaut. Freilich, Napoleons Standbild wird nicht, wie früher bestimmt war, auf die Spitze jenes Bogens gestellt werden. Immerhin, der große Kaiser hat ein Standbild hinterlassen, das viel besser ist und dauerhafter als Marmor und das kein Östreicher unseren Blicken entziehen kann. Wenn wir anderen längst von der Sense der Zeit niedergemäht und wie Spreu des Feldes verweht sein werden, wird jenes Standbild noch unversehrt dastehen; neue Geschlechter werden aus der Erde hervorwachsen, werden schwindelnd an jenes Bild hinaufsehen und sich wieder in die Erde legen; – und die Zeit, unfähig, solch Bild zu zerstören, wird es in sagenhafte Nebel zu hüllen suchen, und seine ungeheure Geschichte wird endlich ein Mythos.

Vielleicht, nach Jahrtausenden, wird ein spitzfindiger Schulmeister, in einer grundgelehrten Dissertation, unumstößlich beweisen: daß der Napoleon Bonaparte ganz identisch sei mit jenem andern Titane, der den Göttern das Licht raubte und für dieses Vergehen auf einem einsamen Felsen, mitten im Meere, angeschmiedet wurde, preisgegeben einem Geier, der täglich sein Herz zerfleischte.

Kapitel XXIX

Ich bitte dich, lieber Leser, halte mich nicht für einen unbedingten Bonapartisten; meine Huldigung gilt nicht den Handlungen, sondern nur dem Genius des Mannes. Unbedingt liebe ich ihn nur bis zum achtzehnten Brumaire – da verriet er die Freiheit. Und er tat es nicht aus Notwendigkeit, sondern aus geheimer Vorliebe für Aristokratismus. Napoleon Bonaparte war ein Aristokrat, ein adeliger Feind der bürgerlichen Gleichheit, und es war ein kolossales Mißverständnis, daß die europäische Aristokratie, repräsentiert von England, ihn so todfeindlich bekriegte; denn wenn er auch in dem Personal dieser Aristokratie einige Veränderungen vorzunehmen beabsichtigte, so hätte er doch den größten Teil derselben und ihr eigentliches Prinzip erhalten, er würde diese Aristokratie regeneriert haben, statt daß sie jetzt darnieder liegt durch Alterschwäche, Blutverlust und Ermüdung von ihrem letzten, gewiß allerletzten Sieg.

Lieber Leser! wir wollen uns hier ein für allemal verständigen. Ich preise nie die Tat, sondern nur den menschlichen Geist, die Tat ist nur dessen Gewand, und die Geschichte ist nichts anders als die alte Garderobe des menschlichen Geistes. Doch die Liebe liebt zuweilen alte Röcke, und so liebe ich den Mantel von Marengo.

»Wir sind auf dem Schlachtfelde von Marengo.« Wie lachte mein Herz, als der Postillon diese Worte sprach! Ich war in Gesellschaft eines sehr artigen Livländers, der vielmehr den Russen spielte, des Abends von Mailand abgereist und sah des folgenden Morgens die Sonne aufgehn über das berühmte Schlachtfeld.

Hier tat der General Bonaparte einen so starken Zug aus dem Kelch des Ruhmes, daß er im Rausche Konsul, Kaiser, Welteroberer wurde und sich erst zu St. Helena ernüchtern konnte. Es ist uns selbst nicht viel besser ergangen; wir waren mitberauscht, wir haben alles mitgeträumt, sind ebenfalls erwacht, und im Jammer der Nüchternheit machen wir allerlei verständige Reflexionen. Es will uns da manchmal bedünken, als sei der Kriegsruhm ein veraltetes Vergnügen, die Kriege bekämen eine edlere Bedeutung, und Napoleon sei vielleicht der letzte Eroberer.

Es hat wirklich den Anschein, als ob jetzt mehr geistige Interessen verfochten würden als materielle und als ob die Welthistorie nicht mehr eine Räubergeschichte, sondern eine Geistergeschichte sein solle. Der Haupthebel, den ehrgeizige und habsüchtige Fürsten zu ihren Privatzwecken sonst so wirksam in Bewegung zu setzen wußten, nämlich die Nationalität mit ihrer Eitelkeit und ihrem Haß, ist jetzt morsch und abgenutzt; täglich verschwinden mehr und mehr die törichten Nationalvorurteile, alle schroffen Besonderheiten gehen unter in der Allgemeinheit der europäischen Zivilisation, es gibt jetzt in Europa keine Nationen mehr, sondern nur Parteien, und es ist ein wundersamer Anblick, wie diese trotz der mannigfaltigsten Farben sich sehr gut erkennen und trotz der vielen Sprachverschiedenheiten sich sehr gut verstehen. Wie es eine materielle Staatenpolitik gibt, so gibt es jetzt auch eine geistige Parteipolitik; und wie die Staatenpolitik auch den kleinsten Krieg, der zwischen den zwei unbedeutendsten Mächten ausbräche, gleich zu einem allgemeinen europäischen Krieg machen würde, worin sich alle Staaten, mit mehr oder minderem Eifer, auf jeden Fall mit Interesse, mischen müßten: so kann jetzt in der Welt auch nicht der geringste Kampf vorfallen, bei dem, durch jene Parteipolitik, die allgemein geistigen Bedeutungen nicht sogleich erkannt und die entferntesten und heterogensten Parteien nicht gezwungen würden, pro oder contra Anteil zu nehmen. Vermöge dieser Parteipolitik, die ich, weil ihre Interessen geistiger und ihre ultimae rationes nicht von Metall sind, eine Geisterpolitik nenne, bilden sich jetzt, ebenso wie vermittelst der Staatenpolitik, zwei große Massen, die feindselig einander gegenüberstehen und mit Reden und Blicken kämpfen. Die Losungsworte und Repräsentanten dieser zwei großen Parteimassen wechseln täglich, es fehlt nicht an Verwirrung, oft entstehen die größten Mißverständnisse, diese werden durch die Diplomaten dieser Geisterpolitik, die Schriftsteller, eher vermehrt als vermindert; doch, wenn auch die Köpfe irren, so fühlen die Gemüter nichtsdestoweniger, was sie wollen, und die Zeit drängt mit ihrer großen Aufgabe.

Was ist aber diese große Aufgabe unserer Zeit?

Es ist die Emanzipation. Nicht bloß die der Irländer, Griechen, Frankfurter Juden, westindischen Schwarzen und dergleichen gedrückten Volkes, sondern es ist die Emanzipation der ganzen Welt, absonderlich Europas, das mündig geworden ist und sich jetzt losreißt von dem eisernen Gängelbande der Bevorrechteten, der Aristokratie. Mögen immerhin einige philosophische Renegaten der Freiheit die feinsten Kettenschlüsse schmieden, um uns zu beweisen, daß Millionen Menschen geschaffen sind als Lasttiere einiger tausend privilegierter Ritter; sie werden uns dennoch nicht davon überzeugen können, solange sie uns, wie Voltaire sagt, nicht nachweisen, daß jene mit Sätteln auf dem Rükken und diese mit Sporen an den Füßen zur Welt gekommen sind.

Jede Zeit hat ihre Aufgabe, und durch die Lösung derselben rückt die Menschheit weiter. Die frühere Ungleichheit, durch das Feudalsystem in Europa gestiftet, war vielleicht notwendig oder notwendige Bedingung zu den Fortschritten der Zivilisation; jetzt aber hemmt sie diese, empört sie die zivilisierten Herzen. Die Franzosen, das Volk der Gesellschaft, hat diese Ungleichheit, die mit dem Prinzip der Gesellschaft am unleidlichsten kollidiert, notwendigerweise am tiefsten erbittert, sie haben die Gleichheit zu erzwingen gesucht, indem sie die Häupter derjenigen, die durchaus hervorragen wollten, gelinde abschnitten, und die Revolution ward ein Signal für den Befreiungskrieg der Menschheit.

Laßt uns die Franzosen preisen! sie sorgten für die zwei größten Bedürfnisse der menschlichen Gesellschaft, für gutes Essen und bürgerliche Gleichheit; in der Kochkunst und in der Freiheit haben sie die größten Fortschritte gemacht, und wenn wir einst alle, als gleiche Gäste, das große Versöhnungsmahl halten und guter Dinge sind – denn was gäbe es Besseres als eine Gesellschaft von Pairs an einem gutbesetzten Tische? –, dann wollen wir den Franzosen den ersten Toast darbringen. Es wird freilich noch einige Zeit dauern, bis dieses Fest gefeiert werden kann, bis die Emanzipation durchgesetzt sein wird; aber sie wird doch endlich kommen, diese Zeit, wir werden, versöhnt und allgleich, um denselben Tisch sitzen; wir sind dann vereinigt und kämpfen vereinigt gegen andere Weltübel, vielleicht am Ende gar gegen den Tod – dessen ernstes Gleichheitssystem uns wenigstens nicht so sehr beleidigt wie die lachende Ungleichheitslehre des Aristokratismus.

Lächle nicht, später Leser. Jede Zeit glaubt, ihr Kampf sei vor allen der wichtigste, dieses ist der eigentliche Glaube der Zeit, in diesem lebt sie und stirbt sie, und auch wir wollen leben und sterben in dieser Freiheitsreligion, die vielleicht mehr den Namen Religion verdient als das hohle ausgestorbene Seelengespenst, das wir noch so zu benennen pflegen – unser heiliger Kampf dünkt uns der wichtigste, wofür jemals auf dieser Erde gekämpft worden, obgleich historische Ahnung uns sagt, daß einst unsre Enkel auf diesen Kampf herabsehen werden, vielleicht mit demselben Gleichgültigkeitsgefühl, womit wir herabsehen auf den Kampf der ersten Menschen, die gegen ebenso gierige Ungetüme, Lindwürmer und Raubriesen, zu kämpfen hatten.

Kapitel XXX

Auf dem Schlachtfelde von Marengo kommen einem die Betrachtungen so scharenweis angeflogen, daß man glauben sollte, es wären dieselben, die dort so mancher plötzlich aufgeben mußte und die nun, wie herrenlose Hunde, umherirren. Ich liebe Schlachtfelder, denn so furchtbar auch der Krieg ist, so bekundet er doch die geistige Größe des Menschen, der seinem mächtigsten Erbfeinde, dem Tode, zu trotzen vermag. Und gar dieses Schlachtfeld, wo die Freiheit auf Blutrosen tanzte, den üppigen Brauttanz! Frankreich war damals Bräutigam, hatte die ganze Welt zur Hochzeit geladen, und, wie es im Liede heißt,

> Heida! am Polterabend,
> Zerschlug man statt der Töpfe
> Aristokratenköpfe.

Aber ach! jeder Zoll, den die Menschheit weiterrückt, kostet Ströme Blutes; und ist das nicht etwas zu teuer? Ist das Leben des Individuums nicht vielleicht ebenso viel wert wie das des ganzen Geschlechtes? Denn jeder einzelne Mensch ist schon eine Welt, die mit ihm geboren wird und mit ihm stirbt, unter jedem Grabstein liegt eine Weltgeschichte – Still davon, so würden die Toten sprechen, die hier gefallen sind, wir aber leben und wollen weiterkämpfen im heiligen Befreiungskriege der Menschheit.

»Wer denkt jetzt noch an Marengo!« – sagte mein Reisegefährte, der livländische Russe, als wir über das Brachfeld fuhren – »jetzt sind alle Augen gerichtet nach dem Balkan, wo mein Landsmann Diebitsch den Türken die Turbane zurechtsetzt, und wir werden noch dieses Jahr Konstantinopel einnehmen. Sind Sie gut russisch?«

Das war eine Frage, die ich überall lieber beantwortet hätte als auf dem Schlachtfelde von Marengo – Ich sah im Morgennebel den Mann mit dem dreieckigen Hütchen und dem grauen Schlachtmantel, er jagte dahin wie ein Gedanke, geisterschnell, in der Ferne erscholl es wie ein schaurig süßes »Allons, enfans de la patrie« – Und dennoch antwortete ich: »Ja, ich bin gut russisch.«

Und in der Tat, bei dem wunderlichen Wechsel der Losungsworte und Repräsentanten in dem großen Kampfe hat es sich jetzt so gefügt, daß der glühendste Freund der Revolution nur im Siege Rußlands das Heil der Welt sieht und den Kaiser Nikolas als den Gonfaloniere der Freiheit betrachten muß. Seltsamer Wechsel! Noch vor zwei Jahren bekleideten wir mit diesem Amte einen englischen Minister, das Geheul des hochtoryschen Hasses gegen George Canning leitete damals unsere Wahl, in den adlig unedlen Kränkungen, die er erlitt, sahen wir die Garantien seiner Treue, und als er des Märtyrertodes starb, da legten wir Trauer an, und der achte August wurde ein heiliger Tag im Kalender der Freiheit. Die Fahne aber nahmen wir wieder fort von Downingstreet und pflanzten sie auf die Petersburg und wählten zu ihrem Träger den Kaiser Nikolas, den Ritter von Europa, der die griechischen Witwen und Waisen schützte gegen asiatische Barbaren und in solchem guten Kampfe seine Sporen verdiente. Wieder hatten sich die Feinde der Freiheit zu sehr verraten, und wir benutzten wieder den Scharfsinn ihres Hasses, um unser eignes Beste zu erkennen. Wieder zeigte sich diesmal die gewöhnliche Erscheinung, daß wir unsre Repräsentanten viel mehr der Stimmenmehrheit unserer Feinde als der eignen Wahl verdanken, und indem wir die wunderlich zusammengesetzte Gemeinde betrachteten, die für das Heil der Türkei und den Untergang Rußlands ihre frommen Wünsche gen Himmel sandte, so merkten wir bald, wer unser Freund oder vielmehr das Schrecken unserer Feinde ist. Wie mußte der liebe Gott im Himmel lachen, als er zu gleicher Zeit Wellington, den Großmufti, den Papst, Rothschild I., Metternich und einen ganzen

Troß von Ritterlingen, Stockjobbern, Pfaffen und Türken für dieselbe Sache, für das Heil des Halbmonds, beten hörte!

Was die Alarmisten bisher über die Gefahr gefabelt, der wir durch die Übergröße Rußlands ausgesetzt sind, ist töricht. Wenigstens wir Deutsche haben nichts zu riskieren, etwas mehr oder weniger Knechtlichkeit, darauf darf es uns nicht ankommen, wo das Höchste, die Befreiung von den Resten des Feudalismus und Klerikalismus, zu gewinnen ist. Man droht uns mit der Herrschaft der Knute, aber ich will gern etwas Knute aushalten, wenn ich sicher weiß, daß unsre Feinde sie mitbekommen. Ich wette aber, sie werden, wie sie immer getan, der neuen Macht entgegenwedeln und graziöse lächeln und zu den schandbarsten Diensten sich darbieten und sich dafür, da doch einmal geknutet werden muß, das Privilegium einer Ehrenknute ausbedingen, so wie der Adlige in Siam, der, wenn er bestraft werden soll, in einen seidenen Sack gesteckt und mit parfümierten Stöcken geprügelt wird, statt daß der straffällige Bürgerliche nur einen leinenen Sack und keine so wohlriechende Prügel bekömmt. Nun, dieses Privilegium, da es das einzige ist, wollen wir ihnen gönnen, wenn sie nur Prügel bekommen, besonders die englische Nobility. Mag man noch so eifrig erinnern, daß es eben diese Nobility sei, die dem Despotismus die Magna Charta abgezwungen, und daß England, bei aller Aufrechthaltung der bürgerlichen Standesungleichheit, doch die persönliche Freiheit gesichert, daß England der Zufluchtsort für freie Geister war, wenn der Despotismus den ganzen Kontinent unterdrückte – das sind tempi passati! England mit seinen Aristokraten gehe jetzt immerhin zugrunde, freie Geister haben jetzt im Notfall einen noch bessern Zufluchtsort; würde auch ganz Europa ein einziger Kerker, so gäbe es jetzt noch immer ein anderes Loch zum Entschlüpfen, das ist Amerika, und Gottlob! das Loch ist noch größer als der Kerker selbst.

Aber das sind alles lächerliche Grillen; vergleicht man in freiheitlicher Hinsicht England mit Rußland, so bleibt auch dem Besorglichsten kein Zweifel übrig, welche Partei zu erfassen sei. Die Freiheit ist in England aus historischen Begebenheiten, in Rußland aus Prinzipien hervorgegangen. Wie jene Begebenheiten selbst, so tragen auch ihre geistigen Resultate das Gepräge des Mittelalters, ganz England ist erstarrt in unverjüngbaren mittelalterlichen Institutionen, wohinter sich die Aristokratie verschanzt und den Todeskampf erwartet. Jene Prinzipien aber, woraus die russische Freiheit entstanden ist oder vielmehr täglich sich weiter entfaltet, sind die liberalen Ideen unserer neuesten Zeit; die russische Regierung ist durchdrungen von diesen Ideen, ihr unumschränkter Absolutismus ist vielmehr Diktatur, um jene Ideen unmittelbar ins Leben treten zu lassen; diese Regierung hat nicht ihre Wurzel im Feudalismus und Klerikalismus, sie ist der Adel- und Kirchengewalt direkt entgegenstrebend; schon Katharina hat die Kirche eingeschränkt, und der russische Adel entsteht durch Staatsdienste; Rußland ist ein demokratischer Staat, ich möchte es sogar einen christlichen Staat nennen, wenn ich dieses oft mißbrauchte Wort in seinem süßesten, weltbürgerlichsten Sinne anwenden wollte: denn die Russen werden schon durch den Umfang ihres Reichs von der Engherzigkeit eines heidnischen Nationalsinnes befreit, sie sind Kosmopoliten oder wenigstens Sechstel-Kosmopoliten, da Rußland fast den sechsten Teil der bewohnten Welt ausmacht –

Und wahrlich, wenn irgendein Deutschrusse, wie mein livländischer Reisegefährte, prahlerisch patriotisch tut und von unserem Rußland und unserem Diebitsch spricht, so ist mir, als hörte ich einen Hering, der das Weltmeer für sein Vaterland und den Walfisch für seinen Landsmann ausgibt.

Kapitel XXXI

»Ich bin gut russisch« – sagte ich auf dem Schlachtfelde von Marengo und stieg für einige Minuten aus dem Wagen, um meine Morgenandacht zu halten.

Wie unter einem Triumphbogen von kolossalen Wolkenmassen zog die Sonne herauf, siegreich, heiter, sicher, einen schönen Tag verheißend. Mir aber war zumute wie dem armen Monde, der verbleichend noch am Himmel stand. Er hatte seine einsame Laufbahn durchwandelt in öder Nachtzeit, wo das Glück schlief und nur Gespenster, Eulen und Sünder ihr Wesen trieben; und jetzt, wo der junge Tag hervorstieg, mit jubelnden Strahlen und flatterndem Morgenrot, jetzt mußte er von dannen – noch ein wehmütiger Blick nach dem großen Weltlicht, und er verschwand wie duftiger Nebel.

»Es wird ein schöner Tag werden!« rief mein Reisegefährte aus dem Wagen mir zu. Ja, es wird ein schöner Tag werden, wiederholte leise mein betendes Herz und zitterte vor Wehmut und Freude. Ja, es wird ein schöner Tag werden, die Freiheitssonne wird die Erde glücklicher wärmen als die Aristokratie sämtlicher Sterne; emporblühen wird ein neues Geschlecht, das erzeugt worden in freier Wahlumarmung, nicht im Zwangsbette und unter der Kontrolle geistlicher Zöllner; mit der freien Geburt werden auch in den Menschen freie Gedanken und Gefühle zur Welt kommen, wovon wir geborenen Knechte keine Ahnung haben – O! sie werden ebenso wenig ahnen, wie entsetzlich die Nacht war, in deren Dunkel wir leben mußten, und wie grauenhaft wir zu kämpfen hatten, mit häßlichen Gespenstern, dumpfen Eulen und scheinheiligen Sündern! O wir armen Kämpfer! die wir unsre Lebenszeit in solchem Kampfe vergeuden mußten und müde und bleich sind, wenn der Siegestag hervorstrahlt! Die Glut des Sonnenaufgangs wird unsre Wangen nicht mehr röten und unsre Herzen nicht mehr wärmen können, wir sterben dahin wie der scheidende Mond – allzu kurz gemessen ist des Menschen Wanderbahn, an deren Ende das unerbittliche Grab.

Ich weiß wirklich nicht, ob ich es verdiene, daß man mir einst mit einem Lorbeerkranze den Sarg verziere. Die Poesie, wie sehr ich sie auch liebte, war mir immer nur heiliges Spielzeug oder geweihtes Mittel für himmlische Zwecke. Ich habe nie großen Wert gelegt auf Dichterruhm, und ob man meine Lieder preiset oder tadelt, es kümmert mich wenig. Aber ein Schwert sollt ihr mir auf den Sarg legen; denn ich war ein braver Soldat im Befreiungskriege der Menschheit.

Kapitel XXXII

Während der Mittagshitze suchten wir Obdach in einem Franziskanerkloster, das auf einer bedeutenden Anhöhe lag und mit seinen düstern Zypressen und weißen Mönchen, wie ein Jagdschloß des Glaubens, hinabschaute in die heiter grünen Täler des Apennins. Es war ein schöner Bau, wie ich denn, außer der Kartause zu Monza, die ich nur von außen sah, noch sehr merkwürdigen Klöstern und Kirchen vorbeigekommen bin. Ich wußte oft nicht, sollte ich mehr die Schönheit der Gegend bewundern oder die Größe der alten Kirchen oder die ebenso große, steinfeste Gesinnung ihrer Erbauer, die wohl voraussehen konnten, daß erst späte Urenkel imstande sein würden, solch ein Bauwerk zu vollenden, und die dessen ohngeachtet ganz ruhig den Grundstein legten und Stein auf Stein trugen, bis der Tod sie von der Arbeit abrief und andere Baumeister das Werk fortsetzten und sich nachher ebenfalls zur Ruhe begaben – alle im festen Glauben an die Ewigkeit der katholischen Religion und im festen Vertrauen auf die gleiche Denkweise der folgenden Geschlechter, die weiterbauen würden, wo die Vorfahren aufgehört.

Es war der Glaube der Zeit, und die alten Baumeister lebten und entschliefen in diesem Glauben. Da liegen sie nun vor den Türen jener alten Kirchen, und es ist zu wünschen, daß ihr Schlaf recht fest sei und das Lachen der neuen Zeit sie nicht erwecke. Absonderlich für solche, die vor einem von den alten Domen liegen, die nicht fertig geworden sind, für solche wäre es sehr schlimm, wenn sie des Nachts plötzlich erwachten und im schmerzlichen Mondschein ihr unvollendetes Tagewerk sähen und bald merkten, daß die Zeit des Weiterbauens aufgehört hat und daß ihr ganzes Leben nutzlos war und dumm.

So spricht die jetzige neue Zeit, die eine andere Aufgabe hat, einen anderen Glauben.

Ich hörte einst in Köln, wie ein kleiner Bube seine Mutter frug: warum man die halben Dome nicht fertig baue? Es war ein schöner Bube, und ich küßte ihm die klugen Augen, und da die Mutter ihm keine rechte Antwort geben konnte, so sagte ich ihm: daß jetzt die Menschen ganz etwas anderes zu tun hätten.

Unfern von Genua, auf der Spitze der Apenninen, sieht man das Meer, zwischen den grünen Gebirgsgipfeln kommt die blaue Flut zum Vorschein, und Schiffe, die man hie und da erblickt, scheinen mit vollen Segeln über die Berge zu fahren. Hat man aber diesen Anblick zur Zeit der Dämmerung, wo die letzten Sonnenlichter mit den ersten Abendschatten ihr wunderliches Spiel beginnen und alle Farben und Formen sich nebelhaft verweben: dann wird einem ordentlich märchenhaft zumute, der Wagen rasselt bergab, die schläfrig süßesten Bilder der Seele werden aufgerüttelt und nicken wieder ein, und es träumt einem endlich, man sei in Genua.

Kapitel XXXIII

Diese Stadt ist alt ohne Altertümlichkeit, eng ohne Traulichkeit und häßlich über alle Maßen. Sie ist auf einem Felsen gebaut, am Fuße von amphitheatralischen Bergen, die den schönsten Meerbusen gleichsam umarmen. Die Genueser erhielten daher von der Natur den besten und sichersten Hafen. Da, wie gesagt, die ganze Stadt auf einem einzigen Felsen steht, so mußte, der Raumersparnis wegen, die Häuser sehr hoch und die Straßen sehr eng gebaut werden, so daß diese fast alle dunkel sind und nur auf zweien derselben ein Wagen fahren kann. Aber die Häuser dienen hier den Einwohnern, die meistens Kaufleute sind, fast nur zu Warenlagern und des Nachts zu Schlafstellen; den schachernden Tag über laufen sie umher in der Stadt oder sitzen vor ihrer Haustüre, oder vielmehr in der Haustüre, denn sonst würden sich die Gegenüberwohnenden einander mit den Knien berühren.

Von der Seeseite, besonders gegen Abend, gewährt die Stadt einen bessern Anblick. Da liegt sie am Meere, wie das gebleichte Skelett eines ausgeworfenen Riesentiers, dunkle Ameisen, die sich Genueser nennen, kriechen darin herum, die blauen Meereswellen bespülen es plätschernd wie ein Ammenlied, der Mond, das blasse Auge der Nacht, schaut mit Wehmut darauf hinab.

Im Garten des Palazzo Doria steht der alte Seeheld als Neptun in einem großen Wasserbassin. Aber die Statue ist verwittert und verstümmelt, das Wasser ausgetrocknet, und die Möwen nisten in den schwarzen Zypressen. Wie ein Knabe, der immer seine Komödien im Kopf hat, dachte ich bei dem Namen Doria gleich an Friedrich Schiller, den edelsten, wenn auch nicht größten Dichter der Deutschen.

Obgleich meistens im Verfall, sind die Paläste der ehemaligen Machthaber von Genua, der Nobili, dennoch sehr schön und mit Pracht überladen. Sie stehen meistens auf den zwei großen Straßen, genannt Strada nuova und Balbi. Der Palast Durazzo ist der merkwürdigste. Hier sind gute Bilder und darunter Paul Veroneses Christus, dem Magdalena die gewaschenen Füße abtrocknet. Diese ist so schön, daß man fürchten sollte, sie werde gewiß noch einmal verführt werden. Ich stand lange vor ihr – ach, sie schaute nicht auf! – Christus steht da wie ein Religionshamlet: go to a nunnery. Hier fand ich auch einige Holländer und vorzügliche Bilder von Rubens, letztere ganz durchdrungen von der kolossalen Heiterkeit dieses niederländischen Titanen, dessen Geistesflügel so stark waren, daß er bis zur Sonne emporflog, obgleich hundert Zentner holländischer Käse an seinen Beinen hingen. Ich kann dem kleinsten Bilde dieses großen Malers nicht vorübergehen, ohne den Zoll meiner Bewundrung zu entrichten. Um so mehr, da es jetzt Mode wird, ihn, ob seines Mangels an Idealität, nur mit Achselzucken zu betrachten. Die historische Schule zu München zeigt sich besonders groß in solcher Betrachtung. Man sehe nur, mit welcher vornehmen Geringschätzung der langhaarige Cornelianer durch den Rubenssaal wandelt! Vielleicht aber ist der Irrtum der Jünger erklärlich, wenn man den großen Gegensatz betrachtet, den Peter Cornelius zu Peter Paul Rubens bildet. Es läßt sich fast kein größerer Gegensatz ersinnen – und nichtsdestoweniger ist mir bisweilen zu Sinn, als hätten beide dennoch Ähnlichkeiten, die ich mehr ahnen als anschauen könne. Vielleicht sind landsmannschaftliche Eigenheiten in ihnen verborgen, die den dritten Landsmann, nämlich mich, wie leise heimische Laute ansprechen. Diese geheime Verwandtschaft besteht aber nimmermehr in der niederländischen Heiterkeit und Farbenlust, die uns aus allen Bildern des Rubens entgegenlacht, so daß man meinen sollte, er habe sie im freudigen Rheinweinrausch gemalt, während tanzende Kirmesmusik um ihn her jubelte. Wahrlich die Bilder des Cornelius scheinen eher am Karfreitage gemalt zu sein, während die schwermütigen Leidenslieder der Prozession durch die Straßen zogen und im Atelier und Herzen des Malers widerhallten. In der Produktivität, in der Schöpfungskühnheit, in der genialen Ursprünglichkeit sind sich beide ähnlicher, beide sind geborne Maler und gehören zu dem Zyklus großer Meister, die größtenteils zur Zeit des Raphael blühten, einer Zeit, die auf Rubens noch ihren unmittelbaren Einfluß üben konnte, die aber von der unsrigen so abgeschieden ist, daß wir ob der Erscheinung des Peter Cornelius fast erschrecken, daß er uns manchmal vorkommt wie der Geist eines jener großen Maler aus raphaelscher Zeit, der aus dem Grabe hervorsteige, um noch einige Bilder zu malen, ein toter Schöpfer, selbstbeschworen durch das mitbegrabene, inwohnende Lebenswort. Betrachten wir seine Bilder, so sehen sie uns an wie mit Augen des funfzehnten Jahrhunderts, gespenstisch sind die Gewänder, als rauschten sie uns vorbei um Mitternacht, zauberkräftig sind die Leiber, traumrichtig gezeichnet, gewaltsam wahr, nur das Blut fehlt ihnen, das pulsierende Leben, die Farbe. Ja, Cornelius ist ein Schöpfer, doch betrachten wir seine Geschöpfe, so will es uns bedünken, als könnten sie alle nicht lange leben, als seien sie alle eine Stunde vor ihrem Tode gemalt, als trügen sie alle die wehmütige Ahnung des Sterbens. Trotz ihrer Heiterkeit erregen die Gestalten des Rubens ein ähnliches Gefühl in unserer Seele, diese scheinen ebenfalls den Todeskeim in sich zu tragen, und es ist uns, als müßten sie eben durch ihre Lebensüberfülle, durch ihre rote Vollblütigkeit plötzlich vom Schlage gerührt werden. Das ist sie vielleicht, die geheime Verwandtschaft, die wir in der Vergleichung beider Meister so wundersam ahnen. Die höchste Lust in einigen Bildern des Rubens und der tiefste Trübsinn in denen des Cornelius erregen in uns vielleicht dasselbe Gefühl. Woher aber dieser Trübsinn bei einem Niederländer? Es ist vielleicht eben das schaurige Bewußtsein, daß er einer längst verklungenen Zeit angehört und sein Leben eine mystische Nachsendung ist – denn ach! er ist nicht bloß der einzige große Maler, der jetzt lebt, sondern vielleicht auch der letzte, der auf dieser Erde malen wird; vor ihm, bis zur Zeit der Caraccis, ist ein langes Dunkel, und hinter ihm schlagen wieder die Schatten zusammen, seine Hand ist eine lichte, einsame Geisterhand in der Nacht der Kunst, und die Bilder, die sie malt, tragen die unheimliche Trauer solcher ernsten, schroffen Abgeschiedenheit. Ich habe diese letzte Malerhand nie ohne geheimen Schauer betrachten können, wenn ich den Mann selbst sah, den kleinen scharfen Mann mit den heißen Augen; und doch wieder erregte diese Hand in mir das Gefühl der traulichsten Pietät, da ich mich erinnerte, daß sie mir einst liebreich auf den kleinen Fingern lag und mir einige Gesichtskonturen ziehen half, als ich, ein kleines Bübchen, auf der Akademie zu Düsseldorf zeichnen lernte.

Kapitel XXXIV

Die Sammlung von Porträts schöner Genueserinnen, die im Palast Durazzo gezeigt wird, darf ich nimmermehr unerwähnt lassen. Nichts auf der Welt kann unsre Seele trauriger stimmen als solcher Anblick von Porträts schöner Frauen, die schon seit einigen Jahrhunderten tot sind. Melancholisch überkriecht uns der Gedanke: daß von den Originalen jener Bilder, von all jenen Schönen, die so lieblich, so kokett, so witzig, so schalkhaft und so schwärmerisch waren, von all jenen Maiköpfchen mit Aprillaunen, von jenem ganzen Frauenfrühling nichts übrig geblieben ist als diese bunten Schatten, die ein Maler, der gleich ihnen längst vermodert ist, auf ein morsch Stückchen Leinwand gepinselt hat, das ebenfalls mit der Zeit in Staub zerfällt und verweht. So geht alles Leben, das Schöne ebenso wie das Häßliche, spurlos vorüber, der Tod, der dürre Pedant, verschont die Rose ebenso wenig wie die Distel, er vergißt auch nicht das einsame Hälmchen in der fernsten Wildnis, er zerstört gründlich und unaufhörlich, überall sehen wir, wie er Pflanzen und Tiere, die Menschen und ihre Werke zu Staub zerstampft, und selbst jene ägyptischen Pyramiden, die seiner Zerstörungswut zu trotzen scheinen, sie sind nur Trophäen seiner Macht, Denkmäler der Vergänglichkeit, uralte Königsgräber.

Aber noch schlimmer als dieses Gefühl eines ewigen Sterbens, einer öden gähnenden Vernichtung ergreift uns der Gedanke, daß wir nicht einmal als Originale dahinsterben, sondern als Kopien von längst verschollenen Menschen, die geistig und körperlich uns gleich waren, und daß nach uns wieder Menschen geboren werden, die wieder ganz aussehen und fühlen und denken werden wie wir und die der Tod ebenfalls wieder vernichten wird – ein trostlos ewiges Wiederholungsspiel, wobei die zeugende Erde beständig hervorbringen und mehr hervorbringen muß, als der Tod zu zerstören vermag, so daß sie, in solcher Not, mehr für die Erhaltung der Gattungen als für die Originalität der Individuen sorgen kann.

Wunderbar erfaßten mich die mystischen Schauer dieses Gedankens, als ich im Palast Durazzo die Porträts der schönen Genueserinnen sah und unter diesen ein Bild, das in meiner Seele einen süßen Sturm erregte, wovon mir noch jetzt, wenn ich daran denke, die Augenwimpern zittern – Es war das Bild der toten Maria.

Der Aufseher der Galerie meinte zwar, das Bild stelle eine Herzogin von Genua vor, und im ciceronischen Tone setzte er hinzu: es ist gemalt von Giorgio Barbarelli da Castelfranco nel Trevigiano, genannt Giorgione, er war einer der größten Maler der venezianischen Schule, wurde geboren im Jahre 1477 und starb im Jahr 1511.

»Lassen Sie das gut sein, Signor Custode. Das Bild ist gut getroffen, mag es immerhin ein paar Jahrhunderte im voraus gemalt sein, das ist kein Fehler. Zeichnung richtig, Farbengebung vorzüglich, Faltenwurf des Brustgewandes ganz vortrefflich. Haben Sie doch die Güte, das Bild für einige Augenblicke von der Wand herabzunehmen, ich will nur den Staub von den Lippen abblasen und auch die Spinne, die in der Ecke des Rahmens sitzt, fortscheuchen – Maria hatte immer einen Abscheu vor Spinnen.«

»Excellenza scheinen ein Kenner zu sein.«

»Daß ich nicht wüßte, Signor Custode. Ich habe das Talent, bei manchen Bildern sehr gerührt zu werden, und es wird mir dann etwas feucht in den Augen. Aber was sehe ich! von wem ist das Porträt des Mannes im schwarzen Mantel, das dort hängt?«

»Es ist ebenfalls von Giorgione, ein Meisterstück.«

»Ich bitte Sie, Signor, haben sie doch die Güte, es ebenfalls von der Wand herabzunehmen und einen Augenblick hier neben dem Spiegel zu halten, damit ich vergleichen kann, ob ich dem Bilde ähnlich sehe.«

»Excellenza sind nicht so blaß. Das Bild ist ein Meisterstück von Giorgione; er war Rival des Tiziano, wurde geboren im Jahre 1477 und starb im Jahr 1511.«

Lieber Leser, der Giorgione ist mir weit lieber als der Tiziano, und ich bin ihm besonders Dank schuldig, daß er mir die Maria gemalt. Du wirst gewiß ebenso gut wie ich einsehen, daß Giorgione für mich das Bild gemalt hat und nicht für irgendeinen alten Genueser. Und es ist sehr gut getroffen, totschweigend getroffen, es fehlt nicht einmal der Schmerz im Auge, ein Schmerz, der mehr einem geträumten als einem erlebten Leide galt und sehr schwer zu malen war. Das ganze Bild ist wie hingeseufzt auf die Leinwand. Auch der Mann im schwarzen Mantel ist gut gemalt, und die maliziös sentimentalen Lippen sind gut getroffen, sprechend getroffen, als wollten sie eben eine Geschichte erzählen – es ist die Geschichte von dem Ritter, der seine Geliebte aus dem Tode aufküssen wollte, und als das Licht erlosch – –

II

Die Bäder von Lucca

Ich bin wie Weib dem Manne – –
Graf August v. Platen-Hallermünde.

Will der Herr Graf ein Tänzchen wagen,
So mag er's sagen,
Ich spiel ihm auf.

Figaro.

Karl Immermann,
dem Dichter,
widmet diese Blätter,
als
ein Zeichen freudigster Verehrung,
der
Verfasser

Kapitel I

Als ich zu Mathilden ins Zimmer trat, hatte sie den letzten Knopf des grünen Reitkleides zugeknöpft und wollte eben einen Hut mit weißen Federn aufsetzen. Sie warf ihn rasch von sich, sobald sie mich erblickte, mit ihren wallend goldenen Locken stürzte sie mir entgegen – »Doktor des Himmels und der Erde!« rief sie, und nach alter Gewohnheit ergriff sie meine beiden Ohrlappen und küßte mich mit der drolligsten Herzlichkeit.

»Wie geht's, Wahnsinnigster der Sterblichen! Wie glücklich bin ich, Sie wiederzusehen! Denn ich werde nirgends auf dieser weiten Welt einen verrückteren Menschen finden. Narren und Dummköpfe gibt es genug, und man erzeigt ihnen oft die Ehre, sie für verrückt zu halten; aber die wahre Verrücktheit ist so selten wie die wahre Weisheit, sie ist vielleicht gar nichts anderes als Weisheit, die sich geärgert hat, daß sie alles weiß, alle Schändlichkeiten dieser Welt, und die deshalb den weisen Entschluß gefaßt hat, verrückt zu werden. Die Orientalen sind ein gescheutes Volk, sie verehren einen Verrückten wie einen Propheten, wir aber halten jeden Propheten für verrückt.«

»Aber, Mylady, warum haben Sie mir nicht geschrieben?«

»Gewiß, Doktor, ich schrieb Ihnen einen langen Brief und bemerkte auf der Adresse: abzugeben in Neu-Bedlam. Da Sie aber, gegen alle Vermutung, nicht dort waren, so schickte man den Brief nach St. Luze, und da Sie auch hier nicht waren, so ging er weiter nach einer ähnlichen Anstalt, und so machte er die Ronde durch alle Tollhäuser Englands, Schottlands und Irlands, bis man ihn mir zurückschickte mit der Bemerkung, daß der Gentleman, den die Adresse bezeichne, noch nicht eingefangen sei. Und in der Tat, wie haben Sie es angefangen, daß Sie immer noch auf freien Füßen sind?«

»Hab's pfiffig angefangen, Mylady. Überall, wohin ich kam, wußt ich mich um die Tollhäuser herumzuschleichen, und ich denke, es wird mir auch in Italien gelingen.«

»O, Freund, hier sind Sie ganz sicher; denn erstens ist gar kein Tollhaus in der Nähe, und zweitens haben wir hier die Oberhand.«

»Wir? Mylady! Sie zählen sich also zu den Unseren? Erlauben Sie, daß ich Ihnen den Bruderkuß auf die Stirne drücke.«

»Ach! ich meine wir Badegäste, worunter ich wahrlich noch die Vernünftigste bin – Und nun machen Sie sich leicht einen Begriff von der

Verrücktesten, nämlich von Julie Maxfield, die beständig behauptet, grüne Augen bedeuten den Frühling der Seele; dann haben wir noch zwei junge Schönheiten –«

»Gewiß englische Schönheiten, Mylady –«

»Doktor, was bedeutet dieser spöttische Ton? Die gelbfettigen Makkaronigesichter in Italien müssen Ihnen so gut schmecken, daß Sie keinen Sinn mehr haben für britische –«

»Plumpuddings mit Rosinenaugen, Roastbeefbusen festoniert mit weißen Meerrettig-Streifen, stolze Pasteten –«

»Es gab eine Zeit, Doktor, wo Sie jedesmal in Verzückung gerieten, wenn Sie eine schöne Engländerin sahen –«

»Ja, das war damals! Ich bin noch immer nicht abgeneigt, Ihren Landsmänninnen zu huldigen; sie sind schön wie Sonnen, aber Sonnen von Eis, sie sind weiß wie Marmor, aber auch marmorkalt – auf ihren kalten Herzen erfrieren die armen –«

»Oho! ich kenne einen – der dort nicht erfroren ist und frisch und gesund übers Meer gesprungen, und es war ein großer, deutscher, impertinenter –«

»Er hat sich wenigstens an den britisch frostigen Herzen so stark erkältet, daß er noch jetzt davon den Schnupfen hat.«

Mylady schien pikiert über diese Antwort, sie ergriff die Reitgerte, die zwischen den Blättern eines Romans, als Lesezeichen, lag, schwang sie um die Ohren ihres weißen Jagdhundes, der leise knurrte, hob hastig ihren Hut von der Erde, setzte ihn keck aufs Lockenhaupt, sah ein paarmal wohlgefällig in den Spiegel und sprach stolz: »Ich bin noch schön!« Aber plötzlich, wie von einem dunkeln Schmerzgefühl durchschauert, blieb sie sinnend stehen, streifte langsam ihren weißen Handschuh von der Hand, reichte sie mir, und meine Gedanken pfeilschnell ertappend, sprach sie: »Nicht wahr, diese Hand ist nicht mehr so schön wie in Ramsgate? Mathilde hat unterdessen viel gelitten!«

Lieber Leser, man kann es den Glocken selten ansehen, wo sie einen Riß haben, und nur an ihrem Tone merkt man ihn. Hättest du nun den Klang der Stimme gehört, womit obige Worte gesprochen wurden, so wüßtest du gleich, Myladys Herz ist eine Glocke vom besten Metall, aber ein verborgener Riß dämpft wunderbar ihre heitersten Töne und umschleiert sie gleichsam mit heimlicher Trauer. Doch ich liebe solche Glocken, sie finden immer ein gutes Echo in meiner eignen Brust; und ich küßte Myladys Hand fast inniger als ehemals, obgleich sie minder vollblühend war und einige Adern, etwas allzu blau hervortretend, mir ebenfalls zu sagen schienen: Mathilde hat unterdessen viel gelitten.

Ihr Auge sah mich an wie ein wehmütig einsamer Stern am herbstlichen Himmel, und weich und innig sprach sie: »Sie scheinen mich wenig mehr zu lieben, Doktor! Denn nur mitleidig fiel eben Ihre Träne auf meine Hand, fast wie ein Almosen.«

»Wer heißt Sie die stumme Sprache meiner Tränen so dürftig ausdeuten? Ich wette, der weiße Jagdhund, der sich jetzt an Sie schmiegt, versteht mich besser; er schaut mich an und dann wieder Sie und scheint sich zu wundern, daß die Menschen, die stolzen Herren der Schöpfung, innerlich so tief elend sind. Ach, Mylady, nur der verwandte Schmerz entlockt uns die Träne, und jeder weint eigentlich für sich selbst.«

»Genug, genug, Doktor. Es ist wenigstens gut, daß wir Zeitgenossen sind und in demselben Erdwinkel uns gefunden mit unseren närrischen Tränen. Ach des Unglücks! wenn Sie vielleicht zweihundert Jahre früher gelebt hätten, wie es mir mit meinem Freunde Michael de Cervantes Saavedra begegnet, oder gar, wenn Sie hundert Jahre später auf die Welt gekommen wären als ich, wie ein anderer intimer Freund von mir, dessen Namen ich nicht einmal weiß, eben weil er ihn erst bei seiner Geburt, Anno 1900, erhalten wird! Aber, erzählen Sie doch, wie haben Sie gelebt, seit wir uns nicht gesehen?«

»Ich trieb mein gewöhnliches Geschäft, Mylady; ich rollte wieder den großen Stein. Wenn ich ihn bis zur Hälfte des Berges gebracht, dann rollte er plötzlich hinunter, und ich mußte wieder suchen ihn hinaufzurollen – und dieses Bergauf- und Bergabrollen wird sich so lange wiederholen, bis ich selbst unter dem großen Steine liegen bleibe und Meister Steinmetz mit großen Buchstaben darauf schreibt: Hier ruht in Gott –«

»Beileibe, Doktor, ich lasse Ihnen noch keine Ruhe – Sein Sie nur nicht melancholisch! Lachen Sie, oder ich –«

»Nein, kitzeln Sie nicht; ich will lieber von selbst lachen.«

»So recht. Sie gefallen mir noch ebenso gut wie in Ramsgate, wo wir uns zuerst nahe kamen –«

»Und endlich noch näher als nah. Ja, ich will lustig sein. Es ist gut, daß wir uns wiedergefunden, und der große deutsche – wird sich wieder ein Vergnügen daraus machen, sein Leben bei Ihnen zu wagen.«

Myladys Augen lachten wie Sonnenschein nach leisem Regenschauer, und ihre gute Laune brach wieder leuchtend hervor, als John hereintrat und mit dem steifsten Lakaienpathos Seine Exzellenz den Markese Christophoro di Gumpelino anmeldete.

»Er sei willkommen! Und Sie, Doktor, werden einen Pair unseres Narrenreichs kennen lernen. Stoßen Sie sich nicht an sein Äußeres, besonders nicht an seine Nase. Der Mann besitzt vortreffliche Eigenschaften, z. B. viel Geld, gesunden Verstand und die Sucht, alle Narrheiten der Zeit in sich aufzunehmen; dazu ist er in meine grünäugige Freundin Julie Maxfield verliebt und nennt sie seine Julia und sich ihren Romeo und deklamiert und seufzt – und Lord Maxfield, der Schwager, dem die treue Julia von ihrem Manne anvertraut worden, ist ein Argus –«

Schon wollte ich bemerken, daß Argus eine Kuh bewachte, als die Türe sich weit öffnete und, zu meinem höchsten Erstaunen, mein alter Freund, der Bankier Christian Gumpel, mit seinem wohlhabenden Lächeln und gottgefälligem Bauche, hereinwatschelte. Nachdem seine glänzenden breiten Lippen sich an Myladys Hand genugsam gescheuert und übliche Gesundheitsfragen hervorgebrockt hatten, erkannte er auch mich – und in die Arme sanken sich die Freunde.

Kapitel II

Mathildens Warnung, daß ich mich an die Nase des Mannes nicht stoßen solle, war hinlänglich gegründet, und wenig fehlte, so hätte er mir wirklich ein Auge damit ausgestochen. Ich will nichts Schlimmes von dieser Nase sagen; im Gegenteil, sie war von der edelsten Form, und sie eben berechtigte meinen Freund, sich wenigstens einen Markese-Titel beizulegen. Man konnte es ihm nämlich an der Nase ansehen, daß er von gutem Adel war, daß er von einer uralten Weltfamilie abstammte, womit sich sogar einst der liebe Gott, ohne Furcht vor Mesallianz, verschwägert hat. Seitdem ist diese Familie freilich etwas heruntergekommen, so daß sie seit Karl dem Großen, meistens durch den Handel mit alten Hosen und Hamburger Lotteriezetteln, ihre Subsistenz erwerben mußte, ohne jedoch im mindesten von ihrem Ahnenstolze abzulassen oder jemals die Hoffnung aufzugeben, einst wieder ihre alten Güter oder wenigstens hinreichende Emigrantenentschädigung zu erhalten, wenn ihr alter legitimer Souverän sein Restaurationsversprechen erfüllt, ein Versprechen, womit er sie schon zwei Jahrtausende an der Nase herumgeführt. Sind vielleicht ihre Nasen eben durch dieses lange an der

Nase Herumgeführtwerden so lang geworden? Oder sind diese langen Nasen eine Art Uniform, woran der Gottkönig Jehovah seine alten Leibgardisten erkennt, selbst wenn sie desertiert sind? Der Markese Gumpelino war ein solcher Deserteur, aber er trug noch immer seine Uniform, und sie war sehr brillant, besäet mit Kreuzchen und Sternchen von Rubinen, einem roten Adlerorden in Miniatur und anderen Dekorationen.

»Sehen Sie«, sagte Mylady, »das ist meine Lieblingsnase, und ich kenne keine schönere Blume auf dieser Erde.«

»Diese Blume«, schmunzlächelte Gumpelino, »kann ich Ihnen nicht an den schönen Busen legen, ohne daß ich mein blühendes Antlitz hinzulege, und diese Beilage würde Sie vielleicht in der heutigen Hitze etwas genieren. Aber ich bringe Ihnen eine nicht minder köstliche Blume, die hier selten ist –«

Bei diesen Worten öffnete der Markese die fließpapierne Tüte, die er mitgebracht, und mit langsamer Sorgfalt zog er daraus hervor eine wunderschöne Tulpe.

Kaum erblickte Mylady diese Blume, so schrie sie aus vollem Halse: »Morden! morden! wollen Sie mich morden? Fort, fort mit dem schrecklichen Anblick!« Dabei gebärdete sie sich, als wolle man sie umbringen, hielt sich die Hände vor die Augen, rannte unsinnig im Zimmer umher, verwünschte Gumpelinos Nase und Tulpe, klingelte, stampfte den Boden, schlug den Hund mit der Reitgerte, daß er laut aufbellte, und als John hereintrat, rief sie, wie Kean als König Richard:

Ein Pferd! ein Pferd!
Ein Königtum für ein Pferd!

und stürmte, wie ein Wirbelwind, von dannen.

»Eine kuriose Frau!« sprach Gumpelino, vor Erstaunen bewegungslos und noch immer die Tulpe in der Hand haltend, so daß er einem jener Götzenbilder glich, die, mit Lotosblumen in den Händen, auf altindischen Denkmälern zu schauen sind. Ich aber kannte die Dame und ihre Idiosynkrasie weit besser, mich ergötzte dieses Schauspiel über alle Maßen, ich öffnete das Fenster und rief: »Mylady, was soll ich von Ihnen denken? Ist das Vernunft, Sitte – besonders ist das Liebe?«

Da lachte herauf die wilde Antwort:

Wenn ich zu Pferde bin, so will ich schwören:
Ich liebe dich unendlich.

Kapitel III

»Eine kuriose Frau!« wiederholte Gumpelino, als wir uns auf den Weg machten, seine beiden Freundinnen, Signora Lätizia und Signora Franscheska, deren Bekanntschaft er mir verschaffen wollte, zu besuchen. Da die Wohnung dieser Damen auf einer etwas entfernten Anhöhe lag, so erkannte ich um so dankbarer die Güte meines wohlbeleibten Freundes, der das Bergsteigen etwas beschwerlich fand und auf jedem Hügel atemschöpfend stehen blieb und »O Jesu!« seufzte.

Die Wohnungen in den Bädern von Lucca nämlich sind entweder unten in einem Dorfe, das von hohen Bergen umschlossen ist, oder sie liegen auf einem dieser Berge selbst, unfern der Hauptquelle, wo eine pittoreske Häusergruppe in das reizende Tal hinabschaut. Einige liegen aber auch einzeln zerstreut an den Bergesabhängen, und man muß mühsam hinaufklimmen durch Weinreben, Myrtengesträuch, Geißblatt, Lorbeerbüsche, Oleander, Geranikum und andre vornehme Blumen und Pflanzen, ein wildes Paradies. Ich habe nie ein reizenderes Tal gesehen, besonders wenn man von der Terrasse des oberen Bades, wo die ernstgrünen Zypressen stehen, ins Dorf hinabschaut. Man sieht dort die Brücke, die über ein Flüßchen führt, welches Lima heißt und, das Dorf in zwei Teile durchschneidend, an beiden Enden in mäßigen Wasserfällen über Felsenstücke dahinstürzt und ein Geräusch hervorbringt, als wolle es die angenehmsten Dinge sagen und könne vor dem allseitig plaudernden Echo nicht zu Worten kommen.

Der Hauptzauber dieses Tals liegt aber gewiß in dem Umstand, daß es nicht zu groß ist und nicht zu klein, daß die Seele des Beschauers nicht gewaltsam erweitert wird, vielmehr sich ebenmäßig mit dem herrlichen Anblick füllt, daß die Häupter der Berge selbst, wie die Apenninen überall, nicht abenteuerlich gotisch erhaben mißgestaltet sind, gleich den Bergkarikaturen, die wir ebenso wohl wie die Menschenkarikaturen in germanischen Ländern finden: sondern, daß ihre edelgeründeten, heiter grünen Formen fast eine Kunstzivilisation aussprechen und gar melodisch mit dem blaßblauen Himmel zusammenklingen.

»O Jesu!« ächzte Gumpelino, als wir, mühsamen Steigens und von der Morgensonne schon etwas stark gewärmt, oberwähnte Zypressenhöhe erreichten und, ins Dorf hinabschauend, unsere englische Freundin, hoch zu Roß, wie ein romantisches Märchenbild, über die Brücke jagen und ebenso traumschnell wieder verschwinden sahen. »O Jesu! welch eine kuriose Frau«, wiederholte einigemal der Markese. »In meinem gemeinen Leben ist mir noch keine solche Frau vorgekommen. Nur in Komödien findet man dergleichen, und ich glaube, z. B. die Holzbecher würde die Rolle gut spielen. Sie hat etwas von einer Nixe. Was denken Sie?«

»Ich denke, Sie haben recht, Gumpelino. Als ich mit ihr von London nach Rotterdam fuhr, sagte der Schiffskapitän, sie gliche einer mit Pfeffer bestreuten Rose. Zum Dank für diese pikante Vergleichung schüttete sie eine ganze Pfefferbüchse auf seinen Kopf aus, als sie ihn einmal in der Kajüte eingeschlummert fand, und man konnte sich dem Manne nicht mehr nähern, ohne zu niesen.«

»Eine kuriose Frau!« sprach wieder Gumpelino. »So zart wie weiße Seide und ebenso stark, und sitzt zu Pferde ebenso gut wie ich. Wenn sie nur nicht ihre Gesundheit zugrunde reitet. Sahen Sie nicht eben den langen, magern Engländer, der auf seinem magern Gaul hinter ihr herjagte wie die galoppierende Schwindsucht? Das Volk reitet zu leidenschaftlich, gibt alles Geld in der Welt für Pferde aus. Lady Maxfields Schimmel kostet dreihundert goldne, lebendige Louisdore – ach! und die Louisdore stehen so hoch und steigen noch täglich.«

»Ja, die Louisdor werden noch so hoch steigen, daß ein armer Gelehrter, wie unsereiner, sie gar nicht mehr wird erreichen können.«

»Sie haben keinen Begriff davon, Herr Doktor, wie viel Geld ich ausgeben muß, und dabei behelfe ich mich mit einem einzigen Bedienten, und nur wenn ich in Rom bin, halte ich mir einen Kapellan für meine Hauskapelle. Sehen Sie, da kommt mein Hyazinth.«

Die kleine Gestalt, die in diesem Augenblick bei der Windung eines Hügels zum Vorschein kam, hätte vielmehr den Namen einer Feuerlilje verdient. Es war ein schlotternd weiter Scharlachrock, überladen mit Goldtressen, die im Sonnenglanze strahlten, und aus dieser roten Pracht schwitzte ein Köpfchen hervor, das mir sehr wohlbekannt zunickte. Und wirklich, als ich das bläßlich besorgliche Gesichtchen und die geschäftig zwinkenden Äuglein näher betrachtete, erkannte ich jemanden, den ich eher auf dem Berg Sinai als auf den Apenninen erwartet hätte, und das war kein anderer als Herr Hirsch, Schutzbürger in Hamburg, ein Mann, der nicht bloß immer ein sehr ehrlicher Lotteriekollekteur gewesen, sondern sich auch auf Hühneraugen und Juwelen versteht, dergestalt, daß er erstere von letzteren nicht bloß zu unterscheiden weiß, sondern auch die Hühneraugen ganz geschickt auszuschneiden und die Juwelen ganz genau zu taxieren weiß.

»Ich bin guter Hoffnung«, sprach er, als er mir näher kam, »daß Sie mich noch kennen, obgleich ich nicht mehr Hirsch heiße. Ich heiße jetzt Hyazinth und bin der Kammerdiener des Herrn Gumpel.«

»Hyazinth!« rief dieser in staunender Aufwallung über die Indiskretion des Dieners.

»Sein Sie nur ruhig, Herr Gumpel, oder Herr Gumpelino, oder Herr Markese, oder Eure Excellenza, wir brauchen uns gar nicht vor diesem Herrn zu genieren, der kennt mich, hat manches Los bei mir gespielt, und ich möcht sogar drauf schwören, er ist mir von der letzten Renovierung noch sieben Mark neun Schilling schuldig – Ich freue mich wirklich, Herr Doktor, Sie hier wieder zu sehen. Haben Sie hier ebenfalls Vergnügungsgeschäfte? Was sollte man sonst hier tun in dieser Hitze, und wo man noch dazu bergauf und bergab steigen muß. Ich bin hier des Abends so müde, als wäre ich zwanzigmal vom Altonaer Tore nach dem Steintor gelaufen, ohne was dabei verdient zu haben.«

»O Jesu!« rief der Markese, »schweig, schweig! Ich schaffe mir einen andern Bedienten an.«

»Warum schweigen?« versetzte Hirsch Hyazinthos. »Ist es mir doch lieb, wenn ich mal wieder gutes Deutsch sprechen kann mit einem Gesichte, das ich schon einmal in Hamburg gesehen, und denke ich an Hamburg –«

Hier, bei der Erinnerung an sein kleines Stiefvaterländchen, wurden des Mannes Äuglein flimmernd feucht, und seufzend sprach er: »Was ist der Mensch! Man geht vergnügt vor dem Altonaer Tore, auf dem Hamburger Berg, spazieren und besieht dort die Merkwürdigkeiten, die Löwen, die Gevögel, die Papagoyim, die Affen, die ausgezeichneten Menschen, und man läßt sich Karussell fahren oder elektrisieren, und man denkt, was würde ich erst für Vergnügen haben an einem Orte, der noch zweihundert Meilen von Hamburg weiter entfernt ist, in dem Lande, wo die Zitronen und Orangen wachsen, in Italien! Was ist der Mensch! Ist er vor dem Altonaer Tore, so möchte er gern in Italien sein, und ist er in Italien, so möchte er wieder vor dem Altonaer Tore sein! Ach stände ich dort wieder und sähe wieder den Michaelisturm und oben daran die

Uhr mit den großen goldnen Zahlen auf dem Zifferblatt, die großen goldnen Zahlen, die ich so oft des Nachmittags betrachtete, wenn sie so freundlich in der Sonne glänzten – ich hätte sie oft küssen mögen. Ach, ich bin jetzt in Italien, wo die Zitronen und Orangen wachsen; wenn ich aber die Zitronen und Orangen wachsen sehe, so denk ich an den Steinweg zu Hamburg, wo sie, ganzer Karren voll, gemächlich aufgestapelt liegen und wo man sie ruhig genießen kann, ohne daß man nötig hat, so viele Gefahr-Berge zu besteigen und so viel Hitzwärme auszustehen. So wahr mir Gott helfe, Herr Markese, wenn ich es nicht der Ehre wegen getan hätte und wegen der Bildung, so wäre ich Ihnen nicht hierher gefolgt. Aber das muß man Ihnen nachsagen, man hat Ehre bei Ihnen und bildet sich.«

»Hyazinth!« sprach jetzt Gumpelino, der durch diese Schmeichelei etwas besänftigt worden, »Hyazinth, geh jetzt zu –«

»Ich weiß schon –«

»Du weißt nicht, sage ich dir, Hyazinth –«

»Ich sag Ihnen, Herr Gumpel, ich weiß. Ew. Exzellenz schicken mich jetzt zu der Lady Maxfield – Mir braucht man gar nichts zu sagen. Ich weiß Ihre Gedanken, die Sie noch gar nicht gedacht und vielleicht Ihr Lebtag gar nicht denken werden. Einen Bedienten wie mich bekommen Sie nicht so leicht – und ich tu es der Ehre wegen und der Bildung wegen, und wirklich, man hat Ehre bei Ihnen und bildet sich –« Bei diesem Worte putzte er sich die Nase mit einem sehr weißen Taschentuche.

»Hyazinth«, sprach der Markese, »du gehst jetzt zu der Lady Julie Maxfield, zu meiner Julia, und bringst ihr diese Tulpe – nimm sie in Acht, denn sie kostet fünf Paoli – und sagst ihr –«

»Ich weiß schon –«

»Du weißt nichts. Sag ihr: die Tulpe ist unter den Blumen –«

»Ich weiß schon, Sie wollen ihr etwas durch die Blume sagen. Ich habe für so manches Lotterielos in meiner Kollekte selbst eine Devise gemacht –«

»Ich sage dir, Hyazinth, ich will keine Devise von dir. Bringe diese Blume an Lady Maxfield und sage ihr:

Die Tulpe ist unter den Blumen,
Was unter den Käsen der Stracchino;
Doch mehr als Blumen und Käse
Verehrt dich Gumpelino!«

»So wahr mir Gott alles Gute gebe, das ist gut!« rief Hyazinth. »Winken Sie mir nicht, Herr Markese, was Sie wissen, das weiß ich, und was ich weiß, das wissen Sie. Und Sie, Herr Doktor, leben Sie wohl! Um die Kleinigkeit mahne ich Sie nicht.« – Bei diesen Worten stieg er den Hügel wieder hinab und murmelte beständig: »Gumpelino Stracchino – Stracchino Gumpelino« –

»Es ist ein treuer Mensch« – sagte der Markese – »sonst hätte ich ihn längst abgeschafft, wegen seines Mangels an Etikette. Vor Ihnen hat das nichts zu bedeuten. Sie verstehen mich. Wie gefällt Ihnen seine Livree? Es sind noch für vierzig Taler mehr Tressen dran als an der Livree von Rothschilds Bedienten. Ich habe innerlich mein Vergnügen, wie sich der Mensch bei mir perfektioniert. Dann und wann gebe ich ihm selbst Unterricht in der Bildung. Ich sage ihm oft: Was ist Geld? Geld ist rund und rollt weg, aber Bildung bleibt. Ja, Herr Doktor, wenn ich, was Gott verhüte, mein Geld verliere, so bin ich doch noch immer ein großer Kunstkenner, ein Kenner von Malerei, Musik und Poesie. Sie sollten mir die Augen zubinden und mich in der Galerie zu Florenz herumführen, und bei jedem Gemälde, vor welches Sie mich hinstellen, will ich Ihnen den Maler nennen, der es gemalt hat, oder wenigstens die Schule, wozu dieser Maler gehört. Musik? Verstopfen Sie mir die Ohren, und ich höre doch jede falsche Note. Poesie? Ich kenne alle Schauspielerinnen Deutschlands, und die Dichter weiß ich auswendig. Und gar Natur! Ich bin zweihundert Meilen gereist, Tag und Nacht durch, um in Schottland einen einzigen Berg zu sehen. Italien aber geht über alles. Wie gefällt Ihnen hier diese Naturgegend? Welche Schöpfung! Sehen Sie mal die Bäume, die Berge, den Himmel, da unten das Wasser – ist nicht alles wie gemalt? Haben Sie es je im Theater schöner gesehen? Man wird sozusagen ein Dichter! Verse kommen einem in den Sinn, und man weiß nicht woher: –

Schweigend, in der Abenddämmrung Schleier
Ruht die Flur, das Lied der Haine stirbt;
Nur daß hier, im alternden Gemäuer,
Melancholisch noch ein Heimchen zirpt.«

Diese erhabenen Worte deklamierte der Markese mit überschwellender Rührung, indem er, wie verklärt, in das lachende, morgenhelle Tal hinabschaute.

Kapitel IV

Als ich einst an einem schönen Frühlingstage unter den Berliner Linden spazieren ging, wandelten vor mir zwei Frauenzimmer, die lange schwiegen, bis endlich die eine schmachtend aufseufzte: »Ach, die jrine Beeme!« Worauf die andre, ein junges Ding, mit naiver Verwundrung fragte: »Mutter, was gehn Ihnen die jrine Beeme an?«

Ich kann nicht umhin zu bemerken, daß beide Personen zwar nicht in Seide gekleidet gingen, jedoch keineswegs zum Pöbel gehörten, wie es denn überhaupt in Berlin keinen Pöbel gibt, außer etwa in den höchsten Ständen. Was aber jene naive Frage selbst betrifft, so kommt sie mir nie aus dem Gedächtnisse. Überall, wo ich unwahre Naturempfindung und dergleichen grüne Lügen ertappe, lacht sie mir ergötzlich durch den Sinn. Auch bei der Deklamation des Markese wurde sie in mir laut, und den Spott auf meinen Lippen erratend, rief er verdrießlich: »Stören Sie mich nicht – Sie haben keinen Sinn für reine Natürlichkeit – Sie sind ein zerrissener Mensch, ein zerrissenes Gemüte, sozusagen ein Byron.«

Lieber Leser, gehörst du vielleicht zu jenen frommen Vögeln, die da einstimmen in das Lied von byronischer Zerrissenheit, das mir schon seit zehn Jahren, in allen Weisen, vorgepfiffen und vorgezwitschert worden und sogar im Schädel des Markese, wie du oben gehört hast, sein Echo gefunden? Ach, teurer Leser, wenn du über jene Zerrissenheit klagen willst, so beklage lieber, daß die Welt selbst mitten entzwei gerissen ist. Denn da das Herz des Dichters der Mittelpunkt der Welt ist, so mußte es wohl in jetziger Zeit jämmerlich zerrissen werden. Wer von seinem Herzen rühmt, es sei ganz geblieben, der gesteht nur, daß er ein prosaisches weitabgelegenes Winkelherz hat. Durch das meinige ging aber der große Weltriß, und eben deswegen weiß ich, daß die großen Götter mich vor vielen anderen hoch begnadigt und des Dichtermärtyrtums würdig geachtet haben.

Einst war die Welt ganz, im Altertum und im Mittelalter, trotz der äußeren Kämpfe gab's doch noch immer eine Welteinheit, und es gab ganze Dichter. Wir wollen diese Dichter ehren und uns an ihnen erfreuen; aber jede Nachahmung ihrer Ganzheit ist eine Lüge, eine Lüge, die jedes gesunde Auge durchschaut und die dem Hohne dann nicht entgeht. Jüngst, mit vieler Mühe, verschaffte ich mir in Berlin die Gedichte eines jener Ganzheitdichter, der über meine byronische Zerrissenheit so sehr geklagt, und bei den erlogenen Grünlichkeiten, den zarten Naturgefühlen, die mir da, wie frisches Heu, entgegendufteten, wäre mein armes Herz, das schon hinlänglich zerrissen ist, fast auch vor Lachen geborsten, und unwillkürlich rief ich: »Mein lieber Herr Intendanturrat Wilhelm Neumann, was gehn Ihnen die jrine Beeme an?«

»Sie sind ein zerrissener Mensch, sozusagen ein Byron« – wiederholte der Markese, sah noch immer verklärt hinab ins Tal, schnalzte zuweilen mit der Zunge am Gaumen vor andächtiger Bewunderung – »Gott, Gott! Alles wie gemalt!«

Armer Byron! solches ruhige Genießen war dir versagt! War dein Herz so verdorben, daß du die Natur nur sehen, ja sogar schildern, aber nicht von ihr beseligt werden konntest? Oder hat Bishy Shelley recht, wenn er sagt: du habest die Natur in ihrer keuschen Nacktheit belauscht und wurdest deshalb, wie Aktäon, von ihren Hunden zerrissen!

Genug davon; wir kommen zu einem besseren Gegenstande, nämlich zu Signora Lätizias und Franscheskas Wohnung, einem kleinen weißen Gebäude, das gleichsam noch im Negligee zu sein scheint und vorn zwei große runde Fenster hat, vor welchen die hochaufgezogenen Weinstöcke ihre langen Ranken herabhängen lassen, daß es aussieht, als fielen grüne Haare in lockiger Fülle über die Augen des Hauses. An der Türe schon klingt es uns bunt entgegen, wirbelnde Triller, Gitarrentöne und Gelächter.

Kapitel V

Signora Lätizia, eine funfzigjährige junge Rose, lag im Bette und trillerte und schwatzte mit ihren beiden Galans, wovon der eine auf einem niedrigen Schemel vor ihr saß und der andre, in einem großen Sessel lehnend, die Gitarre spielte. Im Nebenzimmer flatterten dann und wann ebenfalls die Fetzen eines süßen Liedes oder eines noch wundersüßeren Lachens. Mit einer gewissen wohlfeilen Ironie, die den Markese zuweilen anwandelte, präsentierte er mich der Signora und den beiden Herren und bemerkte dabei: ich sei derselbe Johann Heinrich Heine, Doktor Juris, der jetzt in der deutschen juristischen Literatur berühmt sei. Zum Unglück war der eine Herr ein Professor aus Bologna, und zwar ein Jurist, obgleich sein wohlgewölbter, runder Bauch ihn eher zu einer Anstellung bei der sphärischen Trigonometrie zu qualifizieren schien. Einigermaßen in Verlegenheit gesetzt, bemerkte ich, daß ich nicht unter meinem eigenen Namen schriebe, sondern unter dem Namen Jarke; und das sagte ich aus Bescheidenheit, indem mir zufällig einer der wehmütigsten Insektennamen unserer juristischen Literatur ins Gedächtnis kam. Der Bologneser beklagte zwar, diesen berühmten Namen noch nicht gehört zu haben – welches auch bei dir, lieber Leser, der Fall sein wird –, doch zweifelte er nicht, daß er bald seinen Glanz über die ganze Erde verbreiten werde. Dabei lehnte er sich zurück in seinem Sessel, griff einige Akkorde auf der Gitarre und sang aus »Axur«:

O mächtiger Brahma!
Ach laß dir das Lallen
Der Unschuld gefallen,
Das Lallen, das Lallen –

Wie ein lieblich neckendes Nachtigallecho schmetterte im Nebenzimmer eine ähnliche Melodie. Signora Lätizia aber trillerte dazwischen im feinsten Diskant:

Dir allein glüht diese Wange,
Dir nur klopfen diese Pulse;
Voll von süßem Liebesdrange
Hebt mein Herz sich dir allein!

Und mit der fettigsten Prosastimme setzte sie hinzu: »Bartolo, gib mir den Spucknapf.«

Von seinem niedern Bänkchen erhob sich jetzt Bartolo mit seinen dürren hölzernen Beinen und präsentierte ehrerbietig einen etwas unreinlichen Napf von blauem Porzellan.

Dieser zweite Galan, wie mir Gumpelino auf deutsch zuflüsterte, war ein sehr berühmter Dichter, dessen Lieder, obgleich er sie schon vor zwanzig Jahren gedichtet, noch jetzt in ganz Italien klingen und mit der süßen Liebesglut, die in ihnen flammt, Alt und Jung berauschen; – derweilen er selbst jetzt nur ein armer, veralteter Mensch ist, mit blassen Augen im welken Gesichte, dünnen weißen Härchen auf dem schwankenden Kopfe und kalter Armut im kümmerlichen Herzen. So ein armer, alter Dichter mit seiner kahlen Hölzernheit gleicht den Weinstökken, die wir im Winter auf den kalten Bergen stehen sehen, dürr und laublos, im Winde zitternd und von Schnee bedeckt, während der süße

Most, der ihnen einst entquoll, in den fernsten Landen gar manches Zecherherz erwärmt und zu ihrem Lobe berauscht. Wer weiß, wenn einst die Kelter der Gedanke, die Druckerpresse, auch mich ausgepreßt hat und nur noch im Verlagskeller von Hoffmann und Campe der alte, abgezapfte Geist zu finden ist, sitze ich selbst vielleicht ebenso dünn und kümmerlich wie der arme Bartolo auf dem Schemel neben dem Bette einer alten Innamorata und reiche ihr auf Verlangen den Napf des Spukkes.

Signora Lätizia entschuldigte sich bei mir, daß sie zu Bette liege, und zwar bäuchlings, indem ein Geschwür an der Legitimität, das sie sich durch vieles Feigenessen zugezogen, sie jetzt hindere, wie es einer ordentlichen Frau zieme, auf dem Rücken zu liegen. Sie lag wirklich ungefähr wie eine Sphinx; ihr hochfrisiertes Haupt stemmte sie auf ihre beiden Arme, und zwischen diesen wogte ihr Busen wie ein rotes Meer.

»Sie sind ein Deutscher?« frug sie mich.

»Ich bin zu ehrlich, es zu leugnen, Signora!« entgegnete meine Wenigkeit.

»Ach, ehrlich genug sind die Deutschen!« – seufzte sie – »aber was hilft es, daß die Leute ehrlich sind, die uns berauben! sie richten Italien zugrunde. Meine besten Freunde sitzen eingekerkert in Milano; nur Sklaverei –«

»Nein, nein«, rief der Markese, »beklagen Sie sich nicht über die Deutschen, wir sind überwundene Überwinder, besiegte Sieger, sobald wir nach Italien kommen; und Sie sehen, Signora, Sie sehen und Ihnen zu Füßen fallen ist dasselbe –« Und indem er sein gelbseidenes Taschentuch ausbreitete und darauf niederkniete, setzte er hinzu: »Hier knie ich und huldige Ihnen im Namen von ganz Deutschland.«

»Christophoro di Gumpelino!« – seufzte Signora tiefgerührt und schmachtend – »stehen Sie auf und umarmen Sie mich!«

Damit aber der holde Schäfer nicht die Frisur und die Schminke seiner Geliebten verdürbe, küßte sie ihn nicht auf die glühenden Lippen, sondern auf die holde Stirne, so daß sein Gesicht tiefer hinabreichte und das Steuer desselben, die Nase, im roten Meere herumruderte.

»Signor Bartolo!« rief ich, »erlauben Sie mir, daß auch ich mich des Spucknapfes bediene.«

Wehmütig lächelte Signor Bartolo, sprach aber kein einziges Wort, obgleich er, nächst Mezzophante, für den besten Sprachlehrer in Bologna gilt. Wir sprechen nicht gern, wenn Sprechen unsre Profession ist.

Er diente der Signora als ein stummer Ritter, und nur dann und wann mußte er das Gedicht rezitieren, das er ihr vor fünfundzwanzig Jahren aufs Theater geworfen, als sie zuerst in Bologna, in der Rolle der Ariadne, auftrat. Er selbst mag zu jener Zeit wohlbelaubt und glühend gewesen sein, vielleicht ähnlich dem heiligen Dionysos selbst, und seine Lätizia-Ariadne stürzte ihm gewiß bacchantisch in die blühenden Arme – Evoe Bacche! Er dichtete damals noch viele Liebesgedichte, die, wie schon erwähnt, sich in der italienischen Literatur erhalten haben, nachdem der Dichter und die Geliebte selbst schon längst zu Makulatur geworden.

Fünfundzwanzig Jahre hat sich seine Treue bereits bewährt, und ich denke, er wird auch bis an sein seliges Ende auf dem Schemel sitzen und auf Verlangen seine Verse rezitieren oder den Spucknapf reichen. Der Professor der Jurisprudenz schleppt sich fast ebenso lange schon in den Liebesfesseln der Signora, er macht ihr noch immer so eifrig die Cour wie im Anfang dieses Jahrhunderts, er muß noch immer seine akademischen Vorlesungen unbarmherzig vertagen, wenn sie seine Begleitung nach irgendeinem Orte verlangt, und er ist noch immer belastet mit allen Servituten eines echten Patito.

Die treue Ausdauer dieser beiden Anbeter einer längst ruinierten Schönheit mag vielleicht Gewohnheit sein, vielleicht Pietas gegen frühere Gefühle, vielleicht nur das Gefühl selbst, das sich von der jetzigen Beschaffenheit seines ehemaligen Gegenstandes ganz unabhängig gemacht hat und diesen nur noch mit den Augen der Erinnerung betrachtet. So sehen wir oft alte Leute an einer Straßenecke, in katholischen Städten, vor einem Madonnenbilde knien, das so verblaßt und verwittert ist, daß nur noch wenige Spuren und Gesichtsumrisse davon übrig geblieben sind, ja, daß man dort vielleicht nichts mehr sieht als die Nische, worin es gemalt stand, und die Lampe, die etwa noch darüber hängt; aber die alten Leute, die, mit dem Rosenkranz in den zitternden Händen, dort so andächtig knien, haben schon seit ihren Jugendjahren dort gekniet, Gewohnheit treibt sie immer, um dieselbe Stunde, zu demselben Fleck, sie merkten nicht das Erlöschen des geliebten Heiligenbildes, und am Ende macht das Alter ja doch so schwachsichtig und blind, daß es ganz gleichgültig sein mag, ob der Gegenstand unserer Anbetung überhaupt noch sichtbar ist oder nicht. Die da glauben, ohne zu sehen, sind auf jeden Fall glücklicher als die Scharfäugigen, die jede hervorblühende Runzel auf dem Antlitz ihrer Madonnen gleich bemerken.

Nichts ist schrecklicher als solche Bemerkungen! Einst freilich glaubte ich, die Treulosigkeit der Frauen sei das Schrecklichste, und um dann das Schrecklichste zu sagen, nannte ich sie Schlangen. Aber, ach! jetzt weiß ich, das Schrecklichste ist, daß sie nicht ganz Schlangen sind; denn die Schlangen können jedes Jahr die alte Haut von sich abstreifen und neugehäutet sich verjüngen.

Ob einer von den beiden antiken Seladons darüber eifersüchtig war, daß der Markese, oder vielmehr dessen Nase, oberwähntermaßen in Wonne schwamm, das konnte ich nicht bemerken. Bartolo saß gemütsruhig auf seinem Bänkchen, die Beinstöckchen übereinander geschlagen, und spielte mit Signoras Schoßhündchen, einem jener hübschen Tierchen, die in Bologna zu Hause sind und die man auch bei uns unter dem Namen Bologneser kennt. Der Professor ließ sich durchaus nicht stören in seinem Gesange, den zuweilen die kichernd süßen Töne im Nebenzimmer parodistisch überjubelten; dann und wann unterbrach er auch selbst seinen Singsang, um mich mit juristischen Fragen zu behelligen. Wenn wir in unserem Urteil nicht übereinstimmten, griff er hastige Akkorde und klimperte Beweisstellen. Ich aber unterstützte meine Meinung immer durch die Autorität meines Lehrers, des großen Hugo, der in Bologna unter dem Namen Ugone, auch Ugolino, sehr berühmt ist.

»Ein großer Mann!« rief der Professor und klimperte dabei und sang:

Seiner Stimme sanfter Ruf
Tönt noch tief in deiner Brust,
Und die Qual, die sie dir schuf,
Ist Entzücken, süße Lust.

Auch Thibaut, den die Italiener Tibaldo nennen, wird in Bologna sehr geehrt; doch kennt man dort nicht sowohl die Schriften jener Männer als vielmehr ihre Hauptansichten und deren Gegensatz. Gans und Savigny fand ich ebenfalls nur dem Namen nach bekannt. Letzteren hielt der Professor für ein gelehrtes Frauenzimmer.

»So, so« – sprach er, als ich ihn aus diesem leicht verzeihlichen Irrtum zog – »wirklich kein Frauenzimmer. Man hat mir also falsch berichtet. Man sagte mir sogar, der Signor Gans habe dieses Frauenzimmer einst, auf einem Balle, zum Tanz aufgefordert, habe einen Refüs bekommen, und daraus sei eine literärische Feindschaft entstanden.«

»Man hat Ihnen in der Tat falsch berichtet, der Signor Gans tanzt gar nicht, schon aus dem menschenfreundlichen Grunde, damit nicht ein Erdbeben entstehe. Jene Aufforderung zum Tanze ist wahrscheinlich eine mißverstandene Allegorie. Die historische Schule und die philosophische werden als Tänzer gedacht, und in solchem Sinne denkt man sich vielleicht eine Quadrille von Ugone, Tibaldo, Gans und Savigny. Und vielleicht in solchem Sinne sagt man, daß Signor Ugone, obgleich er der Diable boiteux der Jurisprudenz ist, doch so zierliche Pas tanze wie die Lemiere und daß Signor Gans in der neuesten Zeit einige große Sprünge versucht, die ihn zum Hoguet der philosophischen Schule gemacht haben.«

»Der Signor Gans« – verbesserte sich der Professor – »tanzt also bloß allegorisch, sozusagen metaphorisch« – Doch plötzlich, statt weiter zu sprechen, griff er wieder in die Saiten der Gitarre, und bei dem tollsten Geklimper sang er wie toll:

Es ist wahr, sein teurer Name
Ist die Wonne aller Herzen.
Stürmen laut des Meeres Wogen,
Droht der Himmel schwarz umzogen,
Hört man stets Tarar nur rufen,
Gleich als beugten Erd und Himmel
Vor des Helden Namen sich.

Von Herrn Göschen wußte der Professor nicht einmal, daß er existiere. Dies aber hatte seine natürlichen Gründe, indem der Ruhm des großen Göschen noch nicht bis Bologna gedrungen ist, sondern erst bis Poggio, welches noch vier deutsche Meilen davon entfernt ist und wo er sich zum Vergnügen noch einige Zeit aufhalten wird. – Göttingen selbst ist in Bologna lange nicht so bekannt, wie man schon, der Dankbarkeit wegen, erwarten dürfte, indem es sich das deutsche Bologna zu nennen pflegt. Ob diese Benennung treffend ist, will ich nicht untersuchen; auf jeden Fall aber unterscheiden sich beide Universitäten durch den einfachen Umstand, daß in Bologna die kleinsten Hunde und die größten Gelehrten, in Göttingen hingegen die kleinsten Gelehrten und die größten Hunde zu finden sind.

Kapitel VI

Als der Markese Christophoro di Gumpelino seine Nase hervorzog aus dem roten Meere, wie weiland König Pharao, da glänzte sein Antlitz in schwitzender Selbstwonne. Tief gerührt gab er Signoren das Versprechen, sie, sobald sie wieder sitzen könne, in seinem eignen Wagen nach Bologna zu bringen. Nun wurde verabredet, daß alsdann der Professor vorausreisen, Bartolo hingegen im Wagen des Markese mitfahren solle, wo er sehr gut auf dem Bock sitzen und das Hündchen im Schoße halten könne, und daß man endlich in vierzehn Tagen zu Florenz eintreffen wolle, wo Signora Franscheska, die mit Mylady nach Pisa reise, unterdessen ebenfalls zurückgekehrt sein würde. Während der Markese an den Fingern die Kosten berechnete, summte er vor sich hin »di tanti palpiti«. Signora schlug dazwischen die lautesten Triller, und der Professor stürmte in die Saiten der Gitarre und sang dabei so glühende Worte, daß ihm die Schweißtropfen von der Stirne und die Tränen aus den Augen liefen und sich auf seinem roten Gesichte zu einem einzigen Strome vereinigten. Während dieses Singens und Klingens ward plötzlich die Türe des Nebenzimmers aufgerissen, und herein sprang ein Wesen –

Euch, ihr Musen der alten und der neuen Welt, euch sogar, ihr noch unentdeckten Musen, die erst ein späteres Geschlecht verehren wird und die ich schon längst geahnet habe, im Walde und auf dem Meere, euch beschwör ich, gebt mir Farben, womit ich das Wesen male, das nächst der Tugend das Herrlichste ist auf dieser Welt. Die Tugend, das versteht sich von selbst, ist die erste von allen Herrlichkeiten, der Weltschöpfer schmückte sie mit so vielen Reizen, daß es schien, als ob er nichts ebenso Herrliches mehr hervorbringen könne; da aber nahm er noch einmal alle seine Kräfte zusammen, und in einer guten Stunde schuf er Signora Franscheska, die schöne Tänzerin, das größte Meisterstück, das er nach Erschaffung der Tugend hervorgebracht und wobei er sich nicht im mindesten wiederholt hat wie irdische Meister, bei deren späteren Werken die Reize der früheren wieder geborgterweise zum Vorschein kommen – Nein, Signora Franscheska ist ganz Original, sie hat nicht die mindeste Ähnlichkeit mit der Tugend, und es gibt Kenner, die sie für ebenso herrlich halten und der Tugend, die früher erschaffen worden, nur den Vorrang der Anciennität zuerkennen. Aber ist das ein großer Mangel, wenn eine Tänzerin einige sechstausend Jahre zu jung ist?

Ach, ich sehe sie wieder, wie sie aus der aufgestoßenen Türe bis zur Mitte des Zimmers hervorspringt, in demselben Momente sich unzählige Mal auf einem Fuße herumdreht, sich dann der Länge nach auf das Sofa hinwirft, sich die Augen mit beiden Händen verdeckt hält und atemlos ausruft: »Ach, ich bin so müde vom Schlafen!« Nun naht sich der Markese und hält eine lange Rede, in seiner ironisch breit ehrerbietigen Manier, die mit seinem kurzabbrechenden Wesen, bei praktischen Geschäftserinnerungen, und mit seiner faden Zerflossenheit, bei sentimentaler Anregung, gar rätselhaft kontrastierte. Dennoch war diese Manier nicht unnatürlich, sie hatte sich vielleicht dadurch natürlich in ihm ausgebildet, daß es ihm an Kühnheit fehlte, jene Obmacht, wozu er sich durch Geld und Geist berechtigt glaubte, unumwunden kund zu geben, weshalb er sie feigerweise in die Worte der übertriebensten Demut zu verkappen suchte. Sein breites Lächeln bei solchen Gelegenheiten hatte etwas unangenehm Ergötzliches, und man wußte nicht, ob man ihm Prügel oder Beifall zollen sollte. In solcher Weise hielt er seine Morgenrede vor Signora Franscheska, die, noch halb schläfrig, ihn kaum anhörte, und als er zum Schluß um die Erlaubnis bat, ihr die Füße, wenigstens den linken Fuß, küssen zu dürfen, und zu diesem Geschäfte, mit großer Sorgfalt, sein gelbseidenes Taschentuch über den Fußboden ausbreitete und darauf niederkniete: streckte sie ihm gleichgültig den linken Fuß entgegen, der in einem allerliebsten roten Schuh steckte, im Gegensatz zu dem rechten Fuße, der einen blauen Schuh trug, eine drollige Koketterie, wodurch die zarte niedliche Form der Füße noch bemerklicher werden sollte. Als der Markese den kleinen Fuß ehrfurchtsvoll geküßt, erhob er sich mit einem ächzenden »O Jesu!« und bat um die Erlaubnis, mich, seinen Freund, vorstellen zu dürfen, welches ihm ebenfalls gähnend gewährt wurde und wobei er es nicht an Lobsprüchen auf meine Vortrefflichkeit fehlen ließ und auf Kavalierparole beteuerte, daß ich die unglückliche Liebe ganz vortrefflich besungen habe.

Ich bat die Dame ebenfalls um die Vergünstigung, ihr den linken Fuß küssen zu dürfen, und in dem Momente, wo ich dieser Ehre teilhaftig wurde, erwachte sie wie aus einem dämmernden Traume, beugte sich lächelnd zu mir herab, betrachtete mich mit großen, verwunderten Augen, sprang freudig empor bis in die Mitte des Zimmers und drehte sich wieder unzählige Male auf einem Fuß herum. Ich fühlte wunderbar, wie mein Herz sich beständig mitdrehte, bis es fast schwindelig wurde.

Der Professor aber griff dabei lustig in die Saiten seiner Gitarre und sang:

Eine Opern-Signora erwählte
Zum Gemahl mich, ward meine Vermählte,
Und geschlossen war bald unsre Eh.
Wehe mir Armen! weh!

Bald befreiten von ihr mich Korsaren,
Ich verkaufte sie an die Barbaren,
Ehe sie sich es konnte versehn.
Bravo, Biskroma! schön! schön!

Noch einmal betrachtete mich Signora Franscheska scharf und musternd, vom Kopf bis zum Fuße, und mit zufriedener Miene dankte sie dann dem Markese, als sei ich ein Geschenk, das er ihr aus Artigkeit mitgebracht. Sie fand wenig daran auszusetzen: nur waren ihr meine Haare zu hellbraun, sie hätte sie dunkler gewünscht, wie die Haare des Abbate Cecco, auch meine Augen fand sie zu klein und mehr grün als blau. Zur Vergeltung, lieber Leser, sollte ich jetzt Signora Franscheska ebenso mäkelnd schildern; aber ich habe wahrhaftig an dieser lieblichen, fast leichtsinnig geformten Graziengestalt nichts auszusetzen. Auch das Gesicht war ganz göttermäßig, wie man es bei griechischen Statuen findet, Stirne und Nase gaben nur eine einzige senkrecht gerade Linie, einen süßen rechten Winkel bildete damit die untere Nasenlinie, die wundersam kurz war, ebenso schmal war dic Entfernung von der Nase zum Munde, dessen Lippen an beiden Enden kaum ausreichten und von einem träumerischen Lächeln ergänzt wurden; darunter wölbte sich ein liebes volles Kinn, und der Hals – Ach! frommer Leser, ich komme zu weit, und außerdem habe ich bei dieser Inauguralschilderung noch kein Recht, von den zwei schweigenden Blumen zu sprechen, die wie weiße Poesie hervorleuchteten, wenn Signora die silbernen Halsknöpfe ihres schwarzseidnen Kleides enthäkelte – Lieber Leser! laß uns wieder emporsteigen zu der Schilderung des Gesichtes, wovon ich nachträglich noch zu berichten habe, daß es klar und blaßgelb wie Bernstein war, daß es von den schwarzen Haaren, die in glänzend glatten Ovalen die Schläfe bedeckten, eine kindliche Ründung empfing und von zwei schwarzen plötzlichen Augen, wie von Zauberlicht, beleuchtet wurde.

Du siehst, lieber Leser, daß ich dir gern eine gründliche Lokalbeschreibung meines Glückes liefern möchte, und wie andere Reisende ihren Werken noch besondere Karten von historisch wichtigen oder sonst merkwürdigen Bezirken beifügen, so möchte ich Franscheska in Kupfer stechen lassen. Aber ach! was hilft die tote Kopie der äußern Umrisse bei Formen, deren göttlichster Reiz in der lebendigen Bewegung besteht. Selbst der beste Maler kann uns diesen nicht zur Anschauung bringen; denn die Malerei ist doch nur eine platte Lüge. Eher vermöchte es der Bildhauer; durch wechselnde Beleuchtung können wir bei Statuen uns einigermaßen eine Bewegung der Formen denken, und die Fakkel, die ihnen nur äußeres Licht zuwirft, scheint sie auch von innen zu beleben. Ja, es gibt eine Statue, die dir, lieber Leser, einen marmornen Begriff von Franscheskas Herrlichkeit zu geben vermöchte, und das ist die Venus des großen Canova, die du in einem der letzten Säle des Palazzo Pitti zu Florenz finden kannst. Ich denke jetzt oft an diese Statue, zuweilen träumt mir, sie läge in meinen Armen und belebe sich allmählig und flüstere endlich mit der Stimme Franscheskas. Der Ton dieser Stimme war es aber, der jedem ihrer Worte die lieblichste, unendlichste Bedeutung erteilte, und wollte ich dir ihre Worte mitteilen, so gäbe es bloß ein trocknes Herbarium von Blumen, die nur durch ihren Duft den größten Wert besaßen. Auch sprang sie oft in die Höhe und tanzte, während sie sprach, und vielleicht war eben der Tanz ihre eigentliche Sprache. Mein Herz aber tanzte immer mit und exekutierte die schwierigsten Pas und zeigte dabei so viel Tanztalent, wie ich ihm nie zugetraut hätte. In solcher Weise erzählte Franscheska auch die Geschichte von dem Abbate Cecco, einem jungen Burschen, der in sie verliebt war, als sie noch im Arno-Tal Strohhüte strickte, und sie versicherte, daß ich das Glück hätte, ihm ähnlich zu sehen. Dabei machte sie die zärtlichsten Pantomimen, drückte ein übers andere Mal die Fingerspitzen ans Herz, schien dann mit gehöhlter Hand die zärtlichsten Gefühle hervorzuschöpfen, warf sich endlich schwebend, mit voller Brust, aufs Sofa, barg das Gesicht in die Kissen, streckte hinter sich ihre Füße in die Höhe und ließ sie wie hölzerne Puppen agieren. Der blaue Fuß sollte den Abbate Cecco und der rote die arme Franscheska vorstellen, und indem sie ihre eigene Geschichte parodierte, ließ sie die beiden verliebten Füße voneinander Abschied nehmen, und es war ein rührend närrisches Schauspiel, wie sich beide mit den Spitzen küßten und die zärtlichsten Dinge sagten – und dabei weinte das tolle Mädchen ergötzlich kichernde Tränen, die aber dann und wann etwas unbewußt tiefer aus der Seele kamen, als die Rolle verlangte. Sie ließ auch im drolligen Schmerzensübermut den Abbate Cecco eine lange Rede halten, worin er die Schönheit der armen Franscheska mit pedantischen Metaphern rühmte, und die Art, wie sie auch, als arme Franscheska, Antwort gab und ihre eigene Stimme, in der Sentimentalität einer früheren Zeit, kopierte, hatte etwas Puppenspielwehmütiges, das mich wundersam bewegte. Ade, Cecco! Ade, Franscheska! war der beständige Refrain, die verliebten Füßchen wollten sich nicht verlassen – und ich war endlich froh, als ein unerbittliches Schicksal sie voneinander trennte, indem süße Ahnung mir zuflüsterte, daß es für mich ein Mißgeschick wäre, wenn die beiden Liebenden beständig vereinigt blieben.

Der Professor applaudierte mit possenhaft schwirrenden Gitarrentönen, Signora trillerte, das Hündchen bellte, der Markese und ich klatschten in die Hände wie rasend, und Signora Franscheska stand auf und verneigte sich dankbar. »Es ist wirklich eine schöne Komödie«, sprach sie zu mir, »aber es ist schon lange her, seit sie zuerst aufgeführt worden, und ich selbst bin schon so alt – raten Sie mal, wie alt?«

Sie erwartete jedoch keineswegs meine Antwort, sprach rasch: »Achtzehn Jahr« – und drehte sich dabei wohl achtzehnmal auf einem Fuß herum. »Und wie alt sind Sie, Dottore?«

»Ich, Signora, bin in der Neujahrsnacht Achtzehnhundert geboren.«

»Ich habe Ihnen ja schon gesagt«, bemerkte der Markese, »es ist einer der ersten Männer unseres Jahrhunderts.«

»Und wie alt halten Sie mich?« rief plötzlich Signora Lätizia, und ohne an ihr Eva-Kostüm, das bis jetzt die Bettdecke verborgen hatte, zu denken, erhob sie sich bei dieser Frage so leidenschaftlich in die Höhe, daß nicht nur das rote Meer, sondern auch ganz Arabien, Syrien und Mesopotamien zum Vorschein kam.

Indem ich, ob dieses gräßlichen Anblicks, erschrocken zurückprallte, stammelte ich einige Redensarten über die Schwierigkeiten, eine solche Frage zu lösen, indem ich ja Signora erst zur Hälfte gesehen hätte; doch da sie noch eifriger in mich drang, gestand ich ihr die Wahrheit, nämlich daß ich das Verhältnis der italienischen Jahre zu den deutschen noch nicht zu berechnen wisse.

»Ist der Unterschied groß?« frug Signora Lätizia.

»Das versteht sich«, antwortete ich ihr, »da die Hitze alle Körper ausdehnt, so sind die Jahre in dem warmen Italien viel länger als in dem kalten Deutschland.«

Der Markese zog mich besser aus der Verlegenheit, indem er galant behauptete, ihre Schönheit habe sich jetzt erst in der üppigsten Reife entfaltet. »Und, Signora!« setzte er hinzu, »so wie die Pomeranze, je älter sie wird, auch desto gelber wird, so wird auch Ihre Schönheit mit jedem Jahr desto reifer.«

Die Dame schien mit dieser Vergleichung zufrieden zu sein und gestand ebenfalls, daß sie sich wirklich reifer fühle als sonst, besonders gegen damals, wo sie noch ein dünnes Ding gewesen und zuerst in Bologna aufgetreten sei, und daß sie noch jetzt nicht begreife, wie sie in solcher Gestalt so viel Furore habe machen können. Und nun erzählte sie ihr Debüt als Ariadne, worauf sie, wie ich später entdeckte, sehr oft zurückkam, bei welcher Gelegenheit auch Signor Bartolo das Gedicht deklamieren mußte, das er ihr damals aufs Theater geworfen. Es war ein gutes Gedicht, voll rührender Trauer über Theseus' Treulosigkeit, voll blinder Begeisterung für Bacchus und blühender Verherrlichung Ariadnes. »Bella cosa!« rief Signora Lätizia bei jeder Strophe, und auch ich lobte die Bilder, den Versbau und die ganze Behandlung jener Mythe.

»Ja, sie ist sehr schön«, sagte der Professor, »und es liegt ihr gewiß eine historische Wahrheit zum Grunde, wie denn auch einige Autoren uns ausdrücklich erzählen, daß Oneus, ein Priester des Bacchus, sich mit der trauernden Ariadne vermählt habe, als er sie verlassen auf Naxos angetroffen; und wie oft geschieht, ist in der Sage aus dem Priester des Gottes der Gott selbst gemacht worden.«

Ich konnte dieser Meinung nicht beistimmen, da ich mich in der Mythologie mehr zur philosophischen Ausdeutung hinneige, und ich entgegnete: »In der ganzen Fabel, daß Ariadne, nachdem Theseus sie auf Naxos sitzen lassen, sich dem Bacchus in die Arme geworfen, sehe ich nichts anderes als die Allegorie, daß sie sich, in jenem verlassenen Zustande, dem Trunk ergeben hat, eine Hypothese, die noch mancher Gelehrte meines Vaterlandes mit mir teilt. Sie, Herr Markese, werden wahrscheinlich wissen, daß der selige Bankier Bethmann, im Sinne dieser Hypothese, seine Ariadne so zu beleuchten wußte, daß sie eine rote Nase zu haben schien.«

»Ja, ja, Bethmann in Frankfurt war ein großer Mann!« rief der Markese; jedoch im selben Augenblick schien ihm etwas Wichtiges durch den Kopf zu laufen, seufzend sprach er vor sich hin: »Gott, Gott, ich habe vergessen, nach Frankfurt an Rothschild zu schreiben!« Und mit ernstem Geschäftsgesicht, woraus aller parodistische Scherz verschwunden schien, empfahl er sich kurzweg, ohne lange Zeremonien, und versprach gegen Abend wiederzukommen.

Als er fort war und ich im Begriff stand, wie es in der Welt gebräuchlich ist, meine Glossen über eben den Mann zu machen, durch dessen Güte ich die angenehmste Bekanntschaft gewonnen, da fand ich zu meiner Verwunderung, daß alle ihn nicht genug zu rühmen wußten und daß alle besonders seinen Enthusiasmus für das Schöne, sein adelig feines Betragen und seine Uneigennützigkeit in den übertriebensten Ausdrükken priesen. Auch Signora Franscheska stimmte ein in diesen Lobgesang, doch gestand sie, seine Nase sei etwas beängstigend und erinnere sie immer an den Turm von Pisa.

Beim Abschied bat ich sie wieder um die Vergünstigung, ihren linken Fuß küssen zu dürfen; worauf sie, mit lächelndem Ernst, den roten Schuh auszog, so wie auch den Strumpf; und indem ich niederkniete, reichte sie mir den weißen, blühenden Liljenfuß, den ich vielleicht gläubiger an die Lippen preßte, als ich es mit dem Fuß des Papstes getan haben möchte. Wie sich von selbst versteht, machte ich auch die Kammerjungfer und half den Strumpf und den Schuh wieder anziehen.

»Ich bin mit Ihnen zufrieden« – sagte Signora Franscheska nach verrichtetem Geschäft, wobei ich mich nicht zu sehr übereilte, obgleich ich alle zehn Finger in Tätigkeit setzte – »ich bin mit Ihnen zufrieden, Sie sollen mir noch öfter die Strümpfe anziehen. Heute haben Sie den linken Fuß geküßt, morgen soll Ihnen der rechte zu Gebot stehen. Übermorgen dürfen Sie mir schon die linke Hand küssen, und einen Tag nachher auch die rechte. Führen Sie sich gut auf, so reiche ich Ihnen späterhin den Mund, usw. Sie sehen, ich will Sie gern avancieren lassen, und da Sie jung sind, können Sie es in der Welt noch weit bringen.«

Und ich habe es weit gebracht in dieser Welt! Des seid mir Zeugen, toskanische Nächte, du hellblauer Himmel mit großen silbernen Sternen, ihr wilden Lorbeerbüsche und heimlichen Myrten, und ihr, o Nymphen des Apennins, die ihr mit bräutlichen Tänzen uns umschwebtet und euch zurückträumtet in jene besseren Götterzeiten, wo es noch keine gotische Lüge gab, die nur blinde, tappende Genüsse im verborgenen erlaubt und jedem freien Gefühl ihr heuchlerisches Feigenblättchen vorklebt.

Es bedurfte keiner besonderen Feigenblätter; denn ein ganzer Feigenbaum mit vollen ausgebreiteten Zweigen rauschte über den Häuptern der Glücklichen.

Kapitel VII

Was Prügel sind, das weiß man schon; was aber die Liebe ist, das hat noch keiner herausgebracht. Einige Naturphilosophen haben behauptet, es sei eine Art Elektrizität. Das ist möglich; denn im Momente des Verliebens ist uns zumute, als habe ein elektrischer Strahl aus dem Auge der Geliebten plötzlich in unser Herz eingeschlagen. Ach! diese Blitze sind die verderblichsten, und wer gegen diese einen Ableiter erfindet, den will ich höher achten als Franklin. Gäbe es doch kleine Blitzableiter, die man auf dem Herzen tragen könnte und woran eine Wetterstange wäre, die das schreckliche Feuer anderswo hin zu leiten vermöchte. Ich fürchte aber, dem kleinen Amor kann man seine Pfeile nicht so leicht rauben wie dem Jupiter seinen Blitz und den Tyrannen ihr Zepter. Außerdem wirkt nicht jede Liebe blitzartig; manchmal lauert sie, wie eine Schlange unter Rosen, und erspäht die erste Herzenslücke, um hineinzuschlüpfen; manchmal ist es nur ein Wort, ein Blick, die Erzählung einer unscheinbaren Handlung, was wie ein lichtes Samenkorn in unser Herz fällt, eine ganze Winterzeit ruhig darin liegt, bis der Frühling kommt und das kleine Samenkorn aufschießt zu einer flammenden Blume, deren Duft den Kopf betäubt. Dieselbe Sonne, die im Niltal Ägyptens Krokodilleneier ausbrütet, kann zugleich zu Potsdam an der Havel die Liebessaat in einem jungen Herzen zur Vollreife bringen – dann gibt es Tränen in Ägypten und Potsdam. Aber Tränen sind noch lange keine Erklärungen – Was ist die Liebe? Hat keiner ihr Wesen ergründet? hat keiner das Rätsel gelöst? Vielleicht bringt solche Lösung größere Qual als das Rätsel selbst, und das Herz erschrickt und erstarrt darob, wie beim Anblick der Medusa. Schlangen ringeln sich um das schreckliche Wort, das dieses Rätsel auflöst – O, ich will dieses Auflösungswort niemals wissen, das brennende Elend in meinem Herzen ist mir immer noch lieber als kalte Erstarrung. O, sprecht es nicht aus, ihr gestorbenen Gestalten, die ihr schmerzlos wie Stein, aber auch gefühllos wie Stein durch die Rosengärten dieser Welt wandelt und mit bleichen Lippen auf den törichten Gesellen herablächelt, der den Duft der Rosen preist und über Dornen klagt.

Wenn ich dir aber, lieber Leser, nicht zu sagen vermag, was die Liebe eigentlich ist, so könnte ich dir doch ganz ausführlich erzählen, wie man sich gebärdet und wie einem zumut ist, wenn man sich auf den Apenninen verliebt hat. Man gebärdet sich nämlich wie ein Narr, man tanzt über Hügel und Felsen und glaubt, die ganze Welt tanze mit. Zumute ist einem dabei, als sei die Welt erst heute erschaffen worden und man sei der erste Mensch. »Ach, wie schön ist das alles!« jauchzte ich, als ich Franscheskas Wohnung verlassen hatte. »Wie schön und kostbar ist diese neue Welt!« Es war mir, als müßte ich allen Pflanzen und Tieren einen Namen geben, und ich benannte alles nach seiner innern Natur und nach meinem eignen Gefühl, das mit den Außendingen so wunderbar verschmolz. Meine Brust war eine Quelle von Offenbarung, und ich verstand alle Formen und Gestaltungen, den Duft der Pflanzen, den Gesang der Vögel, das Pfeifen des Windes und das Rauschen der Wasserfälle. Manchmal hörte ich auch die göttliche Stimme: »Adam, wo bist du?« – »Hier bin ich, Franscheska«, rief ich dann, »ich bete dich an, denn ich weiß ganz gewiß, du hast Sonne, Mond und Sterne erschaffen und die Erde mit allen ihren Kreaturen!« Dann kicherte es aus den Myrtenbüschen, und heimlich seufzte ich in mich hinein: »O süße Torheit, verlaß mich nicht!«

Späterhin, als die Dämmerungszeit herankam, begann erst recht die verrückte Seligkeit der Liebe. Die Bäume auf den Bergen tanzten nicht mehr einzeln, sondern die Berge selbst tanzten mit schweren Häuptern, die von der scheidenden Sonne so rot bestrahlt wurden, als hätten sie sich mit ihren eignen Weintrauben berauscht. Unten der Bach schoß hastiger von dannen und rauschte angstvoll, als fürchte er, die entzückt taumelnden Berge würden zu Boden stürzen. Dabei wetterleuchtete es so lieblich wie lichte Küsse. »Ja«, rief ich, »der lachende Himmel küßt die geliebte Erde – O Franscheska, schöner Himmel, laß mich deine Erde sein! Ich bin so ganz irdisch und sehne mich nach dir, mein Himmel!« So rief ich und streckte die Arme flehend empor und rannte mit dem Kopfe gegen manchen Baum, den ich dann umarmte statt zu schelten, und meine Seele jauchzte vor Liebestrunkenheit – als plötzlich ich eine glänzende Scharlachgestalt erblickte, die mich aus allen meinen Träumen gewaltsam herausriß und der kühlsten Wirklichkeit zurückgab.

Kapitel VIII

Auf einem Rasenvorsprung, unter einem breiten Lorbeerbaume, saß Hyazinthos, der Diener des Markese, und neben ihm Apollo, dessen Hund. Letzterer stand vielmehr, indem er die Vorderpfoten auf die Scharlachknie des kleinen Mannes gelegt hatte und neugierig zusah, wie dieser, eine Schreibtafel in den Händen haltend, dann und wann etwas hineinschrieb, wehmütig vor sich hinlächelte, das Köpfchen schüttelte, tief seufzte und sich dann vergnügt die Nase putzte.

»Was Henker«, rief ich ihm entgegen, »Hirsch Hyazinthos! machst du Gedichte? Nun, die Zeichen sind günstig, Apollo steht dir zur Seite, und der Lorbeer hängt schon über deinem Haupte!«

Aber ich tat dem armen Schelme Unrecht. Liebreich antwortete er: »Gedichte? Nein, ich bin ein Freund von Gedichten, aber ich schreibe doch keine. Was sollte ich schreiben? Ich hatte eben nichts zu tun, und zu meinem Vergnügen machte ich mir eine Liste von den Namen derjenigen Freunde, die einst in meiner Kollekte gespielt haben. Einige davon sind mir sogar noch etwas schuldig – Glauben Sie nur nicht, Herr Doktor, ich wollte Sie mahnen – das hat Zeit, Sie sind mir gut. Hätten Sie nur zuletzt 1365 statt 1364 gespielt, so wären Sie jetzt ein Mann von hunderttausend Mark Banko und brauchten nicht hier herumzulaufen und könnten ruhig in Hamburg sitzen, ruhig und vergnügt, und könnten sich auf dem Sofa erzählen lassen, wie es in Italien aussieht. So wahr mir Gott helfe! ich wäre nicht hergereist, hätte ich es nicht Herrn Gumpel zuliebe getan. Ach, wie viel Hitz und Gefahr und Müdigkeit muß ich ausstehen, und wo nur eine Überspannung ist oder eine Schwärmerei, ist auch Herr Gumpel dabei, und ich muß alles mitmachen. Ich wäre schon längst von ihm gegangen, wenn er mich missen könnte. Denn wer soll nachher zu Hause erzählen, wie viel Ehre und Bildung er in der Fremde genossen? Und soll ich die Wahrheit sagen, ich selbst fang an, viel auf Bildung zu geben. In Hamburg hab ich sie gottlob nicht nötig; aber man kann nicht wissen, man kommt einmal nach einem anderen Ort. Es ist eine ganz andere Welt jetzt. Und man hat recht; so ein bißchen Bildung ziert den ganzen Menschen. Und welche Ehre hat man davon! Lady Maxfield zum Beispiel, wie hat sie mich diesen Morgen aufgenommen und honoriert! Ganz parallel wie ihres Gleichen. Und sie gab mir einen Franceskoni Trinkgeld, obschon die Blume nur fünf Paoli gekostet hatte. Außerdem ist es auch ein Vergnügen, wenn man den kleinen, weißen Fuß von schönen Damenpersonen in Händen hat.«

Ich war nicht wenig betreten über diese letzte Bemerkung und dachte gleich: ist das Stichelei? Wie konnte aber der Lump schon Kenntnis haben von dem Glücke, das mir erst denselben Tag begegnet, zu derselben Zeit, als er auf der entgegengesetzten Seite des Berges war? Gab's dort etwa eine ähnliche Szene, und offenbarte sich darin die Ironie des großen Weltbühnendichters da droben, daß er vielleicht noch tausend solcher Szenen, die gleichzeitig eine die andere parodieren, zum Vergnügen der himmlischen Heerscharen aufführen ließ? Indessen beide Vermutungen waren ungegründet, denn nach langen wiederholten Fragen, und nachdem ich das Versprechen geleistet, dem Markese nichts zu verraten, gestand mir der arme Mensch: Lady Maxfield habe noch zu Bette gelegen, als er ihr die Tulpe überreicht, in dem Augenblick, wo er seine schöne Anrede halten wollen, sei einer ihrer Füße nackt zum Vorschein gekommen, und da er Hühneraugen daran bemerkt, habe er gleich um die Erlaubnis gebeten, sie ausschneiden zu dürfen, welches auch gestattet und nachher, zugleich für die Überreichung der Tulpe, mit einem Franceskoni belohnt worden sei.

»Es ist mir aber immer nur um die Ehre zu tun« – setzte Hyazinth hinzu – »und das habe ich auch dem Baron Rothschild gesagt, als ich die Ehre hatte, ihm die Hühneraugen zu schneiden. Es geschah in seinem Kabinett; er saß dabei auf seinem grünen Sessel, wie auf einem Thron, sprach wie ein König, um ihn herum standen seine Courtiers, und er gab seine Ordres und schickte Stafetten an alle Könige; und wie ich ihm währenddessen die Hühneraugen schnitt, dacht ich im Herzen: du hast jetzt in Händen den Fuß des Mannes, der selbst jetzt die ganze Welt in Händen hat, du bist jetzt ebenfalls ein wichtiger Mensch, schneidest du ihn unten ein bißchen zu scharf, so wird er verdrießlich und schneidet oben die größten Könige noch ärger – Es war der glücklichste Moment meines Lebens!«

»Ich kann mir dieses schöne Gefühl vorstellen, Herr Hyazinth. Welchen aber von der Rothschildschen Dynastie haben Sie solchermaßen amputiert? War es etwa der hochherzige Brite, der Mann in Lombardstreet, der ein Leihhaus für Kaiser und Könige errichtet hat?«

»Versteht sich, Herr Doktor, ich meine den großen Rothschild, den großen Nathan Rothschild, Nathan den Weisen, bei dem der Kaiser von Brasilien seine diamantene Krone versetzt hat. Aber ich habe auch die Ehre gehabt, den Baron Salomon Rothschild in Frankfurt kennen zu lernen, und wenn ich mich auch nicht seines intimen Fußes zu erfreuen hatte, so wußte er mich doch zu schätzen. Als der Herr Markese zu ihm sagte, ich sei einmal Lotteriekollekteur gewesen, sagte der Baron sehr witzig: ›Ich bin ja selbst so etwas, ich bin ja der Oberkollekteur der rothschildschen Lose, und mein Kollege darf beileibe nicht mit den Bedienten essen, er soll neben mir bei Tische sitzen‹ – Und so wahr wie mir Gott alles Guts geben soll, Herr Doktor, ich saß neben Salomon Rothschild, und er behandelte mich ganz wie seines Gleichen, ganz famillionär. Ich war auch bei ihm auf dem berühmten Kinderball, der in der Zeitung gestanden. So viel Pracht bekomme ich mein Lebtag nicht mehr zu sehen. Ich bin doch auch in Hamburg auf einem Ball gewesen, der 1500 Mark und 8 Schilling kostete, aber das war doch nur wie ein Hühnerdreckchen gegen einen Misthaufen. Wie viel Gold und Silber und Diamanten habe ich dort gesehen! Wie viele Sterne und Orden! Den Falkenorden, das goldne Vlies, den Löwenorden, den Adlerorden – sogar ein ganz klein Kind, ich sage Ihnen, ein ganz klein Kind trug einen Elefantenorden. Die Kinder waren gar schön maskiert und spielten Anleihe und waren angezogen wie die Könige, mit Kronen auf den Köpfen, ein großer Junge aber war angezogen präzise wie der alte Nathan Rothschild. Er machte seine Sache sehr gut, hatte beide Hände in der Hosentasche, klimperte mit Geld, schüttelte sich verdrießlich, wenn einer von den kleinen Königen was geborgt haben wollte, und nur dem kleinen mit dem weißen Rock und den roten Hosen streichelte er freundlich die Backen und lobte ihn: ›Du bist mein Plaisir, mein Liebling, mein Pracht, aber dein Vetter Michel soll mir vom Leib bleiben, ich werde diesem Narrn nichts borgen, der täglich mehr Menschen ausgibt, als er jährlich zu verzehren hat; es kommt durch ihn noch ein Unglück in die Welt, und mein Geschäft wird darunter leiden.‹ So wahr mir Gott alles Guts gebe, der Junge machte seine Sache sehr gut, besonders wenn er das dicke Kind, das in weißen Atlas mit echten silbernen Liljen gewickelt war, im Gehen unterstützte und bisweilen zu ihm sagte: ›Na, na, du, du, führ dich nur gut auf, ernähr dich redlich, sorg, daß du nicht wieder weggejagt wirst, damit ich nicht mein Geld verliere.‹ Ich versichere Sie, Herr Doktor, es war ein Vergnügen, den Jungen zu hören; und auch die anderen Kinder, lauter liebe Kinder, machten ihre Sache sehr gut – bis ihnen Kuchen gebracht wurde und sie sich um das beste Stück stritten und sich die Kronen vom Kopf rissen und schrien und weinten und einige sich sogar – –«

Kapitel IX

Es gibt nichts Langweiligeres auf dieser Erde als die Lektüre einer italienischen Reisebeschreibung – außer etwa das Schreiben derselben –, und nur dadurch kann der Verfasser sie einigermaßen erträglich machen, daß er von Italien selbst so wenig als möglich darin redet. Trotz dem, daß ich diesen Kunstgriff vollauf anwende, kann ich dir, lieber Leser, in den nächsten Kapiteln nicht viel Unterhaltung versprechen. Wenn du dich bei dem ennuyanten Zeug, das darin vorkommen wird, langweilst, so tröste dich mit mir, der all dieses Zeug sogar schreiben mußte. Ich rate dir, überschlage dann und wann einige Seiten, dann kömmst du mit dem Buche schneller zu Ende – ach, ich wollt, ich könnt es ebenso machen! Glaub nur nicht, ich scherze; wenn ich dir ganz ernsthaft meine Herzensmeinung über dieses Buch gestehen soll, so rate ich dir, es jetzt zuzuschlagen und gar nicht weiter darin zu lesen. Ich will dir nächstens etwas Besseres schreiben, und wenn wir in einem folgenden Buche, in der Stadt Lucca, wieder mit Mathilden und Franscheska zusammentreffen, so sollen dich die lieben Bilder viel anmutiger ergötzen als gegenwärtiges Kapitel und gar die folgenden.

Gottlob, vor meinem Fenster erklingt ein Leierkasten mit lustigen Melodien! Mein trüber Kopf bedarf solcher Aufheiterung, besonders da ich jetzt meinen Besuch bei Seiner Exzellenz dem Markese Christophoro di Gumpelino zu beschreiben habe. Ich will diese rührende Geschichte, ganz genau, wörtlich treu, in ihrer schmutzigsten Reinheit, mitteilen.

Es war schon spät, als ich die Wohnung des Markese erreichte. Als ich ins Zimmer trat, stand Hyazinth allein und putzte die goldenen Sporen seines Herrn, welcher, wie ich durch die halbgeöffnete Türe seines Schlafkabinetts sehen konnte, vor einer Madonna und einem großen Kruzifixe auf den Knien lag.

Du mußt nämlich wissen, lieber Leser, daß der Markese, dieser vornehme Mann, jetzt ein guter Katholik ist, daß er die Zeremonien der alleinseligmachenden Kirche streng ausübt und sich, wenn er in Rom ist, sogar einen eignen Kapellan hält, aus demselben Grunde, weshalb er in England die besten Wettrenner und in Paris die schönste Tänzerin unterhielt.

»Herr Gumpel verrichtet jetzt sein Gebet« – flüsterte Hyazinth mit einem wichtigen Lächeln, und indem er nach dem Kabinette seines

Herrn deutete, fügte er noch leiser hinzu: »So liegt er alle Abende zwei Stunden auf den Knien vor der Prima Donna mit dem Jesuskind. Es ist ein prächtiges Kunstbild, und es kostet ihm sechshundert Francesko-nis.«

»Und Sie, Herr Hyazinth, warum knien Sie nicht hinter ihm? Oder sind Sie etwa kein Freund von der katholischen Religion?«

»Ich bin ein Freund davon und bin auch wieder kein Freund davon«, antwortete jener mit bedenklichem Kopfwiegen. »Es ist eine gute Religion für einen vornehmen Baron, der den ganzen Tag müßig gehen kann, und für einen Kunstkenner; aber es ist keine Religion für einen Hamburger, für einen Mann, der sein Geschäft hat, und durchaus keine Religion für einen Lotteriekollekteur. Ich muß jede Nummer, die gezogen wird, ganz exakt aufschreiben, und denke ich dann zufällig an Bum! Bum! Bum!, an eine katholische Glock, oder schwebelt es mir vor den Augen wie katholischer Weihrauch und ich verschreib mich und ich schreibe eine unrechte Zahl, so kann das größte Unglück daraus entstehen. Ich habe oft zu Herren Gumpel gesagt: ›Ew. Ex. sind ein reicher Mann und können katholisch sein, so viel Sie wollen, und können sich den Verstand ganz katholisch einräuchern lassen und können so dumm werden wie eine katholische Glock, und Sie haben doch zu essen; ich aber bin ein Geschäftsmann und muß meine sieben Sinne zusammenhalten, um was zu verdienen.‹ Herr Gumpel meint freilich, es sei nötig für die Bildung, und wenn ich nicht katholisch würde, verstände ich nicht die Bilder, die zur Bildung gehören, nicht den Johann v. Viehesel, den Corretschio, den Carratschio, den Carravatschio – aber ich habe immer gedacht, der Corretschio und Carratschio und Carravatschio können mir alle nichts helfen, wenn niemand mehr bei mir spielt, und ich komme dann in die Patschio. Dabei muß ich Ihnen auch gestehen, Herr Doktor, daß mir die katholische Religion nicht einmal Vergnügen macht, und als ein vernünftiger Mann müssen Sie mir recht geben. Ich sehe das Plaisir nicht ein, es ist eine Religion, als wenn der liebe Gott, gottbewahre, eben gestorben wäre, und es riecht dabei nach Weihrauch, wie bei einem Leichenbegängnis, und dabei brummt eine so traurige Begräbnismusik, daß man die Melancholik bekömmt – ich sage Ihnen, es ist keine Religion für einen Hamburger.«

»Aber, Herr Hyazinth, wie gefällt Ihnen denn die protestantische Religion?«

»Die ist mir wieder zu vernünftig, Herr Doktor, und gäbe es in der protestantischen Kirche keine Orgel, so wäre sie gar keine Religion. Unter uns gesagt, diese Religion schadet nichts und ist so rein wie ein Glas Wasser, aber, sie hilft auch nichts. Ich habe sie probiert, und diese Probe kostet mich vier Mark vierzehn Schilling –«

»Wieso, mein lieber Herr Hyazinth?«

»Sehen Herr Doktor, ich habe gedacht: das ist freilich eine sehr aufgeklärte Religion, und es fehlt ihr an Schwärmerei und Wunder; indessen, ein bißchen Schwärmerei muß sie doch haben, ein ganz klein Wunderchen muß sie doch tun können, wenn sie sich für eine honette Religion ausgeben will. Aber wer soll da Wunder tun, dacht ich, als ich mal in Hamburg eine protestantische Kirche besah, die zu der ganz kahlen Sorte gehörte, wo nichts als braune Bänke und weiße Wände sind und an der Wand nichts als ein schwarz Täfelchen hängt, worauf ein halb Dutzend weiße Zahlen stehen. Du tust dieser Religion vielleicht Unrecht, dacht ich wieder, vielleicht können diese Zahlen ebenso gut ein Wunder tun wie ein Bild von der Mutter Gottes oder wie ein Knochen von ihrem Mann, dem heiligen Joseph, und um der Sache auf den Grund zu kommen, ging ich gleich nach Altona und besetzte eben diese Zahlen in der Altonaer Lotterie, die Ambe besetzte ich mit acht Schilling, die Terne mit sechs, die Quaterne mit vier, und die Quinterne mit zwei Schilling – Aber, ich versichere Sie auf meine Ehre, keine einzige von den protestantischen Nummern ist herausgekommen. Jetzt wußte ich, was ich zu denken hatte, jetzt dacht ich, bleibt mir weg mit einer Religion, die gar nichts kann, bei der nicht einmal eine Ambe herauskömmt – werde ich so ein Narr sein, auf diese Religion, worauf ich schon vier Mark und vierzehn Schilling gesetzt und verloren habe, noch meine ganze Glückseligkeit zu setzen?«

»Die altjüdische Religion scheint Ihnen gewiß viel zweckmäßiger, mein Lieber?«

»Herr Doktor, bleiben Sie mir weg mit der altjüdischen Religion, die wünsche ich nicht meinem ärgsten Feind. Man hat nichts als Schimpf und Schande davon. Ich sage Ihnen, es ist gar keine Religion, sondern ein Unglück. Ich vermeide alles, was mich daran erinnern könnte, und weil Hirsch ein jüdisches Wort ist und auf Deutsch Hyazinth heißt, so habe ich sogar den alten Hirsch laufen lassen und unterschreibe mich jetzt: ›Hyazinth, Kollekteur, Operateur und Taxator‹. Dazu habe ich noch den Vorteil, daß schon ein H. auf meinem Petschaft steht und ich mir kein neues stechen zu lassen brauche. Ich versichere Ihnen, es kommt auf dieser Welt viel darauf an, wie man heißt; der Name tut viel. Wenn ich mich unterschreibe: ›Hyazinth, Kollekteur, Operateur und Taxator‹, so klingt das ganz anders, als schriebe ich Hirsch schlechtweg, und man kann mich dann nicht wie einen gewöhnlichen Lump behandeln.«

»Mein lieber Herr Hyazinth! Wer könnte Sie so behandeln! Sie scheinen schon so viel für Ihre Bildung getan zu haben, daß man in Ihnen den gebildeten Mann schon erkennt, ehe Sie den Mund auftun, um zu sprechen.«

»Sie haben recht, Herr Doktor, ich habe in der Bildung Fortschritte gemacht wie eine Riesin. Ich weiß wirklich nicht, wenn ich nach Hamburg zurückkehre, mit wem ich dort umgehn soll; und was die Religion anbelangt, so weiß ich, was ich tue. Vor der Hand aber kann ich mich mit dem neuen israelitischen Tempel noch behelfen; ich meine den reinen Mosaikgottesdienst, mit orthographischen deutschen Gesängen und gerührten Predigten und einigen Schwärmereichen, die eine Religion durchaus nötig hat. So wahr mir Gott alles Guts gebe, für mich verlange ich jetzt keine bessere Religion, und sie verdient, daß man sie unterstützt. Ich will das Meinige tun, und bin ich wieder in Hamburg, so will ich alle Sonnabend, wenn kein Ziehungstag ist, in den neuen Religiontempel gehen. Es gibt leider Menschen, die diesem neuen israelitischen Gottesdienst einen schlechten Namen machen und behaupten, er gäbe, mit Respekt zu sagen, Gelegenheit zu einem Schisma – aber ich kann Ihnen versichern, es ist eine gute reinliche Religion, noch etwas zu gut für den gemeinen Mann, für den die altjüdische Religion vielleicht noch immer sehr nützlich ist. Der gemeine Mann muß eine Dummheit haben, worin er sich glücklich fühlt, und er fühlt sich glücklich in seiner Dummheit. So ein alter Jude mit einem langen Bart und zerrissenem Rock, und der kein orthographisch Wort sprechen kann und sogar ein bißchen grindig ist, fühlt sich vielleicht innerlich glücklicher als ich mich mit all meiner Bildung. Da wohnt in Hamburg, im Bäckerbreitengang, auf einem Sahl, ein Mann, der heißt Moses Lump, man nennt ihn auch Moses Lümpchen oder kurzweg Lümpchen; der läuft die ganze Woche herum, in Wind und Wetter, mit seinem Packen auf dem Rücken, um seine paar Mark zu verdienen; wenn der nun freitagabends nach Hause kömmt, findet er die Lampe mit sieben Lichtern angezündet, den Tisch weiß gedeckt, und er legt seinen Packen und seine Sorgen von sich und setzt sich zu Tisch mit seiner schiefen Frau und noch schieferen Tochter, ißt mit ihnen Fische, die gekocht sind in angenehm weißer Knoblauchsauce, singt dabei die prächtigsten Lieder vom König David, freut sich von ganzem Herzen über den Auszug der Kinder Israel aus Ägypten, freut sich auch, daß alle Bösewichter, die ihnen Böses getan, am Ende gestorben sind, daß König Pharao, Nebukadnezar, Haman, Antiochus, Titus und all solche Leute tot sind, daß Lümpchen aber noch lebt und mit Frau und Kind Fisch ißt – Und ich sage Ihnen, Herr Doktor, die Fische sind delikat, und der Mann ist glücklich, er braucht sich mit keiner Bildung abzuquälen, er sitzt vergnügt in seiner Religion und seinem grünen Schlafrock, wie Diogenes in seiner Tonne, er betrachtet vergnügt seine Lichter, die er nicht einmal selbst putzt – Und ich sage Ihnen, wenn die Lichter etwas matt brennen und die Schabbesfrau, die sie zu putzen hat, nicht bei der Hand ist und Rothschild der Große käme jetzt herein, mit all seinen Maklern, Diskonteuren, Spediteuren und Chefs de Comptoir, womit er die Welt erobert, und er spräche: ›Moses Lump, bitte dir eine Gnade aus, was du haben willst, soll geschehen‹ – Herr Doktor ich bin überzeugt, Moses Lump würde ruhig antworten: ›Putz mir die Lichter!‹, und Rothschild der Große würde mit Verwunderung sagen: ›Wär ich nicht Rothschild, so möchte ich so ein Lümpchen sein!‹«

Während Hyazinth solchermaßen, episch breit, nach seiner Gewohnheit, seine Ansichten entwickelte, erhob sich der Markese von seinem Betkissen und trat zu uns, noch immer einige Paternoster durch die Nase schnurrend. Hyazinth zog jetzt den grünen Flor über das Madonnenbild, das oberhalb des Betpultes hing, löschte die beiden Wachskerzen aus, die davor brannten, nahm das kupferne Kruzifix herab, kam damit zu uns zurück und putzte es mit demselben Lappen und mit derselben spuckenden Gewissenhaftigkeit, womit er eben auch die Sporen seines Herrn geputzt hatte. Dieser aber war wie aufgelöst in Hitze und weicher Stimmung; statt eines Oberkleides trug er einen weiten, blauseidenen Domino mit silbernen Frangen, und seine Nase schimmerte wehmütig, wie ein verliebter Louisdor. »O Jesus!« – seufzte er, als er sich in die Kissen des Sofas sinken ließ – »finden Sie nicht, Herr Doktor, daß ich heute abend sehr schwärmerisch aussehe? Ich bin sehr bewegt, mein Gemüt ist aufgelöst, ich ahne eine höhere Welt,

Das Auge sieht den Himmel offen,
Es schwelgt das Herz in Seligkeit!«

»Herr Gumpel, Sie müssen einnehmen« – unterbrach Hyazinth die pathetische Deklamation – »das Blut in Ihren Eingeweiden ist wieder schwindelig, ich weiß, was Ihnen fehlt –«

»Du weißt nicht« – seufzte der Herr.

»Ich sage Ihnen, ich weiß« – erwiderte der Diener und nickte mit seinem gutmütig bestätigenden Gesichtchen – »ich kenne Sie ganz durch und durch, ich weiß, Sie sind ganz das Gegenteil von mir, wenn Sie Durst haben, habe ich Hunger, wenn Sie Hunger haben, habe ich Durst; Sie sind zu korpulent, und ich bin zu mager, Sie haben viel Einbildung, und ich habe desto mehr Geschäftssinn, ich bin ein Praktikus, und Sie sind ein Diarrhetikus, kurz und gut, Sie sind ganz mein Antipodex.«

»Ach Julia!« – seufzte Gumpelino – »wär ich der gelblederne Handschuh doch auf deiner Hand und küßte deine Wange! Haben Sie, Herr Doktor, jemals die Crelinger in Romeo und Julia gesehen?«

»Freilich, und meine ganze Seele ist noch davon entzückt –«

»Nun dann« – rief der Markese begeistert, und Feuer schoß aus seinen Augen und beleuchtete die Nase – »dann verstehen Sie mich, dann wissen Sie, was es heißt, wenn ich Ihnen sage: ich liebe! Ich will mich Ihnen ganz dekouvrieren. Hyazinth, geh mal hinaus –«

»Ich brauche gar nicht hinauszugehen« – sprach dieser verdrießlich – »Sie brauchen sich vor mir nicht zu genieren, ich kenne auch die Liebe, und ich weiß schon –«

»Du weißt nicht!« rief Gumpelino.

»Zum Beweise, Herr Markese, daß ich weiß, brauche ich nur den Namen Julia Maxfield zu nennen. Beruhigen Sie sich, Sie werden wiedergeliebt – aber es kann Ihnen alles nichts helfen. Der Schwager Ihrer Geliebten läßt sie nicht aus den Augen und bewacht sie Tag und Nacht wie einen Diamant.«

»O ich Unglücklicher« – jammerte Gumpelino – »ich liebe und bin wiedergeliebt, wir drücken uns heimlich die Hände, wir treten uns unterm Tisch auf die Füße, wir winken uns mit den Augen, und wir haben keine Gelegenheit! Wie oft stehe ich im Mondschein auf dem Balkon und bilde mir ein, ich wäre selbst die Julia, und mein Romeo oder mein Gumpelino habe mir ein Rendezvous gegeben, und ich deklamiere, ganz wie die Crelinger:

Komm, Nacht! Komm, Gumpelino, Tag in Nacht!
Denn du wirst ruhn auf Fittigen der Nacht,

Wie frischer Schnee auf eines Raben Rücken.
Komm, milde, liebevolle Nacht! Komm, gib
Mir meinen Romeo, oder Gumpelino –

Aber ach! Lord Maxfield bewacht uns beständig, und wir sterben beide vor Sehnsuchtsgefühl! Ich werde den Tag nicht erleben, daß eine solche Nacht kommt, wo jedes reiner Jugend Blüte zum Pfande setzt, gewinnend zu verlieren! Ach! so eine Nacht wäre mir lieber, als wenn ich das große Los in der Hamburger Lotterie gewönne –«

»Welche Schwärmerei! – rief Hyazinth – »das große Los, 100000 Mark!«

»Ja, lieber als das große Los« – fuhr Gumpelino fort – »wär mir so eine Nacht, und ach! sie hat mir schon oft eine solche Nacht versprochen, bei der ersten Gelegenheit, und ich hab mir schon gedacht, daß sie dann des Morgens deklamieren wird, ganz wie die Crelinger:

Willst du schon gehn? Der Tag ist ja noch fern.
Es war die Nachtigall und nicht die Lerche,
Die eben jetzt dein banges Ohr durchdrang.
Sie singt des Nachts auf dem Granatbaum dort.
Glaub, Lieber, mir, es war die Nachtigall.«

»Das große Los für eine einzige Nacht!« – wiederholte unterdessen mehrmals Hyazinth und konnte sich nicht zufrieden geben – »Ich habe eine große Meinung, Herr Markese, von Ihrer Bildung, aber daß Sie es in der Schwärmerei so weit gebracht, hätte ich nicht geglaubt. Die Liebe sollte einem lieber sein als das große Los! Wirklich, Herr Markese, seit ich mit Ihnen Umgang habe, als Bedienter, habe ich mir schon viel Bildung angewöhnt; aber so viel weiß ich, nicht einmal ein Achtelchen vom großen Los gäbe ich für die Liebe! Gott soll mich davor bewahren! Wenn ich auch rechne fünfhundert Mark Abzugsdekort, so bleiben doch noch immer zwölftausend Mark! Die Liebe! Wenn ich alles zusammenrechne, was mich die Liebe gekostet hat, kommen nur zwölf Mark und dreizehn Schilling heraus. Die Liebe! Ich habe auch viel Umsonstglück in der Liebe gehabt, was mich gar nichts gekostet hat; nur dann und wann habe ich mal meiner Geliebten par Complaisanz die Hühneraugen geschnitten. Ein wahres, gefühlvoll leidenschaftliches Attachement hatte ich nur ein einziges Mal, und das war die dicke Gudel vom Dreckwall. Die Frau spielte bei mir, und wenn ich kam, ihr das Los zu renovieren, drückte sie mir immer ein Stück Kuchen in die Hand, ein Stück sehr guten Kuchen; – auch hat sie mir manchmal etwas Eingemachtes gegeben und ein Likörchen dabei, und als ich ihr einmal klagte, daß ich mit Gemütsbeschwerden behaftet sei, gab sie mir das Rezept zu den Pulvern, die ihr eigner Mann braucht. Ich brauche die Pulver noch bis zur heutigen Stunde, sie tun immer ihre Wirkung – weitere Folgen hat unsere Liebe nicht gehabt. Ich dächte, Herr Markese, Sie brauchten mal eins von diesen Pulvern. Es war mein Erstes, als ich nach Italien kam, daß ich in Mailand nach der Apotheke ging und mir die Pulver machen ließ, und ich trage sie beständig bei mir. Warten Sie nur, ich will sie suchen, und wenn ich suche, so finde ich sie, und wenn ich sie finde, so müssen sie Ew. Exzellenz einnehmen.«

Es wäre zu weitläuftig, wenn ich den Kommentar wiederholen wollte, womit der geschäftige Sucher jedes Stück begleitete, das er aus seiner Tasche kramte. Da kam zum Vorschein: 1^0 ein halbes Wachslicht, 2^0 ein silbernes Etui, worin die Instrumente zum Schneiden der Hühneraugen, 3^0 eine Zitrone, 4^0 eine Pistole, die, obgleich nicht geladen, dennoch mit Papier umwickelt war, vielleicht damit ihr Anblick keine gefährliche Träume verursache, 5^0 eine gedruckte Liste von der letzten Ziehung der großen Hamburger Lotterie, 6^0 ein schwarzledernes Büchlein, worin die Psalmen Davids und die ausstehenden Schulden, 7^0 ein dürres Weidensträußchen, wie zu einem Knoten verschlungen, 8^0 ein Päckchen, das mit verblichenem Rosataffet überzogen war und die Quittung eines Lotterieloses enthielt, das einst funfzigtausend Mark gewonnen, 9^0 ein plattes Stück Brot, wie weißgebackner Schiffszwieback, mit einem kleinen Loch in der Mitte, und endlich 10^0 die oben erwähnten Pulver, die der kleine Mann mit einer gewissen Rührung und mit seinem verwundert wehmütigen Kopfschütteln betrachtete.

»Wenn ich bedenke« – seufzte er – »daß mir vor zehn Jahren die dicke Gudel dies Rezept gegeben und daß ich jetzt in Italien bin und dasselbe Rezept in Händen habe und wieder die Worte lese: sal mirabile Glauberi, das heißt auf deutsch extra feines Glaubensalz von der besten Sorte – ach, da ist mir zumut, als hätte ich das Glaubensalz selbst schon eingenommen und als fühlte ich die Wirkung. Was ist der Mensch! Ich bin in Italien und denke an die dicke Gudel vom Dreckwall! Wer hätte das gedacht! Ich kann mir vorstellen, sie ist jetzt auf dem Lande, in ihrem Garten, wo der Mond scheint und gewiß auch eine Nachtigall singt oder eine Lerche –«

»Es ist die Nachtigall und nicht die Lerche!« seufzte Gumpelino dazwischen und deklamierte vor sich hin:

»Sie singt des Nachts auf dem Granatbaum dort;
Glaub, Lieber, mir, es war die Nachtigall.«

»Das ist ganz einerlei« – fuhr Hyazinth fort – »meinethalben ein Kanarienvogel, die Vögel, die man im Garten hält, kosten am wenigsten. Die Hauptsache ist das Treibhaus und die Tapeten im Pavillon und die Staatsfiguren, die davor stehen, und da stehen, zum Beispiel, ein nackter General von den Göttern und die Venus Urinia, die beide dreihundert Mark kosten. Mitten im Garten hat sich die Gudel auch eine Fontenelle anlegen lassen – Und da steht sie vielleicht jetzt und puhlt sich die Nase und macht sich ein Schwärmereivergnügen und denkt an mich – Ach!«

Nach diesem Seufzer erfolgte eine sehnsüchtige Stille, die der Markese endlich unterbrach, mit der schmachtenden Frage: »Sage mir auf deine Ehre, Hyazinth, glaubst du wirklich, daß dein Pulver wirken wird?«

»Es wird auf meine Ehre wirken«, erwiderte jener. »Warum soll es nicht wirken? Wirkt es doch bei mir! Und bin ich denn nicht ein lebendiger Mensch so gut wie Sie? Glaubensalz macht alle Menschen gleich; und wenn Rothschild Glaubensalz einnimmt, fühlt er dieselbe Wirkung wie das kleinste Maklerchen. Ich will Ihnen alles voraussagen: Ich schütte das Pulver in ein Glas, gieße Wasser dazu, rühre es, und sowie Sie das hinuntergeschluckt haben, ziehen Sie ein saures Gesicht und sagen Prr! Prr! Hernach hören Sie selbst, wie es in Ihnen herumkullert, und es ist Ihnen etwas kurios zumut, und Sie legen sich zu Bett, und ich gebe Ihnen mein Ehrenwort, Sie stehen wieder auf, und Sie legen sich wieder und stehen wieder auf und so fort, und den andern Morgen fühlen Sie sich leicht wie ein Engel mit weißen Flügeln, und Sie tanzen vor Gesundeswohlheit, nur ein bißchen blaß sehen Sie dann aus; aber ich weiß, Sie sehen gern schmachtend blaß aus, und wenn Sie schmachtend blaß aussehen, sieht man Sie gern.«

Obgleich Hyazinth solchermaßen zuredete und schon das Pulver bereitete, hätte das doch wenig gefruchtet, wenn nicht dem Markese plötzlich die Stelle, wo Julia den verhängnisvollen Trank einnimmt, in den Sinn gekommen wäre. »Was halten Sie, Doktor« – rief er – »von der

Müller in Wien? Ich habe sie als Julia gesehen, und Gott! Gott! wie spielt sie! Ich bin doch der größte Enthusiast für die Crelinger, aber die Müller, als sie den Becher austrank, hat mich hingerissen. Sehen Sie« – sprach er, indem er mit tragischer Gebärde das Glas, worin Hyazinth das Pulver geschüttet, zur Hand nahm – »sehen Sie, so hielt sie den Becher und schauderte, daß man alles mitfühlte, wenn sie sagte:

Kalt rieselt matter Schaur durch meine Adern,
Der fast die Lebenswärm erstarren macht!

Und so stand sie, wie ich jetzt stehe, und hielt den Becher an die Lippen, und bei den Worten:

Weile, Tybalt!
Ich komme, Romeo! Dies trink ich dir,

da leerte sie den Becher –«

»Wohl bekomme es Ihnen, Herr Gumpel!« sprach Hyazinth mit feierlichem Tone; denn der Markese hatte in nachahmender Begeisterung das Glas ausgetrunken und sich, erschöpft von der Deklamation, auf das Sofa hingeworfen.

Er verharrte jedoch nicht lange in dieser Lage; denn es klopfte plötzlich jemand an die Türe, und herein trat Lady Maxfields kleiner Jockey, der dem Markese, mit lächelnder Verbeugung, ein Billett überreichte und sich gleich wieder empfahl. Hastig erbrach jener das Billett; während er las, leuchteten Nase und Augen vor Entzücken, jedoch plötzlich überflog eine Geisterblässe sein ganzes Gesicht, Bestürzung zuckte in jeder Muskel, mit Verzweiflungsgebärden sprang er auf, lachte grimmig, rannte im Zimmer umher und schrie:

»Weh mir, ich Narr des Glücks!«

»Was ist? Was ist?« frug Hyazinth mit zitternder Stimme, und indem er krampfhaft das Kruzifix, woran er wieder putzte, in zitternden Händen hielt – »Werden wir diese Nacht überfallen?«

»Was ist Ihnen, Herr Markese?« frug ich, ebenfalls nicht wenig erstaunt.

»Lest! lest!« – rief Gumpelino, indem er uns das empfangene Billett hinwarf und immer noch verzweiflungsvoll im Zimmer umherrannte, wobei sein blauer Domino ihn wie eine Sturmwolke umflatterte – »Weh mir, ich Narr des Glücks!«

In dem Billette aber lasen wir folgende Worte:

»Süßer Gumpelino! Sobald es tagt, muß ich nach England abreisen. Mein Schwager ist indessen schon vorangeeilt und erwartet mich in Florenz. Ich bin jetzt ganz unbeobachtet, aber leider nur diese einzige Nacht – Laß uns diese benutzen, laß uns den Nektarkelch, den uns die Liebe kredenzt, bis auf den letzten Tropfen leeren. Ich harre, ich zittere –
Julia Maxfield.«

»Weh mir, ich Narr des Glücks!« jammerte Gumpelino – »die Liebe will mir ihren Nektarkelch kredenzen, und ich, ach! ich Hansnarr des Glücks, ich habe schon den Becher des Glaubensalzes geleert! Wer bringt mir den schrecklichen Trank wieder aus dem Magen? Hülfe! Hülfe!«

»Hier kann kein irdischer Lebensmensch mehr helfen«, seufzte Hyazinth.

»Ich bedauere Sie von ganzen Herzen«, kondolierte ich ebenfalls. »Statt eines Kelchs mit Nektar ein Glas mit Glaubensalz zu genießen, das ist bitter! Statt des Thrones der Liebe harrt Ihrer jetzt der Stuhl der Nacht!«

»O Jesus! O Jesus!« – schrie der Markese noch immer – »Ich fühle, wie es durch alle meine Adern rinnt – O wackerer Apotheker! dein Trank wirkt schnell – aber ich lasse mich doch nicht dadurch abhalten, ich will zu ihr eilen, zu ihren Füßen will ich niedersinken und da verbluten!«

»Von Blut ist gar nicht die Rede« – begütigte Hyazinth – »Sie haben ja keine Homeriden. Sein Sie nur nicht leidenschaftlich –«

»Nein, nein! ich will zu ihr hin, in ihren Armen – o Nacht! o Nacht!«

»Ich sage Ihnen« – fuhr Hyazinth fort mit philosophischer Gelassenheit – »Sie werden in ihren Armen keine Ruhe haben, Sie werden zwanzigmal aufstehen müssen. Sein Sie nur nicht leidenschaftlich. Je mehr Sie im Zimmer auf und ab springen und je mehr Sie sich alterieren, desto schneller wirkt das Glaubensalz. Ihr Gemüt spielt der Natur in die Hände. Sie müssen wie ein Mann tragen, was das Schicksal über Sie beschlossen hat. Daß es so gekommen ist, ist vielleicht gut, und es ist vielleicht gut, daß es so gekommen ist. Der Mensch ist ein irdisches Wesen und begreift nicht die Fügung der Göttlichkeit. Der Mensch meint oft, er ginge seinem Glück entgegen, und auf seinem Wege steht vielleicht das Unglück mit einem Stock, und wenn ein bürgerlicher Stock auf einen adeligen Rücken kommt, so fühlt's der Mensch, Herr Markese.«

»Weh mir, ich Narr des Glücks!« tobte noch immer Gumpelino, sein Diener aber sprach ruhig weiter: »Der Mensch erwartet oft einen Kelch mit Nektar, und er kriegt eine Prügelsuppe, und ist auch Nektar süß, so sind doch Prügel desto bitterer; und es ist noch ein wahres Glück, daß der Mensch, der den andern prügelt, am Ende müde wird, sonst könnte es der andere wahrhaftig nicht aushalten. Gefährlicher ist aber noch, wenn das Unglück mit Dolch und Gift, auf dem Wege der Liebe, dem Menschen auflauert, so daß er seines Lebens nicht sicher ist. Vielleicht, Herr Markese, ist es wirklich gut, daß es so gekommen ist, denn vielleicht wären Sie in der Hitze der Liebe zu der Geliebten hingelaufen, und auf dem Wege wäre ein kleiner Italiener mit einem Dolch, der sechs Brabanter Ellen lang ist, auf Sie losgerannt und hätte Sie – ich will meinen Mund nicht zum Bösen auftun – bloß in die Wade gestochen. Denn hier kann man nicht, wie in Hamburg, gleich die Wache rufen, und in den Apenninen gibt es keine Nachtwächter. Oder vielleicht gar« – fuhr der unerbittliche Tröster fort, ohne durch die Verzweiflung des Markese sich im mindesten stören zu lassen – »vielleicht gar, wenn Sie bei Lady Maxfield ganz wohl und warm säßen, käme plötzlich der Schwager von der Reise zurück und setzte Ihnen die geladene Pistole auf die Brust und ließe Sie einen Wechsel unterschreiben von hunderttausend Mark. Ich will meinen Mund nicht zum Bösen auftun, aber ich setze den Fall: Sie wären ein schöner Mensch, und Lady Maxfield wäre in Verzweiflung, daß sie den schönen Menschen verlieren soll, und eifersüchtig, wie die Weiber sind, wollte sie nicht, daß eine andre sich nachher an Ihnen beglücke – Was tut sie? Sie nimmt eine Zitrone oder eine Orange und schüttet ein klein weiß Pülverchen hinein und sagt: ›Kühle dich, Geliebter, du hast dich heiß gelaufen‹ – und den andern Morgen sind Sie wirklich ein kühler Mensch. Da war ein Mann, der hieß Pieper, und der hatte eine Leidenschaftsliebe mit einer Mädchenperson, die das Posaunenengelhannchen hieß, und die wohnte auf der Kaffeemacherei, und der Mann wohnte in der Fuhlentwiete –«

»Ich wollte, Hirsch« – schrie wütend der Markese, dessen Unruhe den höchsten Grad erreicht hatte – »ich wollt, dein Pieper von der Fuhlentwiete und sein Posaunenengel von der Kaffeemacherei und du und die Gudel, ihr hättet mein Glaubensalz im Leibe!«

»Was wollen Sie von mir, Herr Gumpel?« – versetzte Hyazinth, nicht ohne Anflug von Hitze – »Was kann ich dafür, daß Lady Maxfield just heut nacht abreisen will und Sie just heute invitiert? Konnt ich das vorauswissen? Bin ich Aristoteles? Bin ich bei der Vorsehung angestellt? Ich habe bloß versprochen, daß das Pulver wirken soll, und es wirkt so sicher, wie ich einst selig werde, und wenn Sie so disparat und leidenschaftlich mit solcher Raserei hin und her laufen, so wird es noch schneller wirken –«

»So will ich mich ruhig hinsetzen!« ächzte Gumpelino, stampfte den Boden, warf sich ingrimmig aufs Sofa, unterdrückte gewaltsam seine Wut, und Herr und Diener sahen sich lange schweigend an, bis jener endlich nach einem tiefen Seufzer und fast kleinlaut ihn anredete: »Aber Hirsch, was soll die Frau von mir denken, wenn ich nicht komme? Sie wartet jetzt auf mich, sie harrt sogar, sie zittert, sie glüht vor Liebe –«

»Sie hat einen schönen Fuß« – sprach Hyazinth in sich hinein und schüttelte wehmütig sein Köpflein. In seiner Brust aber schien es sich gewaltig zu bewegen, unter seinem roten Rocke arbeitete sichtbar ein kühner Gedanke –

»Herr Gumpel« – sprach es endlich aus ihm hervor – »Schicken Sie mich!«

Bei diesen Worten zog eine hohe Röte über das bläßliche Geschäftsgesicht.

Kapitel X

Als Candide nach Eldorado kam, sah er auf der Straße mehrere Buben, die mit großen Goldklumpen statt mit Steinen spielten. Dieser Luxus machte ihn glauben, es seien das Kinder des Königs, und er war nicht wenig verwundert, als er vernahm, daß in Eldorado die Goldklumpen ebenso wertlos sind wie bei uns die Kieselsteine und daß die Schulknaben damit spielen. Einem meiner Freunde, einem Ausländer, ist etwas Ähnliches begegnet, als er nach Deutschland kam und zuerst deutsche Bücher las und über den Gedankenreichtum, welchen er darin fand, sehr erstaunte; bald aber merkte er, daß Gedanken in Deutschland so häufig sind wie Goldklumpen in Eldorado und daß jene Schriftsteller, die er für Geistesprinzen gehalten, nur gewöhnliche Schulknaben waren.

Diese Geschichte kommt mir immer in den Sinn, wenn ich im Begriff stehe, die schönsten Reflexionen über Kunst und Leben niederzuschreiben, und dann lache ich und behalte lieber meine Gedanken in der Feder oder kritzele statt dieser irgendein Bild oder Figürchen auf das Papier und überrede mich, solche Tapeten seien in Deutschland, dem geistigen Eldorado, weit brauchbarer als die goldigsten Gedanken.

Auf der Tapete, die ich dir jetzt zeige, lieber Leser, siehst du wieder die wohlbekannten Gesichter Gumpelinos und seines Hirsch-Hyazinthos, und wenn auch jener mit minder bestimmten Zügen dargestellt ist, so hoffe ich doch, du wirst scharfsinnig genug sein, einen Negationscharakter ohne allzu positive Bezeichnungen zu begreifen. Letztere könnten mir einen Injurienprozeß zu Wege bringen oder gar noch bedenklichere Dinge. Denn der Markese ist mächtig durch Geld und Verbindungen. Dabei ist er der natürliche Alliierte meiner Feinde, er unterstützt sie mit Subsidien, er ist Aristokrat, Ultra-Papist, nur etwas fehlte ihm noch – je nun, auch das wird er sich schon anlehren lassen – er hat das Lehrbuch dazu in den Händen, wie du auf der Tapete sehen wirst.

Es ist wieder Abend, auf dem Tische stehen zwei Armleuchter mit brennenden Wachskerzen, ihr Schimmer spielt über die goldenen Rahmen der Heiligenbilder, die, an der Wand hängend, durch das flakkernde Licht und die beweglichen Schatten zu leben scheinen. Draußen, vor dem Fenster, stehen im silbernen Mondschein, unheimlich bewegungslos, die düstern Zypressen, und in der Ferne ertönt ein trübes Marienliedchen in abgebrochenen Lauten und wie von einer kranken Kinderstimme. Es herrscht eine eigene Schwüle im Zimmer, der Markese Christophoro di Gumpelino sitzt, oder vielmehr liegt wieder, nachlässig vornehm, auf den Kissen des Sofas, der edle schwitzende Leib ist wieder mit dem dünnen, blauseidnen Domino bekleidet, in den Händen hält er ein Buch, das in rotes Saffianpapier mit Goldschnitt gebunden ist, und deklamiert daraus laut und schmachtend. Sein Auge hat dabei einen gewissen klebrichten Lustre, wie er verliebten Katern eigen zu sein pflegt, und seine Wangen, sogar die beiden Seitenflügel der Nase, sind etwas leidend blaß. Jedoch, lieber Leser, diese Blässe ließe sich wohl philosophisch anthropologisch erklären, wenn man bedenkt, daß der Markese den Abend vorher ein ganzes Glas Glaubensalz verschluckt hat.

Hirsch-Hyazinthos aber kauert am Boden des Zimmers, und mit einem großen Stück weißer Kreide zeichnet er auf das braune Estrich in großem Maßstabe ungefähr folgende Charaktere:

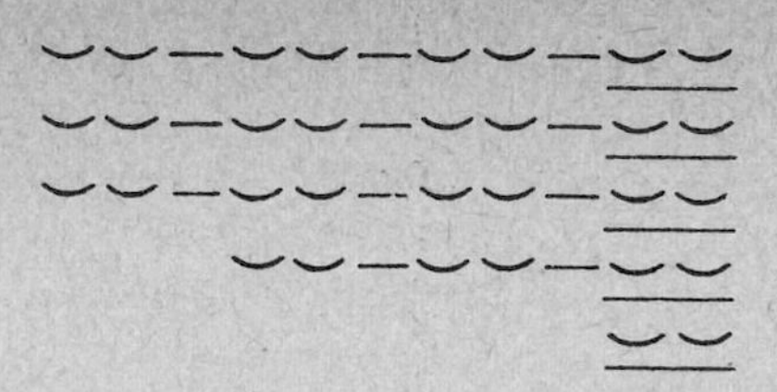

Dieses Geschäft scheint dem kleinen Manne ziemlich sauer zu werden; keuchend bei dem jedesmaligen Bücken, murmelt er verdrießlich: Spondeus, Trochäus, Jambus, Antispaß, Anapäst und die Pest! Dazu hat er, um der bequemeren Bewegung willen, den roten Oberrock abgelegt, und zum Vorschein kommen zwei kurze, demütige Beinchen in engen Scharlachhosen und zwei etwas längere abgemagerte Arme in weißen, schlotternden Hemdärmeln.

»Was sind das für sonderbare Figuren?« frug ich ihn, als ich diesem Treiben eine Weile zugesehen.

»Das sind Füße in Lebensgröße«, ächzte er zur Antwort, »und ich geplagter Mann muß diese Füße im Kopf behalten, und meine Hände tun mir schon weh von all den Füßen, die ich jetzt aufschreiben muß. Es sind die wahren echten Füße von der Poesie. Wenn ich es nicht meiner Bildung wegen täte, so ließe ich die Poesie laufen mit allen ihren Füßen. Ich habe jetzt bei dem Herrn Markese Privatunterricht in der Poesiekunst. Der Herr Markese liest mir die Gedichte vor und expliziert mir, aus wie viel Füßen sie bestehen, und ich muß sie notieren und dann nachrechnen, ob das Gedicht richtig ist.«

»Sie treffen uns« – sprach der Markese didaktisch pathetischen Tones – »wirklich in einer poetischen Beschäftigung. Ich weiß wohl, Doktor, Sie gehören zu den Dichtern, die einen eigensinnigen Kopf haben und nicht einsehen, daß die Füße in der Dichtkunst die Hauptsache sind. Ein gebildetes Gemüt wird aber nur durch die gebildete Form angesprochen, diese können wir nur von den Griechen lernen und von neueren Dichtern, die griechisch streben, griechisch denken, griechisch fühlen und in solcher Weise ihre Gefühle an den Mann bringen.«

»Versteht sich an den Mann, nicht an die Frau, wie ein unklassischer romantischer Dichter zu tun pflegt« – bemerkte meine Wenigkeit.

»Herr Gumpel spricht zuweilen wie ein Buch«, flüsterte mir Hyazinth von der Seite zu, preßte die schmalen Lippen zusammen, blinzelte mit stolz vergnügten Äuglein und schüttelte das wunderstaunende

Häuptlein. »Ich sage Ihnen« – setzte er etwas lauter hinzu – »wie ein Buch spricht er zuweilen, er ist dann sozusagen kein Mensch mehr, sondern ein höheres Wesen, und ich werde dann wie dumm, je mehr ich ihn anhöre.«

»Und was haben Sie denn jetzt in den Händen?« frug ich den Markese.

»Brillanten!« antwortete er und überreichte mir das Buch.

Bei dem Wort »Brillanten« sprang Hyazinth in die Höhe; doch als er nur ein Buch sah, lächelte er mitleidigen Blicks. Dieses brillante Buch aber hatte auf dem Vorderblatte folgenden Titel:

»Gedichte von August Grafen von Platen; Stuttgart und Tübingen. Verlag der J. G. Cottaschen Buchhandlung. 1828.«

Auf dem Hinterblatte stand zierlich geschrieben: »Geschenk warmer brüderlicher Freundschaft.« Dabei roch das Buch nach jenem seltsamen Parfüm, der mit Eau de Cologne nicht die mindeste Verwandtschaft hat und vielleicht auch dem Umstande beizumessen war, daß der Markese die ganze Nacht darin gelesen hatte.

»Ich habe die ganze Nacht kein Auge zutun können« – klagte er mir – »ich war so sehr bewegt, ich mußte eilfmal aus dem Bette steigen, und zum Glück hatte ich dabei diese vortreffliche Lektüre, woraus ich nicht bloß Belehrung für die Poesie, sondern auch Trost für das Leben geschöpft habe. Sie sehen, wie sehr ich das Buch geehrt, es fehlt kein einziges Blatt, und doch, wenn ich so saß, wie ich saß, kam ich manchmal in Versuchung –«

»Das wird mehreren passiert sein, Herr Markese.«

»Ich schwöre Ihnen bei unserer lieben Frau von Loretto, und so wahr ich ein ehrlicher Mann bin« – fuhr jener fort – »diese Gedichte haben nicht ihres Gleichen. Ich war, wie Sie wissen, gestern abend in Verzweiflung, sozusagen au désespoir, als das Fatum mir nicht vergönnte, meine Julia zu besitzen – da las ich diese Gedichte, jedesmal ein Gedicht, wenn ich aufstehen mußte, und eine solche Gleichgültigkeit gegen die Weiber war die Folge, daß mir mein eigner Liebesschmerz zuwider wurde. Das ist eben das Schöne an diesem Dichter, daß er nur für Männer glüht, in warmer Freundschaft; er gibt uns den Vorzug vor dem weiblichen Geschlechte, und schon für diese Ehre sollten wir ihm dankbar sein. Er ist darin größer als alle andern Dichter, er schmeichelt nicht dem gewöhnlichen Geschmack des großen Haufens, er heilt uns von unserer Passion für die Weiber, die uns so viel Unglück zuzieht – O

Weiber! Weiber! wer uns von euren Fesseln befreit, der ist ein Wohltäter der Menschheit. Es ist ewig schade, daß Shakespeare sein eminentes theatralisches Talent nicht dazu benutzt hat, denn er soll, wie ich hier zuerst lese, nicht minder großherzig gefühlt haben als der große Graf Platen, der in seinen Sonetten von Shakespeare sagt:

Nicht Mädchenlaunen störten deinen Schlummer,
Doch stets um Freundschaft sehn wir warm dich ringen:
Dein Freund errettet dich aus Weiberschlingen,
Und seine Schönheit ist dein Ruhm und Kummer.«

Während der Markese diese Worte mit warmem Gefühl deklamierte und der glatte Mist ihm gleichsam auf der Zunge schmolz, schnitt Hyazinth die widersprechendsten Gesichter, zugleich verdrießlich und beifällig, und endlich sprach er: »Herr Markese, Sie sprechen wie ein Buch, auch die Verse gehen Ihnen wieder so leicht ab wie diese Nacht, aber ihr Inhalt will mir nicht gefallen. Als Mann fühle ich mich geschmeichelt, daß der Graf Platen uns den Vorzug gibt vor den Weibern, und als Freund von den Weibern bin ich wieder ein Gegner von solch einem Manne. So ist der Mensch! Der eine ißt gern Zwiebeln, der andere hat mehr Gefühl für warme Freundschaft und ich, als ehrlicher Mann, muß aufrichtig gestehen, ich esse gern Zwiebeln, und eine schiefe Köchin ist mir lieber als der schönste Schönheitsfreund. Ja, ich muß gestehen, ich sehe nicht so viel Schönes am männlichen Geschlecht, daß man sich darin verlieben sollte.«

Diese letzteren Worte sprach Hyazinth, während er sich musternd im Spiegel betrachtete, der Markese aber ließ sich nicht stören und deklamierte weiter:

»Der Hoffnung Schaumgebäude bricht zusammen,
Wir mühn uns, ach! und kommen nicht zusammen:
Mein Name klingt aus deinem Mund melodisch,
Doch reihst du selten dies Gedicht zusammen;
Wie Sonn und Mond uns stets getrennt zu halten,
Verschworen Sitte sich und Pflicht zusammen,
Laß Haupt an Haupt uns lehnen, denn es taugen
Dein dunkles Haar, mein hell Gesicht zusammen!
Doch ach! ich träume, denn du ziehst von hinnen,

Eh noch das Glück uns brachte dicht zusammen:
Die Seelen bluten, da getrennt die Leiber,
O wären's Blumen, die man flicht zusammen!«

»Eine komische Poesie« – rief Hyazinth, der die Reime nachmurmelte – »Sitte sich und Pflicht zusammen, Gesicht zusammen, dicht zusammen, flicht zusammen! komische Poesie! Mein Schwager, wenn er Gedichte liest, macht oft den Spaß, daß er am Ende jeder Zeile die Worte ›von vorn‹ und ›von hinten‹ abwechselnd hinzusetzt; und ich habe nie gewußt, daß die Poesiegedichte, die dadurch entstehen, Ghaselen heißen. Ich muß einmal die Probe machen, ob das Gedicht, das der Herr Markese deklamiert hat, nicht noch schöner wird, wenn man nach dem Wort ›zusammen‹ jedesmal, mit Abwechslung, ›von vorn‹ und ›von hinten‹ setzt; die Poesie davon wird gewiß zwanzig Prozent stärker.«

Ohne auf dieses Geschwätz zu achten, fuhr der Markese fort im Deklamieren von Ghaselen und Sonetten, worin der Liebende seinen Schönheitsfreund besingt, ihn preist, sich über ihn beklagt, ihn des Kaltsinns beschuldigt, Pläne schmiedet, um zu ihm zu gelangen, mit ihm äugelt, eifersüchtelt, schmächtelt, eine ganze Skala von Zärtlichkeiten durchliebelt, und zwar so warmselig, betastungssüchtig und anleckend, daß man glauben sollte, der Verfasser sei ein manntolles Mägdlein – Nur müßte es dann einigermaßen befremden, daß dieses Mägdlein beständig jammert, ihre Liebe sei gegen die »Sitte«, daß sie gegen »diese trennende Sitte« so bitter gestimmt ist wie ein Taschendieb gegen die Polizei, daß sie liebend »die Lende« des Freundes umschlingen möchte, daß sie sich über »Neider« beklagt, »die sich schlau vereinen, um uns zu hindern und getrennt zu halten«, daß sie über verletzende Kränkungen klagt von Seiten des Freundes, daß sie ihm versichert, sie wolle ihn nur flüchtig erblicken, ihm beteuert: »Nicht eine Silbe soll dein Ohr erschrecken!« und endlich gesteht:

»Mein Wunsch bei andern zeugte Widerstreben,
Du hast ihn nicht erhört, doch abgeschlagen
Hast du ihn auch nicht, o mein süßes Leben!«

Ich muß dem Markese das Zeugnis erteilen, daß er diese Gedichte gut vortrug, hinlänglich dabei seufzte, ächzte und auf dem Sofa hin- und herrutschend gleichsam mit dem Gesäße kokettierte. Hyazinth versäumte keineswegs, immer die Reime nachzuplappern, wenn er auch ungehörige Bemerkungen dazwischenschwätzte. Den Oden schenkte er die meiste Aufmerksamkeit. »Man kann bei dieser Sorte«, sagte er, »weit mehr lernen als bei Saunetten und Ghaselen; da bei den Oden die Füße oben ganz besonders abgedruckt sind, kann man jedes Gedicht mit Bequemlichkeit nachrechnen. Jeder Dichter sollte, wie der Graf Platen, bei seinen schwierigsten Poesiegedichten die Füße oben drucken und zu den Leuten sagen: ›Seht, ich bin ein ehrlicher Mann, ich will euch nicht betrügen, diese krummen und geraden Striche, die ich vor jedes Gedicht setze, sind sozusagen ein Conto finto von jedem Gedicht, und ihr könnt nachrechnen, wie viel Mühe es mich gekostet, sie sind, sozusagen, das Ellenmaß von jedem Gedichte, und ihr könnt nachmessen, und fehlt daran eine einzige Silbe, so sollt ihr mich einen Spitzbuben nennen, so wahr ich ein ehrlicher Mann bin.‹ Aber eben durch diese ehrliche Miene kann das Publikum betrogen werden. Eben wenn die Füße vor dem Gedichte angegeben sind, denkt man: ich will kein mißtrauischer Mensch sein, wozu soll ich dem Manne nachzählen, er ist gewiß ein ehrlicher Mann, und man zählt nicht nach und wird betrogen. Und kann man immer nachrechnen? Wir sind jetzt in Italien, und da habe ich Zeit, die Füße mit Kreide auf die Erde zu schreiben und jede Ode zu kollationieren. Aber in Hamburg, wo ich mein Geschäft habe, fehlt mir die Zeit dazu, und ich müßte dem Grafen Platen ungezählt trauen, wie man traut bei den Geldbeuteln von der Courantkasse, worauf geschrieben steht, wie viel hundert Taler darin enthalten – sie gehen versiegelt von Hand zu Hand, jeder traut dem andern, daß so viel darin enthalten ist, wie darauf steht, und es gibt doch Beispiele, daß ein Müßiggänger, der nicht viel zu tun hatte, so einen Beutel geöffnet und nachgezählt und ein paar Taler zu wenig darin gefunden hat. So kann auch in der Poesie viel Spitzbüberei vorfallen. Besonders wenn ich an Geldbeutel denke, werde ich mißtrauisch. Denn mein Schwager hat mir erzählt: im Zuchthaus zu Odensee sitzt – ein gewisser Jemand, der bei der Post angestellt war und die Geldbeutel, die durch seine Hände gingen, unehrlich geöffnet und unehrlich Geld herausgenommen und sie wieder künstlich zugenäht und weitergeschickt hat. Hört man von solcher Geschicklichkeit, so verliert man das menschliche Zutrauen und wird ein mißtrauischer Mensch. Es gibt jetzt viel Spitzbüberei in der Welt, und es ist gewiß in der Poesie wie in jedem anderen Geschäft.

Die Ehrlichkeit« – fuhr Hyazinth fort, während der Markese weiterdeklamierte, ohne unserer zu achten, ganz versunken in Gefühl – »die Ehrlichkeit, Herr Doktor, ist die Hauptsache, und wer kein ehrlicher Mann ist, den betrachte ich wie einen Spitzbuben, und wen ich wie einen Spitzbuben betrachte, von dem kaufe ich nichts, von dem lese ich nichts, kurz ich mache kein Geschäft mit ihm. Ich bin ein Mann, Herr Doktor, der sich auf nichts etwas einbildet, wenn ich mir aber etwas einbilden wollte auf etwas, so würde ich mir etwas darauf einbilden, daß ich ein ehrlicher Mann bin. Ich will Ihnen einen edlen Zug von mir erzählen, und Sie werden staunen – ich sag Ihnen, Sie werden staunen, so wahr ich ein ehrlicher Mann bin. Da wohnt ein Mann in Hamburg auf dem Speersort, und der ist ein Krautkrämer und heißt Klötzchen, das heißt, ich heiße den Mann Klötzchen, weil wir gute Freunde sind, sonst heißt der Mann Herr Klotz. Auch seine Frau muß man Madam Klotz nennen, und sie hat nie leiden können, daß ihr Mann bei mir spielte, und wenn ihr Mann bei mir spielen wollte, so durfte ich mit dem Lotterielos nicht zu ihm ins Haus kommen, und er sagte mir immer auf der Straße: die und die Nummer will ich bei dir spielen, und hier hast du das Geld, Hirsch! Und ich sagte dann: gut, Klötzchen! Und kam ich nach Hause, so legte ich die Nummer kouvertiert für ihn aparte und schrieb auf das Kouvert mit deutschen Buchstaben: für Rechnung des Herrn Christian Hinrich Klotz. Und nun hören Sie und staunen Sie: Es war ein schöner Frühlingstag, und die Bäume an der Börse waren grün, und die Zephyrlüfte waren angenehm, und die Sonne glänzte am Himmel, und ich stand an der Hamburger Bank. Da kommt Klötzchen, mein Klötzchen, und hat am Arm seine dicke Madam Klotz und grüßt mich zuerst und spricht von der Frühlingspracht Gottes, macht auch einige patriotische Bemerkungen über das Bürgermilitär, und er fragt mich, wie die Geschäfte gehen, und ich erzähle ihm, daß vor einigen Stunden wieder einer am Pranger gestanden, und so im Gespräch sagt er mir: gestern nacht habe ich geträumt, Numero 1538 wird als das große Los herauskommen – und in demselben Moment, während Madame Klotz die Kaiserstatisten vor dem Rathaus betrachtet, drückt er mir dreizehn vollwichtige Stück Louisdor in die Hand – ich meine, ich fühle sie noch jetzt –, und ehe Madam Klotz sich wieder herumdreht, sag ich: gut, Klötzchen! und gehe weg. Und ich gehe directement, ohne mich umzusehen, nach der Hauptkollekte und hole mir Numero 1538 und kouvertiere sie, sobald ich nach Hause komme, und schreibe auf das Kouvert: für Rechnung des Herrn Christian Hinrich Klotz. Und was tut Gott? Vierzehn

Tage nachher, um meine Ehrlichkeit auf die Probe zu stellen, läßt er Numero 1538 herauskommen mit einem Gewinn von 50000 Mark. Was tut aber Hirsch, derselbe Hirsch, der jetzt vor Ihnen steht? Dieser Hirsch zieht ein reines weißes Oberhemdchen und ein reines weißes Halstuch an und nimmt sich eine Droschke und holt sich bei der Hauptkollekte seine 50000 Mark und fährt damit nach dem Speersort – Und wie mich Klötzchen sieht, fragt er: Hirsch, warum bist du heut so geputzt? Ich aber antworte kein Wort und setze einen großen Überraschungsbeutel mit Gold auf den Tisch und rede ganz feierlich: Herr Christian Hinrich Klotz! die Numero 1538, die Sie so gütig waren bei mir zu bestellen, hat das Glück gehabt, 50000 Mark zu gewinnen, in diesem Beutel habe ich die Ehre Ihnen das Geld zu präsentieren, und ich bin so frei, mir eine Quittung auszubitten! Wie Klötzchen das hört, fängt er an zu weinen, wie Madam Klotz die Geschichte hört, fängt sie an zu weinen, die rote Magd weint, der krumme Ladendiener weint, die Kinder weinen, und ich? ein Rührungsmensch, wie ich bin, konnte ich doch nicht weinen und fiel erst in Ohnmacht, und erst nachher kamen mir die Tränen aus den Augen wie ein Wasserbach, und ich weinte drei Stunden.«

Die Stimme des kleinen Menschen bebte, als er dieses erzählte, und feierlich zog er ein schon erwähntes Päckchen aus der Tasche, wickelte davon den schon verblichenen Rosataffet und zeigte mir den Schein, worin Christian Hinrich Klotz den richtigen Empfang der 50000 Mark quittierte. »Wenn ich sterbe« – sprach Hyazinth, eine Träne im Auge – »soll man mir diese Quittung mit ins Grab legen, und wenn ich einst dort oben, am Tage des Gerichts, Rechenschaft geben muß von meinen Taten, dann werde ich mit dieser Quittung in der Hand vor den Stuhl der Allmacht treten, und wenn mein böser Engel die bösen Handlungen, die ich auf dieser Welt begangen habe, vorgelesen und mein guter Engel auch die Liste von meinen guten Handlungen ablesen will, dann sag ich ruhig: Schweig! – ich will nur wissen, ist diese Quittung richtig? ist das die Handschrift von Christian Hinrich Klotz? Dann kommt ein ganz kleiner Engel herangeflogen und sagt, er kenne ganz genau Klötzchens Handschrift, und er erzählt zugleich die merkwürdige Geschichte von der Ehrlichkeit, die ich mal begangen habe. Der Schöpfer der Ewigkeit aber, der Allwissende, der alles weiß, erinnert sich an diese Geschichte, und er lobt mich in Gegenwart von Sonne, Mond und Sternen und berechnet gleich im Kopf, daß, wenn meine bösen Handlungen von 50000 Mark Ehrlichkeit abgezogen werden, mir noch ein Saldo zugut kommt, und er sagt dann: Hirsch! ich ernenne dich zum Engel erster Klasse, und du darfst Flügel tragen mit rot und weißen Federn.«

Kapitel XI

Wer ist denn der Graf Platen, den wir im vorigen Kapitel als Dichter und warmen Freund kennen lernten? Ach, lieber Leser, diese Frage las ich schon lange auf deinem Gesichte, und nur zaudernd gehe ich an die Beantwortung. Das ist ja eben das Mißgeschick deutscher Schriftsteller, daß sie jeden guten oder bösen Narrn, den sie aufs Tapet bringen, erst durch trockne Charakterschilderung und Personalbeschreibung bekannt machen müssen, damit man erstens wisse, daß er existiert, und zweitens den Ort kenne, wo die Geißel ihn trifft, ob unten oder oben, vorn oder hinten. Anders war es bei den Alten, anders ist es noch jetzt bei neueren Völkern, z. B. den Engländern und Franzosen, die ein Volksleben und daher public characters haben. Wir Deutschen aber, wir haben zwar ein ganzes närrisches Volk, aber wenig ausgezeichnete Narren, die bekannt genug wären, um sie als allgemein verständliche Charaktere in Prosa oder Versen gebrauchen zu können. Die wenigen Männer dieser Art, die wir besitzen, haben wirklich recht, wenn sie sich wichtig machen. Sie sind von unschätzbarem Werte und zu den höchsten Ansprüchen berechtigt. So z. B. der Herr Geheimrat Schmalz, Professor der Berliner Universität, ist ein Mann, der nicht mit Geld zu bezahlen ist; ein humoristischer Schriftsteller kann ihn nicht entbehren, und er selbst fühlt diese persönliche Wichtigkeit und Unentbehrlichkeit in so hohem Grade, daß er jede Gelegenheit ergreift, um humoristischen Schriftstellern Stoff zur Satire zu geben, daß er Tag und Nacht grübelt, wie er sich als Staatsmann, Servilist, Dekan, Antihegelianer und Patriot lächerlich machen kann, und somit die Literatur, für die er sich gleichsam aufopfert, tatkräftig zu befördern. Den deutschen Universitäten muß man überhaupt nachrühmen, daß sie den deutschen Schriftsteller, mehr als jede andere Zunft, mit allerlei Narren versorgen, und besonders Göttingen habe ich immer in dieser Hinsicht zu schätzen gewußt. Dies ist auch der geheime Grund, weshalb ich mich für die Erhaltung der Universitäten erkläre, obgleich ich stets Gewerbefreiheit und Vernichtung des Zunftwesens gepredigt habe. Bei solchem fühlbaren Mangel an ausgezeichneten Narren kann man mir nicht genug danken, wenn ich neue aufs Tapet bringe und allgemein brauchbar mache. Zum Besten der Literatur will ich daher jetzt vom Grafen August von Platen-Hallermünde etwas ausführlicher reden. Ich will dazu beitragen, daß er zweckmäßig bekannt und gewissermaßen berühmt werde, ich will ihn literarisch gleichsam herausfüttern, wie die Irokesen tun mit den Gefangenen, die sie bei späteren Festmahlen verspeisen wollen. Ich werde ganz treu ehrlich verfahren und überaus höflich, wie es einem Bürgerlichen ziemt, ich werde das Materielle, das sogenannte Persönliche, nur insoweit berühren, als sich geistige Erscheinungen dadurch erklären lassen, und ich werde immer ganz genau den Standpunkt, von wo aus ich ihn sah, und sogar manchmal die Brille, wodurch ich ihn sah, angeben.

Der Standpunkt, von wo ich den Grafen Platen zuerst gewahrte, war München, der Schauplatz seiner Bestrebungen, wo er, bei allen, die ihn kennen, sehr berühmt ist und wo er gewiß, solange er lebt, unsterblich sein wird. Die Brille, wodurch ich ihn sah, gehörte einigen Insassen Münchens, die über seine äußere Erscheinung dann und wann, in heiteren Stunden, ein heiteres Wort hinwarfen. Ich habe ihn selbst nie gesehen, und wenn ich mir seine Person denken will, erinnere ich mich immer an die drollige Wut, womit einmal mein Freund, der Doktor Lautenbacher, über Poetennarrheit im allgemeinen loszog und insbesondere eines Grafen Platen erwähnte, der, mit einem Lorbeerkranze auf dem Kopfe, sich auf der öffentlichen Promenade zu Erlangen den Spaziergängern in den Weg stellte und, mit der bebrillten Nase gen Himmel starrend, in poetischer Begeisterung zu sein vorgab. Andere haben besser von dem armen Grafen gesprochen und beklagten nur seine beschränkten Mittel, die ihn, bei seinem Ehrgeiz, sich wenigstens als ein Dichter auszuzeichnen, über die Gebühr zum Fleiße nötigten, und sie lobten besonders seine Zuvorkommenheit gegen Jüngere, bei denen er die Bescheidenheit selbst gewesen sei, indem er mit der liebreichsten Demut ihre Erlaubnis erbeten, dann und wann zu ihnen aufs Zimmer kommen zu dürfen, und sogar die Gutmütigkeit so weit getrieben habe, immer wieder zu kommen, selbst wenn man ihn die Lästigkeit seiner Visiten aufs deutlichste merken lassen. Dergleichen Erzählungen haben mich gewissermaßen gerührt, obgleich ich diesen Mangel an Personalbeifall sehr natürlich fand. Vergebens klagte oft der Graf:

– »Deine blonde Jugend, süßer Knabe,
Verschmäht den melancholischen Genossen.

So will in Scherz ich mich ergehn, in Possen,
Anstatt ich jetzt mich bloß an Tränen labe,
Und um der Fröhlichkeit mir fremde Gabe
Hab ich den Himmel anzuflehn beschlossen.«

Vergebens versicherte der arme Graf, daß er einst der berühmteste Dichter werde, daß schon der Schatten eines Lorbeerblattes auf seiner Stirne sichtbar sei, daß er seine süßen Knaben ebenfalls unsterblich machen könne, durch unvergängliche Gedichte. Ach! eben diese Zelebrität war keinem lieb, und in der Tat, sie war keine beneidenswerte. Ich erinnere mich noch, mit welchem unterdrückten Lächeln ein Kandidat solcher Zelebrität von einigen lustigen Freunden, unter den Arkaden zu München, betrachtet wurde. Ein scharfsichtiger Bösewicht meinte sogar, er sähe zwischen den Rockschößen desselben den Schatten eines Lorbeerblattes. Was mich betrifft, lieber Leser, so bin ich nicht so boshaft, wie Du denkst, ich bemitleide den armen Grafen, wenn ihn andere verhöhnen, ich zweifle, daß er sich an der verhaßten »Sitte« tätlich gerächt habe, obgleich er in seinen Liedern schmachtet, sich solcher Rache hinzugeben; ich glaube vielmehr an die verletzenden Kränkungen, beleidigenden Zurücksetzungen und Abweisungen, wovon er selbst so rührend singt. Ich bin überzeugt, er betrug sich gegen die Sitten überhaupt weit löblicher, als ihm selber lieb war, und er kann vielleicht, wie General Tilly, von sich rühmen: Ich war nie berauscht, ich habe nie ein Weib berührt und habe nie eine Schlacht verloren. Deshalb gewiß sagt von ihm der Dichter:

»Du bist ein nüchterner, modester Junge.«

Der arme Junge oder vielmehr der arme alte Junge – denn er hatte schon einige Lustren hinter sich – hockte damals, wenn ich nicht irre, auf der Universität in Erlangen, wo man ihm einige Beschäftigung angewiesen hatte; doch da diese seinem hochstrebenden Geiste nicht genügte, da mit den Lustren auch die Lüsternheit nach illüstrer Lust ihn mehr und mehr stachelte und der Graf von seiner künftigen Herrlichkeit täglich mehr und mehr begeistert wurde, gab er jedes Geschäft auf und beschloß, von der Schriftstellerei, von gelegentlichen Gaben von oben und einigen sonstigen Verdiensten zu leben. Die Grafschaft des Grafen liegt nämlich im Monde, von wo er, wegen der schlechten Kommunikation mit Bayern, nach Gruithuisens Berechnung, erst in 20000 Jahren, wenn der Mond dieser Erde näher kommt, seine ungeheuern Revenuen beziehen kann.

Schon früher hatte Don Platen de Collibrados Hallermünde, bei Brockhaus in Leipzig, eine Gedichtesammlung mit einer Vorrede, betitelt: »Lyrische Blätter Nummer I«, herausgegeben, die freilich nicht bekannt wurde, obgleich, wie er uns versichert, die sieben Weisen dem Verfasser ihr Lob gespendet. Später gab er, nach Tieckschem Muster, einige dramatisierte Märchen und Erzählungen heraus, die ebenfalls das Glück hatten, daß sie der unweisen großen Menge unbekannt blieben und nur von den sieben Weisen gelesen wurden. Indessen um, außer den sieben Weisen, noch einige Leser zu gewinnen, legte sich der Graf auf Polemik und schrieb eine Satire gegen berühmte Schriftsteller, vornehmlich gegen Müllner, der damals schon allgemein gehaßt und moralisch vernichtet war, so daß der Graf eben zur rechten Zeit kam, um dem toten Hofrat Örindur noch einen Hauptstich, nicht ins Haupt, sondern, nach Falstaffscher Weise, in die Wade zu versetzen. Der Widerwille gegen Müllner hatte jedes edle Herz erfüllt; der Mensch ist überhaupt schwach; die Polemik des Grafen mißfiel daher nicht, und »die verhängnisvolle Gabel« fand hie und da eine bereitwillige Aufnahme, nicht beim großen Publikum, sondern bei Literatoren und bei den eigentlichen Schulleuten, bei letztern hauptsächlich, weil jene Satire nicht mehr dem romantischen Tieck, sondern dem klassischen Aristophanes nachgeahmt war.

Ich glaube, es war um diese Zeit, daß der Herr Graf nach Italien reiste; er zweifelte nicht mehr, von seiner Poesie leben zu können, Cotta hatte die gewöhnliche prosaische Ehre, für Rechnung der Poesie das Geld herzugeben; denn die Poesie, die Himmelstochter, die Hochgeborene, hat selbst nie Geld und wendet sich, bei solchem Bedürfnis, immer an Cotta. Der Graf versifizierte jetzt Tag und Nacht, er blieb nicht bei dem Vorbilde Tiecks und des Aristophanes, sondern er ahmte auch den Goethe nach im Liede, dann den Horaz in der Ode, dann den Petrarcha in Sonetten, dann den Dichter Hafis in persischen Ghaselen – kurz er gab uns solchermaßen eine Blumenlese der besten Dichter und zugleich seine eigenen lyrischen Blätter unter dem Titel: »Gedichte des Grafen Platen etc.«

Niemand in Deutschland ist gegen poetische Erzeugnisse billiger als ich, und ich gönne einem armen Menschen, wie Platen, sein Stückchen

Ruhm, das er im Schweiße seines Angesichts so sauer erwirbt, gewiß herzlich gern. Keiner ist mehr geneigt als ich, seine Bestrebungen zu rühmen, seinen Fleiß und seine Belesenheit in der Poesie zu loben und seine silbenmäßigen Verdienste anzuerkennen. Meine eignen Versuche befähigen mich, mehr als jeden andern, die metrischen Verdienste des Grafen zu würdigen. Die bittere Mühe, die unsägliche Beharrlichkeit, das winternächtliche Zähneklappern, die ingrimmigen Anstrengungen, womit er seine Verse ausgearbeitet, entdeckt unser einer weit eher als der gewöhnliche Leser, der die Glätte, Zierlichkeit und Politur jener Verse des Grafen für etwas Leichtes hält und sich an der glatten Wortspielerei gedankenlos ergötzt, wie man sich bei Kunstspringern, die auf dem Seile balancieren, über Eier tanzen und sich auf den Kopf stellen, ebenfalls einige Stunden amüsiert, ohne zu bedenken, daß jene armen Wesen nur durch jahrelangen Zwang und grausames Hungerleiden solche Gelenkigkeitskünste, solche Metrik des Leibes erlernt haben. Ich, der ich mich in der Dichtkunst nicht so sehr geplagt und sie immer in Verbindung mit gutem Essen ausgeübt habe, ich will den Grafen Platen, dem es saurer und nüchterner dabei ergangen, um so mehr preisen, ich will von ihm rühmen, daß kein Seiltänzer in Europa so gut wie er auf schlaffen Ghaselen balanciert, daß keiner den Eiertanz über

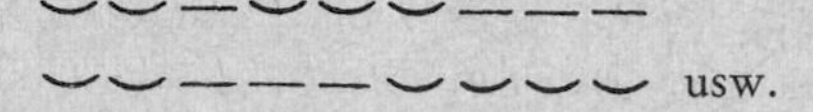

so gut exekutiert wie er, daß keiner sich so gut wie er auf den Kopf stellt. Wenn ihm auch die Musen nicht hold sind, so hat er doch den Genius der Sprache in seiner Gewalt, oder vielmehr, er weiß ihm Gewalt anzutun; – denn die freie Liebe dieses Genius fehlt ihm, er muß auch diesem Jungen beharrlich nachlaufen, und er weiß nur die äußeren Formen zu erfassen, die trotz ihrer schönen Ründung sich nie edel aussprechen. Nie sind tiefe Naturlaute, wie wir sie im Volksliede, bei Kindern und anderen Dichtern finden, aus der Seele eines Platen hervorgebrochen oder offenbarungsmäßig hervorgeblüht; den beängstigenden Zwang, den er sich antun muß, um etwas zu sagen, nennt er eine »große Tat in Worten« – so gänzlich unbekannt mit dem Wesen der Poesie, weiß er nicht einmal, daß das Wort nur bei dem Rhetor eine Tat ist, bei dem wahren Dichter aber ein Ereignis. Ungleich dem wahren Dichter, ist die Sprache nie Meister geworden in ihm, er ist dagegen Meister geworden in der Sprache oder vielmehr auf der Sprache, wie ein Virtuose auf einem Instrumente. Je weiter er es solcherart im Technischen brachte, desto größere Meinung bekam er von seiner Virtuosität; er wußte ja in allen Weisen zu spielen, er versifizierte ja die schwierigsten Passagen, er dichtete, sozusagen, manchmal nur auf der G-Saite und ärgerte sich, wenn das Publikum nicht klatschte. Wie alle Virtuosen, die solch einsaitiges Talent ausgebildet, strebte er nur nach Applaudissement, sah er mit Ingrimm auf den Ruhm anderer, beneidete er seine Kollegen um ihren Gewinst, wie z. B. den Clauren, schrieb er gleich fünfaktige Pasquille, wenn er nur eine einzige Xenie des Tadels auf sich beziehen konnte, kontrollierte er alle Rezensionen, worin andere gelobt wurden, und schrie er beständig: ich werde nicht genug gelobt, nicht genug belohnt, denn Ich bin der Poet, der Poet der Poeten usw. So hungerig und lechzend nach Lob und Spenden zeigte sich nie ein wahrer Dichter, niemals Klopstock, niemals Goethe, zu deren Drittem der Graf Platen sich selbst ernennt, obgleich jeder einsieht, daß er nur mit Ramler und etwa A. W. v. Schlegel ein Triumvirat bildet. Der große Ramler, wie man ihn zu seiner Zeit hieß, als er, zwar ohne Lorbeerkranz auf dem Haupte, aber mit desto größerem Zopf und Haarbeutel, das Auge gen Himmel gehoben und den steifleinenen Regenschirm unterm Arm, im Berliner Tiergarten skandierend wandelte, hielt sich damals für den Repräsentanten der Poesie auf Erden. Seine Verse waren die vollendetesten in deutscher Sprache, und seine Verehrer, worunter sogar ein Lessing sich verirrte, meinten, weiter könne man es in der Poesie nicht bringen. Fast dasselbe war späterhin der Fall bei A. W. v. Schlegel, dessen poetische Unzulänglichkeit aber sichtbar wird, seitdem die Sprache weiter ausgebildet worden, so daß sogar diejenigen, die einst den Sänger des »Arion« für einen gleichfallsigen Arion gehalten, jetzt nur noch den verdienstlichen Schullehrer in ihm sehen. Ob aber der Graf Platen schon befugt ist, über den sonst rühmenswerten Schlegel zu lachen, wie dieser einst über Ramler lachte, das weiß ich nicht. Aber das weiß ich, in der Poesie sind alle drei sich gleich, und wenn der Graf Platen noch so hübsch in den Ghaselen seine schaukelnden Balancierkünste treibt, wenn er in seinen Oden noch so vortrefflich den Eiertanz exekutiert, ja, wenn er, in seinen Lustspielen, sich auf den Kopf stellt – so ist er doch kein Dichter. Er ist kein Dichter, sagt sogar die undankbare männliche Jugend, die er so zärtlich besingt. Er ist kein Dichter, sagen die Frauen, die vielleicht – ich muß es zu seinem Besten andeuten – hier nicht ganz unparteiisch sind und vielleicht wegen der Hingebung, die sie bei ihm entdecken, etwas Eifersucht empfinden oder gar durch die Tendenz seiner Gedichte ihre bisherige vorteilhafte Stellung in der Gesellschaft gefährdet glauben. Strenge Kritiker, die mit scharfen Brillen versehen sind, stimmen ein in dieses Urteil oder äußern sich noch lakonisch bedenklicher. »Was finden Sie in den Gedichten des Grafen von Platen-Hallermünde?« frug ich jüngst einen solchen Mann. »Sitzfleisch!« war die Antwort. »Sie meinen in Hinsicht der mühsamen, ausgearbeiteten Form?« entgegnete ich. »Nein«, erwiderte jener, »Sitzfleisch auch in Betreff des Inhalts.«

Was nun den Inhalt der Platenschen Gedichte betrifft, so möchte ich den armen Grafen dafür zwar nicht loben, aber ihn auch nicht unbedingt der censorischen Wut preisgeben, womit unsere Catonen davon sprechen oder gar schweigen. Chacun à son goût, dem einen gefällt der Ochs, dem andren Wasischtas Kuh. Ich tadele sogar den furchtbaren rhadamantischen Ernst, womit über jenen Inhalt der Platenschen Gedichte in den Berliner »Jahrbüchern für wissenschaftliche Kritik« gerichtet worden. Aber so sind die Menschen, es wird ihnen sehr leicht, in Eifer zu geraten, wenn sie über Sünden sprechen, die ihnen kein Vergnügen machen würden. Im Morgenblatte las ich kürzlich einen Aufsatz, überschrieben: »Aus dem Journal eines Lesers«, worin der Graf Platen gegen solche strenge Tadler seiner Freundschaftsliebe mit jener Bescheidenheit sich ausspricht, die er nie zu verleugnen weiß und woran man ihn auch hier erkennt. Wenn er sagt, daß »das Hegelsche Wochenblatt« ihn eines geheimen Lasters mit »lächerlichem Pathos« beschuldige, so will er, wie leicht zu erraten ist, nur der Rüge anderer Leute zuvorkommen, deren Gesinnung er durch dritte Hand erforschen lassen. Indessen, man hat ihm schlecht berichtet, ich werde mir nie in dieser Hinsicht einen Pathos zuschulden kommen lassen, der edle Graf ist mir vielmehr eine ergötzliche Erscheinung, und in einer erlauchten Liebhaberei sehe ich nur etwas Unzeitgemäßes, nur die zaghaft verschämte Parodie eines antiken Übermuts. Das ist es ja eben, jene Liebhaberei war im Altertum nicht in Widerspruch mit den Sitten und gab sich kund mit heroischer Öffentlichkeit. Als z. B. der Kaiser Nero, auf Schiffen, die mit Gold und Elfenbein ausgelegt waren, ein Gastmahl hielt, das einige Millionen kostete, ließ er sich mit einem aus dem Jünglingsserail, namens Pythagoras, feierlich einsegnen (cuncta denique spectata quae etiam in femina nox operit) und steckte nachher mit der Hochzeitsfackel die Stadt Rom in Brand, um bei den prasselnden Flammen desto besser den Untergang Trojas besingen zu können. Das war noch ein Ghaselendichter, über den ich mit Pathos sprechen könnte; doch nur lächeln kann ich über den neuen Pythagoräer, der im heutigen Rom die Pfade der Freundschaft dürftig und nüchtern und ängstlich dahinschleicht, mit seinem hellen Gesichte von liebloser Jugend abgewiesen wird und nachher bei kümmerlichem Öllämpchen sein Ghaselchen ausseufzt. Interessant in solcher Hinsicht ist die Vergleichung der Platenschen Gedichtchen mit dem Petron. Bei diesem ist schroffe, antike, plastisch heidnische Offenheit; Graf Platen hingegen, trotz seinem Pochen auf Klassizität, behandelt seinen Gegenstand vielmehr romantisch, verschleiernd, sehnsüchtig, pfäffisch – ich muß hinzusetzen: heuchlerisch. Denn der Graf vermummt sich manchmal in fromme Gefühle, er vermeidet die genaueren Geschlechtsbezeichnungen; nur die Eingeweihten sollen klar sehen; gegen den großen Haufen glaubt er sich genugsam versteckt zu haben, wenn er das Wort Freund manchmal ausläßt, und es geht ihm dann wie dem Vogel Strauß, der sich hinlänglich verborgen glaubt, wenn er den Kopf in den Sand gesteckt, so daß nur der Steiß sichtbar bleibt. Unser erlauchter Vogel hätte besser getan, wenn er den Steiß in den Sand versteckt und uns den Kopf gezeigt hätte. In der Tat, er ist mehr ein Mann von Steiß als ein Mann von Kopf, der Name Mann überhaupt paßt nicht für ihn, seine Liebe hat einen passiv pythagoräischen Charakter, er ist in seinen Gedichten ein Pathikos, er ist ein Weib, und zwar ein Weib, das sich an gleich Weibischem ergötzt, er ist gleichsam eine männliche Tribade. Diese ängstlich schmiegsame Natur duckt durch alle seine Liebesgedichte, er findet immer einen neuen Schönheitsfreund, überall in diesen Gedichten sehen wir Polyandrie, und wenn er auch sentimentalisiert:

»Du liebst und schweigst – O hätt ich auch geschwiegen
Und meine Blicke nur an dich verschwendet!
O hätt ich nie ein Wort dir zugewendet,
So müßt ich keinen Kränkungen erliegen!
Doch diese Liebe möcht ich nie besiegen,
Und weh dem Tag, an dem sie frostig endet!
Sie ward aus jenen Räumen uns gesendet,
Wo selig Engel sich an Engel schmiegen –«

so denken wir doch gleich an die Engel, die zu Lot, dem Sohne Harans, kamen und nur mit Not und Mühe den zärtlichsten Anschmiegungen entgingen, wie wir lesen im Pentateuch, wo leider die Ghaselen und Sonette nicht mitgeteilt sind, die damals vor Lots Türe gedichtet wurden. Überall in den Platenschen Gedichten sehen wir den Vogel Strauß, der nur den Kopf verbirgt, den eiteln ohnmächtigen Vogel, der das schönste Gefieder hat und doch nicht fliegen kann und zänkisch humpelt über die polemische Sandwüste der Literatur. Mit seinen schönen Federn ohne Schwungkraft, mit seinen schönen Versen ohne poetischen Flug bildet er den Gegensatz zu jenem Adler des Gesanges, der minder glänzende Flügel hat, aber sich damit zur Sonne erhebt – ich muß wieder auf den Refrain zurückkommen: der Graf Platen ist kein Dichter.

Von einem Dichter verlangt man zwei Dinge: in seinen lyrischen Gedichten müssen Naturlaute, in seinen epischen oder dramatischen Gedichten müssen Gestalten sein. Kann er sich in dieser Hinsicht nicht legitimieren, so wird ihm der Dichtertitel abgesprochen, selbst wenn seine übrigen Familienpapiere und Adelsdiplome in der größten Ordnung sind. Daß letzteres bei dem Grafen Platen der Fall sein mag, daran zweifle ich nicht, und ich bin überzeugt, er würde mitleidig heiter lächeln, wenn man seinen Grafentitel verdächtig machen wollte; aber wagt es nur, über seinen Dichtertitel mit einer einzigen Xenie den geringsten Zweifel zu verraten – gleich wird er sich ingrimmig niedersetzen und fünfaktige Satiren gegen euch drucken. Denn die Menschen halten um so eifriger auf einen Titel, je zweideutiger und ungewisser der Titulus ist, der sie dazu berechtigt. Vielleicht aber würde der Graf Platen ein Dichter sein, wenn er in einer anderen Zeit lebte und wenn er außerdem auch ein anderer wäre, als er jetzt ist. Der Mangel an Naturlauten in den Gedichten des Grafen rührt vielleicht daher, daß er in einer Zeit lebt, wo er seine wahren Gefühle nicht nennen darf, wo dieselbe Sitte, die seiner Liebe immer feindlich entgegensteht, ihm sogar verbietet, seine Klage darüber unverhüllt auszusprechen, wo er jede Empfindung ängstlich verkappen muß, um so wenig das Ohr des Publikums als das eines »spröden Schönen« durch eine einzige Silbe zu erschrecken. Diese Angst läßt bei ihm keine eignen Naturlaute aufkommen, sie verdammt ihn, die Gefühle anderer Dichter, gleichsam als untadelhaften, vorgefundenen Stoff, metrisch zu bearbeiten und nötigenfalls zur Vermummung seiner eigenen Gefühle zu gebrauchen. Unrecht geschieht ihm vielleicht, wenn man, solche unglückliche Lage verkennend, behauptet hat, daß Graf Platen auch in der Poesie sich als Graf zeigen und auf Adel halten wolle und uns daher nur Gefühle von bekannter Familie, Gefühle, die schon ihre 64 Ahnen haben, vorführe. Lebte er in der Zeit des römischen Pythagoras, so würde er vielleicht seine eigenen Gefühle freier hervortreten lassen, und er würde vielleicht für einen Dichter gelten. Es würden dann wenigstens die Naturlaute in seinen lyrischen Gedichten nicht vermißt werden – doch der Mangel an Gestalten in seinen Dramen würde noch immer bleiben, solange sich nicht auch seine sinnliche Natur veränderte und er gleichsam ein anderer würde. Die Gestalten, die ich meine, sind nämlich jene selbständigen Geschöpfe, die aus dem schaffenden Dichtergeiste, wie Pallas Athene aus dem Haupte Kronions, vollendet und gerüstet hervortreten, lebendige Traumwesen, deren mystische Geburt, mehr als man glaubt, in wundersam bedingender Beziehung steht mit der sinnlichen Natur des Dichters, so daß solches geistige Gebären demjenigen versagt ist, der selbst nur, als ein unfruchtbares Geschöpf, sich ghaselig hingibt in windiger Weichheit.

Indessen, das sind Privatmeinungen eines Dichters, und ihr Gewicht hängt davon ab, wie weit man an die Kompetenz desselben glauben will. Ich kann nicht umhin zu erwähnen, daß der Graf Platen gar oft dem Publikum versichert, daß er erst späterhin das Bedeutendste dichten werde, wovon man jetzt noch keine Ahnung habe, ja, daß er Iliaden und Odysseen, Klassizitätstragödien und sonstige Unsterblichkeitskolossalgedichte erst dann schreiben werde, wenn er sich nach so und so viel Lustren gehörig vorbereitet habe. Du hast, lieber Leser, diese Ergießungen des Selbstbewußtseins in mühsam gefeilten Versen vielleicht selbst gelesen, und das Versprechen solcher schönen Zukunft war dir vielleicht um so erfreulicher, als der Graf zu gleicher Zeit alle Dichter Deutschlands, außer dem ganz alten Goethe, wie einen Schwarm schlechter Sudler geschildert, die ihm nur im Wege stehen auf der Bahn des Ruhmes und die so unverschämt seien, jene Lorbeeren und Belohnungen zu pflücken, die nur ihm gebührten.

Was ich in München darüber sprechen hörte, will ich übergehen; aber, der Chronologie wegen, muß ich anführen, daß zu jener Zeit der König von Bayern die Absicht aussprach, irgendeinem deutschen Dichter ein Jahrgehalt zu erteilen, ohne damit ein Amt zu verbinden, welches ungewöhnliche Beispiel für die ganze deutsche Literatur von schöner Folge sein konnte. Man sagte mir –

Doch ich will mein Thema nicht verlassen, ich sprach von den Prahlereien des Grafen Platen, der beständig rief: »Ich bin der Poet, der Poet der Poeten! ich werde Iliaden und Odysseen dichten usw.« Ich weiß nicht, was das Publikum von solchen Prahlereien hält, aber ganz genau weiß ich, was ein Dichter davon denkt, nämlich ein wahrer Dichter, der die verschämte Süßigkeit und die geheimen Schauer der Poesie schon empfunden hat und von der Seligkeit dieser Empfindungen, wie ein glücklicher Page, der die verborgene Gunst einer Prinzessin genießt, gewiß nicht auf öffentlichem Markte prahlen wird.

Man hat schon öfter den Grafen Platen, wegen solcher Prahlhansereien, weidlich gehänselt, und er wußte immer, wie Fallstaff, sich zu entschuldigen. Bei solchen Entschuldigungen kommt ihm ein Talent zustatten, das außerordentlich in seiner Art ist und das eine besondere Anerkennung verdient. Der Graf Platen weiß nämlich von jedem Flecken, der in seiner eignen Brust ist, auch bei irgendeinem großen Manne eine Spur, und sei sie noch so klein, zu entdecken und sich wegen solcher Wahlfleckenverwandtschaft mit ihm zu vergleichen. Z. B. von Shakespeares Sonetten weiß er, daß sie an einen jungen Mann und nicht an ein Weib gerichtet sind, und ob solcher verständigen Wahl preist er Shakespeare, vergleicht sich mit ihm – und das ist das einzige, was er von ihm zu sagen hat. Man könnte negativ eine Apologie des Grafen Platen schreiben und behaupten, daß er sich die und die Verirrung noch nicht zuschulden kommen lassen, weil er sich mit dem oder dem großen Manne, dem sie nachgeredet worden, noch nicht verglichen habe. Am genialsten aber und bewunderungswürdigsten zeigte er sich in der Wahl des Mannes, in dessen Leben er unbescheidene Reden entdeckt und durch dessen Beispiel er seine eigene Prahlerei beschönigen will. Wahrlich, zu einem solchen Zwecke sind die Worte dieses Mannes noch nie zitiert worden – denn es ist kein Geringerer als Jesus Christus selbst, der uns bisher immer für ein Muster der Demut und Bescheidenheit gegolten. Christus hätte jemals geprahlt? der bescheidenste der Menschen, um so bescheidener, als er der göttlichste war? Ja, was bisher allen Theologen entgangen ist, das entdeckte der Graf Platen, denn er insinuiert uns: Christus, als er vor Pilatus gestanden, sei ebenfalls nicht bescheiden gewesen und habe nicht bescheiden geantwortet, sondern als jener ihn frug: bist du der König der Juden?, habe er gesprochen: du sagst es. Und so sage auch er, der Graf Platen: »Ich bin es, ich bin der Poet!« – Was nie dem Hasse eines Verächters Christi gelungen ist, das gelang der Exegese selbstverliebter Eitelkeit.

Wie wir wissen, was wir davon zu halten, wenn einer solchermaßen beständig schreit: »Ich bin der Poet!«, so wissen wir auch, was es für eine Bewandtnis hat mit den ganz außerordentlichen Gedichten, die der Graf, wenn er die gehörige Reife erlangt, noch dichten will und die seine bisherigen Meisterstücke an Bedeutung so unerhört übertreffen sollen. Wir wissen ganz genau, daß die späteren Werke des wahren Dichters keineswegs bedeutender sind als die früheren, ebenso wenig wie ein Weib, je öfter sie gebärt, desto vollkommenere Kinder zur Welt bringt; nein, das erste Kind ist schon ebenso gut wie das zweite – nur das Gebären wird leichter. Die Löwin wirft nicht erst ein Kaninchen, dann ein Häschen, dann ein Hündchen und endlich einen Löwen. Madame Goethe warf gleich ihren jungen Leu, und dieser gab uns, im ersten Wurf, seinen Löwen von Berlichingen. Ebenso warf auch Schiller gleich seine Räuber, an deren Tatze man schon die Löwenart erkannte. Später kam erst die Politur, die Glätte, die Feile, die »Natürliche Tochter« und die »Braut von Messina«. Nicht so begab es sich mit dem Grafen Platen, der mit der ängstlichen Künstelei anfing und von dem der Dichter singt:

> Du, der du sprangst so fertig aus dem Nichts,
> Geleckten und lackierten Angesichts,
> Gleichst einer Spielerei, geschnitzt aus Korke.

Indessen, wenn ich meine geheimsten Gedanken aussprechen soll, so gestehe ich, daß ich den Grafen Platen für keinen so großen Narrn halte, wie man wegen jener Prahlsucht und beständigen Selbstberäucherung glauben sollte. Ein bißchen Narrheit, das versteht sich, gehört immer zur Poesie; aber es wäre entsetzlich, wenn die Natur eine so beträchtliche Portion Narrheit, die für hundert große Dichter hinreichen würde, einem einzigen Menschen aufgebürdet und von der Poesie selbst ihm nur eine so unbedeutend geringe Dosis gegeben hätte. Ich habe Gründe zu vermuten, daß der Herr Graf an seine eigne Prahlerei nicht glaubt und daß er, dürftig im Leben wie in der Literatur, vielmehr für das Bedürfnis des Augenblicks sein eigner anpreisender Ruffiano sein mußte, in der Literatur wie im Leben. Daher in beiden die Erscheinungen, von denen man sagen konnte, daß sie mehr ein psychologisches als ästhetisches Interesse gewährten, daher zu gleicher Zeit die weinerlichste Seelenerschlaffung und der erlogene Übermut, daher das klägliche Dünnetun mit baldigem Sterben und das drohende Dicktun mit künftiger Unsterblichkeit, daher der auflodernde Bettelstolz und die schmachtende Untertänigkeit, daher das beständige Klagen, »daß ihn Cotta verhungern lasse«, und wiederum Klagen, »daß ihn Cotta verhungern lasse«, daher die Anfälle von Katholizismus usw.

Ob's dem Grafen mit dem Katholizismus Ernst ist, daran zweifle ich. Ob er überhaupt katholisch geworden ist, wie einige seiner hochgeborenen Freunde, das weiß ich nicht. Daß er es werden wolle, erfuhr ich zuerst aus öffentlichen Blättern, die sogar hinzufügten, der Graf Platen werde Mönch und ginge ins Kloster. Böse Zungen meinten, daß ihm das Gelübde der Armut und die Enthaltung von Weibern nicht schwer fallen würde. Wie sich von selbst versteht, in München klangen, bei solchen Nachrichten, die frommen Glöcklein in den Herzen seiner Freunde. Mit Kyrie eleison und Hallelujah wurden seine Gedichte gepriesen in den Pfaffenblättern; und in der Tat, die heiligen Männer des Zölibats mußten erfreut sein über jene Gedichte, wodurch die Enthaltung vom weiblichen Geschlechte befördert wird. Leider haben meine Gedichte eine andere Tendenz, und daß Pfaffen und Knabensänger nicht davon angesprochen werden, konnte mich zwar betrüben, aber nicht befremden. Ebenso wenig befremdete es mich, als ich den Tag vor meiner Abreise nach Italien von meinem Freunde, dem Doktor Kolb, vernahm, daß der Graf Platen sehr feindselig gegen mich gestimmt sei und mir mein Verderben schon bereitet habe in einem Lustspiele namens »König Ödipus«, das bereits zu Augsburg bei einigen Fürsten und Grafen, deren Namen ich vergessen habe oder vergessen will, angelangt sei. Auch andere erzählten mir, daß mich der Graf Platen hasse und sich mir als Feind entgegenstelle; – und das war mir auf jeden Fall angenehmer, als hätte man mir nachgesagt: daß mich der Graf Platen als Freund hinter meinem Rücken liebe. Was die heiligen Männer betrifft, deren fromme Wut sich zu gleicher Zeit gegen mich kund gab, und nicht bloß meiner antizölibatischen Gedichte wegen, sondern auch wegen der »Politischen Annalen«, die ich damals herausgab, so konnte ich ebenfalls nur gewinnen, wenn man deutlich sah, daß ich keiner der Ihrigen sei. Wenn ich hiermit andeute, daß man nichts Gutes von ihnen sagt, so sage ich darum noch nichts Böses von ihnen. Ich bin sogar der Meinung, daß sie, nur aus Liebe zum Guten, durch frommen Betrug und gottgefällige Verleumdung das Wort der Bösen entkräftigen möchten und daß sie diesen, nur für einen solchen edlen Zweck, der jedes Mittel heiligt, nicht bloß die geistigen Lebensquellen, sondern auch die materiellen zu verschütten suchen. Man hat jene guten Leute, die sich in München sogar öffentlich als Kongregation präsentierten, törichterweise mit dem Namen Jesuiten beehrt. Sie sind wahrlich keine Jesuiten, sonst hätten sie eingesehen, daß z. B. ich, einer von den Bösen, schlimmsten Falls die literarisch alchimistische Kunst verstehe, aus meinen Feinden selbst Dukaten zu schlagen, dergestalt, daß ich dabei die Dukaten bekomme und meine Feinde die Schläge; – sie hätten eingesehen, daß solche Schläge nichts von ihrem Gehalte verlieren, wenn man auch den Namen des Schlagenden aviliert, wie der arme Sünder den Staupbesen nicht minder stark fühlt, obgleich der Scharfrichter, der ihn erteilt, für unehrlich erklärt wird; – und, was die Hauptsache ist, sie hätten eingesehen, daß etwas Vorliebe für den antiaristokratischen Voß und einige arglose Muttergotteswitze, weshalb sie mich zuerst mit Kot und Dummheit angriffen, nicht aus antikatholischen Eifer hervorgegangen. Wahrlich, sie sind keine Jesuiten, sondern nur Mischlinge von Kot und Dummheit, die ich, ebenso wenig wie eine Mistkarre und den Ochsen, der sie zieht, zu hassen vermag und die mit allen ihren Anstrengungen nur das Gegenteil ihrer Absicht erreichen und mich nur dahin bringen könnten: daß ich ihnen zeige, wie sehr ich Protestant bin, daß ich mein gutes protestantisches Recht in seiner weitesten Ermächtigung ausübe und die gute protestantische Streitaxt mit Herzenslust handhabe. Sie könnten dann immerhin, um den Plebs zu gewinnen, die alten Weiberlegenden von meiner Ungläubigkeit durch ihren Leibpoeten in Verse bringen lassen – an den wohlbekannten Schlägen sollten sie schon den Glaubensgenossen eines Luthers, Lessings und Voß erkennen. Freilich, ich würde nicht mit dem Ernste dieser Heroen die alte Axt schwingen – denn der Anblick der Gegner bringt mich leicht zum Lachen, und ich bin ein bißchen eulenspiegeliger Natur und liebe eine Beimischung von Spaß –, aber ich würde jenen Mistochsen nicht minder stark vor den Kopf schlagen, wenn ich auch vorher mit lachenden Blumen meine Axt umkränzte.

Doch ich will mein Thema nicht zu weit verlassen. Ich glaube, es war um jene Zeit, daß der König von Bayern, in schon erwähnter Absicht, dem Grafen Platen ein Jahrgehalt von sechshundert Gulden gab, und zwar nicht aus der Staatskasse, sondern aus der königlichen Privatkasse, wie es sich der Graf als besondere Gnade gewünscht hatte. Letzteren Umstand, der die Kaste charakterisiert, so geringfügig er auch erscheint, erwähne ich nur als Notiz für den Naturforscher, der vielleicht Beobachtungen über den Adel macht. In der Wissenschaft ist alles wichtig.

Wer mir vorwerfen möchte, daß ich den Grafen Platen zu wichtig nehme, der gehe nach Paris und sehe, wie sorgfältig der feine, zierliche Cuvier, in seinen Vorlesungen, das unreinste Insekt mit dem genauesten Detail schildert. Es ist mir deshalb auch sogar leid, daß ich das Datum jener 600 Gulden nicht genauer konstatieren kann; so viel weiß ich aber, daß der Graf Platen den »König Ödipus« früher verfertigt hatte und daß dieser nicht so bissig geworden wäre, wenn der Verfasser mehr zu beißen gehabt hätte.

In Norddeutschland, wohin mich plötzlich der Tod meines Vaters zurückrief, erhielt ich endlich das ungeheure Geschöpf, das dem großen Ei, worüber unser schöngefiederter Vogel Strauß so lange gebrütet, endlich entkrochen war und das die Nachteulen der Kongregation mit frommem Gekrächze und die adeligen Pfauen mit freudigem Radschlagen schon lange im voraus begrüßt hatten. Es sollte nichts Minderes als ein verderblicher Basilisk sein. Kennst du, lieber Leser, die Sage von dem Basilisk? Das Volk erzählt: wenn ein männlicher Vogel, wie ein Weib, ein Ei gelegt, so entstände daraus ein giftiges Geschöpf, dessen Hauch die Luft verpeste und das man nur dadurch töten könne, daß man ihm einen Spiegel vorhalte, indem es alsdann über den Anblick seiner eigenen Scheußlichkeit vor Schrecken sterbe.

Heilige Schmerzen, die ich nicht entweihen wollte, erlaubten es mir erst zwei Monate später, als ich auf der Insel Helgoland badete, den »König Ödipus« zu lesen, und dort, großgestimmt von dem beständigen Anblick des großen, kühnen Meers, mußte mir die kleinliche Gesinnung und die Altflickerei des hochgeborenen Verfassers recht anschaulich werden. Jenes Meisterwerk zeigte mir ihn endlich ganz, wie er ist, mit all seiner blühenden Welkheit, seinem Überfluß an Geistesmangel, seiner Einbildung ohne Einbildungskraft, ganz wie er ist, forciert ohne Force, pikiert, ohne pikant zu sein, eine trockne Wasserseele, ein trister Freudenjunge. Dieser Troubadour des Jammers, geschwächt an Leib und Seele, versuchte es, den gewaltigsten, phantasiereichsten und witzigsten Dichter der jugendlichen Griechenwelt nachzuahmen! Nichts ist wahrlich widerwärtiger als diese krampfhafte Ohnmacht, die sich wie Kühnheit aufblasen möchte, diese mühsam zusammengetragenen Invektiven, denen der Schimmel des verjährten Grolls anklebt, und dieser silbenstecherisch ängstlich nachgeahmte Geistestaumel. Wie sich von selbst versteht, zeigt sich in des Grafen Werk keine Spur von einer tiefen Weltvernichtungsidee, die jedem aristophanischen Lustspiele zum Grunde liegt und die darin, wie ein phantastisch ironischer Zauberbaum, emporschießt mit blühendem Gedankenschmuck, singenden Nachtigallnestern und kletternden Affen. Eine solche Idee, mit dem Todesjubel und dem Zerstörungsfeuerwerk, das dazu gehört, durften wir freilich von dem armen Grafen nicht erwarten. Der Mittelpunkt, die erste und letzte Idee, Grund und Zweck seines sogenannten Lustspiels, besteht, wie bei der »verhängnisvollen Gabel«, wieder in geringfügig literarischen Händeln, der arme Graf konnte nur einige Äußerlichkeiten des Aristophanes nachahmen, nämlich die feinen Verse und die groben Worte. Ich sage: grobe Worte, weil ich keinen gröbern Ausdruck brauchen will. Wie ein keifendes Weib gießt er ganze Blumentöpfe von Schimpfreden auf die Häupter der deutschen Dichter. Ich will dem Grafen herzlich gern seinen Groll verzeihen, aber er hätte doch einige Rücksichten beobachten müssen. Er hätte wenigstens das Geschlecht in uns ehren sollen, da wir keine Weiber sind, sondern Männer, und folglich zu einem Geschlechte gehören, das nach seiner Meinung das schöne Geschlecht ist und das er so sehr liebt. Es bleibt dieses immer ein Mangel an Delikatesse, mancher Jüngling wird deshalb an seinen Huldigungen zweifeln, da jeder fühlt, daß der Wahrhaftliebende auch das ganze Geschlecht verehrt. Der Sänger Frauenlob war gewiß nie grob gegen irgendein Weib, und ein Platen sollte daher mehr Achtung zeigen gegen Männer. Aber der Undelikate! ohne Scheu erzählt er dem Publikum: Wir Dichter in Norddeutschland hätten alle die »Krätze, wofür wir leider eine Salbe brauchten, die als mephitisch er vor vielen schätze«. Der Reim ist gut. Am unzartesten ist er gegen Immermann. Schon im Anfang seines Gedichts läßt er diesen hinter einer spanischen Wand Dinge tun, die ich nicht nennen darf und die dennoch nicht zu widerlegen sind. Ich halte es sogar für wahrscheinlich, daß Immermann schon solche Dinge getan hat. Es ist aber charakteristisch, daß die Phantasie des Grafen Platen sogar seine Feinde a posteriori zu belauschen weiß. Er schonte nicht einmal Houwald, diese gute Seele, sanft wie ein Mädchen – ach, vielleicht eben dieser holden Weiblichkeit wegen haßt ihn ein Platen. Müllner, den er, wie er sagt, schon längst »durch wirklichen Witz urkräftig erlegt«, dieser Tote wird wieder aus dem Grabe gescharrt. Kind und Kindeskind bleiben nicht unangetastet. Raupach ist ein Jude,

»Das Jüdchen Raupel –
Das jetzt als Raupach trägt so hoch die Nase«

»schmiert Tragödien im Katzenjammer«. Noch weit schlimmer ergeht es dem »getauften Heine«. Ja, ja, du irrst dich nicht, lieber Leser, das bin ich, den er meint, und im »König Ödipus« kannst du lesen, wie ich ein wahrer Jude bin, wie ich, wenn ich einige Stunden Liebeslieder geschrieben, gleich darauf mich niedersetze und Dukaten beschneide, wie ich am Sabbat mit langbärtigen Mauscheln zusammenhocke und den Talmud singe, wie ich in der Osternacht einen unmündigen Christen schlachte und aus Malice immer einen unglücklichen Schriftsteller dazu wähle – Nein, lieber Leser, ich will dich nicht belügen, solche gute, ausgemalte Bilder stehen nicht im »König Ödipus«, und daß sie nicht darin stehen, das nur ist der Fehler, den ich tadele. Der Graf Platen hat zuweilen die besten Motive und weiß sie nicht zu benutzen. Hätte er nur ein bißchen mehr Phantasie, so würde er mich wenigstens als geheimen Pfänderverleiher geschildert haben; welche komische Szenen hätten sich dargeboten! Es tut mir in der Seele weh, wenn ich sehe, wie sich der arme Graf jede Gelegenheit zu guten Witzen vorbeigehen lassen! Wie kostbar hätte er Raupach benutzen können als Tragödien-Rothschild, bei dem die königlichen Bühnen ihre Anleihen machen. Den Ödipus selbst, die Hauptperson seines Lustspiels, hätte er, durch einige Modifikationen in der Fabel des Stückes, ebenfalls besser benutzen können. Statt daß er ihn den Vater Lajus töten und die Mutter Jokaste heiraten ließ, hätte er es im Gegenteil so einrichten sollen, daß Ödipus seine Mutter tötet und seinen Vater heiratet. Das dramatische pDrastische in einem solchen Gedichte hätte einem Platen meisterhaft gelingen müssen, seine eigene Gefühlsrichtung wäre ihm dabei zustatten gekommen, er hätte manchmal, wie eine Nachtigall, nur die Regungen der eignen Brust zu besingen gebraucht, er hätte ein Stück geliefert, das, wenn der ghaselige Iffland noch lebte, gewiß in Berlin gleich einstudiert worden wäre und das man auch jetzt auf Privatbühnen geben würde. Ich kann mir nichts Vollendeteres denken als den Schauspieler Wurm in der Rolle eines solchen Ödipus. Er würde sich selbst übertreffen. Dann finde ich es auch nicht politisch vom Grafen, daß er in seinem Lustspiele versichert, er habe »wirklichen Witz«. Oder arbeitet er vielleicht auf den Überraschungseffekt, auf den Theatercoup, daß dadurch das Publikum beständig Witz erwarten und dieser am Ende doch nicht erscheinen soll? Oder will er vielmehr das Publikum aufmuntern, den Wirkl. Geh. Witz im Stücke zu suchen, und das Ganze wäre nur ein Blindekuhspiel, wo der Platensche Witz so schlau ist, sich nie ertappen zu lassen? Deshalb vielleicht ist auch das Publikum, das sonst bei Lustspielen zu lachen pflegt, bei der Lektüre des Platenschen Stücks so verdrießlich, es kann den versteckten Witz nicht finden, vergebens piept der versteckte Witz und piept immer lauter: hier bin ich! hier bin ich wirklich! – vergebens, das Publikum ist dumm und macht ein ernsthaftes Gesicht. Ich aber, der ich weiß, wo der Witz steckt, habe herzlich gelacht, als ich von dem »gräflichen, herrschsüchtigen Dichter« las, der sich in einen aristokratischen Nimbus hüllt, der von sich rühmt, »daß jeder Hauch, der zwischen seine Zähne komme, eine Zermalmung sei«, und der zu allen deutschen Dichtern sagt:

»Ja, gleichwie Nero, wünscht ich euch nur *ein* Gehirn,
Durch einen einzigen Witzeshieb zu spalten es–«

Der Vers ist schlecht. Der versteckte Witz aber besteht darin: daß der Graf eigentlich wünscht, wir wären alle lauter Neronen und er, im Gegenteil, unser einziger lieber Freund Pythagoras.

Vielleicht würde ich zum Besten des Grafen noch manchen anderen versteckten Witz hervorloben, doch da er mir in seinem »König Ödipus« das Liebste angegriffen – denn was könnte mir lieber sein als mein Christentum? –, so ist es mir nicht zu verdenken, wenn ich, menschlich gesinnt, den Ödipus, diese »große Tat in Worten«, minder ernstlich als die früheren Tätigkeiten würdige.

Indessen, das wahre Verdienst hat immer seinen Lohn gefunden, und dem Verfasser des Ödipus wird der seinige nicht entgehen, obgleich er sich auch hier, wie immer, nur dem Einfluß seiner adeligen und geistlichen Hintersassen hingab. Ja, es geht eine uralte Sage unter den Völkern des Orients und Okzidents, daß jede gute oder böse Tat ihre nächsten Folgen habe für den Täter. Und kommen wird der Tag, wo sie kommen – mach dich darauf gefaßt, lieber Leser, daß ich jetzt etwas in Pathos gerate und schauerlich werde – kommen wird der Tag, wo sie dem Tartaros entsteigen, die furchtbaren Töchter der Nacht, »die Eumeniden«. Beim Styx! – bei diesem Flusse schwören wir Götter niemals falsch – kommen wird der Tag, wo sie erscheinen, die dunkeln, urgerechten Schwestern, sie werden erscheinen mit schlangengelockten, roterzürnten Gesichtern, mit denselben Schlangengeißeln, womit sie einst den Orestes gegeißelt, den unnatürlichen Sünder, der die Mutter gemordet, die tyndaridische Klytämnestra. Vielleicht hört der Graf schon jetzt die

Schlangen zischen – Ich bitte dich, lieber Leser, denk dir jetzt die Wolfsschlucht und Samielmusik – Vielleicht erfaßt den Grafen schon jetzt das geheime Sündergrauen, der Himmel verdüstert sich, Nachtgevögel kreischt, ferne Donner rollen, es blitzt, es riecht nach Kolophonium, Wehe! Wehe! die erlauchten Ahnen steigen aus den Gräbern, sie rufen noch drei- bis viermal Wehe! Wehe! über den kläglichen Enkel, sie beschwören ihn, ihre alten Eisenhosen anzuziehen, um sich zu schützen vor den entsetzlichen Ruten – denn die Eumeniden werden ihn damit zerfetzen, die Geißelschlangen werden sich ironisch an ihm vergnügen, und wie der buhlerische König Rodrigo, als man ihn in den Schlangenturm gesperrt, wird auch der arme Graf am Ende wimmern und winseln:

Ach! sie fressen, ach! sie fressen,
Womit meistens ich gesündigt.

Entsetze dich nicht, lieber Leser, es ist ja alles nur Scherz. Diese furchtbaren Eumeniden sind nichts als ein heiteres Lustspiel, das ich, nach einigen Lustren, unter diesem Titel schreiben werde, und die tragischen Verse, die dich eben erschreckt, stehen in dem allerlustigsten Buche von der Welt, im »Don Quixote von la Mancha«, wo eine alte, anständige Hofdame sie in Gegenwart des ganzen Hofes rezitiert. Ich sehe, du lächelst wieder. Laß uns heiter und lachend voneinander Abschied nehmen. Wenn dieses letzte Kapitel etwas langweilig war, so lag's nur an dem Gegenstande; auch schrieb ich es mehr zum Nutzen als zur Lust, und wenn es mir gelungen ist, einen neuen Narrn auch für die Literatur brauchbar gemacht zu haben, wird mir das Vaterland Dank schuldig sein. Ich habe das Feld urbar gemacht, worauf geistreiche Schriftsteller säen und ernten werden. Das bescheidene Bewußtsein dieses Verdienstes ist mein schönster Lohn.

Für etwaige Könige, die mir dafür noch extra eine Tabatiere schicken wollen, bemerke ich, daß die Buchhandlung »Hoffmann und Campe in Hamburg« Ordre hat, dergleichen für mich in Empfang zu nehmen.

Geschrieben im Spätherbst
des Jahres 1829.

Reisebilder

Vierter Teil

Vorwort

»Die Stadt Lucca«, die sich unmittelbar den »Bädern von Lucca« anschließt und auch gleichzeitig geschrieben worden, gebe ich hier keineswegs als ein Einzelbild, sondern als den Abschluß einer Lebensperiode, der zugleich mit dem Abschluß einer Weltperiode zusammentrifft. Die Englischen Fragmente, die ich hinzufüge, sind zum Teil vor zwei Jahren für die »Allgemeinen politischen Annalen«, die ich damals mit Lindner herausgab, nach Zeitbedürfnissen geschrieben worden, und ihre Nützlichkeit beachtend, habe ich sie jetzt den Reisebildern als Ergänzung einverleibt. Für den Besitzer der ersten Auflage bildet daher dieses Buch vielleicht einen willkommenen Nachtrag.

Daß ich die Korrektur des Drucks nicht selbst besorge und alle Mißgeschicklichkeiten, die dadurch entstehen könnten, nicht vertreten möchte, bemerke ich zu besonderer Erwägung.

Ich wünsche, daß der geneigte Leser den Zweck der Mitteilung bei den Englischen Fragmenten nicht verkennen möge. Vielleicht liefere ich, in zeitgemäßer Folge, noch einige Kunden dieser Art. Unsere Literatur ist nicht allzu reichlich damit versehen. Obgleich England von deutschen Novellendichtern oft geschildert wird, so ist doch Wilibald Alexis der einzige, der die dortigen Lokalitäten und Kostüme mit treuen Farben und Umrissen zu geben wußte. Ich glaube, er ist nicht einmal im Lande selbst gewesen, und er kennt dessen Physionomie nur durch jene wundersame Intuition, die einem Poeten die Anschauung der Wirklichkeit entbehrlich macht. So schrieb ich selbst vor elf Jahren den »William Ratcliff«, worauf ich hier um so mehr zurückweisen möchte, da nicht bloß eine treue Schilderung Englands, sondern auch die Keime meiner spätern Betrachtungen über dieses Land, das ich damals noch nie gesehen, darin enthalten sind. Das Stück findet sich in den »Tragödien, nebst einem lyrischen Intermezzo, von H. Heine. Berlin 1823, bei F. Dümmler«.

Was Reisebeschreibung betrifft, so gibt es außer Archenholz und Göde gewiß kein Buch über England, das uns die dortigen Zustände besser veranschaulichen könnte, als die, dieses Jahr bei Franckh in München erschienenen »Briefe eines Verstorbenen. Ein fragmentarisches Tagebuch aus England, Wales, Irland und Frankreich, geschrieben in den Jahren 1828 und 1829«.

Es ist dieses noch in mancher anderen Hinsicht ein vortreffliches

Buch und verdient in vollem Maße das Lob, das ihm Goethe und Varnhagen von Ense in den Berliner Jahrbüchern für wissenschaftliche Kritik gespendet haben. –

Hamburg, den 15. November 1830. *Heinrich Heine.*

Italien

III

Die Stadt Lucca

Lachen muß ich immer über die Engländer, die diesen ihren zweiten Dichter (denn nach Shakespeare gebührt Byron die Palme) so jämmerlich spießbürgerlich beurteilen, weil er ihre Pedanterie verspottete, sich ihren Krähwinkelsitten nicht fügen, ihren kalten Glauben nicht teilen wollte, ihre Nüchternheit ihm ekelhaft war und er sich über ihren Hochmut und ihre Heuchelei beklagte. Viele machen schon ein Kreuz, wenn sie nur von ihm sprechen, und selbst die Frauen, obgleich ihre Wangen von Enthusiasmus glühen, wenn sie ihn lesen, nehmen öffentlich heftig Partei gegen den heimlichen Liebling –

Briefe eines Verstorbenen. Ein fragmentarisches Tagebuch aus England. München 1830.

Kapitel I

Die umgebende Natur wirkt auf den Menschen – warum nicht auch der Mensch auf die Natur, die ihn umgibt? In Italien ist sie leidenschaftlich wie das Volk, das dort lebt; bei uns in Deutschland ist sie ernster, sinniger und geduldiger. Hatte einst wie die Menschen auch die Natur mehr inneres Leben? Die Gemütskraft eines Orpheus, sagt man, konnte Bäume und Steine nach begeisterten Rhythmen bewegen. Könnte noch jetzt dergleichen geschehen? Menschen und Natur sind phlegmatisch geworden und gähnen sich einander an. Ein königl. preuß. Poet wird nimmermehr, mit den Klängen seiner Leier, den Templower Berg oder die Berliner Linden zum Tanzen bringen können.

Auch die Natur hat ihre Geschichte, und das ist eine andere Naturgeschichte als wie die, welche in Schulen gelehrt wird. Irgendeine von jenen grauen Eidechsen, die schon seit Jahrtausenden in den Felsenspalten des Apennins leben, sollte man als ganz außerordentliche Professorin bei einer unserer Universitäten anstellen, und man würde ganz außerordentliche Dinge zu hören bekommen. Aber der Stolz einiger Herren von der juristischen Fakultät würde sich gegen eine solche Anstellung auflehnen. Hegt doch einer von ihnen schon jetzt eine geheime Eifersucht gegen den armen Fido Savant, fürchtend, daß dieser ihn einst im gelehrten Apportieren ersetzen könnte.

Die Eidechsen mit ihren klugen Schwänzchen und spitzfündigen Äuglein haben mir wunderbare Dinge erzählt, wenn ich einsam zwischen den Felsen der Apenninen umherkletterte. Wahrlich, es gibt Dinge zwischen Himmel und Erde, die nicht bloß unsere Philosophen, sondern sogar die gewöhnlichsten Dummköpfe nicht begreifen.

Die Eidechsen haben mir erzählt, es gehe eine Sage unter den Steinen, daß Gott einst Stein werden wolle, um sie aus ihrer Starrheit zu erlösen. Eine alte Eidechse meinte aber, diese Steinwerdung würde nur dann stattfinden, wenn Gott bereits in alle Tier- und Pflanzenarten sich verwandelt und sie erlöst habe.

Nur wenige Steine haben Gefühl, und nur im Mondschein atmen sie. Aber diese wenige Steine, die ihren Zustand fühlen, sind schrecklich elend. Die Bäume sind viel besser daran, sie können weinen. Die Tiere aber sind am meisten begünstigt, denn sie können sprechen, jedes nach seiner Art und die Menschen am besten. Einst, wenn die ganze Welt erlöst ist, werden alle anderen Erschaffnisse ebenfalls sprechen können, wie in jenen uralten Zeiten, wovon die Dichter singen.

Die Eidechsen sind ein ironisches Geschlecht und betören gern die anderen Tiere. Aber sie waren gegen mich so demütig, sie seufzten so ehrlich, sie erzählten mir Geschichten von Atlantis, die ich nächstens aufschreiben will, zu Nutz und Frommen der Welt. Es ward mir so innig zumute bei den kleinen Wesen, die gleichsam die geheimen Annalen der Natur aufbewahren. Sind es etwa verzauberte Priesterfamilien, gleich denen des alten Egyptens, die ebenfalls naturbelauschend in labyrinthischen Felsengrotten wohnten? Auf ihren Köpfchen, Leibchen und Schwänzchen blühen so wunderbare Zeichenbilder, wie auf egyptischen Hieroglyphenmützen und Hierophantenröcken.

Meine kleinen Freunde haben mich auch eine Zeichensprache gelehrt, vermittelst welcher ich mit der stummen Natur zu sprechen vermag. Dieses erleichtert mir oft die Seele, besonders gegen Abend, wenn die Berge in schaurig süßen Schatten gehüllt stehen und die Wasserfälle rauschen und alle Pflanzen duften und hastige Blitze hin und her zucken. –

O Natur! du stumme Jungfrau! wohl verstehe ich dein Wetterleuchten, den vergeblichen Redeversuch, der über dein schönes Antlitz dahinzuckt, und du dauerst mich so tief, daß ich weine. Aber alsdann verstehst du auch mich, und du heiterst dich auf und lachst mich an aus goldnen Augen. Schöne Jungfrau, ich verstehe deine Sterne, und du verstehst meine Tränen!

Kapitel II

»Nichts in der Welt will rückwärts gehen«, sagte mir ein alter Eidechs, »alles strebt vorwärts, und am Ende wird ein großes Naturavancement stattfinden. Die Steine werden Pflanzen, die Pflanzen werden Tiere, die Tiere werden Menschen und die Menschen werden Götter werden.«

»Aber«, rief ich, »was soll denn aus diesen guten Leuten, aus den armen alten Göttern, werden?«

»Das wird sich finden, lieber Freund«, antwortete jener; »wahrscheinlich danken sie ab oder werden auf irgendeine ehrende Art in den Ruhestand versetzt.«

Ich habe von meinem hieroglyphenhäutigen Naturphilosophen noch manches andre Geheimnis erfahren; aber ich gab mein Ehrenwort, nichts zu enthüllen. Ich weiß jetzt mehr als Schelling und Hegel.

»Was halten Sie von diesen beiden?« frug mich der alte Eidechs mit einem höhnischen Lächeln, als ich mal diese Namen gegen ihn erwähnte.

»Wenn man bedenkt«, antwortete ich, »daß sie bloß Menschen und keine Eidechsen sind, so muß man über das Wissen dieser Leute sehr erstaunen. Im Grunde lehren sie eine und dieselbe Lehre, die Ihnen wohlbekannte Identitätsphilosophie, nur in der Darstellungsart unterscheiden sie sich. Wenn Hegel die Grundsätze seiner Philosophie aufstellt, so glaubt man jene hübschen Figuren zu sehen, die ein geschickter Schulmeister, durch eine künstliche Zusammenstellung von allerlei Zahlen, zu bilden weiß, dergestalt, daß ein gewöhnlicher Beschauer nur das Oberflächliche, nur das Häuschen oder Schiffchen oder absolute Soldätchen sieht, das aus jenen Zahlen formiert ist, während ein denkender Schulknabe in der Figur selbst vielmehr die Auflösung eines tiefen Rechenexempels erkennen kann. Die Darstellungen Schellings gleichen mehr jenen indischen Tierbildern, die aus allerlei anderen Tieren, Schlangen, Vögeln, Elefanten und dergleichen lebendigen Ingredienzen, durch abenteuerliche Verschlingungen, zusammengesetzt sind. Diese Darstellungsart ist viel anmutiger, heiterer, pulsierend wärmer, alles darin lebt, statt daß die abstrakt hegelschen Chiffern uns so grau, so kalt und tot anstarren.«

»Gut, gut«, erwiderte der alte Eidechserich, »ich merke schon, was Sie meinen; aber sagen Sie mir, haben diese Philosophen viele Zuhörer?«

Ich schilderte ihm nun, wie in der gelehrten Karawanserai zu Berlin die Kamele sich sammeln um den Brunnen Hegelscher Weisheit, davor niederknien, sich die kostbaren Schläuche aufladen lassen und damit weiter ziehen durch die Märksche Sandwüste. Ich schilderte ihm ferner, wie die neuen Athener um den Springquell des Schellingschen Geistestranks sich drängen, als wär es das beste Bier, Breihahn des Lebens, Gesöffe der Unsterblichkeit. –

Den kleinen Naturphilosophen überlief der gelbe Neid, als er hörte, daß seine Kollegen sich so großen Zuspruchs erfreuen, und ärgerlich frug er: »Welchen von beiden halten Sie für den größten?« »Das kann ich nicht entscheiden«, gab ich zur Antwort, »ebenso wenig wie ich entscheiden könnte, ob die Schechner größer sei als die Sontag, und ich denke –«

»Denke!« rief der Eidechs mit einem scharfen, vornehmen Tone der tiefsten Geringschätzung, »denken! wer von euch denkt? Mein weiser Herr, schon an die dreitausend Jahre mache ich Untersuchungen über die geistigen Funktionen der Tiere, ich habe besonders Menschen, Affen und Schlangen zum Gegenstand meines Studiums gemacht, ich habe so viel Fleiß auf diese seltsamen Geschöpfe verwendet, wie Lyonnet auf seine Weidenraupen, und als Resultat aller meiner Beobachtungen, Experimente und anatomischen Vergleichungen kann ich Ihnen bestimmt versichern: kein Mensch denkt, es fällt nur dann und wann den Menschen etwas ein, solche ganz unverschuldete Einfälle nennen sie Gedanken, und das Aneinanderreihen derselben nennen sie Denken. Aber in meinem Namen können Sie es wiedersagen: kein Mensch denkt, kein Philosoph denkt, weder Schelling noch Hegel denkt, und was gar ihre Philosophie betrifft, so ist sie eitel Luft und Wasser, wie die Wolken des Himmels; ich habe schon unzählige solcher Wolken, stolz und sicher, über mich hin ziehen sehen, und die nächste Morgensonne hat sie aufgelöst in ihr ursprüngliches Nichts; – es gibt nur eine einzige wahre Philosophie, und diese steht, in ewigen Hieroglyphen, auf meinem eigenen Schwanze.«

Bei diesen Worten, die mit einem dedaignanten Pathos gesprochen wurden, drehte mir der alte Eidechs den Rücken, und indem er langsam fortschwänzelte, sah ich darauf die wunderlichsten Charaktere, die sich in bunter Bedeutsamkeit bis über den ganzen Schwanz hinabzogen.

Kapitel III

Auf dem Wege zwischen den Bädern von Lucca und der Stadt dieses Namens, unweit von dem großen Kastanienbaume, dessen wildgrüne Zweige den Bach überschatten, und in Gegenwart eines alten, weißbärtigen Ziegenbocks, der dort einsiedlerisch weidete, wurde das Gespräch geführt, das ich im vorigen Kapitel mitgeteilt habe. Ich ging nach der Stadt Lucca, um Franscheska und Mathilde zu suchen, die ich unserer Verabredung gemäß schon vor acht Tagen dort treffen sollte. Ich war aber, zur bestimmten Zeit, vergebens hingereist, und ich hatte mich jetzt zum zweitenmale auf den Weg gemacht. Ich ging zu Fuße, längs den schönen Bergen und Baumgruppen, wo die goldnen Orangen, wie Sterne des Tages, aus dem dunklen Grün hervorleuchteten und Girlanden von Weinreben, in festlichen Windungen, sich meilenweit hinzogen. Das ganze Land ist dort so gartenhaft und geschmückt wie bei uns die ländlichen Szenen, die auf dem Theater dargestellt werden; auch die

Landleute selbst gleichen jenen bunten Gestalten, die uns dann als singende, lächelnde und tanzende Staffage ergötzen. Nirgends Philistergesichter. Und gibt es hier auch Philister, so sind es doch italienische Orangenphilister und keine plump deutschen Kartoffelphilister. Pittoresk und idealisch wie das Land sind auch die Leute, und dabei trägt jeder Mann einen so individuellen Ausdruck im Gesicht und weiß in Stellung, Faltenwurf des Mantels, und nötigenfalls in Handhabung des Messers, seine Persönlichkeit geltend zu machen. Dagegen bei uns zu Lande lauter Menschen mit allgemeinen, gleichförmlichen Physionomien; wenn ihrer zwölf beisammen sind, bilden sie ein Dutzend, und wenn einer sie dann angreift, rufen sie die Polizei.

Auffallend war mir, im Luccesischen, wie im größten Teile Toskanas, tragen die Frauenzimmer große schwarze Filzhüte mit herabwallend schwarzen Straußfedern; sogar die Strohflechterinnen tragen dergleichen schwere Hauptbedeckung. Die Männer hingegen tragen meistens einen leichten Strohhut, und junge Burschen erhalten solchen zum Geschenk von einem Mädchen, das ihn selbst verfertigt, ihre Liebesgedanken und vielleicht auch manchen Seufzer hineingeflochten. So saß einst Franscheska unter den Mädchen und Blumen des Arnotals und flocht einen Hut, für ihren caro Cecco, und küßte jeden Strohhalm, den sie dazu nahm, und trillerte ihr hübsches »Occhie, stelle mortale«; – das lockichte Haupt, das den hübschen Hut nachher so hübsch trug, hat jetzt eine Tonsur, und der Hut selbst hängt, alt und abgenutzt, im Winkel eines trüben Abbatestübchens zu Bologna.

Ich gehöre zu den Leuten, die immer gern einen kürzeren Weg nehmen, als die Landstraße bietet, und denen es alsdann wohl begegnet, daß sie sich auf engen Holz- und Felsenpfaden verirren. Das geschah auch hier, und ich habe, zu meiner Reise nach Lucca, gewiß doppelt so viel Zeit gebraucht als gewöhnliche Landstraßmenschen. Ein Sperling, den ich um den Weg frug, zwitscherte und zwitscherte und konnte mir doch keinen rechten Bescheid geben. Vielleicht auch wußte er ihn selbst nicht. Den Schmetterlingen und Libellen, die auf großen Glockenblumen saßen, konnte ich kein Wort abgewinnen; sie waren schon davongeflattert, ehe sie noch meine Fragen vernommen, und die Blumen schüttelten ihre tonlosen Glockenhäupter. Manchmal weckten mich die wilden Myrten, die, mit feinen Stimmchen, aus der Ferne kicherten. Hastig erklomm ich dann die höchsten Felsenspitzen und rief: »Ihr Wolken des Himmels! Segler der Lüfte! sagt mir, wo geht der Weg nach

Franscheska? Ist sie in Lucca? Sagt mir, was tut sie? was tanzt sie? Sagt mir alles, und wenn ihr mir alles gesagt habt, so sagt es mir nochmals!«

Bei solcher Überfülle von Torheit konnte es wohl geschehen, daß ein ernster Adler, den mein Ruf aus seinen einsamen Träumen aufgestört, mich mit geringschätzendem Unmute ansah. Aber ich verzieh's ihm gerne; denn er hatte niemals Franscheska gesehen, und daher konnte er noch immer so erhabenmütig auf seinem festen Felsen sitzen und so seelenfrei zum Himmel emporstarren oder so impertinent ruhig auf mich herabglotzen. So ein Adler hat einen unerträglich stolzen Blick und sieht einen an, als wollte er sagen: »Was bist du für ein Vogel? Weißt du wohl, daß ich noch immer ein König bin, ebenso gut wie in jenen Heldenzeiten, als ich Jupiters Blitze trug und Napoleons Fahnen schmückte? Bist du etwa ein gelehrter Papagoi, der die alten Lieder auswendig gelernt hat und pedantisch nachplappert? Oder eine vermüffte Turteltaube, die schön fühlt und miserabel gurrt? Oder eine Almanachsnachtigall? Oder ein abgestandener Gänserich, dessen Vorfahren das Kapitol gerettet? Oder gar ein serviler Haushahn, dem man, aus Ironie, das Emblem des kühnen Fliegens, nämlich mein Miniaturbild, um den Hals gehängt hat und der sich deshalb so mächtig spreizt, als wäre er nun selbst ein Adler?« Du weißt, lieber Leser, wie wenig Ursache ich habe, mich beleidigt zu fühlen, wenn ein Adler dergleichen von mir dachte. Ich glaube, der Blick, den ich ihm zurückwarf, war noch stolzer als der seinige, und wenn er sich bei dem ersten besten Lorbeerbaume erkundigt hat, so weiß er jetzt, wer ich bin.

Ich war wirklich im Gebirge verirrt, als schon die Dämmerung hereinbrach und die bunten Waldlieder allmählig verstummten und die Bäume immer ernsthafter rauschten. Eine erhabene Heimlichkeit und innige Feier zog, wie der Odem Gottes, durch die verklärte Stille. Hie und da, aus dem Boden, blickte ein schönes dunkles Auge zu mir herauf und verschwand im selben Augenblick. Zärtliches Flüstern tändelte mir ums Herz, und unsichtbare Küsse berührten luftig meine Wangen. Das Abendrot umhüllte die Berge wie mit Purpurmänteln, und die letzten Sonnenstrahlen beleuchteten ihre Gipfel, daß es aussah, als wären sie Könige mit goldenen Kronen auf den Häuptern. Ich aber stand, wie ein Kaiser der Welt, in der Mitte dieser gekrönten Vasallen, die schweigend mir huldigten.

Kapitel IV

Ich weiß nicht, ob der Mönch, der mir unfern Lucca begegnete, ein frommer Mann ist. Aber ich weiß, sein alter Leib steckt arm und nackt in einer groben Kutte, jahraus, jahrein; die zerrissenen Sandalen können seine bloßen Füße nicht genug schützen, wenn er, durch Dorn und Gestrippe, die Felsen hinaufklimmt, um droben, in den Bergdörfern, Kranke zu trösten oder Kinder beten zu lehren; – und er ist zufrieden, wenn man ihm dafür ein Stückchen Brot in den Sack steckt und ihm ein bißchen Stroh gibt, um darauf zu schlafen.

»Gegen *den* Mann will ich nicht schreiben«, sprach ich zu mir selbst. »Wenn ich wieder zu Hause in Deutschland auf meinem Lehnsessel, am knisternden Öfchen, bei einer behaglichen Tasse Tee, wohlgenährt und warm sitze und gegen die katholischen Pfaffen schreibe – gegen *den* Mann will ich nicht schreiben.« –

Um gegen die katholischen Pfaffen zu schreiben, muß man auch ihre Gesichter kennen. Die Originalgesichter sieht man aber nur in Italien. Die deutschen katholischen Priester und Mönche sind bloß schlechte Nachahmungen, oft sogar Parodien der italienischen; eine Vergleichung derselben würde ebenso ausfallen, als wenn man römische oder florentinische Heiligenbilder vergleichen wollte mit jenen heuschrecklichen, frommen Fratzen, die etwa dem spießbürgerlichen Pinsel eines Nürrenberger Stadtmalers oder gar der lieben Einfalt eines Gemütsbeflissenen aus der langhaarig christlich neudeutschen Schule ihr trauriges Dasein verdanken.

Die Pfaffen in Italien haben sich schon längst mit der öffentlichen Meinung abgefunden, das Volk dort ist längst daran gewöhnt, die geistliche Würde von der unwürdigen Person zu unterscheiden, jene zu ehren, wenn auch diese verächtlich ist. Eben der Kontrast, den die idealen Pflichten und Ansprüche des geistlichen Standes und die unabweislichen Bedürfnisse der sinnlichen Natur bilden müssen, jener uralte, ewige Konflikt zwischen dem Geiste und der Materie, macht die italienischen Pfaffen zu stehenden Charakteren des Volkshumors, in Satyren, Liedern und Novellen. Ähnliche Erscheinungen zeigen sich uns überall, wo ein ähnlicher Priesterstand vorhanden ist, z. B. in Hindostan. In den Komödien dieses urfrommen Landes, wie wir schon in der Sakontala bemerkt und in der neulich übersetzten Vasantasena bestätigt finden, spielt immer ein Bramine die komische Rolle, sozusagen den

Priestergrazioso, ohne daß dadurch die Ehrfucht, die man seinen Opferverrichtungen und seiner privilegierten Heiligkeit schuldig ist, im mindesten beeinträchtigt wird – ebenso wenig wie ein Italiener mit minderer Andacht bei einem Priester Messe hört oder beichtet, den er noch Tags zuvor betrunken im Straßenkote gefunden hat. In Deutschland ist das anders, der katholische Priester will da nicht bloß seine Würde durch sein Amt, sondern auch sein Amt durch seine Person repräsentieren; und weil er es vielleicht anfangs mit seinem Berufe wirklich ganz ernsthaft gemeint hat und er nachher, wenn seine Keuschheits- und Demutsgelübde etwas mit dem alten Adam kollidieren, sie dennoch nicht öffentlich verletzen will, besonders auch weil er unserem Freunde Krug in Leipzig keine Blöße geben will, so sucht er wenigstens den Schein eines heiligen Wandels zu bewahren. Daher Scheinheiligkeit, Heuchelei und gleißendes Frömmeln bei deutschen Pfaffen; bei den italienischen hingegen viel mehr Durchsichtigkeit der Maske und eine gewisse feiste Ironie und behagliche Weltverdauung.

Doch was helfen solche allgemeine Reflexionen! Sie können dir wenig nutzen, lieber Leser, wenn du etwa Lust hättest, gegen das katholische Pfaffentum zu schreiben. Zu diesem Zwecke muß man, wie gesagt, mit eignen Augen die Gesichter sehen, die dazu gehören. Wahrlich, es ist nicht einmal hinreichend, wenn man sie im königlichen Opernhause zu Berlin gesehen hat. Der vorige Generalintendant tat zwar immer das Seinige, um den Krönungszug in der Jungfrau von Orleans so täuschend treu als möglich darzustellen, seinen Landsleuten die Idee einer Prozession zu veranschaulichen und ihnen Pfaffen von allen Couleuren vor Augen zu bringen. Doch das getreueste Kostüm kann nicht die Originalgesichter ersetzen, und vertrödelte man sogar noch extra 100000 Taler für goldne Bischofsmützen, festonierte Chorhemden, buntgestickte Meßgewänder und ähnlichen Kram – so würden doch die protestantisch vernünftigen Nasen, die unter jenen Bischofsmützen hervorprotestieren, die dünnen denkgläubigen Beine, die aus den weißen Spitzen dieser Chorhemden herausgucken, die aufgeklärten Bäuche, denen jene Meßgewänder viel zu weit, alles würde unser einen daran erinnern, daß keine katholische Geistliche, sondern Berliner Weltliche über die Bühne wandeln.

Ich habe oft darüber nachgedacht, ob der Generalintendant jenen Zug nicht viel besser darstellen und uns das Bild einer Prozession viel treuer vor Augen bringen könnte, wenn er die Rollen der katholischen Pfaffen nicht mehr von den gewöhnlichen Statisten, sondern von jenen protestantischen Geistlichen spielen ließe, die in der theologischen Fakultät, in der Kirchenzeitung und auf den Kanzeln am orthodoxesten gegen Vernunft, Weltlust, Gesenius und Teufeltum zu predigen wissen. Es würden dann Gesichter zum Vorschein kommen, deren pfäffisches Gepräge gewiß jenen Rollen viel täuschender entspräche. Ist es doch eine bekannte Bemerkung, daß die Pfaffen in der ganzen Welt, Rabbinen, Muftis, Dominikaner, Konsistorialräte, Popen, Bonzen, kurz das ganze diplomatische Corps Gottes, im Gesichte eine gewisse Familienähnlichkeit haben, wie man sie immer findet bei Leuten, die ein und dasselbe Gewerbe treiben. Schneider, in der ganzen Welt, zeichnen sich aus durch Zartheit der Glieder, Metzger und Soldaten tragen wieder überall denselben farouschen Anstrich, Juden haben ihre eigentümlich ehrliche Miene, nicht weil sie von Abraham, Isaak und Jakob abstammen, sondern weil sie Kaufleute sind, und der Frankfurter christliche Kaufmann sieht dem Frankfurter jüdischen Kaufmanne ebenso ähnlich wie ein faules Ei dem andern. Die geistlichen Kaufleute, solche, die von Religionsgeschäften ihren Unterhalt gewinnen, erlangen daher auch im Gesichte eine Ähnlichkeit. Freilich, einige Nuancen entstehen durch die Art und Weise, wie sie ihr Geschäft treiben. Der katholische Pfaffe treibt es mehr wie ein Commis, der in einer großen Handlung angestellt ist; die Kirche, das große Haus, dessen Chef der Papst ist, gibt ihm bestimmte Beschäftigung und dafür ein bestimmtes Salär; er arbeitet lässig, wie jeder, der nicht für eigne Rechnung arbeitet und viele Kollegen hat und im großen Geschäftstreiben leicht unbemerkt bleibt – nur der Kredit des Hauses liegt ihm am Herzen und noch mehr dessen Erhaltung, da er bei einem etwaigen Bankerotte seinen Lebensunterhalt verlöre. Der protestantische Pfaffe hingegen ist überall selbst Prinzipal, und er treibt die Religionsgeschäfte für eigene Rechnung. Er treibt keinen Großhandel wie sein katholischer Gewerbsgenosse, sondern nur einen Kleinhandel; und da er demselben allein vorstehen muß, darf er nicht lässig sein, er muß seine Glaubensartikel den Leuten anrühmen, die Artikel seiner Konkurrenten herabsetzen, und als echter Kleinhändler steht er in seiner Ausschnittbude, voll von Gewerbsneid gegen alle großen Häuser, absonderlich gegen das große Haus in Rom, das viele tausend Buchhalter und Packknechte besoldet und seine Faktoreien hat in allen vier Weltteilen.

Solches hat nun freilich auch seine physionomische Wirkungen, aber diese sind doch nicht vom Parterre aus bemerkbar, die Familienähnlichkeit in den Gesichtern katholischer und protestantischer Pfaffen bleibt doch in ihren Hauptzügen unverändert, und wenn der Generalintendant die obenerwähnten Herren gut bezahlt, so werden sie ihre Rolle, wie immer, recht täuschend spielen. Auch ihr Gang wird zur Illusion beitragen; obgleich ein feines, geübtes Auge wohl merkt, daß er sich von dem Gange katholischer Priester und Mönche ebenfalls durch feine Nuancen unterscheidet.

Ein katholischer Pfaffe wandelt einher, als wenn ihm der Himmel gehöre; ein protestantischer Pfaffe hingegen geht herum, als wenn er den Himmel gepachtet habe.

Kapitel V

Es war schon Nacht, als ich die Stadt Lucca erreichte.

Wie ganz anders erschien sie mir die Woche vorher, als ich am Tage durch die widerhallend öden Straßen wandelte und mich in eine jener verwunschenen Städte versetzt glaubte, wovon mir einst die Amme so viel erzählt. Da war die ganze Stadt still wie das Grab, alles war so verblichen und verstorben, auf den Dächern spielte der Sonnenglanz, wie Goldflitter auf dem Haupte einer Leiche, hie und da aus den Fenstern eines altverfallenen Hauses hingen Efeuranken, wie vertrocknet grüne Tränen, überall glimmernder Moder und ängstlich stockender Tod, die Stadt schien nur das Gespenst einer Stadt, ein steinerner Spuk am hellen Tage. Da suchte ich lange vergebens die Spur eines lebendigen Wesens. Ich erinnere mich nur, vor einem alten Palazzo lag ein schlafender Bettler mit ausgestreckt offner Hand. Auch erinnere ich mich, oben am Fenster eines schwärzlich morschen Häusleins sah ich einen Mönch, der den roten Hals mit dem feisten Glatzenhaupt recht lang aus der braunen Kutte hervorreckte, und neben ihm kam ein vollbusig nacktes Weibsbild zum Vorschein; unten, in die halb offne Haustüre, sah ich einen kleinen Jungen hineingehen, der als ein schwarzer Abbate gekleidet war und mit beiden Händen eine mächtig großbäuchige Weinflasche trug. – In demselben Augenblick läutete unfern ein feines ironisches Glöcklein, und in meinem Gedächtnisse kicherten die Novellen des Boccaccio. Diese Klänge konnten aber keineswegs das seltsame Grauen, das meine Seele durchschauerte, ganz verscheuchen. Es hielt mich vielleicht um so gewaltiger befangen, da die Sonne, so warm und hell, die unheimlichen Gebäude beleuchtete; und ich merkte wohl, Gespenster sind noch furchtbarer, wenn sie den schwarzen Mantel der Nacht abwerfen und sich im hellen Mittagslichte sehen lassen.

Als ich jetzt, acht Tage später, wieder nach Lucca kam, wie erstaunte ich über den veränderten Anblick dieser Stadt! Was ist das? rief ich, als die Lichter mein Auge blendeten und die Menschenströme durch die Gassen sich wälzten. Ist ein ganzes Volk als nächtliches Gespenst aus dem Grabe gestiegen, um im tollsten Mummenschanz das Leben nachzuäffen? Die hohen, trüben Häuser sind mit Lampen verziert, überall aus den Fenstern hängen bunte Teppiche, die morschgrauen Wände fast bedeckend, und darüber lehnen sich holde Mädchengesichter, so frisch, so blühend, daß ich wohl merke, es ist das Leben selbst, das sein Vermählungsfest mit dem Tode feiert und Schönheit und Jugend dazu eingeladen hat. Ja, es war so ein lebendes Totenfest, ich weiß nicht, wie es im Kalender genannt wird, auf jeden Fall so ein Schindungstag irgendeines geduldigen Martyrers, denn ich sah nachher einen heiligen Totenschädel und noch einige Extra-Knochen, mit Blumen und Edelsteinen geziert und unter hochzeitlicher Musik, herumtragen. Es war eine schöne Prozession.

Voran gingen die Kapuziner, die sich von den anderen Mönchen durch lange Bärte auszeichneten und gleichsam die Sappeurs dieser Glaubensarmee bildeten. Darauf folgten Kapuziner ohne Bärte, worunter viele männlich edle Gesichter, sogar manch jugendlich schönes Gesicht, das die breite Tonsur sehr gut kleidete, weil der Kopf dadurch wie mit einem zierlichen Haarkranz umflochten schien und samt dem bloßen Nacken recht anmutig aus der braunen Kutte hervortrat. Hierauf folgten Kutten von anderen Farben, schwarz, weiß, gelb, panaché, auch herabgeschlagene dreieckige Hüte, kurz all jene Klosterkostüme, womit wir durch die Bemühungen unseres Generalintendanten längst bekannt sind. Nach den Mönchsorden kamen die eigentlichen Priester, weiße Hemde über schwarze Hosen und farbige Käppchen; hinter ihnen kamen noch vornehmere Geistliche, in buntseidne Decken gewikkelt und auf dem Haupte eine Art hoher Mützen, die wahrscheinlich aus Egypten stammen und die man auch aus dem Denonschen Werke, aus der Zauberflöte und aus dem Belzoni kennen lernt; es waren altgediente Gesichter, und sie schienen eine Art von alter Garde zu bedeuten. Zuletzt kam der eigentliche Stab, ein Thronhimmel und darunter ein alter

Mann mit einer noch höheren Mütze und in einer noch reicheren Decke, deren Zipfel von zwei ebenso gekleideten alten Männern, nach Pagenart, getragen wurden.

Die vorderen Mönche gingen mit gekreuzten Armen, ernsthaft schweigend; aber die mit den hohen Mützen sangen einen gar unglücklichen Gesang, so näselnd, so schlürfend, so kollerend, daß ich überzeugt bin: wären die Juden die größere Volksmenge und ihre Religion wäre die Staatsreligion, so würde man obiges Gesinge mit dem Namen »Mauscheln« bezeichnen. Glücklicherweise konnte man es nur zur Hälfte vernehmen, indem hinter der Prozession, mit lautem Trommeln und Pfeifen, mehrere Kompanien Militär einherzogen, so wie überhaupt an beiden Seiten neben den wallenden Geistlichen auch immer je zwei und zwei Grenadiere marschierten. Es waren fast mehr Soldaten als Geistliche; aber zur Unterstützung der Religion gehören heutzutage viel Bajonette, und wenn gar der Segen gegeben wird, dann müssen in der Ferne auch die Kanonen bedeutungsvoll donnern.

Wenn ich eine solche Prozession sehe, wo, unter stolzer Militäreskorte, die Geistlichen so gar trübselig und jammervoll einherwandeln, so ergreift es mich immer schmerzhaft, und es ist mir, als sähe ich unseren Heiland selbst, umringt von Lanzenträgern, zur Richtstätte abführen. Die Sterne zu Lucca dachten gewiß wie ich, und als ich seufzend nach ihnen hinaufblickte, sahen sie mich so übereinstimmend an mit ihren frommen Augen, so hell, so klar. Aber man bedurfte nicht ihres Lichtes, tausend und abertausend Lampen und Kerzen und Mädchengesichter flimmerten aus allen Fenstern, an den Straßenecken standen lodernde Pechkränze aufgepflanzt, und dann hatte auch jeder Geistliche noch seinen besonderen Kerzenträger zur Seite. Die Kapuziner hatten meistens kleine Buben, die ihnen die Kerze trugen, und die jugendlich frischen Gesichtchen schauten bisweilen recht neugierig vergnügt hinauf nach den alten, ernsten Bärten; so ein armer Kapuziner kann keinen großen Kerzenträger besolden, und der Knabe, den er das Ave Maria lehrt oder dessen Muhme ihm beichtet, muß bei Prozessionen wohl gratis dieses Amt übernehmen, und es wird darum gewiß nicht mit geringerer Liebe verrichtet. Die folgenden Mönche hatten nicht viel größere Buben, einige vornehmere Orden hatten schon erwachsene Rangen, und die hochmützigen Priester hatten wirkliche Bürgersleute zu Kerzenträgern. Aber endlich gar der Herr Erzbischof – denn das war wohl der Mann, der in vornehmer Demut unter dem Thronhimmel ging und sich die Gewandzipfel von greisen Pagen nachtragen ließ –, dieser hatte an jeder Seite einen Lakaien, die beide in blauen Livreen mit gelben Tressen prangten und zeremoniös, als servierten sie bei Hof, die weißen Wachskerzen trugen.

Auf jeden Fall schien mir solche Kerzenträgerei eine gute Einrichtung, denn ich konnte dadurch um so heller die Gesichter besehen, die zum Katholizismus gehören. Und ich habe sie jetzt gesehen, und zwar in der besten Beleuchtung. Und was sah ich denn? Nun ja, der klerikale Stempel fehlte nirgends. Aber dieses abgerechnet, waren die Gesichter untereinander ebenso verschieden wie andre Gesichter. Das eine war blaß, das andre rot, diese Nase erhob sich stolz, jene war niedergeschlagen, hier ein funkelnd schwarzes, dort ein schimmernd graues Auge – aber in allen diesen Gesichtern lagen die Spuren derselben Krankheit, einer schrecklichen, unheilbaren Kranheit, die wahrscheinlich Ursache sein wird, daß mein Enkel, wenn er hundert Jahr später die Prozession in Lucca zu sehen bekommt, kein einziges von jenen Gesichtern wiederfindet. Ich fürchte, ich bin selbst angesteckt von dieser Krankheit, und eine Folge derselben ist jene Weichheit, die mich wunderbar beschleicht, wenn ich so ein sieches Mönchsgesicht betrachte und darauf die Symptome jener Leiden sehe, die sich unter der groben Kutte verstecken: – gekränkte Liebe, Podagra, getäuschter Ehrgeiz, Rückendarre, Reue, Hämorrhoiden, die Herzwunden, die uns vom Undank der Freunde, von der Verleumdung der Feinde und von den eignen Sünden geschlagen worden, alles dieses und noch viel mehr, was ebenso leicht unter einer groben Kutte wie unter einem feinen Modefrack seinen Platz zu finden weiß. O! es ist keine Übertreibung, wenn der Poet in seinem Schmerze ausruft: das Leben ist eine Krankheit, die ganze Welt ein Lazarett!

»Und der Tod ist unser Arzt –« Ach! ich will nichts Böses von ihm reden und nicht andre in ihrem Vertrauen stören; denn da er der einzige Arzt ist, so mögen sie immerhin glauben, er sei auch der beste, und das einzige Mittel, das er anwendet, seine ewige Erdkur, sei auch das beste. Wenigstens kann man von ihm rühmen, daß er immer gleich bei der Hand ist und trotz seiner großen Praxis nie lange auf sich warten läßt, wenn man ihn verlangt. Manchmal folgt er seinen Patienten sogar zur Prozession und trägt ihnen die Kerze. Es war gewiß der Tod selbst, den ich an der Seite eines blassen, bekümmerten Priesters gehen sah; in dünnen zitternden Knochenhänden trug er diesem die flimmernde Kerze, nickte dabei gar gutmütig besänftigend mit dem ängstlich kahlen Köpfchen, und so schwach er selbst auf den Beinen war, so unterstützte er doch noch zuweilen den armen Priester, der bei jedem Schritte noch bleicher wurde und umsinken wollte. Er schien ihm Mut einzusprechen: »Warte nur noch einige Stündchen, dann sind wir zu Hause, und ich lösche die Kerze aus, und ich lege dich aufs Bett, und die kalten, müden Beine können ausruhen, und du sollst so fest schlafen, daß du das wimmernde Sankt-Michaels-Glöckchen nicht hören wirst.«

»Gegen *den* Mann will ich auch nicht schreiben«, dacht ich, als ich den armen, bleichen Priester sah, dem der leibhaftige Tod zu Bette leuchtete.

Ach! man sollte eigentlich gegen niemanden in dieser Welt schreiben. Jeder ist selbst krank genug in diesem großen Lazarett, und manche polemische Lektüre erinnert mich unwillkürlich an ein widerwärtiges Gezänk, in einem kleineren Lazarett zu Krakau, wobei ich mich als zufälliger Zuschauer befand und wo entsetzlich anzuhören war, wie die Kranken sich einander ihre Gebrechen spottend vorrechneten, wie ausgedörrte Schwindsüchtige den aufgeschwollenen Wassersüchtling verhöhnten, wie der eine lachte über den Nasenkrebs des andern und dieser wieder über Maulsperre und Augenverdrehung seiner Nachbarn, bis am Ende die Fiebertollen nackt aus den Betten sprangen und den andern Kranken die Decken und Laken von den wunden Leibern rissen und nichts als scheußliches Elend und Verstümmlung zu sehen war.

Kapitel VI

Jener schenkte nunmehr auch der übrigen Götterversammlung,
Rechtshin, lieblichen Nektar dem Mischkrug emsig entschöpfend.
Doch unermeßliches Lachen erscholl den seligen Göttern,
Als sie sahn, wie Hephästos im Saal so gewandt umherging.
Also den ganzen Tag bis spät zur sinkenden Sonne
Schmausten sie; und nicht mangelt' ihr Herz des gemeinsamen Mahles,
Nicht des Saitengetöns von der lieblichen Leier Apollons,
Noch des Gesangs der Musen mit holdantwortender Stimme.

(Vulgata)

Da plötzlich keuchte heran ein bleicher, bluttriefender Jude, mit einer Dornenkrone auf dem Haupte und mit einem großen Holzkreuz auf der Schulter; und er warf das Kreuz auf den hohen Göttertisch, daß die goldnen Pokale zitterten und die Götter verstummten und erblichen und immer bleicher wurden, bis sie endlich ganz in Nebel zerrannen.

Nun gab's eine traurige Zeit, und die Welt wurde grau und dunkel. Es gab keine glücklichen Götter mehr, der Olymp wurde ein Lazarett, wo geschundene, gebratene und gespießte Götter langweilig umherschlichen und ihre Wunden verbanden und triste Lieder sangen. Die Religion gewährte keine Freude mehr, sondern Trost; es war eine trübselige, blutrünstige Delinquentenreligion.

War sie vielleicht nötig für die erkrankte und zertretene Menschheit? Wer seinen Gott leiden sieht, trägt leichter die eignen Schmerzen. Die vorigen heiteren Götter, die selbst keine Schmerzen fühlten, wußten auch nicht, wie armen gequälten Menschen zumute ist, und ein armer gequälter Mensch könnte auch, in seiner Not, kein rechtes Herz zu ihnen fassen. Es waren Festtagsgötter, um die man lustig herumtanzte und denen man nur danken konnte. Sie wurden deshalb auch nie so ganz von ganzem Herzen geliebt. Um so ganz von ganzem Herzen geliebt zu werden – muß man leidend sein. Das Mitleid ist die letzte Weihe der Liebe, vielleicht die Liebe selbst. Von allen Göttern, die jemals gelebt haben, ist daher Christus derjenige Gott, der am meisten geliebt worden. Besonders von den Frauen ––

Dem Menschengewühl entfliehend, habe ich mich in eine einsame Kirche verloren, und was du, lieber Leser, eben gelesen hast, sind nicht so sehr meine eignen Gedanken als vielmehr einige unwillkürliche Worte, die in mir laut geworden, während ich, dahingestreckt auf einer der alten Betbänke, die Töne einer Orgel durch meine Brust ziehen ließ. Da liege ich, mit phantasierender Seele, der seltsamen Musik noch seltsamere Texte unterdichtend; dann und wann schweifen meine Blicke durch die dämmernden Bogengänge und suchen die dunkeln Klangfiguren, die zu jenen Orgelmelodien gehören. Wer ist die Verschleierte, die dort kniet vor dem Bilde einer Madonna? Die Ampel, die davor hängt, beleuchtet grauenhaft süß die schöne Schmerzenmutter einer gekreuzigten Liebe, die Venus dolorosa; doch kupplerisch geheimnisvolle Lichter fallen zuweilen, wie verstohlen, auf die schönen Formen der verschleierten Beterin. Diese liegt zwar regungslos auf den steinernen Altarstufen, doch in der wechselnden Beleuchtung bewegt sich ihr

Schatten, läuft manchmal zu mir heran, zieht sich wieder hastig zurück, wie ein stummer Mohr, der ängstliche Liebesbote in einem Harem – und ich verstehe ihn. Er verkündet mir die Gegenwart seiner Herrin, der Sultanin meines Herzens.

Es wird aber allmählich immer dunkler im leeren Hause, hie und da huscht eine unbestimmte Gestalt den Pfeilern entlang, dann und wann steigt leises Murmeln aus einer Seitenkapelle, und ihre langen, langgezogenen Töne stöhnt die Orgel, wie ein seufzendes Riesenherz –

Es war aber, als ob jene Orgeltöne niemals aufhören, als ob jene Sterbelaute, jener lebende Tod ewig dauern wollte, ich fühlte so unsägliche Beklommenheit, so namenlose Angst, als wäre ich scheintot begraben worden, ja als wäre ich, ein Längstverstorbener, aus dem Grabe gestiegen und sei, mit unheimlichen Nachtgesellen, in die Gespensterkirche gegangen, um die Totengebete zu hören und Leichensünden zu beichten. Manchmal war mir, als sähe ich sie wirklich neben mir sitzen, in geisterhaftem Dämmerlichte, die abgeschiedene Gemeinde, in verschollen altflorentinischen Trachten, mit langen, blassen Gesichtern, goldbeschlagene Gebetbücher in dünnen Händen, heimlich wispernd und melancholisch einander zunickend. Der wimmernde Ton eines fernen Sterbeglöckchens mahnte mich wieder an den kranken Priester, den ich bei der Prozession gesehen, und ich sprach zu mir selber: »Der ist jetzt auch gestorben und kommt hierher, um die erste Nachtmesse zu lesen, und da beginnt erst recht der traurige Spuk.« Plötzlich aber erhob sich, von den Stufen des Altars, die holde Gestalt der verschleierten Beterin –

Ja, sie war es, schon ihr lebendiger Schatten verscheuchte die weißen Gespenster, ich sah jetzt nur sie, ich folgte ihr rasch zur Kirche hinaus, und als sie vor der Türe den Schleier zurückschlug, sah ich in Franscheskas beträntes Antlitz. Es glich einer sehnsüchtigen weißen Rose, angeperlt vom Tau der Nacht und beglänzt vom Strahl des Mondes. »Franscheska, liebst du mich?« Ich frug viel, und sie antwortete wenig. Ich begleitete sie nach dem Hotel Crotsche di Malta, wo sie und Mathilde logierten. Die Straßen waren leer geworden, die Häuser schliefen mit geschlossenen Fensteraugen, nur hie und da, durch die hölzernen Wimpern, blinzelte ein Lichtchen. Oben am Himmel aber trat ein breiter hellgrüner Raum aus den Wolken hervor, und darin schwamm der Halbmond, wie eine silberne Gondel in einem Meer von Smaragden. Vergebens bat ich Franscheska, nur ein einziges Mal hinaufzusehen zu unserem alten, lieben Vertrauten; sie hielt aber das Köpfchen träumend gesenkt. Ihr Gang, der sonst so heiter dahinschwebend, war jetzt wie kirchlich gemessen, ihr Schritt war düster katholisch, sie bewegte sich wie nach dem Takte einer feierlichen Orgel, und wie in früheren Nächten die Sünde, so war ihr jetzt die Religion in die Beine gefahren. Unterwegs vor jedem Heiligenbilde bekreuzte sie sich Haupt und Busen; vergebens versuchte ich ihr dabei zu helfen. Als wir aber auf dem Markte der Kirche Sant Mitschiele vorbeikamen, wo die marmorne Schmerzensmutter mit den vergoldeten Schwertern im Herzen und mit der Lämpchenkrone auf dem Haupte aus der dunkeln Nische hervorleuchtete, da schlug Franscheska ihren Arm um meinen Hals, küßte mich und flüsterte: »Cecco, Cecco, caro Cecco!«

Ich nahm diese Küsse ruhig in Empfang, obgleich ich wohl wußte, daß sie im Grunde einem bolognesischen Abbate, einem Diener der römisch katholischen Kirche, zugedacht waren. Als Protestant machte ich mir kein Gewissen daraus, mir die Güter der katholischen Geistlichkeit zuzueignen, und auf der Stelle säkularisierte ich die frommen Küsse Franscheskas. Ich weiß, die Pfaffen werden hierüber wütend sein, sie schreien gewiß über Kirchenraub und würden gern das französische Sakrilegiengesetz auf mich anwenden. Leider muß ich gestehen, daß besagte Küsse das einzige waren, was ich in jener Nacht erbeuten konnte. Franscheska hatte beschlossen, diese Nacht nur zum Heile ihrer Seele, kniend und betend, zu benutzen. Vergebens erbot ich mich, ihre Andachtsübungen zu teilen; – als sie ihr Zimmer erreichte, schloß sie mir die Türe vor der Nase zu. Vergebens stand ich draußen noch eine ganze Stunde und bat um Einlaß und seufzte alle möglichen Seufzer und heuchelte fromme Tränen und schwor die heiligsten Eide – versteht sich, mit geistlichem Vorbehalte, ich fühlte, wie ich allmählig ein Jesuit wurde, ich wurde ganz schlecht und erbot mich endlich sogar, katholisch zu werden für diese einzige Nacht –

»Franscheska!« rief ich, »Stern meiner Gedanken! Gedanke meiner Seele! vita della mia vita! meine schöne, oftgeküßte, schlanke, katholische Franscheska! für diese einzige Nacht, die du mir noch gewährst, will ich selbst katholisch werden – aber auch nur für diese einzige Nacht! O, die schöne, selige, katholische Nacht! Ich liege in deinen Armen, strengkatholisch glaube ich an den Himmel deiner Liebe, von den Lippen küssen wir uns das holde Bekenntnis, das Wort wird Fleisch, der Glaube wird versinnlicht, in Form und Gestalt, welche Religion! Ihr Pfaffen! jubelt unterdessen eur Kyrie Eleison, klingelt, räuchert, läutet die Glocken, laßt die Orgel brausen, laßt die Messe von Palestrina erklingen – ›das ist der Leib‹! – ich glaube, ich bin selig, ich schlafe ein – aber sobald ich des anderen Morgens erwache, reibe ich mir den Schlaf und den Katholizismus aus den Augen und sehe wieder klar in die Sonne und in die Bibel und bin wieder protestantisch vernünftig und nüchtern, nach wie vor.«

Kapitel VII

Als am anderen Tage die Sonne wieder herzlich vom Himmel herablachte, erloschen gänzlich die trübseligen Gedanken und Gefühle, die von der Prozession des vorhergehenden Abends in mir erregt worden und mir das Leben wie eine Krankheit und die Welt wie ein Lazarett ansehen ließen.

Die ganze Stadt wimmelte von heiterem Volk. Geputzt bunte Menschen, dazwischen hüpfte hie und da ein schwarz Pfäfflein. Das brauste und lachte und schwatzte, man hörte fast nicht das Glockengebimmel, das zu einer großen Messe einlud, in die Kathedrale. Diese ist eine schöne, einfache Kirche, deren buntmarmorne Fassade mit jenen kurzen, übereinander gebauten Säulchen geziert ist, die uns so witzig trübe ansehen. Inwendig waren Pfeiler und Wände mit rotem Tuche überkleidet, und heitere Musik ergoß sich über die wogende Menschenmenge. Ich führte Signora Franscheska am Arm, und als ich ihr beim Eintritt das Weihwasser reichte und durch die süßfeuchte Fingerberührung unsere Seelen elektrisiert wurden, bekam ich auch zu gleicher Zeit einen elektrischen Schlag ans Bein, daß ich vor Schreck fast hinpurzelte über die knienden Bäuerinnen, die, ganz weiß gekleidet und mit langen Ohrringen und Halsketten von gelbem Golde belastet, in dichten Haufen den Boden bedeckten. Als ich mich umsah, erblickte ich ein ebenfalls kniendes Frauenzimmer, das sich fächerte, und hinter dem Fächer erspähte ich Myladys kichernde Augen. Ich beugte mich zu ihr hinab, und sie hauchte mir schmachtend ins Ohr: »Delightful!«

»Um Gottes willen!« flüsterte ich ihr zu, »bleiben Sie ernsthaft, lachen Sie nicht; sonst werden wir wahrhaftig hinausgeschmissen!«

Aber da half kein Bitten und Flehen. Zum Glück verstand man unsre Sprache nicht. Denn als Mylady aufstand und uns durch das Gedränge zum Hauptaltar folgte, überließ sie sich ihren tollen Launen, ohne die mindeste Rücksicht, als stünden wir allein auf den Apenninen. Sie mokierte sich über alles, sogar die armen gemalten Bilder an den Wänden waren vor ihren Pfeilen nicht sicher.

»Sieh da!« rief sie, »auch Lady Eva, geborne von Rippe, wie sie mit der Schlange diskuriert! Es ist ein guter Einfall des Malers, daß er der Schlange einen menschlichen Kopf mit einem menschlichen Gesichte gab; es wäre jedoch noch weit sinnreicher gewesen, wenn er dieses Verführungsgesicht mit einem militärischen Schnurrbart verziert hätte. Sehen Sie, Doktor, dort den Engel, welcher der hochgebenedeiten Jungfrau ihren gesegneten Zustand verkündigt und dabei so ironisch lächelt? Ich weiß, was dieser Ruffiano denkt! Und diese Maria, zu deren Füßen die heilige Allianz des Morgenlandes, mit Gold- und Weihrauchgaben, niederkniet, sieht sie nicht aus wie die Catalani?«

Signora Franscheska, welche von diesem Geschwätz, wegen ihrer Unkenntnis des Englischen, nichts verstand als das Wort Catalani, bemerkte hastig: daß die Dame, wovon unsre Freundin spreche, jetzt wirklich den größten Teil ihrer Renommee verloren habe. Unsre Freundin aber ließ sich nicht stören und kommentierte auch die Passionsbilder, bis zur Kreuzigung, einem überaus schönen Gemälde, worauf unter anderen drei dumme untätige Gesichter abgebildet waren, die dem Gottesmärtyrtum gemächlich zusahen und von denen Mylady durchaus behauptete, es seien die bevollmächtigten Kommissarien von Östreich, Rußland und Frankreich.

Indessen, die alten Freskos, die zwischen den roten Decken der Wände zum Vorschein kamen, vermochten einigermaßen mit ihrem inwohnenden Ernste die britische Spottlust abzuwehren. Es waren darauf Gesichter aus jener heldenmütigen Zeit Luccas, wovon in den Geschichtsbüchern Machiavells, des romantischen Sallusts, so viel die Rede ist und deren Geist uns aus den Gesängen Dantes, des katholischen Homers, so feurig entgegenweht. Wohl sprechen aus jenen Mienen die strengen Gefühle und barbarischen Gedanken des Mittelalters; wenn auch auf manchem stummen Jünglingsmunde das lächelnde Bekenntnis schwebt, daß damals nicht alle Rosen so ganz steinern und umflort gewesen sind, und wenn auch durch die fromm gesenkten Augenwimpern mancher Madonna aus jener Zeit ein so schalkhafter Liebeswink blinzelt, als ob sie uns gern noch ein zweites Christkindlein schenken möchte. Jedenfalls ist es aber ein hoher Geist, der uns aus jenen altflorentinischen Gemälden anspricht, es ist das eigentlich Heroische, das wir auch in den marmornen Götterbildern der Alten erkennen und das nicht, wie unsre Ästhetiker meinen, in einer ewigen Ruhe ohne Leidenschaft, sondern in einer ewigen Leidenschaft ohne Unruhe besteht. Auch durch einige spätere Ölbilder, die im Dome von Lucca hängen, zieht sich, vielleicht als traditioneller Nachhall, jener altflorentinische Sinn. Besonders fiel mir auf eine Hochzeit zu Canan, von einem Schüler des Andrea del Sarto, etwas hart gemalt und schroff gestaltet. Der Heiland sitzt zwischen der weichen schönen Braut und einem Pharisäer, dessen steinernes Gesetztafelgesicht sich wundert über den genialen Propheten, der sich heiter mischt in die Reihen der Heiteren und die Gesellschaft mit Wundern regaliert, die noch größer sind als die Wunder des Moses; denn dieser konnte, wenn er noch so stark gegen den Felsen schlug, nur Wasser hervorbringen, jener aber brauchte nur ein Wort zu sprechen, und die Krüge füllten sich mit dem besten Wein. Viel weicher, fast venezianisch koloriert, ist das Gemälde von einem Unbekannten, das daneben hängt und worin der freundlichste Farbenschmelz von einem durchbebenden Schmerze gar seltsam gedämpft wird. Es stellt dar, wie Maria ein Pfund Salbe nahm, von ungefälschter köstlicher Narde, und damit die Füße Jesu salbte und sie mit ihren Haaren trocknete. Christus sitzt da, im Kreise seiner Jünger, ein schöner, geistreicher Gott, menschlich wehmütig fühlt er eine schaurige Pietät gegen seinen eignen Leib, der bald so viel dulden wird und dem die salbende Ehre, die man den Gestorbenen erweist, schon jetzt gebührt und schon jetzt widerfährt; er lächelt gerührt hinab auf das kniende Weib, das, getrieben von ahnender Liebesangst, jene barmherzige Tat verrichtet, eine Tat, die nie vergessen wird, solange es leidende Menschen gibt, und die zur Erquickung aller leidenden Menschen durch die Jahrtausende duftet. Außer dem Jünger, der am Herzen Christi lag und der auch diese Tat verzeichnet hat, scheint keiner von den Aposteln ihre Bedeutung zu fühlen, und der mit dem roten Barte scheint sogar, wie in der Schrift steht, die verdrießliche Bemerkung zu machen: »Warum ist diese Salbe nicht verkauft um dreihundert Groschen und den Armen gegeben?« Dieser ökonomische Apostel ist eben derjenige, der den Beutel führt, die Gewohnheit der Geldgeschäfte hat ihn abgestumpft gegen alle uneigennützigen Nardendüfte der Liebe, er möchte Groschen dafür einwechseln zu einem nützlichen Zweck, und eben er, der Groschenwechsler, er war es, der den Heiland verriet – um dreißig Silberlinge. So hat das Evangelium auch symbolisch, in der Geschichte des Bankiers unter den Aposteln, die unheimliche Verführungsmacht, die im Geldsacke lauert, offenbart und vor der Treulosigkeit der Geldgeschäftsleute gewarnt. Jeder Reiche ist ein Judas Ischariot.

»Sie schneiden ja ein verbissen gläubiges Gesicht, teurer Doktor«, flüsterte Mylady, »ich habe Sie eben beobachtet, und verzeihen Sie mir, wenn ich Sie etwa beleidige, Sie sahen aus wie ein guter Christ.«

»Unter uns gesagt, das bin ich; ja, Christus –«

»Glauben Sie vielleicht ebenfalls, daß er ein Gott sei?«

»Das versteht sich, meine gute Mathilde. Es ist der Gott, den ich am meisten liebe – nicht weil er so ein legitimer Gott ist, dessen Vater schon Gott war und seit undenklicher Zeit die Welt beherrschte: sondern weil er, obgleich ein geborener Dauphin des Himmels, dennoch, demokratisch gesinnt, keinen höfischen Zeremonialprunk liebt, weil er kein Gott einer Aristokratie von geschorenen Schriftgelehrten und galonierten Lanzenknechten und weil er ein bescheidener Gott des Volks ist, ein Bürger-Gott, un bon dieu citoyen. Wahrlich, wenn Christus noch kein Gott wäre, so würde ich ihn dazu wählen, und viel lieber als einem aufgezwungenen absoluten Gotte würde ich ihm gehorchen, ihm, dem Wahlgotte, dem Gotte meiner Wahl.«

Kapitel VIII

Der Erzbischof, ein ernster Greis, las selber Messe, und ehrlich gestanden, nicht bloß ich, sondern einigermaßen auch Mylady, wir wurden heimlich berührt von dem Geiste, der in dieser heiligen Handlung wohnt, und von der Weihe des alten Mannes, der sie vollzog; – ist ja doch jeder alte Mann, an und für sich, ein Priester, und die Zeremonien der katholischen Messe, sind sie doch so uralt, daß sie vielleicht das einzige sind, was sich aus dem Kindesalter der Welt erhalten hat und als Erinnerung an die ersten Vorfahren aller Menschen unsere Pietät in Anspruch nimmt. »Sehen Sie, Mylady«, sagte ich, »jede Bewegung, die Sie hier erblicken, die Art des Zusammenlegens der Hände und des Ausbreitens der Arme, dieses Knicksen, dieses Händewaschen, dieses Beräuchertwerden, dieser Kelch, ja die ganze Kleidung des Mannes, von der Mitra bis zum Saume der Stola, alles dieses ist altegyptisch und Überbleibsel eines Priestertums, von dessen wundersamem Wesen nur die ältesten Urkunden etwas Weniges berichten, eines frühesten Priestertums, das die erste Weisheit erforschte, die ersten Götter erfand, die ersten Symbole bestimmte und die junge Menschheit –«

»Zuerst betrog«, setzte Mylady bitteren Tones hinzu, »und ich glaube, Doktor, aus dem frühesten Weltalter ist uns nichts übrig geblieben als einige triste Formeln des Betrugs. Und sie sind noch immer wirksam. Denn sehen Sie dort die stockfinsteren Gesichter? und gar jenen Kerl, der dort auf seinen dummen Knien liegt und mit seinem aufgesperrten Maule so ultradumm aussieht«

»Um des lieben Himmels willen!« begütigte ich leise, »was ist daran gelegen, daß dieser Kopf so wenig von der Vernunft erleuchtet ist? Was geht das uns an? Was irritiert Sie dabei? Sehen Sie doch täglich Ochsen, Kühe, Hunde, Esel, die ebenso dumm sind, ohne daß Sie durch solchen Anblick aus Ihrem Gleichmut aufgestört und zu unmutigen Äußerungen angeregt werden.«

»Ach, das ist was anderes«, fiel mir Mylady in die Rede, »diese Bestien tragen hinten Schwänze, und ich ärgre mich eben, daß ein Kerl, der ebenso bestialisch dumm ist, dennoch hinten keinen Schwanz hat.«

»Ja, das ist was andres, Mylady.«

Kapitel IX

Nach der Messe gab's noch allerlei zu schauen und zu hören, besonders die Predigt eines großen, vierstämmigen Mönchs, dessen befehlend kühnes, altrömisches Gesicht gegen die grobe Bettelkutte gar wundersam abstach, so daß der Mann aussah wie ein Imperator der Armut. Er predigte von Himmel und Hölle und geriet zuweilen in die wütendste Begeistrung. Seine Schilderung des Himmels war ein bißchen barbarisch überladen, und es gab da viel Gold, Silber, Edelsteine, köstliche Speisen und Weine von den besten Jahrgängen; dabei machte er ein so verklärt schlürfendes Gesicht, und er schob sich vor Wonne in der Kutte hin und her, wenn er unter den Englein mit weißen Flüglein sich selber dachte als ein Englein mit weißen Flüglein. Minder ergötzlich, ja sogar sehr praktisch ernsthaft war seine Schilderung der Hölle. Hier war der Mann weit mehr in seinem Elemente. Er eiferte besonders über die Sünder, die nicht mehr so recht christlich ans alte Feuer der Hölle glauben und sogar wähnen, sie habe sich in neuerer Zeit etwas abgekühlt und werde nächstens ganz und gar erlöschen. »Und wäre auch«, rief er, »die Hölle am Erlöschen, so würde ich, ich mit meinem Atem, die letzten glimmenden Kohlen wieder anfachen, daß sie wieder auflodern sollten zu ihrer alten Flammenglut.« Hörte man nun die Stimme, die gleich dem Nordwind diese Worte hervorheulte, sah man dabei das brennende Gesicht, den roten, büffelstarken Hals und die gewaltigen Fäuste des Mannes, so hielt man jene höllische Drohung für keine Hyperbel.

»I like this man«, sagte Mylady.

»Da haben Sie recht«, antwortete ich, »auch mir gefällt er besser als mancher unserer sanften, homöopathischen Seelenärzte, die $^{1}/_{10000}$ Vernunft in einen Eimer Moralwasser schütten und uns damit des Sonntags zur Ruhe predigen.«

»Ja, Doktor, für seine Hölle habe ich Respekt; aber zu seinem Himmel hab ich kein rechtes Vertrauen. Wie ich mich denn überhaupt in Ansehung des Himmels schon sehr früh in geheimen Zweifel verfing. Als ich noch klein war, in Dublin, lag ich oft auf dem Rücken im Gras und sah in den Himmel und dachte nach: ob wohl der Himmel wirklich so viele Herrlichkeiten enthalten mag, wie man davon rühmt? Aber, dacht ich, wie kommt's, daß von diesen Herrlichkeiten niemals etwas herunterfällt, etwa ein brillantener Ohrring oder eine Schnur Perlen oder wenigstens ein Stückchen Ananaskuchen, und daß immer nur Hagel oder Schnee oder gewöhnlicher Regen uns von oben herabbeschert wird? Das ist nicht ganz richtig, dacht ich –«

»Warum sagen Sie das, Mylady? Warum diese Zweifel nicht lieber verschweigen? Ungläubige, die keinen Himmel glauben, sollten nicht Proselyten machen; minder tadelnswert, sogar lobenswert ist die Proselytenmacherei derjenigen Leute, die einen süperben Himmel haben und dessen Herrlichkeiten nicht selbstsüchtig allein genießen wollen und deshalb ihre Nebenmenschen einladen, dran teilzunehmen, und sich nicht eher zufrieden geben, bis diese ihre gütige Einladung angenommen.«

»Ich habe mich aber immer gewundert, Doktor, daß manche reiche Leute dieser Gattung, die wir, als Präsidenten, Vizepräsidenten oder Sekretäre von Bekehrungsgesellschaften, eifrigst bemüht sehen, etwa einen alten verschimmelten Betteljuden himmelfähig zu machen und seine einstige Genossenschaft im Himmelreich zu erwerben, dennoch nie dran denken, ihn schon jetzt auf Erden an ihren Genüssen teilnehmen zu lassen, und ihn z. B. nie des Sommers auf ihre Landhäuser einladen, wo es gewiß Leckerbissen gibt, die dem armen Schelm ebenso gut schmecken würden, als genösse er sie im Himmel selbst.«

»Das ist erklärlich, Mylady, die himmlischen Genüsse kosten sie nichts, und es ist ein doppeltes Vergnügen, wenn wir so wohlfeilerweise unsre Nebenmenschen beglücken können. Zu welchen Genüssen aber kann der Ungläubige jemanden einladen?«

»Zu nichts, Doktor, als zu einem langen ruhigen Schlafe, der aber zuweilen für einen Unglücklichen sehr wünschenswert sein kann, besonders wenn er vorher mit zudringlichen Himmelseinladungen gar zu sehr geplagt worden.«

Dieses sprach das schöne Weib mit stechend bitteren Akzenten, und nicht ganz ohne Ernst antwortete ich ihr: »Liebe Mathilde, bei meinen Handlungen auf dieser Welt kümmert mich nicht einmal die Existenz von Himmel und Hölle, ich bin zu groß und zu stolz, als daß der Geiz nach himmlischen Belohnungen oder die Furcht vor höllischen Strafen mich leiten sollten. Ich strebe nach dem Guten, weil es schön ist und mich unwiderstehlich anzieht, und ich verabscheue das Schlechte, weil es häßlich und mir zuwider ist. Schon als Knabe, wenn ich den Plutarch las – und ich lese ihn noch jetzt alle Abende im Bette und möchte dabei manchmal aufspringen und gleich Extrapost nehmen und ein großer Mann werden –, schon damals gefiel mir die Erzählung von dem Weibe, das durch die Straßen Alexandriens schritt, in der einen Hand einen Wasserschlauch, in der andern eine brennende Fackel tragend, und den Menschen zurief, daß sie mit dem Wasser die Hölle auslöschen und mit der Fackel den Himmel in Brand stecken wolle, damit das Schlechte nicht mehr aus Furcht vor Strafe unterlassen und das Gute nicht mehr aus Begierde nach Belohnung ausgeübt werde. Alle unsre Handlungen sollen aus dem Quell einer uneigennützigen Liebe hervorsprudeln, gleichviel ob es eine Fortdauer nach dem Tode gibt oder nicht.«

»Sie glauben also auch nicht an Unsterblichkeit?«

»O Sie sind schlau, Mylady! Ich daran zweifeln? Ich, dessen Herz in die entferntesten Jahrtausende der Vergangenheit und der Zukunft immer tiefer und tiefer Wurzel schlägt, ich, der ich selbst einer der ewigsten Menschen bin, jeder Atemzug ein ewiges Leben, jeder Gedanke ein ewiger Stern – ich sollte nicht an Unsterblichkeit glauben?«

»Ich denke, Doktor, es gehört eine beträchtliche Portion Eitelkeit und Anmaßung dazu, nachdem wir schon so viel Gutes und Schönes auf dieser Erde genossen, noch obendrein vom lieben Gott die Unsterblichkeit zu verlangen! Der Mensch, der Aristokrat unter den Tieren, der sich besser dünkt als alle seine Mitgeschöpfe, möchte sich auch dieses Ewigkeitsvorrecht, am Throne des Weltkönigs, durch höfische Lob- und Preisgesänge und kniendes Bitten auswirken. – O, ich weiß, was dieses Zucken mit den Lippen bedeutet, unsterblicher Herr!«

Kapitel X

Signora bat uns, mit ihr nach dem Kloster zu gehn, worin das wundertätige Kreuz, das Merkwürdigste in ganz Toskana, bewahrt wird. Und es war gut, daß wir den Dom verließen, denn Myladys Tollheiten würden uns doch zuletzt in Verlegenheit gestürzt haben. Sie sprudelte von witziger Laune; lauter lieblich närrische Gedanken, so übermutig wie junge Kätzchen, die in der Maisonne herumspringen. Am Ausgang des Doms tunkte sie den Zeigefinger dreimal ins Weihwasser, besprengte mich jedesmal und murmelte: »Dem Zefardeyim Kinnim«, welches nach ihrer Behauptung die arabische Formel ist, womit die Zauberinnen einen Menschen in einen Esel verwandeln.

Auf der Piazza vor dem Dome manövrierte eine Menge Militär, beinah ganz östreichisch uniformiert und nach deutschem Kommando. Wenigstens hörte ich die deutschen Worte: »Präsentiert's Gewehr! Fuß Gewehr! Schultert's Gewehr! Rechtsum! Halt!« Ich glaube, bei allen Italienern, wie noch bei einigen andern europäischen Völkern, wird auf Deutsch kommandiert. Sollen wir Deutschen uns etwas darauf zugute tun? Haben wir in der Welt so viel zu befehlen, daß das Deutsche sogar die Sprache des Befehlens geworden? Oder wird uns so viel befohlen, daß der Gehorsam am besten die deutsche Sprache versteht?

Mylady scheint von Paraden und Revüen keine Freundin zu sein. Sie zog uns mit ironischer Furchtsamkeit von dannen. »Ich liebe nicht«, sprach sie, »die Nähe von solchen Menschen mit Säbeln und Flinten, besonders wenn sie in großer Anzahl, wie bei außerordentlichen Manövern, in Reih und Glied aufmarschieren. Wenn nun einer von diesen Tausenden plötzlich verrückt wird und mit der Waffe, die er schon in der Hand hat, mich auf der Stelle niedersticht? Oder wenn er gar plötzlich vernünftig wird und nachdenkt: ›Was hast du zu riskieren? zu verlieren? selbst wenn sie dir das Leben nehmen? Mag auch jene andre Welt, die uns nach dem Tode versprochen wird, nicht so ganz brillant sein, wie man sie rühmt, mag sie noch so schlecht sein, weniger, als man dir jetzt gibt, weniger als sechs Kreuzer per Tag, kann man dir auch dort nicht geben – drum mach dir den Spaß und erstich jene kleine Engländerin mit der impertinenten Nase!‹ Bin ich da nicht in der größten Lebensgefahr? Wenn ich König wäre, so würde ich meine Soldaten in zwei Klassen teilen. Die einen ließe ich an Unsterblichkeit glauben, um in der Schlacht Mut zu haben und den Tod nicht zu fürchten, und ich würde sie bloß im Kriege gebrauchen. Die andern aber würde ich zu Paraden und Revüen bestimmen, und damit es ihnen nie in den Sinn komme, daß sie nichts riskieren, wenn sie des Spaßes wegen jemanden umbrächten, so würde ich ihnen bei Todesstrafe verbieten, an Unsterblichkeit zu glauben, ja, ich würde ihnen sogar noch etwas Butter zu ihrem Kommißbrot geben, damit sie das Leben recht lieb gewinnen. Erstern hingegen, jenen unsterblichen Helden, würde ich das Leben sehr sauer machen, damit sie es recht verachten lernen und die Mündung der Kanonen für einen Eingang in eine bessere Welt ansehen.«

»Mylady«, sprach ich, »Sie wären ein schlechter Regent. Sie wissen wenig vom Regieren, und von der Politik verstehen Sie gar nichts. Hätten Sie die politischen Annalen gelesen –«

»Ich verstehe dergleichen vielleicht besser als Sie, teurer Doktor. Schon früh suchte ich mich darüber zu unterrichten. Als ich noch klein war, in Dublin –«

»Und auf dem Rücken lag, im Gras – und nachdachte, oder auch nicht, wie in Ramsgate –«

Ein Blick, wie leiser Vorwurf der Undankbarkeit, fiel aus Myladys Augen, dann aber lachte sie wieder und fuhr fort: »Als ich noch klein war, in Dublin, und auf einem Eckchen von dem Schemel sitzen konnte, worauf Mutters Füße ruhten, da hatte ich immer allerlei zu fragen, was die Schneider, die Schuster, die Bäcker, kurz was die Leute in der Welt zu tun haben? Und die Mutter erklärte dann: die Schneider machen Kleider, die Schuster machen Schuhe, die Bäcker backen Brot – Und als ich nun frug: ›Was tun denn die Könige?‹, da gab die Mutter zur Antwort: ›Die regieren.‹ ›Weißt du wohl, liebe Mutter‹, sagte ich da, ›wenn ich König wäre, so würde ich mal einen ganzen Tag gar nicht regieren, bloß um zu sehen, wie es dann in der Welt aussieht.‹ ›Liebes Kind‹, antwortete die Mutter, ›das tun auch manche Könige, und es sieht auch dann danach aus.‹«

»Wahrhaftig, Mylady, Ihre Mutter hatte recht. Besonders hier in Italien gibt es solche Könige, und man merkt es wohl in Piemont und Neapel –«

»Aber, lieber Doktor, es ist so einem italienischen König nicht zu vergen, wenn er manchen Tag gar nicht regiert, wegen der allzu großen Hitze. Es ist nur zu befürchten, daß die Carbonari so einen Tag benutzen möchten; denn in der neuesten Zeit ist es mir besonders aufgefallen, daß die Revolutionen immer an solchen Tagen ausgebrochen sind, wo nicht regiert wurde. Irrten sich einmal die Carbonari und glaubten sie, es wäre so ein unregierter Tag, und gegen alle Erwartung wurde dennoch regiert, so verloren sie die Köpfe. Die Carbonari können daher nie vorsichtig genug sein und müssen sich genau die rechte Zeit merken. Dagegen aber ist es die höchste Politik der Könige, daß sie es ganz geheim halten, an welchen Tagen sie nicht regieren, daß sie sich an solchen Tagen wenigstens einige Mal auf den Regierstuhl setzen und etwa Federn schneiden oder Briefkouverts versiegeln oder weiße Blätter liniieren, alles zum Schein, damit das Volk draußen, das neugierig in die Fenster des Palais hineinguckt, ganz sicher glaube, es werde regiert.«

Während solche Bemerkungen aus Myladys feinem Mündchen hervorgaukelten, schwamm eine lächelnde Zufriedenheit um die vollen Rosenlippen Franscheskas. Sie sprach wenig. Ihr Gang war jedoch nicht mehr so seufzend entsagungsselig wie am verflossenen Abend, sie trat vielmehr siegreich einher, jeder Schritt ein Trompetenton; es war indessen mehr ein geistlicher Sieg als ein weltlicher, der sich in ihren Bewegungen kund gab, sie war fast das Bild einer triumphierenden Kirche, und um ihr Haupt schwebte eine unsichtbare Glorie. Die Augen aber, wie aus Tränen hervorlachend, waren wieder ganz weltkindlich, und in dem bunten Menschenstrom, der uns vorbei flutete, ist auch kein einziges Kleidungsstück ihrem Forscherblick entgangen. »Ecco!« war dann ihr Ausruf, »welcher Shawl! der Markese soll mir eben solchen Kaschemir zu einem Turbane kaufen, wenn ich die Roxelane tanze. Ach! er hat mir auch ein Kreuz mit Diamanten versprochen!«

Armer Gumpelino! zu dem Turbane wirst du dich leicht verstehen, jedoch das Kreuz wird dir noch manche saure Stunde machen; aber Signora wird dich so lange quälen und auf die Folter spannen, bis du dich endlich dazu bequemst.

Kapitel XI

Die Kirche, worin das wundertätige Kreuz von Lucca zu sehen ist, gehört zu einem Kloster, dessen Namen mir diesen Augenblick nicht im Gedächtnisse.

Bei unserem Eintritt in die Kirche lagen vor dem Hauptaltare ein Dutzend Mönche auf den Knien, in schweigendem Gebet. Nur dann und wann, wie im Chor, sprachen sie einige abgebrochene Worte, die in den einsamen Säulengängen etwas schauerlich widerhallten. Die Kirche war dunkel, nur durch kleine gemalte Fenster fiel ein buntes Licht auf die kahlen Häupter und braunen Kutten. Glanzlose Kupferlampen beleuchteten spärlich die geschwärzten Freskos und Altarbilder, aus den Wänden traten hölzerne Heiligenköpfe, grell bemalt und bei dem zweifelhaften Lichte wie lebendig grinsend – Mylady schrie laut auf und zeigte zu unseren Füßen einen Grabstein, worauf in Relief das starre Bild eines Bischofs mit Mitra und Hirtenstab, gefalteten Händen und abgetretener Nase. »Ach!« flüsterte sie, »ich selbst trat ihm unsanft auf die steinerne Nase, und nun wird er mir diese Nacht im Traume erscheinen, und da gibt's eine Nase.«

Der Sakristan, ein bleicher, junger Mönch, zeigte uns das wundertätige Kreuz und erzählte dabei die Mirakel, die es verrichtet. Launisch, wie ich bin, habe ich vielleicht kein ungläubiges Gesicht dazu gemacht; ich habe dann und wann Anfälle von Wunderglauben, besonders wo, wie hier, Ort und Stunde denselben begünstigt. Ich glaube dann, daß alles in der Welt ein Wunder sei und die ganze Weltgeschichte eine Legende. War ich angesteckt von dem Wunderglauben Franscheskas, die das Kreuz mit wilder Begeisterung küßte? Verdrießlich wurde mir die ebenso wilde Spottlust der witzigen Brittin. Vielleicht verletzte mich solche um so mehr, da ich mich selbst nicht davon frei fühlte und sie keineswegs als etwas Lobenswertes erachtete. Es ist nun mal nicht zu leugnen, daß die Spottlust, die Freude am Widerspruch der Dinge, etwas Bösartiges in sich trägt, statt daß der Ernst mehr mit den besseren Gefühlen verwandt ist – die Tugend, der Freiheitssinn und die Liebe selbst sind sehr ernsthaft. Indessen, es gibt Herzen, worin Scherz und Ernst, Böses und Heiliges, Glut und Kälte sich so abenteuerlich verbinden, daß es schwer wird, darüber zu urteilen. Ein solches Herz schwamm in der Brust Mathildens; manchmal war es eine frierende Eisinsel, aus deren glattem Spiegelboden die sehnsüchtig glühendsten Palmenwälder hervorblühten, manchmal war es wieder ein enthusiastisch flammender Vulkan, der plötzlich von einer lachenden Schneelawine überschüttet wird. Sie war durchaus nicht schlecht, bei all ihrer Ausgelassenheit, nicht einmal sinnlich; ja, ich glaube, von der Sinnlichkeit hatte sie nur die witzige Seite aufgefaßt und ergötzte sich daran wie an einem närrischen Puppenspiele. Es war ein humoristisches Gelüste, eine süße Neugier, wie sich der oder jener bunte Kauz in verliebten Zuständen gebärden würde. Wie ganz anders war Franscheska! In ihren Gedanken, Gefühlen war eine katholische Einheit. Am Tage war sie ein schmachtend blasser Mond, des Nachts war sie eine glühende Sonne – Mond meiner Tage! Sonne meiner Nächte! ich werde dich niemals wiedersehen!

»Sie haben recht«, sagte Mylady, »ich glaube auch an die Wundertätigkeit eines Kreuzes. Ich bin überzeugt, wenn der Markese an den Brillanten des versprochenen Kreuzes nicht zu sehr knickert, so bewirkt es gewiß bei Signoren ein brillantes Wunder; sie wird am Ende noch so sehr davon geblendet werden, daß sie sich in seine Nase verliebt. Auch habe ich oft gehört von der Wundertätigkeit einiger Ordenskreuze, die einen ehrlichen Mann zum Schufte machen konnten.«

So spöttelte die hübsche Frau über alles, sie kokettierte mit dem armen Sakristan, machte dem Bischof mit der abgetretenen Nase noch drollige Exküsen, wobei sie sich seinen etwaigen Gegenbesuch höflichst verbat, und als wir an den Weihkessel gelangten, wollte sie mich durchaus wieder in einen Esel verwandeln.

War es nun wirkliche Stimmung, die der Ort einflößte, oder wollte ich diesen Spaß, der mich im Grunde verdroß, so scharf als möglich ablehnen, genug, ich warf mich in das gehörige Pathos und sprach: »Mylady, ich liebe keine Religionsverächterinnen. Schöne Frauen, die keine Religion haben, sind wie Blumen ohne Duft; sie gleichen jenen kalten, nüchternen Tulpen, die uns aus ihren chinesischen Porzellantöpfen so porzellanhaft ansehen und, wenn sie sprechen könnten, uns gewiß auseinandersetzen würden, wie sie ganz natürlich aus einer Zwiebel entstanden sind, wie es hinreichend sei, wenn man hienieden nur nicht übel riecht, und wie übrigens, was den Duft betrifft, eine vernünftige Blume gar keines Duftes bedarf.«

Schon bei dem Wort Tulpe geriet Mylady in die heftigsten Bewegungen, und während ich sprach, wirkte ihre Idiosynkrasie gegen diese Blume so stark, daß sie sich verzweiflungsvoll die Ohren zuhielt. Zur Hälfte war es wohl Komödie, zur Hälfte aber auch wohl pikierter Ernst, daß sie mich mit bitterem Blicke ansah und aus Herzensgrund spottscharf mich frug: »Und Sie, teure Blume, welche von den vorhandenen Religionen haben Sie?«

»Ich, Mylady, ich habe sie alle, der Duft meiner Seele steigt in den Himmel und betäubt selbst die ewigen Götter!«

Kapitel XII

Indem Signora unser Gespräch, das wir größtenteils auf Englisch führten, nicht verstehen konnte, geriet sie, Gott weiß wie! auf den Gedanken, wir stritten über die Vorzüglichkeit unserer respektiven Landsleute. Sie lobte nun die Engländer ebenso wie die Deutschen, obgleich sie im Herzen die ersteren für nicht klug und die letzteren für dumm hielt. Sehr schlecht dachte sie von den Preußen, deren Land, nach ihrer Geographie, noch weit über England und Deutschland hinausliegt, besonders schlecht dachte sie vom Könige von Preußen, dem großen Federigo, den ihre Feindin, Signora Seraphina, in ihrem Benefizballette vorig Jahr getanzt hatte; wie denn, sonderbar genug, dieser König, nämlich Friedrich der Große, auf den italienischen Theatern und im Gedächtnisse des italienischen Volks noch immer lebt.

»Nein«, sagte Mylady, ohne auf Signoras süßes Gekose hinzuhören, »nein, diesen Menschen braucht man nicht erst in einen Esel zu verwandeln; nicht nur, daß er jede zehn Schritte seine Gesinnung wechselt und sich beständig widerspricht, wird er jetzt sogar ein Bekehrer, und ich glaube gar, er ist ein verkappter Jesuit. Ich muß, meiner Sicherheit wegen, jetzt devote Gesichter schneiden, sonst gibt er mich an bei seinen Mitheuchlern in Christo, bei den heiligen Inquisitionsdilettanten, die mich in Effigie verbrennen, da ihnen die Polizei noch nicht erlaubt, die Personen selbst ins Feuer zu werfen. Ach, ehrwürdiger Herr! glauben Sie nur nicht, daß ich so klug sei, wie ich aussehe, es fehlt mir durchaus nicht an Religion, ich bin keine Tulpe, beileibe keine Tulpe, nur um des Himmels willen keine Tulpe, ich will lieber alles glauben! Ich glaube jetzt schon das Hauptsächlichste, was in der Bibel steht, ich glaube, daß Abraham den Isaak und Isaak den Jakob und Jakob wieder den Juda gezeugt hat, so wie auch, daß dieser wieder seine Schnur Tamar auf der Landstraße erkannt hat. Ich glaube auch, daß Lot mit seinen Töchtern zu viel getrunken. Ich glaube, daß die Frau des Potiphar den Rock des frommen Josephs in Händen behalten. Ich glaube, daß die beiden Alten, die Susannen im Bade überraschten, sehr alt gewesen sind. Außerdem glaub ich noch, daß der Erzvater Jakob erst seinen Bruder und dann seinen Schwiegervater betrogen, daß König David dem Uria eine gute Anstellung bei der Armee gegeben, daß Salomo sich tausend Weiber angeschafft und nachher gejammert, es sei alles eitel. Auch an die zehn Gebote glaube ich und halte sogar die meisten; ich laß mich nicht gelüsten meines Nächsten Ochsen, noch seiner Magd, noch seiner Kuh, noch seines Esels. Ich arbeite nicht am Sabbat, dem siebenten Tage, wo Gott geruht; ja, aus Vorsicht, da man nicht mehr genau weiß, welcher dieser siebente Ruhetag war, tue ich oft die ganze Woche nichts. Was aber gar die Gebote Christi betrifft, so übte ich immer das wichtigste, nämlich daß man sogar seine Feinde lieben soll – denn ach! diejenigen Menschen, die ich am meisten geliebt habe, waren immer, ohne daß ich es wußte, meine schlimmsten Feinde.«

»Um Gottes willen, Mathilde, weinen Sie nicht!« rief ich, als wieder ein Ton der schmerzhaftesten Bitterkeit aus der heitersten Neckerei, wie eine Schlange aus einem Blumenbeete, hervorschoß. Ich kannte ja diesen Ton, wobei das witzige Kristallherz der wunderbaren Frau zwar immer gewaltig, aber nicht lange erzitterte, und ich wußte, daß er ebenso leicht, wie er entsteht, auch wieder verscheucht wird, durch die erste beste lachende Bemerkung, die man ihr mitteilte oder die ihr selbst durch den Sinn flog. Während sie, gelehnt an das Portal des Klosterhofes, die glühende Wange an die kalten Steine preßte und sich mit ihren langen Haaren die Tränenspur aus den Augen wischte, suchte ich ihre gute Laune wieder zu erwecken, indem ich, in ihrer eignen Spottweise, die arme Franscheska zu mystifizieren suchte und ihr die wichtigsten Nachrichten mitteilte über den Siebenjährigen Krieg, der sie so sehr zu interessieren schien und den sie noch immer unbeendigt glaubte. Ich erzählte ihr viel Interessantes von dem großen Federigo, dem witzigen Kamaschengott von Sanssouci, der die preußische Monarchie erfunden und in seiner Jugend recht hübsch die Flöte blies und auch französische Verse gemacht hat. Franscheska frug mich, ob die Preußen oder die Deutschen siegen werden? Denn, wie schon oben bemerkt, sie hielt erstere für ein ganz anderes Volk, und es ist auch gewöhnlich, daß in Italien unter dem Namen Deutsche nur die Östreicher verstanden werden. Signora wunderte sich nicht wenig, als ich ihr sagte, daß ich selbst lange Zeit in der Capitale della Prussia gelebt habe, nämlich in Berelino, einer

Stadt, die ganz oben in der Geographie liegt, unfern vom Eispol. Sie schauderte, als ich ihr die Gefahren schilderte, denen man dort zuweilen ausgesetzt ist, wenn einem die Eisbären auf der Straße begegnen. »Denn, liebe Franscheska«, erklärte ich ihr, »in Spitzbergen liegen gar zu viele Bären in Garnison, und diese kommen zuweilen auf einen Tag nach Berlin, um etwa aus Patriotismus den Bär und den Bassa zu sehen oder einmal bei Beyerman, im Café royal, gut zu essen und Champagner zu trinken, was ihnen oft mehr Geld kostet, als sie mitgebracht; in welchem Falle einer von den Bären so lange dort angebunden wird, bis seine Kameraden zurückkehren und bezahlen, woher auch der Ausdruck ›einen Bären anbinden‹ entstanden ist. Viele Bären wohnen in der Stadt selbst, ja man sagt, Berlin verdanke seine Entstehung den Bären und hieße eigentlich Bärlin. Die Stadtbären sind aber übrigens sehr zahm und einige darunter so gebildet, daß sie die schönsten Tragödien schreiben und die herrlichste Musik komponieren. Die Wölfe sind dort ebenfalls häufig, und da sie, der Kälte wegen, Warschauer Schafpelze tragen, sind sie nicht so leicht zu erkennen. Schneegänse flattern dort umher und singen Bravourarien, und Renntiere rennen da herum als Kunstkenner. Übrigens leben die Berliner sehr mäßig und fleißig, und die meisten sitzen bis am Nabel im Schnee und schreiben Dogmatiken, Erbauungsbücher, Religionsgeschichten für Töchter gebildeter Stände, Katechismen, Predigten für alle Tage im Jahr, Elohagedichte und sind dabei sehr moralisch, denn sie sitzen bis am Nabel im Schnee.«

»Sind die Berliner denn Christen?« rief Signora voller Verwundrung.

»Es hat eine eigne Bewandtnis mit ihrem Christentum. Dieses fehlt ihnen im Grunde ganz und gar, und sie sind auch viel zu vernünftig, um es ernstlich auszuüben. Aber da sie wissen, daß das Christentum im Staate nötig ist, damit die Untertanen hübsch demütig gehorchen und auch außerdem nicht zu viel gestohlen und gemordet wird, so suchen sie mit großer Beredsamkeit wenigstens ihre Nebenmenschen zum Christentume zu bekehren, sie suchen gleichsam Remplaçants in einer Religion, deren Aufrechthaltung sie wünschen und deren strenge Ausübung ihnen selbst zu mühsam wird. In dieser Verlegenheit benutzen sie den Diensteifer der armen Juden, diese müssen jetzt für sie Christen werden, und da dieses Volk für Geld und gute Worte alles aus sich machen läßt, so haben sich die Juden schon so ins Christentum hineinexerziert, daß sie ordentlich schon über Unglauben schreien, auf Tod und Leben die Dreieinigkeit verfechten, in den Hundstagen sogar daran glauben, gegen die Rationalisten wüten, als Missionäre und Glaubensspione im Lande herumschleichen und erbauliche Traktätchen verbreiten, in den Kirchen am besten die Augen verdrehen, die scheinheiligsten Gesichter schneiden und mit so viel hohem Beifalle frömmeln, daß sich schon hie und da der Gewerbsneid regt und die älteren Meister des Handwerks schon heimlich klagen: das Christentum sei jetzt ganz in den Händen der Juden.«

Kapitel XIII

Wenn mich Signora nicht verstand, so wirst du, lieber Leser, mich gewiß besser verstehen. Auch Mylady verstand mich, und dies Verständnis weckte wieder ihre gute Laune. Doch als ich – ich weiß nicht mehr, ob mit ernsthaftem Gesichte – der Meinung beipflichten wollte, daß das Volk einer bestimmten Religion bedürfe, konnte sie wieder nicht umhin, mir in ihrer Weise entgegenzustreiten.

»Das Volk muß eine Religion haben!« rief sie. »Eifrig höre ich diesen Satz predigen von tausend dummen und abertausend scheinheiligen Lippen –«

»Und dennoch ist es wahr, Mylady. Wie die Mutter nicht alle Fragen des Kindes mit der Wahrheit beantworten kann, weil seine Fassungskraft es nicht erlaubt, so muß auch eine positive Religion, eine Kirche vorhanden sein, die alle übersinnlichen Fragen des Volks, seiner Fassungskraft gemäß, recht sinnlich bestimmt beantworten kann.«

»O weh! Doktor, eben Ihr Gleichnis bringt mir eine Geschichte ins Gedächtnis, die am Ende nicht günstig für Ihre Meinung sprechen würde. Als ich noch klein war, in Dublin –«

»Und auf dem Rücken lag –«

»Aber, Doktor, man kann doch mit Ihnen kein vernünftig Wort sprechen. Lächeln Sie nicht so unverschämt und hören Sie: Als ich noch klein war, in Dublin, und zu Mutters Füßen saß, frug ich sie einst: was man mit den alten Vollmonden anfange? ›Liebes Kind‹, sagte die Mutter, ›die alten Vollmonde schlägt der liebe Gott mit dem Zuckerhammer in Stücke und macht daraus die kleinen Sterne.‹ Man kann der Mutter diese offenbar falsche Erklärung nicht verdenken, denn mit den besten astronomischen Kenntnissen hätte sie doch nicht vermocht, mir das ganze Sonne-, Mond- und Sternesystem auseinanderzusetzen, und die übersinnlichen Fragen beantwortete sie sinnlich bestimmt. Es wäre aber doch besser gewesen, sie hätte die Erklärung für ein reiferes Alter verschoben oder wenigstens keine Lüge ausgedacht. Denn als ich mit der kleinen Lucie zusammenkam und der Vollmond am Himmel stand und ich ihr erklärte, wie man bald kleine Sterne draus machen werde, lachte sie mich aus und sagte, daß ihre Großmutter, die alte O'Meara, ihr erzählt habe: die Vollmonde würden in der Hölle als Feuermelonen verzehrt, und da man dort keinen Zucker habe, müsse man Pfeffer und Salz drauf streuen. Hatte Lucie vorher über meine Meinung, die etwas naiv evangelisch war, mich ausgelacht, so lachte ich noch mehr über ihre düster katholische Ansicht, vom Auslachen kam es zu ernstem Streit, wir pufften uns, wir kratzten uns blutig, wir bespuckten uns polemisch, bis der kleine O'Donnel aus der Schule kam und uns auseinanderriß. Dieser Knabe hatte dort besseren Unterricht in der Himmelskunde genossen, verstand sich auf Mathematik und belehrte uns ruhig über unsere beiderseitigen Irrtümer und die Torheit unseres Streits. Und was geschah? Wir beiden Mädchen unterdrückten vor der Hand unseren Meinungsstreit und vereinigten uns gleich, um den kleinen ruhigen Mathematikus durchzuprügeln.«

»Mylady, ich bin verdrießlich, denn Sie haben recht. Aber es ist nicht zu ändern, die Menschen werden immer streiten über die Vorzüglichkeit derjenigen Religionsbegriffe, die man ihnen früh beigebracht, und der Vernünftige wird immer doppelt zu leiden haben. Einst war es freilich anders, da ließ sich keiner einfallen, die Lehre und die Feier seiner Religion besonders anzupreisen oder gar sie jemanden aufzudringen. Die Religion war eine liebe Tradition, heilige Geschichten, Erinnerungsfeier und Mysterien, überliefert von den Vorfahren, gleichsam Familiensakra des Volks, und einem Griechen wäre es ein Greuel gewesen, wenn ein Fremder, der nicht von seinem Geschlechte, eine Religionsgenossenschaft mit ihm verlangt hätte; noch mehr würde er es für eine Unmenschlichkeit gehalten haben, irgend jemand, durch Zwang oder List, dahinzubringen, seine angeborene Religion aufzugeben und eine fremde dafür anzunehmen. Da kam aber ein Volk aus Egypten, dem Vaterland der Krokodille und des Priestertums, und außer den Hautkrankheiten und den gestohlenen Gold- und Silbergeschirren brachte es auch eine sogenannte positive Religion mit, eine sogenannte Kirche, ein Gerüste von Dogmen, an die man glauben, und heiliger Zeremonien, die man feiern mußte, ein Vorbild der späteren Staatsreligion. Nun entstand

›die Menschenmäkelei‹, das Proselytenmachen, der Glaubenszwang und all jene heiligen Greul, die dem Menschengeschlechte so viel Blut und Tränen gekostet.«

»Goddam! dieses Urübelvolk!«

»O, Mathilde, es ist längst verdammt und schleppt seine Verdammnisqualen durch die Jahrtausende. O, dieses Egypten! seine Fabrikate trotzen der Zeit, seine Pyramiden stehen noch immer unerschütterlich, seine Mumien sind noch so unzerstörbar wie sonst, und ebenso unverwüstlich ist jene Volkmumie, die über die Erde wandelt, eingewickelt in ihren uralten Buchstabenwindeln, ein verhärtet Stück Weltgeschichte, ein Gespenst, das zu seinem Unterhalte mit Wechseln und alten Hosen handelt – Sehen Sie, Mylady, dort jenen alten Mann, mit dem weißen Barte, dessen Spitze sich wieder zu schwärzen scheint, und mit den geisterhaften Augen –«

»Sind dort nicht die Ruinen der alten Römergräber?«

»Ja, eben da sitzt der alte Mann, und vielleicht, Mathilde, verrichtet er eben sein Gebet, ein schauriges Gebet, worin er seine Leiden bejammert und Völker anklagt, die längst von der Erde verschwunden sind und nur noch in Ammenmärchen leben – er aber, in seinem Schmerze, bemerkt kaum, daß er auf den Gräbern derjenigen Feinde sitzt, deren Untergang er vom Himmel erfleht.«

Kapitel XIV

Ich sprach im vorigen Kapitel von den positiven Religionen nur, insofern sie als Kirchen, unter den Namen Staatsreligionen, noch besonders vom Staate privilegiert werden. Es gibt aber eine fromme Dialektik, lieber Leser, die dir aufs bündigste beweisen wird, daß ein Gegner des Kirchtums einer solchen Staatsreligion auch ein Feind der Religion und des Staats sei, ein Feind Gottes und des Königs, oder, wie die gewöhnliche Formel lautet: ein Feind des Throns und des Altars. Ich aber sage dir, das ist eine Lüge, ich ehre die innere Heiligkeit jeder Religion und unterwerfe mich den Interessen des Staates. Wenn ich auch dem Anthropomorphismus nicht sonderlich huldige, so glaube ich doch an die Herrlichkeit Gottes, und wenn auch die Könige so töricht sind, dem Geiste des Volks zu widerstreben, oder gar so unedel sind, die Organe desselben durch Zurücksetzungen und Verfolgungen zu kränken: so bleibe ich doch, meiner tiefsten Überzeugung nach, ein Anhänger des Königtums, des monarchischen Prinzips. Ich hasse nicht den Thron, sondern nur das windige Adelgeziefer, das sich in die Ritzen der alten Throne eingenistet und dessen Charakter uns Montesquieu so genau schildert mit den Worten: »Ehrgeiz im Bunde mit dem Müßiggange, die Gemeinheit im Bunde mit dem Hochmute, die Begierde, sich zu bereichern ohne Arbeit, die Abneigung gegen die Wahrheit, die Schmeichelei, der Verrat, die Treulosigkeit, der Wortbruch, die Verachtung der Bürgerpflichten, die Furcht vor Fürstentugend und das Interesse an Fürstenlaster!« Ich hasse nicht den Altar, sondern ich hasse die Schlangen, die unter dem Gerülle der alten Altäre lauern; die argklugen Schlangen, die unschuldig wie Blumen zu lächeln wissen, während sie heimlich ihr Gift spritzen in den Kelch des Lebens und Verleumdung zischen in das Ohr des frommen Beters, die gleißenden Würmer mit weichen Worten –

Mel in ore, verba lactis,
Fel in corde, fraus in factis.

Eben weil ich ein Freund des Staats und der Religion bin, hasse ich jene Mißgeburt, die man Staatsreligion nennt, jenes Spottgeschöpf, das aus der Buhlschaft der weltlichen und der geistlichen Macht entstanden, jenes Maultier, das der Schimmel des Antichrists mit der Eselin Christi gezeugt hat. Gäbe es keine solche Staatsreligion, keine Bevorrechtung eines Dogmas und eines Kultus, so wäre Deutschland einig und stark, und seine Söhne wären herrlich und frei. So aber ist unser armes Vaterland zerrissen durch Glaubenszwiespalt, das Volk ist getrennt in feindliche Religionsparteien, protestantische Untertanen hadern mit ihren katholischen Fürsten oder umgekehrt, überall Mißtrauen ob Kryptokatholizismus oder Kryptoprotestantismus, überall Verketzerung, Gesinnungsspionage, Pietismus, Mystizismus, Kirchenzeitungsschnüffeleien, Sektenhaß, Bekehrungssucht, und während wir über den Himmel streiten, gehen wir auf Erden zugrunde. Ein Indifferentismus in religiösen Dingen wäre vielleicht allein imstande, uns zu retten, und durch Schwächerwerden im Glauben könnte Deutschland politisch erstarken.

Für die Religion selber, für ihr heiliges Wesen, ist es ebenso verderblich, wenn sie mit Privilegien bekleidet ist, wenn ihre Diener vom Staate vorzugsweise dotiert werden und zur Erhaltung dieser Dotationen ihrerseits verpflichtet sind, den Staat zu vertreten, und solchermaßen eine

Hand die andere wäscht, die geistliche die weltliche und umgekehrt, und ein Wischwasch entsteht, der dem lieben Gott eine Torheit und den Menschen ein Greul ist. Hat nun der Staat Gegner, so werden diese auch Feinde der Religion, die der Staat bevorrechtet und die deshalb seine Alliierte ist; und selbst der harmlose Gläubige wird mißtrauisch, wenn er in der Religion auch politische Absicht wittert. Am widerwärtigsten aber ist der Hochmut der Priester, wenn sie für die Dienste, die sie dem Staate zu leisten glauben, auch auf dessen Unterstützung rechnen dürfen, wenn sie für die geistige Fessel, die sie ihm, um die Völker zu binden, geliehen haben, auch über seine Bajonette verfügen können. Die Religion kann nie schlimmer sinken, als wenn sie solchermaßen zur Staatsreligion erhoben wird, es geht dann gleichsam ihre innere Unschuld verloren, und sie wird so öffentlich stolz wie eine deklarierte Mätresse. Freilich werden ihr dann mehr Huldigungen und Ehrfurchtsversicherungen dargebracht, sie feiert täglich neue Siege, in glänzenden Prozessionen, bei solchen Triumphen tragen sogar bonapartistische Generale ihr die Kerzen vor, die stolzesten Geister schwören zu ihrer Fahne, täglich werden Ungläubige bekehrt und getauft – aber dies viele Wasseraufgießen macht die Suppe nicht fetter, und die neuen Rekruten der Staatsreligion gleichen den Soldaten, die Falstaff geworben – sie füllen die Kirche. Von Aufopfrung ist gar nicht mehr die Rede, wie Kaufmannsdiener mit ihren Musterkarten, so reisen die Missionäre mit ihren Traktätchen und Bekehrungsbüchlein, es ist keine Gefahr mehr in diesem Geschäfte, und es bewegt sich ganz in merkantilisch-ökonomischen Formen.

Nur solange die Religionen mit anderen zu rivalisieren haben und weit mehr verfolgt werden als selbst verfolgen, sind sie herrlich und ehrenwert, nur da gibt's Begeisterung, Aufopferung, Märtyrer und Palmen. Wie schön, wie heilig lieblich, wie heimlich süß war das Christentum der ersten Jahrhunderte, als es selbst noch seinem göttlichen Stifter glich im Heldentum des Leidens. Da war's noch die schöne Legende von einem heimlichen Gotte, der in sanfter Jünglingsgestalt unter den Palmen Palästinas wandelte und Menschenliebe predigte und jene Freiheits- und Gleichheitslehre offenbarte, die auch später die Vernunft der größten Denker als wahr erkannt hat und die, als französisches Evangelium, unsere Zeit begeistert. Mit jener Religion Christi vergleiche man die verschiedenen Christentümer, die in den verschiedenen Ländern als Staatsreligionen konstituiert worden, z. B. die römisch apostolisch katholische Kirche oder gar jenen Katholizismus ohne Poesie, den wir als High Church of England herrschen sehen, jenes kläglich morsche Glaubensskelett, worin alles blühende Leben erloschen ist! Wie den Gewerben ist auch den Religionen das Monopolsystem schädlich, durch freie Konkurrenz bleiben sie kräftig, und sie werden erst dann zu ihrer ursprünglichen Herrlichkeit wieder erblühen, sobald die politische Gleichheit der Gottesdienste, sozusagen die Gewerbefreiheit der Götter, eingeführt wird.

Die edelsten Menschen in Europa haben es längst ausgesprochen, daß dieses das einzige Mittel ist, die Religion vor gänzlichem Untergang zu bewahren; doch die Diener derselben werden eher den Altar selbst aufopfern, als daß sie von dem, was darauf geopfert wird, das mindeste verlieren möchten; ebenso wie der Adel eher den Thron selbst und Hochdenjenigen, der hochdarauf sitzt, dem sichersten Verderben überlassen würde, als daß er mit ernstlichem Willen die ungerechteste seiner Gerechtsame aufgäbe. Ist doch das affektierte Interesse für Thron und Altar nur ein Possenspiel, das dem Volke vorgegaukelt wird! Wer das Zunftgeheimnis belauert hat, weiß, daß die Pfaffen viel weniger als die Laien den Gott respektieren, den sie zu ihrem eignen Nutzen, nach Willkür, aus Brot und Wort zu kneten wissen, und daß die Adligen viel weniger, als es ein Roturier vermöchte, den König respektieren und sogar eben das Königtum, dem sie öffentlich so viele Ehrfurcht zeigen und dem sie so viel Ehrfurcht bei anderen zu erwerben suchen, in ihrem Herzen verhöhnen und verachten: – wahrlich, sie gleichen jenen Leuten, die dem gaffenden Publikum, in den Marktbuden, irgendeinen Herkules oder Riesen oder Zwerg oder Wilden oder Feuerfresser oder sonstig merkwürdigen Mann für Geld zeigen und dessen Stärke, Erhabenheit, Kühnheit, Unverletzlichkeit oder, wenn er ein Zwerg ist, dessen Weisheit mit der übertriebensten Ruhmredigkeit auspreisen und dabei in die Trompete stoßen und eine bunte Jacke tragen, während sie darunter, im Herzen, die Leichtgläubigkeit des staunenden Volkes verlachen und den armen Hochgepriesenen verspotten, der ihnen aus Gewohnheit des täglichen Anblicks sehr uninteressant geworden und dessen Schwächen und nur andressierte Künste sie allzu genau kennen.

Ob der liebe Gott es noch lange dulden wird, daß die Pfaffen einen leidigen Popanz für ihn ausgeben und damit Geld verdienen, das weiß ich nicht; – wenigstens würde ich mich nicht wundern, wenn ich mal im Hamb. Unpart. Korrespondenten läse: daß der alte Jehovah jedermann warne, keinem Menschen, es sei, wer es wolle, nicht einmal seinem Sohne, auf seinen Namen Glauben zu schenken. Überzeugt bin ich aber, wir werden's mit der Zeit erleben, daß die Könige sich nicht mehr hergeben wollen zu einer Schaupuppe ihrer adligen Verächter, daß sie die Etiketten brechen, ihren marmornen Buden entspringen und unwillig von sich werfen den glänzenden Plunder, der dem Volke imponieren sollte, den roten Mantel, der scharfrichterlich abschreckte, den diamantenen Reif, den man ihnen über die Ohren gezogen, um sie den Volksstimmen zu versperren, den goldnen Stock, den man ihnen als Scheinzeichen der Herrschaft in die Hand gegeben – und die befreiten Könige werden frei sein wie andre Menschen und frei unter ihnen wandeln und frei fühlen und frei heuraten und frei ihre Meinung bekennen, und das ist die Emanzipation der Könige.

Kapitel XV

Was bleibt aber den Aristokraten übrig, wenn sie der gekrönten Mittel ihrer Subsistenz beraubt werden, wenn die Könige ein Eigentum des Volks sind und ein ehrliches und sicheres Regiment führen, durch den Willen des Volks, der alleinigen Quelle aller Macht? Was werden die Pfaffen beginnen, wenn die Könige einsehen, daß ein bißchen Salböl keinen menschlichen Kopf guillotinenfest machen kann, ebenso wie das Volk täglich mehr und mehr einsieht, daß man von Oblaten nicht satt wird? Nun freilich, da bleibt der Aristokratie und der Klerisei nichts übrig, als sich zu verbünden und gegen die neue Weltordnung zu kabalieren und zu intrigieren.

Vergebliches Bemühen! Eine flammende Riesin, schreitet die Zeit ruhig weiter, unbekümmert um das Gekläffe bissiger Pfäffchen und Junkerlein da unten. Wie heulen sie jedesmal, wenn sie sich die Schnauze verbrannt an einem Fuße jener Riesin oder wenn diese ihnen mal unversehens auf die Köpfe trat, daß das obskure Gift herausspritzte! Ihr Grimm wendet sich dann um so tückischer gegen einzelne Kinder der Zeit, und ohnmächtig gegen die Masse, suchen sie an Individuen ihr feiges Mütchen zu kühlen.

Ach! wir müssen es gestehen, manch armes Kind der Zeit fühlt darum nicht minder die Stiche, die ihm lauernde Pfaffen und Junker im Dunkeln beizubringen wissen, und ach! wenn auch eine Glorie sich zieht um die Wunden des Siegers, so bluten sie dennoch und schmerzen dennoch! Es ist ein seltsames Martyrtum, das solche Sieger in unseren Tagen erdulden, es ist nicht abgetan mit einem kühnen Bekenntnisse, wie in früheren Zeiten, wo die Blutzeugen ein rasches Schafott fanden oder den jubelnden Holzstoß. Das Wesen des Martyrtums, alles Irdische aufzuopfern für den himmlischen Spaß, ist noch immer dasselbe; aber es hat viel verloren von seiner innern Glaubensfreudigkeit, es wurde mehr ein resignierendes Ausdauern, ein beharrliches Überdulden, ein lebenslängliches Sterben, und da geschieht es sogar, daß in grauen kalten Stunden auch die heiligsten Märtyrer vom Zweifel beschlichen werden. Es gibt nichts Entsetzlicheres als jene Stunden, wo ein Markus Brutus zu zweifeln begann an der Wirklichkeit der Tugend, für die er alles geopfert! Und ach! jener war ein Römer und lebte in der Blütenzeit der Stoa; wir aber sind modern weicheren Stoffes, und dazu sehen wir noch das Gedeihen einer Philosophie, die aller Begeisterung nur eine relative Bedeutung zuspricht und sie somit in sich selbst vernichtet oder sie allenfalls zu einer selbstbewußten Donquixoterie neutralisiert!

Die kühlen und klugen Philosophen! Wie mitleidig lächeln sie herab auf die Selbstquälereien und Wahnsinnigkeiten eines armen Don Quixote, und in all ihrer Schulweisheit merken sie nicht, daß jene Donquixoterie dennoch das Preisenswerteste des Lebens, ja das Leben selbst ist und daß diese Donquixoterie die ganze Welt, mit allem, was darauf philosophiert, musiziert, ackert und gähnt, zu kühnerem Schwunge beflügelt! Denn die große Volksmasse, mitsamt den Philosophen, ist, ohne es zu wissen, nichts anders als ein kolossaler Sancho Pansa, der, trotz all seiner nüchternen Prügelscheu und hausbackner Verständigkeit, dem wahnsinnigen Ritter in allen seinen gefährlichen Abenteuern folgt, gelockt von der versprochenen Belohnung, an die er glaubt, weil er sie wünscht, mehr aber noch getrieben von der mystischen Gewalt, die der Enthusiasmus immer ausübt auf den großen Haufen – wie wir es in allen politischen und religiösen Revolutionen und vielleicht täglich im kleinsten Ereignisse sehen können.

So z. B. du, lieber Leser, bist unwillkürlich der Sancho Pansa des verrückten Poeten, dem du, durch die Irrfahrten dieses Buches, zwar mit Kopfschütteln folgst, aber dennoch folgst.

Kapitel XVI

Seltsam! »Leben und Taten des scharfsinnigen Junkers Don Quixote von La Mancha, beschrieben von Miguel de Cervantes Saavedra« war das erste Buch, das ich gelesen habe, nachdem ich schon in ein verständiges Knabenalter getreten und des Buchstabenwesens einigermaßen kundig war. Ich erinnere mich noch ganz genau jener kleinen Zeit, wo ich mich eines frühen Morgens von Hause wegstahl und nach dem Hofgarten eilte, um dort ungestört den Don Quixote zu lesen. Es war ein schöner Maitag, lauschend im stillen Morgenlichte lag der blühende Frühling und ließ sich loben von der Nachtigall, seiner süßen Schmeichlerin, und diese sang ihr Loblied so karessierend weich, so schmelzend enthusiastisch, daß die verschämtesten Knospen aufsprangen und die lüsternen Gräser und die duftigen Sonnenstrahlen sich hastiger küßten und Bäume und Blumen schauerten, vor eitelem Entzücken. Ich aber setzte mich auf eine alte moosige Steinbank in der sogenannten Seufzerallee unfern des Wasserfalls und ergötzte mein kleines Herz an den großen Abenteuern des kühnen Ritters. In meiner kindischen Ehrlichkeit nahm ich alles für baren Ernst; so lächerlich auch dem armen Helden von dem Geschicke mitgespielt wurde, so meinte ich doch, das müsse so sein, das gehöre nun mal zum Heldentum, das Ausgelachtwerden ebenso gut wie die Wunden des Leibes, und jenes verdroß mich ebenso sehr, wie ich diese in meiner Seele mitfühlte. Ich war ein Kind und kannte nicht die Ironie, die Gott in die Welt hineingeschaffen und die der große Dichter in seiner gedruckten Kleinwelt nachgeahmt hatte – und ich konnte die bittersten Tränen vergießen, wenn der edle Ritter, für all seinen Edelmut, nur Undank und Prügel genoß; und da ich, noch ungeübt im Lesen, jedes Wort laut aussprach, so konnten Vögel und Bäume, Bach und Blumen alles mit anhören, und da solche unschuldige Naturwesen, ebenso wie die Kinder, von der Weltironie nichts wissen, so hielten sie gleichfalls alles für baren Ernst und weinten mit über die Leiden des armen Ritters, sogar eine alte ausgediente Eiche schluchzte, und der Wasserfall schüttelte heftiger seinen weißen Bart und schien zu schelten auf die Schlechtigkeit der Welt. Wir fühlten, daß der Heldensinn des Ritters darum nicht mindere Bewundrung verdient, wenn ihm der Löwe ohne Kampflust den Rücken kehrte, und daß seine Taten um so preisenswerter, je schwächer und ausgedorrter sein Leib, je morscher die Rüstung, die ihn schützte, und je armseliger der Klepper, der ihn trug. Wir verachteten den niedrigen Pöbel, der den armen Helden so prügelroh behandelte, noch mehr aber den hohen Pöbel, der, geschmückt mit buntseidnen Mänteln, vornehmen Redensarten und Herzogstiteln, einen Mann verhöhnte, der ihm an Geisteskraft und Edelsinn so weit überlegen war. Dulcineas Ritter stieg immer höher in meiner Achtung und gewann immer mehr meine Liebe, je länger ich in dem wundersamen Buche las, was in demselben Garten täglich geschah, so daß ich schon im Herbste das Ende der Geschichte erreichte – und nie werde ich den Tag vergessen, wo ich von dem kummervollen Zweikampfe las, worin der Ritter so schmählich unterliegen mußte!

Es war ein trüber Tag, häßliche Nebelwolken zogen dem grauen Himmel entlang, die gelben Blätter fielen schmerzlich von den Bäumen, schwere Tränentropfen hingen an den letzten Blumen, die gar traurig welk die sterbenden Köpfchen senkten, die Nachtigallen waren längst verschollen, von allen Seiten starrte mich an das Bild der Vergänglichkeit – und mein Herz wollte schier brechen, als ich las, wie der edle Ritter betäubt und zermalmt am Boden lag und, ohne das Visier zu erheben, als wenn er aus dem Grabe gesprochen hätte, mit schwacher kranker Stimme zu dem Sieger hinaufsprach: »Dulcinea ist das schönste Weib der Welt und ich der unglücklichste Ritter auf Erden, aber es ziemt sich nicht, daß meine Schwäche diese Wahrheit verleugne – stoßt zu mit der Lanze, Ritter!«

Ach! dieser leuchtende Ritter vom silbernen Monde, der den mutigsten und edelsten Mann der Welt besiegte, war ein verkappter Barbier!

Kapitel XVII

Das ist nun lange her. Viele neue Lenze sind unterdessen hervorgeblüht, doch mangelte ihnen immer ihr mächtigster Reiz, denn ach! ich glaube nicht mehr den süßen Lügen der Nachtigall, der Schmeichlerin des Frühlings, ich weiß, wie schnell seine Herrlichkeit verwelkt, und wenn ich die jüngste Rosenknospe erblicke, sehe ich sie im Geiste schmerzrot aufblühen, erbleichen und von den Winden verweht. Überall sehe ich einen verkappten Winter.

In meiner Brust aber blüht noch jene flammende Liebe, die sich sehnsüchtig über die Erde emporhebt, abenteuerlich herumschwärmt in den weiten, gähnenden Räumen des Himmels, dort zurückgestoßen wird von den kalten Sternen und wieder heimsinkt zur kleinen Erde und mit Seufzen und Jauchzen gestehen muß, daß es doch in der gnzen Schöpfung nichts Schöneres und Besseres gibt als das Herz der Menschen. Diese Liebe ist die Begeisterung, die immer göttlicher Art, gleichviel ob sie törichte oder weise Handlungen verübt – Und so hat der kleine Knabe keineswegs unnütz seine Tränen verschwendet, die er über die Leiden des närrischen Ritters vergoß, ebenso wenig wie späterhin der Jüngling, als er manche Nacht im Studierstübchen weinte über den Tod der heiligsten Freiheitshelden, über König Agis von Sparta, über Cajus und Tiberius Gracchus von Rom, über Jesus von Jerusalem und über Robespierre und Saint Just von Paris. Jetzt, wo ich die Toga virilis angezogen und selbst ein Mann sein will, hat das Weinen ein Ende, und es gilt zu handeln wie ein Mann, nachahmend die großen Vorgänger und will's Gott! künftig ebenfalls beweint von Knaben und Jünglingen. Ja, diese sind es, auf die man noch rechnen kann in unserer kalten Zeit; denn diese werden noch entzündet von dem glühenden Hauche, der ihnen aus den alten Büchern entgegenweht, und deshalb begreifen sie auch die Flammenherzen der Gegenwart. Die Jugend ist uneigennützig im Denken und Fühlen und denkt und fühlt deshalb die Wahrheit am tiefsten und geizt nicht, wo es gilt eine kühne Teilnahme an Bekenntnis und Tat. Die älteren Leute sind selbstsüchtig und kleinsinnig; sie denken mehr an die Interessen ihrer Kapitalien als an die Interessen der Menschheit; sie lassen ihr Schifflein ruhig fortschwimmen im Rinnstein des Lebens und kümmern sich wenig um den Seemann, der auf hohem Meere gegen die Wellen kämpft; oder sie erkriechen mit klebrichter Beharrlichkeit die Höhe des Bürgermeistertums oder der Präsidentschaft ihres Klubs und zucken die Achsel über die Heroenbilder, die der Sturm hinabwarf von der Säule des Ruhms, und dabei erzählen sie vielleicht: daß sie selbst in ihrer Jugend ebenfalls mit dem Kopf gegen die Wand gerennt seien, daß sie sich aber nachher mit der Wand wieder versöhnt hätten, denn die Wand sei das Absolute, das Gesetzte, das an und für sich Seiende, das, weil es ist, auch vernünftig ist, weshalb auch derjenige unvernünftig ist, welcher einen allerhöchst vernünftigen, unwidersprechbar seienden, festgesetzten Absolutismus nicht ertragen will. Ach! diese Verwerflichen, die uns in eine gelinde Knechtschaft hineinphilosophieren wollen, sind immer noch achtenswerter als jene Verworfenen, die bei der Verteidigung des Despotismus sich nicht einmal auf vernünftige Vernunftgründe einlassen, sondern ihn geschichtskundig als ein Gewohnheitsrecht verfechten, woran sich die Menschen im Laufe der Zeit allmählig gewöhnt hätten und das also rechtsgültig und gesetzkräftig unumstößlich sei.

Ach! ich will nicht wie Ham die Decke aufheben von der Scham des Vaterlandes, aber es ist entsetzlich, wie man's bei uns verstanden hat, die Sklaverei sogar geschwätzig zu machen, und wie deutsche Philosophen und Historiker ihr Gehirn abmartern, um jeden Despotismus, und sei er noch so albern und tölpelhaft, als vernünftig oder als rechtsgültig zu verteidigen. Schweigen ist die Ehre der Sklaven, sagt Tacitus; jene Philosophen und Historiker behaupten das Gegenteil und zeigen auf die Ehrenbändchen in ihrem Knopfloch.

Vielleicht habt ihr doch recht, und ich bin nur ein Don Quixote, und das Lesen von allerlei wunderbaren Büchern hat mir den Kopf verwirrt, ebenso wie den Junker von La Mancha, und Jean Jacques Rousseau war mein Amadis von Gallien, Mirabeau war mein Roldan oder Agramanth, und ich habe mich zu sehr hineinstudiert in die Heldentaten der französischen Paladine und der Tafelrunde des Nationalkonvents. Freilich, mein Wahnsinn und die fixen Ideen, die ich aus jenen Büchern geschöpft, sind von entgegengesetzter Art als der Wahnsinn und die fixen Ideen des Manchaners; dieser wollte die untergehende Ritterzeit wieder herstellen, ich hingegen will alles, was aus jener Zeit noch übrig geblieben ist, jetzt vollends vernichten, und da handeln wir also mit ganz verschiedenen Ansichten. Mein Kollege sah Windmühlen für Riesen an, ich hingegen kann in unseren heutigen Riesen nur prahlende Windmühlen sehen, jener sah lederne Weinschläuche für mächtige Zauberer an, ich aber sehe in unseren jetzigen Zauberern nur den ledernen Weinschlauch, jener hielt Bettlerherbergen für Kastelle, Eseltreiber für Kavaliere, Stalldirnen für Hofdamen, ich hingegen halte unsre Kastelle nur für Lumpenherbergen, unsre Kavaliere nur für Eseltreiber, unsere Hofdamen nur für gemeine Stalldirnen, wie jener eine Puppenkomödie für eine Staatsaktion hielt, so halte ich unsre Staatsaktionen für leidige Puppenkomödien – doch ebenso tapfer wie der tapfere Manchaner schlage ich drein in die hölzerne Wirtschaft. Ach! solche Heldentat bekömmt mir oft ebenso schlecht wie ihm, und ich muß, ebenso wie er, viel erdulden für die Ehre meiner Dame. Wollte ich sie verleugnen, aus eitel Furcht oder schnöder Gewinnsucht, so könnte ich behaglich leben in dieser seienden vernünftigen Welt, und ich würde eine schöne Maritorne zum Altare führen und mich einsegnen lassen von feisten Zauberern und mit edlen Eseltreibern bankettieren und gefahrlose Novellen und sonstige kleine Sklävchen zeugen! Statt dessen, geschmückt mit den drei Farben meiner Dame, muß ich beständig auf der Mensur liegen und mich durch unsägliches Drangsal durchschlagen, und ich erfechte keinen Sieg, der mich nicht auch etwas Herzblut kostet. Tag und Nacht bin ich in Nöten; denn jene Feinde sind so tückisch, daß manche, die ich zu Tode getroffen, sich noch immer ein Air gaben, als ob sie lebten, und, in alle Gestalten sich verwandelnd, mir Tag und Nacht verleiden konnten. Wie viel Schmerzen habe ich, durch solchen fatalen Spuk, schon erdulden müssen! Wo mir etwas Liebes blühte, da schlichen sie hin, die heimtückischen Gespenster, und knickten sogar die unschuldigsten Knospen. Überall, und wo ich es am wenigsten vermuten sollte, entdecke ich am Boden ihre silbrichte Schleimspur, und nehme ich mich nicht in Acht, so kann ich verderblich ausgleiten, sogar im Hause der nächsten Lieben. Ihr mögt lächeln und solche Besorgnis für eitel Einbildungen, gleich denen des Don Quixote, halten. Aber eingebildete Schmerzen tun darum nicht minder weh, und bildet man sich ein, etwas Schierling genossen zu haben, so kann man die Auszehrung bekommen, auf keinen Fall wird man davon fett. Und daß ich fett geworden sei, ist eine Verleumdung, wenigstens habe ich noch keine fette Sinekur erhalten, und ich hätte doch die dazu gehörigen Talente. Auch ist von dem Fett der Vetterschaft nichts an mir zu verspüren. Ich bilde mir ein, man habe alles Mögliche angewendet, um mich mager zu halten; als mich hungerte, da fütterte man mich mit Schlangen, als mich dürstete, da tränkte man mich mit Wermut, man goß mir die Hölle ins Herz, daß ich Gift weinte und Feuer seufzte, man kroch mir nach bis in die Träume meiner Nächte – und da sehe ich sie, die grauenhaften Larven, die noblen Lakaiengesichter mit fletschenden Zähnen, die drohenden Bankiernasen, die tödlichen Augen, die aus den Kapuzen hervorstechen, die bleichen Manschettenhände mit blanken Messern –

Auch die alte Frau, die neben mir wohnt, meine Wandnachbarin, hält mich für verrückt und behauptet, ich spräche im Schlafe das wahnsinnigste Zeug, und die vorige Nacht habe sie deutlich gehört, daß ich rief: »Dulcinea ist das schönste Weib der Welt und ich der unglücklichste Ritter auf Erden, aber es ziemt sich nicht, daß meine Schwäche diese Wahrheit verleugne – stoßt zu mit der Lanze, Ritter!«

Spätere Nachschrift
(November 1830)

Ich weiß nicht, welche sonderbare Pietät mich davon abhielt, einige Ausdrücke, die mir bei späterer Durchsicht der vorstehenden Blätter etwas allzu herbe erschienen, im mindesten zu ändern. Das Manuskript war schon so gelb verblichen wie ein Toter, und ich hatte Scheu, es zu verstümmeln. Alles verjährt Geschriebene hat solch inwohnendes Recht der Unverletzlichkeit, und gar diese Blätter, die gewissermaßen einer dunkeln Vergangenheit angehören. Denn sie sind fast ein Jahr vor der dritten bourbonischen Hedschira geschrieben, zu einer Zeit, die weit herber war als der herbste Ausdruck, zu einer Zeit, wo es den Anschein gewann, als könnte der Sieg der Freiheit noch um ein Jahrhundert verzögert werden. Es war wenigstens bedenklich, wenn man sah, wie unsere Ritter so sichere Gesichter bekamen, wie sie die verblaßten Wappen wieder frischbunt anstreichen ließen, wie sie mit Schild und Speer zu München und Potsdam turnierten, wie sie so stolz auf ihren hohen Rossen saßen, als wollten sie nach Quedlinburg reiten, um sich neu auflegen zu lassen bei Gottfried Bassen. Noch unerträglicher waren die triumphierend tückischen Äugelein unserer Pfäffelein, die ihre langen Ohren so schlau unter der Kapuze zu verbergen wußten, daß wir die verderblichsten Kniffe erwarteten. Man konnte gar nicht vorher wissen, daß die edlen Ritter ihre Pfeile so kläglich verschießen würden, und meistens anonym oder wenigstens im Davonjagen, mit abgewendetem Gesichte, wie fliehende Baschkiren. Ebenso wenig konnte man vorher wissen, daß die Schlangenlist unserer Pfäffelein so zuschanden werde – ach! es ist fast Mitleiden erregend, wenn man sieht, wie schlecht sie ihr bestes Gift zu brauchen wissen, da sie uns, aus Wut, in großen Stücken den Arsenik an den Kopf werfen, statt ihn lotweis und liebevoll in unsere Suppen zu schütten, wenn man sieht, wie sie aus der alten Kinderwäsche die verjährten Windeln ihrer Feinde hervorkramen, um Unrat zu erschnüffeln, wie sie sogar die Väter ihrer Feinde aus dem Grabe hervorwühlen, um nachzusehen, ob sie etwa beschnitten waren – O der Toren! die da meinen entdeckt zu haben, der Löwe gehöre eigentlich zum Katzengeschlecht, und die mit dieser naturgeschichtlichen Entdeckung noch so lang herumzischen werden, bis die große Katze das ex ungue leonem an ihrem eignen Fleische bewährt! O der obskuren Wichte, die nicht eher erleuchtet werden, bis sie selbst an der Laterne hängen! Mit den Gedärmen eines Esels möchte ich meine Leier besaiten, um sie nach Würden zu besingen, die geschorenen Dummköpfe!

Eine gewaltige Lust ergreift mich! Während ich sitze und schreibe, erklingt Musik unter meinem Fenster, und an dem elegischen Grimm der langgezogenen Melodie erkenne ich jene Marseiller Hymne, womit der schöne Barbaroux und seine Gefährten die Stadt Paris begrüßten, jener Kuhreigen der Freiheit, bei dessen Tönen die Schweizer in den Tuilerien das Heimweh bekamen, jener triumphierende Todesgesang der Gironde, das alte, süße Wiegenlied –

Welch ein Lied! Es durchschauert mich mit Feuer und Freude und entzündet in mir die glühenden Sterne der Begeisterung und die Raketen des Spottes, Ja, diese sollen nicht fehlen, bei dem großen Feuerwerk der Zeit. Klingende Flammenströme des Gesanges sollen sich ergießen von der Höhe der Freiheitslust, in kühnen Kaskaden, wie sich der Ganges herabstürzt vom Himalaya! Und du, holde Satyra, Tochter der gerechten Themis und des bocksfüßigen Pan, leih mir deine Hülfe, du bist ja mütterlicher Seite dem Titanengeschlechte entsprossen und hassest gleich mir die Feinde deiner Sippschaft, die schwächlichen Usurpatoren des Olymps. Leih mir das Schwert deiner Mutter, damit ich sie richte, die verhaßte Brut, und gib mir die Pickelflöte deines Vaters, damit ich sie zu Tode pfeife –

Schon hören sie das tödliche Pfeifen, und es ergreift sie der panische Schrecken, und sie entfliehen wieder, in Tiergestalten, wie damals, als wir den Pelion stülpten auf den Ossa –

Aux armes, citoyens!

Man tat uns armen Titanen sehr Unrecht, als man die düstre Wildheit tadelte, womit wir, bei jenem Himmelssturm, herauftobten – ach, da unten im Tartaros, da war es grauenhaft und dunkel, und da hörten wir nur Cerberusgeheul und Kettengeklirr, und es ist verzeihlich, wenn wir etwas ungeschlacht erschienen, in Vergleichung mit jenen Göttern comme il faut, die fein und gesittet, in den heiteren Salons des Olymps, so viel lieblichen Nektar und süße Musenkonzerte genossen.

Ich kann nicht weiterschreiben, denn die Musik unter meinem Fenster berauscht mir den Kopf, und immer gewaltiger greift herauf der Refrain:

Aux armes, citoyens!

Englische Fragmente

(1828)

Glückseliges Albion! lustiges Alt-England! warum verließ ich dich? – Um die Gesellschaft von Gentlemen zu fliehen und unter Lumpengesindel der Einzige zu sein, der mit Bewußtsein lebt und handelt?

Die ehrlichen Leute von *W. Alexis*

I

Gespräch auf der Themse

– – – Der gelbe Mann stand neben mir auf dem Verdeck, als ich die grünen Ufer der Themse erblickte und in allen Winkeln meiner Seele die Nachtigallen erwachten. »Land der Freiheit«, rief ich, »ich grüße dich! – Sei mir gegrüßt, Freiheit, junge Sonne der verjüngten Welt! Jene ältere Sonnen, die Liebe und der Glaube, sind welk und kalt geworden und können nicht mehr leuchten und wärmen. Verlassen sind die alten Myrtenwälder, die einst so überbevölkert waren, und nur noch blöde Turteltauben nisten in den zärtlichen Büschen. Es sinken die alten Dome, die einst von einem übermütig frommen Geschlechte, das seinen Glauben in den Himmel hineinbauen wollte, so riesenhoch aufgetürmt wurden; sie sind morsch und verfallen, und ihre Götter glauben an sich selbst nicht mehr. Diese Götter sind abgelebt, und unsere Zeit hat nicht Phantasie genug, neue zu schaffen. Alle Kraft der Menschenbrust wird jetzt zu Freiheitsliebe, und die Freiheit ist vielleicht die Religion der neuen Zeit, und es ist wieder eine Religion, die nicht den Reichen gepredigt wurde, sondern den Armen, und sie hat ebenfalls ihre Evangelisten, ihre Martyrer und ihre Ischariots!«

»Junger Enthusiast«, sprach der gelbe Mann, »Sie werden nicht finden, was Sie suchen. Sie mögen recht haben, daß die Freiheit eine neue Religion ist, die sich über die ganze Erde verbreitet. Aber wie einst jedes Volk, indem es das Christentum annahm, solches nach seinen Bedürfnissen und seinem eigenen Charakter modelte, so wird jedes Volk von der neuen Religion, von der Freiheit, nur dasjenige annehmen, was seinen Lokalbedürfnissen und seinem Nationalcharakter gemäß ist.

Die Engländer sind ein häusliches Volk, sie leben ein begrenztes, umfriedetes Familienleben; im Kreise seiner Angehörigen sucht der Engländer jenes Seelenbehagen, das ihm schon durch seine angeborene gesellschaftliche Unbeholfenheit außer dem Hause versagt ist. Der Engländer ist daher mit jener Freiheit zufrieden, die seine persönlichsten Rechte verbürgt und seinen Leib, sein Eigentum, seine Ehe, seinen Glauben und sogar seine Grillen unbedingt schützt. In seinem Hause ist niemand freier als ein Engländer, um mich eines berühmten Ausdrucks zu bedienen, er ist König und Bischof in seinen vier Pfählen, und nicht unrichtig ist sein gewöhnlicher Wahlspruch: ›my house is my castle.‹

Ist nun bei den Engländern das meiste Bedürfnis nach persönlicher Freiheit, so möchte wohl der Franzose im Notfall diese entbehren können, wenn man ihm nur jenen Teil der allgemeinen Freiheit, den wir Gleichheit nennen, vollauf genießen lassen. Die Franzosen sind kein häusliches Volk, sondern ein geselliges, sie lieben kein schweigendes Beisammensitzen, welches sie ›une conversation anglaise‹ nennen, sie laufen plaudernd vom Kaffeehaus nach dem Kasino, vom Kasino nach den Salons, ihr leichtes Champagnerblut und angeborenes Umgangstalent treibt sie zum Gesellschaftsleben, und dessen erste und letzte Bedingung, ja dessen Seele ist: die Gleichheit. Mit der Ausbildung der Gesellschaftlichkeit in Frankreich mußte daher auch das Bedürfnis der Gleichheit entstehen, und wenn auch der Grund der Revolution im Budget zu suchen ist, so wurde ihr doch zuerst Wort und Stimme verliehen von jenen geistreichen Roturiers, die in den Salons von Paris mit der hohen Noblesse scheinbar auf einem Fuße der Gleichheit lebten und doch dann und wann, sei es auch nur durch ein kaum bemerkbares, aber desto tiefer verletzendes Feudallächeln, an die große, schmachvolle Ungleichheit erinnert wurden; – und wenn die Canaille roturière sich die Freiheit nahm, jene hohe Noblesse zu köpfen, so geschah dieses vielleicht weniger, um ihre Güter als um ihre Ahnen zu erben und statt der bürgerlichen Ungleichheit eine adlige Gleichheit einzuführen. Daß dieses Streben nach Gleichheit das Hauptprinzip der Revolution war, dürfen wir um so mehr glauben, da die Franzosen sich bald glücklich und zufrieden fühlten unter der Herrschaft ihres großen Kaisers, der, ihre Unmündigkeit beachtend, all ihre Freiheit unter seiner strengen Kuratel hielt und ihnen nur die Freude einer völligen, ruhmvollen Gleichheit überließ.

Weit geduldiger als der Franzose erträgt daher der Engländer den Anblick einer bevorrechteten Aristokratie; er tröstet sich, daß er selbst Rechte besitzt, die es jener unmöglich machen, ihn in seinen häuslichen Comforts und in seinen Lebensansprüchen zu stören. Auch trägt jene Aristokratie nicht jene Rechte zur Schau wie auf dem Kontinente. In den Straßen und öffentlichen Vergnügungssälen Londons sieht man bunte Bänder nur auf den Hauben der Weiber und goldne und silberne Abzeichen nur auf den Röcken der Lakaien. Auch jene schöne, bunte Livree, die bei uns einen bevorrechteten Wehrstand ankündigt, ist in England nichts weniger als eine Ehrenauszeichnung; wie ein Schauspieler sich nach der Vorstellung die Schminke abwischt, so eilt auch der englische Offizier, sich seines roten Rocks zu entledigen, sobald die Dienststunde vorüber ist, und im schlichten Rock eines Gentleman ist er wieder ein Gentleman. Nur auf dem Theater zu St. James gelten jene Dekorationen und Kostüme, die aus dem Kehricht des Mittelalters aufbewahrt worden; da flattern die Ordensbänder, da blinken die Sterne, da rauschen die seidenen Hosen und Atlasschleppen, da knarren die goldnen Sporen und altfranzösischen Redensarten, da bläht sich der Ritter, da spreizt sich das Fräulein. – Aber was kümmert einen freien Engländer die Hofkomödie zu St. James! wird er doch nie davon belästigt und verwehrt es ihm ja niemand, wenn er in seinem Hause ebenfalls Komödie spielt und seine Hausoffizianten vor sich knien läßt und mit dem Strumpfband der Köchin tändelt – honny soit qui mal y pense.

Was die Deutschen betrifft, so bedürfen sie weder der Freiheit noch der Gleichheit. Sie sind ein spekulatives Volk, Ideologen, Vor- und Nachdenker, Träumer, die nur in der Vergangenheit und in der Zukunft leben und keine Gegenwart haben. Engländer und Franzosen haben eine Gegenwart, bei ihnen hat jeder Tag seinen Kampf und Gegenkampf und seine Geschichte. Der Deutsche hat nichts, wofür er kämpfen sollte, und da er zu mutmaßen begann, daß es doch Dinge geben könne, deren Besitz wünschenswert wäre, so haben wohlweise seine Philosophen ihn gelehrt, an der Existenz solcher Dinge zu zweifeln. Es läßt sich nicht leugnen, daß auch die Deutschen die Freiheit lieben. Aber anders wie andere Völker. Der Engländer liebt die Freiheit wie sein rechtmäßiges Weib, er besitzt sie, und wenn er sie auch nicht mit absonderlicher Zärtlichkeit behandelt, so weiß er sie doch im Notfall wie ein Mann zu verteidigen, und wehe dem rotgeröckten Burschen, der sich in ihr heiliges Schlafgemach drängt – sei es als Galant oder als Scherge. Der Franzose liebt die Freiheit wie seine erwählte Braut. Er glüht für sie, er flammt, er wirft sich zu ihren Füßen mit den überspanntesten Beteuerungen, er schlägt sich für sie auf Tod und Leben, er begeht für sie tausenderlei Torheiten. Der Deutsche liebt die Freiheit wie seine alte Großmutter.«

Gar wunderlich sind doch die Menschen! Im Vaterlande brummen wir, jede Dummheit, jede Verkehrtheit dort verdrießt uns, wie Knaben möchten wir täglich davonlaufen in die weite Welt; sind wir endlich wirklich in die weite Welt gekommen, so ist uns diese wieder zu weit, und heimlich sehnen wir uns oft wieder nach den engen Dummheiten und Verkehrtheiten der Heimat, und wir möchten wieder dort in der alten, wohlbekannten Stube sitzen und uns, wenn es anginge, ein Haus hinter den Ofen bauen und warm drin hocken und den allgemeinen Anzeiger der Deutschen lesen. So ging es auch mir auf der Reise nach England. Kaum verlor ich den Anblick der deutschen Küste, so erwachte in mir eine kuriose Nachliebe für jene teutonischen Schlafmützen- und Perückenwälder, die ich eben noch mit Unmut verlassen, und als ich das Vaterland aus den Augen verloren hatte, fand ich es im Herzen wieder.

Daher mochte wohl meine Stimme etwas weich klingen, als ich dem gelben Mann antwortete: »Lieber Herr, scheltet mir nicht die Deutschen! Wenn sie auch Träumer sind, so haben doch manche unter ihnen so schöne Träume geträumet, daß ich sie kaum vertauschen möchte gegen die wachende Wirklichkeit unserer Nachbaren. Da wir alle schlafen und träumen, so können wir vielleicht die Freiheit entbehren; denn unsere Tyrannen schlafen ebenfalls und träumen bloß ihre Tyrannei. Nur damals sind wir erwacht, als die katholischen Römer unsere Traumfreiheit geraubt hatten; da handelten wir und siegten und legten uns wieder hin und träumten. O Herr! spottet nicht unserer Träumer, dann und wann, wie Somnambüle, sprechen sie Wunderbares im Schlafe, und ihr Wort wird Saat der Freiheit. Keiner kann absehen die Wendung der Dinge. Der spleenige Britte, seines Weibes überdrüssig, legt ihr vielleicht einst einen Strick um den Hals und bringt sie zum Verkauf nach Smithfield. Der flatterhafte Franzose wird seiner geliebten Braut vielleicht treulos und verläßt sie und tänzelt singend nach den Hofdamen (courtisanes) seines königlichen Palastes (palais royal). Der Deutsche wird aber seine alte Großmutter nie ganz vor die Türe stoßen, er wird ihr immer ein Plätzchen am Herde gönnen, wo sie den horchenden Kindern ihre Märchen erzählen kann. – Wenn einst, was Gott verhüte, in der ganzen Welt die Freiheit verschwunden ist, so wird ein deutscher Träumer sie in seinen Träumen wieder entdecken.«

Während nun das Dampfboot, und auf demselben unser Gespräch, den Strom hinaufschwamm, war die Sonne untergegangen, und ihre letzten Strahlen beleuchteten das Hospital zu Greenwich, ein imposantes palastgleiches Gebäude, das eigentlich aus zwei Flügeln besteht, deren Zwischenraum leer ist und einen mit einem artigen Schlößlein gekrönten, waldgrünen Berg den Vorbeifahrenden sehen läßt. Auf dem Wasser nahm jetzt das Gewühl der Schiffe immer zu, und ich wunderte mich, wie geschickt diese großen Fahrzeuge sich einander ausweichen. Da grüßt im Begegnen manch ernsthaft freundliches Gesicht, das man nie gesehen hat und vielleicht auch nie wieder sehen wird. Man fährt sich so nahe vorbei, daß man sich die Hände reichen könnte zum Willkomm und Abschied zu gleicher Zeit. Das Herz schwillt beim Anblick so vieler schwellenden Segel und wird wunderbar aufgeregt, wenn vom Ufer her das verworrene Summen und die ferne Tanzmusik und der dumpfe Matrosenlärm herandröhnt. Aber im weißen Schleier des Abendnebels verschwimmen allmählig die Konturen der Gegenstände, und sichtbar bleibt nur ein Wald von Mastbäumen, die lang und kahl emporragen.

Der gelbe Mann stand noch immer neben mir und schaute sinnend in die Höhe, als suche er im Nebelhimmel die bleichen Sterne. Noch immer in die Höhe schauend, legte er die Hand auf meine Schulter, und in einem Tone, als wenn geheime Gedanken unwillkürlich zu Worten werden, sprach er: »Freiheit und Gleichheit! man findet sie nicht hier unten und nicht einmal dort oben. Dort jene Sterne sind nicht gleich, einer ist größer und leuchtender als der andere, keiner von ihnen wandelt frei, alle gehorchen sie vorgeschriebenen, eisernen Gesetzen – Sklaverei ist im Himmel wie auf Erden.«

»Das ist der Tower!« rief plötzlich einer unserer Reisegefährten, indem er auf ein hohes Gebäude zeigte, das aus dem nebelbedeckten London wie ein gespenstisch dunkler Traum hervorstieg.

II

London

Ich habe das Merkwürdigste gesehen, was die Welt dem staunenden Geiste zeigen kann, ich habe es gesehen und staune noch immer – noch immer starrt in meinem Gedächtnisse dieser steinerne Wald von Häusern und dazwischen der drängende Strom lebendiger Menschengesichter mit all ihren bunten Leidenschaften, mit all ihrer grauenhaften Hast der Liebe, des Hungers und des Hasses – ich spreche von London.

Schickt einen Philosophen nach London; beileibe keinen Poeten! Schickt einen Philosophen hin und stellt ihn an eine Ecke von Cheapside, er wird hier mehr lernen als aus allen Büchern der letzten Leipziger Messe; und wie die Menschenwogen ihn umrauschen, so wird auch ein Meer von neuen Gedanken vor ihm aufsteigen, der ewige Geist, der darüber schwebt, wird ihn anwehen, die verborgensten Geheimnisse der gesellschaftlichen Ordnung werden sich ihm plötzlich offenbaren, er wird den Pulsschlag der Welt hörbar vernehmen und sichtbar sehen – denn wenn London die rechte Hand der Welt ist, die tätige, mächtige rechte Hand, so ist jene Straße, die von der Börse nach Downingstreet führt, als die Pulsader der Welt zu betrachten.

Aber schickt keinen Poeten nach London! Dieser bare Ernst aller Dinge, diese kolossale Einförmigkeit, diese maschinenhafte Bewegung, diese Verdrießlichkeit der Freude selbst, dieses übertriebene London erdrückt die Phantasie und zerreißt das Herz. Und wolltet ihr gar einen deutschen Poeten hinschicken, einen Träumer, der vor jeder einzelnen Erscheinung stehen bleibt, etwa vor einem zerlumpten Bettelweib oder einem blanken Goldschmiedladen – o! dann geht es ihm erst recht schlimm, und er wird von allen Seiten fortgeschoben oder gar mit einem milden God damn! niedergestoßen. God damn! das verdammte Stoßen! Ich merkte bald, dieses Volk hat viel zu tun. Es lebt auf einem großen Fuße, es will, obgleich Futter und Kleider in seinem Lande teurer sind als bei uns, dennoch besser gefüttert und besser gekleidet sein als wir; wie zur Vornehmheit gehört, hat es auch große Schulden, dennoch aus Großprahlerei wirft es zuweilen seine Guineen zum Fenster hinaus, bezahlt andere Völker, daß sie sich zu seinem Vergnügen herumboxen, gibt dabei ihren respektiven Königen noch außerdem ein gutes Douceur – und deshalb hat John Bull Tag und Nacht zu arbeiten, um Geld zu solchen Ausgaben anzuschaffen, Tag und Nacht muß er sein Gehirn anstrengen zur Erfindung neuer Maschinen, und er sitzt und rechnet im Schweiße seines Angesichts und rennt und läuft, ohne sich viel umzusehen, vom Hafen nach der Börse, von der Börse nach dem Strand, und da ist es sehr verzeihlich, wenn er an der Ecke von Cheapside einen armen deutschen Poeten, der einen Bilderladen angaffend ihm in dem Wege steht, etwas unsanft auf die Seite stößt. »God damn!«

Das Bild aber, welches ich an der Ecke von Cheapside angaffte, war der Übergang der Franzosen über die Beresina.

Als ich, aus dieser Betrachtung aufgerüttelt, wieder auf die tosende Straße blickte, wo ein buntscheckiger Knäul von Männern, Weibern, Kindern, Pferden, Postkutschen, darunter auch ein Leichenzug, sich brausend, schreiend, ächzend und knarrend dahinwälzte: da schien es mir, als sei ganz London so eine Beresinabrücke, wo jeder in wahnsinniger Angst, um sein bißchen Leben zu fristen, sich durchdrängen will, wo der kecke Reuter den armen Fußgänger niederstampft, wo derjenige, der zu Boden fällt, auf immer verloren ist, wo die besten Kameraden fühllos einer über die Leiche des andern dahineilen und Tausende, die, sterbensmatt und blutend, sich vergebens an den Planken der Brücke festklammern wollten, in die kalte Eisgrube des Todes hinabstürzen.

Wie viel heiterer und wohnlicher ist es dagegen in unserem lieben Deutschland! Wie traumhaft gemach, wie sabbatlich ruhig bewegen sich hier die Dinge! Ruhig zieht die Wache auf, im ruhigen Sonnenschein glänzen die Uniformen und Häuser, an den Fliesen flattern die Schwalben, aus den Fenstern lächeln dicke Justizrätinnen, auf den hallenden Straßen ist Platz genug: die Hunde können sich gehörig anriechen, die Menschen können bequem stehen bleiben und über das Theater diskurieren und tief, tief grüßen, wenn irgendein vornehmes Lümpchen oder Vizelümpchen, mit bunten Bändchen auf dem abgeschabten Röckchen, oder ein gepudertes, vergoldetes Hofmarschälkchen gnädig wiedergrüßend vorbeitänzelt!

Ich hatte mir vorgenommen, über die Großartigkeit Londons, wovon ich so viel gehört, nicht zu erstaunen. Aber es ging mir wie dem armen Schulknaben, der sich vornahm, die Prügel, die er empfangen sollte, nicht zu fühlen. Die Sache bestand eigentlich in dem Umstande, daß er die gewöhnlichen Hiebe mit dem gewöhnlichen Stocke, wie gewöhnlich, auf dem Rücken erwartete und statt dessen eine ungewöhnliche Tracht Schläge, auf einem ungewöhnlichen Platze, mit einem dünnen Röhrchen empfing. Ich erwartete große Paläste und sah nichts als lauter kleine Häuser. Aber eben die Gleichförmigkeit derselben und ihre unabsehbare Menge imponiert so gewaltig.

Diese Häuser von Ziegelsteinen bekommen durch feuchte Luft und Kohlendampf gleiche Farbe, nämlich bräunliches Olivengrün; sie sind alle von derselben Bauart, gewöhnlich zwei oder drei Fenster breit, drei hoch und oben mit kleinen roten Schornsteinen geziert, die wie blutig ausgerissene Zähne aussehen, dergestalt, daß die breiten, regelrechten Straßen, die sie bilden, nur zwei unendlich lange kasernenartige Häuser zu sein scheinen. Dieses hat wohl seinen Grund in dem Umstande, daß jede englische Familie, und bestände sie auch nur aus zwei Personen, dennoch ein ganzes Haus, ihr eignes Kastell, bewohnen will und reiche Spekulanten, solchem Bedürfnis entgegenkommend, ganze Straßen bauen, worin sie die Häuser einzeln wieder verhökern. In den Hauptstraßen der City, demjenigen Teil Londons, wo der Sitz des Handels und der Gewerke, wo noch altertümliche Gebäude zwischen den neuen zerstreut sind und wo auch die Vorderseiten der Häuser mit ellenlangen Namen und Zahlen, gewöhnlich goldig und relief, bis ans Dach bedeckt sind: da ist jene charakteristische Einförmigkeit der Häuser nicht so auffallend, um so weniger, da das Auge des Fremden unaufhörlich beschäftigt wird, durch den wunderbaren Anblick neuer und schöner Gegenstände, die an den Fenstern der Kaufläden ausgestellt sind. Nicht bloß diese Gegenstände selbst machen den größten Effekt, weil der Engländer alles, was er verfertigt, auch vollendet liefert und jeder Luxusartikel, jede Astrallampe und jeder Stiefel, jede Teekanne und jeder Weiberrock uns so finished und einladend entgegenglänzt: sondern auch die Kunst der Aufstellung, Farbenkontrast und Mannigfaltigkeit gibt den englischen Kaufläden einen eignen Reiz; selbst die alltäglichsten Lebensbedürfnise erscheinen in einem überraschenden Zauberglanze, gewöhnliche Eßwaren locken uns durch ihre neue Beleuchtung, sogar rohe Fische liegen so wohlgefällig appretiert, daß uns der regenbogenfarbige Glanz ihrer Schuppen ergötzt, rohes Fleisch liegt wie gemalt auf saubern, bunten Porzellantellerchen mit lachender Petersilie umkränzt, ja alles erscheint uns wie gemalt und mahnt uns an die glänzenden und doch so bescheidenen Bilder des Franz Mieris. Nur die Menschen sind nicht so heiter wie auf diesen holländischen Gemälden, mit den ernsthaftesten Gesichtern verkaufen sie die lustigsten Spielsachen, und Zuschnitt und Farbe ihrer Kleidung ist gleichförmig wie ihre Häuser.

Auf der entgegengesetzten Seite Londons, die man das Westende nennt, the west end of the town, und wo die vornehmere und minder beschäftigte Welt lebt, ist jene Einförmigkeit noch vorherrschender; doch gibt es hier ganze lange, gar breite Straßen, wo alle Häuser groß wie Paläste, aber äußerlich nichts weniger als ausgezeichnet sind, außer daß man hier, wie an allen nicht ganz ordinären Wohnhäusern Londons, die Fenster der ersten Etage mit eisengittrigen Balkonen verziert sieht und auch au rez de chaussée ein schwarzes Gitterwerk findet, wodurch eine in die Erde gegrabene Kellerwohnung geschützt wird. Auch findet man in diesem Teile der Stadt große Squares: Reihen von Häusern gleich den obenbeschriebenen, die ein Viereck bilden, in dessen Mitte ein von schwarzem Eisengitter verschlossener Garten mit irgendeiner Statue befindlich ist. Auf allen diesen Plätzen und Straßen wird das Auge des Fremden nirgends beleidigt von baufälligen Hütten des Elends. Überall starrt Reichtum und Vornehmheit, und hineingedrängt in abgelegene

Gäßchen und dunkle, feuchte Gänge wohnt die Armut mit ihren Lumpen und ihren Tränen.

Der Fremde, der die großen Straßen Londons durchwandert und nicht just in die eigentlichen Pöbelquartiere gerät, sieht daher nichts oder sehr wenig von dem vielen Elend, das in London vorhanden ist. Nur hie und da, am Eingange eines dunklen Gäßchens, steht schweigend ein zerfetztes Weib, mit einem Säugling an der abgehärmten Brust, und bettelt mit den Augen. Vielleicht wenn diese Augen noch schön sind, schaut man einmal hinein – und erschrickt ob der Welt von Jammer, die man darin geschaut hat. Die gewöhnlichen Bettler sind alte Leute, meistens Mohren, die an den Straßenecken stehen und, was im kotigen London sehr nützlich ist, einen Pfad für Fußgänger kehren und dafür eine Kupfermünze verlangen. Die Armut in Gesellschaft des Lasters und des Verbrechens schleicht erst des Abends aus ihren Schlupfwinkeln. Sie scheut das Tageslicht um so ängstlicher, je grauenhafter ihr Elend kontrastiert mit dem Übermute des Reichtums, der überall hervorprunkt; nur der Hunger treibt sie manchmal um Mittagszeit aus dem dunkeln Gäßchen, und da steht sie mit stummen, sprechenden Augen und starrt flehend empor zu dem reichen Kaufmann, der geschäftig-geldklimpernd vorübereilt, oder zu dem müßigen Lord, der, wie ein satter Gott, auf hohem Roß einherreitet und auf das Menschengewühl unter ihm dann und wann einen gleichgültig vornehmen Blick wirft, als wären es winzige Ameisen oder doch nur ein Haufen niedriger Geschöpfe, deren Lust und Schmerz mit seinen Gefühlen nichts gemein hat – denn über dem Menschengesindel, das am Erdboden festklebt, schwebt Englands Nobility, wie Wesen höherer Art, die das kleine England nur als ihr Absteigequartier, Italien als ihren Sommergarten, Paris als ihren Gesellschaftssaal, ja die ganze Welt als ihr Eigentum betrachten. Ohne Sorgen und ohne Schranken schweben sie dahin, und ihr Gold ist ein Talisman, der ihre tollsten Wünsche in Erfüllung zaubert.

Arme Armut! wie peinigend muß dein Hunger sein, dort wo andre im höhnenden Überflusse schwelgen! Und hat man dir auch mit gleichgültiger Hand eine Brotkruste in den Schoß geworfen, wie bitter müssen die Tränen sein, womit du sie erweichst! Du vergiftest dich mit deinen eignen Tränen. Wohl hast du recht, wenn du dich zu dem Laster und dem Verbrechen gesellst. Ausgestoßene Verbrecher tragen oft mehr Menschlichkeit im Herzen als jene kühlen, untadelhaften Staatsbürger der Tugend, in deren bleichen Herzen die Kraft des Bösen erloschen ist, aber auch die Kraft des Guten. Und gar das Laster ist nicht immer Laster. Ich habe Weiber gesehen, auf deren Wangen das rote Laster gemalt war, und in ihrem Herzen wohnte himmlische Reinheit. Ich habe Weiber gesehen – ich wollt, ich sähe sie wieder! –

III

Die Engländer

Unter den Bogengängen der Londoner Börse hat jede Nation ihren angewiesenen Platz, und auf hochgesteckten Täfelchen liest man die Namen: Russen, Spanier, Schweden, Deutsche, Malteser, Juden, Hanseaten, Türken usw. Vormals stand jeder Kaufmann unter dem Täfelchen, worauf der Name seiner Nation geschrieben. Jetzt aber würde man ihn vergebens dort suchen; die Menschen sind fortgerückt, wo einst Spanier standen, stehen jetzt Holländer, die Hanseaten traten an die Stelle der Juden, wo man Türken sucht, findet man jetzt Russen, die Italiener stehen, wo einst die Franzosen gestanden, sogar die Deutschen sind weitergekommen.

Wie auf der Londoner Börse, so auch in der übrigen Welt sind die alten Täfelchen stehen geblieben, während die Menschen darunter weggeschoben worden und andere an ihre Stelle gekommen sind, deren neue Köpfe sehr schlecht passen zu der alten Aufschrift. Die alten stereotypen Charakteristiken der Völker, wie wir solche in gelehrten Kompendien und Bierschenken finden, können uns nichts mehr nutzen und nur zu trostlosen Irrtümern verleiten. Wie wir unter unsern Augen in den letzten Jahrzehnten den Charakter unserer westlichen Nachbaren sich allmählig umgestalten sahen, so können wir, seit Aufhebung der Kontinentalsperre, eine ähnliche Umwandlung jenseits des Kanales wahrnehmen. Steife, schweigsame Engländer wallfahren scharweis nach Frankreich, um dort sprechen und sich bewegen zu lernen, und bei ihrer Rückkehr sieht man mit Erstaunen, daß ihnen die Zunge gelöst ist, daß sie nicht mehr wie sonst zwei linke Hände haben und nicht mehr mit Beefsteak und Plumpudding zufrieden sind. Ich selbst habe einen solchen Engländer gesehen, der in Tavistock-Tavern etwas Zucker zu seinem Blumenkohl verlangt hat, eine Ketzerei gegen die strenge anglikanische Küche, worüber der Kellner fast rücklings fiel, indem gewiß seit der römischen Invasion der Blumenkohl in England nie anders als in Wasser abgekocht und ohne süße Zutat verzehrt worden. Es war derselbe Engländer, der, obgleich ich ihn vorher nie gesehen, sich zu mir setzte und einen so zuvorkommend französischen Discours anfing, daß ich nicht umhin konnte, ihm zu gestehen, wie sehr es mich freue, einmal einen Engländer zu finden, der nicht gegen den Fremden zurückhaltend sei, worauf er, ohne Lächeln, ebenso freimütig entgegnete, daß er mit mir spräche, um sich in der französischen Sprache zu üben.

Es ist auffallend, wie die Franzosen täglich nachdenklicher, tiefer und ernster werden, in eben dem Maße, wie die Engländer dahin streben, sich ein legeres, oberflächliches und heiteres Wesen anzueignen; wie im Leben selbst, so auch in der Literatur. Die Londoner Pressen sind vollauf beschäftigt mit fashionablen Schriften, mit Romanen, die sich in der glänzenden Sphäre des High Life bewegen oder dasselbe abspiegeln, wie z. B. »Almacks«, »Vivian Grey«, »Tremaine«, »The Guards«, »Flirtation«, welcher letztere Roman die beste Bezeichnung wäre für die ganze Gattung, für jene Koketterie mit ausländischen Manieren und Redensarten, jene plumpe Feinheit, schwerfällige Leichtigkeit, saure Süßelei, gezierte Roheit, kurz für das ganze unerquickliche Treiben jener hölzernen Schmetterlinge, die in den Sälen West-Londons herumflattern.

Dagegen welche Literatur bietet uns jetzt die französische Presse, jene echte Repräsentantin des Geistes und Willens der Franzosen! Wie ihr großer Kaiser die Muße seiner Gefangenschaft dazu anwandte, sein Leben zu diktieren, uns die geheimsten Ratschlüsse seiner göttlichen Seele zu offenbaren und den Felsen von St. Helena in einen Lehrstuhl der Geschichte zu verwandeln, von dessen Höhe die Zeitgenossen gerichtet und die spätesten Enkel belehrt werden: so haben auch die Franzosen selbst angefangen, die Tage ihres Mißgeschicks, die Zeit ihrer politischen Untätigkeit so rühmlich als möglich zu benutzen; auch sie schreiben die Geschichte ihrer Taten; jene Hände, die so lange das Schwert geführt, werden wieder ein Schrecken ihrer Feinde, indem sie zur Feder greifen, die ganze Nation ist gleichsam beschäftigt mit der Herausgabe ihrer Memoiren, und folgt sie meinem Rate, so veranstaltet sie noch eine ganz besondere Ausgabe ad usum Delphini, mit hübsch kolorierten Abbildungen von der Einnahme der Bastille, dem Tuileriensturm u. dgl. m.

Habe ich aber oben angedeutet, wie heutzutage die Engländer leicht und frivol zu werden suchen und in jene Affenhaut hineinkriechen, die jetzt die Franzosen von sich abstreifen, so muß ich nachträglich bemerken, daß ein solches Streben mehr aus der Nobility und Gentry, der vornehmen Welt, als aus dem Bürgerstande hervorgeht. Im Gegenteil, der gewerbtreibende Teil der Nation, besonders die Kaufleute in den Fabrikstädten und fast alle Schotten, tragen das äußere Gepräge des Pietismus, ja ich möchte sagen Puritanismus, so daß dieser gottselige Teil des Volkes mit den weltlichgesinnten Vornehmen auf dieselbe Weise kontrastiert wie die Kavaliere und Stutzköpfe, die Walter Scott in seinen Romanen so wahrhaft schildert. Man erzeigt dem schottischen Barden zu viele Ehre, wenn man glaubt, sein Genius habe die äußere Erscheinung und innere Denkweise dieser beiden Parteien der Geschichte nachgeschaffen, und es sei ein Zeichen seiner Dichtergröße, daß er, vorurteilsfrei wie ein richtender Gott, beiden ihr Recht antut und beide mit gleicher Liebe behandelt. Wirft man nur einen Blick in die Betstuben von Liverpool oder Manchester und dann in die fashionablen Saloons von West-London, so sieht man deutlich, daß Walter Scott bloß seine eigene Zeit abgeschrieben und ganz heutige Gestalten in alte Trachten gekleidet hat. Bedenkt man gar, daß er von der einen Seite selbst als Schotte, durch Erziehung und Nationalgeist, eine puritanische Denkweise eingesogen hat, auf der andern Seite, als Tory, der sich gar ein Sprößling der Stuarts dünkt, von ganzer Seele recht königlich und adeltümlich gesinnt sein muß und daher seine Gefühle und Gedanken beide Richtungen mit gleicher Liebe umfassen und zugleich durch deren Gegensatz neutralisiert werden: so erklärt sich sehr leicht seine Unparteilichkeit bei der Schilderung der Aristokraten und Demokraten aus Cromwells Zeit, eine Unparteilichkeit, die uns zu dem Irrtume verleitete, als dürften wir in seiner Geschichte Napoleons eine ebenso treue fair-play-Schilderung der französischen Revolutionshelden von ihm erwarten.

Wer England aufmerksam betrachtet, findet jetzt täglich Gelegenheit, jene beiden Tendenzen, die frivole und puritanische, in ihrer widerwärtigsten Blüte und, wie sich von selbst versteht, in ihrem Zweikampf zu beobachten. Eine solche Gelegenheit gab ganz besonders der famöse Prozeß des Herrn Wakefield, eines lustigen Kavaliers, der gleichsam aus dem Stegreif die Tochter des reichen Herrn Turner, eines Liverpooler Kaufmanns, entführt und zu Gretna-Green, wo ein Schmied wohnt, der die stärksten Fesseln schmiedet, geheiratet hatte. Die ganze kopfhängerische Sippschaft, das ganze Volk der Auserlesenen Gottes, schrie Zeter über solche Verruchtheit, in den Betstuben Liverpools erflehte man die Strafe des Himmels über Wakefield und seinen brüderlichen Helfer, die der Abgrund der Erde verschlingen sollte wie die Rotte des Korah, Dathan und Abiram, und um der heiligen Rache noch sicherer zu sein, wurde zu gleicher Zeit in den Gerichtssälen Londons der Zorn der King's-Bench, des Großkanzlers und selbst des Oberhauses auf die Entweiher des heiligsten Sakramentes herabplädiert – während man in den fashionablen Saloons über den kühnen Mädchenräuber gar tolerant zu scherzen und zu lachen wußte. Am ergötzlichsten zeigte sich mir dieser Kontrast beider Denkweisen, als ich einst in der Großen Oper neben zwei dicken manchesternen Damen saß, die diesen Versammlungsort der vornehmen Welt zum erstenmale in ihrem Leben besuchten und den Abscheu ihres Herzens nicht stark genug kund geben konnten, als das Ballett begann und die hochgeschürzten schönen Tänzerinnen ihre üppiggraziösen Bewegungen zeigten, ihre lieben, langen, lasterhaften Beine ausstreckten und plötzlich bacchantisch den entgegenhüpfenden Tänzern in die Arme stürzten; die warme Musik, die Urkleider von fleischfarbigem Tricot, die Naturalsprünge, alles vereinigte sich, den armen Damen Angstschweiß auszupressen, ihre Busen erröteten vor Unwillen, »shocking! for shame, for shame!« ächzten sie beständig, und sie waren so sehr von Schrecken gelähmt, daß sie nicht einmal das Perspektiv vom Auge fortnehmen konnten und bis zum letzten Augenblicke, bis der Vorhang fiel, in dieser Situation sitzen blieben.

Trotz diesen entgegengesetzten Geistes- und Lebensrichtungen findet man doch wieder im englischen Volke eine Einheit der Gesinnung, die eben darin besteht, daß es sich als ein Volk fühlt; die neueren Stutzköpfe und Kavaliere mögen sich immerhin wechselseitig hassen und verachten, dennoch hören sie nicht auf, Engländer zu sein; als solche sind sie einig und zusammengehörig, wie Pflanzen, die aus demselben Boden hervorgeblüht und mit diesem Boden wunderbar verwebt sind. Daher die geheime Übereinstimmung des ganzen Lebens und Webens in England, das uns beim ersten Anblick nur ein Schauplatz der Verwirrung und Widersprüche dünken will. Überreichtum und Misere, Orthodoxie und Unglauben, Freiheit und Knechtschaft, Grausamkeit und Milde, Ehrlichkeit und Gaunerei, diese Gegensätze in ihren tollsten Extremen, darüber der graue Nebelhimmel, von allen Seiten summende Maschinen, Zahlen, Gaslichter, Schornsteine, Zeitungen, Porterkrüge, geschlossene Mäuler, alles dieses hängt so zusammen, daß wir uns keins ohne das andere denken können, und was vereinzelt unser Erstaunen oder Lachen erregen würde, erscheint uns als ganz gewöhnlich und ernsthaft in seiner Vereinigung.

Ich glaube aber, so wird es uns überall gehen, sogar in solchen Ländern, wovon wir noch seltsamere Begriffe hegen und wo wir noch reichere Ausbeute des Lachens und Staunens erwarten. Unsere Reiselust, unsere Begierde, fremde Länder zu sehen, besonders wie wir solche im Knabenalter empfinden, entsteht überhaupt durch jene irrige Erwartung außerordentlicher Kontraste, durch jene geistige Maskeradelust, wo wir Menschen und Denkweise unserer Heimat in jene fremde Länder hineindenken und solchermaßen unsere besten Bekannten in die fremden Kostüme und Sitten vermummen. Denken wir z. B. an die Hottentotten, so sind es die Damen unserer Vaterstadt, die schwarz angestrichen und mit gehöriger Hinterfülle in unserer Vorstellung umhertanzen, während unsere jungen Schöngeister als Buschklepper auf die Palmbäume hinaufklettern; denken wir an die Bewohner der Nordpolländer, so sehen wir dort ebenfalls die wohlbekannten Gesichter, unsere Muhme fährt in ihrem Hundeschlitten über die Eisbahn, der dürre Herr Konrektor liegt auf der Bärenhaut und säuft ruhig seinen Morgentran, die Frau Akziseeinnehmerin, die Frau Inspektorin und die Frau Infibulationsrätin hocken beisammen und kauen Talglichter usw. Sind wir aber in jene Länder wirklich gekommen, so sehen wir bald, daß dort die Menschen mit Sitten und Kostüm gleichsam verwachsen sind, daß die Gesichter zu den Gedanken und die Kleider zu den Bedürfnissen passen, ja daß Pflanzen, Tiere, Menschen und Land ein zusammenstimmendes Ganzes bilden.

IV

The life of Napoleon Buonaparte
by
Walter Scott

Armer Walter Scott! Wärest du reich gewesen, du hättest jenes Buch nicht geschrieben und wärest kein armer Walter Scott geworden! Aber die Curatores der Constableschen Masse kamen zusammen und rechneten und rechneten, und nach langem Subtrahieren und Dividieren schüttelten sie die Köpfe – und dem armen Walter Scott blieb nichts übrig als Lorbeeren und Schulden. Da geschah das Außerordentliche: der Sänger großer Taten wollte sich auch einmal im Heroismus versuchen, er entschloß sich zu einer Cessio bonorum, der Lorbeer des großen Unbekannten wurde taxiert, um große bekannte Schulden zu decken – und so entstand, in hungriger Geschwindigkeit, in bankrotter Begeisterung, das Leben Napoleons, ein Buch, das von den Bedürfnissen des neugierigen Publikums im allgemeinen und des englischen Ministeriums insbesondere gut bezahlt werden sollte.

Lobt ihn, den braven Bürger! lobt ihn, ihr sämlichen Philister des ganzen Erdballs! lob ihn, du liebe Krämertugend, die alles aufopfert, um die Wechsel am Verfalltage einzulösen – nur mir mutet nicht zu, daß auch ich ihn lobe.

Seltsam! der tote Kaiser ist im Grabe noch das Verderben der Briten, und durch ihn hat jetzt Britanniens größter Dichter seinen Lorbeer verloren!

Es war Britanniens größter Dichter, man mag sagen und einwenden, was man will. Zwar die Kritiker seiner Romane mäkelten an seiner Größe und warfen ihm vor: er dehne sich zu sehr ins Breite, er gehe zu sehr ins Detail, er schaffe seine großen Gestalten nur durch Zusammensetzung einer Menge von kleinen Zügen, er bedürfe unzählig vieler Umständlichkeiten, um die starken Effekte hervorzubringen – Aber die Wahrheit zu sagen, er glich hierin einem Millionär, der sein ganzes Vermögen in lauter Scheidemünze liegen hat und immer drei bis vier Wagen mit Säcken voll Groschen und Pfenningen herbeifahren muß, wenn er eine große Summe zu bezahlen hat, und der dennoch, sobald man sich über solche Unart und das mühsame Schleppen und Zählen beklagen will, ganz richtig entgegnen kann: gleichviel wie, so gäbe er doch immer die verlangte Summe, er gäbe sie doch, und er sei im Grunde ebenso zahlfähig und auch wohl ebenso reich wie etwa ein anderer, der nur blanke Goldbarren liegen hat, ja er habe sogar den Vorteil des erleichterten Verkehrs, indem jener sich auf dem großen Gemüsemarkte mit seinen großen Goldbarren, die dort keinen Kurs haben, nicht zu helfen weiß, während jedes Kramweib mit beiden Händen zugreift, wenn ihr gute Groschen und Pfenninge geboten werden. Mit diesem populären Reichtume des britischen Dichters hat es jetzt ein Ende, und er, dessen Münze so courant war, daß die Herzogin und die Schneidersfrau sie mit gleichem Interesse annahmen, er ist jetzt ein armer Walter Scott geworden. Sein Schicksal mahnt an die Sage von den Bergelfen, die neckisch wohltätig den armen Leuten Geld schenken, das hübsch blank und gedeihlich bleibt, solange sie es gut anwenden, das sich aber unter ihren Händen in eitel Staub verwandelt, sobald sie es zu nichtswürdigen Zwecken mißbrauchen. Sack nach Sack öffnen wir Walter Scotts neue Zufuhr, und siehe da! statt der blitzenden, lachenden Gröschlein finden wir nichts als Staub und wieder Staub. Ihn bestraften die Bergelfen des Parnassus, die Musen, die, wie alle edelsinnigen Weiber, leidenschaftliche Napoleonistinnen sind und daher doppelt empört waren über den Mißbrauch der verliehenen Geistesschätze.

Wert und Tendenz des Scottschen Werks sind in allen Zeitschriften Europas beleuchtet worden. Nicht bloß die erbitterten Franzosen, sondern auch die bestürzten Landsleute des Verfassers haben das Verdammungsurteil ausgesprochen. In diesen allgemeinen Weltunwillen mußten auch die Deutschen einstimmen; mit schwerverhaltenem Feuereifer sprach das Stuttgarter Literaturblatt, mit kalter Ruhe äußerten sich die Berliner Jahrbücher für wissenschaftliche Kritik, und der Rezensent, der jene kalte Ruhe um so wohlfeiler erschwang, je weniger teuer ihm der Held des Buches sein muß, charakterisiert dasselbe mit den trefflichen Worten:

»In dieser Erzählung ist weder Gehalt noch Farbe, weder Anordnung noch Lebendigkeit zu finden. Verworren in oberflächlicher, nicht in tiefer Verwirrung, ohne Hervortreten des Eigentümlichen, unsicher und wandelbar, zieht der gewaltige Stoff träge vorüber; kein Vorgang erscheint in seiner bestimmten Eigenheit, nirgends werden die springenden Punkte sichtbar, kein Ereignis wird deutlich, keines tritt in seiner Notwendigkeit hervor, die Verbindung ist nur äußerlich, Gehalte und Bedeutung kaum geahnet. In solcher Darstellung muß alles Licht der Geschichte erlöschen, und sie selbst wird zum nicht wunderbaren, sondern gemeinen Märchen. Die Überlegungen und Betrachtungen, welche sich öfters dem Vortrag einschieben, sind von einer entsprechenden Art. Solch dünnlicher philosophischer Bereitung ist unsre Lesewelt längst entwachsen. Der dürftige Zuschnitt einer am einzelnen haftenden Moral reicht nirgend aus. – –«

Dergleichen und noch schlimmere Dinge, die der scharfsinnige Berliner Rezensent, Varnhagen von Ense, ausspricht, würde ich dem Walter Scott gern verzeihen. Wir sind alle Menschen, und der beste von uns kann einmal ein schlechtes Buch schreiben. Man sagt alsdann, es sei unter aller Kritik, und die Sache ist abgemacht. Verwunderlich bleibt es zwar, daß wir in diesem neuen Werke nicht einmal Scotts schönen Stil wiederfinden. In die farblose, wochentägliche Rede werden vergebens hie und da etliche rote, blaue und grüne Worte eingestreut, vergebens sollen glänzende Läppchen aus den Poeten die prosaische Blöße bedekken, vergebens wird die ganze Arche Noä geplündert, um bestialische Vergleichungen zu liefern, vergebens wird sogar das Wort Gottes zitiert, um die dummen Gedanken zu überschilden. Noch verwunderlicher ist es, daß es dem Walter Scott nicht einmal gelang, sein angeborenes Talent der Gestaltenzeichnung auszuüben und den äußern Napoleon aufzufassen. Walter Scott lernte nichts aus jenen schönen Bildern, die den Kaiser in der Umgebung seiner Generale und Staatsleute darstellen, während doch jeder, der sie unbefangen betrachtet, tief betroffen wird von der tragischen Ruhe und antiken Gemessenheit jener Gesichtszüge, die gegen die modern aufgeregten, pittoresken Tagsgesichter so schauerlich erhaben kontrastieren und etwas herabgestiegen Göttliches beurkunden. Konnte aber der schottische Dichter nicht die Gestalt, so konnte er noch viel weniger den Charakter des Kaisers begreifen, und gern verzeih ich ihm auch die Lästerung eines Gottes, den er nicht kennt. Ich muß ihm ebenfalls verzeihen, daß er seinen Wellington für einen Gott hält und bei der Apotheose desselben so sehr in Andacht gerät, daß er, der doch so stark in Viehbildern ist, nicht weiß, womit er ihn vergleichen soll.

Bin ich aber tolerant gegen Walter Scott und verzeihe ich ihm die Gehaltlosigkeit, Irrtümer, Lästerungen und Dummheiten seines Buches, verzeih ich ihm sogar die lange Weile, die es mir verursacht – so darf ich ihm doch nimmermehr die Tendenz desselben verzeihen. Diese ist nichts Geringeres als die Exkulpation des englischen Ministeriums in Betreff des Verbrechens von St. Helena. »In diesem Gerichtshandel zwischen dem englischen Ministerium und der öffentlichen Meinung«, wie der Berliner Rez. sich ausdrückt, »macht Walter Scott den Sachwalter«, er verbindet Advokatenkniffe mit seinem poetischen Talente, um den Tatbestand und die Geschichte zu verdrehen, und seine Klienten, die zugleich seine Patrone sind, dürften ihm wohl, außer seinen Sporteln, noch extra ein Douceur in die Hand drücken.

Die Engländer haben den Kaiser bloß ermordet, aber Walter Scott hat ihn verkauft. Es ist ein rechtes Schottenstück, ein echt schottisches Nationalstückchen, und man sieht, daß schottischer Geiz noch immer der alte, schmutzige Geiz ist und sich nicht sonderlich verändert hat seit den Tagen von Naseby, wo die Schotten ihren eigenen König, der sich ihrem Schutze anvertraut, für die Summe von 400000 Pf. St. an seine englischen Henker verkauft haben. Jener König ist derselbe Karl Stuart, den jetzt Caledonias Barden so herrlich besingen – der Engländer mordet, aber der Schotte verkauft und besingt.

Das englische Ministerium hat seinem Advokaten zu obigem Behufe das Archiv des foreign office geöffnet, und dieser hat, im neunten Bande seines Werks, die Aktenstücke, die ein günstiges Licht auf seine Partei und einen nachteiligen Schatten auf deren Gegner werfen konnten, gewissenhaft benutzt. Deshalb gewinnt dieser neunte Band, bei all seiner ästhetischen Wertlosigkeit, worin er den vorhergehenden Bänden nichts nachgibt, dennoch ein gewisses Interesse: man erwartet bedeutende Aktenstücke, und da man deren keine findet, so ist das ein Beweis, daß deren keine vorhanden waren, die zu Gunsten der englischen Minister sprechen – und dieser negative Inhalt des Buches ist ein wichtiges Resultat.

Alle Ausbeute, die das englische Archiv liefert, beschränkt sich auf einige glaubwürdige Kommunikationen des edeln Sir Hudson Lowe und dessen Myrmidionen und einige Aussagen des General Gourgaud, der, wenn solche wirklich von ihm gemacht worden, als ein schamloser Verräter seines kaiserlichen Herrn und Wohltäters ebenfalls Glauben verdient. Ich will das Faktum dieser Aussagen nicht untersuchen, es scheint sogar wahr zu sein, da es der Baron Stürmer, einer von den drei Statisten der großen Tragödie, konstatiert hat; aber ich sehe nicht ein, was im günstigsten Falle dadurch bewiesen wird, außer daß Sir Hudson Lowe nicht der einzige Lump auf St. Helena war. Mit Hülfsmitteln solcher Art und erbärmlichen Suggestionen behandelt Walter Scott die Gefangenschaftsgeschichte Napoleons und bemüht sich, uns zu überzeugen: daß der Exkaiser – so nennt ihn der Exdichter – nichts Klügeres tun konnte, als sich den Engländern zu übergeben, obgleich er seine Abführung nach St. Helena vorauswissen mußte, daß er dort ganz scharmant behandelt worden, indem er vollauf zu essen und zu trinken hatte, und daß er endlich, frisch und gesund und als ein guter Christ, an einem Magenkrebse gestorben.

Walter Scott, indem er solchermaßen den Kaiser voraussehen läßt, wie weit sich die Generosität der Engländer erstrecken würde, nämlich bis St. Helena, befreit ihn von dem gewöhnlichen Vorwurf: die tragische Erhabenheit seines Unglücks habe ihn selbst so gewaltig begeistert, daß er zivilisierte Engländer für persische Barbaren und die Beefsteakküche von St. James für den Herd eines großen Königs ansah – und eine heroische Dummheit beging. Auch macht Walter Scott den Kaiser zu dem größten Dichter, der jemals auf dieser Welt gelebt hat, indem er uns ganz ernsthaft insinuiert, daß alle jene denkwürdigen Schriften, die seine Leiden auf St. Helena berichten, sämtlich von ihm selbst diktiert worden.

Ich kann nicht umhin, hier die Bemerkung zu machen, daß dieser Teil des Walter Scottschen Buches, so wie überhaupt die Schriften selbst, wovon er hier spricht, absonderlich die Memoiren von O'Meara, auch die Erzählung des Capitain Maitland, mich zuweilen an die possenhafteste Geschichte von der Welt erinnert, so daß der schmerzlichste Unmut meiner Seele plötzlich in muntre Lachlust übergehen will. Diese Geschichte ist aber keine andere als »die Schicksale des Lemuel Gulliver«, ein Buch, worüber ich einst als Knabe so viel gelacht und worin gar ergötzlich zu lesen ist: wie die kleinen Liliputaner nicht wissen, was sie mit dem großen Gefangenen anfangen sollen, wie sie tausendweise an ihm herumklettern und ihn mit unzähligen dünnen Härchen fest binden, wie sie mit großen Anstalten ihm ein eigenes großes Haus errichten, wie sie über die Menge Lebensmittel klagen, die sie ihm täglich verabreichen müssen, wie sie ihn im Staatsrat anschwärzen und beständig jammern, daß er dem Lande zu viel koste, wie sie ihn gern umbringen möchten, ihn aber noch im Tode fürchten, da sein Leichnam eine Pest hervorbringen könne, wie sie sich endlich zur glorreichsten Großmut entschließen und ihm seinen Titel lassen und nur seine Augen ausstechen wollen usw. Wahrlich, überall ist Liliput, wo ein großer Mensch unter kleine Menschen gerät, die unermüdlich und auf die kleinlichste Weise ihn abquälen und die wieder durch ihn genug Qual und Not ausstehen; aber hätte der Dechant Swift in unserer Zeit sein Buch geschrieben, so würde man in dessen scharfgeschliffenem Spiegel nur die Gefangenschaftsgeschichte des Kaisers erblicken und bis auf die Farbe des Rocks und des Gesichts die Zwerge erkennen, die ihn gequält haben.

Nur der Schluß des Märchens von St. Helena ist anders, der Kaiser stirbt an einem Magenkrebs, und Walter Scott versichert uns, das sei die alleinige Ursache seines Todes. Darin will ich ihm auch nicht widersprechen. Die Sache ist nicht unmöglich. Es ist möglich, daß ein Mann, der auf der Folterbank gespannt liegt, plötzlich ganz natürlich an einem Schlagfluß stirbt. Aber die böse Welt wird sagen: die Folterknechte haben ihn hingerichtet. Die böse Welt hat sich nun einmal vorgenommen, die Sache ganz anders zu betrachten wie der gute Walter Scott. Wenn dieser gute Mann, der sonst so bibelfest ist und gern das Evangelium zitiert, in jenem Aufruhr der Elemente, in jenem Orkane, der beim Tode Napoleons ausbrach, nichts anders sieht als ein Ereignis, das auch beim Tode Cromwells stattfand: so hat doch die Welt darüber ihre eigenen Gedanken. Sie betrachtet den Tod Napoleons als die entsetzlichste Untat, losbrechendes Schmerzgefühl wird Anbetung, vergebens macht Walter Scott den Advocatum Diaboli, die Heiligsprechung des toten Kaisers strömt aus allen edeln Herzen, alle edeln Herzen des europäischen Vaterlandes verachten seine kleinen Henker und den großen Barden, der sich zu ihrem Complicen gesungen, die Musen werden bessere Sänger zur Feier ihres Lieblings begeistern, und wenn einst Menschen verstummen, so sprechen die Steine, und der Martyrfelsen St. Helena ragt schauerlich aus den Meereswellen und erzählt den Jahrtausenden seine ungeheure Geschichte.

V

Old Bailey

Schon der Name Old Bailey erfüllt die Seele mit Grauen. Man denkt sich gleich ein großes, schwarzes, mißmütiges Gebäude, einen Palast des Elends und des Verbrechens. Der linke Flügel, der das eigentliche Newgate bildet, dient als Kriminalgefängnis, und da sieht man nur eine hohe Wand von wetterschwarzen Quadern, worin zwei Nischen mit ebenso schwarzen allegorischen Figuren, und wenn ich nicht irre, stellt eine von ihnen die Gerechtigkeit vor, indem, wie gewöhnlich, die Hand mit der Waage abgebrochen ist und nichts als ein blindes Weibsbild mit einem Schwerte übrig blieb. Ungefähr gegen die Mitte des Gebäudes ist der Altar dieser Göttin, nämlich das Fenster, wo das Galgengerüst zu stehen kommt, und endlich rechts befindet sich der Kriminalgerichtshof, worin die vierteljährlichen Sessionen gehalten werden. Hier ist ein Tor, das gleich den Pforten der Danteschen Hölle die Inschrift tragen sollte:

Per me si va nella città dolente,
Per me si va nell' eterno dolore,
Per me si va tra la perduta gente.

Durch dieses Tor gelangt man auf einen kleinen Hof, wo der Abschaum des Pöbels versammelt ist, um die Verbrecher durchpassieren zu sehen; auch stehen hier Freunde und Feinde derselben, Verwandte, Bettelkinder, Blödsinnige, besonders alte Weiber, die den Rechtsfall des Tages abhandeln, und vielleicht mit mehr Einsicht als Richter und Jury, trotz all ihrer kurzweiligen Feierlichkeit und langweiligen Jurisprudenz. Hab ich doch draußen vor der Gerichtstüre eine alte Frau gesehen, die im Kreise ihrer Gevatterinnen den armen schwarzen William besser verteidigte als drinnen im Saale dessen grundgelehrter Advokat – wie sie die letzte Träne mit der zerlumpten Schürze aus den roten Augen wegwischte, schien auch Williams ganze Schuld vertilgt zu sein.

Im Gerichtssaale selbst, der nicht besonders groß, ist unten, vor der sogenannten Bar (Schranken), wenig Platz für das Publikum; dafür gibt es aber oben, an beiden Seiten, sehr geräumige Galerien mit erhöheten Bänken, wo die Zuschauer, Kopf über Kopf, gestapelt stehen.

Als ich Old Bailey besuchte, fand auch ich Platz auf einer solchen Galerie, die mir von einer alten Pförtnerin gegen Gratifikation eines Schillings erschlossen wurde. Ich kam in dem Augenblick, wo die Jury sich erhob, um zu urteilen: ob der schwarze William des angeklagten Verbrechens schuldig oder nicht schuldig sei.

Auch hier, wie in den andern Gerichtshöfen Londons, sitzen die Richter in blauschwarzer Toga, die hellviolett gefüttert ist, und ihr Haupt bedeckt die weißgepuderte Perucke, womit oft die schwarzen Augenbraunen und schwarzen Backenbärte gar drollig kontrastieren. Sie sitzen an einem langen grünen Tische, auf erhabenen Stühlen, am obersten Ende des Saales, wo an der Wand mit goldenen Buchstaben eine Bibelstelle, die vor ungerechtem Richterspruch warnt, eingegraben steht. An beiden Seiten sind Bänke für die Männer der Jury und Plätze zum Stehen für Kläger und Zeugen. Den Richtern gerade gegenüber ist der Platz der Angeklagten; diese sitzen nicht auf einem Armesünderbänkchen wie bei den öffentlichen Gerichten in Frankreich und Rheinland, sondern aufrecht stehen sie hinter einem wunderlichen Brette, das oben wie ein schmalgebogenes Tor ausgeschnitten ist. Es soll dabei ein künstlicher Spiegel angebracht sein, wodurch der Richter imstande ist, jede Miene der Angeklagten deutlich zu beobachten. Auch liegen einige grüne Kräuter vor letzteren, um ihre Nerven zu stärken, und das mag zuweilen nötig sein, wo man angeklagt steht auf Leib und Leben. Auch auf dem Tische der Richter sah ich dergleichen grüne Kräuter und sogar eine Rose liegen. Ich weiß nicht, wie es kommt, der Anblick dieser Rose hat mich tief bewegt. Die rote blühende Rose, die Blume der Liebe und des Frühlings, lag auf dem schrecklichen Richtertische von Old Bailey! Es war im Saale so schwül und dumpfig. Es schaute alles so unheimlich mürrisch, so wahnsinnig ernst. Die Menschen sahen aus, als kröchen ihnen graue Spinnen über die blöden Gesichter. Hörbar klirrten die eisernen Waagschalen über dem Haupte des armen schwarzen Williams.

Auch auf der Galerie bildete sich eine Jury. Eine dicke Dame, aus deren rotaufgedunsenem Gesicht die kleinen Äuglein wie Glühwürmchen hervorglimmten, machte die Bemerkung, daß der schwarze William ein sehr hübscher Bursche sei. Indessen ihre Nachbarin, eine zarte piepsende Seele in einem Körper von schlechtem Postpapier, behauptete: er trüge das schwarze Haar zu lang und zottig und blitze mit den Augen wie Herr Kean im Othello – »dagegen«, fuhr sie fort, »ist doch der Thomson ein ganz anderer Mensch, mit hellem Haar und glatt gekämmt nach der Mode, und er ist ein sehr geschickter Mensch, er bläst ein bißchen die Flöte, er malt ein bißchen, er spricht ein bißchen Französisch« – »Und stiehlt ein bißchen« fügte die dicke Dame hinzu. »Ei was stehlen«, versetzte die dünne Nachbarin, »das ist doch nicht so barbarisch wie Fälschung; denn ein Dieb, es sei denn, er habe ein Schaf gestohlen, wird nach Botany Bay transportiert, während der Bösewicht, der eine Handschrift verfälscht hat, ohne Gnad und Barmherzigkeit gehenkt wird.« »Ohne Gnad und Barmherzigkeit!« seufzte neben mir ein magerer Mann in einem verwirrten schwarzen Rock, »Hängen! kein Mensch hat das Recht, einen andern umbringen zu lassen, am allerwenigsten sollten Christen ein Todesurteil fällen, da sie doch daran denken sollten, daß der Stifter ihrer Religion, unser Herr und Heiland, unschuldig verurteilt und hingerichtet worden!« »Ei was«, rief wieder die dünne Dame und lächelte mit ihren dünnen Lippen, »wenn so ein Fälscher nicht gehenkt würde, wäre ja kein reicher Mann seines Vermögens sicher, z. B. der dicke Jude in Lombard Street, Saint Swithins Lane, oder unser Freund Herr Scott, dessen Handschrift so täuschend nachgemacht worden. Und Herr Scott hat doch sein Vermögen so sauer erworben, und man sagt sogar, er sei dadurch reich geworden, daß er für Geld die

Krankheiten anderer auf sich nahm, ja die Kinder laufen ihm jetzt noch auf der Straße nach und rufen: ›Ich gebe dir ein Sixpens, wenn du mir mein Zahnweh abnimmst, wir geben dir einen Schilling, wenn du Gottfriedchens Buckel nehmen willst‹« – »Kurios!« fiel ihr die dicke Dame in die Rede, »es ist doch kurios, daß der schwarze William und der Thomson früherhin die besten Spießgesellen gewesen sind und zusammen gewohnt und gegessen und getrunken haben und jetzt Edward Thomson seinen alten Freund der Fälschung anklagt! Warum ist aber die Schwester von Thomson nicht hier, da sie doch sonst ihrem süßen William überall nachgelaufen?« Ein junges schönes Frauenzimmer, über dessen holdem Gesichte eine dunkle Betrübnis verbreitet lag, wie ein schwarzer Flor über einem blühenden Rosenstrauch, flüsterte jetzt eine ganz lange, verweinte Geschichte, wovon ich nur so viel verstand, daß ihre Freundin, die schöne Mary, von ihrem Bruder gar bitterlich geschlagen worden und todkrank zu Bette liege. »Nennt sie doch nicht die schöne Mary!« brummte verdrießlich die dicke Dame, »viel zu mager, sie ist viel zu mager, als daß man sie schön nennen könnte, und wenn gar ihr William gehenkt wird –«

In diesem Augenblick erschienen die Männer der Jury und erklärten: daß der Angeklagte der Fälschung schuldig sei. Als man hierauf den schwarzen William aus dem Saale fortführte, warf er einen langen, langen Blick auf Edward Thomson.

Nach einer Sage des Morgenlandes war Satan einst ein Engel und lebte im Himmel mit den andern Engeln, bis er diese zum Abfall verleiten wollte und deshalb von der Gottheit hinuntergestoßen wurde in die ewige Nacht der Hölle. Während er aber vom Himmel hinabsank, schaute er immer noch in die Höhe, immer nach dem Engel, der ihn angeklagt hatte; je tiefer er sank, desto entsetzlicher und immer entsetzlicher wurde sein Blick – Und es muß ein schlimmer Blick gewesen sein; denn jener Engel, den er traf, wurde bleich, niemals trat wieder Röte in seine Wangen, und er heißt seitdem der Engel des Todes.

Bleich wie der Engel des Todes wurde Edward Thomson.

VI

Das neue Ministerium

In Bedlam habe ich vorigen Sommer einen Philosophen kennen gelernt, der mir, mit heimlichen Augen und flüsternder Stimme, viele wichtige Aufschlüsse über den Ursprung des Übels gegeben hat. Wie mancher andere seiner Kollegen meinte auch er, daß man hierbei etwas Historisches annehmen müsse. Was mich betrifft, ich neigte mich ebenfalls zu einer solchen Annahme und erklärte das Grundübel der Welt aus dem Umstand: daß der liebe Gott zu wenig Geld erschaffen habe.

»Du hast gut reden«, antwortete der Philosoph, »der liebe Gott war sehr knapp bei Cassa, als er die Welt erschuf. Er mußte das Geld dazu vom Teufel borgen und ihm die ganze Schöpfung als Hypothek verschreiben. Da ihm nun der liebe Gott von Gott und Rechts wegen die Welt noch schuldig ist, so darf er ihm auch aus Delikatesse nicht verwehren, sich darin herumzutreiben und Verwirrung und Unheil zu stiften. Der Teufel aber ist seinerseits wieder sehr stark dabei interessiert, daß die Welt nicht ganz zugrunde und folglich seine Hypothek verloren gehe; er hütet sich daher, es allzu toll zu machen, und der liebe Gott, der auch nicht dumm ist und wohl weiß, daß er im Eigennutz des Teufels seine geheime Garantie hat, geht oft so weit, daß er ihm die ganze Herrschaft der Welt anvertraut, d. h. dem Teufel den Auftrag gibt, ein Ministerium zu bilden. Dann geschieht, was sich von selbst versteht, Samiel erhält das Kommando der höllischen Heerscharen, Belzebub wird Kanzler, Vizliputzli wird Staatssekretär, die alte Großmutter bekommt die Kolonien usw. Diese Verbündeten wirtschaften dann in ihrer Weise, und indem sie, trotz des bösen Willens ihrer Herzen, aus Eigennutz gezwungen sind, das Heil der Welt zu befördern, entschädigen sie sich für diesen Zwang dadurch, daß sie zu den guten Zwecken immer die niederträchtigsten Mittel anwenden. Sie trieben es jüngsthin so arg, daß Gott im Himmel solche Greuel nicht länger ansehen konnte und einem guten Engel den Auftrag gab, ein neues Ministerium zu bilden. Dieser sammelte nun um sich her alle guten Geister. Freudige Wärme durchdrang wieder die Welt, es wurde Licht, und die bösen Geister entwichen. Aber sie legten doch nicht ruhig die Klauen in den Schoß; heimlich wirken sie gegen alles Gute, sie vergiften die neuen Heilquellen, sie zerknicken hämisch jede Rosenknospe des neuen Frühlings, mit ihren Amendements zerstören sie den Baum des Lebens, chaotisches Verderben droht, alles zu verschlingen, und der liebe Gott wird am Ende wieder dem Teufel die Herrschaft der Welt übergeben müssen, damit sie, sei es auch durch die schlechtesten Mittel, wenigstens erhalten werde. Siehst du, das ist die schlimme Nachwirkung einer Schuld.«

Diese Mitteilung meines Freundes in Bedlam erklärte vielleicht den jetzigen englischen Ministerwechsel. Erliegen müssen die Freunde Cannings, die ich die guten Geister Englands nenne, weil ihre Gegner dessen Teufel sind; diese, den dummen Teufel Wellington an ihrer Spitze, erheben jetzt ihr Siegesgeschrei. Schelte mir keiner den armen Georg, er mußte den Umständen nachgeben. Man kann nicht leugnen, daß nach Cannings Tode die Whigs nicht imstande waren, die Ruhe in England zu erhalten, da die Maßregeln, die sie deshalb zu ergreifen hatten, beständig von den Tories vereitelt wurden. Der König, dem die Erhaltung der öffentlichen Ruhe, d. h. die Sicherheit seiner Krone, als das Wichtigste erscheint, mußte daher den Tories selbst wieder die Verwaltung des Staates überlassen – Und o! sie werden jetzt wieder, nach wie vor, alle Früchte des Volksfleißes in ihren eigenen Säckel hineinverwalten, sie werden als regierende Kornjuden die Preise ihres Getreides in die Höhe treiben, John Bull wird vor Hunger mager werden, er wird endlich für einen Bissen Brot sich leibeigen selbst den hohen Herren verkaufen, sie werden ihn vor den Pflug spannen und peitschen, er wird nicht einmal brummen dürfen, denn auf der einen Seite droht ihm der Herzog von Wellington mit dem Schwerte, und auf der andern Seite schlägt ihn der Erzbischof von Canterbury mit der Bibel auf den Kopf – und es wird Ruhe im Lande sein.

Die Quelle jener Übel ist die Schuld, the national debt, oder, wie Cobbett sagt, the king's debt. Cobbett bemerkt nämlich mit Recht: während man allen Instituten den Namen des Königs voransetzt, z. B. the king's army, the king's navy, the king's courts, the king's prisons etc., wird doch die Schuld, die eigentlich aus jenen Instituten hervorging, niemals the king's debt genannt, und sie ist das Einzige, wobei man der Nation die Ehre erzeigt, etwas nach ihr zu benennen.

Der Übel größtes ist die Schuld. Sie bewirkt zwar, daß der englische Staat sich erhält und daß sogar dessen ärgste Teufel ihn nicht zugrunde richten; aber sie bewirkt auch, daß ganz England eine große Tretmühle geworden, wo das Volk Tag und Nacht arbeiten muß, um seine Gläubiger zu füttern, daß England vor lauter Zahlungssorgen alt und grau und aller heiteren Jugendgefühle entwöhnt wird, daß England, wie bei starkverschuldeten Menschen zu geschehen pflegt, zur stumpfsten Resignation niedergedrückt ist und sich nicht zu helfen weiß – obgleich 900 000 Flinten und ebenso viel Säbel und Bajonette im Tower zu London aufbewahrt liegen.

VII

Die Schuld

Als ich noch sehr jung war, gab es drei Dinge, die mich ganz vorzüglich interessierten, wenn ich Zeitungen las. Zuvörderst, unter dem Artikel »Großbritannien«, suchte ich gleich: ob Richard Martin keine neue Bittschrift für die mildere Behandlung der armen Pferde, Hunde und Esel dem Parlamente übergeben. Dann, unter dem Artikel »Frankfurt«, suchte ich nach, ob der Herr Doktor Schreiber nicht wieder beim Bundestag für die großherzoglich hessischen Domänenkäufer eingekommen. Hierauf aber fiel ich gleich über die Türkei her und durchlas das lange Konstantinopel, um nur zu sehen, ob nicht wieder ein Großvezier mit der seidenen Schnur beehrt worden.

Dieses letztere gab mir immer den meisten Stoff zum Nachdenken. Daß ein Despot seinen Diener ohne Umstände erdrosseln läßt, fand ich ganz natürlich. Sah ich doch einst in der Menagerie, wie der König der Tiere so sehr in majestätischen Zorn geriet, daß er gewiß manchen unschuldigen Zuschauer zerrissen hätte, wäre er nicht in einer sichern Konstitution, die aus eisernen Stangen verfertigt war, eingesperrt gewesen. Aber was mich Wunder nahm, war immer der Umstand, daß nach der Erdrosselung des alten Herrn Großveziers sich immer wieder jemand fand, der Lust hatte, Großvezier zu werden.

Jetzt, wo ich etwas älter geworden bin und mich mehr mit den Engländern als mit ihren Freunden, den Türken, beschäftige, ergreift mich ein analoges Erstaunen, wenn ich sehe, wie nach dem Abgang eines englischen Premierministers gleich ein anderer sich an dessen Stelle drängt und dieser andere immer ein Mann ist, der auch ohne dieses Amt zu leben hätte und auch (Wellington ausgenommen) nichts weniger als ein Dummkopf ist. Schrecklicher als durch die seidene Schnur endigen ja alle englischen Minister, die länger als ein Semester dieses schwere Amt verwaltet. Besonders ist dieses der Fall seit der französischen Revolution; Sorg und Not haben sich vermehrt in Downingstreet, und die Last der Geschäfte ist kaum zu ertragen.

Einst waren die Verhältnisse in der Welt weit einfacher, und die sinnigen Dichter verglichen den Staat mit einem Schiffe und den Minister mit dessen Steuermann. Jetzt aber ist alles komplizierter und verwickelter, das gewöhnliche Staatsschiff ist ein Dampfboot geworden, und der Minister hat nicht mehr ein einfaches Ruder zu regieren, sondern als verantwortlicher Enginer steht er unten zwischen dem ungeheuern Maschinenwerk, untersucht ängstlich jedes Eisenstiftchen, jedes Rädchen, wodurch etwa eine Stockung entstehen könnte, schaut Tag und Nacht in die lodernde Feueresse und schwitzt vor Hitze und Sorge – sintemalen durch das geringste Versehen von seiner Seite der große Kessel zerspringen und bei dieser Gelegenheit Schiff und Mannschaft zugrunde gehen könnte. Der Capitain und die Passagiere ergehen sich unterdessen ruhig auf dem Verdecke, ruhig flattert die Flagge auf dem Seitenmast, und wer das Boot so ruhig dahinschwimmen sieht, ahnet nicht, welche gefährliche Maschinerie und welche Sorge und Not in seinem Bauche verborgen ist.

Frühzeitigen Todes sinken sie dahin, die armen verantwortlichen Engineers des englischen Staatsschiffes. Rührend ist der frühe Tod des großen Pitt, rührender der Tod des größeren Fox. Perceval wäre an der gewöhnlichen Ministerkrankheit gestorben, wenn nicht ein Dolchstoß ihn schneller abgefertig hätte. Diese Ministerkrankheit war es ebenfalls, was den Lord Castlereagh so zur Verzweiflung brachte, daß er sich die Kehle abschnitt zu North-Cray in der Grafschaft Kent. Lord Liverpool sank auf gleiche Weise in den Tod des Blödsinns. Canning, den göttergleichen Canning, sahen wir vergiftet von hochtorieschen Verleumdungen, gleich einem kranken Atlas, unter seiner Weltbürde niedersinken. Einer nach dem andern werden sie eingescharrt in Westminster, die armen Minister, die für Englands Könige Tag und Nacht denken müssen, während diese, gedankenlos und wohlbeleibt, dahinleben bis ins höchste Menschenalter.

Wie heißt aber die große Sorge, die Englands Ministern Tag und Nacht im Gehirne wühlt und sie tötet? Sie heißt: the debt, die Schuld.

Schulden, ebenso wie Vaterlandsliebe, Religion, Ehre usw., gehören zwar zu den Vorzügen des Menschen – denn die Tiere haben keine Schulden –, aber sie sind auch eine ganz vorzügliche Qual der Menschheit, und wie sie den einzelnen zugrunde richten, so bringen sie auch ganze Geschlechter ins Verderben, und sie scheinen das alte Fatum zu ersetzen in den Nationaltragödien unserer Zeit. England kann diesem Fatum nicht entgehen, seine Minister sehen die Schrecknisse herannahen und sterben mit der Verzweiflung der Ohnmacht.

Wäre ich Königlich preußischer Oberlandeskalkulator oder Mitglied des Geniekorps, so würde ich, in gewohnter Weise, die ganze Summe der englischen Schuld in Silbergroschen berechnen und genau angeben, wievielmal man damit die große Friedrichstraße oder gar den ganzen Erdball bedecken könnte. Aber das Rechnen war nie meine Force, und ich möchte lieber einem Engländer das fatale Geschäft überlassen, seine Schulden aufzuzählen und die daraus entstehende Ministernot herauszurechnen. Dazu taugt niemand besser als der alte Cobbett, und aus der letzten Nummer seines Registers liefre ich folgende Erörterungen.

»Der Zustand der Dinge ist folgender:

1) Diese Regierung, oder vielmehr diese Aristokratie und Kirche, oder auch, wie ihr wollt, diese Regierung borgte eine große Summe Geldes, wofür sie viele Siege, sowohl Land- als Seesiege, gekauft hat – eine Menge Siege, von jeder Sorte und Größe.

2) Indessen muß ich zuvor bemerken, aus welcher Veranlassung und zu welchem Zwecke man diese Siege gekauft hat: die Veranlassung (occasion) war die französische Revolution, die alle *aristokratischen Vorrechte und geistlichen Zehnten* niedergerissen hatte; und der Zweck war die Verhütung einer Parlamentsreform in England, die wahrscheinlich ein ähnliches Niederreißen aller aristokratischen Vorrechte und geistlichen Zehnten zur Folge gehabt hätte.

3) Um nun zu verhüten, daß das Beispiel der Franzosen nicht von den Engländern nachgeahmt würde, war es nötig, die Franzosen anzugreifen, sie in ihren Fortschritten zu hemmen, ihre neuerlangte Freiheit zu gefährden, sie zu verzweifelten Handlungen zu treiben und endlich die Revolution zu einem solchen Schreckbilde, zu einer solchen Völkerscheuche zu machen, daß man sich unter dem Namen der Freiheit nichts als ein Aggregat von Schlechtigkeit, Greuel und Blut vorstellen und das englische Volk, in der Begeisterung seines Schreckens, dahin gebracht würde, sich sogar ordentlich zu verlieben in jene greuelhaft-despotische Regierung, die einst in Frankreich blühte und die jeder Engländer von jeher verabscheute, seit den Tagen Alfreds des Großen bis herab auf Georg den Dritten.

4) Um jene Vorsätze auszuführen, bedurfte man der Mithülfe verschiedener fremder Nationen; diese Nationen wurden daher mit englischem Gelde unterstützt (subsidized); französische Emigranten wurden mit englischem Gelde unterhalten; kurz, man führte einen zweiundzwanzigjährigen Krieg, um jenes Volk niederzudrücken, das sich gegen *aristokratische Vorrechte und geistliche Zehnten* erhoben hatte.

5) Unsere Regierung also erhielt *»unzählige Siege«* über die Franzosen, die, wie es scheint, immer geschlagen worden; aber diese unsere unzähligen Siege waren *gekauft,* d. h. sie wurden erfochten von Mietlingen, die wir für Geld dazu gedungen hatten, und wir hatten in unserem Solde zu einer und derselben Zeit ganze Scharen von Franzosen, Holländern, Schweizern, Italienern, Russen, Österreichern, Bayern, Hessen, Hannoveranern, Preußen, Spaniern, Portugiesen, Neapolitanern, Maltesern und Gott weiß! wie viele Nationen noch außerdem.

6) Durch solches Mieten fremder Dienste und durch Benutzung unserer eigenen Flotte und Landmacht *kauften* wir so viele Siege über die Franzosen, welche arme Teufel kein Geld hatten, um ebenfalls dergleichen einzuhandeln, so daß wir endlich ihre Revolution überwältigten, die Aristokratie bei ihnen bis zu einer gewissen Stufe wiederherstellten, jedoch um alles in der Welt willen die geistlichen Zehnten nicht ebenfalls restaurieren konnten.

7) Nachdem wir diese große Aufgabe glücklich vollbracht und auch dadurch jede Parlamentsreform in England hintertrieben hatten, erhob unsere Regierung ein brüllendes Siegesgeschrei, wobei sie ihre Lunge nicht wenig anstrengte und auch lautmöglichst unterstützt wurde von jeder Kreatur in diesem Lande, die auf eine oder die andere Art von den öffentlichen Taxen lebte.

8) Beinahe ganze zwei Jahre dauerte der überschwengliche Freudenrausch bei dieser damals so glücklichen Nation; zur Feier jener Siege drängten sich Jubelfeste, Volksspiele, Triumphbogen, Lustkämpfe und dergleichen Vergnügungen, die mehr als ein viertel Million Pfund Sterlinge kosteten, und das Haus der Gemeinen bewilligte einstimmig eine ungeheure Summe (ich glaube drei Million Pfund Sterling), um Triumphbögen, Denksäulen und andere Monumente zu errichten und damit die *glorreichen Ereignisse des Krieges* zu verewigen.

9) Beständig, seit dieser Zeit, hatten wir das Glück, unter der Regierung eben derselben Personen zu leben, die unsere Angelegenheiten in besagtem glorreichen Kriege geführt hatten.

10) Beständig, seit dieser Zeit, lebten wir in einem tiefen Frieden mit der ganzen Welt; man kann annehmen, daß dieses noch jetzt der Fall ist, ungeachtet unserer kleinen zwischenspieligen Rauferei mit den Türken; und daher sollte man denken, es könne keine Ursache in der Welt geben, weshalb wir jetzt nicht glücklich sein sollten: wir haben ja Frieden, unser Boden bringt reichlich seine Früchte, und, wie die Weltweisen und Gesetzgeber unserer Zeit eingestehen, wir sind die allererleuchtetste Nation auf der ganzen Erde. Wir haben wirklich überall Schulen, um die heranwachsende Generation zu unterrichten; wir haben nicht allein einen Rektor oder Vikar oder Kuraten in jedem Kirchsprengel des Königreichs, sondern wir haben in jedem dieser Kirchsprengel vielleicht noch sechs Religionslehrer, wovon jeder von einer andern Sorte ist als seine vier Kollegen, dergestalt, daß unser Land hinlänglich mit Unterricht jeder Art versorgt ist, kein Mensch dieses glücklichen Landes im Zustande der Unwissenheit leben wird – und daher unser Erstaunen um so größer sein muß, wie irgend jemand, der ein Premierminister dieses glücklichen Landes werden soll, dieses Amt als eine so schwere und schwierige Last ansieht.

11) Ach, wir haben ein einziges Unglück, und das ist ein wahres Unglück: wir haben nämlich einige Siege gekauft – sie waren herrlich – es war ein gutes Geschäft – sie waren drei- oder viermal so viel wert, als wir dafür gaben, wie Frau Tweazle ihrem Manne zu sagen pflegt, wenn sie vom Markte nach Hause kommt – es war große Nachfrage und viel Begehr nach Siegen – kurz, wir konnten nichts Vernünftigeres tun, als uns zu so billigem Preise mit einer so großen Portion Ruhm zu versehen.

12) Aber, ich gestehe es bekümmerten Herzens, wir haben, wie manche andere Leute, das Geld *geborgt,* womit wir diese Siege gekauft, als wir dieser *Siege* bedurften, deren wir jetzt auf keine Weise wieder los werden können, ebenso wenig wie ein Mann seines Weibes los wird, wenn er einmal das Glück gehabt hat, sich die holde Bescherung aufzuladen.

13) Daher geschieht's, daß jeder Minister, der unsere Angelegenheiten übernimmt, auch sorgen muß für die Bezahlung unserer Siege, worauf eigentlich noch kein Pfennig abbezahlt worden.

14) Er braucht zwar nicht dafür zu sorgen, daß das ganze Geld, welches wir borgten, um Siege dafür zu kaufen, ganz auf einmal, Kapital und Zinsen, bezahlt werde; aber für die regelmäßige Auszahlung der *Zinsen* muß er, leider Gottes! ganz bestimmt sorgen; und diese Zinsen,

zusammengerechnet mit dem Solde der Armee und anderen Ausgaben, die von unseren *Siegen* herrühren, sind so bedeutend, daß ein Mensch ziemlich starke Nerven haben muß, wenn er das Geschäftchen übernehmen will, für die Bezahlung dieser Summen zu sorgen.

15) Früherhin, ehe wir uns damit abgaben, Siege einzuhandeln und uns allzu reichlich mit Ruhm zu versorgen, trugen wir schon eine Schuld von wenig mehr als *zweihundert Millionen,* während alle Armengelder in England und Wales zusammen nicht mehr als *zwei Millionen* jährlich betrugen und während wir noch nichts von jener Last hatten, die unter dem Namen dead weight uns jetzt aufgebürdet ist und ganz aus unserm Durst nach Ruhm hervorgegangen.

16) Außer diesem Gelde, das von Kreditoren *geborgt* worden, die es freiwillig hergaben, hat unsere Regierung, aus Durst nach *Siegen,* auch indirekt bei den *Armen* eine große Anleihe gemacht, d. h. sie steigerte die gewöhnliche Taxen bis auf eine solche Höhe, daß die Armen weit mehr als jemals niedergedrückt wurden und daß sich die Anzahl der Armen und Armengelder erstaunlich vergrößerte.

17) Die Armengelder stiegen von *zwei Millionen* jährlich auf *acht Millionen;* die Armen haben nun gleichsam ein Pfandrecht, eine Hypothek auf das Land; und hier ergibt sich also wieder eine Schuld von *sechs Millionen,* welche man hinzurechnen muß zu jenen anderen Schulden, die unsere Passion für Ruhm und der Einkauf *unserer Siege* verursacht hat.

18) The dead weight besteht aus Leibrenten, die wir unter dem Namen Pensionen einer Menge von Männern, Weibern und Kindern verabreichen, als eine Belohnung für die Dienste, welche jene Männer beim Erlangen unserer Siege geleistet haben oder geleistet haben sollen.

19) Das Kapital der Schuld, welche diese Regierung kontrahiert hat, um sich Siege zu verschaffen, besteht ungefähr in folgenden Summen:

	Pf. Sterling
Hinzugekommene Summe zu der Nationalschuld	800 000 000
Hinzugekommene Summe zur eigentlichen Armengelderschuld	150 000 000
Dead weight als Kapital einer Schuld berechnet . . .	175 000 000
	Pfd. St. 1 125 000 000

d. h. *eilfhundert und fünfundzwanzig Millionen* zu fünf Prozent ist der Betrag jener jährlichen sechsundfunfzig Millionen! ja, dieses ist ungefähr der jetzige Betrag, nur daß die *Armengelder-Schuld* nicht in den Rechnungen, die dem Parlamente vorgelegt werden, aufgeführt ist, indem sie das Land gleich direkt in den verschiedenen Kirchspielen bezahlt. Will man daher jene sechs Millionen von den sechsundvierzig Millionen abziehen, so ergibt sich, daß die Staatsschuldgläubiger und das dead-weight-Volk wirklich alles übrige verschlingen.

20) Indessen, die Armengelder sind ebenso gut eine *Schuld* wie die Schuld der Staatsschuldgläubiger und augenscheinlich aus derselben Quelle entsprungen. Von der schrecklichen Last der Taxen werden die Armen zu Boden gedrückt; jeder andere wird zwar auch davon gedrückt, aber jeder, außer den Armen, wußte diese Last mehr oder weniger von seinen Schultern abzuwälzen, und sie fiel endlich mit fürchterlichem Gewichte ganz auf die Armen, und diese verloren ihre Bierfässer, ihre kupfernen Kessel, ihre zinnernen Teller, ihre Wanduhr, ihre Betten und bis auf ihr Handwerksgeräte, sie verloren ihre Kleider und mußten sich in Lumpen hüllen, sie verloren das Fleisch von ihren Knochen – Sie konnten nicht weiter aufs Äußerste getrieben werden, und von dem, was man ihnen genommen, gab man ihnen wieder etwas zurück unter dem Namen von vermehrten Armengeldern. Diese sind daher eine *wahre Schuld*, ein wahres Pfandrecht auf das Land. Die Interessen dieser Schuld können zwar zurückgehalten werden, aber wenn dieses geschieht, würden die Personen, die solche zu fordern haben, in Masse herbeikommen und sich für den Betrag, gleichviel in welcher Währung, bezahlt machen. Dieses ist also eine *wahre Schuld*, und eine Schuld, die man bei Heller und Pfennig bezahlen wird, und zwar, ich bemerke es ausdrücklich, wird man ihr ein Vorrecht vor allen anderen Schulden gestatten.

21) Es ist also nicht nötig, sich sehr zu wundern, wenn man die Not derjenigen sieht, die solche Geschäfte übernehmen! Es ist zu verwundern, daß sich überhaupt jemand zu einer solchen Übernahme versteht, wenn ihm nicht anheimgestellt wird, nach Gutdünken eine radikale Umwandlung des ganzen Systems vorzunehmen.

22) Hier gibt's keine Möglichkeit der Aushülfe, wenn man die jährliche Ausgabe der Staatsgläubiger-Schuld und der dead-weight-Schuld herabzusetzen sucht; um solches Herabsetzen der Schuld, solche Reduktion dem Lande anzumuten, um zu verhindern, daß sie große Um-

wälzungen hervorbringe, um zu verhindern, daß nicht eine halbe Million Menschen in und um London dadurch vor Hunger sterben müssen: da ist nötig, daß man zuvor weit verhältnismäßigere Reduktionen *anderswo* vornehme, *ehe* man die Reduktion jener obigen zwei Schulden oder ihrer Interessen versuchen wollte.

23) Wie wir bereits gesehen haben, die *Siege* wurden gekauft, in der Absicht, um Parlamentsreform in England zu verhindern und die aristokratischen Vorrechte und geistlichen Zehnten aufrecht zu erhalten; es wäre daher eine himmelschreiende Greueltat, entzögen wir ihre rechtmäßigen Zinsen jenen Leuten, die uns das Geld geborgt, oder entzögen wir gar ihre Bezahlung denjenigen Leuten, die uns die Hände vermietet, wodurch wir die Siege erlangt haben; es wäre eine Greueltat, die Gottes Rache auf uns laden würde, wenn wir dergleichen täten, während die einträglichen Ehrenämter der Aristokratie, ihre Pensionen, Sinekuren, königlichen Schenkungen, Militärbelohnungen und endlich gar die Zehnten des Klerus unangetastet blieben!

24) *Hier, hier* also liegt die Schwierigkeit: Wer Minister wird, wird Minister eines Landes, das eine große Passion für *Siege* gehabt, auch sich hinlänglich damit versehen und sich unerhört viel militärischen Ruhm verschafft – aber leider diese Herrlichkeiten noch nicht bezahlt hat und nun dem Minister überläßt, die Rechnungen zu berichtigen, ohne daß dieser weiß, woher er das Geld nehmen soll.«

Das sind Dinge, die einen Minister ins Grab drücken, wenigstens des Verstandes berauben können. England ist mehr schuldig, als es bezahlen kann. Man rühme nur nicht, daß es Indien und reiche Kolonien besitzt. Wie sich aus den letzten Parlamentsdebatten ergibt, zieht der englische Staat keinen Heller eigentlicher Einkünfte aus seinem großen, unermeßlichen Indien, ja er muß dorthin noch einige Millionen Zuschuß bezahlen. Dieses Land nutzt England bloß dadurch, daß einzelne Britten, die sich dort bereichert, durch ihre Schätze die Industrie und den Geldumlauf des Mutterlandes befördern und tausend andere durch die indische Compagnie Brot und Versorgung gewinnen. Die Kolonien ebenfalls liefern dem Staate keine Einkünfte, bedürfen des Zuschusses und dienen zur Beförderung des Handels und zur Bereicherung der Aristokratie, deren Nepoten als Gouverneure und Unterbeamte dahin geschickt werden. Die Bezahlung der Nationalschuld fällt daher ganz allein auf Großbritannien und Irland. Aber auch hier sind die Ressourcen nicht so beträglich wie die Schuld selbst. Wir wollen ebenfalls hier Cobbett sprechen lassen:

»Es gibt Leute, die, um eine Art Aushülfe anzugeben, von den *Ressourcen des Landes* sprechen. Dies sind die Schüler des seligen Colquhoun, eines Diebesfängers, der ein großes Buch geschrieben, um zu beweisen, daß unsere Schuld uns nicht im mindesten besorgt machen darf, indem sie so *klein* sei in Verhältnis zu den Ressourcen der Nation; und damit seine klugen Leser eine bestimmte Idee von der Unermeßlichkeit dieser Ressourcen bekommen mögen, machte er eine Abschätzung von allem, was im Lande vorhanden ist, bis herab auf die *Kaninchen,* und schien sogar zu bedauern, daß er nicht füglich die Ratten und Mäuse mitrechnen konnte. Den Wert der Pferde, Kühe, Schafe, Ferkelchen, Federvieh, Wildbret, Kaninchen, Fische, den Wert der Hausgeräte, Kleider, Feuerung, Zucker, Gewürze, kurz, von allem im Lande macht er ein *Aestimatum;* und dann, nachdem er das Ganze assummiert und den Wert der Ländereien, Bäume, Häuser, Minen, den Ertrag des Grases, des Korns, die Rüben und das Flachs hinzugerechnet und eine Summe von Gott weiß wie vielen tausend Millionen herausgebracht hat, grinst er in pfiffig prahlerisch schottischer Manier, ungefähr wie ein Truthahn, und hohnlachend fragt er Leute meines Gleichen: mit Ressourcen, wie diese, fürchtet ihr da noch einen *Nationalbankerott?*

Dieser Mann bedachte nicht, daß man Häuser nötig hat, *um darin zu leben,* die Ländereien, damit sie Futter liefern, die Kleider, damit man seine Blöße bedecke, die Kühe, damit sie Milch geben, den Durst zu löschen, das Hornvieh, Schafe, Schweine, Geflügel und Kaninchen, damit man sie esse, ja, der Teufel hole diesen widersinnigen Schotten! diese Dinge sind nicht dafür da, daß sie *verkauft* und die Nationalschulden damit bezahlt werden. Wahrhaftig er hat noch den Taglohn der Arbeitsleute zu den Ressourcen der Nation gerechnet! Dieser dumme Teufel von Diebesfänger, den seine Brüder in Schottland zum Doktor geschlagen, weil er ein so vorzügliches Buch geschrieben, er scheint ganz vergessen zu haben, daß Arbeitsleute ihren Taglohn selbst bedürfen, um sich dafür etwas *Essen und Trinken* zu schaffen. Er konnte ebenso gut den Wert des Blutes in unseren Adern abschätzen, als ein Stoff, wovon man allenfalls Blutwürste machen könnte!«

So weit Cobbett. Während ich seine Worte in deutscher Sprache niederschreibe, bricht er leibhaftig selbst wieder hervor in meinem Gedächtnisse, und wie vorig Jahr bei dem lärmigen Mittagessen in Crown and Anchor Tavern, sehe ich ihn wieder mit seinem scheltend roten Gesichte und seinem radikalen Lächeln, worin der giftigste Todeshaß gar schauerlich zusammenschmilzt mit der höhnischen Freude, die den Untergang der Feinde ganz sicher voraussieht.

Tadle mich niemand, daß ich Cobbett zitiere! Man mag ihn immerhin der Unredlichkeit, der Scheltsucht und eines allzu ordinären Wesens beschuldigen; aber man kann nicht leugnen, daß er viel beredsamen Geist besitzt und daß er sehr oft, und in obiger Darstellung ganz und gar, recht hat. Er ist ein Kettenhund, der jeden, den er nicht kennt, gleich wütend anfällt, oft den besten Freund des Hauses in die Waden beißt, immer bellt und eben wegen jenes unaufhörlichen Bellens nicht gehört wird, wenn er einmal einem wirklichen Diebe entgegenbellt. Deshalb halten es jene vornehmen Diebe, die England plündern, nicht einmal für nötig, dem knurrenden Cobbett einen Brocken zuzuwerfen und ihm damit das Maul zu stopfen. Dieses wurmt den Hund am bittersten, und er fletscht die hungrigen Zähne.

Alter Cobbett! Hund von England! ich liebe dich nicht, denn fatal ist mir jede gemeine Natur; aber du dauerst mich bis in tiefster Seele, wenn ich sehe, wie du dich von deiner Kette nicht losreißen und jene Diebe nicht erreichen kannst, die lachend vor deinen Augen ihre Beute fortschleppen und deine vergeblichen Sprünge und dein ohnmächtiges Geheul verspotten.

VIII

Die Oppositionsparteien

Einer meiner Freunde hat die Opposition im Parlamente sehr treffend mit einer Oppositionskutsche verglichen. Bekanntlich ist das eine öffentliche Stage-Kutsche, die irgendeine spekulierende Gesellschaft auf ihre Kosten instituiert und zwar zu so spottwohlfeilen Preisen fahren läßt, daß die Reisenden ihr gern den Vorzug geben vor den schon vorhandenen Stage-Kutschen. Diese letztern müssen dann ebenfalls ihre Preise heruntersetzen, um Passagiere zu behalten, werden aber bald von der neuen Oppositionskutsche überboten oder vielmehr unterboten, ruinieren sich durch solche Konkurrenz und müssen am Ende ihr Fahren ganz einstellen. Hat aber die Oppositionskutsche auf solche Art das Feld gewonnen und ist sie jetzt auf einer bestimmten Tour die einzige, so erhöht sie ihre Preise, oft sogar den Preis der verdrängten Kutsche übersteigend, und der arme Reisende hat nichts gewonnen, hat oft sogar verloren und zahlt und flucht, bis eine neue Oppositionskutsche wieder das vorige Spiel erneut und neue Hoffnungen und neue Täuschungen entstehen.

Wie übermütig wurden die Whigs, als die Stuartsche Partei erlag und die protestantische Dynastie den englischen Thron bestieg! Die Tories bildeten damals die Opposition, und John Bull, der arme Staatspassagier, hatte Ursache, vor Freude zu brüllen, als sie die Oberhand gewannen. Aber seine Freude war von kurzer Dauer, er mußte jährlich mehr und mehr Fuhrlohn ausgeben, es wurde viel bezahlt und schlecht gefahren, die Kutscher wurden obendrein sehr grob, es gab nichts als Rütteln und Stöße, jeder Eckstein drohte Umsturz – und der arme John dankte Gott, seinem Schöpfer, als unlängst die Zügel des Staatswagens in bessere Hände kamen.

Leider dauerte die Freude wieder nicht lange, der neue Oppositionskutscher fiel tot vom Bock herab, der andere stieg ängstlich herunter, als die Pferde scheu wurden, und die alten Wagenlenker, die alten Reuter mit goldenen Sporen, haben wieder ihre alten Plätze eingenommen, und die alte Peitsche knallt.

Ich will das Bild nicht weiter zu Tode hetzen und kehre zurück zu den Worten Whigs und Tories, die ich oben zur Bezeichnung der Oppositionsparteien gebraucht habe, und einige Erörterung dieser Namen ist vielleicht um so fruchtbarer, je mehr sie seit langer Zeit dazu gedient haben, die Begriffe zu verwirren.

Wie im Mittelalter die Namen Guibellinen und Guelfen durch Umwandlungen der Interessen und neue Ereignisse die vaguesten und veränderlichsten Bedeutungen erhielten, so auch späterhin in England die Namen Whigs und Tories, deren Entstehungsart man kaum noch anzugeben weiß. Einige behaupten, es seien früherhin Spottnamen gewesen, die am Ende zu honetten Parteinamen wurden, was oft geschieht, wie z. B. der Geusenbund sich selbst nach dem Spottnamen les gueux taufte, wie auch späterhin die Jakobiner sich selbst manchmal Sanskülotten benannten und wie die heutigen Servilen und Obskuranten sich vielleicht einst selbst diese Namen als ruhmvolle Ehrennamen beilegen – was sie freilich jetzt noch nicht können. Das Wort »Whig« soll in Irland etwas unangenehm Sauertöpfisches bedeutet haben und dort zuerst zur Verhöhnung der Presbyterianer oder überhaupt der neuen Sekten gebraucht worden sein. Das Wort »Tory«, welches zu derselben Zeit als

Parteibenennung aufkam, bedeutete in Irland eine Art schäbiger Diebe. Beide Spottnamen kamen in Umlauf zur Zeit der Stuarts, während der Streitigkeiten zwischen den Sekten und der herrschenden Kirche.

Die allgemeine Ansicht ist: die Partei der Tories neige sich ganz nach der Seite des Thrones und kämpfe für die Vorrechte der Krone; wohingegen die Partei der Whigs mehr nach der Seite des Volks hinneige und dessen Rechte beschütze. Indessen diese Annahmen sind vague und gelten zumeist nur in Büchern. Jene Benennungen könnte man vielmehr als Coterienamen ansehen. Sie bezeichnen Menschen, die bei gewissen Streitfragen zusammenhalten, deren Vorfahren und Freunde schon bei solchen Anlässen zusammenhielten und die, in politischen Stürmen, Freude und Ungemach und die Feindschaft der Gegenpartei gemeinschaftlich zu tragen pflegten. Von Prinzipien ist gar nicht die Rede, man ist nicht einig über gewisse Ideen, sondern über gewisse Maßregeln in der Staatsverwaltung, über Abschaffung oder Beibehaltung gewisser Mißbräuche, über gewisse Bills, gewisse erbliche Questions – gleichviel aus welchem Gesichtspunkte, meistens aus Gewohnheit. – Die Engländer lassen sich nicht durch die Parteinamen irre machen. Wenn sie von Whigs sprechen, so haben sie nicht dabei einen bestimmten Begriff, wie wir z. B., wenn wir von Liberalen sprechen, wo wir uns gleich Menschen vorstellen, die über gewisse Freiheitsrechte herzinnig einverstanden sind – sondern sie denken sich eine äußerliche Verbindung von Leuten, deren jeder, nach seiner Denkweise beurteilt, gleichsam eine Partei für sich bilden würde und die nur, wie schon oben erwähnt ist, durch äußere Anlässe, durch zufällige Interessen, durch Freundschafts- und Feindschaftsverhältnisse gegen die Tories ankämpfen. Hierbei dürfen wir uns ebenfalls keinen Kampf gegen Aristokraten in unserem Sinne denken, da diese Tories in ihren Gefühlen nicht aristokratischer sind als die Whigs und oft sogar nicht aristokratischer als der Bürgerstand selbst, der die Aristokratie für ebenso unwandelbar hält wie Sonne, Mond und Sterne, der die Vorrechte des Adels und des Klerus nicht bloß als staatsnützlich, sondern als eine Naturnotwendigkeit ansieht und vielleicht selbst für diese Vorrechte mit weit mehr Eifer kämpfen würde als die Aristokraten selbst, eben weil er fester daran glaubt als diese, die zumeist den Glauben an sich selbst verloren. In dieser Hinsicht liegt über dem Geist der Engländer noch immer die Nacht des Mittelalters, die heilige Idee von der bürgerlichen Gleichheit aller Menschen hat sie noch nicht erleuchtet, und manchen bürgerlichen Staatsmann in England, der toriesch gesinnt ist, dürfen wir deshalb beileibe nicht servil nennen und zu jenen wohlbekannten servilen Hunden zählen, die frei sein könnten und dennoch in ihr altes Hundeloch zurückgekrochen sind und jetzt die Sonne der Freiheit anbellen.

Um die englische Opposition zu begreifen, sind daher die Namen Whigs und Tories völlig nutzlos, mit Recht hat Francis Burdett beim Anfange der Sitzungen voriges Jahr bestimmt ausgesprochen, daß diese Namen jetzt alle Bedeutung verloren; und Thomas Lethbridge, den der Schöpfer der Welt und des Verstandes nicht mit allzu viel Witz ausgerüstet, hat damals dennoch einen sehr guten Witz, vielleicht den einzigen seines Lebens, über diese Äußerung Burdetts gerissen, nämlich: »he has untoried the tories and unwigged the whigs.«

Bedeutungsvoller sind die Namen reformers oder radical reformers oder kurzweg radicals. Sie werden gewöhnlich für gleichbedeutend gehalten, sie zielen auf dasselbe Gebrechen des Staates, auf dieselbe heilsame Abhülfe und unterscheiden sich nur durch mehr oder minder starke Färbung. Jenes Gebrechen ist die bekannte schlechte Art der Volksrepräsentation, wo sogenannte rotten boroughs, verschollene, unbewohnte Ortschaften, oder besser gesagt die Oligarchen, denen sie gehören, das Recht haben, Volksrepräsentanten ins Parlament zu schikken, während große, bevölkerte Städte, namentlich viele neuere Fabrikstädte, keinen einzigen Repräsentanten zu wählen haben; die heilsame Abhülfe dieses Gebrechens ist die sogenannte Parlamentsreform. Nun freilich, diese betrachtet man nicht als Zweck, sondern als Mittel. Man hofft, daß das Volk dadurch auch eine bessere Vertretung seiner Interessen, Abschaffung aristokratischer Mißbräuche und Hülfe in seiner Not gewinnen würde. Es läßt sich denken, daß die Parlamentsreform, diese gerechte, billige Anforderung, auch unter den gemäßigten Menschen, die nichts weniger als Jakobiner sind, ihre Verfechter findet, und wenn man solche Leute reformers nennt, betont man dieses Wort ganz anders, und himmelweit ist es alsdann unterschieden von dem Worte radical, auf dem ein ganz anderer Ton gelegt wird, wenn man z. B. von Hunt oder Cobbett, kurz, von jenen heftigen, fletschenden Revolutionären spricht, die nach Parlamentsreform schreien, um den Umsturz aller Formen, den Sieg der Habsucht und völlige Pöbelherrschaft herbeizuführen. Die Nüancen in den Gesinnungen der Koryphäen dieser Partei sind daher unzählig. Aber, wie gesagt, die Engländer kennen sehr gut ihre Leute, der Namen täuscht nicht das Publikum, und dieses unterscheidet sehr genau, wo der Kampf nur Schein und wo er Ernst ist. Oft lange Jahre hindurch ist der Kampf im Parlamente nicht viel mehr als ein müßiges Spiel, ein Turnier, wo man für die Farbe kämpft, die man sich aus Grille gewählt hat; gibt es aber einmal einen ernsten Krieg, so eilt jeder gleich unter die Fahne seiner natürlichen Partei. Dieses sahen wir in der Canningschen Zeit. Die heftigsten Gegner vereinigten sich, als es Kampf der positivsten Interessen galt; Tories, Whigs und Radikalen scharten sich, wie eine Phalanx, um den kühnen, bürgerlichen Minister, der den Übermut der Oligarchen zu dämpfen versuchte. Aber ich glaube dennoch, mancher hochgeborne Whig, der stolz hinter Canning saß, würde gleich zu der alten Foxhunter-Sippschaft übergetreten sein, wenn plötzlich die Abschaffung aller Adelsrechte zur Sprache gekommen wäre. Ich glaube (Gott verzeih mir die Sünde), Francis Burdett selbst, der in seiner Jugend zu den heftigsten Radikalen gehörte und noch jetzt nicht zu den milderen Reformers gerechnet wird, würde sich bei einem solchen Anlasse sehr schnell neben Sir Thomas Lethbridge gesetzt haben. Dieses fühlen die plebejischen Radikalen sehr gut, und deshalb hassen sie die sogenannten Whigs, die für Parlamentsreform sprechen, sie hassen sie fast noch mehr wie die eigentlich hochfeindseligen Tories.

In diesem Augenblick besteht die englische Opposition mehr aus eigentlichen Reformern als aus Whigs. Der Chef der Opposition im Unterhause, the leader of the opposition, gehört unstreitig zu jenen letztern. Ich spreche hier von Brougham.

Die Reden dieses mutigen Parlamentshelden lesen wir täglich in den Zeitblättern, und seine Gesinnungen dürfen wir daher als allgemein bekannt voraussetzen. Weniger bekannt sind die persönlichen Eigentümlichkeiten, die sich bei diesen Reden kund geben; und doch muß man erstere kennen, um letztere vollgeltend zu begreifen. Das Bild, das ein geistreicher Engländer von Broughams Erscheinung im Parlamente entwirft, mag daher hier seine Stelle finden:

»Auf der ersten Bank, zur linken Seite des Sprechers, sitzt eine Gestalt, die so lange bei der Studierlampe gehockt zu haben scheint, bis nicht bloß die Blüte des Lebens, sondern die Lebenskraft selbst zu erlöschen begonnen; und doch ist es diese scheinbar hülflose Gestalt, die alle Augen des ganzen Hauses auf sich zieht und die, sowie sie sich in ihrer mechanischen, automatischen Weise zum Aufstehen bemüht, alle Schnellschreiber hinter uns in fluchende Bewegung setzt, während alle

Lücken auf der Galerie, als sei sie ein massives Steingewölbe, ausgefüllt werden und durch die beiden Seitentüren noch das Gewicht der draußen stehenden Menschenmenge hereindrängt. Unten im Hause scheint sich ein gleiches Interesse kund zu geben; denn sowie jene Gestalt sich langsam in einer vertikalen Krümmung oder vielmehr in einem vertikalen Zickzack steif zusammengefügter Linien auseinanderwickelt, sind die paar sonstigen Zeloten auf beiden Seiten, die sich schreiend entgegendämmen wollten, schnell wieder auf ihre Sitze zurückgesunken, als hätten sie eine verborgene Windbüchse unter der Robe des Sprechers bemerkt.

Nach diesem vorbereitenden Geräusch und während der atemlosen Stille, die darauf folgte, hat sich Henry Brougham langsam und bedächtigen Schrittes dem Tische genähert und bleibt dort zusammengebückt stehen – die Schultern in die Höhe gezogen, der Kopf vorwärts gebeugt, seine Oberlippe und Nasenflügel in zitternder Bewegung, als fürchte er, ein Wort zu sprechen. Sein Aussehen, sein Wesen gleicht fast einem jener Prediger, die auf freiem Feld predigen – nicht einem modernen Manne dieser Art, der die müßige Sonntagsmenge nach sich zieht, sondern einem solchen Prediger aus alten Zeiten, der die Reinheit des Glaubens zu erhalten und in der Wildnis zu verbreiten suchte, wenn sie aus der Stadt und selbst aus der Kirche verbannt war. Die Töne seiner Stimme sind voll und melodisch, doch sie erheben sich langsam, bedächtig und, wie man zu glauben versucht ist, auch sehr mühsam, so daß man nicht weiß, ob die geistige Macht des Mannes unfähig ist, den Gegenstand zu beherrschen, oder ob seine physische Kraft unfähig ist, ihn auszusprechen. Sein erster Satz oder vielmehr die ersten Glieder seines Satzes – denn man findet bald, daß bei ihm jeder Satz in Form und Gehalt weiter reicht als die ganze Rede mancher anderen Leute – kommen sehr kalt und unsicher hervor und überhaupt so entfernt von der eigentlichen Streitfrage, daß man nicht begreifen kann, wie er sie darauf hinbiegen wird. Jeder dieser Sätze, freilich, ist tief, klar, an und für sich selbst befriedigend, sichtbar mit künstlicher Wahl aus den gewähltesten Materialien deduziert, und mögen sie kommen, aus welchem Fache des Wissens es immerhin sein mag, so enthalten sie doch dessen reinste Essenz. Man fühlt, daß sie alle nach einer bestimmten Richtung hingebogen werden, und zwar hingebogen mit einer starken Kraft; aber diese Kraft ist noch immer unsichtbar wie der Wind, und wie von diesem weiß man nicht, woher sie kommt und wohin sie geht.

Wenn aber eine hinreichende Anzahl von diesen Anfangssätzen vorausgeschickt sind, wenn jeder Hülfssatz, den menschliche Wissenschaft zur Festellung einer Schlußfolge bieten kann, in Dienst genommen worden, wenn jeder Einspruch durch einen einzigen Stoß erfolgreich vorgeschoben ist, wenn das ganze Heer politischer und moralischer Wahrheiten in Schlachtordnung steht – dann bewegt es sich vorwärts zur Entscheidung, fest zusammengeschlossen wie eine mazedonische Phalanx und unwiderstehlich wie Hochländer, die mit gefälltem Bajonette eindringen.

Ist ein Hauptsatz gewonnen mit dieser scheinbaren Schwäche und Unsicherheit, wohinter sich aber eine wirkliche Kraft und Festigkeit verborgen hielt, dann erhebt sich der Redner, sowohl körperlich als geistig, und mit kühnerem und kürzerem Angriff erficht er einen zweiten Hauptsatz. Nach dem zweiten erkämpft er einen dritten, nach dem dritten einen vierten und so weiter, bis alle Prinzipien und die ganze Philosophie der Streitfrage gleichsam erobert sind, bis jeder im Hause, der Ohren zum Hören und ein Herz zum Fühlen hat, von den Wahrheiten, die er eben vernommen, so unwiderstehlich wie von seiner eigenen Existenz überzeugt ist, so daß Brougham, wollte er hier stehen bleiben, schon unbedingt als der größte Logiker der St.-Stephans-Kapelle gelten könnte. Die geistigen Hülfsquellen des Mannes sind wirklich bewunderungswürdig, und er erinnert fast an das altnordische Märchen, wo einer immer die ersten Meister in jedem Fache des Wissens getötet hat und dadurch der Alleinerbe ihrer sämtlichen Geistesfähigkeiten geworden ist. Der Gegenstand mag sein, wie er will, erhaben oder gemeinplätzig, abstruse oder praktisch, so kennt ihn dennoch Heinrich Brougham, und er kennt ihn ganz aus dem Grunde. Andre mögen mit ihm wetteifern, ja einer oder der andre mag ihn sogar übertreffen in der Kenntnis äußerer Schönheiten der alten Literatur, aber niemand ist tiefer als er durchdrungen von der herrlichen und glühenden Philosophie, die gewiß als ein kostbarster Edelstein hervorglänzt aus jenen Schmuckkästchen, die uns das Altertum hinterlassen hat. Brougham gebraucht nicht die klare, fehlerfreie und dabei etwas hofmäßige Sprache des Cicero; ebenso wenig sind seine Reden in der Form denen des Demosthenes ähnlich, obgleich sie etwas von dessen Farbe an sich tragen; aber ihm fehlen weder die strenglogischen Schlüsse des römischen Redners noch die schrecklichen Zornworte des Griechen. Dazu kommt noch, daß keiner besser als er es versteht, das Wissen des Tages in seinen Parlamentsreden zu benutzen, so daß diese zuweilen, abgesehen von ihrer politischen Tendenz und Bedeutung, schon als bloße Vorlesungen über Philosophie, Literatur und Künste unsre Bewunderung verdienen würden.

Es ist indessen gänzlich unmöglich, den Charakter dieses Mannes zu analysieren, während man ihn sprechen hört. Wenn er, wie schon oben erwähnt worden, das Gebäude seiner Rede auf einen guten philosophischen Boden und in der Tiefe der Vernunft gegründet hat; wenn er nochmals zu dieser Arbeit zurückgekehrt, Senkblei und Richtmaß anlegt, um zu untersuchen, ob alles in Ordnung ist, und mit einer Riesenhand zu prüfen scheint, ob alles auch sicher zusammenhält; wenn er die Gedanken aller Zuhörer mit Argumenten festgebunden wie mit Seilen, die keiner zu zerreißen imstande ist – dann springt er gewaltig auf das Gebäude, das er sich gezimmert hat, es erhebt sich seine Gestalt und sein Ton, er beschwört die Leidenschaften aus ihren geheimsten Winkeln und überwältigt und erschüttert die maulaufsperrenden Parlamentsgenossen und das ganze, dröhnende Haus. Jene Stimme, die erst so leise und anspruchslos war, gleicht jetzt dem betäubenden Brausen und den unendlichen Wogen des Meeres; jene Gestalt, die vorher unter ihrem eigenen Gewichte zu sinken schien, sieht jetzt aus, als hätte sie Nerven von Stahl, Sehnen von Kupfer, ja als sei sie unsterblich und unveränderlich wie die Wahrheiten, die sie eben ausgesprochen; jenes Gesicht, welches vorher blaß und kalt war wie ein Stein, ist jetzt belebt und leuchtend, als wäre der innere Geist noch mächtiger als die gesprochenen Worte; und jene Augen, die uns anfänglich mit ihren blauen und stillen Kreisen so demütig ansahen, als wollten sie unsre Nachsicht und Verzeihung erbitten, aus denselben Augen schießt jetzt ein meteorisches Feuer, das alle Herzen zur Bewunderung entzündet. So schließt der zweite, der leidenschaftliche oder deklamatorische Teil der Rede.

Wenn er das erreicht hat, was man für den Gipfel der Beredsamkeit halten möchte, wenn er gleichsam umherblickt, um die Bewunderung, die er hervorgebracht, mit Hohnlächeln zu betrachten, dann sinkt seine Gestalt wieder zusammen, und auch seine Stimme fällt herab bis zum sonderbarsten Flüstern, das jemals aus der Brust eines Menschen hervorgekommen. Dieses seltsame Herabstimmen oder vielmehr Fallenlassen des Ausdrucks, der Gebärde und der Stimme, welches Brougham in einer Vollkommenheit besitzt, wie es bei gar keinem anderen Redner gefunden wird, bringt eine wunderbare Wirkung hervor; und jene tiefen, feierlichen, fast hingemurmelten Worte, die jedoch bis auf den Anhauch jeder einzelnen Silbe vollkommen vernehmbar sind, tragen in sich eine Zaubergewalt, der man nicht widerstehen kann, selbst wenn man sie zum erstenmale hört und ihre eigentliche Bedeutung und Wirkung noch nicht kennen gelernt hat. Man glaube nur nicht etwa, der Redner oder die Rede sei erschöpft. Diese gemilderten Blicke, diese gedämpften Töne bedeuten nichts weniger als den Anfang einer Peroratio, womit der Redner, als ob er fühle, daß er etwas zu weit gegangen, seine Gegner wieder besänftigen will. Im Gegenteil, dieses Zusammenkrümmen des Leibes ist kein Zeichen von Schwäche, und dieses Fallenlassen der Stimme ist kein Vorspiel von Furcht und Unterwürfigkeit: es ist das lose, hängende Vorbeugen des Leibes bei einem Ringer, der die Gelegenheit erspäht, wo er seinen Gegner desto gewaltsamer umwinden kann, es ist das Zurückspringen des Tigers, der gleich darauf mit desto sicherern Krallen auf seine Beute losstürzt, es ist das Zeichen, daß Heinrich Brougham seine ganze Rüstung anlegt und seine mächtigste Waffe ergreift. In seinen Argumenten war er klar und überzeugend; in seiner Beschwörung der Leidenschaften war er zwar etwas hochmütig, doch auch mächtig und siegreich; jetzt aber legt er den letzten, ungeheuersten Pfeil auf seinen Bogen – er wird fürchterlich in seinen Invektiven. Wehe dem Manne, dem jenes Auge, das vorher so ruhig und blau war, jetzt entgegenflammt aus dem geheimnisvollen Dunkel dieser zusammengezognen Brauen! Wehe dem Wicht, dem diese halbgeflüsterten Worte ein Vorzeichen sind von dem Unheil, das über ihn heranschwebt!

Wer als ein Fremder vielleicht heute zum erstenmal die Galerie des Parlamentes besucht, weiß nicht, was jetzt kommen wird. Er sieht bloß einen Mann, der ihn mit seinen Argumenten überzeugt, mit seiner Leidenschaft erwärmt hat und jetzt mit jenem sonderbaren Flüstern einen sehr lahmen, schwächlichen Schluß anzubringen scheint. O Fremdling! wärest du bekannt mit den Erscheinungen dieses Hauses und auf einem Sitze, wo du alle Parlamentsmitglieder übersehen könntest, so würdest du bald merken, daß diese in Betreff eines solchen lahmen, schwächlichen Schlusses durchaus nicht deiner Meinung sind. Du würdest manchen bemerken, den Parteisucht oder Anmaßung in dieses stürmische Meer, ohne gehörigen Ballast und das nötige Steuerruder, hineingetrieben hat und der nun so furchtsam und ängstlich umherblickt wie ein Schiffer auf dem chinesischen Meere, wenn er an einer Seite des Horizontes jene dunkle Ruhe entdeckt, die ein sicheres Vorzeichen ist, daß von der andern Seite, ehe eine Minute vergeht, der Typhon heranweht mit seinem verderblichen Hauche; – du würdest irgendeinen kleinen Mann bemerken, der fast greinen möchte und an Leib und Seele schauert wie ein kleines Vögelchen, das in die Zaubernähe einer Klapperschlange geraten ist, seine Gefahr entsetzlich fühlt und sich doch nicht helfen kann und mit jämmerlich närrischer Miene dem Untergange sich darbietet; – du würdest einen langen Antagonisten bemerken, der sich mit schlotternden Beinen an der Bank festklammert, damit der heranziehende Sturm ihn nicht fortfegt; – oder du bemerkst sogar einen stattlichen, wohlbeleibten Repräsentanten irgendeiner fetten Grafschaft, der beide Fäuste in das Kissen seiner Bank hineingräbt, völlig entschlossen, im Fall ein Mann von seiner Wichtigkeit aus dem Hause geschleudert würde, dennoch seinen Sitz zu bewahren und unter sich von dannen zu führen.

Und nun kommt es: – die Worte, welche so tiefgeflüstert und gemurmelt wurden, schwellen an so laut, daß sie selbst den Jubelruf der eignen Partei übertönen, und nachdem irgendein unglückseliger Gegner bis auf die Knochen geschunden und seine verstümmelten Glieder durch alle Redefiguren durchgestampft worden, dann ist der Leib des Redners wie niedergebrochen und zerschlagen von der Kraft seines eignen Geistes, er sinkt auf seinen Sitz zurück, und der Beifallärm der Versammlung kann jetzt unaufhaltbar hervorbrechen.«

Ich habe es nie so glücklich getroffen, daß ich Brougham während einer solchen Rede im Parlamente ruhig betrachten konnte. Nur stückweis oder Unwichtiges hörte ich ihn sprechen, und nur selten kam er mir dabei selbst zu Gesicht. Immer aber – das merkte ich gleich –, sobald er das Wort nahm, erfolgte eine tiefe, fast ängstliche Stille. Das Bild, das oben von ihm entworfen worden, ist gewiß nicht übertrieben. Seine Gestalt, von gewöhnlicher Manneslänge, ist sehr dünn, ebenfalls sein Kopf, der mit kurzen, schwarzen Haaren, die sich der Schläfe glatt anlegen, spärlich bedeckt ist. Das blasse, längliche Gesicht erscheint dadurch noch dünner, die Muskeln desselben sind in krampfhafter, unheimlicher Bewegung, und wer sie beobachtet, sieht des Redners Gedanken, ehe sie gesprochen sind. Dieses schadet seinen witzigen Einfällen; denn für Witze und Geldborger ist es heilsam, wenn sie uns unangemeldet überraschen. Obgleich sein schwarzer Anzug, bis auf den Schnitt des Fracks, ganz gentlemännisch ist, so trägt solcher doch dazu bei, ihm ein geistliches Ansehen zu geben. Vielleicht bekommt er dieses noch mehr durch seine oft gekrümmte Rückenbewegung und die lauernde, ironische Geschmeidigkeit des ganzen Leibes. Einer meiner Freunde hat mich zuerst auf dieses »Klerikalische« in Broughams Wesen aufmerksam gemacht, und durch die obige Schilderung wird diese feine Bemerkung bestätigt. Mir ist zuerst das »Advokatische« im Wesen Broughams aufgefallen, besonders durch die Art, wie er beständig mit dem vorgestreckten Zeigefinger demonstriert und mit vorgebeugtem Haupte selbstgefällig dazu nickt.

Am bewunderungswürdigsten ist die rastlose Tätigkeit dieses Mannes. Jene Parlamentsreden hält er, nachdem er vielleicht schon acht Stunden lang seine täglichen Berufsgeschäfte, nämlich das Advozieren in den Gerichtssälen, getrieben und vielleicht die halbe Nacht an Aufsätzen für das Edinburgh Review oder an seinen Verbesserungen des Volksunterrichts und der Kriminalgesetze gearbeitet hat. Erstere Arbeiten, der Volksunterricht, werden gewiß einst schöne Früchte hervorbringen. Letztere, die Kriminalgesetzgebung, womit Brougham und Peel sich jetzt am meisten beschäftigen, sind vielleicht die nützlichsten, wenigstens die dringendsten; denn Englands Gesetze sind noch grausamer als seine Oligarchen. Der Prozeß der Königin begründete zuerst Broughams Zelebrität. Er kämpfte wie ein Ritter für diese hohe Dame, und wie sich von selbst versteht, wird Georg IV. niemals die Dienste vergessen, die er seiner lieben Frau geleistet hat. Deshalb, als vorigen April die Opposition siegte, kam Brougham dennoch nicht ins Ministerium, obgleich ihm, als leader of the opposition, in diesem Falle, nach altem Brauch, ein solcher Eintritt gebührte.

IX

Die Emanzipation

Wenn man mit dem dümmsten Engländer über Politik spricht, so wird er doch immer etwas Vernünftiges zu sagen wissen. Sobald man aber das Gespräch auf Religion lenkt, wird der gescheiteste Engländer nichts als Dummheiten zu Tage fördern. Daher entsteht wohl jene Verwirrung der Begriffe, jene Mischung von Weisheit und Unsinn, sobald im Parlamente die Emanzipation der Katholiken zur Sprache kommt, eine Streitfrage, worin Politik und Religion kollidieren. Selten in ihren parlamentarischen Verhandlungen ist es den Engländern möglich, ein Prinzip auszusprechen, sie diskutieren nur den Nutzen oder Schaden der Dinge und bringen Fakta, die einen pro, die anderen contra, zum Vorschein.

Mit Faktis aber kann man zwar streiten, doch nicht siegen, da gibt es nichts als ein materielles Hin- und Herschlagen, und das Schauspiel eines solchen Streites gemahnt uns an wohlbekannte pro-patria-Kämpfe deutscher Studenten, deren Resultat darauf hinausläuft, daß so und so viel Gänge gemacht worden, so und so viel Quarten und Terzen gefallen sind und nichts damit bewiesen worden.

Im Jahr 1827, wie sich von selbst versteht, haben wieder die Emanzipationisten gegen die Oranienmänner in Westminster gefochten, und wie sich von selbst versteht, es ist nichts dabei herausgekommen. Die besten Schläger der Emanzipationisten waren Burdett, Plunkett, Brougham und Canning. Ihre Gegner, Herrn Peel ausgenommen, waren wieder die bekannten, oder besser gesagt, die unbekannten Fuchsjäger.

Von jeher stimmten die geistreichsten Staatsmänner Englands für die bürgerliche Gleichstellung der Katholiken, sowohl aus Gründen des innigsten Rechtsgefühls als auch der politischen Klugheit. Pitt selbst, der Erfinder des stabilen Systems, hielt die Partei der Katholiken. Gleichfalls Burke, der große Renegat der Freiheit, konnte nicht so weit die Stimme seines Herzens unterdrücken, daß er gegen Irland gewirkt hätte. Auch Canning, sogar damals, als er noch ein toriescher Knecht war, konnte nicht ungerührt das Elend Irlands betrachten, und wie teuer ihm dessen Sache war, hat er zu einer Zeit, als man ihn der Lauigkeit bezüchtigte, gar rührend naiv ausgesprochen. Wahrlich, ein großer Mensch kann, um große Zwecke zu erreichen, oft gegen seine Überzeugung handeln und zweideutig oft von einer Partei zur andern übergehen; – man muß alsdann billig bedenken, daß derjenige, der sich auf einer gewissen Höhe behaupten will, ebenso den Umständen nachgeben muß wie der Hahn auf dem Kirchturm, den, obgleich er von Eisen ist, jeder Sturmwind zerbrechen und herabschleudern würde, wenn er trotzig unbeweglich bliebe und nicht die edle Kunst verstände, sich nach jedem Winde zu drehen. Aber nie wird ein großer Mensch so weit die Gefühle seiner Seele verleugnen können, daß er das Unglück seiner Landsleute mit indifferenter Ruhe ansehen und sogar vermehren könnte. Wie wir unsere Mutter lieben, so lieben wir auch den Boden, worauf wir geboren sind, so lieben wir die Blumen, den Duft, die Sprache und die Menschen, die aus diesem Boden hervorgeblüht sind, keine Religion ist so schlecht und keine Politik ist so gut, daß sie im Herzen ihrer Bekenner solche Liebe ersticken könnte; obgleich sie Protestanten und Tories waren, konnten Burke und Canning doch nimmermehr Partei nehmen gegen das arme, grüne Erin: Irländer, die schreckliches Elend und namenlosen Jammer über ihr Vaterland verbreiten, sind Menschen – wie der selige Castlereagh.

Daß die große Masse des englischen Volkes gegen die Katholiken gestimmt ist und täglich das Parlament bestürmt, ihnen nicht mehr Rechte einzuräumen, ist ganz in der Ordnung. Es liegt in der menschlichen Natur eine solche Unterdrückungssucht, und wenn wir auch, was jetzt beständig geschieht, über bürgerliche Ungleichheit klagen, so sind alsdann unsere Augen nach oben gerichtet, wir sehen nur diejenigen, die über uns stehen und deren Vorrechte uns beleidigen; abwärts sehen wir nie bei solchen Klagen, es kommt uns nie in den Sinn, diejenigen, welche durch Gewohnheitsunrecht noch unter uns gestellt sind, zu uns heraufzuziehen, ja uns verdrießt es sogar, wenn diese ebenfalls in die Höhe streben, und wir schlagen ihnen auf die Köpfe. Der Kreole verlangt die Rechte des Europäers, spreizt sich aber gegen den Mulatten und sprüht Zorn, wenn dieser sich ihm gleichstellen will. Ebenso handelt der Mulatte gegen den Mestizen und dieser wieder gegen den Neger. Der Frankfurter Spießbürger ärgert sich über Vorrechte des Adels; aber er ärgert sich noch mehr, wenn man ihm zumutet, seine Juden zu emanzipieren. Ich habe einen Freund in Polen, der für Freiheit und Gleichheit schwärmt, aber bis auf diese Stunde seine Bauern noch nicht aus ihrer Leibeigenschaft entlassen hat.

Was den englischen Klerus betrifft, so bedarf es keiner Erörterung, weshalb von dieser Seite die Katholiken verfolgt werden. Verfolgung der Andersdenkenden ist überall das Monopol der Geistlichkeit, und auch die anglikanische Kirche behauptet streng ihre Rechte. Freilich, die Zehnten sind ihr die Hauptsache, sie würde durch die Emanzipation der Katholiken einen großen Teil ihres Einkommens verlieren, und Aufopferung eigener Interessen ist ein Talent, das den Priestern der Liebe ebenso sehr abgeht wie den sündigen Laien. Dazu kommt noch, daß jene glorreiche Revolution, welcher England die meisten seiner jetzigen Freiheiten verdankt, aus religiösem, protestantischem Eifer hervorgegangen: ein Umstand, der den Engländern gleichsam noch besondere Pflichten der Dankbarkeit gegen die herrschende protestantische Kirche auferlegt und sie diese als das Hauptbollwerk ihrer Freiheit betrachten läßt. Manche ängstliche Seelen unter ihnen mögen wirklich den Katholizismus und dessen Wiedereinführung fürchten und an die Scheiterhaufen von Smithfield denken – und ein gebranntes Kind scheut das Feuer. Auch gibt es ängstliche Parlamentsglieder, die ein neues Pulverkomplott befürchten – diejenigen fürchten das Pulver am meisten, die es nicht erfunden haben –, und da wird es ihnen oft, als fühlten sie, wie die grünen Bänke, worauf sie in der St.-Stephans-Kapelle sitzen, allmählig warm und wärmer werden, und wenn irgendein Redner, wie oft geschieht, den Namen Guy Fawkes erwähnt, rufen sie ängstlich: »hear him! hear him!« Was endlich den Rektor von Göttingen betrifft, der in London eine Anstellung als König von England hat, so kennt jeder seine Mäßigkeitspolitik: er erklärt sich für keine von beiden Parteien, er sieht gern, daß sie sich bei ihren Kämpfen wechselseitig schwächen, er lächelt nach herkömmlicher Weise, wenn sie friedlich bei ihm kouren, er weiß alles und tut nichts und verläßt sich im schlimmsten Fall auf seinen Oberschnurren Wellington.

Man verzeihe mir, daß ich in flipprigem Tone eine Streitfrage behandle, von deren Lösung das Wohl Englands und daher vielleicht mittelbar das Wohl der Welt abhängt. Aber eben, je wichtiger ein Gegenstand ist, desto lustiger muß man ihn behandeln; das blutige Gemetzel der Schlachten, das schaurige Sichelwetzen des Todes wäre nicht zu ertragen, erklänge nicht dabei die betäubende türkische Musik mit ihren freudigen Pauken und Trompeten. Das wissen die Engländer, und daher bietet ihr Parlament auch ein heiteres Schauspiel des unbefangensten Witzes und der witzigsten Unbefangenheit, bei den ernsthaftesten Debatten, wo das Leben von Tausenden und das Heil ganzer Länder auf dem Spiel steht, kommt doch keiner von ihnen auf den Einfall, ein deutsch steifes Landständegesicht zu schneiden oder französisch pathetisch zu deklamieren, und wie ihr Leib, so gebärdet sich alsdann auch ihr Geist ganz zwanglos, Scherz, Selbstpersiflage, Sarkasmen, Gemüt und Weisheit, Malice und Güte, Logik und Verse sprudeln hervor im blühendsten Farbenspiel, so daß die Annalen des Parlaments uns noch nach Jahren die geistreichste Unterhaltung gewähren. Wie sehr kontrastieren dagegen die öden, ausgestopften, löschpapiernen Reden unserer süddeutschen Kammern, deren Langweiligkeit auch der geduldigste Zeitungsleser nicht zu überwinden vermag, ja deren Duft schon einen lebendigen Leser verscheuchen kann, so daß wir glauben müssen, jene Langweiligkeit sei geheime Absicht, um das große Publikum von der

Lektüre jener Verhandlungen abzuschrecken und sie dadurch, trotz ihrer Öffentlichkeit, dennoch im Grunde ganz geheim zu halten.

Ist also die Art, wie die Engländer im Parlamente die katholische Streitfrage abhandeln, wenig geeignet, ein Resultat hervorzubringen, so ist doch die Lektüre dieser Debatten um so interessanter, weil Fakta mehr ergötzen als Abstraktionen, und gar besonders amüsant ist es, wenn fabelgleich irgendeine Parallelgeschichte erzählt wird, die den gegenwärtigen, bestimmten Fall witzig persifliert und dadurch vielleicht am glücklichsten illustriert. Schon bei den Debatten über die Thronrede, am 3. Februar 1825, vernahmen wir im Oberhause eine jener Parallelgeschichten, wie ich sie oben bezeichnet und die ich wörtlich hierhersetze (vid. Parliamentary history and review during the session of 1825-1826. Pag. 31):

»Lord King bemerkte, daß, wenn auch England blühend und glücklich genannt werden könne, so befänden sich doch sechs Millionen Katholiken in einem ganz andern Zustande, jenseits des irländischen Kanals, und die dortige schlechte Regierung sei eine Schande für unser Zeitalter und für alle Britten. Die ganze Welt, sagte er, ist jetzt zu vernünftig, um Regierungen zu entschuldigen, welche ihre Untertanen wegen Religionsdifferenzen bedrücken oder irgendeines Rechtes berauben. Irland und die Türkei könnte man als die einzigen Länder Europas bezeichnen, wo ganze Menschenklassen ihres Glaubens wegen unterdrückt und gekränkt werden. Der Großsultan hat sich bemüht, die Griechen zu bekehren, in derselben Weise, wie das englische Gouvernement die Bekehrung der irländischen Katholiken betrieben, aber ohne Erfolg. Wenn die unglücklichen Griechen über ihre Leiden klagten und demütigst baten, ein bißchen besser als mahomedanische Hunde behandelt zu werden, ließ der Sultan seinen Großvezier holen, um Rat zu schaffen. Dieser Großvezier war früherhin ein Freund und späterhin ein Feind der Sultanin gewesen. Er hatte dadurch in der Gunst seines Herrn ziemlich gelitten und in seinem eigenen Divan, von seinen eigenen Beamten und Dienern, manchen Widerspruch ertragen müssen (Gelächter). Er war ein Feind der Griechen. Dem Einfluß nach die zweite Person im Divan war der Reis Effendi, welcher den gerechten Forderungen jenes unglücklichen Volkes freundlich geneigt war. Dieser Beamte, wie man wußte, war Minister der äußern Angelegenheiten, und seine Politik verdiente und erhielt allgemeinen Beifall. Er zeigte in diesem Felde außerordentliche Liberalität und Talente, er tat viel Gutes, verschaffte der

Regierung des Sultans viel Popularität und würde noch mehr ausgerichtet haben, hätten ihn nicht seine minder erleuchteten Kollegen in allen seinen Maßregeln gehemmt. Er war in der Tat der einzige Mann von wahrem Genie im ganzen Divan (Gelächter), und man achtete ihn als eine Zierde türkischer Staatsleute, da er auch mit poetischen Talenten begabt war. Der Kiaya-Bei oder Minister des Innern und der Kapitan Pascha waren wiederum Gegner der Griechen; aber der Chorführer der ganzen Opposition gegen die Rechtsansprüche dieses Volks war der Obermufti oder das Haupt des mahomedanischen Glaubens (Gelächter). Dieser Beamte war ein Feind jeder Veränderung. Er hatte sich regelmäßig widersetzt bei allen Verbesserungen im Handel, bei allen Verbesserungen in der Justiz, bei jeder Verbesserung in der ausländischen Politik (Gelächter). Er zeigte und erklärte sich jedesmal als der größte Verfechter der bestehenden Mißbräuche. Er war der vollendetste Intrigant im ganzen Divan (Gelächter). In früherer Zeit hatte er sich für die Sultanin erklärt, aber er wandte sich gegen sie, sobald er befürchtete, daß er dadurch seine Stelle im Divan verlieren könne, er nahm sogar die Partei ihrer Feinde. Einst wurde der Vorschlag gemacht, einige Griechen in das Korps der regulären Truppen oder Janitscharen aufzunehmen; aber der Obermufti erhob dagegen ein so heilloses Zetergeschrei – ähnlich unserem No-popery-Geschrei –, daß diejenigen, welche jene Maßregel genehmigt, aus dem Divan scheiden mußten. Er gewann selbst die Oberhand, und sobald dies geschah, erklärte er sich für eben dieselbe Sache, wogegen er vorhin am meisten geeifert hatte (Gelächter). Er sorgte für des Sultans Gewissen und für sein eigenes; doch will man bemerkt haben, daß sein Gewissen niemals mit seinen Interessen in Opposition war (Gelächter). Da er aufs genaueste die türkische Konstitution studiert, hatte er ausgefunden, daß sie wesentlich mahomedanisch sei (Gelächter) und folglich allen Vorrechten der Griechen feindselig sein müsse. Er hatte deshalb beschlossen, der Sache der Intoleranz fest ergeben zu bleiben, und war bald umringt von Mollahs, Imans und Derwischen, welche ihn in seinen edeln Vorsätzen bestärkten. Um das Bild dieser Spaltung im Divan zu vollenden, sei noch erwähnt, daß dessen Mitglieder übereinkamen, sie wollten bei gewissen Streitfragen einig und bei andern wieder entgegengesetzter Meinung sein, ohne ihre Vereinigung zu brechen. Nachdem man nun die Übel, die durch solch einen Divan entstanden, gesehen hat, nachdem man gesehen, wie das Reich der Muselmänner zerrissen worden, durch eben ihre Intoleranz gegen die Griechen und ihre Uneinigkeit unter sich selbst: so sollte man doch den Himmel bitten, das Vaterland vor einer solchen Kabinettsspaltung zu bewahren.«

Es bedarf keines sonderlichen Scharfsinns, um die Personen zu erraten, die hier in türkische Namen vermummt sind; noch weniger ist es vonnöten, die Moral der Geschichte in trocknen Worten herzusetzen. Die Kanonen von Navarino haben sie laut genug ausgesprochen, und wenn einst die Hohe Pforte zusammenbricht – und brechen wird sie trotz Peras bevollmächtigten Lakaien, die sich dem Unwillen der Völker entgegenstemmen –, dann mag John Bull in seinem Herzen bedenken: mit verändertem Namen spricht von dir die Fabel. Etwas der Art mag England schon jetzt ahnen, indem seine besten Publizisten sich gegen den Interventionskrieg erklären und ganz naiv darauf hindeuten, daß die Völker Europas mit gleichem Rechte sich der irländischen Katholiken annehmen und der englischen Regierung eine bessere Behandlung derselben abzwingen könnten. Sie glauben hiermit das Interventionsrecht widerlegt zu haben und haben es nur noch deutlicher illustriert. Freilich hätten Europas Völker das heiligste Recht, sich für die Leiden Irlands, mit gewaffneter Hand, zu verwenden, und dieses Recht würde auch ausgeübt werden, wenn nicht das Unrecht stärker wäre. Nicht mehr die gekrönten Häuptlinge, sondern die Völker selbst sind die Helden der neuern Zeit, auch diese Helden haben eine heilige Allianz geschlossen, sie halten zusammen, wo es gilt für das gemeinsame Recht, für das Völkerrecht der religiösen und politischen Freiheit, sie sind verbunden durch die Idee, sie haben sie beschworen und dafür geblutet, ja sie sind selbst zur Idee geworden – und deshalb zuckt es gleich schmerzhaft durch alle Völkerherzen, wenn irgendwo, sei es auch im äußersten Winkel der Erde, die Idee beleidigt wird.

X

Wellington

Der Mann hat das Unglück, überall Glück zu haben, wo die größten Männer der Welt Unglück hatten, und das empört uns und macht ihn verhaßt. Wir sehen in ihm nur den Sieg der Dummheit über das Genie – Arthur Wellington triumphiert, wo Napoleon Bonaparte untergeht!

Nie ward ein Mann ironischer von Fortuna begünstigt, und es ist, als ob sie seine öde Winzigkeit zur Schau geben wollte, indem sie ihn auf das Schild des Sieges emporhebt. Fortuna ist ein Weib, und nach Weiberart grollt sie vielleicht heimlich dem Manne, der ihren ehemaligen Liebling stürzte, obgleich dessen Sturz ihr eigner Wille war. Jetzt, bei der Emanzipation der Katholiken, läßt sie ihn wieder siegen, und zwar in einem Kampfe, worin Georg Canning zugrunde ging. Man würde ihn vielleicht geliebt haben, wenn der elende Londonderry sein Vorgänger im Ministerium gewesen wäre; jetzt aber war er der Nachfolger des edlen Canning, des vielbeweinten, angebeteten, großen Canning – und er siegt, wo Canning zugrunde ging. Ohne solches Unglück des Glücks würde Wellington vielleicht für einen großen Mann passieren, man würde ihn nicht hassen, nicht genau messen, wenigstens nicht mit dem heroischen Maßstabe, womit man einen Napoleon und einen Canning mißt, und man würde nicht entdeckt haben, wie klein er ist als Mensch.

Er ist ein kleiner Mensch und noch weniger als klein. Die Franzosen haben von Polignac nichts Ärgeres sagen können als: er sei ein Wellington ohne Ruhm. In der Tat, was bleibt übrig, wenn man einem Wellington die Feldmarschalluniform des Ruhmes auszieht?

Ich habe hier die beste Apologie des Lord Wellington – im englischen Sinne des Wortes – geliefert. Man wird sich aber wundern, wenn ich ehrlich gestehe, daß ich diesen Helden einst sogar mit vollen Segeln gelobt habe. Es ist eine gute Geschichte, und ich will sie hier erzählen:

Mein Barbier in London war ein Radikaler, genannt Mister White, ein armer kleiner Mann in einem abgeschabten schwarzen Kleide, das einen weißen Widerschein gab; er war so dünn, daß die Façade seines Gesichtes nur ein Profil zu sein schien und die Seufzer in seiner Brust sichtbar waren, noch ehe sie aufstiegen. Er seufzte nämlich immer über das Unglück von Alt-England und über die Unmöglichkeit, jemals die Nationalschuld zu bezahlen.

»Ach!« – hörte ich ihn gewöhnlich seufzen – »was brauchte sich das englische Volk darum zu bekümmern, wer in Frankreich regierte und was die Franzosen in ihrem Lande trieben? Aber der hohe Adel und die hohe Kirche fürchteten die Freiheitsgrundsätze der französischen Revolution, und um diese Grundsätze zu unterdrücken, mußte John Bull sein Blut und sein Geld hergeben und noch obendrein Schulden machen. Der Zweck des Krieges ist jetzt erreicht, die Revolution ist unterdrückt, den französischen Freiheitsadlern sind die Flügel beschnitten, der hohe Adel und die hohe Kirche können jetzt ganz sicher sein, daß keiner derselben über den Kanal fliegt, und der hohe Adel und die hohe Kirche sollten jetzt wenigstens die Schulden bezahlen, die für ihr eignes Interesse und nicht für das arme Volk gemacht worden sind. Ach! das arme Volk –«

Immer, wenn er an »das arme Volk« kam, seufzte Mister White noch tiefer, und der Refrain war dann, daß das Brot und der Porter so teuer sei und daß das arme Volk verhungern müsse, um dicke Lords, Jagdhunde und Pfaffen zu füttern, und daß es nur *eine* Hülfe gäbe. Bei diesen Worten pflegte er auch das Messer zu schleifen, und während er es über das Schleifleder hin- und herzog, murmelte er ingrimmig langsam: »Lords, Hunde, Pfaffen!«

Gegen den Duke of Wellington kochte aber sein radikaler Zorn immer am heftigsten, er spuckte Gift und Galle, sobald er auf diesen zu sprechen kam, und wenn er mich unterdessen einseifte, so geschah es mit schäumender Wut. Einst wurde ich ordentlich bange, als er mich just nahe beim Halse barbierte, während er so heftig gegen Wellington loszog und beständig dazwischen murmelte: »Hätte ich ihn nur so unterm Messer, ich würde ihm die Mühe ersparen, sich selbst die Kehle abzuschneiden wie sein Amtsbruder und Landsmann Londonderry, der sich die Kehle abgeschnitten zu North-Cray in der Grafschaft Kent – Gott verdamm ihn.«

Ich fühlte schon, wie die Hand des Mannes zitterte, und aus Furcht, daß er in der Leidenschaft sich plötzlich einbilden könnte, ich sei der Duke of Wellington, suchte ich seine Heftigkeit herabzustimmen und ihn unter der Hand zu besänftigen. Ich nahm seinen Nationalstolz in Anspruch, ich stellte ihm vor, daß Wellington den Ruhm der Engländer befördert, daß er immer nur eine unschuldige Maschine in dritten Händen gewesen sei, daß er gern Beefsteaks esse und daß er endlich – Gott weiß! was ich noch mehr von Wellington rühmte, als mir das Messer an der Kehle stand.

Was mich am meisten ärgert, ist der Gedanke, daß Arthur Wellington ebenso unsterblich wird wie Napoleon Bonaparte. Ist doch, in ähnlicher Weise, der Name Pontius Pilatus ebenso unvergeßlich geblieben wie der Name Christi. Wellington und Napoleon! Es ist ein wunderbares Phänomen, daß der menschliche Geist sich beide zu gleicher Zeit denken kann. Es gibt keine größern Kontraste als diese beiden, schon in ihrer äußeren Erscheinung. Wellington, das dumme Gespenst, mit einer aschgrauen Seele in einem steifleinenen Körper, ein hölzernes Lächeln in dem frierenden Gesichte – daneben denke man sich das Bild Napoleons, jeder Zoll ein Gott!

Nie schwindet dieses Bild aus meinem Gedächtnisse. Ich sehe ihn immer noch hoch zu Roß, mit den ewigen Augen in dem marmornen Imperatorgesichte, schicksalruhig hinabblickend auf die vorbeidefilierenden Guarden – er schickte sie damals nach Rußland, und die alten Grenadiere schauten zu ihm hinauf, so schauerlich ergeben, so mitwissend ernst, so todesstolz –

Te, Caesar, morituri salutant!

Manchmal überschleicht mich geheimer Zweifel, ob ich ihn wirklich selbst gesehen, ob wir wirklich seine Zeitgenossen waren, und es ist mir dann, als ob sein Bild, losgerissen aus dem kleinen Rahmen der Gegenwart, immer stolzer und herrischer zurückweiche in vergangenheitliche Dämmerung. Sein Name schon klingt uns wie eine Kunde der Vorwelt und ebenso antik und heroisch wie die Namen Alexander und Cäsar. Er ist schon ein Losungswort geworden unter den Völkern, und wenn der Orient und der Okzident sich begegnen, so verständigen sie sich durch diesen einzigen Namen.

Wie bedeutsam und magisch alsdann dieser Name erklingen kann, das empfand ich aufs tiefste, als ich einst im Hafen von London, wo die indischen Docks sind, an Bord eines Ostindienfahrers stieg, der eben aus Bengalen angelangt war. Es war ein riesenhaftes Schiff und zahlreich bemannt mit Hindostanern. Die grotesken Gestalten und Gruppen, die seltsam bunten Trachten, die rätselhaften Mienen, die wunderlichen Leibesbewegungen, der wildfremde Klang der Sprache, des Jubels und des Lachens, dabei wieder der Ernst auf einigen sanftgelben Gesichtern, deren Augen, wie schwarze Blumen, mich mit abenteuerlicher Wehmut ansahen – alles das erregte in mir ein Gefühl wie Verzauberung, ich war plötzlich wie versetzt in Schehezerades Märchen, und ich meinte schon, nun müßten auch breitblättrige Palmen und langhälsige Kamele und goldbedeckte Elefanten und andre fabelhafte Bäume und Tiere zum Vorschein kommen. Der Superkargo, der sich auf dem Schiffe befand und die Sprache jener Leute ebenso wenig verstand als ich, konnte mir, mit echtbrittischer Beschränktheit, nicht genug erzählen, was das für ein närrisches Volk sei, fast lauter Mahomedaner, zusammengewürfelt aus allen Ländern Asiens, von der Grenze Chinas bis ans arabische Meer, darunter sogar einige pechschwarze, wollhaarige Afrikaner.

Des dumpfen abendländischen Wesens so ziemlich überdrüssig, so recht Europa-müde, wie ich mich damals manchmal fühlte, war mir dieses Stück Morgenland, das sich jetzt heiter und bunt vor meinen Augen bewegte, eine erquickliche Labung, mein Herz erfrischten wenigstens einige Tropfen jenes Trankes, wonach es in trüb hannövrischen oder königlich preußischen Winternächten so oft geschmachtet hatte, und die fremden Leute mochten es mir wohl ansehen, wie angenehm mir ihre Erscheinung war und wie gern ich ihnen ein Liebeswörtchen gesagt hätte. Daß auch ich ihnen recht wohlgefiel, war den innigen Augen anzusehen, und sie hätten mir ebenfalls gern etwas Liebes gesagt, und es war eine Trübsal, daß keiner des andern Sprache verstand. Da endlich fand ich ein Mittel, ihnen meine freundschaftliche Gesinnung auch mit einem Worte kund zu geben, und ehrfurchtsvoll und die Hand ausstrekkend, wie zum Liebesgruß, rief ich den Namen: »Mahomet!«

Freude überstrahlte plötzlich die dunklen Gesichter der fremden Leute, sie kreuzten ehrfurchtsvoll die Arme, und zum erfreuenden Gegengruß riefen sie den Namen: »Bonaparte!«

XI

Die Befreiung

Wenn mir mal die Zeit der müßigen Untersuchungen wiederkehrt, so werde ich langweiligst gründlich beweisen: daß nicht Indien, sondern Egypten jenes Kastentum hervorgebracht hat, das, seit zwei Jahrtausenden, in jede Landestracht sich zu vermummen und jede Zeit in ihrer eigenen Sprache zu täuschen wußte, das vielleicht jetzt tot ist, aber, den Schein des Lebens erheuchelnd, noch immer bösäugig und unheilstiftend unter uns wandelt, mit seinem Leichendufte unser blühendes Leben vergiftet, ja, als ein Vampyr des Mittelalters, den Völkern das Blut und das Licht aus den Herzen saugt. Dem Schlamme des Nil-Tals entstiegen nicht bloß die Krokodille, die so gut weinen können, sondern auch jene Priester, die es noch besser verstehen, und jener privilegiert erbliche Kriegerstand, der in Mordgier und Gefräßigkeit die Krokodille noch übertrifft.

Zwei tiefsinnige Männer, deutscher Nation, entdeckten den heilsamsten Gegenzauber wider die schlimmste aller egyptischen Plagen, und durch schwarze Kunst – durch die Buchdruckerei und das Pulver – brachen sie die Gewalt jener geistlichen und weltlichen Hierarchie, die sich aus einer Verbündung des Priestertums und der Kriegerkaste, nämlich der sogenannten katholischen Kirche und des Feudaladels, gebildet hatte und die ganz Europa weltlich und geistlich knechtete. Die Druckerpresse zersprengte das Dogmengebäude, worin der Großpfaffe von Rom die Geister gekerkert, und Nordeuropa atmete wieder frei, entlastet von dem nächtlichen Alp jener Klerisei, die zwar in der Form von der egyptischen Standeserblichkeit abgewichen war, im Geiste aber dem egyptischen Priestersysteme um so getreuer bleiben konnte, da sie sich nicht durch natürliche Fortpflanzung, sondern unnatürlich, durch mameluckenhafte Rekrutierung, als eine Korporation von Hagestolzen, noch schroffer darstellte. Ebenso sehen wir, wie die Kriegerkaste ihre Macht verliert, seit die alte Handwerksroutine nicht mehr von Nutzen ist bei der neuen Kriegsweise; denn von dem Posaunentone der Kanonen werden jetzt die stärksten Burgtürme niedergeblasen, wie weiland die Mauern von Jericho, der eiserne Harnisch des Ritters schützt gegen den bleiernen Regen ebenso wenig wie der leinene Kittel des Bauers; das Pulver macht die Menschen gleich, eine bürgerliche Flinte geht ebenso gut los wie eine adlige Flinte – das Volk erhebt sich.

Die früheren Bestrebungen, die wir in der Geschichte der lombardischen und toskanischen Republiken, der spanischen Kommunen und der freien Städte in Deutschland und andren Ländern erkennen, verdienen nicht die Ehre, eine Volkserhebung genannt zu werden; es war kein Streben nach Freiheit, sondern nach Freiheiten, kein Kampf für Rechte, sondern für Gerechtsame; Korporationen stritten um Privilegien, und es blieb alles in den festen Schranken des Gilden- und Zunftwesens. Erst zur Zeit der Reformation wurde der Kampf von allgemeiner und geistiger Art, und die Freiheit wurde verlangt, nicht als ein hergebrachtes, sondern als ein ursprüngliches, nicht als ein erworbenes, sondern als ein angeborenes Recht. Da wurden nicht mehr alte Pergamente, sondern Prinzipien vorgebracht; und der Bauer in Deutschland und der Puritaner in England beriefen sich auf das Evangelium, dessen Aussprüche damals an Vernunftstatt galten, ja noch höher galten, nämlich als eine geoffenbarte Vernunft Gottes. Da stand deutlich ausgesprochen: daß die Menschen von gleich edler Geburt sind, daß hochmütiges Besserdünken verdammt werden muß, daß der Reichtum eine Sünde ist und daß auch die Armen berufen sind zum Genusse in dem schönen Garten Gottes, des gemeinsamen Vaters.

Mit der Bibel in der einen Hand und mit dem Schwerte in der anderen zogen die Bauern durch das südliche Deutschland, und der üppigen Bürgerschaft im hochgetürmten Nüremberg ließen sie sagen: es solle künftig kein Haus im Reiche stehen bleiben, das anders aussähe als ein Bauernhaus. So wahr und tief hatten sie die Gleichheit begriffen. Noch heutigen Tags, in Franken und Schwaben, schauen wir die Spuren dieser Gleichheitslehre, und eine grauenhafte Ehrfurcht vor dem Heiligen Geiste überschleicht den Wanderer, wenn er im Mondschein die dunkeln Burgtrümmer sieht aus der Zeit des Bauernkriegs. Wohl dem, der, nüchternen Sinns, nichts anderes sieht, ist man aber ein Sonntagskind – und das ist jeder Geschichtskundige –, so sieht man auch die hohe Jagd, die der deutsche Adel, der roheste der Welt, gegen die Besiegten geübt, man sieht, wie tausendweis die Wehrlosen totgeschlagen, gefoltert, gespießt und gemartert wurden, und aus den wogenden Kornfeldern sieht man sie geheimnisvoll nicken, die blutigen Bauernköpfe, und drüber hin hört man pfeifen eine entsetzliche Lerche, rachegellend, wie der Pfeifer vom Helfenstein.

Etwas besser erging es den Brüdern in England und Schottland; ihr Untergang war nicht so schmählig und erfolglos, und noch jetzt sehen wir dort die Früchte ihres Regiments. Aber es gelang ihnen keine feste Begründung desselben, die sauberen Kavaliere herrschen wieder nach wie vor und ergötzen sich an den Spaßgeschichten von den alten starren Stutzköpfen, die der befreundete Barde zu ihrer müßigen Unterhaltung so hübsch beschrieben. Keine gesellschaftliche Umwälzung hat in Großbritannien stattgefunden, das Gerüste der bürgerlichen und politischen Institutionen blieb unzerstört, die Kastenherrschaft und das Zunftwesen hat sich dort bis auf den heutigen Tag erhalten, und obgleich getränkt von dem Lichte und der Wärme der neuern Zivilisation, verharrt England in einem mittelalterlichen Zustande, oder vielmehr im Zustande eines fashionablen Mittelalters. Die Konzessionen, die dort den liberalen Ideen gemacht worden, sind dieser mittelalterlichen Starrheit nur mühsam abgekämpft worden; und nie aus einem Prinzip, sondern aus der faktischen Notwendigkeit sind alle modernen Verbesserungen hervorgegangen, und sie tragen alle den Fluch der Halbheit, die immer neue Drangsal und neuen Todeskampf und dessen Gefahren nötig macht. Die religiöse Reformation ist in England nur halb vollbracht, und zwischen den kahlen vier Gefängniswänden der bischöflich anglikanischen Kirche befindet man sich noch viel schlechter als in dem weiten, hübsch bemalten und weichgepolsterten Geisteskerker des Katholizismus. Mit der politischen Reformation ist es nicht viel besser gegangen, die Volksvertretung ist so mangelhaft als möglich: wenn die Stände sich auch nicht mehr durch den Rock trennen, so trennen sie sich doch noch immer durch verschiedenen Gerichtsstand, Patronage, Hoffähigkeit, Prärogative, Gewohnheitsvorrechte und sonstige Fatalien; und wenn Eigentum und Person des Volks nicht mehr von aristokratischer Willkür, sondern vom Gesetze abhängen, so sind doch diese Gesetze nichts anderes als eine andere Art von Zähnen, womit die aristokratische Brut ihre Beute erhascht, und eine andere Art von Dolchen, womit sie das Volk meuchelt. Denn wahrlich, kein Tyrann vom Kontinente würde aus Willkürlust so viel Taxen erpressen, als das englische Volk von Gesetz wegen bezahlen muß, und kein Tyrann war jemals so grausam wie Englands Kriminalgesetze, die täglich morden, für den Betrag eines Schillings und mit Buchstabenkälte. Wird auch, seit kurzem, manche Verbesserung dieses trüben Zustandes in England vorbereitet, werden auch der weltlichen und geistlichen Habsucht hie und da Schranken gesetzt, wird auch jetzt die große Lüge einer Volksvertretung einigermaßen begütigt, indem man hie und da einem großen Fabrikorte die verwirkte Wahlstimme von einem rotten borough überträgt, wird gleichfalls hie und da die harsche Intoleranz gemildert, indem man auch einige andere Sekten bevorrechtet – so ist dieses alles doch nur ledige Altflickerei, die nicht lange vorhält, und der dümmste Schneider in England kann voraussehen, daß über kurz oder lang das alte Staatskleid in trübseligen Fetzen auseinanderreißt.

»Niemand flickt einen Lappen von neuem Tuche an ein altes Kleid; denn der neue Lappen reißt doch vom alten, und der Riß wird ärger. Und niemand fasset Most in alte Schläuche; anders zerreißt der Most die Schläuche, und der Wein wird verschüttet, und die Schläuche kommen um. Sondern man soll Most in neue Schläuche fassen.«

Die tiefste Wahrheit erblüht nur der tiefsten Liebe, und daher die Übereinstimmung in den Ansichten des älteren Bergpredigers, der gegen die Aristokratie von Jerusalem gesprochen, und jener späteren Bergprediger, die von der Höhe des Konvents zu Paris ein dreifarbiges Evangelium herabpredigten, wonach nicht bloß die Form des Staates, sondern das ganze gesellschaftliche Leben nicht geflickt, sondern neu umgestaltet, neu begründet, ja neu geboren werden sollte.

Ich spreche von der französischen Revolution, jener Weltepoche, wo die Lehre der Freiheit und Gleichheit so siegreich emporstieg aus jener allgemeinen Erkenntnisquelle, die wir Vernunft nennen und die, als eine unaufhörliche Offenbarung, welche sich in jedem Menschenhaupte wiederholt und ein Wissen begründet, noch weit vorzüglicher sein muß als jene überlieferte Offenbarung, die sich nur in wenigen Auserlesenen bekundet und von der großen Menge nur geglaubt werden kann. Diese letztgenannte Offenbarungsart, die selbst aristokratischer Natur ist, vermochte nie die Privilegienherrschaft, das bevorrechtete Kastenwesen so sicher zu bekämpfen, wie es die Vernunft, die demokratischer Natur ist, jetzt bekämpft. Die Revolutionsgeschichte ist die Kriegsgeschichte dieses Kampfes, woran wir alle mehr oder minder teilgenommen; es ist der Todeskampf mit dem Egyptentum.

Obgleich die Schwerter der Feinde täglich stumpfer werden, obgleich wir schon die besten Positionen besetzt, so können wir doch nicht eher das Triumphlied anstimmen, als bis das Werk vollendet ist. Wir können nur in den Zwischennächten, wenn Waffenstillstand, mit der Lanterne aufs Schlachtfeld hinausgehn, um die Toten zu beerdigen. – Wenig fruchtet die kurze Leichenrede! Die Verleumdung, das freche Gespenst, setzt sich auf die edelsten Gräber –

Ach! gilt doch der Kampf auch jenen Erbfeinden der Wahrheit, die so schlau den guten Leumund ihrer Gegner zu vergiften wissen und die sogar jenen ersten Bergprediger, den reinsten Freiheitshelden, herabzuwürdigen wußten; denn als sie nicht leugnen konnten, daß er der größte Mensch sei, machten sie ihn zum kleinsten Gotte. Wer mit Pfaffen kämpft, der mache sich darauf gefaßt, daß der beste Lug und die triftigsten Verleumdungen seinen armen guten Namen zerfetzen und schwärzen werden. Aber gleich wie man jene Fahnen, die in der Schlacht am meisten von den Kugeln zerfetzt und von Pulverdampf geschwärzt worden, höher ehrt als die blanksten und gesündesten Rekrutenfahnen und wie man sie endlich als Nationalreliquien in den Domen aufstellt: so werden einst die Namen unserer Helden, je mehr sie zerfetzt und angeschwärzt worden, um so enthusiastischer verehrt werden, in der heiligen Genoveva-Kirche der Freiheit.

Wie die Helden der Revolution, so hat man die Revolution selbst verleumdet und sie als ein Fürstenschrecknis und eine Volkscheuche dargestellt in Libellen aller Art. Man hat in den Schulen all die sogenannten Greuel der Revolution von den Kindern auswendig lernen lassen, und auf den Jahrmärkten sah man, einige Zeit, nichts anderes als grellkolorierte Bilder der Guillotine. Es ist freilich nicht zu leugnen, diese Maschine, die ein französischer Arzt, ein großer Welt-Orthopäde, Monsieur Guillotin, erfunden hat und womit man die dummen Köpfe von den bösen Herzen sehr leicht trennen kann, diese heilsame Maschine hat man etwas oft angewandt, aber doch nur bei unheilbaren Krankheiten, z. B. bei Verrat, Lüge und Schwäche, und man hat die Patienten nicht lang gequält, nicht gefoltert und nicht gerädert, wie einst Tausende und aber Tausende Rotüriers und Vilains, Bürger und Bauern, gequält, gefoltert und gerädert wurden, in der guten alten Zeit. Daß die Franzosen mit jener Maschine sogar das Oberhaupt ihres Staates amputiert, ist freilich entsetzlich, und man weiß nicht, ob man sie deshalb des Vatermords oder des Selbstmords beschuldigen soll; aber bei milderungsgründlicher Betrachtung finden wir, daß Ludwig von Frankreich minder ein Opfer der Leidenschaften als vielmehr der Begebenheiten geworden und daß diejenigen Leute, die das Volk zu solchem Opfer drängten und die selbst, zu allen Zeiten, in weit reichlicherem Maße Fürstenblut vergossen haben, nicht als laute Kläger auftreten sollten. Nur zwei Könige, beide viel mehr Könige des Adels als des Volkes, hat das Volk geopfert, nicht in Friedenszeit, nicht niedriger Interessen wegen, sondern in äußerster Kriegsbedrängnis, als es sich von ihnen verraten sah und während es seines eignen Blutes am wenigsten schonte; aber gewiß mehr als tausend Fürsten fielen meuchlings und der Habsucht oder frivoler Interessen wegen, durch den Dolch, durch das Schwert und durch das Gift des Adels und der Pfaffen. Es ist, als ob diese Kasten den Fürstenmord ebenfalls zu ihren Privilegien rechneten und deshalb den Tod Ludwigs XVI. und Karls I. um so eigennütziger beklagten. O, daß die Könige endlich einsähen, daß sie, als Könige des Volkes, im Schutze der Gesetze viel sicherer leben können als unter der Guarde ihrer adligen Leibmörder!

Aber nicht bloß die Helden der Revolution und die Revolution selbst, sondern sogar unser ganzes Zeitalter hat man verleumdet, die ganze Liturgie unserer heiligsten Ideen hat man parodiert, mit unerhörtem Frevel, und wenn man sie hört oder liest, unsere schnöden Verächter, so heißt das Volk die Canaille, die Freiheit heißt Frechheit, und mit himmelnden Augen und frommen Seufzern wird geklagt und bedauert, wir wären frivol und hätten leider keine Religion. Heuchlerische Duckmäuser, die unter der Last ihrer geheimen Sünden niedergebeugt einherschleichen, wagen es, ein Zeitalter zu lästern, das vielleicht das heiligste ist von allen seinen Vorgängern und Nachfolgern, ein Zeitalter, das sich opfert für die Sünden der Vergangenheit und für das Glück der Zukunft, ein Messias unter den Jahrhunderten, der die blutige Dornenkrone und die schwere Kreuzlast kaum ertrüge, wenn er nicht dann und wann ein heiteres Vaudeville trällerte und Späße risse über die neueren Pharisäer und Sadduzäer. Die kolossalen Schmerzen wären nicht zu ertragen ohne solche Witzreißerei und Persiflage! Der Ernst tritt um so gewaltiger hervor, wenn der Spaß ihn angekündigt. Die Zeit gleicht hierin ganz ihren Kindern unter den Franzosen, die sehr scherzliche, leichtfertige Bücher geschrieben und doch sehr streng und ernsthaft sein konnten, wo Strenge und Ernst notwendig wurden; z. B. Du Clos und gar Louvet de Couvray, die beide, wo es galt, mit Märtyrerkühnheit und Aufopferung für die Freiheit stritten, übrigens aber sehr frivol und schlüpfrig schrieben und leider keine Religion hatten.

Als ob die Freiheit nicht ebenso gut eine Religion wäre als jede andere! Da es die unsrige ist, so könnten wir, mit demselben Maße messend, ihre Verächter für frivol und irreligios erklären.

Ja, ich wiederhole die Worte, womit ich diese Blätter eröffnet: die Freiheit ist eine neue Religion, die Religion unserer Zeit. Wenn Christus auch nicht der Gott dieser Religion ist, so ist er doch ein hoher Priester derselben, und sein Name strahlt beseligend in die Herzen der Jünger. Die Franzosen sind aber das auserlesene Volk der neuen Religion, in ihrer Sprache sind die ersten Evangelien und Dogmen verzeichnet, Paris ist das neue Jerusalem, und der Rhein ist der Jordan, der das geweihte Land der Freiheit trennt von dem Lande der Philister.

Schlußwort

(Geschrieben den 29. November 1830)

Es war eine niedergedrückte, arretierte Zeit in Deutschland, als ich den zweiten Band der Reisebilder schrieb und während des Schreibens drukken ließ. Ehe er aber erschien, verlautete schon etwas davon im Publikum, es hieß, mein Buch wolle den eingeschüchterten Freiheitsmut wieder aufmuntern, und man treffe schon Maßregeln, es ebenfalls zu unterdrücken. Bei solchem Gerüchte war es ratsam, das Werk um so schneller zu fördern und aus der Presse zu jagen. Da es eine gewisse Bogenzahl enthalten mußte, um den Ansprüchen einer hochlöblichen Zensur zu entgehen: so glich ich in jener Not dem Benvenuto Cellini, als er beim Guß des Perseus nicht Erz genug hatte und zur Füllung der Form alle zinnerne Teller, die ihm zur Hand lagen, in den Schmelzofen warf. Es war gewiß leicht, das Zinn, besonders das zinnerne Ende des Buches, von dem besseren Erze zu unterscheiden; doch, wer das Handwerk verstand, verriet den Meister nicht.

Wie aber alles in der Welt wiederkehren kann, so geschieht es auch, daß sich zufälligerweise bei diesen »Nachträgen« eine ähnliche Bedrängnis ereignet, und ich habe wieder eine Menge Zinn in den Guß werfen müssen, und ich wünsche, daß man meine Zinngießereien nur der Zeitnot zuschreibe.

Ach! ist ja das ganze Buch aus der Zeitnot hervorgegangen, ebenso wie die früheren Schriften ähnlicher Richtung; die näheren Freunde des Verfassers, die seiner Privatverhältnisse kundig sind, wissen sehr gut, wie wenig ihn die eigne Selbstsucht zur Tribüne drängt und wie groß die Opfer sind, die er bringen muß, für jedes freie Wort, das er seitdem gesprochen – und will's Gott! noch sprechen wird. Jetzt ist das Wort eine Tat, deren Folgen sich nicht abmessen lassen; kann doch keiner genau wissen, ob er nicht gar am Ende als Blutzeuge auftreten muß für das Wort.

Seit mehreren Jahren warte ich vergebens auf das Wort jener kühnen Redner, die einst in den Versammlungen der deutschen Burschenschaft so oft ums Wort baten und mich so oft durch ihre rhetorischen Talente überwunden und eine so vielversprechende Sprache gesprochen; sie waren sonst so vorlaut und sind jetzt so nachstill. Wie schmähten sie damals die Franzen und das welsche Babel und den undeutschen, frivolen Vaterlandsverräter, der das Franzentum lobte. Jenes Lob hat sich bewährt in der großen Woche.

Ach, die große Woche von Paris! Der Freiheitsmut, der von dort herüberwehte nach Deutschland, hat freilich hie und da die Nachtlichter umgeworfen, so daß die roten Gardinen an einigen Thronen in Brand gerieten und die goldnen Kronen heiß wurden unter den lodernden Schlafmützen; – aber die alten Häscher, denen die Reichspolizei anvertraut, schleppen schon die Löscheimer herbei und schnüffeln jetzt um so wachsamer und schmieden um so fester die heimlichen Ketten, und ich merke schon, unsichtbar wölbt sich eine noch dichtere Kerkermauer um das deutsche Volk.

Armes, gefangenes Volk! verzage nicht in deiner Not – O, daß ich Katapulta sprechen könnte! O, daß ich Falarika hervorschießen könnte aus meinem Herzen!

Von meinem Herzen schmilzt die vornehme Eisrinde, eine seltsame Wehmut beschleicht mich – ist es Liebe und gar Liebe für das deutsche Volk? Oder ist es Krankheit? – meine Seele bebt, und es brennt mir im Auge, und das ist ein ungünstiger Zustand für einen Schriftsteller, der den Stoff beherrschen und hübsch objektiv bleiben soll, wie es die Kunstschule verlangt und wie es auch Goethe getan – er ist achtzig Jahr dabei alt geworden und Minister und wohlhabend – armes deutsches Volk! das ist dein größter Mann!

Es fehlen mir noch einige Oktavseiten, und ich will deshalb noch eine Geschichte erzählen – sie schwebt mir schon seit gestern im Sinne –, es ist eine Geschichte aus dem Leben Karls V. Doch ist es schon lange her, seit ich sie vernahm, und ich weiß die besonderen Umstände nicht mehr ganz genau. So was vergißt sich leicht, wenn man kein bestimmtes Gehalt dafür bezieht, daß man die alten Geschichten alle halbe Jahre vom Hefte abliest. Was ist aber auch daran gelegen, wenn man die Ortsnamen und Jahrzahlen der Geschichten vergessen hat; wenn man nur ihre innere Bedeutung, ihre Moral, im Gedächtnisse behalten. Diese ist es eigentlich, die mir im Sinne klingt und mich wehmütig bis zu Tränen stimmt. Ich fürchte, ich werde krank.

Der arme Kaiser war von seinen Feinden gefangen genommen und saß in schwerer Haft. Ich glaube, es war in Tirol. Da saß er, in einsamer Betrübnis, verlassen von allen seinen Rittern und Höflingen, und keiner kam ihm zu Hülfe. Ich weiß nicht, ob er schon damals jenes käsebleiche Gesicht hatte, wie es auf den Bildern von Holbein abkonterfeit ist. Aber die menschenverachtende Unterlippe trat gewiß noch gewaltsamer hervor als auf jenen Bildern. Mußte er doch die Leute verachten, die, im Sonnenschein des Glückes, ihn so ergeben umwedelt und ihn jetzt allein ließen in dunkler Not. Da öffnete sich plötzlich die Kerkertüre, und herein trat ein verhüllter Mann, und wie dieser den Mantel zurückschlug, erkannte der Kaiser seinen treuen Kunz von der Rosen, den Hofnarren. Dieser brachte ihm Trost und Rat, und es war der Hofnarr.

O, deutsches Vaterland! teures deutsches Volk! ich bin dein Kunz von der Rosen. Der Mann, dessen eigentliches Amt die Kurzweil und der dich nur belustigen sollte in guten Tagen, er dringt in deinen Kerker zur Zeit der Not; hier unter dem Mantel bringe ich dir dein starkes Zepter und die schöne Krone – erkennst du mich nicht, mein Kaiser? Wenn ich dich nicht befreien kann, so will ich dich wenigstens trösten, und du sollst jemanden um dir haben, der mit dir schwatzt über die bedränglichste Drangsal und dir Mut einspricht und dich lieb hat und dessen bester Spaß und bestes Blut zu deinen Diensten steht. Denn du, mein Volk, bist der wahre Kaiser, der wahre Herr der Lande – dein Wille ist souverain und viel legitimer als jenes purpurne Tel est notre plaisir, das sich auf ein göttliches Recht beruft, ohne alle andre Gewähr als die Salbadereien geschorener Gaukler – dein Wille, mein Volk, ist die alleinig rechtmäßige Quelle aller Macht. Wenn du auch in Fesseln danieder liegst, so siegt doch am Ende dein gutes Recht, es naht der Tag der Befreiung, eine neue Zeit beginnt – mein Kaiser, die Nacht ist vorüber, und draußen glüht das Morgenrot.

»Kunz von der Rosen, mein Narr, du irrst dich, ein blankes Beil hältst du vielleicht für eine Sonne, und das Morgenrot ist nichts als Blut.«

Nein, mein Kaiser, es ist die Sonne, obgleich sie im Westen hervorsteigt – seit sechstausend Jahren sah man sie immer aufgehen im Osten, da wird es wohl Zeit, daß sie mal eine Verändrung vornehme in ihrem Lauf.

»Kunz von der Rosen, mein Narr, du hast ja die Schellen verloren von deiner roten Mütze, und sie hat jetzt so ein seltsames Ansehen, die rote Mütze.«

Ach, mein Kaiser, ich habe ob Eurer Not so wütend ernsthaft den Kopf geschüttelt, daß die närrischen Schellen abfielen von der Mütze; sie ist aber darum nicht schlechter geworden.

»Kunz von der Rosen, mein Narr, was bricht und kracht da draußen?«

Seid still! das ist die Säge und die Zimmermannsaxt, und bald brechen zusammen die Pforten Eures Kerkers, und Ihr seid frei, mein Kaiser!

»Bin ich denn wirklich Kaiser? Ach, es ist ja der Narr, der es mir sagt!«

O, seufzt nicht, mein lieber Herr, die Kerkerluft macht Euch so verzagt; wenn Ihr erst wieder Eure Macht errungen, fühlt Ihr auch wieder das kühne Kaiserblut in Euren Adern, und Ihr seid stolz wie ein Kaiser und übermütig und genädig und ungerecht und lächelnd und undankbar, wie Fürsten sind.

»Kunz von der Rosen, mein Narr, wenn ich wieder frei werde, was willst du dann anfangen?«

Ich will mir dann neue Schellen an meine Mütze nähen.

»Und wie soll ich deine Treue belohnen?«

Ach! lieber Herr, laßt mich nicht umbringen.

Heines »Reisebilder« – für heutige Leser?

Ein Nachwort

Reaktionen von Heines Zeitgenossen

Die »Reisebilder« waren gleich zu Beginn ihres Erscheinens in den Jahren nach 1826 der Auslöser für Heines literarischen Erfolg; mit ihnen – und nicht mit dem etwa gleichzeitig veröffentlichten »Buch der Lieder«, dem in der Wirkungsgeschichte dieser Impuls oft fälschlicherweise zugesprochen wird – gelang dem damals nicht einmal dreißigjährigen Autor der Durchbruch als Schriftsteller, der Sprung in die öffentliche Literaturszene. Diese reagierte zwar keineswegs einhellig; aber das machte die Reaktion gerade interessant und langlebig: daß sie sich nicht in einem übereinstimmenden Urteil erschöpfte, sondern aus dem Widerspruch von Pro- und Contra-Stimmen ihre besondere Spannung gewann. Und diese Widersprüchlichkeit wurde schon von den damals sich zu Wort meldenden Rezensenten thematisiert. So schreibt die »Berliner Schnellpost« im Juli 1826 zum Erscheinen des ersten »Reisebilder«-Bandes: »Sein neuestes Werk wird ebenfalls – und wohl noch mehr als die früheren – hier entschiedene Bewunderer und dort entschiedene Widersacher finden; der Verfasser hat zu viel poetisches Talent, als daß er nicht die ersteren, und zu viel Witz, als daß er nicht die letzteren zu allen Zeiten sich erwecken sollte. Er teilt das Los aller Schriftsteller, denen der Himmel die fatale Kapazität verliehen hat, über das Tun und Treiben der Menschen ihren Humor frei walten zu lassen: Bannstrahl und Seligsprechung ergehen über sie von Papst und Gegenpapst: von dem kritischen und unkritischen Heere der Beurteiler.«[1]

Einen ähnlichen Gedanken formuliert Heines Freund Varnhagen von Ense in einer anonym erschienenen Kritik in den »Blättern für literari-

1 »Berliner Schnellpost für Literatur, Theater und Geselligkeit«, Jahrgang 1826, Nr. 79 und 80. In: Heinrich Heines Werk im Urteil seiner Zeitgenossen. Herausgegeben von Eberhard Galley und Alfred Estermann. Band 1. Hamburg 1981. Seite 216.

sche Unterhaltung«: »Schonungslose und oft unnötige Schärfe, unerhörte Dreistigkeit, äußerste Wagnisse sowohl hinsichtlich der Sachen als auch des Wortausdrucks haben auch die Freunde Heines ihm bisher nicht ungerügt gelassen; eigentümlicher Sinn, ungemeiner Geist und außerordentlicher Witz, dabei große Empfindung und süße Anmut der Sprache sind ihm auch von seinen Feinden nicht abgestritten worden.«[2]

Die Kritiker gerieten offenbar in einen Zwiespalt: einerseits hatten sie selbst ihren Spaß an den übermütig witzigen, frechen sprachlichen Wendungen: »Besonders wird die originelle Mischung von Heiterkeit und Ernst, von Laune und Rührung, von Tiefe und scherzender Leichtigkeit in Betrachtung mancher Lebenserscheinungen dem sinnigen Leser zusagen.«[3] Andererseits scheuten sie zurück vor den gedanklichen Konsequenzen von Heines witziger Kritik: »An Witz und Laune fehlt es zwar nicht, und die bittersten Sarkasmen werden ausgesprudelt, aber so oft auf Kosten des Heiligen und Ehrwürdigen, daß der Eindruck des Ganzen ein höchst fataler wird.«[4] So liegen also ästhetische und politisch-moralische Kriterien miteinander im Streit.

Wenn wir die »Reisebilder« mehr als hundertfünfzig Jahre nach ihrer Entstehung als Lektüre wählen, sind wir von der damaligen Resonanz in der Literaturkritik nicht mehr betroffen; es ist auch gar nicht gesagt, daß dem jetzigen Leser, der von den ursprünglichen Entstehungsbedingungen nichts mehr weiß, der zugleich aber manches weiß über die literarische Tradition der Zwischenzeit, daß diesem Leser noch dieselben Aussagen oder stilistischen Eigenheiten bedeutsam erscheinen, die den damaligen Zeitgenossen politisch aufhorchen ließen oder ästhetisch für ihn anregend waren.

Um hier eine Vermittlung anzubieten, soll ein Stück Rekonstruktion und Analyse von Entstehung und Gestaltung der Texte geleistet werden. Daraus sind unter Umständen einige Möglichkeiten des Umgangs mit den »Reisebildern« für den heutigen Leser zu gewinnen. Die Texte werden deshalb zunächst im Zusammenhang ihrer Entstehungsge-

2 Varnhagen von Ense (anonym) zum vierten Band der »Reisebilder« in den »Blättern für literarische Unterhaltung«, Jahrgang 1831, Nr. 45. In: Heinrich Heines Werk im Urteil seiner Zeitgenossen, Seite 461.

3 Anonymer Rezensent in der »Eleganten«, Jahrgang 1831, Nr. 25. In: Heinrich Heines Werk im Urteil seiner Zeitgenossen, Seite 459.

4 Johann Baptist Rousseau in seinen »Kunststudien«, 1832. In: Heinrich Heines Werk im Urteil seiner Zeitgenossen, Seite 593.

schichte, in Zuordnung zu Heines Biographie, in den thematischen Schwerpunkten und mit einigen ihrer charakteristischen Stilmerkmale vorgestellt.

Zur Entstehung

Als der Verlag Hoffmann und Campe im Mai 1826 das Buch »Reisebilder. Erster Teil« u. a. mit den Texten »Die Harzreise« und »Die Nordsee I« auf den Markt brachte, war dies ebenso wenig wie bei den weiteren Bänden eine literarische Premiere. Die einzelnen Texte waren bereits durch Teilveröffentlichungen in renommierten Zeitschriften wie dem »Gesellschafter« oder dem »Morgenblatt« bekannt geworden, wobei scharfe Zensureingriffe merklich entstellend gewirkt hatten. Bei der Zusammenstellung der Texte zur mehrbändigen Sammlung seiner »Reisebilder« hat Heine den Bericht »Über Polen« nicht aufgenommen und die »Briefe aus Berlin« in der zweiten Auflage wieder ausgeschieden. Da aber beide Werke entstehungsgeschichtlich und textsortengemäß zum Komplex der »Reisebilder« gehören, werden sie hier abgedruckt.

Auf die »Reisebilder. Erster Teil« folgten im April 1827 »Reisebilder. Zweiter Teil« mit den Werken »Die Nordsee II«, »Die Nordsee III«, »Ideen. Das Buch Le Grand« und »Briefe aus Berlin« (zweite Fassung), im Dezember 1829 sodann »Reisebilder. Dritter Teil« mit den Werken »Reise von München nach Genua« und »Die Bäder von Lucca«. Als »Nachträge zu den Reisebildern« erschienen in einem weiteren Teil im Januar 1831 zuletzt »Vorwort«, »Englische Fragmente«, »Die Stadt Lucca« und »Schlußwort zu den ›Englischen Fragmenten‹«.

Wenn auch mit den »Reisebildern I« keine eigentlich neuen Arbeiten Heines herauskamen, so war mit ihnen doch der Auftakt gegeben zur Veröffentlichung einer ganzen Reihe von Texten, die sich unter diesen eigentlich wenig aussagekräftigen Obertitel bringen ließen. Die Idee, die »Reisebilder« gleichsam »in Serie« erscheinen zu lassen, geht wesentlich auf den Geschäftssinn des Verlegers Campe zurück, der dabei einerseits verkaufspsychologische Vorteile erkannte und sich andererseits auf das zeitgenössische Reise- und Wanderfieber einstellte. Der Erfolg war aber nicht nur in materieller Hinsicht programmiert, er kam auch der Wirkung des Autors zugute, dessen Bekanntheit sich mit dem Erscheinen jedes weiteren Buches verstärkte. Außerdem wurde hiermit der Grundstein gelegt für eine fortdauernde, auch durch gelegentliche Spannungen nicht zu zerrüttende Zusammenarbeit Heines mit dem Verleger Campe, so daß, von wenigen Ausnahmen abgesehen, nach 1826 alle Werke Heines bei Hoffmann und Campe erscheinen konnten. In einem Brief an seinen Verleger in Hamburg hat Heine selbst diese Bindung geradezu enthusiastisch als gegenseitiges Treueversprechen gefeiert und ihr damals schon eine große Zukunft prophezeit, vor allem aber gewünscht: »Überall, auf meiner Reise, fand ich die Reisebilder en vogue, überall Enthusiasmus, Klage und Staunen, und ich hätte wirklich nicht geglaubt, schon so berühmt zu sein. Das hab ich zwei Menschen zu verdanken: dem H. Heine und dem Julius Campe. Diese beiden sollen auch zusammenhalten. Ich wenigstens werde so leicht nicht aus Verbesserungssucht und Gewinnsucht mich umändern. Ich denke, wir werden alt zusammen werden und uns immer verstehn. Nehmen Sie jetzt, wo ich doch unabhängiger als früher situiert bin, meine Versicherung unwandelbarer Gesinnung.«[5]

Biographische Bezüge

Die Farbigkeit und Verschiedenheit der einzelnen »Reisebilder« machen es schwer, sie als einen Werkkomplex insgesamt vorzustellen. Sie fügen sich auch kaum in gängige Vorstellungen über die Textsorte »Reiseliteratur« ein. Die Texte spiegeln weder eindeutig biographische und entsprechend dokumentierte Reisestationen, noch wird in ihnen der Erwartungsrahmen von Erlebnissen und Eindrücken sogenannter Bildungsreisen erfüllt. Eher könnte der Akzent auf »Bilder« gelegt werden: Ausschnitte von Reisen sind festgehalten, wobei sich gleichsam verschiedene »Bild«-Techniken präsentieren: abbildtreue Photographien; charakerisierende Zeichnungen; grobe Skizzen; farbige, stilisiert eigenwillige Gemälde – die Palette reicht, »bildlich« gesprochen, vom andeutenden Pastell bis zum pathetisch aussagekräftigen Ölbild.

Dabei stehen die »Reisebilder« durchaus in einem Bezug zu Heines Biographie, die bis zum Erscheinen des ersten Bandes vor allem durch

5 Brief vom 1. Dezember 1827 an Julius Campe. In: Heinrich Heine. Säkularausgabe. Band XX. Berlin und Paris 1970. Seite 309.

das Bemühen um eine bürgerliche Berufsausbildung gekennzeichnet ist. Heine hatte in diesen Jahren »hauptberuflich« juristische Studien an den Universitäten Bonn, Berlin und Göttingen betrieben (abgeschlossen mit der Promotion zum Dr. jur.) und »nebenberuflich« literarische »Übungen« absolviert, vielfach in Form von Gedichten, aber auch in Form von Prosa und Dramen (den bis heute erfolglosen und kaum gespielten Tragödien »Almansor« und »William Ratcliff«). Vor allem die Prosaschriften in feuilletonistischem Ton eröffnen ihm eine neue, eigenständige literarische Spielart, in der auch die Person des Autors eine Rolle (oder besser gesagt: mehrere Rollen) spielt. So verfaßt Heine während seines Berliner Studienaufenthaltes »Briefe aus Berlin«, die im ersten Halbjahr 1822 im »Rheinisch-Westfälischen Anzeiger« in unkonventionell salopper Schreibart Ereignisse aus der Politik, aus dem öffentlichen Alltag der Gesellschaft, aus Theater und Oper oder aus der Literatur in die »Provinz« übermitteln, nämlich ins Rheinisch-Westfälische, das damals auch politisch eine preußische Provinz war. Als Heine im Sommer 1822 nach Polen reist, schlagen sich die Reflexionen dieser Reise in einer Artikelserie »Über Polen« nieder, die im »Gesellschafter« erscheint. Heines Wanderung durch den Harz im September 1824 findet ihre literarische Umsetzung in der »Harzreise«, die in mehreren Folgen Anfang 1826 ebenfalls im »Gesellschafter« publiziert wird. Auf Reiseerlebnisse lassen sich auch die im Anschluß an einen Englandbesuch 1827 entstandenen »Englischen Fragmente« zurückführen, ebenso die »Nordsee«-Texte, die entstehungsgeschichtlich im Zusammenhang mit Heines mehrfachen Nordseeaufenthalten in Cuxhaven und auf Norderney zu sehen sind. Die Serie der »Reisebilder« aus Italien, also die »Reise von München nach Genua«, »Die Bäder von Lucca« und die »Stadt Lucca«, sind das literarische Ergebnis einer ausgedehnten Tour, die den Verfasser von August bis Dezember 1828 in verschiedenen Etappen durch Norditalien geführt hatte, wobei er zunächst von München über Trient, Verona, Brescia und Mailand nach Genua gereist war, bevor er sich dann in der Stadt Lucca, in den Bädern von Lucca, später in Livorno und Florenz aufhielt. Unter dem Titel »Reise nach Italien« veröffentlicht Heine noch während dieser Zeit in mehreren Nummern des »Morgenblatts« seine Berichte zum erstenmal. Eine Sonderrolle nimmt nur der Text »Ideen. Das Buch Le Grand« ein, der nicht auf ein Reiseerlebnis zurückgeht. Man kann ihn aber im übertragenen Sinn als Stationenfolge innerhalb der Lebens-Reise des Autors auffassen, da in zentralen Kapiteln wichtige Kindheits- und Jugenderlebnisse des Verfassers literarisch gespiegelt werden und da Heine selbst im Blick auf sein Werk von einem »selbstbiographischen Fragment« spricht[6].

Die einzelnen Texte in ihren inhaltlichen Schwerpunkten

Die »Briefe aus Berlin« stellen dem Leser das gesellschaftliche und kulturelle Leben in Berlin um 1820 bildlich gesprochen als einen großen Maskenball vor: das bunte Straßenbild mit Caféhäusern und verführerischen Konditoreien, Parks und Gärten als Kulisse für Denkmäler und promenierende Berliner; Feste und Feierlichkeiten im bürgerlichen und adligen Milieu; Schlagzeilen aus der Theater- und Opernwelt mit Klatschgeschichten um schöne Schauspielerinnen. Als ein zentrales Ereignis malt Heine dabei den Opernstreit zwischen Spontini und Weber aus, der damals die Berliner Öffentlichkeit beschäftigte und sie zu zwei gegnerischen Parteien formierte: die Anhänger Carl Maria von Webers mit ihrem Enthusiasmus für den »Freischütz« und andererseits die Anhänger Spontinis voller Begeisterung für die pomphaft heroische, auch von der Monarchie unterstützte »Staatsoper« des Italieners. In seiner Berichterstattung hierüber vermittelt Heine keine musikalischen Eindrücke, sondern vor allem politisch gefärbte Reflexionen. Sie werfen ein kennzeichnendes Licht auf die besondere Art seiner mit Anekdoten und Pointen vermischten Korrespondenzartikel.

Die Beiträge »Über Polen« führen dem Leser die Lebensbedingungen verschiedener Gruppen der polnischen Bevölkerung vor Augen: Es wird besonders über Bauern, Adlige, Juden und Frauen berichtet. In diese Beschreibung polnischer Verhältnisse werden kontrastierende Spiegelungen entsprechender deutscher Verhältnisse eingeflochten, wobei die Deutschen in mancher polemisierenden Anekdote schlecht abschneiden. Ihren gedanklichen Zusammenhalt finden Heines Beobachtungen in vorsichtigen Äußerungen zu einer freien Gesellschaftsstruktur, die er durch allmähliches Fortschreiten, nicht durch revolutionären Umsturz für realisierbar hält.

Von allen »Reisebildern« hat die »Harzreise« die größte Popularität

6 Brief vom 14. Oktober 1826 an Moses Moser. In: Heinrich Heine. Säkularausgabe. Band XX. Seite 267.

erreicht, was gleichermaßen auf die beiden herausragenden Themenbereiche »Natur« und »Wissenschaftskritik« zurückzuführen ist. Diese bezüglich der »Harzreise« schlagwortartig verwendeten Begriffe verweisen einmal auf die poetischen Naturbeschreibungen, die Heine nach seiner Wanderung durch den Harz und der Besteigung des Brockens nicht ohne ironische Zwischentöne seinem Leser zum Miterleben anbietet, andererseits auf die aggressive Abrechnung mit dem aufgeblasenen Gelehrtendünkel des Göttinger Universitätsbetriebs, den Heine aus eigener Anschauung kannte. Seine Vorwürfe gegenüber einem wissenschaftlichen Vorgehen, das sich in bloßer Systematisierungssucht erschöpft, sind nicht nur als Reaktionen des damals selbst betroffenen Jurastudenten Heine zu verstehen; sie greifen das Problem prinzipieller auf und leiten es über in die bis heute wesentlich gebliebene Diskussion um politisch und sozial verantwortliche Wissenschaft.

Die drei Abteilungen der »Nordsee«-Dichtung verbinden Lyrik mit Prosa und nehmen deshalb formal eine Sonderrolle ein. Die in freien Rhythmen komponierten Gedichte bilden die beiden ersten Teile; sie mischen subjektiv erlebte Natureindrücke (»Abenddämmerung«, »Sonnenuntergang«, »Die Nacht am Strande«, »Gewitter«) und mythologische Geschichten um antike Göttergestalten und Göttergeschlechter. Der letzte, in Prosa verfaßte Teil wendet sich ab von der griechischen Götterwelt und hin zur politischen Gegenwart, die an der Situation der Norderney-Insulaner konkretisiert wird. Aristokratie und Kirche werden als die Hindernisse gegen Demokratie und Fortschritt entlarvt. Eine Verknüpfung zum »Buch Le Grand« bildet das Napoleon-Thema, wodurch sich insbesondere Heines Napoleon-Euphorie als ein dominierender Leseeindruck der »Reisebilder« durchsetzt.

Im »Buch Le Grand« verknüpfen sich vor allem zwei Bereiche: Ein privater befaßt sich mit der literarischen Verkleidung der unglücklich abgebrochenen Liebesbeziehung zur Base Amalie, der andere, öffentliche Themenbereich kreist um die Folgen der Französischen Revolution und um die Wirkungen Napoleons in Deutschland. Anschaulich gemacht wird dies an den gesellschaftlichen und politischen Veränderungen der Geburtsstadt Düsseldorf, wo Heine 1811 den Einzug Napoleons als Schuljunge erlebt hatte. Aus der Sicht des sich zurückerinnernden Autors wird der Tambourmajor Le Grand zur Hauptfigur, der seine Trommel als Instrument zur Verbreitung der Ideen der Französischen Revolution einsetzt und auf ihr von den »großen Taten« des Kaisers erzählt. Das »Buch Le Grand« ist darüber hinaus eine wichtige literarische Quelle für Heines Kindheit und Schulerlebnisse in Düsseldorf, gleichzeitig eine frühe Reflexion über die eigene Rolle als Schriftsteller, die noch schwankt zwischen einem Kokettieren mit späterem Dichterruhm und der akuten Sorge um eine Existenz als freier Berufsschriftsteller.

Geographisch nachprüfbare Stationen gliedern zwar die »Reise von München nach Genua«, doch stellt der Reiseverlauf nicht viel mehr als einen roten Faden dar. Seine eigentliche Strukturierung erfährt der Text durch mehrere Themenkreise, für die die einzelnen Reisestationen zum Auslöser werden: Wiederum bilden Napoleon und die Französische Revolution ein Kernthema, das beim Besuch des Schlachtfeldes von Marengo aufgegriffen wird; zuvor war die Station Verona Anlaß zu einem historischen Rückblick auf die Antike, die nicht idealisiert, sondern politisch problematisiert wird. Eigens thematisiert wird in diesem Text das Reisen und die dazugehörige Reiseliteratur; die gesellschaftskritische Karikatur auf bildungsbeflissenes Bürgertum ist dabei die vordergründige Folie gegenüber der eigentlichen Absicht einer Parodie auf Goethes »Italienische Reise«.

Die »Bäder von Lucca« sind u. a. als literarischer Skandal in die Literaturgeschichte eingegangen. Heine antwortet hier mit der spöttischen Bloßstellung von Platens Homosexualität auf despektierliche Angriffe, die dieser Autor vorher gegen ihn wegen seiner Zugehörigkeit zum Judentum gerichtet hatte. Über diese moralischen Verunglimpfungen hinaus signalisiert Heines Vorstoß gegen Platen aber auch eine literarisch-politische Abgrenzung: eine deutliche Absage an kirchlich-katholische Tendenzen und an eine formalistisch-ästhetisch genügsame Dichtung, wie sie damals von Platen als Autorität vertreten wurde.

Mit den »Bädern von Lucca« steht die »Stadt Lucca« durch den gestalterischen Einfall in Verbindung, daß der Icherzähler und die Figuren Mathilde und Franscheska wieder auftreten. Doch kreisen deren Gespräche jetzt weniger um amüsant amouröse Geschichten als um religiöse und kirchliche Inhalte. Zum Generalthema dieses Beitrags der »Reisebilder« wird die Religions- und Kirchenkritik, angewandt auf das Judentum sowie auf die protestantische und die katholische Kirche. Bei aller Spaßhaftigkeit, mit der Heine etwa ein Plädoyer hält für einen der freien Wirtschaft nachgebildeten Konkurrenzkampf der Religionen, stellt er doch seine Position deutlich und ernst heraus in der Ablehnung eines institutionalisierten Staatskirchentums.

Wie sich im Aufsatz »Über Polen« oder in den Italienberichten kaum Landschaftsschilderungen der bereisten Gegenden finden, so wenig vermitteln die »Englischen Fragmente« einen Landschafts- oder Stadteindruck. Im Mittelpunkt steht vielmehr die Erkundung der gesellschaftlichen Zustände in England. Als Maßstab für deren Beurteilung nennt Heine ausdrücklich Frankreich, weil er dort den Ausgangspunkt für die neue »Religion der Freiheit« sieht. Die hinter jeder Minimalanforderung von Emanzipation noch zurückbleibenden politischen Mißstände in England führt Heine dem Leser an historisch analysierten Problemen vor Augen: an der »mittelalterlichen« Rechtsprechung, an der religiösen Intoleranz gegen die katholischen Iren und an der Übermacht der englischen Aristokratie.

Stilmerkmale

Für das mögliche Lesevergnügen an den »Reisebildern«, das den Leser schnell für die Texte einnehmen kann, ist zu einem guten Teil deren »Machart« verantwortlich. Eine Reihe von sprachlichen Elementen scheint geradezu in den Text eingebaut worden zu sein mit dem Ziel, den Leser zu amüsieren, ihn zum Lachen zu bringen. Dieser Eindruck vermittelt sich bei einzelnen Passagen so nachdrücklich, daß das anspruchsvollere Ziel, nämlich Nachdenklichkeit auszulösen, verloren zu gehen droht.

Die breite Palette unterschiedlichster Sprachhaltungen bietet hierfür zunächst die Basis: berichtende und erzählende, reflektierende und fabulierende Passagen wechseln häufig ab, so daß der Leser nicht nur durch das Mitvollziehen dieser Sprünge in Atem gehalten wird, sondern beinahe in Verwirrung gerät und zwischen Information, Vermutung und Träumerei nicht mehr zu unterscheiden weiß. Hinzu kommen die oftmals in den Textverlauf eingeschobenen, in sich abgerundeten, kleinen Erzähleinheiten, Anekdoten oder mit einer Pointe abschließenden Geschichtchen, die für kurze Zeit den Leser gefangen nehmen, mitunter auch vom weiterführenden Gedankengang abzulenken scheinen. Doch sind diese literarischen Bausteine nie Selbstzweck. Ihnen kommt immer eine verstärkende, verdeutlichende Funktion zu, indem vorher Gesagtes oder nur Angedeutetes dann bildlich umgesetzt und veranschaulicht wird.

Zur Machart der »Reisebilder« gehört aber auch das umgekehrte Verfahren: die Verklausulierungen und Anspielungen, die unausgesprochenen Aussagen zwischen den Zeilen. Während die anekdotisch spaßhaften Geschichten in ihren Pointen leicht verständlich sind, können die zahlreichen versteckten Anspielungen meist nur mit Hilfe eines Kommentars »entziffert« werden. Das hängt mit den gemeinten Inhalten zusammen; größtenteils verweisen die Anspielungen auf damals aktuelle Ereignisse des politischen, gesellschaftlichen und kulturellen Lebens. Dieser Kontext, für damalige Leser gleichsam der Alltäglichkeitsrahmen, ist heutigen Lesern unbekannt, und er ist, wenn überhaupt, dann nur über vielfältige literarische und historische Quellen zu vermitteln. Dies ist ein deutliches Manko aller nachfolgenden Lesergenerationen; und daß auch solide Kommentarinformationen die Unmittelbarkeit damaliger Zeitgenossenschaft nicht wiederherstellen können, weiß jeder aus eigener Leseerfahrung: Erklärte Anspielungen und Pointen sind im eigentlichen Sinn keine Anspielungen und Pointen mehr.

Daß Heine seine Texte mit Anspielungen geradezu durchsetzt, signalisiert nicht nur eine Vorliebe für stilistische Raffinesse, sondern erweist sich auch als politische Notwendigkeit: Der Spielraum für Aussagen politisch »gefährlichen« Inhalts wird größer, und die Angriffsfläche der bespitzelnden Zensoren wird enger, weil verklausulierte, mehrdeutige Aussagen kein klares Beweismaterial liefern, das gegen den Verfasser ins Feld geführt werden kann. Trotz aller literarischen Vorkehrungen gegen Zensureingriffe sind die »Reisebilder« oft genug beschlagnahmt worden: In Göttingen wurde die »Harzreise« verboten, weil man sich von der Satire auf Stadt und Universität getroffen fühlte; der zweite Teil der »Reisebilder« gab wegen seiner Napoleon-Begeisterung und der scharfen Kritik an Adel und Kirche in einigen Bundesländern Anlaß zum Verbot; der letzte »Reisebilder«-Band wurde in Preußen bald nach seinem Erscheinen verboten.

Es war bereits von den zur Erheiterung des Lesers eingeschobenen kurzen Episoden die Rede, die als abgeschlossene Erzähleinheiten den Text auflockern und gewissermaßen bebildern. Das ist dann der Fall, wenn Heine persönliche Reiseerlebnisse einfließen läßt (z. B. die »Ironie-Bier-Anekdote« am Anfang der »Reise von München nach Genua«) oder wenn er aktuelle Ereignisse aufgreift, die damals allgemein durch die Presse gingen (z. B. der Opernstreit Weber–Spontini in den »Briefen aus Berlin«). Wird allerdings der Rahmen des subjektiv Persönlichen oder des Aktuellen verlassen, dann ergeben sich eher Verständnisschwierigkeiten. Beispielhaft können hierfür die mythologischen Geschichten angeführt werden. In sämtlichen »Reisebilder«-Texten finden sich eingestreut Anspielungen auf die antike Götterwelt oder breiter ausgemalte, vereinzelt auch parodistisch abgewandelte mythologische Szenen. Heutigen Lesern mag dies weitgehend als Bildungsballast erscheinen; zur Zeit Heines war das anders. Die Mythologie war nicht nur elitäres Bildungsgut, sondern gehörte noch zum »aktiven« Wissen breiter Leserkreise und war keineswegs nur dem gebildeten Publikum vertraut. Zu ihrer Verbreitung hatte eine Fülle mythologischer Bücher für Schule und Unterricht beigetragen. Die darin enthaltenen Illustrationen zu den Göttergestalten, wie Venus, Mars, Juppiter, Apoll, Diana und Pluto, trugen als Nachbildungen antiker Originale zu deren Popularisierung bei. So gesehen ist es nicht verwunderlich, daß bei Heine auffallend häufige Anspielungen z. B. auf die mediceische Venus auftauchen. Sie war seinerzeit ein besonders oft kopiertes »Modell«.

Man kann wohl davon ausgehen, daß Heines Umgang mit der Mythologie nicht nur ein Zeichen ist für produktiv verarbeitetes Bildungsgut, sondern auch für seine Freude an antiker, in der Biedermeierzeit bald verdächtigter Sinnenlust. Ähnliches gilt für Heines Umgang mit der Bibel als einer literarischen »Materialsammlung«, die zur Anreicherung der eigenen Bilderwelt dient. Vor allem sind es Geschichten aus dem Alten Testament (z. B. die Geschichte von Lot oder der Susanna), die er in Erinnerung bringt und frei nacherzählt, nicht ohne sie gelegentlich mit einer Pointe abzurunden oder ein witzig eigenwilliges Fazit aus ihnen zu ziehen.

Lektüreschwierigkeiten für heutige Leser ergeben sich auch aus einer weiteren Spielart literarischer Beziehungsknüpfung, die sich in Heines Reaktionen auf literarische Strömungen und damalige Neuerscheinungen artikuliert. Kritische Auseinandersetzungen mit der Literaturszene und den bewunderten oder verschmähten Kollegen tauchen in den »Reisebildern« in verschiedenen Varianten auf (z. B. in der breiten Darlegung der Napoleon-Literatur in »Nordsee III«, in der mehrmaligen Erwähnung der populären Stars Scott oder Clauren oder in der radikalen Ablehnung der vornehmlich mit dem Namen Platen verbundenen formalistischen Dichtung). Die Spannweite erstreckt sich von der informativen Anregung für den Leser bis zur polemisierenden Karikatur.

Die besondere Form des Zitierens bildet eine weitere verständniserschwerende Spielart literarischer Gestaltung in Heines »Reisebilder«-Prosa. Wie bei Touristen üblich, hat Heine sich vor seinen Reisen passende Reiseliteratur besorgt, um erste Vorinformationen und praktische Ratschläge zu bekommen. Er hat seine Lektüreergebnisse an verschiedenen Stellen direkt in seinen eigenen Text einfließen lassen, ohne immer die Quelle als solche auszuweisen. Dies gilt etwa für die Italien-Reisen, aber auch schon für Passagen aus der »Harzreise«, die nachweislich angelehnt sind an einen damals populären Harzreiseführer[7]. Die Entdeckung entliehener Zitate im Heine-Text ist indes nur der erste Schritt der Beobachtung. Erst die Frage nach dem »Warum« kann ein Licht werfen auf Heines Schreibabsicht. Er hat nicht einfach Passagen aus anderen Büchern »abgeschrieben«, er hat die betreffenden Stellen auch nie wörtlich übernommen, sondern sie als Material zur Parodie auf bekannten Lesestoff verwendet. Beispielhaft kann dies an der Eingangspassage der »Harzreise« verdeutlicht werden, in der Heine in einer, wie es scheint willkürlichen, Aufzählung von Informationen ein Porträt von Göttingen vorlegt. Ein Vergleich mit zeitgenössischen Lexikonartikeln über Göttingen läßt bald erkennen, daß Heine hier einerseits formale Anleihen macht und andererseits deren Stichwortkataloge auswählend verändert und in unerwarteten Kombinationen neu zusammensetzt. So erweist sich dieser oft zitierte Einleitungsteil über Göttingen nicht nur als Satire auf die Stadt, sondern vor allem als Parodie auf den Stil von Reiseführern und Lexikonartikeln[8].

Nun soll aber die Erwähnung von Lektüreschwierigkeiten mit den »Reisebildern« nicht den Abschluß dieser Überlegungen bilden. Vielmehr soll nach einer ersten Annäherung an die Texte über entstehungsgeschichtliche, biographische, inhaltliche und stilistische Hinweise jetzt der Versuch gemacht werden, in wenigen Zügen doch auch einige Lektüreanreize für den heutigen Leser daraus zu gewinnen.

Die mögliche Anziehungskraft der »Reisebilder« entwickelt sich aus

7 Friedrich Gottschalck: Taschenbuch für Reisende in den Harz. Zweite Auflage. Magdeburg 1817.

8 Typische Beispiele hierfür etwa: Damen-Conversations-Lexikon. Herausgegeben im Verein mit Gelehrten und Schriftstellerinnen. Adorf-Verlags-Bureau 1835; Conversations-Lexicon oder encyclopädisches Handwörterbuch für gebildete Stände. Brockhaus 1817.

mehreren Quellen formal-ästhetischer und inhaltlicher Art:

Brillante Formulierungen, ausladende Assoziationsketten, saloppe Ausdrucksformen, unkonventionell freche Vergleiche, überraschende Schlußfolgerungen verleihen den »Reisebildern« eine ungewöhnliche sprachliche Ausdruckskraft, die es erlaubt, den Text ohne Müdigkeitserscheinungen wiederholt zu lesen und dabei jeweils noch Neuigkeiten zu entdecken. Es vermittelt sich der Eindruck einer sprachlichen Modernität, die das inhaltliche Interesse des sensiblen Lesers immer wieder beleben und sein ästhetisches Vergnügen steigern kann.

Heines Verwendung ironischer Signale in den »Reisebildern« ist so vielfältig, daß seine Texte als »Lehrstücke« für den Umgang mit Ironie gelten können. Denn durch die bunte Palette ironischer Ausdrucksweisen in Anspielungen, Andeutungen und Vermutungen werden dem Leser eine Fülle von Zwischentönen, Doppeldeutigkeiten und Distanzmomenten vermittelt, die ihn zwar zunächst in seiner Lektüre verunsichern, dann aber auch ein zunehmendes Gespür für Differenzierungen in ihm wecken.

Die »Reisebilder« enthalten in den wenigsten Fällen exakte Daten über Reiserouten, Klima, Unterkunft etc.; eher werden aus einem speziellen Blick auf die »Gegenstände« vielfältige Stimmungen und Eindrücke hergestellt, die nicht nur einen intensivierenden atmosphärischen Wert haben, sondern oftmals auch Anlaß bieten, politische Grundpositionen direkt oder in bildhafter Umsetzung zum Ausdruck zu bringen. Diese politischen Positionen verknüpfen die verschiedenen Texte der »Reisebilder« untergründig miteinander. Sie sind zu sehen im Aufdecken von Herrschaftsansprüchen in den unterschiedlichsten Bereichen der Gesellschaft (staatspolitische Vorrechte, finanzpolitische Machtpositionen), im Engagement für sozialen Ausgleich (Abbau der Geburtsprivilegien des Adels, religiöse Toleranz), im Engagement für Demokratisierungs- und Emanzipationsprozesse mit dem Ziel, in allen Gesellschaftsschichten ein Selbstbewußtsein zu entwickeln, das zuletzt zu einem verantwortlichen politischen Handeln führt, und schließlich im Engagement für eine europäische Verständigung als Bedingung für eine allen Bürgern garantierte Freiheit.

1827 versuchte man das lesende Publikum z. B. durch Hinweise auf die anregend-aufregende Unterhaltsamkeit der »Reisebilder« behutsam auf ihre Modernität vorzubereiten: »Der Leser findet stets seine Rechnung, sei es nun im angenehmen Erstaunen, in heiterer Befriedigung, in unwiderstehlichem Lachen oder in heimlichem Ärger, in heftiger Ungeduld, in empörtem Unwillen; denn zu allem diesen ist reichlich Anlaß, nur nicht zur Langeweile, für welche, bei dem Reichtum und Wechsel der Gegenstände, dem raschen Witz, den beweglichen Gedanken und Bildern, der Leser keine Zeit behält.«[9]

1981 versuchte eine Verlagswerbung die breitere Öffentlichkeit mit provozierend plakativer, umgangssprachlicher Direktheit auf die »unglaubliche Modernität« Heines zu stoßen: »Heines Wort zum Sonntag? Er war ein gottloser, gottesfürchtiger Streiter. Er trat gegen alle erreichbaren Schienbeine. Respektlosigkeit war seine Stärke. Gefühle erst beschwören und dann verletzen, darin war er groß. Und darin ist er einer von uns. Heine ist unglaublich modern, seine Sprache aggressiv... Lehnt Heine ruhig ab. Aber lest ihn vorher!«[10]

Die vorliegende Ausgabe von Heines »Reisebildern« versucht durch Nachwort und Kommentierung dem heutigen Leser einen eigenständigen Umgang mit den Texten zu erleichtern und dabei auch Heines bleibende Modernität erfahrbar zu machen. Es ist der Wunsch, daß bei diesem Zugang kein Entweder-Oder im Sinne der oben pointiert gegenübergestellten Fürsprachen entsteht, vielmehr eine Leseerfahrung eintritt, in der die Gefahr grobgeschnitzter Aktualisierungen durch die Wahrnehmung literarisch-ästhetischer Differenzierungen aufgefangen wird. So kann sich die im Nachwort mehrfach angedeutete politische Qualität der Texte anspruchsvoll entfalten.

Ursula Roth

9 Karl August Varnhagen von Ense im »Gesellschafter«, Jahrgang 1827, Nr. 82. In: Heinrich Heines Werk im Urteil seiner Zeitgenossen, Seite 258.

10 Aus der Werbung des Ullstein-Verlags für die von Klaus Briegleb herausgegebene Heine-Taschenbuchausgabe.

Zeittafel

1797 13. Dezember: Harry Heine in Düsseldorf geboren. Das Datum ist durch einige anderslautende literarische Äußerungen Heines später oftmals in Frage gestellt worden, doch hat die Forschung sich inzwischen auf dieses Datum geeinigt. Im Kreis seiner jüdischen Familie behält Heine den Namen Harry, obgleich er 1825 bei seiner Taufe den Namen Heinrich annimmt.
Heine wächst zusammen mit seinen drei jüngeren Geschwistern Charlotte, Gustav und Maximilian an der Bolkerstraße in Düsseldorf auf. Der Vater Samson Heine besitzt ein Tuchgeschäft; die Mutter Betty Heine, geborene van Geldern, wird für Heine zeitlebens zur besonders engen Bezugsperson.
Heine besucht die Normalschule, dann das Lyzeum im ehemaligen Franziskanerkloster (neben der heutigen Max-Kirche, Schulstraße); er erlebt in Düsseldorf eine recht unbeschwerte Kindheit, vor allem bleibt ihm hier die damals in Deutschland zwangsläufig mit der jüdischen Herkunft verbundene Außenseiterrolle erspart, da es in Düsseldorf kein jüdisches Getto gab.

1804 18. Mai: Napoleon Bonaparte zum Kaiser der Franzosen ausgerufen.

1806 15. März: Kurfürst Maximilian Joseph von Bayern tritt das Herzogtum Berg mit der Hauptstadt Düsseldorf an Frankreich ab. Kurz darauf zieht der von Napoleon zum Herzog von Berg ernannte Murat in Düsseldorf ein. Die Familie Heine erhält französische Einquartierung. (Heine schreibt hierüber in seinem Reisebild »Ideen. Das Buch Le Grand«, besonders Kapitel VI/VII.)

1811 2. November: Heine erlebt den Einzug Napoleons in Düsseldorf.

1813 Ende Oktober: Düsseldorf wird von den Franzosen geräumt.

1814 15. Juni: Das Großherzogtum Berg kommt unter preußische Herrschaft. Im Oktober wird eine französische Verordnung erlassen, wonach alle Personen, die zwischen 1791 und 1801 in Düsseldorf geboren wurden, das Recht erhalten, in Frankreich zu leben. Heine kann deshalb später nicht aus Frankreich ausgewiesen werden.

1815 22. Juni: Napoleon dankt endgültig ab; die Engländer verbannen ihn auf die Insel St. Helena.

1816 Anfang Juni: Heine geht nach Hamburg, wo er eine Banklehre beginnt. Sein Onkel Salomon, ein Bruder seines Vaters, der als millionenschwerer Bankier in Hamburg lebt, richtet ihm dann ein Tuchgeschäft ein, mit dem Heine allerdings bald Bankrott macht. Heine verliebt sich in die Tochter seines Onkels, Amalie Heine, sie erwidert jedoch nicht diese Zuneigung.

1817 In der Zeitschrift »Hamburgs Wächter« veröffentlicht Heine erste Gedichte.

1819 Heine immatrikuliert sich an der Universität Bonn und beginnt ein Jurastudium, das ihm der Onkel Salomon finanziert.

1820 Frühjahr: Heines Familie zieht von Düsseldorf nach Oldesloe, später nach Lüneburg. Seit dem Wintersemester studiert Heine in Göttingen.

1821 Wegen einer Duellaffäre wird Heine für ein halbes Jahr von der Universität Göttingen verwiesen. Seit dem Sommersemester studiert er in Berlin, wo er nicht nur Veranstaltungen der juristischen Fakultät besucht, sondern z. B. auch philosophische Vorlesungen bei Hegel hört. Er findet Kontakt zum literarischen Salon der Rahel Varnhagen. Dadurch eröffnen sich ihm hinsichtlich seiner eigenen Publikationsvorhaben nützliche Beziehungen zu Redakteuren und Verlegern aus dem Kreis der Berliner Gesellschaft.

1822 Heines erster Gedichtband erscheint unter dem Titel »Gedichte« im Verlag Maurer in Berlin. Er wird Mitglied im »Verein für Kultur und Wissenschaft der Juden«. August: Heine reist nach Polen. Sein Bericht hierüber erscheint im Januar 1823 in Fortsetzungen unter dem Titel »Über Polen« in der Zeitschrift »Der Gesellschafter«.

1823 Der Verlag Dümmler in Berlin veröffentlicht Heines Dramen »Almansor« und »William Ratcliff« zusammen mit Gedichten unter dem Titel »Tragödien, nebst einem lyrischen Intermezzo«.

1824 Heine studiert wieder in Göttingen. Im Herbst unternimmt er eine Fußwanderung durch den Harz, die Anlaß wird für seinen später in den »Reisebildern« veröffentlichten Text »Die Harzreise«.

1825 28. Juni: Heine läßt sich in Heiligenstadt protestantisch taufen, um die Möglichkeit zu haben, als Jurist in den Staatsdienst übernommen zu werden, was jüdischen Bürgern nicht erlaubt war. 20. Juli: Promotion zum Dr. jur. Anschließend reist Heine nach Norderney, Lüneburg und Hamburg.

1826 Heine veröffentlicht im Verlag Hoffmann und Campe in Hamburg »Reisebilder I« (darin: »Die Heimkehr«, »Die Harzreise«, »Die Nordsee I«). Campe wird damit zum »Heine-Verleger«, denn in seinem Verlag erscheinen nachfolgend fast sämtliche Schriften Heines. (Noch heute versteht sich der Hoffmann und Campe-Verlag als »Heine-Verlag«: Er bringt das Heine-Jahrbuch, die Heine-Studien und die Düsseldorfer historisch-kritische Heine-Ausgabe heraus.)

1827 Anfang des Jahres: Aufenthalt in Hamburg. April: Die »Reisebilder II« erscheinen (darin: »Die Nordsee II«, »Die Nordsee III«, »Ideen. Das Buch Le Grand« und »Briefe aus Berlin«). Heine reist nach London. Oktober: Das »Buch der Lieder«, die wohl populärste Gedichtsammlung des 19. Jahrhunderts, erscheint. Noch zu Heines Lebzeiten kommt das Buch in dreizehn Auflagen heraus. November: Heine geht nach München, wo er als Redakteur an Cottas »Neuen allgemeinen politischen Annalen« mitarbeitet.

1828 Heine bewirbt sich in München vergeblich um eine Professur. August bis Dezember: Reise nach Italien (zunächst nach Innsbruck, Brixen, Bozen, Trient, Verona, Brescia, Mailand, Pavia, Marengo, Genua). Unter dem Titel »Reise von München nach Genua« veröffentlicht Heine später seine Reiseberichte. September: Aufenthalt in Lucca. In seinen literarischen Texten »Die Stadt Lucca« und »Die Bäder von Lucca« nimmt er darauf Bezug. Oktober: Aufenthalt in Florenz. November: Weiterreise über Bologna, Ferrara und Padua nach Venedig. 2. Dezember: Heines Vater stirbt in Hamburg. Dezember: Heines Reisebericht über Italien erscheint in Fortsetzungen im »Morgenblatt«. Über Verona, Trient, Innsbruck reist Heine nach München zurück.

1829 Januar: Heine reist zu seiner Mutter nach Hamburg. Anschließend Reisen nach Berlin und Helgoland und wiederum Aufenthalt in Hamburg. Dezember: Die »Reisebilder III« erscheinen (darin: »Reise von München nach Genua« und »Die Bäder von Lucca«).

1830 Die »Reisebilder I« erscheinen bereits in der zweiten Auflage. Sommer: Reise nach Helgoland, wo er die Nachricht von der Julirevolution in Paris begeistert aufnimmt. In Paris wird Louis-Philippe zum Statthalter proklamiert. Nach der Abdankung Karls X. wird er im August als Louis-Philippe I. König der Franzosen. Oktober: Heine kehrt nach Hamburg zurück, wo er sich vergeblich um eine Stelle als Ratssyndikus bemüht.

1831 Es erscheinen »Reisebilder IV« (darin: »Englische Fragmente«, »Die Stadt Lucca«). In Berlin werden die »Reisebilder IV« verboten. 19. Mai: Heine trifft in Paris ein. Diese Stadt, die damals der kulturelle Mittelpunkt Europas war, wurde für ihn zum neuen, beständigen Aufenthaltsort und letztlich zum Exil, nachdem die politische Situation in Deutschland eine Rückkehr nicht mehr zuließ. Seine Funktion als Schriftsteller beschreibt Heine selbst als Vermittler zwischen Deutschland und Frankreich mit dem konkreten Ziel, die französischen Leser über geistesgeschichtliche Entwicklungen in Deutschland zu informieren und den deutschen Lesern über politische und kulturelle Ereignisse in Paris zu berichten. Er nimmt zeitweise intensiv am gesellschaftlichen Leben in Paris teil, wobei sich persönliche Kontakte entwickeln zu Börne, Balzac, Dumas, Victor Hugo, Nerval, George Sand, Berlioz, Chopin, Liszt, Meyerbeer, Mendelssohn-Bartholdy, Thiers, Guizot, Rothschild.
Der deutsche Bundestag beschließt neue Zensurmaßnahmen: Manuskripte mit politischem Inhalt und weniger als 20 Bogen (= 320 Seiten Umfang) dürfen nicht mehr ohne Regierungserlaubnis gedruckt werden.

1832 Heine reist in die Normandie.

1833 Die »Französischen Zustände« erscheinen bei Hoffmann und Campe in Hamburg. »Zur Geschichte der neueren schönen Literatur in Deutschland« erscheint bei Heideloff und Campe in Paris. »De la France« erscheint bei Renduel, Paris. Bei Hoffmann und Campe erscheint im Dezember »Der Salon I« (»Französische Maler«, »Aus den Memoiren des Herren von Schnabelewopski«).

1834 »Der Salon II« (»Zur Geschichte der Religion und Philosophie in Deutschland«).

1835 Sommer: Aufenthalt in Boulogne. Bei Hoffmann und Campe erscheint »Die Romantische Schule«, datiert auf 1836.

10. Dezember: Der »Deutsche Bundestag« erläßt ein Verbot gegen die Schriften des »Jungen Deutschland«. Neben Heine sind davon Gutzkow, Laube, Mundt und Wienbarg betroffen.

1836 Heine protestiert mit dem offenen Brief »An eine Hohe Bundesversammlung« gegen das Verbot. Herbst: Reise in die Provence (Marseille, Aix-en-Provence, Avignon).

1837 »Der Salon III« (»Florentinische Nächte«, »Elementargeister«).

1838 »Shakespeares Mädchen und Frauen« erscheint bei Delloye, Paris (datiert auf 1839).

1839 Juni: Heine hält sich in Granville in der Bretagne auf.

1840 Heines Denkschrift »Ludwig Börne« erscheint bei Hoffmann und Campe. Sommer: Heine wieder zur Kur nach Granville. November: »Der Salon IV« erscheint (»Der Rabbi von Bacherach«, »Über die französische Bühne«).

1841 Juni: Reise in das Pyrenäenbad Cauterets, das später die Kulisse für den »Atta Troll« abgibt. 31. August: Heine heiratet in der Pariser Kirche St. Sulpice Mathilde Mirat, die seit mehreren Jahren seine Lebensgefährtin ist.

1842 August: Aufenthalt in Boulogne.

1843 Sommer: Heine zur Kur nach Trouville. Oktober: erste Reise nach Deutschland. Heine besucht in Hamburg seinen Verleger Campe und seine Mutter. Die literarische Umsetzung dieser Reise erfolgt in dem Versepos »Deutschland. Ein Wintermärchen«, in dem Heine die härteste Kritik an den restaurativen politischen Zuständen in Deutschland übt.

1844 Zusammen mit Marx und Ruge Mitarbeit an den »Deutsch-Französischen Jahrbüchern« und am »Vorwärts«, den Zeitschriften, die besonders aggressiv gegen die politischen Verhältnisse in Deutschland Position bezogen. Juli: zweite Deutschlandreise, wieder Aufenthalt in Hamburg. Bei Hoffmann und Campe kommen die »Neuen Gedichte« zusammen mit »Deutschland. Ein Wintermärchen« heraus. Der Tod des Onkels Salomon Heine löst einen langwierigen Erbschaftsstreit aus.

1845 Sommer: Heine zur Kur nach Montmorency.

1846 Juni: Reise nach Baguères-de-Bigorre und später nach Barèges.

1847 »Atta Troll. Ein Sommernachtstraum« erscheint, nachdem die erste Textfassung bereits 1843 in der »Zeitung für die elegante Welt« abgedruckt worden war. Sommer: wiederum Aufenthalt in Montmorency.

1848 Februarrevolution in Paris. Louis-Philippe dankt ab, es bildet sich eine provisorische Regierung unter Lamartine. Frankreich wird zur Republik erklärt. Dezember: Louis-Napoleon wird zum Präsidenten der Republik gewählt.
Heines Gesundheitszustand verschlechtert sich rapide: Lähmungserscheinungen nehmen zu, er kann zeitweise kaum noch sehen. Während der folgenden acht Jahre bleibt er an die »Matratzengruft« gefesselt, wie er sein Krankenlager genannt hat.

1851 Heines Gedichtsammlung »Romanzero« erscheint, gleichzeitig »Der Doktor Faust. Ein Tanzpoem, nebst kuriosen Berichten über Teufel, Hexen und Dichtkunst«.

1852 Louis-Napoleon wird als Napoleon III. Kaiser der Franzosen.
1854 Oktober: Hoffmann und Campe bringt in drei Bänden Heines »Vermischte Schriften« heraus, die die Einzeltitel »Geständnisse«, »Gedichte 1853 und 1854«, »Die Götter im Exil«, »Die Göttin Diana«, »Ludwig Marcus. Denkworte« sowie »Lutezia. Berichte über Politik, Kunst und Volksleben« enthalten. Die »Lutezia« umfaßt die Berichte, die Heine 1840–43 für die Augsburger »Allgemeine Zeitung« verfaßt hatte.
1855 November: Heines Schwester Charlotte und sein Bruder Gustav sind zu Besuch in Paris.
1856 17. Februar: Heine gestorben. Er wird auf dem Pariser Friedhof Montmartre beerdigt.

1859 3. September: Heines Mutter in Hamburg gestorben.
1861–84 »Heines sämtliche Werke« werden von Adolf Strodtmann herausgegeben.
1883 17. Februar: Mathilde Heine gestorben.
1887–90 Kritische Heine-Ausgabe, herausgegeben von Ernst Elster.
1905 Kauf der Heine-Büchersammlung des Leipziger Antiquars Meyer und damit Grundlegung des Düsseldorfer Heine-Archivs.
1910–20 Heine-Ausgabe, herausgegeben von Oskar Walzel.
1924 Das Heine-Archiv erwirbt Heines Privatbibliothek.
1933–45 Das Dritte Reich versucht Heines Namen und Werk total auszumerzen; die Düsseldorfer Heine-Sammlung wird versteckt und kann so gerettet werden.
1950–57 Heines Briefe von Friedrich Hirth herausgegeben.
1956 Das Heine-Archiv wird ergänzt durch Heines handschriftlichen Nachlaß, die »Sammlung Strauß«. Gründung der Heinrich-Heine-Gesellschaft in Düsseldorf. Internationaler Heine-Kongreß in Weimar. Beginn der Arbeiten an der Weimarer Heine-Säkularausgabe.
1961–64 Heine-Ausgabe, herausgegeben von Hans Kaufmann.
1965 Die Heine-Plakette der Heine-Gesellschaft wird an Max Brod verliehen.
1968–76 Heine-Ausgabe, herausgegeben von Klaus Briegleb.
1970 Gründung des Heinrich-Heine-Instituts Düsseldorf.
1972 Internationaler Heine-Kongreß in Düsseldorf zum 175. Geburtstag Heines. Die Heine-Plakette an Hilde Domin verliehen. Heine-Konferenz in Weimar. Heine-Preis der Stadt Düsseldorf an Carl Zuckmayer verliehen.
1973 Der erste Band der historisch-kritischen Düsseldorfer Heine-Ausgabe erscheint.
1974 13. Dezember: Das Heine-Institut Düsseldorf bezieht an der Bilkerstraße ein eigenes Haus und steht mit seinen Abteilungen Museum, Bibliothek und Archiv der Öffentlichkeit zur Verfügung.
1975 Heine-Preis der Stadt Düsseldorf an Pierre Bertaux verliehen.
1976 Die Heine-Plakette der Heine-Gesellschaft an Marcel Reich-Ranicki verliehen.
1978 »Heinrich Heine«, zweiteiliger Fernsehdokumentarfilm im Auftrag des ZDF. Heine-Preis der Stadt Düsseldorf an Sebastian Haffner verliehen.

1981 Zum 125. Todestag Heines wird in Düsseldorf ein Heine-Kolloquium durchgeführt: »Der späte Heine: 1848–1856. Literatur, Politik, Religion«. Die Heine-Plakette an Martin Walser verliehen. In Düsseldorf wird das Heine-Monument von Bert Gerresheim aufgestellt. Heine-Preis der Stadt Düsseldorf an Walter Jens verliehen.

1982 Auf dem Hamburger Rathausmarkt wird eine Neufassung des von Hugo Lederer geschaffenen Heine-Denkmals aufgestellt, das von den Nationalsozialisten eingeschmolzen worden war.

Anmerkungen

Vorbemerkung

Bei der Abfassung dieser Erläuterungen wurden fortlaufend die Anmerkungsteile folgender Heine-Ausgaben herangezogen: Düsseldorfer Heine-Ausgabe, Band VI (Kommentar von Jost Hermand); Sämtliche Werke, herausgegeben von Klaus Briegleb (Kommentar zu Band II von Günter Häntzschel); Werke und Briefe, herausgegeben und kommentiert von Hans Kaufmann (Erläuterungen zu Band III von Gotthard Erler); Werke, herausgegeben und kommentiert von Stuart Atkins (Band I); der Kommentar von Karl Emmerich zur Ausgabe der »Reisebilder«. (Nähere bibliographische Angaben finden sich in den »Bibliographischen Hinweisen« des vorliegenden Bandes.)

Briefe aus Berlin

Seite

9 *Motto:* »Prinz Friedrich von Homburg« V 2.
Ihr sehr lieber Brief: Die Anrede richtet sich an Dr. Heinrich Schulz, den Herausgeber des »Rheinisch-Westfälischen Anzeigers«, worin Heine schon Gedichte und einen Aufsatz veröffentlicht hatte.
Fritz von B.: Heines Bonner Studienfreund Fritz von Beughem.
W.: Friedrich Wundermann, neben Schulz Herausgeber des »Rheinisch-Westfälischen Anzeigers«.
Armin den Varus: Vgl. die dritte Anmerkung zu Seite 135.
östreichische Landwehrtagemärsche: Die österreichische Landwehr war eine Reservetruppe, die besonders langsam marschierte.
Mitteilungen aus der Residenz: D. h. aus Berlin; Westfalen war damals preußische Provinz.

10 *Jagor:* Berliner Wirt.
Spontini: Komponist und Dirigent (1774–1851), seit 1819 Generalmusikdirektor in Berlin. Er trat bei allen Aufführungen im napoleongrünen Frack auf.
Ordensfest: Krönungs- und Ordensfest, mit dem die Ball- und Karnevalssaison eröffnet wurde; dabei wurden Adlige und hohe Persönlichkeiten mit hohen Orden dekoriert.
Redouten: Bälle, Tanzveranstaltungen.
Savigny: Friedrich Karl von Savigny (1779–1861), Jurist an der Berliner Universität.
Giustinianische Galerie: 1815 hatte der preußische König die Gemäldesammlung Giustinianis aus dem frühen 17. Jahrhundert für das Neue Museum erworben.
Commencez par le commencement: Fangen Sie mit dem Anfang an!

Statue des Großen Kurfürsten: Reiterbild des Kurfürsten Friedrich Wilhelm (1620–88) von Andreas Schlüter (1703); vgl. die dritte Anmerkung zu Seite 244.

11 *Josty:* bekannte Konditorei.
Ambrosia: nach der griechischen Mythologie eine Speise, die den Göttern ihre Unsterblichkeit verleiht; allgemein auch für »köstliche Speise«.
Aphroditenschaum: Vgl. die Anmerkung zu Seite 165.
Brennen: d. h. Brandenburger.
Fort, fort von hier, / Das Auge sieht die Türe offen: parodiertes Zitat aus Schillers »Lied von der Glocke«: »Das Auge sieht den Himmel offen.«
Dessauer: Die Statue von Schadow (1800) stellt den Fürsten Leopold I. von Anhalt-Dessau (1676–1747) dar; vgl. die sechste Anmerkung zu Seite 252.
Keith ... Winterfeld: preußische Generäle aus der Zeit Friedrichs des Großen, denen zu Ende des 18. Jahrhunderts Denkmäler aufgestellt wurden.
Allongeperücke: Vgl. die vierte Anmerkung zu Seite 244.
Philolog W.: Friedrich August Wolf, Berliner Universitätsprofessor.
Orientalist H.: Joseph von Hammer-Purgstall, bekannt durch seine Übersetzungen der Werke Hafis', des größten persischen Lyrikers (14. Jahrhundert); vgl. die zwölfte Anmerkung zu Seite 417.
Begasse: ins Französische übertragener Name des Malers Karl Begas (1794–1854), der damals gerade das Altarbild »Ausgießung des Heiligen Geistes« gemalt hatte.
Theremin: Hof- und Domprediger.
Paulusianer: Anhänger des wegen seiner unorthodoxen Bibelerklärung umstrittenen Heidelberger Theologen Paulus.

12 *Louisdor:* französische Goldmünze.
Auskultatoren: Beisitzer in einem Kollegium, ohne das Recht zur Meinungsäußerung.

13 *der König:* Friedrich Wilhelm III. (1770–1840).

14 *Equipagen:* vornehme Kutschen.
Nymphen: Studentenjargon für »Mädchen«, auch »Dirnen«.
Eunike, Milder: Sängerinnen der Berliner Oper.
Apollini et musis: Dem Apoll und den Musen.
Kollegium: Vorlesung.
Philister: Nicht-Studenten.
à la Bolivar: Bolivar gehörte zu den Helden der südamerikanischen Unabhängigkeitskriege. Sein Hut war eine Mischung aus Sombrero und Zylinder.
Kurländer: Studenten, die aus dem lettischen Teil der russischen Ostseeprovinzen stammten.
Sarmaten: räuberisches Nomadenvolk; hier auf die Polen bezogen.
Hermann und Thusnelda: Vgl. die fünfzehnte Anmerkung zu Seite 299 und die dritte Anmerkung zu Seite 300.
Burschenschaften: um 1817 aufkommende Studentenverbindungen mit politischen Zielsetzungen, die dem monarchistisch-imperialistischen Denken der damaligen Obrigkeit entgegentraten. Im Gegensatz dazu waren die

Landsmannschaften unpolitische, mitunter aristokratische Vereinigungen, die dadurch zustande kamen, daß sich »Landsleute« aufgrund ihrer gemeinsamen Herkunft in Universitätsstädten zur Geselligkeit zusammenfanden.
Semiotik: Lehre von den Krankheitsanzeichen.

15 *der große Fritz:* Friedrich der Große, regierte von 1740 bis 1786.
Schöps: d. h. Schaf.

16 *Zelter:* Karl Friedrich Zelter (1758–1832), Komponist und Leiter der Singakademie in Berlin; er vertonte zahlreiche Goethe-Gedichte.
Sala Tarone: italienisches Delikatessengeschäft in Berlin.
Darius Hystaspis: altorientalischer Fürst, der nach Herodot nur deshalb König wurde, weil bei der Zusammenkunft der Verschworenen sein Pferd zuerst gewiehert hatte.
Peruaner: Vergleich mit dem Sonnenkult der Inkas.
Säckel des Fortunatus: unausschöpfbarer Geldsack.

17 *Stich:* bekannte Shakespeare-Darstellerin.
Neander: evangelischer Kirchenhistoriker an der Universität.
Boucher: als Virtuose gefeierter Geiger.
Julie, Romeo: Anspielung auf das Liebespaar in Shakespeares »Romeo und Julia«.
Grace is in all her steps: »Anmut ist in all ihren Schritten, der Himmel in ihren Augen, in jeder Geste Hoheit und Liebe« – aus Miltons »Paradise Lost«.
Gnostiker... Markus: Die hier aufgeführten Namen hat Heine einer 1818 erschienenen Schrift Neanders (»Gnostische Systeme«) entnommen. Es handelt sich um Vertreter eines mystischen Erlösungsglaubens der Spätantike.
la Capitale de la Musique: die Hauptstadt der Musik.
Lebeufve: vornehme Berliner Konditorei.
Spontinis Cortez oder Olympia: Opern von Spontini, die mit besonderem Aufwand und Pomp ausgestattet waren.
Langhans: Carl Gotthard Langhans (1732–1808), Architekt und Bildhauer.
Apoll: Vgl. die dritte Anmerkung zu Seite 136.

18 *Courant:* in der gängigen Währung.
Frau von Staël: In ihrem Buch »De l'Allemagne« (1810) schreibt sie über Berlin: »Berlin, diese ganz moderne Stadt, so schön sie immer sein mag, bringt keine feierliche, ernste Wirkung hervor, sie trägt das Gepräge weder der Geschichte des Landes noch des Charakters der Einwohner; und die prächtigen, neu aufgebauten Gebäude scheinen bloß für die bequeme Vereinigung der Vergnügungen und der Industrie bestimmt zu sein.« Von ihrer Schrift war lange Zeit das Deutschlandbild der Franzosen geprägt.
Herr von Pradt: französischer Publizist, dessen Berichte über zeitpolitische Ereignisse zum Teil ins Deutsche übersetzt wurden; in Preußen waren sie verboten.
Beyermann: Café in Berlin.

19 *Kosmeli:* damals populärer Reiseschriftsteller.
Ispahan: frühere Hauptstadt Persiens.

Peter Schlemihl von Chamisso: wegen der Siebenmeilenstiefel, die Chamissos Held trug; vgl. die erste Anmerkung zu Seite 223.
Wolf, der den Homer zerrissen: Nach der Theorie des Philologen Wolf sind die Epen Homers eine Sammlung von Dichtungen verschiedener Autoren.
Hoffmann: E. T. A. Hoffmanns Roman »Lebensansichten des Katers Murr« erschien 1820–22.
Baron von Lüttwitz: Offizier und Schriftsteller.
Baron von Schilling: Er fühlte sich von Heines Anspielung verletzt; Heine bekundete daraufhin öffentlich im »Gesellschafter« sein Bedauern.
touchiert: geneckt.
Baron von Maltitz: russischer Diplomat und Schriftsteller.
Hartmann vom Rheine: Unter diesem Pseudonym veröffentlichte Heines Freund Ernst Chr. Keller Beiträge im »Rheinisch-Westfälischen Anzeiger«; *Antagonist* (Gegner) nennt Heine ihn, weil er in einem Artikel Stellung gegen den Herausgeber Schulz bezogen hatte.
Gans: Eduard Gans (1798–1839), Jurist in Berlin, Gegner der Historischen Rechtsschule, wie Savigny sie vertrat.
Oper von Hellwig: »Die Bergknappen«; sie wurde nur zweimal aufgeführt.
Koreff: Arzt und Schriftsteller, bekannte Gestalt, für die sich die Berliner Öffentlichkeit interessierte.
Schneider: musikalischer Direktor der königlichen Schauspiele in Berlin.
Bernhard Klein: Universitätsmusikdirektor in Berlin.
Bohrer: Die Brüder Bohrer traten als Duo für Violine und Cello auf.
20 *Fischer:* Sänger der Berliner Oper.
Graf Brühl: Generalintendant der königlichen Schauspiele; vgl. die erste Anmerkung zu Seite 133.
Adam Müller: Publizist, österreichischer Generalkonsul für Sachsen.
Houwald: Verfasser rührseliger Theaterstücke.
Woltmann: Schriftstellerin.
Rauch: klassizistischer Bildhauer; er arbeitete damals an den Statuen der preußischen Generäle Scharnhorst und Blücher.
Doktor Kuhn: Tragödienverfasser.
Wach: Die vom König bestellte Auftragsarbeit ist ein »Auferstehungsbild« in klassizistischer Manier.
Karoline Fouqué: die Frau des Dichters Friedrich de la Motte-Fouqué; ihr fingierter Briefwechsel zwischen einer Tante und deren Neffen enthält Stellungnahmen gegen die Ideen der Französischen Revolution.
Staatskanzler: Karl August Fürst von Hardenberg.
Rust: sein Leibarzt.
Bopp: Begründer der vergleichenden Grammatik der indoeuropäischen Sprachen.
Sanskrit: altindische Literatursprache.
konfisziert: beschlagnahmt.
Görres: Vgl. die dritte Anmerkung zu Seite 241.
mystische Umtriebe in Hinterpommern: Nach den Befreiungskriegen kamen sektiererisch-separatistische Bewegungen in Pommern auf.

Gubitz: Herausgeber des »Gesellschafters«; er vermittelte Heine manche Publikationsmöglichkeit in seinem Blatt.
Vignetten: kleine »Verzierungsbilder« für Titelblätter.
Staberles Reiseabenteuer: Anspielung auf eine Komödie von Adolph Bäuerle (1786–1859); Staberle war eine populäre Figur in mehreren Bäuerle-Komödien.
21 *Markör:* Kellner.
Medisantes: Schmähliches.
»König Midas hat Eselsohren«: Anspielung auf eine Stelle aus Ovids »Metamorphosen«. Aus Eifersucht läßt dort Apoll dem König Midas Eselsohren wachsen, weil dieser die Pan-Flöte der Lyra des Apoll vorgezogen hatte. Obwohl Midas seine Ohren unter einem Tuch versteckt, verrät ein flüsterndes Rohr sein Geschick.
großen norddeutschen Juristen: Savigny; vgl. die fünfte Anmerkung zu Seite 10.
22 *Boileau:* Verfasser von Satiren (1636–1711); er mußte sich gegen den Vorwurf zur Wehr setzen, Personen namentlich angegriffen zu haben, und berief sich dabei auf die Freizügigkeit der Satire in der Antike.
Papilloten: Lokenwickler.
pythagoräischer Lehrsatz und ans königl. preuß. Landrecht: Grundgesetz der Geometrie und »Grundgesetz« des preußischen Staates; das preußische Landrecht (1794) war das bürgerliche Gesetzbuch für Preußen.
Eugen von B.: der polnische Edelmann Eugen von Breza.
23 *Wer nennt die Fiedler…:* parodistisches Zitat aus Schillers »Die Kraniche des Ibykus«.
italienisches Messer: Anspielung darauf, daß man Chorknaben vor dem Stimmbruch kastrierte, um ihre Sopranstimme zu erhalten.
Seidler: Sängerin an der Berliner Oper.
Drouet: Erster Flötenspieler am Hof des französischen Königs.
»Marlborough s'en va-t-en guerre«: »Marlborough zieht in den Krieg« (zweite Römische Elegie) – in der Öffentlichkeit ebenso bekannt wie:
Wir winden dir…: das wohl populärste Lied aus Carl Maria von Webers Oper »Der Freischütz«, die 1821 in Berlin mit großem Erfolg uraufgeführt worden war.
25 *Luise:* Königin Luise (1776–1810), die nach ihrem frühen Tod in der Bevölkerung eine ins Madonnenhafte gesteigerte sentimentale Verehrung erfuhr.
26 *Borussin:* Preußin.
Lawise: Berliner Dialekt: Luise.
»Katharre«: Berliner Dialekt: Gitarre.
»Kravatte«: ironisierte sprachliche Verdrehung: gemeint ist die »Cavatine« (Arie) »Di tanti palpiti« aus Rossinis Oper »Tancredi«;
27 *Mais toujours perdrix?:* Aber immer Rebhuhn? – das meint: es wird einmal eine Abwechslung nötig!
Gluckisten und Piccinisten: Der Opernstreit in Berlin hatte deutlich politische Züge: Den Erfolg des romantischen »Freischütz« feierten seine Anhänger als Sieg über Spontini, den früheren Pariser Hofkomponisten. Ähn-

lich hatte Ende des 18. Jahrhunderts Piccini versucht, die Opern Glucks von der Pariser Oper zu verdrängen.
Apologie: Verteidigung.
des verstorbenen Webers: Bernhard Weber, Spontinis Vorgänger.
28 *horribile dictu:* es ist schrecklich zu sagen.
Welscher: Italiener.
Unwille vieler...: Passage von der Zensur gestrichen.
29 *Doktor Förster:* Berliner Publizist, der offen gegen Spontini zu Felde zog, indem er nach der Oper Flugblätter mit einem selbst verfaßten Gedicht verteilte, das im Publikum Stimmung für Weber machen sollte.
kajolierte: schmeichelte.
Kalabresen: Einwohner der süditalienischen Landschaft Kalabrien.
Vestalin, Cortez, Olympia: Die bekanntesten Opern Spontinis; aus dem Repertoire der heutigen Opernhäuser sind sie völlig verschwunden.
31 *Kaschimir:* galt früher als Ort des biblischen Paradieses.
Oc: Im Französischen unterscheidet man *oc* (südfranzösisch) von *oui* (nordfranzösisch) für »ja«. Heine macht sich hier über damals viel diskutierte Sprachtheorien lustig.
Hammeltume: Anspielung auf Johann Georg Fichtes »Der geschlossene Handelsstaat«.
Idee eines Schafskopfs: Ironisierung der Philosophie Hegels.
Herrlichkeit des Altböckischen: Ironisierung des Altphilologen Böckh; Anspielung auf dessen Vorlesung »Griechische Altertümer«.
Sir Walter Scott: Vgl. die zweite Anmerkung zu Seite 240.
32 *Hohenhausen, Byron:* Vgl. die vierte Anmerkung zu Seite 131.
Rebekka: Tochter Isaaks, die den verwundeten Ivanhoe nach dem Turnier pflegt und später von ihm entführt wird.
partie honteuse: peinliche Sache.
33 *Sachsenhäuser:* Bewohner von Sachsenhausen, einem Stadtteil am linken Mainufer.
Akquisition: Erwerbung.
Rothschilde und Bethmänner: Frankfurter Bankhäuser.
al pari: auf gleicher Stufe.
Memorial: Geschäftstagebuch.
Judenbekehrung: 1823 war der »Verein zur Bekehrung der Juden« gegründet worden.
34 *Schleiermacher:* Friedrich Schleiermacher (1768–1834), Theologe, Philosoph, Schriftsteller. Er wandte sich gegen den Judenbekehrungsverein; vgl. auch die fünfte Anmerkung zu Seite 281.
De-Wettische Aktensammlung: Der Theologe de Wette hatte in einem Brief an die Mutter des hingerichteten Sand, Kotzebues Mörder, die Tat mit der zugrunde liegenden Gesinnung entschuldigt. Man hatte de Wette daraufhin entlassen. Schleiermacher setzte sich für ihn ein; der Theologe *Beckedorff* bekämpfte ihn.
Kamptz: Direktor des preußischen Polizeiministeriums.
Klindworth: Zensurspezialist im Dienste von Kamptz.

Buchholz: Schriftsteller.
Supplementbände: Ergänzungsbände.
35 *Die griechischen Angelegenheiten:* der Befreiungskampf der Griechen gegen die Türken (1821–29).
Tyrteen: Kriegsdichter.
Marathon, Salamis, Platäa: Kriegsschauplätze, an denen die Griechen die Perser besiegten.
Zeune: preußisch-patriotischer Berliner Germanist und Blindenlehrer, der gegen die Griechen Stellung bezog.
Optikus Amuel: Berliner Fabrikant optischer Geräte.
Fabeck: nahm freiwillig am griechischen Freiheitskrieg teil.
Erisapfel: Zankapfel.
Anna Boleyn: Dieses Drama von *E. H. Gehe* wurde in Berlin nicht gespielt, sondern kam erst 1823 in Dresden auf die Bühne.
Rellstab: Heinrich Rellstab (1799–1860), Roman- und Musikschriftsteller, polemisierte gegen Spontini.
36 *Requisition:* Veranlassung.
Jean Paul'sche »Komet«: in 3 Bänden 1820–22 erschienen – politisch brisant wegen einer aggressiven Satire gegen die Demagogenverfolgungen in einer der Vorreden.
Institutionen lesen: die Vorlesung »Geschichte und Institutionen des Römischen Rechts«.
Blondin: Direktor einer Kunstreitergesellschaft, die im Zirkus vor dem Brandenburger Tor auftrat.
Schuhmann: in Berlin populärer Zauberkünstler.
Bosko: Taschenspieler aus Turin.
Pinetti: unter Friedrich Wilhelm II. Leibarzt in Berlin.
37 *Dr. Stöpel:* Musiklehrer, der eine »Akademie für musikalischen Unterricht« eröffnet hatte.
Logiersche Methode: gleichzeitiger Unterricht mehrerer Schüler an mehreren Klavieren.
Wolff: bekanntes Schauspielerehepaar an der Berliner Bühne.
Beer: Michael Beer (1800–33), Tragödiendichter, sein Bruder:
Meyerbeer: Giacomo Meyerbeer (1791–1864), erfolgreicher Opernkomponist des 19. Jahrhunderts. Heine hatte später in Paris persönlichen Kontakt zu ihm.
Althing, Schaden: Verfasser von derb-trivialen, erotischen Romanen.
Promessen: Schuldscheine.
Böttiger: Mitherausgeber des »Neuen teutschen Merkur«.
Tieck: Vgl. die siebte Anmerkung zu Seite 417.
Tarnow: gehörte zum Freundeskreis der Elise von Hohenhausen.
Menu Minutoli: preußischer General, der mit einem Assistenten und einem Maler durch Ägypten gereist war. Für die Publikation seiner Reisebeschreibung bat er den König um einen Druckkostenzuschuß.
Pr. Ideler: Astronomieprofessor in Berlin.

38 *Schadow:* der klassizistische Bildhauer Johann Friedrich Schadow (1764–1850); sein Sohn Rudolf war 1822 in Rom gestorben.
Hensel: Wilhelm Hensel (1794–1861), Dichter und Maler.
Kolbe: Carl Wilhelm Kolbe (1781–1853).
Schinkel: Karl Friedrich Schinkel (1781–1841), der berühmte klassizistische Architekt und Maler, entwarf auch Bühnenbilder.
Tieck: Christian Friedrich Tieck (1776–1851), Bruder des Dichters Tieck.
Rauch: Chritian Daniel Rauch (1777–1857), Bildhauer.
Bülow... Scharnhorst: preußische Generäle.
Notabeln: einberufene Landstände.
Juramentum silentii: der Eid zu schweigen.
39 *Assembleen:* Versammlungen.
Glienicke: kleine Ortschaft am Rand von Berlin; dort befand sich das Sommerpalais; heute ein Stadtteil von Berlin.
»Lalla Rookh«: aufwendiges Festspiel zu Ehren des Hofes; auf der Grundlage einer irischen Verserzählung besorgte Spiker die Textgestaltung, Spontini die Musik, Schinkel die Dekorationen, Hensel führte Regie.
Devrient: Schauspieler in Berlin.
die beiden Pintos: Gustav Mahler hat dieses Fragment von Weber später bearbeitet.
Romberg: Komponist und Cellist.
Damen in Dülmen: vermutlich die säkularisierte Gruppe der Augustinerinnen in Dülmen bei Münster.
im Dualis: d. h. doppelt sprechen, weil sie schwanger ist.
Tees (sowohl dansant als médisant): Tees (zum Tanzen und Schmähen).
40 *Sekondeleutnant:* Leutnant.
Kothurn: Schuh mit hoher Sohle, für Schauspieler.
galoniert: mit Borten versehen.
41 *Bijouterie- und Quincailleriehandlungen:* Schmuck- und Eisenwarenhandlungen.
Ausstellung: Zur Weihnachtszeit stellten Berliner Konditoreien bekannte Personen und Schauspieler als Zucker- und Marzipanfiguren aus. Diese Ausstellungen waren beim Publikum sehr beliebt.
ennuyieren: langweilen.
42 *Kompendien:* kurzgefaßte Lehrbücher.
Dominos: Mäntel.
femmes entretenues und Priesterinnen der ordinären Venus: ausgehaltene Frauen und Dirnen.
»Je te connais, beau masque«: Ich kenne dich, schöne Maske.
Chauvesouris: Fledermaus.
»si tu me connais...«: Wenn du mich kennst, meine Schöne, bist du nichts Besonderes!
43 *bacchantisch:* berauschend.
Tu es beau...: Du bist schön, du bist charmant, du bist der Gegenstand meiner feurigen Liebe, ich bete dich an, meine Schöne!

44 *Harun al-Raschid:* Kalif von Bagdad (765–809).
pendulartig: wie eine Pendeluhr.
45 *»und rasch hinflogen die Rosse«:* aus Homers »Odyssee« (3. Gesang, Vers 484).
aus stadtvogteilichen Gründen: Auf der Stadtvogtei saßen damals einige verhaftete Studenten.
Gaze: Seide.
Atlasse: seidenartige Stoffe.
46 *jusqu'à la tour...:* bis zum Kirchturm von Notre-Dame; angeblicher Ausspruch Napoleons bei der Landung in Südfrankreich 1815.
Apoll von Belvedere: Vgl. die vierte Anmerkung zu Seite 99.
Räsonneur: Schwätzer.
Marat: Jean-Paul Marat (1744–93), französischer Revolutionär, einer der populärsten Führer der Jakobiner, wurde ermordet.
Danton: Georges-Jacques Danton (1759–94), französischer Revolutionär, Jakobiner.
d'Herbois: Jean-Marie Collot d'Herbois (1750–96), französischer Revolutionär, Mitglied des Wohlfahrtsausschusses.
Robespierre: Maximilien de Robespierre (1758–94), französischer Revolutionär, Führer der Jakobiner.
Eine feste Burg: Parodie auf Luthers Kirchenlied »Ein feste Burg ist unser Gott«.
Septembrisieren: Nach den Septembermorden in Frankreich wurde dieser Ausdruck als Schlagwort geprägt für politische Massenhinrichtungen.
akkompagniert: begleitet.
47 *Monbijou:* kleines Lustschluß in Berlin.
48 *Nurmahal:* Festspiel, das einige Stücke aus Spontinis »Lalla Rookh« wieder aufgreift.
49 *der poverste Berliner:* der ärmste Berliner.
Anciennität: Dienstalter.
Geheimrat Heim: Der sehr bekannte Berliner Arzt feierte sein goldenes Doktorjubiläum.
50 *Porte-epée-Jüngling:* junger Offizier.
»Du Schwert an meiner Linken...«: Anfang des »Schwertliedes« von Körner.
Theodor Körner: Die Gedichte dieses Autors (1791–1813) hat Heine wegen ihres pathetisch-schwülstigen Tons oftmals verspottet.
Johanna von Montfaucon: Heldin des gleichnamigen Stückes von Kotzebue (1800).
51 *Lebrun:* bekannter Hamburger Komiker.
Neumann: berühmte Schauspielerin, deren erotische Ausstrahlung das damalige Publikum begeisterte.
Circe: in Homers »Odyssee« die Zauberin, die Odysseus' Gefährten in Schweine verwandelt.
kalligraphisch: schöngeschrieben.
Kabiljau und Hiebe: berlinischer Anklang an »Kabale und Liebe«.

52 *»Medizinische Venus«:* die Mediceische Venus; vgl. die fünfte Anmerkung zu Seite 99.
Metrum: Versmaß.
Sapphische Ode: nach der griechischen Dichterin Sappho benannte vierzeilige Strophe.
hymettischer Honig: Honig aus dem Gebirge Hymettos in Attika war im Altertum berühmt.
Clauren: Vgl. die neunte Anmerkung zu Seite 140.
Dezenz: Zurückhaltung.
53 *anakreontisch:* tändelnd, verliebt.
Leithold: ehemaliger Husarenrittmeister.
Kolumbus in Otaheiti: Zitat aus dem Titel einer pantomimischen Vorstellung bei *Blondin*; vgl. die vierte Anmerkung zu Seite 36.
Joseph Mendelssohn: Berliner Bankier und Literat (1770–1848), Sohn des Philosophen Moses Mendelssohn.
54 *Autochthone:* Eingeborene.
Joseph Klein: 1802–62; er vertonte auch einige Gedichte Heines.
Buffone: Possenreißer.
Fonks Prozeß: Der Prozeß gegen den Kölner Kaufmann, der angeklagt war, seinen Handlungsgehilfen *Cönen* umgebracht zu haben, beschäftigte jahrelang die Presse.
55 *insultiert:* beleidigt.
Auskultator: Vgl. die zweite Anmerkung zu Seite 12.
Friesische Logik: »System der Logik«, eine Schrift des antisemitischen Philosophen Jakob Friedrich Fries (1773–1843).
Judizium: juristischer Verstand.
Code Napoleon: Das französische bürgerliche Gesetzbuch von 1804 wurde auch im französisch besetzten Rheinland eingeführt; es sicherte auch den jüdischen Bürgern manche bürgerlichen Rechte.
56 *Justus Gruner:* bis 1820 Polizeipräsident in Berlin, heftiger Gegner Napoleons.
Proselyten: Neubekehrte.
relegiert: Vgl. die dritte Anmerkung zu Seite 94.
Konsiliiertwerden: Vgl. die sechste Anmerkung zu Seite 93.
Korporationen: Studentenverbindungen; vgl. auch die elfte Anmerkung zu Seite 14.
oxfordische Stallfütterungssystem: Die »Colleges« von Oxford sind als feste Haus- und Studiengemeinschaften organisiert.
57 *falschen Wanderjahre:* von Johann Friedrich Wilhelm Pustkuchen (1793–1834), einem evangelischen Theologen, der Goethes »Wanderjahre« aus formalistischen und moralischen Gründen in seinen »Falschen Wanderjahren«, die er anonym erscheinen ließ, parodiert und angreift.
desavouieren: verunglimpfen.
Gil-Blas: »Der deutsche Gil Blas, eingeführt von Goethe. Oder Leben, Wanderungen und Schicksale Johann Christian Sachses, eines Thüringers. Von ihm selbst verfaßt« (1822).

Ali Pascha: im Sinne von: Tyrann, Räuber.
Byron: Vgl. die vierte Anmerkung zu Seite 131.

58 *Southey:* Robert Southey (1774–1843), englischer Schriftsteller.
Childe-Harold: hier auf Byron selbst bezogen; ursprünglich der Held von Byrons gleichnamigem Stück.
Laureat: Der »poeta laureatus« war in der Antike der mit Lorbeer gekrönte Dichter; Preisträger.
Jakob Casanova de Seingalt: der bekannte Frauenheld.
Charles de Ligne: österreichischer Schriftsteller (1735–1814).
Fouqué: Friedrich Baron de la Motte-Fouqué (1777–1843), deutscher Dichter mit einer Vorliebe für das Romantische.
Köchy: Karl Köchy (1800–80): »Über die deutsche Bühne«.
v. Uechtritz: Friedrich von Uechtritz, Verfasser von Tragödien.

59 *»Es war einmal ein König...«:* Flohlied aus Goethes »Faust«, Szene in Auerbachs Keller.
Demagogie: Volksverführung, politische Hetze.
Allegorie: bildhafte Darstellung.
Hoffmann: Heine nennt im folgenden Titel von E. T. A. Hoffmann: »Der goldene Topf«, »Die Elixiere des Teufels«, »Nachtstücke in Callots Manier«, »Klein Zaches, genannt Zinnober«, »Meister Floh«, »Die Serapionsbrüder«.

60 *Theatercoup:* äußerlicher Effekt.
»the monk«: »Der Mönch« erschien 1795.
Jean Paul: Schriftsteller und Pädagoge (1763–1825); seine Romane wurden damals viel gelesen.

61 *Goldsmith, Smollet, Fielding:* Schriftsteller der englischen Aufklärung.
Jean-Jacques: J. J. Rousseau verdiente seinen Lebensunterhalt mit Notenabschreiben.
Urbanität: weltmännische, großstädtische Art.
frequentieren: häufig besuchen.
Spieß, Cramer, Vulpius: Verfasser von Schauer- und Räuberromanen.

62 *Arnim:* Achim von Arnim (1781–1831); namhafter Dichter der deutschen Romantik.
Fouqué: Vgl. die sechste Anmerkung zu Seite 58.
Horn: damals populärer Romanautor.

Über Polen

65 *Seit einigen Monaten:* Im August und September 1822 war Heine auf Einladung seines polnischen Freundes Breza in Polen, wo er sich auf den Gütern der Familie Breza und in Posen und Gnesen aufhielt. Seine literarisch fixierten Eindrücke hat er selbst nicht als »Reisebild« bezeichnet, sondern als »Memoir über Polen«. In Fortsetzungen erschien Heines Beitrag zuerst im Januar 1823 im Berliner »Gesellschafter«.

Pustkuchen: meint literarischen »Klatsch«; vgl. die erste Anmerkung zu Seite 57.
ossianisch: im Sinne von: gefühlvoll, düster.
66 *Plica polonica:* Verfilzung der Haare durch Unsauberkeit.
nordamerikanischer Katechismus: Anspielung auf die Menschenrechte der amerikanischen Unabhängigkeitserklärung (1776).
kanonisches Recht: katholisches Kirchenrecht.
67 *Thaddäus Kosciuszko:* polnischer General, der beim polnischen Volksaufstand 1794 an der Spitze stand.
französische Lehren: die Ideen der französischen Aufklärung und Revolution.
dagegen eifere: Die folgende Passage wurde von der Zensur gestrichen.
68 *Nürnberger Frauentaschenbuch:* seit 1815 von Fouqué herausgegeben.
Philiströsität: Spießbürgerlichkeit.
David Friedländer: jüdischer Autor (1750–1834) in Berlin.
Rabbinen: jüdische Priester.
»Flurschütz von Wakefield«: Das Stück wurde irrtümlich Shakespeare zugeschrieben; der Autor ist George Green.
69 *Das W-cksche Wochenblatt:* das von Friedrich Wadzeck herausgegebene »Berlinische Wochenblatt für den gebildeten Bürger und den denkenden Landmann«.
façonniert: bearbeitet, durchsetzt.
Sum rex populorum sed non conscientiarum: Ich bin König der Völker, aber nicht ihrer Gewissensentscheidungen.
Kasimir dem Großen: 1310–70; wegen seines Eintretens für die niedrigen Stände wurde er vom Adel als »Bauernkönig« beschimpft.
Firnis: Schutzschicht.
70 *Scholastik:* im Mittelalter ausgebildete Philosophie und Theologie, die wesentlich im Dienst der Kirchenlehre stand.
Bolivar: Vgl. die siebte Anmerkung zu Seite 14.
quodlibetartiges Kompositum heterogener Gefühle: beliebiges, willkürliches Gemisch verschiedenartigster Gefühle.
Frankfurter Judengaßmauern: In Frankfurt lebten die jüdischen Bürger in einem eigenen Stadtviertel, im Getto.
Medizäerin: die Mediceische Venus; vgl. die fünfte Anmerkung zu Seite 99.
Broschürenskribler: Skribler: Schreiberling.
71 *Pomaden:* parfümierte Salben zur Haarpflege.
Lutetia: römische Bezeichnung für Paris.
Magnaten: hohe Adlige.
72 *civis polonus:* polnischer Bürger.
Czartoryskis... Potockis: Namen bedeutender polnischer Adelsfamilien.
de facto: tatsächlich.
de nomine: dem Namen nach.
Starost: polnischer Edelmann, der eine eigene Gerichtsbarkeit ausübt.
73 *Fraternität:* Brüderlichkeit.

74 *Enzyklopädie:* »Encyclopédie«, von Diderot und d'Alembert herausgegebenes bedeutendes Werk der französischen Aufklärung.
washingtonsche: d. h. alle Menschen umfassend; so genannt nach Washington, dem ersten Präsidenten Amerikas.
Anarchie: Herrschaftslosigkeit, Gesetzlosigkeit.
c'était tout comme chez nous: es war alles wie bei uns.
Luther: Martin Luther heiratete 1525 Katharina von Bora; im Laufe des Prozesses, den die katholische Kirche gegen ihn führte, wurde er in Augsburg vernommen.

75 *Mallika... Sirischa:* indische Blumennamen.
Raphael: Maler der italienischen Renaissance.
Calderon: spanischer Dichter des 17. Jahrhunderts.
Baron Holbach: Anhänger der französischen Aufklärung; mit seinen Gedanken widersprach er jeglicher Empfindsamkeit.

76 *Interregnum:* vorübergehende Herrschaft.
Advocatus diaboli: Anwalt des Teufels; jemand, der um der Sache willen mit seinen Argumenten die Gegenseite vertritt.
Venus von Tizian: Die Darstellungen des venezianischen Malers strömen nach weit verbreiteter Ansicht eine besondere Sinnlichkeit aus.
Maria von Correggio: Den Bildern des Correggio sagt man dagegen Gefühl und Innigkeit nach; vgl. wiederum den Unterschied »Venus« und »Maria« – antik und christlich.

78 *Dezennien:* Jahrzehnte.
unselige Ereignisse: Nachdem die Studentenverbindung »Polonia« im Sommer 1822 verboten worden war, wurden zahlreiche polnische Studenten von der Berliner Universität verwiesen; darunter war auch Heines Freund Breza.

79 *Zamoyski:* Er war der Neffe von Fürst Czartoryski, dem Haupt der polnischen Emigrationsaristokratie.

80 *Kaulfuß:* »Über den Geist der polnischen Sprache. Eine Einleitung in die polnische Literär-Geschichte für Deutsche« (1804).
Carnot: unter der Herrschaft der Bourbonen verbannter französischer Politiker; Verfasser von literarischen und naturwissenschaftlichen Arbeiten.

81 *praktisch-basedowsche:* abgeleitet von Johann Bernhard Basedow (1723–90), einem Pädagogen der Aufklärung.
Wasserpolen: Polen, die in den westlichen Gebieten lebten und einen mit Deutsch durchsetzten Dialekt sprachen.

82 *Hauptstadt Polens:* Warschau ist erst seit 1815 Hauptstadt Polens.
der siegreiche Boguslaw: König Boleslaw I. (992–1025), der im Osten bis Kiew vordrang.
Adalbert: wurde 997 auf einer Missionsreise ermordet und im Jahre 1000 im Gnesener Dom beigesetzt.

83 *Epaulett-Mensch:* Epauletten sind die Schulterstücke auf den Uniformen.
Melpomene... Terpsichore: die griechischen Musen der Tragödie, der Komödie, des Gesangs und des Tanzes.

Lessingsche Dramaturgie: Lessings »Hamburgische Dramaturgie« (1767–69), Schrift zu einer Neukonzeption des Theaters, wobei er der Shakespeare-Bühne gegenüber der französischen Bühne den Vorzug gibt.
Schröck und Stich: Berliner Schauspielerinnen.
Demois.Paien: Demoiselle (Fräulein) Marie Paien, Schauspielerin in Posen.
Succès: Erfolg.
»Elisabeth«, »Maria«: die gegnerischen Heldinnen aus Schillers »Maria Stuart«.
»Sorgen ohne Not...«: Lustspiel von August Kotzebue (1810).
»Liebeserklärung«: Lustspiel von August von Kurländer (1821).
Wolffs »Cäsario«: Lustspiel, 1810 uraufgeführt.
84 *ämable:* liebenswürdig.
Carlsen, Oldenburg: Posener Schauspieler.
perpendikelartig: wie ein Uhrpendel.
»Rosamunde«: Trauerspiel von Theodor Körner (1815).
enchantierend: verzaubernd.
»Des Herzogs Befehl«: Komödie von Karl Töpfer.
Vogt: Komiker und Regisseur.
»Alpenröschen«: Stück von Holtei nach einer Erzählung von Clauren.
»Vogelschießen«: Komödie von Clauren.
die »falsche Catalani«: Posse von Adolf Bäuerle (1820); zu *Staberle* vgl. die neunzehnte Anmerkung zu Seite 20.
Leutner: Schauspielerin, die mit ihrer Truppe keinen großen Erfolg hatte.
desolat: trostlos, vereinsamt.
85 *»Bianka von Toredo...«:* Stück von Theodor Winkler (1806).
Hauptforce: Hauptstärke.
»Taschenbuch«: Drama von Kotzebue (1818).
Szymkaylowa, Wlodek: polnische Schauspieler.
substituiert: ausgetauscht.
»Prinzessin von Navarra«: Rolle aus »Johann von Paris«, Oper von Boieldieu (1812).
»Kalif von Bagdad«: Oper von Boieldieu (1800).
86 *»Aline«:* »Aline, Königin von Golconda«, Oper von Boieldieu (1808). François Boieldieu (1775–1834) komponierte über vierzig Opern und war als Meister der französischen komischen Oper beim damaligen Publikum äußerst beliebt.
»Lorezza«, »Olivier«, »Johann«: Rollen aus Boieldieus Oper »Johann von Paris«.
Buffo: Sänger komischer Rollen.

Die Harzreise

92 *Nichts ist dauernd...:* Das Börne-Zitat stammt aus der »Denkrede auf Jean Paul«. Wenn man in der Forschung die Auswahl dieses Mottos oft als Bekenntnis Heines zum Poetischen schlechthin interpretiert hat, so ist dies nur

bedingt zu akzeptieren, da die Literatur bei Heine nicht höher rangiert als die Realität, selbst wenn er mit dem »Ewigkeitsruhm« von Literatur auch in Hinblick auf seine eigenen Texte gern kokettiert. Literatur kann freilich das Spannungsfeld von Wirklichkeit und Möglichkeit, von faktischer und fiktiver Welt deutlich machen.

93 *Schwarze Röcke...:* In ihrer ursprünglichen Veröffentlichungsform boten die beiden ersten »Reisebilder«-Bände eine Mischung aus Prosa und Lyrik, wodurch noch eine Affinität zur literarischen Tradition der Romantik spürbar wird, wohingegen die späteren »Reisebilder«-Bände bereits die Entwicklung zur journalistischen Prosa und damit zur literarischen Bewegung der Jungdeutschen markieren. Heutige Textausgaben scheiden gewöhnlich die Gedichtzyklen »Heimkehr« und »Nordsee I und II« aus dem »Reisebilder«-Komplex aus, so daß nur noch die »Harzreise« mit ihren eingeschobenen lyrischen Passagen einen Eindruck der gemischten literarischen Form vermitteln kann.

Embrassieren: Umarmen, Küssen.

Feuerstellen: im übertragenen Sinn gemeint: Häuser. Die hier einsetzende witzig kombinierte Aufzählung vermittelt keine Information, sondern parodiert die oft wahllose Faktenhäufung von Interessantem und weniger Interessantem in Reiseführern, die den Lesern ein Höchstmaß an topographischer Genauigkeit zumuten.

Karzer: ein Raum der Universität, in dem Studenten Arreststrafen absitzen mußten.

Lüder: ein Göttinger Student, der damals wegen seiner Körperkraft berühmt war.

immatrikuliert und... konsiliiert: Heine wurde zum Wintersemester 1820 an der Göttinger Universität eingeschrieben; wegen seiner Duellaffäre wurde er im Januar 1821 für ein halbes Jahr von der Universität verwiesen.

Schnurren: Studentenjargon für Polizisten und Nachtwächter an der Universität.

Pudeln: Studentenjargon für Pedelle, Universitätsdiener mit »Polizei«-Funktion.

Teedansants: Tanztees.

Kompendien: kurzgefaßte Lehrbücher.

Guelfenorden: ehemaliger hannoverscher Orden (1815–66).

94 *Promotionskutschen:* Diese Kutschen benutzten Doktoranden, die nach bestandener Prüfung offizielle Besuche bei den Professoren machten.

Pfeifenköpfe: anspielungsreich gemeint: »Pfeifen« im Sinne von »Dummköpfe«, »Feiglinge«. – Pfeifenköpfe waren zu Heines Studentenzeit in kunsthandwerklicher Verzierung in Gebrauch: vielfach aus Porzellan mit Bemalungen und Aufschriften (z. B. mit den Namen der Studentenverbindungen).

Relegationsräte: ironische Wortbildung aus »Legationsrat« und »Relegation«, d. h. Ausschluß vom Studium.

Profaxe: Studentenjargon für Professoren.

Vandalen, Friesen, Schwaben, Teutonen, Sachsen, Thüringer: Studentenverbindungen, nach deutschen Volksstämmen benannt.
Pfeifenquast: bürstenartiger Pinsel zum Reinigen der Pfeife.
Weenderstraße: heute noch die Hauptstraße Göttingens.
Walstätten: Schlachtfelder.
Walstätten der Rasenmühle, des Ritschenkrugs und Bovdens: Stätten außerhalb Göttingens, wo die Studenten die Mensur schlugen.
in den legibus barbarorum: in den Gesetzen der Barbaren.
Philister: Studentenjargon für Nichtstudent, auch abfällige Bezeichnung für unkünstlerische, spießbürgerliche Leute.
unordentlich: ironische Verwechslung anstelle von außerordentlich.
Topographie derselben von K. F. H. Marx: Dieses Buch von dem Mediziner Marx war 1824 erschienen: »Göttingen in medizinischer, physischer und historischer Hinsicht«.
1⁰ von den Füßen überhaupt: Heine parodiert hier die Systematik wissenschaftlicher Abhandlungen, wie sie der damalige Universitätsbetrieb, eben auch die juristische Fakultät, von den Studenten forderte. Solche und ähnliche Textstellen belegen Heines kritische Auseinandersetzung mit Tendenzen und Problemen der Wissenschaft und speziell der Universität, wobei die »Wissenschaftskritik« eben nicht in konzentrierten systematischen Darlegungen erfolgt, sondern in assoziationsreicher, spaßhafter Polemik.

95 *Ullrichs Garten:* ein bei den Studenten sehr beliebter Biergarten in Göttingen.
Faksimile: originalgetreuer Abdruck.
*der gelehrte**:* vermutlich der Naturwissenschaftler Blumenbach, der für seine enorme Menge von Memorierzetteln und für seine Leidenschaft des Exzerpierens bekannt war.
Mensa: Schulbeispiel aus dem Lateinunterricht für die a-Deklination (mensa = der Tisch). Die Szene mit dem Schulknaben ist als kritische Attacke gegen formalistische Bildungsvorstellungen der damaligen Zeit zu verstehen.
Georgia Augusta: Name der Göttinger Universität.
Pandektenstall: Pandekten sind die in fünfzig Büchern zusammengefaßte Sammlung von Rechtssätzen aus den Schriften der berühmtesten römischen Juristen. In dieser Wortverbindung ist eine ironische Bezeichnung für die juristische Fakultät zu sehen.
Kasuisten: Anspielung auf die Juristen, die an der Universität römisches Recht lehrten und dabei die Prinzipien der Kasuistik vertraten, die sich dadurch auszeichnete, daß sie mit besonderer Strenge nach den im Staat gültigen Rechtsgesetzen entschied.
Tribonian, Justinian, Hermogenian: Juristen der römischen Kaiserzeit.
Corpusjuris-Ausgabe: Corpus juris ist eine Rechtssammlung und damit Lehrstoff der Studenten der juristischen Fakultät. Heine greift hier allerdings auf die ursprüngliche Bedeutung des lateinischen Wortes corpus (Körper) zurück, also: Körper von Juristen. Diese Anspielung ist typisch

für Heines assoziationsreiche Wortspiele, die zum Verständnis allerdings ein gebildetes Bürgertum mit lateinischen Kenntnissen voraussetzen.
Schäfer und Doris: Schäfer und Dohrs waren Universitätspedelle. Heine benutzt ihre Namen zu einem Wortspiel in der Verbindung mit *Geßner*, dessen Dichtung im 18. Jahrhundert wegen der darin enthaltenen idyllischen Schäferpoesie bekannt war. Doris ist der Name der Schäferin.
keine neuen Ideen: Die Göttinger Universität galt als ausgesprochen konservativ.
Dezennien: Zeitraum von zehn Jahren.
96 *Schriftsteller:* nämlich als Herausgeber des Personalverzeichnisses der Universität.
Zitation: Vorladung.
Myrtenlauben bei Rauschenwasser: Anspielung auf Freudenhäuser außerhalb von Göttingen.
das Rossinische Lied: Rossini ist allerdings nicht der Komponist dieses Studentenliedes – eine Anspielung auf die Popularität, die manche Opernarien Rossinis damals erreichten.
Kracke: abgemagertes Pferd.
Fusia Canina: offenbar ironisch-erotische Bezeichnung für »liederliches Frauenzimmer«, abgeleitet von der Lex Furia Caninia, einem römischen Gesetz über die testamentarische Freilassung von Sklaven.
Trittvogel: Studentenjargon für Geldforderer, aber auch in erotischer Umdeutung zu verstehen.
97 *Stockfische:* luftgetrocknete Kabeljaus.
König Nebukadnezar: Im Alten Testament (Buch Daniel 5,17–22) wird über diesen König berichtet, vor dessen Gewalt alle Völker zitterten. Als sein »Herz überheblich« wurde, verlor er die Herrscherwürde; er wurde aus dem Kreis der Menschen ausgestoßen, und man ließ ihn wie die Rinder Gras fressen, bis er anerkannte, »daß der höchste Gott der Herr ist über das menschliche Königtum«.
98 *Themis:* griechische Göttin des Rechts.
Hofrat Rusticus, der Lykurg Hannovers: Anton Bauer, Professor für Strafrecht an der Universität Göttingen, war wesentlich an der Konzeption des Strafgesetzbuchs von Hannover beteiligt; *Lykurg* war der Gesetzgeber Spartas (9. Jahrhundert v. Chr.).
Cavaliere servente, der geheime Justizrat Cujacius: Anspielungen auf den Juristen Gustav Hugo, den späteren Doktorvater Heines. *Cavaliere servente* damals gebräuchlich als abfällige Bezeichnung für einen geckenhaft wirkenden Begleiter einer verheirateten vornehmen Frau. *Cujacius* spielt auf den französischen Zivilrechtslehrer Jacques de Cujas (16. Jahrhundert) an, den Hugo besonders schätzte und häufig zitierte.
99 *regardieren:* beachten.
Prometheus: Nach der griechischen Mythologie stahl Prometheus dem Zeus das Feuer und brachte es den Menschen. Zur Strafe ließ Zeus ihn an einen Felsen binden, wo ihm ein Adler täglich die immer wieder nachwachsende Leber abfraß. Mit dem gefesselten Prometheus spielt Heine in der

französischen Fassung der »Harzreise« von 1856 auf Napoleon an, der nach 1815 auf St. Helena gefangen gehalten wurde.
der alte Münchhausen: hannoverscher Staatsmann und erster Kurator der Universität Göttingen.
belvederischer Apoll: griechische Statue, die stets zitiert wird als Vorbild klassischer Ästhetik; heute im Vatikanischen Museum in Rom.
mediceische Venus: berühmte römische Nachbildung einer griechischen Aphrodite-Statue, heute in den Uffizien in Florenz.
Phöbus Apollo: griechischer Gott der Dichtkunst und des Lichtes, erscheint in schöner Jünglingsgestalt.

100 *Gottschalcks »Taschenbuch für Harzreisende«:* weit verbreiteter Harzreiseführer, den Heine benutzt hat und den er auch in verschiedenen Passagen zitiert und paraphrasiert.
der junge Herzog: Herzog Karl II. von Braunschweig und Lüneburg.
so dünn... Ossians Nebelgeister: so viel wie »schmächtig«.
»Leidvoll und freudvoll, Gedanken sind frei«: verballhornte Mischung aus dem Lied Klärchens in Goethes »Egmont« (3. Aufzug): »Freudvoll und leidvoll, gedankenvoll sein« und dem Volkslied »Die Gedanken sind frei«.
»Lottchen bei dem Grabe ihres Werthers«: erschien zuerst 1775 als anonymes Flugblatt und war bald ein äußerst populäres Lied.

101 *Kamisol:* Unterjacke.
Ziegenhainer Beinchen: »Ziegenhainer« waren eigentlich Wanderstöcke, die in Ziegenhain bei Jena hergestellt wurden; hier in der Bedeutung von »spindeldürr«.
Stanzen: besondere Strophenform, aus acht Zeilen bestehend.
bramarbasieren: große Worte machen.
marode: müde, erschöpft.
Hoffmann: E. T. A. Hoffmann, der in seine Dichtungen besonders farbige Landschaftsschilderungen einbrachte, was Heine damals noch sehr schätzte.
dumme Kropfleute und weiße Mohren: Heine hat dies offenbar aus Gottschalcks Harzreiseführer übernommen, wo davon die Rede ist, daß die meisten Weiber dieser Gegend mit Kröpfen versehen seien. Weiter heißt es: »Eine im nördlichen Deutschland seltene Naturerscheinung findet man in L., nämlich: zwei Kakerlaken oder weiße Mohren.« Es handelte sich dabei um ein Albino-Geschwisterpaar.

102 *Klosterschule:* Heine besuchte in Düsseldorf zunächst die Normalschule, dann das Lyceum. Beide waren in dem Gebäude des ehemaligen Franziskanerklosters untergebracht.
zur Bekehrung jener Leute: Anspielung auf die Juden.
Chimborasso: Berg in den Anden (in Ekuador).
Bücking: Von Heine als witzige Anekdote erfunden, historisch nicht belegt.

103 *Petschaften:* Handstempel zum Siegeln.
Charaden: Wort- oder Silbenrätsel.

Silberblick: Bezeichnung für den Schimmer, den das flüssige Silber bei der Trennung vom Blei erhält. Im übertragenen Sinn Anspielung auf verpaßtes Liebesglück.
Manna: Beim Auszug der Israeliten aus Ägypten ließ Jahwe in der Wüste Manna-Brot vom Himmel regnen (Exodus 16,1–36).
im Schoße Abrahams: Redewendung in der Bedeutung von »himmlische Seligkeit« (vgl. Lukas 16,22).

104 *hervorgesintertes Wasser:* durchgesickertes Wasser.

105 *»Hurrah Lafayette!«:* Der französische General, der im Amerikanischen Unabhängigkeitskrieg eine wichtige Rolle gespielt hatte, wurde bei seiner Reise durch die Vereinigten Staaten 1824/25 stürmisch gefeiert.
Cicerone: Reiseführer.
Herzog von Cambridge: jüngster Sohn des englischen Königs Georg III. Er war seit 1814 Generalstatthalter, später auch Vizekönig von Hannover, das mit England in Personalunion verbunden war.

106 *das Lied von dem getreuen Eckart und dem bösen Burgund:* Heine greift hier auf Tiecks »Der getreue Eckart und der Tannhäuser« zurück, wo Eckart – in der deutschen Sage Inbegriff für Gefolgschaftstreue – von seinem Herrn, dem Herzog von Burgund, schlechteste Behandlung erduldet.

107 *Märchen:* Die Motive stammen aus den »Kinder- und Hausmärchen« der Gebrüder Grimm.

108 *Hofrat B.:* Friedrich Bouterwek, seit 1802 Professor für Philosophie und Ästhetik in Göttingen.
Chamisso: Adelbert von Chamisso hatte 1824 auch eine Harzreise unternommen.

109 *Kaisererinnerungen:* Goslar war früher Residenz der sächsischen und salischen Kaiser.
Berliner Hexameter: Es ist nicht nachweisbar, wessen Gedichte Heine hier lächerlich machen will. Äußerungen über die Holprigkeit der deutschen Sprache finden sich in dieser Zeit bei Heine häufiger.

110 *Kaiserstuhl:* Er kam 1867 wieder nach Goslar zurück und steht heute in der 1820 nicht abgerissenen Domvorhalle.
Karyatiden: weibliche Figuren, die die Funktion von Säulen haben und ein Gesims oder Gebälk tragen.

111 *quis, quid...:* wer? was? wo? mit welchen Mitteln? warum? wie? wann? – Parodie auf das der Rhetorik entlehnte Frageschema zur Abfassung von Aufsätzen.
Batavia: frühere niederländische Handelsstadt an der Nordküste von Java, heute: Djakarta.

112 *Clotar:* Vermutlich eine Anlehnung an Brentanos »Die Gründung Prags«; Brentano schreibt in einer Anmerkung: »Kotar ist nach einer Krainerschen Sage der Mann im Mond, welcher ihn durch Wasserzugießen wachsen macht.«
Nürnberger Spießbürger: vermutlich eine Anspielung auf den spießbürgerlichen Inhalt des Nürnberger »Frauentaschenbuchs«, das Fouqué seit 1815 herausgab.

113 *Geistern:* Gemeint sind die Geister der Revolution.
der Östreichische Beobachter: offizielles Wiener Regierungsorgan mit stark reaktionärer Tendenz.
Doktor Saul Ascher: Berliner Buchhändler, der wie Heine Mitglied im »Verein für Kultur und Wissenschaft der Juden« war. Er war ein engagierter Vertreter des kantischen Idealismus.

114 *Malice:* Abneigung.
jene entsetzliche Geschichte: »Das warnende Gespenst«, eine Erzählung aus dem 1815 erschienenen zitierten Band »Deutsche Erzählungen« von Karl Varnhagen von Ense.

115 *Phänomena und Noumena:* sinnlich wahrnehmbare Erscheinungen und mit der Vernunft zu Erkennendes.
Syllogismus: logischer Schluß.

116 *Zweckmäßigkeit und Nützlichkeit in der Natur:* Hier wie auch in den witzigen Anmerkungen Heines zur »Staubfäden-Verschiedenheit« als Kriterium zur Bestimmung von Blumen (Seite 141) bezieht sich die Parodie auf eine Art des wissenschaftlichen Umgangs mit der Natur, die in übertriebener Sorge um positivistische Vollständigkeit oder Verwendungsmöglichkeit zu absurden, naturentfremdeten und unpoetischen Ausformungen führt.

119 *»Daß du gar zu oft gebetet...:* Der nachfolgende Dialog parodiert die »Gretchenfrage« aus Goethes »Faust«: »Nun sag, wie hast du's mit der Religion? / Du bist ein herzlich guter Mann, / Allein ich glaub', du hältst nicht viel davon.« Heine antwortet nicht mit einem Religions- oder Gottesbekenntnis, sondern mit einem politisch-revolutionären Postulat, das ein eigenes Geschichtsbild dokumentiert und in der oft zitierten Sentenz gipfelt: »Alle Menschen, gleichgeboren, / Sind ein adliges Geschlecht.« – Goethe-Anspielungen ziehen sich im übrigen durch den gesamten »Harzreise«-Text: z. B. die Erwähnung des Lieds »Leidvoll und freudvoll« (Seite 100) oder »Lottchen bei dem Grabe ihres Werthers« (Seite 100), ebenso die Erwähnung der »Walpurgisnacht« (Seite 127), der »Nationaltragödie vom Doktor Faust« (Seite 127) oder die aus dem »Werther« übernommenen Ossian-Passagen, die die beiden betrunkenen Jünglinge rezitieren (Seite 136ff.). Der kritisch-aggressive Ton in der Auseinandersetzung mit Goethe läßt bereits die Akzente deutlich hervortreten, die die jungdeutschen Schriftstellerkollegen setzten in ihrer Abwendung von der aus ihrer Sicht klassisch-sterilen und unpolitischen Literatur Goethes.

124 *beim dritten Hahnenschrei:* Beim dritten Hahnenschrei hat Petrus seine Treue zu Christus verleugnet.
Dejeuner dinatoire: »Mittagsfrühstück«.

125 *König ist der Hirtenknabe:* Topos aus der Schäferpoesie. Hier von Heine offensichtlich politisch verstanden in der Anspielung auf die Beendigung der Feudalära.

126 *Genoveva:* Nach einer Legende wurde die Tochter des Herzogs von Brabant wegen Ehebruchs angeklagt und von ihrem Mann in die Wildnis verstoßen, wo sie sechs Jahre lebte und ihren Sohn Schmerzensreich von einer Hirschkuh nähren ließ.

Kaskaden: stufenförmiger Wasserfall.

127 *Walpurgisnacht:* Nacht vom 30. April auf den 1. Mai. Sie spielt in Goethes »Faust« eine wichtige Rolle.

Meister Retzsch: Dresdner Maler, der 1816 »Umrisse zu Goethes Faust« veröffentlichte.

belletristische Damen: spaßhafte Anspielung auf die biedermeierliche Gepflogenheit, in privater Geselligkeit Literatur zu lesen und sich darüber zu unterhalten.

»Ratcliff« und »Almansor«: Heines eigene Theaterstücke, aus denen er im Salon der Elise von Hohenhausen schon gelesen hatte; diese Theaterstücke hatten nie großen Erfolg.

Doktor Faust: Heine hatte damals selbst Pläne zu einer Faustdichtung.

129 *Kompilatoren:* diejenigen, die durch bloßes Abschreiben oder Zusammentragen eine neue Schrift herausbringen, der jedoch kein eigener wissenschaftlicher Wert zukommt.

»Der Blocksberg ist der lange Herr Philister!«: Zitat aus dem Rheinweinlied von Claudius.

130 *Codex palimpsestus:* Pergamentrolle, deren erste Beschriftung abgekratzt wurde, um die Unterlage neu zu beschreiben. Vielfach scheint die alte Schrift unter der neuen durch.

131 *Theater Fenice:* in Venedig.

Sonnenuntergang: Die ins Sakrale gesteigerte Szene, die das Naturerlebnis des Sonnenuntergangs in den Mittelpunkt stellt, ist eine Parodie auf die Biedermeierwelt, die solche Naturereignisse in gesellschaftlichem Rahmen zu genießen pflegte.

Palestrinas ewiger Choral: Das 19. Jahrhundert erlebte eine ausgeprägte Palestrina-Renaissance: man empfand den Palestrina-Stil als ästhetisch klassische Idealform für die musikalische Gestaltung der Liturgie.

Lord Byron: Im Salon der Elise von Hohenhausen in Berlin war Heines Interesse für den englischen Dichter Byron geweckt worden. Die Generation der jungdeutschen Schriftsteller sah in ihm ihren »Idealtyp« des Literaten; man war fasziniert von seiner Ambivalenz zwischen aristokratisch-revolutionärer oder freiheitsbegeistert-ichsüchtiger Haltung.

132 *Hofrat Schütz:* Professor in Halle, Mitherausgeber der »Halleschen Literaturzeitung«.

exegetisch beleuchtet: Anspielung darauf, daß unter den anwesenden Studenten viele Theologen waren.

Hallesche Bierwürden: Die Halleschen Studentenverbindungen gründeten in benachbarten Dörfern sogenannte Bierstaaten, die oft Karikaturen von Hofstaaten waren.

zur Purifikation: zur Reinigung; Anspielung darauf, daß man sich vom Verdacht »demagogischer Umtriebe« zu reinigen hatte – denn die Burschenschaft war verboten.

Wisotzki: Berliner Gastwirt, der in seinem Lokal ein Puppentheater hielt.

»Schnell fertig ist ...«: Zitat aus Schillers »Wallensteins Tod« (II 2).

133 *Intendanz:* Unter dem Intendanten Brühl nahm die Tendenz zur historischen Kostümtreue übertriebene Züge an; die Öffentlichkeit reagierte darauf mit leichtem Spott.
Christian Gumpel: Bankier in Hamburg, wie Heines Onkel Salomon. Heine fügte diese Figur in mehrere seiner Texte ein, wohl auch zum Spaß für seinen eigenen Onkel.
Professor Lichtenstein: Professor der Zoologie; er gründete den Zoologischen Garten in Berlin.
»Menschenhaß und Reue«: beliebtes Intrigenstück von Kotzebue, worin die *Eulalia* die weibliche Hauptfigur ist.
Spontinische Janitscharen-Oper: Spontini war Generalmusikdirektor in Berlin. Seine Opern waren vielfach mit großem szenischen und instrumentalen Bombast aufgeladen.
Tamtam: chinesisches Schlaginstrument.
diplomatische Bedeutung des Balletts: Heine selbst war zunächst skeptisch, ob diese politische Allegorie gegen die Restauration von der Zensur nicht gestrichen würde. Die Zensur hat tatsächlich diese Passage durch Kürzung entstellt.
in Hoguets Füßen: Hoguet war damals Solotänzer der Berliner Oper.
Buchholz: Berliner Privatgelehrter, der historisch-politische Zeitschriften herausgab.

134 *Freund im Osten:* der russische Zar Alexander I.
Apis: der heilige Stier der Ägypter.
exoterisch, esoterisch: eine begriffliche Gegenüberstellung, die Heine mehrfach verwendet: auf der einen Seite die an Äußerlichkeiten interessierten, oberflächlichen, eben exoterischen Theaterbesucher und Leser, auf der anderen Seite die esoterischen, die die politischen Anspielungen und Hintergründe wahrnehmen und zwischen den Zeilen lesen können.
Lemiere: Madame Lemière war ebenso wie die *Röhnisch* eine bekannte Primaballerina der Berliner Oper.
Entrechats: Kreuzsprünge.
Cervantes: im »Don Quijote«, 1. Buch, 2. Kapitel.

135 *Blücher:* Nach den Siegen über Napoleon war Blücher zum Idol nationalistisch orientierter Studenten geworden. Heine parodiert diese Deutschtümelei.
Barde: Dichter und Sänger.
Hermannsschlacht: Im Jahre 9 n. Chr. besiegte Hermann (Arminius) die Römer im Teutoburger Wald. Dieses historische Ereignis wurde mehrfach literarisch gestaltet.
onomatopöisch: eigentlich onomatopoetisch: lautmalerisch.
smollieren: Studentenjargon: Brüderschaft trinken.
Der alte Landesvater: Kommerslied; also ein Lied aus der Sammlung der Studentenlieder.
»Schuld«: Schicksalsdrama von Adolf Müllner.

136 *Perspektiv:* kleines Fernrohr.
Adonis: in der griechischen Sage der schöne Geliebte der Aphrodite.

Apollo: griechischer Gott, Sohn des Zeus; in der Kunst der Inbegriff ästhetischer Vollkommenheit.

138 *Dantes »Hölle«:* erster Teil von Dantes »Göttlicher Komödie«.

Falcidia: römisches Gesetz, wonach zumindest ein Viertel des Erbes dem rechtmäßigen Erben zufallen mußte.

Gans: Er arbeitete damals an einem Buch über das Erbrecht; vgl. die vierte Anmerkung zu Seite 264.

139 *Göschenus:* latinisierter Name des Göttinger Juristen Göschen. Heines bissige Kritik wird deutlich in den erfundenen Vornamen: Serv. = Servilius (Sklavisch) und Asinius = Asinus (Esel).

Elversus: latinisierter Name des Göttinger Juristen Elvers. Ihm dichtet Heine die Vornamen Ciceros an, des berühmten, aber auch eitlen römischen Redners.

quicunque civis romanus: »Jeder römische Bürger«, die Einleitungsworte des 2. Kapitels der Lex Falcidia.

antejustinianeisches Ballett: bezieht sich auf das römische Recht vor der Kodifizierung durch Justinian. Anspielung auf die Juristen Hugo und Cujas, die sich hiermit befaßt haben.

zwölf Tafeln: Das Zwölftafelgesetz (450 v. Chr.) ist das älteste römische Rechtsdenkmal: ein von der Volksversammlung legitimiertes »bürgerliches Gesetzbuch«, das auf dem Forum öffentlich aufgestellt war. Es blieb in den folgenden Jahrhunderten die Grundlage des römischen Staatsrechts und enthielt grausame Strafen, z. B. die Todesstrafe für Diebstahl.

cum omni causa: römische Rechtsformel: »mit allem Grund«.

140 *östliche Rosen:* Anspielung auf die damals auch von Heine mitvollzogene Schwärmerei für den Orient.

Bulbul: Nachtigall, vgl. die sechste Anmerkung zu Seite 225.

Congrevische Blicke: brennende Blicke.

Houris: nach mohammedanischer Vorstellung Jungfrauen im Paradies.

Palast des Prinzen von Pallagonia: Palast in Palermo, den Goethe in seiner »Italienischen Reise« als besonders geschmackloses Bauwerk charakterisiert.

Akziseeinnehmer: Anders als der Zoll, der auf eingeführte Waren erhoben wird, sind Akzisen Abgaben auf Waren (Mehl, Bier, Wein), die im Land selbst produziert und verbraucht werden.

Turngemeinplätze: Anspielung auf die deutschtümelnde Turnbewegung von »Turnvater« Jahn.

Johannes Hagel: so viel wie »hergelaufenes Volk« (»Janhagel«, Pöbel).

Clauren: Pseudonym für Karl Heun, den ungemein populären Verfasser von kitschig sentimentalen Liebesromanen; der bekannteste war »Mimili« (1816).

141 *Theophrast:* Theophrastus Bombastus von Hohenheim, genannt Paracelsus (1493–1541).

144 *Kaiser Heinrich:* Heinrich I., IV. und V. hielten sich oftmals in Goslar auf.

145 *gar nichts, nämlich die Idee:* eine Karikatur des Hegelschen Denkansatzes, alles auf die Idee zurückzuführen.

Vetter, der zu Mölln begraben: Till Eulenspiegel.
einer unserer bekanntesten Dichter: Das Gedicht »Der Ilsenstein und Westerberg im Ilsentale« stammt von Theodor Winkler, es war in der Dresdner »Abendzeitung« erschienen.
Niemann: Verfasser eines »Handbuchs für Harzreisende«.
146 *Welschland:* Italien.
Parzen: die drei römischen Schicksalsgöttinnen, die den Lebensfaden spinnen und abschneiden.
147 *Sartorius:* Professor für Geschichte und Politik in Göttingen.
Rübeland: kleiner Ort im Harz.
148 *Paris:* Der trojanische Königssohn sollte zwischen den Göttinnen Hera, Athene und Aphrodite den Streit um die Schönste schlichten. Er entschied sich für Aphrodite, die ihm aus Dankbarkeit bei der Entführung Helenas half.
Vierlanderinnen: Vierlande, Landschaft bei Hamburg, berühmt wegen ihres Obst- und Blumenanbaus. Die Vierlanderinnen verkauften diese Waren auf dem Markt in Hamburg.
149 *Dithyrambus:* kultisches Chorlied im alten Griechenland.

Die Nordsee. Erste und zweite Abteilung

155 *Luna:* römische Mondgöttin.
Sol: römischer Sonnengott.
157 *Edda:* isländische Sammlung germanischer Götter- und Heldenlieder, die in einer Handschrift aus dem 13. Jahrhundert überliefert ist.
Runen: älteste Schriftzeichen der Germanen.
159 *Poseidon:* griechischer Meeresgott.
Odysseus: Nach Homers »Odyssee« sperrt der einäugige Riese *Polyphem* den Odysseus in seine Höhle; dieser kann sich befreien, indem er dem Riesen das Auge aussticht.
Hellas: antike Bezeichnung für Griechenland.
Laertes: Vater des Odysseus.
kümerische Nacht: Anklang an die »Odyssee«; das Land der Kimmerier, in ewige Nacht, d. h. Nebel, gehüllt, liegt am Rand des Totenreiches.
160 *Priamos:* König von Troja.
Pallas Athene: griechische Göttin der Weisheit; vgl. die erste Anmerkung zu Seite 423.
Amphitrite: griechische Meeresgöttin.
Nereus: griechischer Meeresgott, Vater der Meernymphen.
161 *Sonette, Terzinen, Stanzen:* Gedicht- bzw. Strophenformen.
162 *Ätna:* Vulkan auf Sizilien; nach der Sage liegt unter ihm der von Zeus besiegte Titane Typhon und speit Feuer.
165 *Mutter der Schönheit, der Schaumentstiegenen:* Aphrodite, die griechische Göttin der Liebe, ist nach der Sage dem Meeresschaum entstiegen.
172 *Preußisch Courant:* in der damals gängigen preußischen Währung.

173 *Thalatta!...:* das Meer! das Meer! – Nach dem Bericht des griechischen Historikers Xenophon war das der Ausruf der griechischen Soldaten, als sie, von den Persern geschlagen, auf dem mühsamen Rückzug das Schwarze Meer wieder sahen.

175 *Kronion:* Zeus als Sohn des Kronos.
Boreas: griechischer Gott des Nordwinds. Als Hengst zeugte er mit Stuten des *Erichthon* zwölf Füllen, die wegen ihrer Schnelligkeit berühmt waren.
Styx: Grenzfluß zur Unterwelt.
Charon: der Fährmann, der ins Totenreich übersetzt.
Äolus: griechischer Gott der Winde.
Bussole: Kompaß.
Kastor, Polydeukes: Zwillingsbrüder, Söhne des Zeus, galten als Schutzpatrone der Seeleute.

179 *Okeaniden:* griechische Meeresgöttinnen.
Josty-Baisers: Baiser-Gebäck aus der Berliner Konditorei Josty.

180 *Peleus-Gattin:* Thetis, griechische Meeresgöttin.
Niobe: Vgl. die dritte Anmerkung zu Seite 324.

181 *Der hohe Titane:* Prometheus, vgl. die zweite Anmerkung zu Seite 99.
Atlas: in der griechischen Sage der Riese, der die Welt tragen muß.

182 *Pantheon:* Tempel zur Verehrung *aller* Götter.
Titanen-Öhme: Nach der Sage vermählte sich die Erde mit dem Himmel und gebar die Titanen, die ihren eigenen Vater stürzten. Zur nächsten Göttergeneration gehörten: Juppiter, Ceres, Juno, Poseidon und Pluto. Juppiter schließlich stürzte nach langen Götterkriegen die Titanen in den Tartarus. *Öhme:* ältere Form von »Ahnen«, »Onkel«.
Hekatomben: Opfer von hundert Stieren.
Parricida: Vatermörder.

183 *Venus Libitina:* Libitina war ursprünglich die Göttin der Totenbestattung; später wurde sie mit Venus, der Göttin der Liebe, identifiziert.
Ares: griechischer Kriegsgott.
Phöbos Apollo: griechischer Gott des Lichts und der Künste.
Leir: Leier, Musikinstrument des Phöbos Apollo.
Hephaistos: griechischer Gott des Feuers, den man sich hinkend vorstellte.
Hebe: griechische Göttin der Jugend.

184 *Häupter in Hieroglyphenmützen:* Gemeint sind ägyptische Priester.

185 *Phönix:* sagenumwobener Vogel, der sich selbst verbrennt und aus der Asche verjüngt hervorgeht.
Spezereien: Gewürze.

186 *Lot:* Figur aus dem Alten Testament; im Rausch schlief er mit seinen eigenen Töchtern. Vgl. auch die erste Anmerkung zu Seite 422.

188 *Hegel:* Vgl. die achte Anmerkung zu Seite 236.
Gans: Vgl. die elfte Anmerkung zu Seite 19.

189 *Rose von Schiras:* beliebtes Motiv aus der persischen Dichtung; die persische Stadt Schiras galt bei den orientalisierenden Dichtern als »poetischer Wallfahrtsort«.

hafisbesungen: Hafis, persischer Lyriker; vgl. die zwölfte Anmerkung zu Seite 417.
Rose von Saron: Vgl. die Anmerkung zu Seite 328.
Leviten: Diener der Priester.
Trabanten: Leibwächter, Diener.
190 *Beth El:* »Haus Gottes«, die Stelle, an der Jakob den Traum von der Himmelsleiter hatte.

Vorwort zur zweiten Auflage des zweiten Teils der »Reisebilder«

195 *Uhland:* Ludwig Uhland (1787–1862), deutscher Dichter, bekannt vor allem durch seine Balladendichtung.
Franz von Gaudy: populärer Lyriker und Reiseschriftsteller (1800–40).
Franz Kugler: Dichter und Kunsthistoriker (1808–58); er verfaßte das damals populäre Lied »An der Saale hellem Strande«.
196 *andere Zeitgenossen:* Gemeint sind die Saint-Simonisten, von deren sozialpolitischer Utopie Heine damals fasziniert war.

Die Nordsee. Dritte Abteilung

198 *Motto:* Das Motto stammt aus der Einleitungspassage der Abhandlung »Graf Wilhelm zu Lippe« in Varnhagens Schrift »Biographische Denkmale«, 1824. Wörtlich heißt es dort: »Die deutschen Lebensgebiete haben von jeher den eignen Anblick gewährt, daß sie die Fülle der herrlichsten Gaben und Kräfte immer auch durch den Drang der größten Schwierigkeiten und Hindernisse umstellen und kaum der übermächtigsten Anstrengung dann und wann gestatten, zu ihrem Ziel in das offene Weite völlig durchzubrechen. Die Anlage zum Großen, die Kraft zum Tätigen, der Eifer der Gesinnung erscheinen hier stets in reichster Darbietung, aber alsobald setzt das Leben sich ihnen entgegen von allen Seiten, drängt sie nieder auf geringere Stufen und beschränkt sie auf engeren Raum, als ihrem inneren Berufe zu gebühren schien. Die Gemütskraft und Geistesstärke des Einzelnen mag noch so groß sein, die der Nation, verteilt und belebt in ihren getrennten Gliedern, steht mächtiger daneben und verwehrt die großen freien Bahnen, die wir bei andern Völkern jedem Außerordentlichen so bald und leicht eröffnet sehn. Unsre Literatur wie unsre Politik sind reich an Beispielen dieser Eigenheit; unsre Helden in beiden, unsre Fürsten, Feldherren, Staatsmänner, Reformatoren, Bildner in Kunst und Leben, alle mußten ihre größten Gaben, ausgestattet für Vollgewinn, um geringeren verwenden, der selbst nur um jenen Preis erreichbar wurde. Auch Luther und Friedrich der Große, gerüstet und berufen für die Gesamtheit des Vaterlandes, konnten in dessen Vielgestalt und Zersplitterung, wie mächtige Werke sie auch darin gebildet, nicht das Ganze vereinigend umfangen.«

199 *Expektoration:* Aussprache, Erklärung.
200 *Korporation:* Studentenverbindung; vgl. die elfte Anmerkung zu Seite 14.
Köhlerglaube: Heine verwendet mehrfach diesen Ausdruck zur Bezeichnung eines geistigen Zustandes, der durch Kritiklosigkeit und reaktionär selbstzufriedenes Denken bestimmt ist.
201 *Colisäum:* Kolosseum, das römische Amphitheater.
Konversationshaus: im heutigen Sinn ein Kurhaus; dieser Treffpunkt der Badegäste war durch die Einrichtung einer Spielbank besonders attraktiv geworden.
202 *la tentation du vieillard:* die Versuchung des Greises.
Bourbonen: Sie waren nach dem Sturz Napoleons 1815 in Frankreich wieder zur Macht gekommen.
203 *Hofrat Moritz:* Karl Philipp Moritz veröffentlichte zu seinen Lebzeiten vier Bände seines autobiographischen Romans »Anton Reiser« (Heine hat den Namen irrtümlich vertauscht, wenn er den Roman als »Philipp Reiser« zitiert); die erwähnte Goethe-Stelle findet sich im fünften Band, der erst aus dem Nachlaß herausgegeben wurde.
204 *»unser drittes nachwachsendes Geschlecht«:* aus der Einleitung zu Goethes »Noten und Abhandlungen zu besserem Verständnis des West-östlichen Divans«.
Satyr: in der griechischen Mythologie ein Fabelwesen, halb Mensch, halb Ziegenbock.
Clauren-Lächeln: Anspielung auf den populären Trivialschriftsteller Clauren, dessen Texte vielfach eine schwülstige, lüsterne Erotik enthielten. (Vgl. auch die neunte Anmerkung zu Seite 140.)
Wolfgang Apollo: Anspielung auf Goethe. Die literarische Auseinandersetzung mit Goethe, die bereits zentral für die »Harzreise« war, wird hier wieder aufgegriffen.
»Bertholds Tagebuch«: ein damals viel gelesener Studentenroman mit burschenschaftlichen Tendenzen.
205 *Zodiakus von Dendera:* Tierkreisdarstellungen, die sich unter den Deckengemälden des Tempels der Göttin Hathor (Aphrodite) im oberägyptischen Dendera befanden. Diese Abbildungen galten damals als besonders alt. Heute weiß man, daß sie nur aus dem 1. Jahrhundert v. Chr. stammen.
quecksilbergefüllter Jüngling: Quecksilber war damals ein Mittel gegen die Syphilis. Deshalb ist die Aussage, daß der Jüngling die *Tugend und Reinheit* pries, doppeldeutig.
»Würde der Frauen«: Schillers »Loblied« auf die Frau: »Ehret die Frauen, sie flechten und weben...« war damals ein viel zitiertes Gedicht, das besonders anschaulich z. B. auf einem Ruppiner Bilderbogen verbreitet wurde.
»La illah il allah...«: der Kernsatz des mohammedanischen Glaubensbekenntnisses: »Es gibt keinen Gott außer dem einen Gott, und Mohammed ist der Gesandte Gottes.«
Goethes »Italienische Reise«: erschien 1816/17.

206 *mit Archenhölzern:* Anspielung auf den Publizisten Johann Wilhelm Archenholtz, der in seinem Buch »England und Italien« (1785) Italien als ein politisch reaktionäres Land beschreibt.
mit... Corinna-Augen: Anspielung auf Madame de Staëls Italienbuch »Corinna oder Italien« (1807), das ein überschwenglich positives Bild von Italien entwirft.
Schlegelsche: Die Brüder August Wilhelm und Friedrich Schlegel zählen zu den namhaften Kunsttheoretikern und -kritikern der deutschen Romantik.
Schubarth: Er hatte 1821 eine historische Abhandlung verfaßt: »Ideen über Homer und sein Zeitalter«.
Alexandriner: Gemeint sind die Gelehrten des »alexandrinischen« Zeitalters, die sich außer mit Medizin und Mathematik mit historischen Kommentaren zu Platon und Aristoteles befaßten.

207 *Klabotermann:* Klabautermann; die norddeutschen Matrosen sahen in ihm eine Art Schutzgeist, der auf Schäden im Schiff aufmerksam machte.
Bramsegel: Segel, das an der obersten Verlängerung der dreiteiligen Segelschiffsmasten befestigt wurde.

208 *Geschichte vom fliegenden Holländer:* Heine behandelt diese Geschichte ausführlicher in seinem »Schnabelewopski« (Kapitel VII).
»Evelina«: Es ist nicht geklärt, ob es sich bei diesem Namen um eine fiktionalisierte Person oder um eine biographische Bezugsfigur handelt.

209 *»Eine schöne Welt...«:* aus Wilhelm Müllers Gedicht »Vineta«.
Humaniora: das klassische Altertum; zugleich ironische Anspielung auf das inhumane Verhalten der Junker.

210 *Roßtrappe:* Felsklippe im Harz.
Metempsychose: Seelenwanderung.

211 *Aly:* berühmter Vertreter der Islam-Kultur (7. Jahrhundert).
antihellenischen Kabinettern: Anspielung auf die reaktionären Regierungen, die unter Metternichs Einfluß gegen den griechischen Unabhängigkeitskrieg (1821–32) Partei nahmen.
Konsistorialbäuchen: witzige Wortbildung; Konsistorialräte sind höhere Beamte einer evangelischen Kirchenbehörde.
Dschingischans: Der als erschreckender Eroberertyp charakterisierte Dschingis Khan (1155–1227) wollte in Asien und Osteuropa ein mongolisches Weltreich gründen.
Baschkiren: mongolisches Volk im europäischen Rußland.
Kalmücken: westmongolisches Volk.
Pythagoras: berühmter griechischer Philosoph und Mathematiker (570–496 v. Chr.). Der von ihm begründete pythagoreische Lehrsatz ist heute noch wichtiger Bestandteil des Mathematikunterrichts.

212 *Dr. L.:* Dr. Friedrich Lachmann, Assistent an der Universitätsbibliothek.
Hertha: Bei Tacitus heißt es »Nerthus« (Germania, Kapitel 40); eine germanische Fruchtbarkeitsgöttin, deren heiliger Hain auf der Insel Fehmarn oder Rügen gewesen sein soll.
Forsete: nach der nordischen Götterlehre ein Sohn Baldurs; später wurde er in gewandelter Gestalt als Göttin verehrt.

Schlegel: August Wilhelm Schlegel: »Geschichte der deutschen Sprache und Poesie«.
Arndt: Ernst Moritz Arndt: »Tacitus: de moribus Germanorum«.
Hüllmann: Carl Dietrich Hüllmann: »Geschichte des Altertums«.
Sesostris: altägyptischer König im 20. Jahrhundert v. Chr. (!).

213 *Aktäon:* Nach der griechischen Sage wurde die Göttin Diana beim Bad von dem Jäger Aktäon überrascht; sie verwandelte ihn in einen Hirsch und ließ ihn von seinen eigenen Hunden zerreißen. In bildlichen Darstellungen wird die Verwandlung Aktäons durch Hörner bezeichnet.
ehemalige preußische Regierung: 1744 kam Ostfriesland zu Preußen, 1815 zum Königreich Hannover.
deutsche Legion: ein Teil der kurhannövrischen Armee, die im Dienste Englands stand; sie existierte bis 1816.
»vieler Menschen Städte gesehen...«: Homer, Odyssee I 3.

214 *Stammbäume, woran Pferde gebunden:* Ein springendes Pferd ist das Wappen Hannovers.
Anblick des Grafentisches: Vermutlich meint Heine das aus dem 16. Jahrhundert stammende »Junkerhaus«. In Göttingen studierten besonders viele Adelige.
Rüxners Turnierbuch: »Anfang, Ursprung und Herkommen des Thurniers im heiligen Römischen Reich Teutscher Nation« von Rüxner war 1530 zunächst anonym erschienen. Es ist eine der wichtigsten, zugleich aber auch eine unzuverlässige Quelle deutscher Adelsgeschichte.
Eroberung Jerusalems: 1099 eroberte ein europäisches Ritterheer Jerusalem.

215 *Ilias:* Homer schildert in seiner »Ilias« einen Ausschnitt aus dem Kampf der Griechen um Troja.
Thersites: Nach Homer (Ilias II 216–219) war er der häßlichste und schmähsüchtigste Mann im griechischen Heer.
in der bärenleckenden Lutetia: Lutetia ist die römische Bezeichnung für Paris. Als »Bären« galten damals vor allem Preußen, Polen und Russen.
Deszendent: Nachkomme.
Fabel von dem Bären: Vgl. Heines »Atta Troll«. Quelle ist möglicherweise Gellerts oder Lessings Fabel »Der Tanzbär«.
Nation, wie sie Werther nennt: Die Stelle im »Werther« (zweites Buch, Brief vom 15. März) heißt: »Da tritt herein die übergnädige Dame von S. mit ihrem Herrn Gemahle und wohl ausgebrüteten Gänslein Tochter, mit der flachen Brust und niedlichem Schnürleibe, machen en passant ihre hergebrachten hochadligen Augen und Naslöcher, und wie mir die Nation von Herzen zuwider ist.«
mediatisierte Fürsten: Fürsten, die durch den Reichsdeputationshauptschluß 1803 ihre Reichsunmittelbarkeit verloren.

216 *Sedezdespötchen:* Die doppelte Verkleinerungsform »sedez« und »despötchen« soll die lächerliche Position der Kleinfürsten unterstreichen.
employieren: verwenden.
Beschäler: Zuchthengste.

Napoleon auf St. Helena: 1815 verbannten die Engländer Napoleon nach St. Helena; er starb dort 1821.
Buch des Maitland: Maitland war der Kommandant des Schiffes »Bellerophon«, das 1815 den besiegten Napoleon an Bord nahm. Maitland hat über seine Begegnung mit Napoleon ein Buch veröffentlicht, das der Heine-Verleger Campe in deutscher Übersetzung herausbrachte.
Wellington: britischer Feldmarschall, besiegte 1815 Napoleon bei Waterloo.
217 *Las Cases:* Er begleitete Napoleon in die Verbannung, und dieser diktierte ihm seine Memoiren, die 1823/24 als »Mémorial de Ste. Hélène« erschienen.
O'Meara: Napoleons Arzt auf St. Helena bis 1818. Er veröffentlichte 1822 seine »Gespräche mit Napoleon«.
Antommarchi: Nachfolger O'Mearas, er berichtete später über die »letzten Tage« Napoleons. – Napoleon als Verfechter der Ideen der Französischen Revolution, aber auch als machtbesessener Souverän war für Heine ein historisches Phänomen, mit dem er sich in verschiedenen literarischen Schriften zu unterschiedlicher Zeit und mit unterschiedlicher Position geäußert hat. Die direkte Weiterführung dieses Themas erfolgt im »Buch Le Grand« (vgl. Seite 255 ff.), wobei Heine sich nicht scheut, die bereits in der »Nordsee III« zitierte Napoleon-Literatur wieder anzuführen.
218 *Frau von Staël:* 1803 wies Napoleon sie aus Paris aus, erst nach seinem Sturz kehrte sie zurück. In ihrer Autobiographie befaßt sie sich kritisch mit Napoleon.
Kant: eine vage zitierte Passage aus der »Kritik der Urteilskraft« (zweiter Teil, § 77).
kajolieren: schmeicheln.
219 *Walter Scott:* »The life of Napoleon Buonaparte«. Vgl. Heines »Englische Fragmente«, Nr. IV.
der russische Feldzug: Anspielung auf Napoleons verheerenden Rußlandfeldzug 1812/13, der ihm eine Niederlage mit großen Verlusten einbrachte.
Bullock: »Reise nach Mexiko im Jahre 1823«.
Glauben der Mexikaner zerstört: Das Aztekenreich in Mexiko wurde 1519–21 von Spanien erobert.
Granada: im Besitz der Mauren, bis sie 1492 von den Spaniern vertrieben wurden.
220 *Banianenwälder:* Feigenbaumwälder.
Bramine: Mitglied der obersten Kaste in Indien; einflußreich im Staat.
Barde: Dichter und Sänger.
Nachfrevler Byrons: In literarischen Gesellschaftskreisen war Heine schon in der Berliner Zeit als Nachfolger Byrons gelobt worden. (Vgl. auch die vierte Anmerkung zu Seite 131.)
221 *W. Alexis:* Er gab seine ersten Romane »Walladmor« und »Schloß Avalon« als Übersetzungen von Scottschen Romanen aus.
Bronikowski: Er schrieb in der Manier von Scott Romane mit Themen aus der polnischen Geschichte.
Cooper: Sein erster Roman »The Spy« (1821) hat als Hintergrund den amerikanischen Revolutionskrieg.

Ségur: Napoleons Adjutant im russischen Feldzug hatte 1824 sein Buch »Histoire de Napoléon et la grande armée pendant l'année 1812« veröffentlicht, das 1825 ins Deutsche übersetzt wurde.

222 *Ellore:* Die Tempelgrotten von Ellora in Vorderindien zeigen Darstellungen aus den großen indischen Epen, so auch aus dem *»Mahabharata«.*

»Edda«: Vgl. die erste Anmerkung zu Seite 157.

Lied der Nibelungen: Anspielung auf die Szene, in der Kriemhild den Saal mit den gegnerischen Burgunden anzündet (Verse 2108ff.).

Rolandslied: Es galt damals als verschollen und wurde erst 1837 von François Michel veröffentlicht.

Immermann: in seinem Drama »Das Tal von Ronceval«, 1822.

Lied von Ilion: Lied von der Stadt Troja.

vor dem skäischen Tore: Vgl. Ilias III 145ff.

König von Neapel: Napoleons Schwager, Joachim Murat; er galt als besonders wagemutig.

Pelide: Bezeichnung für Achilleus, der ein Sohn des Peleus war.

Hektor: der größte Held der Trojaner, wurde von Achilleus getötet.

Prinz Eugène: Napoleons Stiefsohn, seit 1805 Vizekönig von Italien; er war im Rußlandfeldzug dabei.

Ney: Er führte auf dem Rückzug aus Rußland die Nachhut.

Ajax: Er rettete die Leiche des Achilleus vor dem Zugriff der Trojaner.

Berthier: Generalstabschef und Freund Napoleons.

Nestor: Der älteste Grieche vor Troja, der aufgrund seines Alters eine beratende Funktion hat. Nestor ist noch heute die Bezeichnung für den ältesten Gelehrten in einem wissenschaftlichen Bereich.

Davoust, Daru, Caulaincourt: Generale Napoleons beim Rußlandfeldzug.

Menelaos: König von Sparta.

Odysseus: König von Ithaka.

Diomedes: König von Argos.

Agamemnon: Oberbefehlshaber des griechischen Heeres vor Troja. Er wurde nach seiner Rückkehr von seiner Gattin Klytämnestra und deren Liebhaber ermordet. Sein Sohn Orest erschlug aus Rache seine Mutter. Anspielung auf den Sohn Napoleons, auf den die bonapartistische Partei ihre Hoffnungen setzte.

223 *Peter Schlemihl:* In dieser Geschichte Adelbert von Chamissos verkauft der Held in einem Teufelspakt für Geld seinen Schatten, was sich für ihn aber als großes Unheil erweist.

in Tirol: Tiroler Volksaufstand unter Andreas Hofer gegen die französisch-bayrische Besatzung (1809).

Hildburghausen: im folgenden Anspielung auf einen langen Erbstreit in den sächsischen Herzogtümern, nachdem die Linie Gotha-Altenburg 1825 ausgestorben war.

Singe, unsterbliche Seele: Anspielung auf den ersten Vers von Klopstocks »Messias«.

Xenien: Heine hatte Immermann aufgefordert, einen Beitrag zu seinen »Reisebildern« zu schreiben. Die Bezeichnung *Xenien* verwendet Immermann in Anlehnung an Goethe und Schiller, die ihre satirischen Distichen gegen literarische Erscheinungen ihrer Zeit so genannt hatten.

224 *Der poetische Literator:* kritisch gegen Franz Horns weitschweifige »Geschichte und Kritik der Poesie und Beredsamkeit der Deutschen von Luthers Zeit bis zur Gegenwart« gerichtet.
Hans Sachs: berühmter Nürnberger Meistersänger (1494–1576).
Weckherlin: Lyriker des Frühbarocks (1584–1653).
Dramatiker: Gemeint sind im folgenden: Adolf Müllner, Friedrich de la Motte-Fouqué, der an den Befreiungskriegen 1813 als Reiterleutnant teilgenommen hatte, Ernst von Houwald, Verfasser sentimentaler Schicksalsromane, und Ernst Raupach, ein Vielschreiber.
Eskadron: Schwadron, militärische Reiterabteilung.
Melpomene: griechische Muse des Trauerspiels.

225 *Kotzebue:* August Kotzebue war 1819 von dem Studenten Sand ermordet worden.
Östliche Poeten: Nach dem Erscheinen von Goethes »West-östlichem Divan« (1819) hatte eine Vorliebe für orientalisierende Lyrik eingesetzt. Hierzu zählen auch Platens »Ghaselen«.
nach Saadis Art: nach der Art des berühmten persischen Dichters (13. Jahrhundert).
gepudelt: so viel wie »geschludert«.
seu: oder.
Philomele: Königstocher, die nach der griechischen Sage in eine Nachtigall verwandelt wurde.
Bülbül: Vogel, der in der persisch-türkischen Lyrik eine Rolle spielt, oft als »Nachtigall« übersetzt.
Schiras: persische Provinzhauptstadt mit berühmten Obst- und Rosengärten; vgl. auch die erste Anmerkung zu Seite 189.
vomieren: erbrechen.
Ghaselen: arabische Gedichtform; vgl. auch die zwölfte Anmerkung zu Seite 417.
Glockentöne: Eine sentimentale Sammlung autobiographischer Schriften mit diesem Titel hatte Friedrich Strauß verfaßt, der 1822 als Hof- und Domprediger nach Berlin berufen wurde.

226 *adorieren:* anbeten, bewundern.
retournieren: zurückkehren.
praesens numen: gegenwärtige Gottheit.
ordiniertes lumen: geweihtes Licht.
Orbis pictus: illustrierte, in Bilder gesetzte Welt. Unter diesem Titel veröffentlichte der Pädagoge Comenius sein berühmtes Lehrbuch (1658).
Histrionen: Gaukler.
»Ganz bewältigt er...«: Gemeint ist Platen mit einer oft formalen Wortakrobatik in seinen Versen.
Zärtling: Anspielung auf Platens Homosexualität.

Lucindchen: Friedrich Schlegel hatte den als erotisch freizügig geltenden Roman »Lucinde« 1799 veröffentlicht und war 1808 zum Katholizismus konvertiert.
Erst in England: August Wilhelm Schlegel war ein berühmter Shakespeare- wie auch ein Calderon-Übersetzer. Seit 1818 war er Professor für indische Philologie in Bonn.
Fausses couches touchierter Tugend: von Fehlgeburten und von beleidigter Tugend. Anspielung auf die in der Romantik aufblühende Frauendichtung.
227 *Rockenstuben:* Spinnstuben.
Dschingischan: eroberte 1215–19 Nordchina. Vgl. auch die vierte Anmerkung zu Seite 211.
Jene Stadt: vermutlich Dresden.
Panduren: südungarische Soldaten des 18. Jahrhunderts, die wegen ihrer Disziplinlosigkeit berüchtigt waren.

Ideen. Das Buch Le Grand

230 *Motto:* aus Müllners Drama »Die Schuld«.
231 *Evelina:* Die Forschung ist sich nicht klar darüber, ob sie identisch ist mit der *Madame,* die im weiteren Text angeredet wird, oder ob sie die Geliebte selbst ist, oder ob sich dahinter Heines Base Therese verbirgt oder auch die von Heine so verehrte Friederike Robert (siehe übernächste Anmerkung).
Altes Stück: Offenbar von Heine erfunden, der diesen Vorspruch wohl auf den traurigen Verlauf seiner Liebesgeschichte mit der Base Amalie bezieht, die Heine abwies und bald John Friedländer heiratete.
232 *Madame:* Diese literarische Anrede kommt mehrfach im Text vor, die Angesprochene wird jedoch an keiner Stelle namentlich genannt. Man vermutet heute, daß es sich um Friederike Robert handelt, eine literarisch interessierte, wegen ihrer Schönheit geradezu berühmte Frau. Heine hatte sie 1823 in Berlin kennengelernt.
Jagor: Berliner Gastwirt.
233 *Kolophonium:* ein Harz, das man im Theater zu Blitzpulvern benutzte.
Dantes Schilderung: Dantes »Inferno«, der erste Teil der »Göttlichen Komödie«.
234 *Graf vom Ganges:* Die Personifizierung des Erzählers als Graf vom Ganges gehört zu den Fiktionalisierungen des Textes. Diese Verlagerung der Szene nach Indien ist wiederum ein Beispiel für den Reiz, den damals das Exotische, vor allem das Indische, auf die Leser ausübte.
Venedig: Diese Lokalisierung ist ebenfalls eine Fiktionalisierung. Hierbei liegt jedoch auch ein Anklang an Hamburg vor, das als Stadtrepublik am Meer oft mit Venedig verglichen wurde.
Via Burstah: Geschäftsstraße in Hamburg.
Susanna: Im Alten Testament (Daniel 13) wird die Geschichte der Susanna erzählt, die beim Bad von zwei Männern beobachtet wird, die sie beide be-

gehren. Susanna verweigert sich, daraufhin klagen sie sie boshaft des Ehebruchs mit einem Dritten an. Die falsche Anklage wird jedoch entdeckt.
Leda: Geliebte des Zeus, die er in Gestalt eines Schwans verführte.
Raub der Sabinerinnen: Romulus soll die Römer aufgefordert haben, die Frauen der benachbarten Sabiner zu rauben, da es im neugegründeten Rom zu wenig Frauen gab.
Lukrezia: tugendhafte Römerin, die sich umbrachte, als der Sohn des Königs sie vergewaltigt hatte.
Bethmann: bekannte deutsche Schauspielerin um 1800.
la belle ferronière: Damenporträt, das man Leonardo da Vinci zuschreibt; es stellt eine Mätresse Franz' I. von Frankreich dar, die vorher mit einem gewissen Ferron verheiratet war.
Signor Unbescheiden: bekannter Austernkeller in Hamburg.
Banianenwälder: bengalische Feigenbaumwälder.

235 *Strada San Giovanni:* Johannisstraße in Hamburg.
In alten Märchen...: aus Heines Drama »Almansor«, der Monolog des Helden, als er hört, daß seine Geliebte noch am selben Tag mit einem anderen vermählt werden soll.
rezipiert: gebräuchlich.
»Sein oder Nichtsein«: das wohl populärste Zitat aus Shakespeares »Hamlet« (III 1).

236 *»Almansor«:* Heines Drama hatte allerdings keinen Erfolg.
Vestalinnen: Priesterinnen der römischen Göttin Vesta.
Ilias... Dampfschiffe: Aufzählung, die historisch Bedeutendes und Belangloses mischt und somit dem Amüsement des Lesers dient, der über diese Zusammenstellung zunächst überrascht ist, aber auch die Relativierung registriert, die die aufgezählten Begriffe dadurch erfahren.
Ilias: berühmtes Epos Homers (8. Jahrhundert v. Chr.).
Plato: griechischer Philosoph (427–347 v. Chr.), Schüler des Sokrates, geschichtlich bedeutend wegen seiner Ideenlehre.
Schlacht bei Marathon: 490 v. Chr., Sieg der Athener über die Perser.
Moses: Er führte die Israeliten aus der ägyptischen Gefangenschaft und empfing auf dem Berg Sinai von Gott die zehn Gebote (Altes Testament: Exodus 12–14).
Hegel: Heine hörte während seines Studiums in Berlin Vorlesungen bei Hegel. Seine geschichtsphilosophischen Vorstellungen sind von Hegel mitgeprägt.
medizäische Venus: berühmte römische Nachbildung einer griechischen Aphrodite-Statue, heute in den Uffizien in Florenz.

237 *Das Leben ist der Güter höchstes...:* Umkehrung von: »Das Leben ist der Güter höchstes nicht, der Übel größtes aber ist die Schuld« (Schiller, »Die Braut von Messina«).
Prinz von Homburg: Heine hat dieses Drama von Kleist sehr geschätzt.
hat es leider bewiesen: Kleist hatte 1811 Selbstmord begangen.
Goethes Egmont: Das Zitat ist der letzten Szene des fünften Aktes entnommen.

»wie 'n Kindlein...«: aus dem zweiten Akt der Tragödie »Edwin«.
Odysseus: König von Ithaka, der Held der »Odyssee« von Homer.
Achilleus: Urenkel des Zeus, der nur an seiner Ferse verwundbar war. Er war einer der größten griechischen Helden vor Troja, die Hauptperson der »Ilias« von Homer.
»Nicht mir rede vom Tod...«: Zitat aus der »Odyssee«.
Duvent: so viel wie »Windbeutel«.
Israel Löwe: wie Duvent ein lautmalerischer, aber erfundener Name.
Brabanter oder... Hamburger Elle: alte Längenmaße, speziell für Tuchwaren, etwa 69 cm.

238 *Feuerrosse:* Helios, den Gott des Lichtes, stellte man sich als Lenker eines feurigen Viergespanns am Himmel vor.
Aber einst wird kommen der Tag: Zitat aus der »Ilias«.
Brenta: Fluß in Oberitalien, an den Ufern zahlreiche Landhäuser und Gärten; hier als poetischer Vergleich auf die Landhäuser am Ufer der Elbe bezogen. Heines Onkel Salomon besaß in Ottensen bei Hamburg ein solches Landhaus.

239 *Diamantengott zu Jagernaut:* Der indische Gott Krischna wurde in dem Wallfahrtsort Puri (Jagernaut) verehrt. Damals warfen sich fanatische Anhänger beim Wagenfest unter die Räder der Wagen, auf denen Bilder des Gottes herumgefahren wurden.
Kalkuttenbraten: Braten von Truthühnern.
Hindostan: im weiteren Sinn ganz Ostindien.
Valmiki: der Verfasser des indischen Epos »Ramayana«.
Ramo: der Held des »Ramayana«.
Kalidasa: Verfasser der »Sakuntala«. Sie enthält besondere Blumenmetaphern; Heine kannte sie aus Übersetzungen.
Franz Bopp: Begründer der vergleichenden Sprachwissenschaft. In seinem Werk »Nalus« veröffentlichte er Teile des indischen Epos *»Mahabharata«* mit lateinischer Übersetzung.
Brahma: das Absolute. Gebräuchlich auch als Bezeichnung für die Personifikation des Absoluten, also für den Schöpfer der Welt.

240 *Dedikation an Anangas:* Widmung an den indischen Liebesgott Kama.
Walter Scottsche Romane: In seinen »Reisebildern« bringt Heine mehrfach Anspielungen auf den englischen Schriftsteller Walter Scott, dessen Romane damals in einer Fülle von Übersetzungen auf den deutschen Buchmarkt kamen.
»Tiotio, tiotio...«: aus den »Vögeln« des Aristophanes.
Johannisberg: noch heute der bekannteste Wein aus dem Rheingau.

241 *Maria Antoinette:* Tochter Maria Theresias (1755–93), Gemahlin des französischen Königs Ludwig XVI., wurde von den Revolutionären 1793 in Paris mit der Guillotine hingerichtet.
Tabaksregie: staatliche Steuer auf Tabak, 1811 von Napoleon in Frankreich wieder eingeführt und damit auch in Düsseldorf geltend, weil die Stadt unter französischer Oberhoheit stand.

Görres: Joseph Görres (1776–1848). Anfangs Anhänger der Französischen Revolution, dann ein Gegner Napoleons. Mit seiner Zeitschrift »Rheinischer Merkur« unterstützte er den deutschen Befreiungskrieg gegen ihn.
en canaille: verächtlich.

242 *Lore-Ley:* Rheinfelsen bei St. Goar. Heines populärstes Gedicht »Die Loreley« (»Ich weiß nicht, was soll es bedeuten«, 1824) hat diesen sagenumwobenen Felsen besungen. Brentano hatte schon vor ihm die Sage um die Rheinfee Loreley literarisch aufgegriffen.

243 *sieben Städte:* In der Antike stritten sich sieben Städte darum, die Geburtsstadt Homers zu sein. Heine vermischt reale Städte und frei erfundene, die als Narrenstädte bekannt waren.
Kanonikus: Mitglied eines Ordens bzw. geistlicher Würdenträger.
Bolkerstraße: Heine war 1797 im Haus Bolkerstraße Nr. 602 geboren worden. Das Haus in der Düsseldorfer Altstadt wurde nach dem Krieg wieder aufgebaut. Eine Plakette erinnert an Heine.

244 *Marmorbrüche von Carrara:* in ganz Europa berühmte Marmorbrüche in Mittelitalien. Marmor steht als Zeichen für Ewigkeitsruhm.
Makulaturlorbeer: Lorbeer steht als Zeichen für den berühmten Dichter. Durch die Beifügung »Makulatur« (Altpapier) wird diese Auszeichnung lächerlich.
Reuterstatue: Standbild des Kurfürsten Johann Wilhelm von der Pfalz vor dem Rathaus in Düsseldorf. Der vom Volk so genannte »Jan Wellem« regierte von 1690 bis 1716. Die Statue wurde von Gabriel von Grupello gegossen.
Allongeperücke: langlockige Perücke, wie sie im Barock als vornehm galt.
Observatorium: Die Sternwarte in Düsseldorf war eine besondere Attraktion.

245 *Aber es wurde plötzlich anders:* 1806 wurde das Herzogtum Berg mit der Hauptstadt Düsseldorf an Frankreich abgetreten und von Napoleons Schwager Joachim Murat regiert. Der bisherige Kurfürst von Berg, Maximilian Joseph, mußte deshalb Düsseldorf verlassen *(da war der Vater abgereist).*
Nanquinjacke: Jacke aus rötlich-gelber chinesischer Baumwolle.
»Ça ira, ça ira«: »Ça ira, ça ira, les aristocrates à la lanterne! Ça ira, ça ira, les aristocrates, on les pendra!« (»Los, los, die Aristokraten an die Laterne! Los, los, die Aristokraten werden gehängt!«): ein Refrain, der von dem französischen Revolutionslied mit diesen Anfangszeilen (1789) abgeleitet und an viele Revolutionslieder angehängt wurde.

246 *Voltigeurs:* eine eigens von Napoleon aufgestellte Elitetruppe bei den Fußsoldaten, für die besonders kleine Männer ausgesucht wurden.
Point d'honneur: Ehrgefühl.
Einquartierung: Von 1795 bis 1801 und von 1806 bis 1813 hatte Düsseldorf französische Einquartierung, d. h. nach zeitgenössischer Definition »Einlegung durchziehender oder feststehender Truppenteile beim Bürger zum Zwecke der Verpflegung«. Der Name Le Grand ist in der damaligen Zeit beim französischen Heer und auch als Familienname nachweisbar.

248 *Niebuhr:* Barthold Georg Niebuhr (1776–1831), Historiker, der als einer der ersten die kritische Methode der Quellenforschung einführte und nachgewiesen hat, daß Livius in seiner Geschichte der römischen Königszeit viel Sagenhaftes eingemischt hat.
Schlacht bei Marathon: 490 v. Chr., Sieg der Athener über die Perser.
Zerstörung Jerusalems: 70 n. Chr. durch die Römer.
Flucht Mahomets: 622 floh Mohammed, der Stifter der islamischen Religion, von Mekka nach Medina, um seinen Verfolgern zu entgehen.
Tod Hamans: Nach Kapitel 7 des alttestamentarischen Buches Esther war Haman einer der Minister des persischen Königs Xerxes. Haman wollte alle Juden ausrotten lassen, wurde aber auf Befehl des Königs selbst gehängt.
Wadzeck: Berliner Philanthrop, der ein Kinderheim betreute und sich auf seine Uneigennützigkeit viel zugute hielt. Seine moralisierende Art war Heine offenbar zuwider, deshalb konfrontiert er ihn mit der sinnlich raffinierten ägyptischen Königin *Kleopatra.*
Hamlet: Heine verdreht hier parodistisch ein bekanntes »Hamlet«-Zitat (I 2): »Er war ein Mann, nehmt alles nur in allem, ich werde nimmer seinesgleichen sehn.«
249 *lateinisch disputierte:* Bei der Doktorprüfung wurden damals noch die Thesen in lateinischer Sprache vorgetragen und mußten vor den prüfenden Professoren begründet werden.
sinapem... sinapim: Akkusativ von sinapis (Senf).
Vis, buris, sitis, tussis, cucumis, amussis, cannabis, sinapis: Kraft, Krummholz (am Hinterteil des Pfluges), Durst, Husten, Gurke, Lineal, Hanf, Senf. Diese lateinischen Hauptwörter weisen Besonderheiten in der Deklination auf und wurden von den Schülern »gepaukt«.
250 *des Sonnabends ging sie nicht:* Sonnabend ist Sabbat, d. h. Ruhetag, bei den Juden.
katal, katalta...: Schulbeispiele für die hebräische Konjugation.
Kopfsteuern: Die Kopfsteuer muß ohne Rücksicht auf Vermögen und Einkommen von jedem Bürger in gleicher Höhe bezahlt werden. In Preußen gab es noch 1811 eine Kopfsteuer als außerordentliche Kriegssteuer.
Adelung: Johann Christoph Adelung (1732–1806), deutscher Sprachforscher, schrieb ein Wörterbuch, das als Lehrbuch der Grammatik in Schule und Öffentlichkeit damals so verbindlich war wie heute der Duden.
Lehrbuchseelen: Einwohnerzahlen, die in Lehrbüchern angegeben sind.
Zichorien und Runkelrüben: Wegen der Kontinentalsperre herrschte auf dem europäischen Festland Kaffee- und Zuckermangel. Aus den getrockneten und gemahlenen Wurzeln der Zichorie gewann man Kaffee-Ersatz; die Rüben dienten zur Zuckergewinnung.
die Deutschen wurden gelenkig: Anspielung auf die Turnbewegung, die der »Turnvater Jahn« ins Leben gerufen hatte. Heine verspottet ihn an vielen Stellen in seinem Werk, weil die von Jahn ausgelöste Bewegung altdeutschen Zielen anhing.

Avancement: Beförderung. Hier als witzig-kritische Bezeichnung gebraucht für die Tatsache, daß Bayern und Württemberg zu Königreichen wurden, Baden und Hessen zu Großherzogtümern.

252 *Patois:* Mundart.

adeliges Bonnenfranzösisch: das Französisch der deutschen Adeligen, das sie meist von ihren französischen Kindermädchen gelernt hatten.

Hans Michel Martens: vermutlich der preußische Diplomat von Martens.

les jours de fête sont passés: sprichwörtliche Redensart: »Die Feiertage sind vorbei«, aus der Oper »Das sprechende Bild« von Grétry, zugleich Umkehrung der Eingangszeilen der Marseillaise: »Allons, enfants de la Patrie! / Le jour de gloire est arrivé« (»Auf, Kinder des Vaterlandes, der Tag des Ruhmes ist gekommen«).

Marseiller Marsch: die Marseillaise, heute die französische Nationalhymne.

Dessauer Marsch: Nach Leopold I., dem »Alten Dessauer«, genannt, der mit diesem Marsch bei seinem Einzug in Turin 1706 (während des Spanischen Erbfolgekrieges) empfangen wurde. Dieser Marsch war noch zu Beginn des 19. Jahrhunderts außerordentlich populär.

Goethe: Offenbar eine Verwechslung Heines. Die Erwähnung ist in Goethes »Campagne in Frankreich« nicht zu finden.

253 *Bestürmung der Bastille, der Tuilerien:* Der Beginn der Französischen Revolution wird mit der Erstürmung der Bastille, des Staatsgefängnisses in Paris, am 14. Juli 1789 angesetzt. 1792 wurden die Tuilerien, das Schloß der französischen Könige in Paris, gestürmt.

Schulkompendien: Die bereits in der »Harzreise« betriebene kritische Kommentierung damaligen Wissenschaftsverständnisses taucht im »Buch Le Grand« verschiedentlich wieder auf, so in den polemischen Erzählungen über sinnentleerte formalistische Lernprozesse in den Schulen (Seite 249f.) oder auch in der vorliegenden Äußerung, die man als Kritik der deutschen Geschichtsschreibung interpretieren kann.

Whist: englisches Kartenspiel.

Boston: amerikanisches Kartenspiel.

genealogische Tabellen: Ahnentafeln oder Stammtafeln. Genealogische Forschungen waren damals eine geradezu modische Beschäftigung, die hier verulkt wird.

Vorschneiden: An Adelstafeln galt das Recht des Vorschneidens als eine bedeutende Rangfrage.

Menagerie von Grafen ...: Menagerie bezeichnet gewöhnlich eine Sammlung von Tieren, besonders exotischen, die im Zirkus vorgestellt werden. Hier also ironisch gemeint.

Schmalz: Staatsrechtler, Professor an der Berliner Universität. Er hatte die patriotischen Bestrebungen der Studenten als revolutionäre Radikalität und Gefahr für den Staat bezeichnet.

Pausanias: griechischer Schriftsteller des 2. Jahrhunderts, der in seiner »Beschreibung Griechenlands« erzählt, wie die Molosser im Kampf gegen die Ambrakioten vor einem schreienden Esel davonliefen und deshalb besiegt

werden konnten. Aus Dank weihten die Ambrakioten ihrer Gottheit einen Esel.
Beckers Weltgeschichte: »Weltgeschichte für Kinder und Kinderlehrer«, ein damals außerordentlich verbreitetes Geschichtsbuch, aus dem viele ihre Informationen bezogen.

254 *Gänse das Kapitol gerettet:* Nach der römischen Sage fingen Gänse, die der Göttin Juno geweiht waren und auf dem Kapitol gehalten wurden, zu schnattern an, als die Gallier 390 v. Chr. das Kapitol in Rom nachts stürmen wollten. Die eindringenden Gallier wurden deshalb von den römischen Soldaten entdeckt.
Sallust: römischer Geschichtsschreiber (86–36 v. Chr.), der die Geschichte der Verschwörung des Catilina berichtet. *Fulvia* soll den Plan dieser Verschwörung verraten haben.
Pütaine: Dirne.
auf besagten Hammel: Redewendung aus Kotzebues »Die deutschen Kleinstädter«.
Juno-Augen: Die römische Göttin Juno galt u. a. als Beschützerin des Staates.
Saalfeld: seit 1811 Professor an der Universität Göttingen. Er lehrte Philosophie, Geschichte, Völkerrecht, Politik und war ein fanatischer Gegner Napoleons.
Nachtviolen, Myrten, Lorbeer, Reseden: Blumen mit einem besonderen symbolischen Aussagewert im Bereich von Liebe und Dichterruhm.

255 *Simplon:* Heine meint hier vermutlich den Zug Napoleons über den Großen St. Bernhard (Mai 1800). Die Szene wurde bekannt durch das Gemälde von Jacques-Louis David.
Lodi: Auch dies ist eine Verwechslung: Heine denkt wohl an das Bild »Auf der Brücke von Arcole« von Antoine-Jean Gros, das Napoleon bei der Erstürmung dieser Brücke am 15. November 1796 zeigt. Diese Bilder aus den Kriegszügen Napoleons hatten damals die Aktualität von Fotografien.
Marengo: Am 14. Juni 1800 besiegte Napoleon bei Marengo in Oberitalien die Österreicher.
Pyramiden: Am 21. Juli 1798 besiegte Napoleon hier die Mamelucken.
Austerlitz: Schlacht bei Austerlitz am 2. Dezember 1805 gegen die Russen.
Jena: Sieg Napoleons über die Preußen am 14. Oktober 1806.
Eylau: Schlacht Napoleons gegen Preußen und Russen am 7./8. Februar 1807, ohne Entscheidung.
Wagram: Sieg Napoleons über die Österreicher am 5./6. Juli 1809.
die Sonnenstrahlen zitterten: Heine schafft hier symbolisch eine poetische Sommerkulisse; in Wirklichkeit ritt Napoleon am 3. November in Düsseldorf ein.

256 *Insel des indischen Meeres:* St. Helena liegt allerdings im Atlantischen Ozean.
Klio: die Muse der Geschichtsschreibung, dargestellt mit Schriftrolle und Griffel.

257 *Sir Hudson:* Sir Hudson Lowe, englischer General, Gouverneur von St. Helena.
Bellerophon: Name des britischen Schiffes, an dessen Bord Napoleon sich am 15. Juli 1815 begab, nachdem seine Truppen besiegt waren. Die Engländer nahmen ihn jedoch nicht gastfreundlich auf, sondern behandelten ihn als Gefangenen.
Las Cases: Napoleons Begleiter auf St. Helena. Napoleon diktierte ihm seine Memoiren, die Las Cases nach Napoleons Tod unter dem Titel »Mémorial de Ste. Hélène« veröffentlichte.
O'Meara: Napoleons Arzt auf St. Helena bis 1818. Er veröffentlichte 1822 seine »Gespräche mit Napoleon«.
Antommarchi: Napoleons Arzt nach 1818. Er veröffentlichte 1823 »Die letzten Augenblicke Napoleons«.
Londonderry: Der Marquis von Londonderry hatte sich als englischer Außenminister besonders für den Sturz Napoleons engagiert. Er starb durch Selbstmord.
Ludwig XVIII.: Der Bourbonenkönig war nach Napoleons Sturz nach Frankreich zurückgekehrt. Er starb 1824.
die Worte des Glaukos: Ilias VI 146–149.

258 *zur alten Vaterstadt zurückgekehrt:* Heine besuchte im September 1820 für einen Tag die Stadt Düsseldorf. Seine Familie lebte zu der Zeit schon in Oldesloe.
jetzt preußisch gesprochen: Das Großherzogtum Berg mit Düsseldorf wurde auf Beschluß des Wiener Kongresses im Jahr 1815 größtenteils preußisch.

259 *Saturn:* römischer Gott der Zeit.

260 *Dame ohne Kopf:* Eine Sage behauptet, die 1597 plötzlich gestorbene Jakobe von Baden sei in Wirklichkeit geköpft worden und spuke deshalb noch durch das Düsseldorfer Schloß.

261 *Capotte:* Mantel mit Kapuze.
Moskwa: In der Schlacht bei Borodino an der Moskwa (7. September 1812) siegte Napoleon über die Russen. Heine meint hier aber den Übergang über die Beresina (26.–28. November 1812), wobei Napoleon bei eisiger Kälte größte Verluste erlitt.

262 *Du sublime au ridicule il n'y a qu'un pas:* »Vom Erhabenen zum Lächerlichen ist es nur ein Schritt.« Heine zitiert hier einen Ausspruch Napoleons nach dessen Niederlage im Rußlandfeldzug.
Knittelverse eines Puppenspiels: Anspielung auf den »Faust«.
Mund eines Narren: der Narr im »König Lear« (I 4).
Graziosos: komische Dienerrollen in spanischen Dramen.
Brutus: Er war der führende Kopf bei der Verschwörung gegen Caesar. Nach der Schlacht bei Philippi (42 v. Chr.) brachte er sich selbst um.

263 *lorgnieren:* scharf ansehen, betrachten.
testamentum militare: Ausdruck aus dem römischen Recht. Seit Caesar gab es für die Soldaten auch ein mündliches Testament.

Kapitel XII: Mit diesem Kapitel parodiert Heine die Praktiken der damaligen Zensoren, die solche Textpassagen, die sie für politisch, moralisch oder religiös zu freizügig hielten, kurzerhand durch Striche ersetzten.

264 *Leda:* Zeus verführte nach der griechischen Sage Leda in Gestalt eines Schwans, daraufhin brütete Leda in einem Ei ihre Tochter Helena aus, deren Entführung später den Trojanischen Krieg auslöste.

Priamos: In Homers »Ilias« (XXIV 509f.) bittet der trojanische König Priamos weinend den Achilleus, die Leiche seines Sohnes Hektor herauszugeben.

Schwaneneier: Anspielung auf das Ei der Leda, was im übertragenen Sinn meint: von den ersten Anfängen an, weit ausholend.

Freund G.: Der Jurist Eduard Gans, in dessen Buch »Das Erbrecht in weltgeschichtlicher Entwicklung« sich auf manchen Seiten mehr Anmerkungen und Zitate finden als eigener Text.

Rothschild: bedeutende jüdische Bankiersfamilie. Heine hat später in Paris mit der Familie James Rothschild, vor allem mit der Baronin Rothschild, persönlichen Kontakt gehabt.

Michael Beer: Berliner Dramatiker; er verfaßte u. a. das Stück »Struensee«, das Heine rezensierte.

Courant: in gültiger Währung.

Ponce de Leon: Lustspiel von Clemens Brentano, das Zitat in V 2.

Spitta: Heines Studienfreund Spitta veröffentlichte 1824 das »Sangbüchlein der Liebe für Handwerksleute«.

vid.: Abkürzung für »videatur«, »man sehe nach in (bei)...«.

265 *Lucullus:* römischer Feldherr, vor allem als Feinschmecker bekannt.

Steinweg: Straße in Hamburg mit vielen jüdischen Restaurants.

Tacitus: römischer Geschichtsschreiber, der in seinen »Historien« berichtet, daß die Juden im Tempel in Jerusalem einen goldenen Esel anbeten.

Bileams Esel, vid. Pentat. Lib.: »Pentateuch«, die fünf Bücher Mose des Alten Testaments. Anspielung auf die Stelle (Buch IV, Kapitel 22, 21ff.), wo die sprechende Eselin den Propheten Bileam auf den Engel hinweist, den dieser nicht sieht. – vid. Pentat. Lib.: videatur Pentateuchi Liber, »man sehe im Buch des Pentateuchs nach«.

266 *injuriarum:* wegen Beleidigung.

vid. Gesneri: Die zitierte Arbeit des Altphilologen Gesner behandelte tatsächlich »das frühere Ansehen der Esel«, im zweiten Band der »Commentarii...«, also der Schriften der Königlichen Gesellschaft der Wissenschaften zu Göttingen, 1753.

Jakob: Vgl. das 1. Buch Mose 49, 14f. Jakob sagt dort über seinen Sohn Isaschar, er sei »wie ein knochiger Esel«.

Homer: Ilias XI 558f.

Herrn v.: möglicherweise Friedrich von Uechtritz. Vgl. die neunte Anmerkung zu Seite 274.

Abelardum, Picum Mirandulanum...: Heine reiht hier Berühmtheiten mit latinisierten Namen aneinander und fügt sich selbst zuletzt ein (Henricum Heineum), wodurch er mit der eigenen Berühmtheit kokettiert. Die zitier-

ten Namen hat Heine nicht selbst zusammengesetzt, sondern einem Buch entnommen, das von Johann Adam Bernhard 1718 herausgebracht wurde und in verschiedenen Kapiteln kuriose Geschichten von Gelehrten erzählt. Heine zitiert hier aus dem Kapitel »Von verliebten oder vielmehr verhurten Gelehrten«: Abälard: scholastischer Philosoph und Theologe (12. Jahrhundert), berühmt wegen seiner Liebe zu Heloise; Pico de la Mirandola (15. Jahrhundert), italienischer Humanist; Nicolas Bourbon (16. Jahrhundert), französischer Neulateiner; Curtesius von Padua (16. Jahrhundert), italienischer Dichter; Angelo Poliziano (15. Jahrhundert), italienischer Dichter; Raimundus Lullus (13. Jahrhundert), spanischer Dichter und Mystiker.
Cicero: berühmter römischer Staatsmann und Redner (1. Jahrhundert v. Chr.).
Justinian: oströmischer Kaiser (6. Jahrhundert), der die für die Rechtsgeschichte so bedeutsame Sammlung von Gesetzbüchern, das Corpus juris civilis, veranlaßt hat.
Hugo: Heines Doktorvater. Er hatte nach der Promotion Heine als Juristen und Dichter mit Goethe verglichen, deshalb greift Heine hier den Namen Goethe wieder auf.
Mabillon ... in seinem »Itinere germanico«: das folgende Zitat aus Jean Mabillons »Deutscher Reise« (17. Jahrhundert).
»quod molestus ...«: »weil ihm selbst der Gestank des übelriechenden Tabaks lästig gewesen sei.«
Raphael Thorus: Der »Hymnus Tabaci« (»Lobpreis des Tabaks«) des englischen Arztes und Autors Thorius erschien 1626.
Isaak Elseverius: Isaak Elzevir (17. Jahrhundert) gehörte zu der berühmten niederländischen Buchdruckerfamilie Elzevir.
Ludovicus Kinschot: nicht zu ermitteln.
Grävius: ein niederländischer Altphilologe und Historiker des 17. Jahrhunderts.
Boxhornius: Boxhorn, ein niederländischer Philologe und Dichter des 17. Jahrhunderts. Die Anekdote über seinen Hut zitiert Pierre *Bayle* in seinem »Dictionnaire historique et critique« (»Historisches und kritisches Wörterbuch«, zuerst Rotterdam 1695/97).
Joh. Georg Martius: De fuga literatorum: Diese Schrift »Über die Flucht der Gelehrten« (1706) wird auch bei Bernhard erwähnt.
Lot: Vgl. die erste Anmerkung zu Seite 422.
Tarquinius: Der letzte römische König soll nach der Sage wegen seines Hochmuts 510 v. Chr. aus Rom vertrieben worden sein.
Moses: Er führte die Israeliten aus der ägyptischen Gefangenschaft. Vgl. die siebte Anmerkung zu Seite 236.
Jupiter: Die schwangere Rhea flüchtete nach Kreta, weil sie Kronos fürchtete, der seine eigenen Kinder verschlang; so wurde Juppiter auf Kreta geboren.
Frau von Staël: Sie floh 1792 in die Schweiz, weil sie in Paris zum Tode verurteilt worden war.

Nebukadnezar: Er wurde aus der menschlichen Gesellschaft ausgestoßen (Altes Testament: Daniel 4, 29f.); vgl. die zweite Anmerkung zu Seite 97.
Benjowsky: ungarischer Graf, der in Polen gegen Rußland Stellung bezogen hatte und deshalb nach Sibirien verbannt wurde, von wo er später entkam.
Mahomet: Mohammed.
preußische Armee: 1806 nach der Schlacht bei Jena und Auerstedt floh sie vor den Franzosen.
Gregor VII.: Als Heinrich IV. Rom einnahm, floh Papst Gregor VII. nach Sizilien.
Rabbi Jizchak Abarbanel: jüdischer Gelehrter, der 1492 bei der Vertreibung der Juden aus Spanien nach Venedig floh.
Rousseau: Als sein Roman »Emile« als »gottlos« verurteilt war, rettete sich Rousseau erst nach Genf, später nach England, um dem Gefängnis zu entkommen.

267 *Phidias:* Sein Standbild des Juppiter (Zeus) in Olympia galt als sein bedeutendstes Werk.
medizäische Venus: berühmte römische Nachbildung einer griechischen Aphrodite-Statue, heute in den Uffizien in Florenz.
I. Von den Ideen: Heine spielt hier mit dem geistesgeschichtlich so überfrachteten Begriff »Idee« und parodiert wissenschaftliche Systematisierungsprinzipien, wie sie gerade auch bei Hegel verwendet werden.
Pastor S.: möglicherweise der Hauptpastor Strauch an der Hamburger Kirche St. Nicolai, der sehr orthodoxe Prinzipien vertrat.
Hofrat Heeren: Professor für Geschichte in Göttingen; hatte ein Werk veröffentlicht unter dem Titel »Ideen über Politik, den Verkehr und den Handel der vornehmsten Völker der alten Welt«.

268 *Campo Martii:* Marsfeld. Die römischen Feldherrn zogen nach siegreichen Kriegen in Triumphzügen vom Marsfeld zum Kapitol.
Gräfin Julie: vermutlich eine erfundene Person.
ich schreibe in aller Unschuld: Neben dem historischen Thema »Napoleon« und dem privaten Thema der unglücklichen Liebe setzt hier das dritte Thema ein: die Reflexion über die eigene Schriftstellerexistenz.

269 *Gedankenquaterne:* Quaterne ist ein Ausdruck aus dem Lotto, etwa ein Vierfachlos.
Elohasänger: Vorsänger in der jüdischen Synagoge.
Traktätchenverfasser: eine Anzahl von Schriftstellern, die aus moralischen und religiösen Gründen gegen Goethe Position bezogen. Der bekannteste war der Pfarrer Pustkuchen, dessen falsche »Wanderjahre« eine stark religiös gefärbte Goethe-Kritik enthielten.
Gubitz: Herausgeber der Zeitschrift »Der Gesellschafter«, in der Heine schon Gedichte und Teile seiner »Reisebilder« veröffentlicht hatte.
Langhoffsche Druckerei: Hier wurden die ersten Auflagen von Heines »Reisebildern« I und II gedruckt.
das Horazische »nonum prematur in annum«: Horaz, der römische Dichter, stellt in seiner Schrift von der Dichtkunst die Regel auf, ein Manuskript vor der Veröffentlichung zunächst »neun Jahre zurückzuhalten«.

Mäcenas: Freund des römischen Kaisers Augustus, der große Förderer so berühmter Dichter wie Horaz und Vergil. »Mäzen« bezeichnet heute noch denjenigen, der Künstler finanziell unterstützt.

270 *Pangloß:* Figur aus Voltaires »Candide«; er vertritt die These von Leibniz, wonach unsere Welt die beste aller denkbaren Welten sei.

Herr Marr: ein Tragödiendichter.

la reine est morte...: Die Königin ist tot, es lebe die Königin! In Frankreich war der Ausruf »Der König ist tot, es lebe der König!« üblich beim Tod eines Königs.

271 *Kasuist:* Vgl. die siebte Anmerkung zu Seite 95.

vid. Schuppii: Sieh nach bei Schupp! Johann Balthasar Schupp veröffentlichte in seinen »Lehrreichen Schriften« (1663) satirische Texte über das damalige Deutschland.

chaise percée: Nachtstuhl.

Nadelöhr: witzige Verdrehung des Wortes des Neuen Testaments: »Leichter kommt ein Kamel durch ein Nadelöhr als ein Reicher in das Reich Gottes.« (Matthäus 19,24)

Turm, der gen Damaskus schaut: Anklang an einen Vers des Hohen Liedes: »Deine Nase ist wie der Libanonturm, / der gegen Damaskus Ausschau hält« (7,5).

272 *Kruppe:* Kreuz des Pferdes.

kurbettieren: sich in kurzem Galopp bewegen.

Trense: leichter Zaum.

Roué: Wüstling.

Benauigkeit: damals im Norddeutschen üblicher Ausdruck für »Beklommenheit«.

273 *Obskuranten:* Dunkelmänner; nach zeitgenössischer Definition: »Verdummungs- und Verknechtungsmänner«, also solche, die im geistigen und politischen Leben eine »Neigung zur Finsternis« zeigen.

»Mais, est-ce que vous verrez...«: Wortspiel: »Aber werden Sie jetzt heller sehen mit der Lampe?« – übertragen etwa: »Werden Sie jetzt klarer sehen?«

in effigie: bildlich.

274 *»Am Rhein, am Rhein...«:* Anfang des Rheinweinliedes von Claudius.

»Dies Bildnis...«: Arie des Tamino in Mozarts »Zauberflöte«.

»O weiße Dame«: Arie aus Boieldieus Oper »Die weiße Dame«.

Weinberg: Anspielung auf das Gleichnis von den Arbeitern im Weinberg, wo die letzten ebenso viel Lohn erhalten wie die ersten (Matthäus 20,1–16).

Satrapen: Statthalter des antiken Perserreichs.

Ahasveros: Vgl. das Buch Esther (1,1 ff.) des Alten Testaments. Dort heißt es von ihm, daß er als »König von Indien bis Ägypten über hundertsiebenundzwanzig Länder herrschte«.

Hekatomben: ursprünglich ein Opfer von hundert Stieren.

Philoschnaps: »Freund des Schnapses«. Vielleicht ist der Dichter Grabbe gemeint, von dem Heine sagt, daß er an »Selbsttrunk« starb.

trauriger Trauerspieldichter: Friedrich von Uechtritz, dessen Stück »Alexander und Darius« Heine bissig kritisiert hatte.

Köchin: Anspielung auf Ludwig Tieck, der eine wohlwollende Vorrede zu dem Stück geschrieben hatte.

275 *Mimilichen:* »Mimili« war der Titel von *Claurens* populärstem Roman.
Wilibald-Alexis-Salat: Alexis hieß eigentlich Häring (Heringssalat!).
seit 5588 Jahren: nach jüdischer Zeitrechnung identisch mit dem Jahr 1827, in dem Heine das »Buch Le Grand« schrieb.

276 *Fouché:* Die »Memoiren« von Napoleons Polizeiminister Fouché galten damals als Fälschung des Historikers Alphonse de Beauchamp.
les paroles sont faites...: Die Worte sind dazu da, unsere Gedanken zu verbergen. Dieses Zitat stammt nicht von Fouché, sondern geht bis auf Voltaire und Plutarch zurück.

277 *»Stein ist schwer...«:* Vgl. Sprüche 27,3 des Alten Testaments: »Steingewicht und Sandlast (sind schwer); doch der Verdruß mit einem Toren ist schwerer als beide.«
Portechaise: Sänfte.
Professor extraordinarius: außerordentlicher Professor.
Bekehrungsgesellschaft: Anspielung auf den Judenbekehrungsverein.

278 *Salomon:* Vgl. Hoheslied 7,2.
»Ratcliff«, »Almansor«: Heines Dramen.
»lyrisches Intermezzo«: frühe Gedichtsammlung Heines, die er zusammen mit den Dramen veröffentlicht hatte.

279 *»Ich bin der Allernärrischste...«:* Vgl. Sprüche 30,2: »Ja, vernunftloser bin ich als irgendein Mann und besitze nicht (einmal) menschliche Einsicht.«
Herodot: griechischer Geschichtsschreiber (5. Jahrhundert v. Chr.).
Livius: römischer Geschichtsschreiber (59 v. Chr.–17. n. Chr.).
Haude- und Spenersche Zeitung: wichtige Berliner Tageszeitung.
Curtius: römischer Geschichtsschreiber (1. Jahrhundert n. Chr.).
Cornelius Nepos: römischer Geschichtsschreiber (1. Jahrhundert v. Chr.), schrieb Lebensbeschreibungen berühmter Männer.
Gesellschafter: von Gubitz herausgegebene Berliner Zeitschrift.

280 *God d-n!, F-e!:* Abkürzung der Flüche »God damn«, »verdammt«, und »Foutre«, »zum Henker«.

281 *manupoliert:* Wortspiel: manu (lateinisch): mit der Hand; poliert: so viel wie geschlagen – als bildliche Umschreibung für gewaltsam »manipuliert«.
Thomas Paine: englisch-amerikanischer liberaler Politiker und Autor, der sich in seinen Schriften für die Ideen der Französischen Revolution einsetzte.
»Système de la nature«: Hauptwerk des Materialisten Holbach (1770).
westfälischer Anzeiger: Im »Rheinisch-Westphälischen Anzeiger« hatte Heine bereits Gedichte und kleinere Prosaarbeiten veröffentlicht.
Schleiermacher: Theologe und Prediger (1768–1834). Er stand in engem Kontakt mit den Brüdern Schlegel und den anderen Romantikern Deutschlands. In seiner »Glaubenslehre« hat er sich mit dem Gegensatz zwischen dem Supranaturalismus und dem Rationalismus, einem Verstandeschristentum, befaßt.

282 *Statue des Laokoon:* Nachbildung der Darstellung des Laokoon, wie er zusammen mit seinen Söhnen von zwei Schlangen erwürgt wird, weil er die Trojaner vor dem hölzernen Pferd gewarnt hatte, in dem die Griechen versteckt waren.

284 *Brahmine:* Anspielung auf den Berliner Juristen Gans.
Ganesa: in der indischen Mythologie der Gott der Klugheit, abgebildet als kleiner Mann mit dickem Bauch und Elefantenkopf.
Maneka: in der indischen Mythologie eine himmlische Nymphe, die den König *Wiswamitra* in Versuchung führen sollte.

285 *Pantalons:* Hosen.
Nanquinhosen: Hosen aus rötlich-gelber chinesischer Baumwolle.
Barthold Schwarz: Berthold Schwarz, deutscher Mönch des 14. Jahrhunderts, der das Schießpulver erfunden haben soll.

Reise von München nach Genua

290 *Motto:* Es ist Goethes »West-östlichem Divan«, »Buch des Unmuts«, entnommen.

292 *Motto:* Zitat aus dem 1819 erschienenen Trauerspiel »Die Macht der Verhältnisse« von Ludwig Robert (III 7).

293 *ennuyierte:* langweilte.
Brahminen: Mitglieder der obersten Kaste der Hindus, einflußreich im Staat.
Table d'hote: gemeinsame Mittags- oder Abendtafel für Hotelgäste.
Nationalkokarde: Die Aberkennung der bürgerlichen Ehrenrechte war nach einem Erlaß Friedrich Wilhelms III. in Preußen mit dem Verlust der Nationalkokarde verbunden.

294 *geentert:* so viel wie »das Gespräch begonnen hatte«.
Afterpoet: Gemeint ist der Graf von Platen, in dessen Komödie »Der romantische Ödipus« (1829) sich aggressive Töne gegen Berlin finden.
Parabasen: Chorpartien der attischen Komödie, meist von politisch-satirischem Inhalt.

295 *Lutter und Wegener:* Weinstube, bekannt als Treffpunkt von Literaten.

296 *Obskurantengesicht:* Dunkelmännergesicht; vgl. die erste Anmerkung zu Seite 273.
Werdersche Kirche: von Schinkel in Backsteingotik erbaut.
Schlösser: die Residenz, Nymphenburg, Schleißheim.

297 *Klenze:* Hofarchitekt Ludwigs I. (1784–1864); er prägte wesentlich das Münchner Stadtbild (Alte Pinakothek, Glyptothek, Propyläen).
Ironie: Die nachfolgende ironische Umschreibung eines von der romantischen Tradition her geradezu philosophisch überfrachteten Begriffs ist ein eigenwilliger spaßhafter Beitrag Heines zur Literaturkritik.

298 *Aspasia:* berühmte intellektuelle Frau des griechischen Altertums (5. Jahrhundert v. Chr.), die namhafte Männer (Perikles, Sokrates) um sich scharte.

299 *Eulen:* Die Eule ist das Symbol der Athene, der Göttin der Weisheit. Hier Anspielung auf die Gelehrten, die an die neu errichtete Universität gekommen waren.
Sykophanten: Denunzianten.
Phrynen: Dirnen.
unser Dichter: Platen.
›*Löwe*‹: möglicherweise Anspielung auf den Architekten Leo von Klenze (leo = Löwe).
Redner: Ministerialrat Ignaz Rudhart, 1828 im bayrischen Landtag der Wortführer bei einem Gesetzentwurf über den Malzaufschlag.
Demosthenes: berühmter griechischer Redner (4. Jahrhundert v. Chr.).
Sokrates: griechischer Philosoph (470–399 v. Chr.), der in Athen auf der Straße den Bürgern seine Ideen mitzuteilen versuchte. Wegen »Gottlosigkeit« und »Verführung der Jugend« wurde er angeklagt und mußte den Giftbecher trinken.
Demos: Volk.
Poltrons: Maulhelden.
Figur: Gemeint ist der Philologe Hans Ferdinand Maßmann (1797–1874), der 1829 eine Professur an der Universität München erhielt (was Heine vergeblich versuchte!). Gegen diesen Sympathisanten deutschtümelnder, nationalistischer und antisemitischer Tendenzen hat Heine wiederholt in bissigen Bemerkungen Stellung bezogen, wobei seine literarische Karikatur stereotype Züge aufweist, die dem Leser ein leichtes Wiedererkennen ermöglichen.
Courtoisie: Höflichkeit.
Mambrin: In Cervantes' »Don Quijote« hält dieser das Rasierbecken Sancho Pansas für den Helm des Ritters Mambrin.
Ghaselen: arabische Gedichtform; vgl. auch die zwölfte Anmerkung zu Seite 417.
Arminius: der Anführer der Cherusker in der Schlacht gegen die Römer unter dem Kommando des Quinctilius Varus (9 n. Chr.). Diese Schlacht im Teutoburger Wald, bei der Varus geschlagen wurde, ist von Heine mehrfach (vgl. »Deutschland. Ein Wintermärchen«) hinsichtlich ihrer Bedeutung für das deutsche Nationalbewußtsein kritisch reflektiert und ironisiert worden.

300 *Apoll von Belvedere:* im populären Sinn als vorbildlich verstandene klassische griechische Statue, die auch Heine mehrfach in diesem weit verbreiteten Sinn anführt.
Barbiere: Revolutionäre.
Thusnelda: die Frau des Arminius.
Thiersch: Dieser Münchner Altphilologe war der Verfasser einer damals populären griechischen Grammatik.
Mohikan: Anspielung auf Coopers Roman »The Last of the Mohicans« (1826).

301 *Lichtenstein:* Professor für Zoologie, gründete damals den zoologischen Garten in Berlin.

Guineen: Goldmünzen, die seit 1816 gewöhnlich nicht mehr im Verkehr, sondern nur noch bei Honoraren und im Kunsthandel, aber auch beim Pferdehandel als Rechnungseinheit gebräuchlich waren.
Alcibiades: Der athenische Staatsmann soll seinem Hund den Schwanz abgeschnitten haben, um zu bewirken, daß die Athener nicht mehr über ihn, sondern über seinen Hund redeten.

302 *Bogenhausen:* Stadtteil von München.
Villa Hompesch: Vergnügungslokal, das 1827 am Isarufer eröffnet worden war.
Prytaneum: Sitz des Stadtrats in griechischen Städten.
vulgo: gewöhnlich, d. h. im Volksmund.
gestorbenes Kind: eine Base von Heine.
Breihahn: süßes Weißbier.

305 *Immermann:* Karl Immermanns Theaterstück »Andreas Hofer, der Sandwirt von Passeier« war 1827 zuerst unter dem Titel »Das Trauerspiel in Tirol« erschienen. Es befaßt sich mit dem Tiroler Volksaufstand 1809 unter Andreas Hofer.
Moser: Moses Moser, ein Bankangestellter, war in Berlin ein enger Freund Heines.

306 *Belisar:* oströmischer Feldherr (6. Jahrhundert). *Prokop* von Caesarea schrieb die Geschichte seiner Feldzüge gegen die Vandalen, Ostgoten und Perser.
Schenk: Er war zur Zeit, als Heine in Berlin lebte, bayrischer Kultusminister und hatte ein Trauerspiel »Belisar« verfaßt, das 1826 aufgeführt worden war.

307 *Mahabharata:* indisches Epos.
Walter Scotts Romane: Vgl. die zweite Anmerkung zu Seite 240.
Hume: englischer Historiker des 18. Jahrhunderts, bekannt wegen seiner Schrift »History of England from the Invasion of Julius Caesar to the Revolution of 1688«.
Sartorius: Universitätslehrer Heines während dessen Göttinger Studienzeit; er besorgte die zweite und dritte Auflage von *Spittlers* »Entwurf der Geschichte der europäischen Staaten«.
Baron Hormayr: österreichischer Historiker, der 1817 eine »Geschichte Andreas Hofers« veröffentlicht hatte.
Mantua: Hier wurde Hofer 1810 erschossen.
Geßler: Name des Landvogts in der schweizerischen Tellsage.

308 *Martinswand:* Kaiser Maximilian I. stürzte hier 1493 bei der Jagd ab und wurde nach der Sage von einem Engel gerettet.
Guide des voyageurs: Reiseführer.
Albion: ursprünglich keltischer, später nur noch poetischer Name für Großbritannien.
jetzigen Kaiser: Franz I. von Österreich.

309 *»A fine exhibition...«:* eine prächtige Ausstellung, tatsächlich!
»Hesperus«: »Hesperus. Enzyklopädische Zeitschrift für gebildete Leser«.
Schimäre: Hirngespinst.

310 *Landjunker:* vermutlich der Junker Tobias in »Was ihr wollt«.
Karessen: Liebkosungen, Schmeicheleien.
embrassieren: umarmen, küssen.
Allianzhände: Anspielung auf das Allianzbündnis zwischen Rußland, Österreich und Preußen, das christliche und monarchische (und damit reaktionäre) Vorstellungen in der Politik stärken sollte.
311 *Johannes von Müller:* Schweizer Historiker und Verfasser der »Geschichten schweizerischer Eidgenossenschaft« (1786–1808).
Bartholdys »Krieg der Tiroler Landleute im Jahre 1809«: 1814 erschienen.
312 *O navis...:* »O Schiff, so werden neue Fluten dich auf das Meer zurücktragen?« (»Oden« I 14).
Horaz: einer der Meister der lateinischen Lyrik (65–8 v. Chr.).
Schlacht bei Leipzig: die »Völkerschlacht«, 1813. Napoleon wurde in ihr von den Verbündeten geschlagen, damit zerbrach seine Herrschaft in Deutschland.
Sallust: römischer Historiker (1. Jahrhundert v. Chr.).
Antisthenes: In Plutarchs »Leben des Lykurg« (Heines Reiselektüre auf der Italienreise) heißt es: »Als der Sokratiker Antisthenes sah, daß die Thebaner von dem Sieg bei Leuktra eine allzu große Meinung hegten, sagte er, daß sie wie Schuljungen seien, die damit prahlten, ihren Lehrer durchgeprügelt zu haben.«
313 *lukrieren:* gewinnen.
315 *weißen Rock und rote Hosen:* die Uniform der österreichischen Truppen.
blauen Rock und weiße Hosen: die Farben Bayerns. 1805 war Tirol im Frieden von Preßburg Bayern zugeteilt worden.
316 *Insurgentenversammlung:* Versammlung von Aufrührern.
Schön-Elsy: Frauenrolle in Immermanns »Andreas Hofer«. Elsy betrügt ihren Mann mit einem französischen Offizier und rächt sich, nachdem er sie verlassen hat, indem sie sein Haus anzündet.
Marken: Landschaften, Provinzen.
Ariadne: Nach der griechischen Sage tötete *Theseus* den Minotaurus, ein Ungeheuer im Labyrinth auf Kreta. Mit einem Faden der Ariadne, der Tochter des Königs Minos von Kreta, fand Theseus aus dem Labyrinth zurück.
317 *Taubenkofen:* Taubenschlag.
Parzen: die drei Schicksalsgöttinnen der Römer, die den Lebensfaden spinnen und abschneiden.
318 *estradenartig:* stufenförmig erhöht.
319 *Tritonen:* Meergötter.
321 *vegetabil-animalische Hände:* pflanzlich-tierische Hände.
Chevrons: eigentlich: Chevets: Dolche.
322 *diskurieren:* erörtern, verhandeln, bereden.
hortologisch: den Gartenbau betreffend.
323 *Realinjurienklage:* Klage wegen Beleidigung.
Phöbos: Beiname des griechischen Gottes Apoll; der »Glänzende«; hier: Sonne.

Zeiten des Konziliums: Das Tridentiner Konzil fand in den Jahren 1545–63 statt.

324 *Kattun:* Baumwolle.

Wehmut, dein Name ist Kattun: Parodie auf einen oft zitierten Hamlet-Ausspruch: »Schwachheit, dein Name ist Weib!« (Hamlet I 2)

Niobe: Nach der griechischen Sage stellte sie sich als Mutter von sieben Söhnen und sieben Töchtern über Leto, die nur Mutter von zwei Kindern war, von Apoll und Artemis. Diese töteten zur Strafe die Kinder der Niobe und ließen sie selbst zu Stein erstarren.

Lokanda: Gasthaus.

Pranzo: Mittagessen.

Bottega: Laden, Café.

Sorbet: eisgekühlter Fruchtsaft.

325 *akkompagnieren:* begleiten.

Amante: Liebhaberin.

326 *Rellstab:* Musikkritiker der »Vossischen Zeitung« und erklärter Gegner Rossinis und der neueren italienischen Musik.

327 *Romulus:* einer der sagenhaften Gründer Roms.

Romulus Augustulus II.: Romulus Augustulus war der letzte weströmische Kaiser. Heine verwendet dessen Namen für eine witzige Anspielung auf den österreichischen Kaiser Franz I., der bis zur Reichsauflösung 1806 als Franz II. römisch-deutscher Kaiser war.

Karessen: Liebkosungen.

esoterisch ... exoterisch: eine von Heine oftmals verwendete begriffliche Gegenüberstellung: einerseits (exoterisch) die oberflächlichen Zeitgenossen, die die geschichtlichen und politischen Zusammenhänge nicht begreifen, und andererseits (esoterisch) die wenigen, die informiert sind und entsprechend handeln.

Harmodius und Aristogiton: die Mörder des Tyrannen Hipparchos (6. Jahrhundert v. Chr.).

Primo Uomo: erster Darsteller.

Arlekine, Tartaglia, Brighella, Pantalon: Figuren aus der Commedia dell'arte.

328 *Rose von Saron:* Vgl. Hoheslied 2,1: »Ich bin die Narzisse von Saron, die Lilie der Täler!« Die Narzisse ist ein Kennzeichen des Frühlings.

329 *Balsaminen:* Zierpflanzen, aus denen früher ein Wundbalsam hergestellt wurde.

330 *Vetturin:* Lohnkutscher.

Helios: der griechische Sonnengott.

akkompagnierend: begleitend.

Estrade: stufenförmige Erhöhung des Fußbodens vor einem Fenster.

Bell- und Lancastersche Methode: Unterrichtsmethode, bei der ältere Schüler die jüngeren unterrichten; sie war in England verbreitet, um so auch Kindern armer Familien den Schulunterricht zu ermöglichen.

331 *remarkabel:* bemerkenswert.

Institutionen, Pandekten: so viel wie: Gesetze und Erläuterungen. Begriffe aus dem Corpus juris civilis, der Gesetzessammlung des römischen Zivilrechts.

332 *Medea:* Nach der griechischen Sage ermordete sie ihre Kinder und die Geliebte ihres Mannes Jason, als dieser sie verließ.

Melpomene: Muse des Trauerspiels.

333 *Scala Mazzanti:* »Mordtreppe«.

Theoderich: 454–526, Gründer des ostgotischen Reichs in Italien. Als *Dietrich von Bern* ist er eine Lieblingsgestalt der deutschen Heldendichtung geworden.

König Alboin: König der Langobarden, der 572 in Verona ermordet wurde.

Paladine: Bezeichnung für die Helden der Tafelrunde Karls des Großen (Carolus Magnus).

Barbaren: Seit 1814 war Verona österreichisch.

334 *Chignons:* Chignon, Haarzopf im Nacken.

335 *Podesta:* Palast des Bürgermeisters.

Ludovico Ariosto: italienischer Dichter (1474–1533).

Ludovico Tieck: spaßhafte Namensangleichung; gemeint ist Ludwig Tieck, der deutsche Dichter (1773–1853).

Palast der Capulets: Verona ist der Schauplatz der Liebestragödie von Romeo und Julia. Julia stammte aus dem Hause Capulet.

Grabmäler der Scaliger: Die Scaliger waren eine norditalienische Adelsfamilie, seit dem 11. Jahrhundert in Verona bezeugt. Die Scaliger-Gräber in Verona verdanken ihre Berühmtheit der architektonischen Kunst der Gotik, die diese Gräber in der Form des Tabernakels bildete, gekrönt mit einer Reiterstatue.

Can Grande: der berühmteste der Scaliger (1291–1329); an seinem Hof lebten zeitweise Giotto und Dante.

336 *Falstaffsche Bedenken:* In Shakespeares »Heinrich IV.« (erster Teil, V 4) glaubt Falstaff, der sich nur tot stellt, daß Percy, dessen Leiche neben ihm liegt, sich auch nur tot stelle.

Brighella und Tartaglia: Figuren der Comedia dell'arte.

Herkulanum und Pompeji: süditalische Städte, die beim Vesuvausbruch im Jahre 79 verschüttet und erst bei Grabungen 1748 wiederentdeckt wurden.

Palimpsesten: Ein Palimpsest bezeichnet eigentlich ein zweimal verwendetes Schreibmaterial (Papyrus oder Pergament), bei dem die erste Handschrift abgewischt oder ausradiert wurde, so daß eine zweite Beschreibung möglich wurde.

337 *Tacitus:* römischer Geschichtsschreiber (55–116).

Gracchen: Die beiden Brüder aus dem römischen Adelsgeschlecht der Sempronier wollten eine gerechtere Landverteilung erreichen.

Tiberius Sempronius: der ältere der beiden Gracchen; er stellte 133 v. Chr. den Gesetzesantrag, wonach kein Bürger mehr als 500 Morgen Staatsgrund pachten dürfen sollte *(agrarisches Gesetz).* Das frei werdende Land sollte an besitzlose Bauern verteilt werden.

Cäsar: römischer Feldherr und Staatsmann (100–44 v. Chr.); er plante, die Republik durch die Monarchie abzulösen.

Brutus: einer der Caesarmörder.

338 *Agrippina:* 15–59, Tochter des *Germanicus* und Mutter des *Nero*, heiratete Claudius und ließ Nero von ihm adoptieren. Nachdem sie Claudius vergiftet hatte, ließ sie Nero zum Kaiser ausrufen, verfeindete sich aber mit ihm, so daß er schließlich seine Mutter ermorden ließ.

Cicerone: Fremdenführer.

339 *Scala Mazzanti:* »Mordtreppe«.

Antonio della Scala: der letzte Scaliger, der die Herrschaft über Verona, die er durch Brudermord an sich gerissen hatte, 1387 an die Visconti verlor.

340 *Eckermann:* Johann Peter Eckermann (1792–1854), seit 1823 Goethes Sekretär.

Doktorhut aus Jena: Die Universität Jena ehrte Goethe zu dessen fünfzigjährigem Aufenthalt in Weimar damit, daß er zwei Personen für den Ehrendoktor vorschlagen durfte.

Frau von Morgans »Italien«: »Italy« von Lady Sidney Morgan war 1821 erschienen.

Frau von Staëls »Corinna«: Das Italienbuch der Madame de Staël erschien 1807.

Skorpionen: die Geschütze, Wurfmaschinen der Antike.

Marketenderin: Frauen, die mit dem Heer zogen; hier abfällige Anspielung auf die Liebesgeschichten der Verfasserin.

W. Müller: Er hatte die italienischen Reisebeschreibungen der nachfolgend angeführten Autoren in »Hermes. Kritisches Jahrbuch der Literatur«, 1820 und 1821, rezensiert: *Moritz:* »Reisen eines Deutschen in Italien« (1792/93), *Archenholz:* »England und Italien« (1785), *Bartels:* »Briefe über Calabrien und Sizilien« (1803), *Arndt:* »Bruchstücke aus einer Reise durch einen Teil Italiens im Herbst und Winter 1798 und 1799« (1801), *Meyer:* »Darstellungen aus Italien« (1792), *Benkowitz:* »Reise von Glogau nach Sorrent«, *Rehfues:* »Neuester Zustand der Insel Sizilien« (1807).

Leßmanns »Cisalpinische Blätter«: 1828 erschienen; Leßmann war ein erfolgreicher Novellenschriftsteller.

341 *»Reisen in Italien seit 1822...«:* 1826 erschienen.

Kennst du das Land...: Anfangszeilen des Mignon-Liedes aus dem Roman »Wilhelm Meisters Lehrjahre« von Goethe.

Carrozza: Kutsche.

Narziß: Nach der griechischen Sage verliebte er sich in sein eigenes Spiegelbild, das er im Wasser sah.

342 *Cameriere:* Kellner.

Menagerie: Zoo, Tierschau.

Baronet: »kleiner Baron«, englischer Adelstitel.

bœuf à la mode: so viel wie »Modeochse«.

343 *katholische Emanzipation:* 1829 erhielten die englischen und irischen Katholiken wieder die wichtigsten bürgerlichen und politischen Rechte.

Scala: Mailänder Oper.

344 *Meyerbeers Opern:* Die Opern von Meyerbeer hatten zur Zeit ihrer Entstehung erstaunliche Erfolge, während sie heute aus dem Repertoire der

Opernhäuser völlig verschwunden sind. Heine war lange Zeit ein besonderer Verehrer Meyerbeers und hat durch positive Kritiken zu dessen Erfolg beigetragen.
»Crociato in Egitto«: »Die Kreuzritter in Ägypten« (1824).
Brera: Mailänder Gemäldegalerie.
Ambrosiana: Mailänder Bibliothek.
Jan Steen: niederländischer Maler des 17. Jahrhunderts.
Long-Arno: ältere Form von Lungarno (Arno-Kai).

345 *Galeazzo Visconti:* Unter der Regierung des Galeazzo Visconti wurde der Bau des Mailänder Doms begonnen, aber erst 1805 veranlaßte Napoleon den Weiterbau.

346 *Napoleon Bonaparte:* Die Gleichsetzung Napoleons mit dem Titanen Prometheus taucht schon in der »Harzreise« auf; vgl. auch die zweite Anmerkung zu Seite 99.
achtzehnter Brumaire: Am 9. November 1799 ernannte Napoleon sich selbst zum Ersten Konsul, nachdem er das Direktorium gestürzt hatte.
Marengo: Napoleon besiegte hier 1800 die Österreicher.

347 *Livländer:* Bewohner der russischen Ostseeprovinz Livland.
ultimae rationes: letzte Beweisgründe.

348 *Renegaten:* diejenigen, die eine politische oder philosophische Überzeugung aufgeben oder sogar verleugnen.
Pairs: eigentlich »die Gleichen«; im alten Frankreich Bezeichnung eines politisch bevorrechteten Kreises von Hochadligen.

350 *Diebitsch:* russischer Feldmarschall.
»Allons, enfans de la patrie«: »Auf, Kinder des Vaterlandes«, Anfangszeile der Marseillaise.
Gonfaloniere: Bannerträger.
hochtorysch: Die Torys waren eine politische Partei der britischen Aristokratie, die sich gerade nicht für die Volksinteressen einsetzte.
George Canning: englischer Staatsmann (seit 1822 Außenminister, 1827 Premierminister), der in seiner Politik Freiheitsbestrebungen (in Spanien, Südamerika, Griechenland) unterstützte und damit eine Position gegen die konservativen Torys bezog.
Wellington, den Großmufti, den Papst... Türken: Der *Halbmond* ist das Wahrzeichen des Türkischen Reichs. Die diffus erscheinende Aufzählung deutet die verworrene politische Situation in Europa an, wobei die unterschiedlichsten Interessen (machtpolitische, religiöse, finanzielle) die Auseinandersetzung bestimmten.

351 *Siam:* Reich in Hinterindien (heute Thailand).
Magna Charta: der »Große Freibrief«, die wichtigste altenglische Verfassungsurkunde, 1215 dem König Johann abgenötigt.
tempi passati: vergangene Zeiten.

355 *Neptun:* der römische Meeresgott.
Doria: Hinweis auf die Rollen des Andreas und Gianettino Doria in Schillers Freiheitsdrama »Die Verschwörung des Fiesco zu Genua«.
Paul Veronese: italienischer Maler des 16. Jahrhunderts.

go to a nunnery: Hamlet zu Ophelia (III 1): »Geh ins Kloster!«
Rubens: Peter Paul Rubens (1577–1640), flämischer Maler; lebte in Italien und Antwerpen und arbeitete für die Kirche und für Fürstenhöfe.
Die historische Schule zu München: eine Gruppe von Malern, die »Nazarener«, die sich 1809 zusammenfand und sich für eine Erneuerung der Kunst auf religiöser Grundlage einsetzte; Raffael war eins ihrer großen Vorbilder.

356 *Peter Cornelius:* wie Heine in Düsseldorf geboren, einer der führenden Vertreter der Nazarener.
den dritten Landsmann: Heine und Cornelius stammten aus Düsseldorf, Peter Paul Rubens allerdings aus Siegen.

357 *Caracci:* eine Malerfamilie aus Bologna (16./17. Jahrhundert).

358 *Signor Custode:* Herr Aufseher.

Die Bäder von Lucca

362 *Ich bin wie Weib dem Manne:* verkürztes Zitat aus Platens Gedichtsammlung »Ghaselen» (1821). Mit diesem dem Text vorangeschickten Motto wird die Kontroverse mit dem Grafen Platen schlaglichtartig erhellt, die in Heines frivole und aggressive Äußerungen über Platens Homosexualität mündet. Man hat Heines diesbezügliche Äußerungen oft als »Schlag unter die Gürtellinie« abgetan; es ist jedoch zu berücksichtigen, daß diesem Angriff verunglimpfende Äußerungen mit antisemitischer Tendenz vorausgingen, die Platen gegen Heine vorgebracht hatte. Platen (1796–1835) war einer der namhaftesten deutschen Lyriker der Nachromantik.
Will der Herr Graf...: Zitat aus dem ersten Aufzug der Mozart-Oper »Hochzeit des Figaro«.

364 *Mathilde:* ebenso wie die später aufgeführten Frauennamen eine erfundene Figur.
Neu-Bedlam, St. Luze: Gemeint sind New Bedlam und St. Luke's, zwei Irrenhäuser in London.

365 *festoniert:* gerändert.
die armen –: Der Gedankenstrich steht für »Flöhe«.
Ramsgate: englisches Seebad, wo Heine sich im Sommer 1828 zwei Wochen lang aufhielt.

366 *Michael de Cervantes Saavedra:* der spanische Dichter Miguel de Cervantes Saavedra (1547–1616). Dessen berühmter Roman »Don Quijote« bzw. die Hauptfiguren des Romans Don Quijote und Sancho Pansa werden in Heines Text noch mehrfach erwähnt.

367 *Markese:* Marchese, dem deutschen Markgrafen entsprechend.
Julia, Romeo: Anspielung auf das Liebespaar in Shakespeares »Romeo und Julia«.
Argus: in der griechischen Sage hundertäugiger Riese; im übertragenen Sinn: guter Wächter, scharfer Beobachter.
Mesallianz: Mißheirat.
Subsistenz: Lebensunterhalt.

368 *Adlerorden:* preußischer Orden.
Kean: bedeutender englischer Shakespeare-Darsteller (1787–1833).
Ein Pferd! ein Pferd!: Zitat aus Shakespeares »Richard III.« (V 4).
Idiosynkrasie: Überempfindlichkeit.
369 *Wenn ich zu Pferde bin...:* Zitat aus Shakespeares »Heinrich IV.« (erster Teil, II 3).
370 *Holzbecher:* Berliner Schauspielerin.
Louisdor: französische Goldmünze.
Hyazinth: Der Hamburger Lotteriebote Isaac Rocamora soll Heine zu dieser Figur inspiriert haben.
371 *Lotteriekollekteur:* Angestellter bei der Lotterie; er vertreibt die Lose.
Renovierung: Neuauflage der Lotterie.
Papagoyim: Wortspiel aus Papagei und der hebräischen Pluralbildung goyim (Nichtjuden).
372 *Steinweg:* Straße im Judenviertel von Hamburg.
Paoli: Silbermünzen des ehemaligen Kirchenstaats.
Stracchino: italienischer Weichkäse.
373 *Rothschild:* europäische Bankiersfamilie; zu James Rothschild in Paris hatte Heine später persönlichen Kontakt.
Schweigend, in der Abenddämmrung...: Anfangsverse aus einer Elegie von Friedrich von Matthison, einem klassizistischen, von den Romantikern ironisierten Poeten.
374 *Byron:* Vgl. die vierte Anmerkung zu Seite 131.
375 *Neumann:* Er hatte 1828 im Berliner »Gesellschafter« Epigramme gegen Heine publiziert.
Bishy Shelley: Percy Bysshe Shelley, englischer Lyriker (1792–1822).
Aktäon: Nach der griechischen Sage überraschte er Artemis, die Göttin der Jagd, beim Bad und wurde zur Strafe in einen Hirsch verwandelt, der dann von seinen, Aktäons, eigenen Hunden zerrissen wurde.
Johann Heinrich Heine: Heine nahm bei seiner Taufe die Namen Christian Johann Heinrich an.
sphärische Trigonometrie: Teil der Mathematik; beschäftigt sich mit Kugeldreiecken.
376 *Jarke:* besonders konservativer Professor für Strafrecht in Berlin.
»Axur«: Oper von Antonio Salieri (1750–1825).
377 *Innamorata:* Geliebte.
Mezzophante: Der italienische Sprachforscher Giuseppe Mezzofonti (1774–1849) soll über fünfzig Sprachen gesprochen haben.
378 *Evoe Bacche!:* »Heil dir, Bacchus!« Jubelruf der Begleiter des Weingottes Bacchus.
Makulatur: Altpapier.
Servituten eines echten Patito: Pflichten eines echten Liebhabers.
Pietas: Ergebenheit.
379 *Seladon:* schmachtender Liebhaber.
Hugo: Göttinger Jurist, Heines Doktorvater.
Thibaut: Heidelberger Jurist.

Gans und Savigny: Juristen an der Berliner Universität, Vertreter unterschiedlicher Schulen; vgl. auch die elfte Anmerkung zu Seite 19.
Refüs: Ablehnung.
380 *Quadrille:* ein Tanz zu vieren.
der Diable boiteux der Jurisprudenz: der hinkende Teufel der Rechtswissenschaft; in Anlehnung an den Roman »Der hinkende Teufel« (1707) von Lesage.
Pas: Tanzschritte.
Lemiere, Hoguet: populäre Tänzer der Berliner Oper.
Göschen: Jurist in Göttingen.
381 *»di tanti palpiti«:* »mit so viel Herzschlägen«, Arie aus Rossinis Oper »Tancredi«.
Anciennität: Dienstalter.
383 *Korsaren:* Seeräuber.
Biskroma: kurze Musiknote.
Abbate: Priester.
Cecco: Kosename für Francesco.
Inauguralschilderung: einführende Schilderung.
384 *Venus des großen Canova:* Canovas Statue der Paolina Bonaparte-Borghese als Venus (1807). Canova war der Hauptvertreter des italienischen Klassizismus.
Herbarium: Sammlung von getrockneten Pflanzen.
exekutieren: ausführen.
385 *»Ich, Signora, bin in der Neujahrsnacht...«:* Heine hat mehrfach literarisch kokettiert mit dem Wunsch, ein Kind der Jahrhundertwende zu sein. Tatsächlich ist sein Geburtsdatum der 13. Dezember 1797.
386 *Pomeranze:* eine der Mandarine ähnliche Frucht, jedoch mit bitterem Fleisch.
Theseus: Ariadne hatte nach der griechischen Sage dem Theseus, als er den Minotauros töten wollte, einen Faden (»Ariadne-Faden«) gegeben, damit er aus dem Labyrinth wieder herausfände. Sie wurde später jedoch von ihm verlassen und wurde dann die Frau des Dionysos (Bacchus). Eine besonders bekannte Darstellung der Ariadne ist die Statue von Dannecker, vgl. die drittnächste Anmerkung.
»Bella cosa!«: »Wie schön!«
Mythe: Mythos, Erzählung von Göttern.
Bankier Bethmann: Er sorgte dafür, daß die Plastik »Ariadne auf Naxos« von Dannecker in rötlicher Beleuchtung aufgestellt wurde, damit sie lebendig erschien.
387 *avancieren:* weiterkommen, aufsteigen.
388 *Franklin:* Erfinder des Blitzableiters (1752).
Medusa: in der Mythologie eine der drei häßlichen Schwestern, die an der Grenze der Nacht wohnten.
390 *Mark Banko:* Hamburger Bankwährung bis 1873.
Franceskoni: Münze.

391 *Courtiers:* Hofleute.
Ordres: Befehle.
392 *famillionär:* Wortbildung aus »familiär« und »Millionär« – ein oft zitiertes Beispiel für Heines Wortwitz.
Falkenorden... Elefantenorden: Die bunte Aufzählung (hier von Orden verschiedener Nationen und Rangstufen) ist ein von Heine gern verwendetes Stilmittel, das den jeweiligen Inhalten gegenüber Distanz und Kritik deutlich werden läßt.
Atlas: seidenartiger Stoff.
393 *ennuyant:* ermüdend.
alleinseligmachende Kirche: Anspielung auf den theologischen Anspruch der katholischen Kirche, die einzige rechtmäßige christliche Kirche zu sein.
394 *Johann v. Viehesel:* Wortwitz; gemeint ist der italienische Maler Johannes von Fiesole (1387–1455), der als Fra Angelico bekannt wurde. Die nachfolgende Aufzählung von italienischen Barockmalern, deren Namen Heine so schreibt, wie sie klingen, dient dem Amüsement des Lesers.
395 *Ambe, Quaterne, Quinterne:* Zahlenbezeichnungen aus dem Lottosystem (2, 4, 5).
Petschaft: Siegel.
396 *Mosaikgottesdienst:* spaßhafte Wortbildung: mosaischer Gottesdienst.
Schisma: Spaltung, Trennung.
Sahl: Wohnung.
397 *Pharao... Titus:* Diese willkürliche Aufzählung großer Namen kann als typisches Beispiel dienen dafür, in welch spielerischer Weise Heine mit Namen und Geschichten aus dem Altertum oder der Bibel verfährt; die entsprechenden Kenntnisse hat er bei seinen Lesern offenbar als Allgemeinbildung vorausgesetzt.
Diogenes: griechischer Philosoph (4. Jahrhundert v. Chr.), der größte Armut als Lehre verkündete und selbst lebte; deshalb schlief er nachts in einer Tonne. Mit diesem Attribut wurde er populär.
Schabbesfrau: Sie verrichtete am Sabbat, dem Ruhetag der Juden, Arbeiten, die strenggläubige Juden nicht verrichteten.
Maklern... Chefs de Comptoir: spaßhafte Reihung mit Begriffen aus dem Bank- und Wirtschaftsleben.
Paternoster: Vaterunser.
Domino: Mantel, wie ihn die Geistlichen trugen.
Frangen: Fransen.
Das Auge sieht den Himmel...: aus Schillers »Lied von der Glocke«.
398 *Diarrhetikus:* einer, der Durchfall hat.
Antipodex: witzige Verbindung aus Antipode (Gegenspieler) und Podex (Hinterteil).
Crelinger: Berliner Schauspielerin.
dekouvrieren: offenbaren.
Komm, Nacht! Komm, Gumpelino...: Anklang an eine Stelle in Shakespeares »Romeo und Julia« (III 2).
399 *Willst du schon gehn?...:* Zitat aus »Romeo und Julia« (III 5).

Abzugsdekort: Preisnachlaß.
par Complaisanz: aus Gefälligkeit.
Attachement: Zuneigung.
400 *sal mirabile Glauberi:* Glaubers wunderbares Salz.
401 *Venus Urinia:* Wortwitz. In dem Taschenbuch »Urania« waren damals verschiedene Platen-Gedichte erschienen.
Fontenelle: Wortwitz: Fontäne.
402 *Müller in Wien:* Schauspielerin des Wiener Burgtheaters.
Kalt rieselt matter Schaur...: aus »Romeo und Julia« (V 3).
»Weh mir, ich Narr des Glücks!«: aus »Romeo und Julia« (III 1).
403 *Homeriden:* Wortwitz; gemeint ist das ähnlich klingende Wort Hämorrhoiden. Homeriden ist eigentlich die Bezeichnung für antike Sänger, die die Gedichte Homers, die »Ilias« und die »Odyssee«, vortrugen.
alterieren: erschrecken.
404 *Brabanter Ellen:* Längenmaß.
Kaffeemacherei, Fuhlentwiete: Straßen in Hamburg.
405 *invitiert:* eingeladen.
Aristoteles: griechischer Philosoph (384–322 v. Chr.).
Candide nach Eldorado: bezieht sich auf die Figur Candide aus Voltaires gleichnamigem Roman.
406 *Injurienprozeß:* Beleidigungsprozeß.
Subsidien: Hilfsgelder.
Ultra-Papist: übermäßig strenger Papstanhänger.
Lustre: Glanz.
407 *Spondeus... Anapäst:* Aufzählung von Versmaßen, wobei zuletzt das Wort »Pest« nur klanglich reimt, inhaltlich aber sinnlos wirkt. Ein bei Heine beliebtes Verfahren zur Erheiterung der Leser; vgl. auch die Wortverdrehung *Antispaß* statt Antispast.
408 *Frau von Loretto:* Anspielung auf die Muttergottes des bekannten Wallfahrtsortes Loretto.
409 *Nicht Mädchenlaunen störten...:* aus einem Platen-Sonett.
»Der Hoffnung Schaumgebäude...«: aus Platens »Neuen Ghaselen«.
410 *»Mein Wunsch bei andern...«:* aus einem Platen-Sonett.
411 *Conto finto:* fingierte Rechnung.
kollationieren: vergleichen, auf Vollständigkeit überprüfen.
Courantkasse: Bank.
412 *Speersort:* Straße in Hamburg.
aparte: gesondert.
Zephyrlüfte: milde Lüfte.
414 *public characters:* in der Öffentlichkeit bekannte Persönlichkeiten.
415 *Irokesen:* Indianerstamm.
Lautenbacher: Er war wie Heine Mitarbeiter an den »Neuen allgemeinen politischen Annalen«.
»Deine blonde Jugend...«: aus einem Platen-Sonett.
416 *Zelebrität:* Berühmtheit.
General Tilly: im Dreißigjährigen Krieg Feldherr der katholischen Liga.

»Du bist ein nüchterner...«: Immermann über Platen.
Lustren: Lustrum bezeichnet einen Zeitraum von fünf Jahren.
417 *Gruithuisen:* Professor der Astronomie an der Münchner Universität.
Revenuen: Einkünfte.
Platen de Collibrados Hallermünde: eine Vermischung der Namen von Platen und Don Ranudo de Collibrados, dem Helden einer Komödie von Holberg. Dieser Held bildet sich viel auf seine adlige Abkunft ein, womit Heine auf eine entsprechende Schwäche Platens aufmerksam machen will.
Müllner: Dramatiker, Verfasser von Schicksalstragödien.
Örindur: Held in Müllners Tragödie »Die Schuld«.
Falstaffsche Weise: Falstaff ist ein schalkhafter, aber feiger Ritter in Shakespeares »Heinrich IV.« und den »Lustigen Weibern von Windsor«.
Tieck: Ludwig Tieck (1773–1853), deutscher Dichter der Romantik.
Aristophanes: griechischer Komödiendichter (450–385 v. Chr.), berühmt wegen seiner oft derben Witze und der aktuellen politischen Anspielungen in seinen Komödien.
Cotta: damals der Spitzenverlag in Deutschland. Er gab auch politisch wichtige Zeitungen heraus. Heine selbst war zeitweise Mitherausgeber von Cottas »Politischen Annalen«.
Horaz: Vgl. die zweite Anmerkung zu Seite 312.
Petrarcha: Francesco Petrarca (1304–74), italienischer Dichter der Frührenaissance.
Hafis: der berühmteste persische Lyriker (14. Jahrhundert). Er übte auf die deutschen Dichter des frühen 19. Jahrhunderts eine besondere Faszination aus (Goethe feierte ihn in seinem »West-östlichen Divan«) und wurde anregend und vorbildlich für eine orientalisierende Literatur, die eine typische Ausdrucksform in der exotischen Gedichtform des »Ghasels« fand. Heine selbst hat zwar diese literarische Mode nicht mitgemacht, doch finden sich bei ihm manche Bilder, die er aus dieser Art Literatur übernommen hat.
419 *Clauren:* Trivialschriftsteller, vgl. die neunte Anmerkung zu Seite 140.
Pasquille: Spottschriften.
Xenie: Vgl. die fünfte Anmerkung zu Seite 223.
Ramler: deutscher Dichter der Aufklärung, wegen seiner strengen Metrik bekannt.
A. W. v. Schlegel: galt ebenfalls als übertriebener Formalist.
Triumvirat: Dreimännerherrschaft.
skandierend: Versmaße abzählend.
Lessing: Ramler beriet Lessing z. B. bei der metrischen Gestaltung des »Nathan«.
»Arion«: Gedicht von A. W. v. Schlegel. Nach der Sage hat sich der Dichter und Sänger Arion auf der Flucht vor seinen Verfolgern ins Meer gestürzt; von einem Delphin wurde er gerettet.
420 *Catonen:* Kritiker (nach Cato dem Älteren, 3./2. Jahrhundert v. Chr.).
Chacun à son goût: jeder nach seinem Geschmack.
Wasischtas Kuh: heilige Kuh, aus dem indischen Epos »Mahabharata«; sie konnte alle Güter der Erde gewähren.

rhadamantisch: besonders streng (nach Rhadamanthys, einem Richter in der Unterwelt).
Nero: Er ließ im Jahre 64 die Stadt Rom anzünden.
Jünglingsserail: Jünglingspalast.
Pythagoras: Vgl. die siebte Anmerkung zu Seite 211.
cuncta denique spectata...: nachdem zuletzt alles erblickt war, was selbst bei einer Frau die Nacht verhüllt (Tacitus).

421 *Petron:* römischer Schriftsteller; lebte am Hof Neros, Verfasser eines satirischen Romans mit homosexuellen Szenen.
Pathikos: einer, der passiv bleibt.
Tribade: Lesbierin.
Polyandrie: Vielmännerei.
»Du liebst und schweigst...«: aus einem Platen-Sonett.

422 *Lot:* Beim Untergang Sodoms und Gomorrhas verliert Lot seine Frau; mit seinen Töchtern begeht er Inzucht, damit das Geschlecht nicht ausstirbt (1. Buch Mose 19).
Pentateuch: die fünf Bücher Mose.
Titulus: Anlaß.

423 *Pallas Athene:* Nach der griechischen Mythologie ist sie, die Göttin der Weisheit, dem Haupte des Zeus (Kronion) entsprungen.
Iliaden und Odysseen: Anklang an ein programmatisches Platen-Wort: »Laß mich Odysseen erfinden, schweifend an Homers Gestaden, / Bald, in voller Waffenrüstung, folgen ihnen Iliaden.«

424 *Apologie:* Verteidigung.
insinuiert: flüstert... ein.
»Ich bin... der Poet!«: aus Platens »Romantischem Ödipus«.
Exegese: Ausdeutung, Erklärung.

425 *Leu:* Löwe; gemeint ist Goethe mit seinem »Götz von Berlichingen«.
Du, der du sprangst...: Zitat aus einem gegen Platen gerichteten Sonett von Immermann.
Ruffiano: Kuppler.

426 *Pfaffenblätter:* Die katholische Zeitschrift »Eos« hatte eine positive Kritik der Platen-Gedichte geliefert.
Kolb: Herausgeber der Augsburger »Allgemeinen Zeitung«, in der Heine von Paris aus seine wichtigsten journalistischen Arbeiten veröffentlicht hat.

427 *Kongregation:* kirchliche Vereinigung.
aviliert: verunglimpft.
Staupbesen: Marterinstrument (aus Holz oder Draht), das der Henker bei der öffentlichen Auspeitschung von Verbrechern benutzte; noch bis zu Beginn des 19. Jahrhunderts praktiziertes Strafverfahren.
Voß: Johann Heinrich Voß (1751–1826), deutscher Dichter mit demokratischer, gegen den Absolutismus gerichteter Haltung.

428 *Cuvier:* französischer Naturforscher.
Basilisk: Fabelwesen mit tödlichem Blick.
forciert ohne Force: gewaltig ohne Gewalt.
Invektiven: Schmähreden.

429 *Frauenlob:* der mittelhochdeutsche Lyriker Heinrich von Meißen (1250–1313).
mephitisch: stinkend.
a posteriori: nachträglich.
Houwald, Raupach: Vgl. die vierte Anmerkung zu Seite 224.
430 *Mauscheln:* Spottname für Juden.
Talmud: die bedeutendste Zusammenfassung der Überlieferungen und Lehren des nachbiblischen Judentums.
Malice: Bosheit.
Lajus, Jokaste: Nach der griechischen Sage war Ödipus der Sohn des thebanischen Königs Laios und der Jokaste. Er tötete seinen Vater und heiratete unwissend seine Mutter.
Das... pDrastische: Das... Päderastische (= Homosexuelle).
Iffland: Theaterdirektor in Berlin; »ghaselig« spielt auf seine homosexuellen Neigungen an.
Wurm: wegen seiner Skandalgeschichten berüchtigter Berliner Schauspieler.
431 *Nimbus:* Heiligenschein.
»Ja, gleichwie Nero...«: aus Platens »Romantischem Ödipus«.
Neronen: Plural zu Nero, so viel wie Tyrannen.
Tartaros: tiefster Teil der Unterwelt.
Eumeniden: griechische Rachegöttinnen der Unterwelt.
Styx: in der griechischen Sage ein Fluß, der die Unterwelt in neunfacher Windung umgibt.
Klytämnestra: Tochter des Tyndareos; mit ihrem Geliebten brachte sie ihren eigenen Mann Agamemnon um, wofür sie später von ihrem Sohn *Orestes* getötet wurde.
432 *Samielmusik:* Anspielung auf die Szene in der Wolfsschlucht in Carl Maria von Webers Oper »Der Freischütz«.
Kolophonium: Vgl. die erste Anmerkung zu Seite 233.
Ach! sie fressen...: aus Cervantes' »Don Quijote« (2. Buch, Kapitel 33).
Tabatiere: Schnupftabaksdose.
Hoffmann und Campe: Heines Verlag.

Die Stadt Lucca

435 *Lindner:* Publizist; mit ihm zusammen arbeitete Heine in München als Redakteur an den »Neuen allgemeinen politischen Annalen«.
Wilibald Alexis: damals populärer Romanschriftsteller.
»William Ratcliff«: Mit diesem Drama hatte Heine allerdings keinen Erfolg.
Archenholz: Vgl. die siebte Anmerkung zu Seite 340.
Göde: »England, Wales, Irland und Schottland« (1803–05).
»Briefe eines Verstorbenen...«: Der Verfasser war der mit Heine befreundete Fürst von Pückler-Muskau (1785–1871).
438 *Byron:* Vgl. die vierte Anmerkung zu Seite 131.

439 *Orpheus:* nach der griechischen Sage der Sänger, der sich durch seinen betörenden Gesang Zutritt zur Unterwelt verschaffte, um seine Gattin Eurydike zurückzuholen. Da er indes das Gebot nicht befolgte, sich nicht umzudrehen, mußte sie in der Unterwelt bleiben.
königl. preuß. Poet: der Unterhaltungsschriftsteller K. F. Müchler.
Templower Berg: der Kreuzberg in Berlin.
Fido Savant: spöttisches Wortspiel, offenbar auf die Juristen Gans und Savigny bezogen.
Eidechsen: In der griechischen Mythologie gilt die Eidechse als Wahrsagerin.
440 *Atlantis:* sagenumwobene, im Atlantik versunkene Insel.
Hieroglyphenmützen und Hierophantenröcken: Wortspiel; Hieroglyphen nennt man die alten ägyptischen Schriftzeichen, Hierophanten sind die Oberpriester eines griechischen Kultes.
Naturavancement: Avancement: Vorrücken, Aufstieg.
Schelling und Hegel: Heines Aussage ist zwar ironisch zu verstehen, sie läßt aber erkennen, wie sehr er sich mit den Werken und Gedanken dieser bedeutendsten deutschen Philosophen der ersten Hälfte des 19. Jahrhunderts beschäftigt hat. In Berlin hat Heine Vorlesungen Hegels besucht.
441 *Ingredienzen:* Bestandteile.
neue Athener: Gemeint ist München.
Breihahn: Berliner Biersorte.
Schechner, Sontag: rivalisierende Sängerinnen in Berlin.
442 *Lyonnet:* französischer Naturforscher.
dedaignant: hochmütig.
443 *für ihren caro Cecco:* für ihren teuren Cecco.
Occhie, stelle mortale: »Augen, sterbliche Sterne« – Anfang eines Volksliedes aus der Toskana.
Tonsur: Zum Zeichen ihres geistlichen Standes wurde Priestern und Mönchen ein kreisrundes Stück ihrer Kopfhaare geschoren.
Abbate: Priester.
444 *Almanachsnachtigall:* Die damals weit verbreiteten Almanache (Taschenbücher, Kalender) enthielten viel sentimentale Lyrik; deshalb der Hinweis auf die *Nachtigall,* als besonders abgenütztes Naturbild.
Gänserich ... Kapitol: Vgl. die erste Anmerkung zu Seite 254.
Lorbeerbaum: Heine kokettiert hier mit dem eigenen Dichterruhm: Lorbeer als klassische Ehrung für den Dichter.
Vasallen: Gefolgsmänner.
445 *christlich neudeutsche Schule:* Gemeint sind die Nazarener, jene Richtung der Malerei in der Romantik, die die christliche Kunst neu zu beleben suchte; wegen ihres süßlich schwülstigen Stils sehr umstritten.
Sakontala: Drama des indischen Autors Kalidasa (5. Jahrhundert).
Vasantasena: Hauptfigur des indischen Dramas »Mrichchakati«.
Bramine: indischer Priester.
446 *Grazioso:* komische Figur.

Krug: Philosophieprofessor in Leipzig, der in öffentlichen Schriften Position gegen das Zölibat in der katholischen Kirche bezog.

447 *Gesenius:* Theologe, der in der von Hengstenberg herausgegebenen »Evangelischen Kirchenzeitung« von orthodoxer Seite heftig angegriffen wurde.
Rabbinen: jüdische Priester.
Muftis: Oberhäupter der türkischen Kirche.
Konsistorialräte: Kirchenräte.
farousch: grob.
Abraham, Isaak, Jakob: Nach dem Alten Testament ist Abraham der Stammvater des jüdischen Volkes und Vater Isaaks; dessen Sohn Jakob ist der Vater der zwölf Stämme Israels.
Salär: Lohn.
Faktoreien: Handelsniederlassungen.

448 *Boccaccio:* Giovanni Boccaccio (1313–75) schildert in den frivolen Erzählungen seines »Decamerone« mit besonderer Pikanterie Liebesgeschichten von Priestern und Mönchen.

449 *Sappeurs:* Soldaten, die zum Bau von Gräben eingesetzt wurden.
panaché: bunt gestreift.
Denon: Er begleitete Napoleon nach Ägypten und veröffentlichte eine Beschreibung seiner Reise in einem umfangreichen Werk.
Zauberflöte: Diese Mozart-Oper spielt in Ägypten.
Belzoni: Er nahm an den ersten Ausgrabungen der 1820er Jahre in Ägypten teil und schrieb später darüber.

450 *kollerend:* glucksend.

451 *Podagra:* Gicht der großen Zehe.
Rückendarre: Rückenmarksschwindsucht.

452 *Jener schenkte nunmehr...:* Zitat aus Homers »Ilias« (erster Gesang, Vers 597ff.). Daß Heine als Quelle auf die *Vulgata*, die lateinische Bibelübersetzung, verweist, ist keine Unkenntnis, sondern eine bewußte Vertauschung; hier deutet sich bereits der von Heine mehrfach thematisierte Gegensatz von antik und christlich, von sensualistisch und spiritualistisch an.

453 *Delinquentenreligion:* Religion für Verbrecher, arme Sünder.
Venus dolorosa: Auch hier liegt wieder die Mischung eines antiken und eines christlichen Motivs vor: Die Mater dolorosa (Schmerzensmutter), die Darstellung der Maria mit dem Körper des toten Jesus auf dem Schoß, wird kombiniert mit der Gestalt der antiken Liebesgöttin Venus.

455 *das französische Sakrilegiengesetz:* Vor der Französischen Revolution stand auf die Entweihung von Kirchengerät die Todesstrafe.

456 *›das ist der Leib‹:* Heine gebraucht hier die Wandlungsworte aus der katholischen Liturgie in erotisch anzüglicher Anspielung.
Delightful: entzückend.

457 *Ruffiano:* Kuppler.
heilige Allianz: Die politische Bezeichnung für das Bündnis zwischen Preußen, Rußland und Österreich (1815) wendet Heine hier auf die biblische Geschichte der Heiligen Drei Könige an.
Catalani: berühmte Sängerin.

heldenmütigen Zeit Luccas: Die Stadt war im Mittelalter selbständige Republik. Der italienische Staatstheoretiker Macchiavelli (1469–1527) hat sich mit ihrer Geschichte befaßt.
Sallust: Vgl. die vierte Anmerkung zu Seite 312.
Dante: italienischer Dichter (1265–1321), dessen Hauptwerk »Die göttliche Komödie« Heine mehrfach erwähnt.
Homer: angeblich der Verfasser der »Ilias« und der »Odyssee«.

458 *Hochzeit zu Canan:* Vgl. das Neue Testament (Johannes 2,1).
Andrea del Sarto: italienischer Maler (1486–1531) der Renaissance.
regaliert: bewirtet.
Wunder des Moses: Vgl. das Alte Testament (Exodus 17,6).
wie Maria ein Pfund Salbe nahm: Vgl. das Neue Testament (Johannes 12,3).

459 *Dauphin:* der Kronprinz von Frankreich.
galoniert: mit Borten und Tressen verziert.
un bon dieu citoyen: ein guter Bürger-Gott.

461 *Hyperbel:* Übertreibung.
Proselyten: Neubekehrte.

462 *Plutarch:* griechischer Schriftsteller (42–120); die von Heine berichtete Geschichte ist bei Plutarch allerdings nicht nachweisbar.

463 *»Dem Zefardeyim Kinnim«:* hebräische Formel beim jüdischen Passahfest, um die ägyptischen Plagen (Blut, Frösche, Stechfliegen) zu beschwören. Bei diesem Brauch wurde nicht – wie in der katholischen Kirche – mit Wasser gesprengt, sondern mit Wein.

464 *Ramsgate:* Vgl. die dritte Anmerkung zu Seite 365.

465 *Piemont und Neapel:* Revolutionäre Aufstände gegen die Monarchie wurden dort mit Unterstützung österreichischer Truppen niedergeschlagen.
Carbonari: politischer Geheimbund, der für die nationale Einheit Italiens eintrat.
»Ecco!«: »Sieh!«
Shawl: Schal.
Roxelane: bekannte Pantomime.

466 *Mitra:* Kopfbedeckung des Bischofs.

467 *Exküsen:* Entschuldigungen.
Idiosynkrasie: Überempfindlichkeit.

468 *Federigo:* italienische Form von Friedrich.
Inquisitionsdilettanten: Inquisition bezeichnet vom 12. bis ins 18. Jahrhundert die Gerichtsverfahren der katholischen Kirche gegen Abtrünnige.
in Effigie: im Bild.
Schnur: Schwiegertochter.

469 *Kamaschengott von Sanssouci:* Die nachfolgende Passage befaßt sich mit Friedrich dem Großen (1712–86), dem Erbauer des Rokokoschlosses Sanssouci in Potsdam. Mit ihm wurde Preußen eine europäische Großmacht. Friedrich II. (Federigo) war ganz der Kultur- und Gedankenwelt der französischen Aufklärung zugetan und Komponist zahlreicher Flötensonaten und -konzerte. *Kamaschen:* Gamaschen, Beinbekleidung der preußischen Soldaten.

Capitale della Prussia... Berelino: die Hauptstadt Preußens... Berlin.
470 *Garnison:* Truppenstandort.
den Bär und den Bassa: »Der Bär und der Bassa«, Singspiel von Karl L. Blum.
einige darunter: Anspielung auf den Autor Michael Beer und seinen berühmteren Bruder, den Komponisten Giacomo Meyerbeer.
Dogmatiken: Glaubenslehrbücher.
Elohagedichte: Lieder zur Verherrlichung Gottes.
Remplaçants: Ersatzmänner.
Diensteifer der armen Juden: Anspielung auf den 1823 in Berlin gegründeten »Verein zur Bekehrung der Juden«.
472 *Familiensakra:* Familienheiligtümer.
473 *Goddam!:* Verdammt!
Anthropomorphismus: Vorstellung von Gott in Menschengestalt.
474 *Montesquieu:* französischer Philosoph (1689–1755) der Aufklärung; das Zitat stammt aus seinem Werk »De l'esprit des lois« (»Vom Geist der Gesetze«).
Mel in ore, verba lactis...: »Honig im Mund, Worte wie Milch, Galle im Herzen, Betrug in den Taten« – altes Spottgedicht gegen die wegen ihrer Doppelzüngigkeit berüchtigten Jesuiten.
Kryptokatholizismus: verborgener, geheimer Katholizismus.
475 *Falstaff:* Anspielung auf eine abfällige Bemerkung Falstaffs über die schlechten Soldaten, die »eine Grube so gut wie bessere füllen« (aus Shakespeares »Heinrich IV.«, erster Teil, IV 2).
französisches Evangelium: Gemeint ist die Französische Revolution.
476 *Roturier:* Nichtadliger.
Hamb. Unpart. Korrespondenten: »Hamburgischer unparteiischer Korrespondent«, viel gelesene Zeitung.
477 *Subsistenz:* Fortdauer.
kabalieren: Pläne schmieden.
478 *Markus Brutus:* Vgl. die fünfte Anmerkung zu Seite 262.
Stoa: antike philosophische Schule, die eine leidenschaftslose, beherrschte Lebensweise forderte.
Don Quixote... Sancho Pansa: Vgl. die Anmerkung zu Seite 366.
479 *karessierend:* schmeichelnd.
Klepper: altes dürres Pferd.
480 *Dulcinea:* die von Don Quijote angebetete Frau.
481 *Agis von Sparta... Saint Just:* Namen aus der griechischen, römischen, jüdischen und französischen Geschichte, von Männern, die wegen ihrer politisch-sozialen Ideen gewaltsam zu Tode kamen.
Toga virilis: römisches Kleidungsstück, von erwachsenen Männern getragen.
482 *Ham:* Als der vom Wein berauschte Noah nackt im Zelt lag, machte sich sein Sohn Ham darüber lustig und erzählte es draußen den Brüdern (Genesis 9,22).

Jean Jacques Rousseau: Schriftsteller und Philosoph (1712–78) der französischen Aufklärung.
Amadis von Gallien... Agramanth: Figuren aus Ritterromanen, die den »Don Quijote« beeinflußt haben.
Nationalkonvent: oberstes Regierungsorgan der Französischen Revolution, hier auf das sagenumwobene Bild der Ritterrunde (Paladine) um den König Artus übertragen.
Maritorne: häßliche Magd aus dem »Don Quijote«.
483 *drei Farben meiner Dame:* Anspielung auf die Trikolore (blau, weiß, rot), die in der Französischen Revolution eingeführte Nationalflagge.
Air: Aussehen, Anschein.
Schierling: Gift.
Sinekur: Wortspiel aus »Sinekure« (einträgliches Amt ohne Amtslasten) und »Kur« (Heilkur).
484 *Hedschira:* ursprünglich die Bezeichnung für die Flucht Mohammeds; hier, in der Verbindung mit *bourbonisch,* auf die Flucht des Bourbonenkönigs Karl X. nach der Julirevolution 1830 bezogen.
Gottfried Bassen: Verleger von Ritter- und Räuberromanen in Quedlinburg.
Baschkiren: mongolischer Volksstamm.
Arsenik: Gift.
ex ungue leonem: an der Kralle den Löwen erkennen.
485 *Barbaroux:* französischer Revolutionär, Girondist. Beim Sturm auf das Königsschloß in Paris, die von Schweizer Söldnern verteidigten Tuilerien, spielte er eine bedeutende Rolle. Die *Girondisten,* die »gemäßigten Republikaner«, einerseits und die *Jakobiner* andererseits bildeten die beiden großen Parteien bei der Französischen Revolution.
Satyra: Göttin der Satire, von Heine erfunden.
Themis: Göttin der Gerechtigkeit. Sie gehörte zu dem Göttergeschlecht, das vom Olymp vertrieben und in den Tartarus gestürzt wurde.
Pan: Hirten- und Waldgott.
Usurpatoren: Eroberer.
Pelion, Ossa: Berge in Griechenland. Die Titanen türmten den einen auf den anderen, um den Himmel zu erstürmen.
Aux armes, citoyens!: Zu den Waffen, Bürger! Refrain der Marseillaise.
Tartaros: Vgl. die vierte Anmerkung zu Seite 431.
Cerberusgeheul: Cerberus: dreiköpfiger Hund, der nach der Sage den Eingang zur Unterwelt bewacht.
comme il faut: wie es sich gehört, mustergültig.

Englische Fragmente

488 *Glückseliges...:* aus W. Alexis' »Gesammelten Novellen«, Band 2, Berlin 1830, Seite 72.
Albion: Vgl. die dritte Anmerkung zu Seite 308.
489 *my house is my castle:* mein Haus ist meine Burg.
490 *Roturiers:* Nichtadlige.
Canaille roturière: bürgerliches Gesindel.
Kuratel: Vormundschaft.
491 *auf dem Theater zu St. James:* im königlichen Schloß.
Atlasschleppen: Seidenschleppen.
honny soit qui mal y pense: Ein Schelm sei, wer dabei etwas Schlechtes denkt.
492 *Somnambüle:* Schlafwandler.
Smithfield: Londoner Viehmarkt, früher Hinrichtungsstätte.
493 *Tower:* bis 1820 Gefängnis für Staatsverbrecher.
Cheapside: Straße in der Londoner Innenstadt.
494 *Downingstreet:* Sitz des Regierungschefs.
Guineen: Vgl. die zweite Anmerkung zu Seite 301.
Douceur: Trinkgeld.
John Bull: Spottname für den Engländer.
Strand: bedeutende Londoner Verkehrsstraße.
Beresina: Fluß im russischen Litauen, bekannt durch den Übergang der Reste der Großen Armee Napoleons I. auf ihrem Rückzug von Moskau (1812).
495 *diskurieren:* verhandeln, sich unterhalten.
496 *relief:* plastisch.
Astrallampe: »Sternlampe«, mit flachem, ringförmigem Ölbehälter, worauf eine halbkugelförmige Glocke steht.
finished: vollendet.
appretiert: zubereitet.
au rez de chaussée: im Erdgeschoß.
Squares: Plätze.
498 *Kompendien:* kurzgefaßte Lehrbücher.
Kontinentalsperre: 1806–12 versuchte Napoleon England vom europäischen Markt auszuschließen und damit in die Knie zu zwingen.
Tavistock-Tavern: Name einer Kneipe.
499 *römische Invasion:* England war von 43 bis 410 römische Provinz.
Discours: Gespräche, Verhandlungen.
fashionable: modisch.
High Life: das Leben der vornehmen Gesellschaft.
»Almacks«... »Flirtation«: in den Jahren 1825–28 zum Teil anonym erschienene Romane.
Herausgabe ihrer Memoiren: Napoleons »Memoiren« erschienen 1822–25 in Paris.

ad usum Delphini: sinngemäß: zum Gebrauch für Schüler, d. h. verkürzt, als »Volksausgabe«.

500 *Nobility und Gentry:* hoher und niederer englischer Adel.
Walter Scott: Vgl. die erste Anmerkung zu Seite 219.
Tory: Vgl. die vierte Anmerkung zu Seite 350.
Cromwell: Oliver Cromwell (1599–1658); ab 1628 Mitglied des Unterhauses, Gegner des Absolutismusses Karls I., organisierte das Parlamentsheer; vgl. die erste Anmerkung zu Seite 506.
fair-play-Schilderung: gerechte, unparteiliche Schilderung.
Gretna-Green: »Eheparadies« in Schottland; dort können Ehen ohne besondere Formalitäten rechtsgültig geschlossen werden.

501 *Rotte des Korah, Dathan und Abiram:* Sie lehnten sich gegen Mose auf; vgl. das Alte Testament (Numeri 16,1).
King's-Bench: einer der obersten Gerichtshöfe in England.
bacchantisch: berauscht.
»shocking! for shame! for shame!«: Schockierend! Pfui! Pfui!
Perspektiv: kleines Fernglas.
Porterkrüge: Krüge mit dem starken, dunklen englischen Bier.

502 *Akzise:* Vgl. die sechste Anmerkung zu Seite 140.
Infibulationsrätin: spöttische Bezeichnung für eine prüde Dame; *Infibulation:* Operation zur Verhinderung des Geschlechtsverkehrs.
The life of Napoleon Buonaparte: erschien 1827 in neun Bänden.
Curatores: Direktoren.
Constableschen Masse: Constable war ein Bankhaus, an dem Scott Anteile hatte; es machte 1826 bankrott.

503 *Cessio bonorum:* Vermögensabtretung (eines nicht mehr zahlungsfähigen Schuldners an den Gläubiger).
Scheidemünze: Münze, deren innerer Wert unter dem Nennwert liegt, also kleine Münze.

504 *Parnassus:* galt in der Antike als Sitz Apolls und der Musen.
Varnhagen von Ense: Berliner Schriftsteller und Kritiker (1785–1856), mit Heine befreundet.

505 *Wellington:* Vgl. die fünfte Anmerkung zu Seite 216.
Exkulpation: Rechtfertigung.
Sporteln: Gerichtskosten.

506 *Naseby:* Karl I. wurde 1645 bei Naseby von den Truppen des Parlaments unter Cromwell geschlagen; er floh zu den Schotten, wurde aber von ihnen gegen Geld ausgeliefert und hingerichtet.
Caledonias Barden: die schottischen Sänger.
foreign office: Außenministerium.
Hudson Lowe: Vgl. die erste Anmerkung zu Seite 257.
Myrmidionen: Soldaten (von den homerischen Myrmidonen, den Gefolgsleuten des Achilleus).
Gourgaud: Generaladjutant Napoleons, ging mit diesem nach St. Helena, verließ später aber die Insel wegen Streitigkeiten mit einem anderen Offizier.

Baron Stürmer: von den Österreichern nach St. Helena geschickter Kommissar.
Suggestionen: Eingebungen.
507 *insinuiert:* einflüstert.
O'Meara: Vgl. die zweite Anmerkung zu Seite 217.
Maitland: Vgl. die vierte Anmerkung zu Seite 216.
»die Schicksale des Lemuel Gulliver«: Swifts »Reisen zu verschiedenen entfernten Völkern der Welt, von Lemuel Gulliver« (1726).
508 *Advocatum Diaboli:* Vgl. die zweite Anmerkung zu Seite 76.
Old Bailey: Straße in der Londoner Innenstadt; populäre Bezeichnung für das dortige Zuchthaus.
Newgate: ältestes Gefängnis in London.
ein blindes Weibsbild: Justitia, die römische Göttin der Gerechtigkeit, dargestellt mit verbundenen Augen.
Sessionen: Sitzungen.
509 *Per me si va...:* Anfang der Überschrift über dem Eingang zur Hölle in Dantes »Göttlicher Komödie«, »Inferno«, III 1–3: »Durch mich geht man ein in die Stadt des Jammers, durch mich geht man ein in den ewigen Schmerz, durch mich geht man ein in die Schar der Verlorenen.«
510 *Kean:* damals bekannter Shakespeare-Darsteller.
Botany Bay: Strafkolonie in Neusüdwales.
512 *Bedlam:* Londoner Irrenhaus.
Samiel: bei den Juden der Name des Teufels.
Belzebub: Name des obersten Teufels im Neuen Testament.
Vizliputzli: mexikanischer Kriegsgott.
Amendement: Verbesserungsvorschlag.
513 *Canning:* Vgl. die fünfte Anmerkung zu Seite 350.
Whigs: aristokratische Partei, Gegenspieler der Tories.
Cobbett: William Cobbett (1762–1835), radikaler, antimonarchistischer englischer Publizist.
the king's debt: die königliche Schuld.
the king's army...: die königliche Armee, die königliche Flotte, die königlichen Gerichtshöfe, die königlichen Gefängnisse.
514 *Richard Martin:* Politiker, Begründer der englischen Tierschutzbewegung.
Doktor Schreiber: Philipp W. Schreiber hatte 1807 das kurhessische Domänengut Freyenhagen mit Napoleons Einverständnis gekauft. Nach Napoleons Sturz annullierte der zurückgekehrte hessische Kurfürst den Kaufvertrag, wogegen Schreiber lange prozessierte.
Großvezier: oberster Staatsbeamter im Türkischen Reich.
515 *Enginer:* Ingenieur.
Feueresse: Schornstein.
Pitt: William Pitt, der Jüngere (1759–1806), Premierminister (1783–1801 und 1804–06); Führer der europäischen Koalition gegen das revolutionäre Frankreich und gegen Napoleon.
Fox: George Fox (1624–90), einer der bedeutendsten Politiker und Redner in der Geschichte des englischen Parlamentarismus; starb an Wassersucht.

Perceval: Spencer Perceval (1762–1812), Mitglied des Unterhauses; Gegner der Katholikenemanzipation und Befürworter königlicher Privilegien; er wurde bei einem Attentat erschossen.
Castlereagh: Lord Castlereagh, Marquis of Londonderry; vgl. die sechste Anmerkung zu Seite 257.
Lord Liverpool: reaktionärer Politiker (1770–1828), wurde nach Percevals Ermordung erster Lord der Schatzkammer und Leiter des Ministeriums; erlitt einen Schlaganfall und blieb trotzdem im Amt.
516 *Geniekorps:* technische Truppe.
Force: Stärke.
Register: Cobbetts Wochenschrift »Weekly Political Register« (1803–35).
Aggregat: Anhäufung.
Alfred der Große: König der Angelsachsen (871–901).
Georg der Dritte: König von Großbritannien (1760–1820), seit 1814 König von Hannover.
519 *dead weight:* totes Gewicht; Bezeichnung der Entschädigungssumme für Kriegsteilnehmer, für die die englische Regierung aufkommen mußte.
521 *Sinekuren:* Pfründen.
Nepoten: Mitglieder.
Ressourcen: Reserven, Geldmittel.
522 *Colquhoun:* Patrick Colquhoun (1745–1820), Statistiker, veröffentlichte u. a. eine Schrift, worin er Vorschläge zur Bekämpfung des Diebstahls auf den Themseschiffen machte.
Aestimatum: Schätzung.
assummieren: als sicher annehmen.
Crown and Anchor Tavern: Name einer Kneipe.
523 *Stage-Kutsche:* Postkutsche.
524 *Guibellinen:* seit der Zeit der staufischen Kaiser die Anhänger des Kaisers im mittelalterlichen Italien.
Guelfen: die Anhänger des Papsttums und Gegner der deutschen Kaiser in Italien.
les gueux: die Bettelarmen.
Sanskülotten: proletarische Revolutionäre der Französischen Revolution.
Servilen: Unterwürfige.
Obskuranten: Dunkelmänner. Vgl. die erste Anmerkung zu Seite 273.
Presbyterianer: Anhänger der protestantischen Kirche in England.
525 *Coterie:* Klüngel, Clique.
Bills: Gesetzentwürfe.
Questions: Streitfragen.
526 *Francis Burdett:* radikaler Abgeordneter, später Mitglied der Tories.
Thomas Lethbridge: Mitglied des Unterhauses.
»he has untoried...«: unübersetzbares Wortspiel (tory = Räuber, wig = Perücke).
Oligarchen: Mitglieder der Oligarchie (= Herrschaft einer kleinen Gruppe).

Hunt: James H. Hunt, Vertreter eines politischen und religiösen Radikalismus.
Koryphäen: Spezialisten auf einem bestimmten Gebiet.
527 *Phalanx:* geschlossene Front.
Foxhunter: Spitzname für Landjunker.
Brougham: Henry Lord Brougham (1779–1868), Mitglied des Unterhauses, Jurist und Schriftsteller; trat für die Abschaffung des Sklavenhandels ein und engagierte sich u. a. in der Bildungspolitik. Mitbegründer der Zeitung »Edinburgh Review«.
528 *Zeloten:* antirömische jüdische Partei zur Zeit Christi.
529 *St.-Stephans-Kapelle:* Tagungsort des Unterhauses.
Cicero: Vgl. die siebte Anmerkung zu Seite 266.
Demosthenes: Vgl. die siebte Anmerkung zu Seite 299.
531 *Peroratio:* Schluß einer Rede.
Invektiven: Beleidigungen.
Typhon: Taifun.
532 *Antagonist:* Widersacher.
533 *Peel:* Sir Robert Peel (1788–1850), englischer Parlamentarier, Tory; setzte Verbesserungen im Justizwesen durch.
Prozeß der Königin: Als der Prinz von Wales 1820 als Georg IV. englischer König wurde, klagte er seine seit langem von ihm getrennt lebende Frau wegen Ehebruchs an. Brougham verteidigte sie in diesem Prozeß.
Zelebrität: Berühmtheit.
534 *pro patria:* »für das Vaterland«; gebräuchlicher Ausdruck bei den Fechtkämpfen zwischen verschiedenen Studentenverbindungen.
Quarten, Terzen: Ausdrücke aus dem Fechtkampf: bestimmte Stellungen der Klingen zueinander beim Kreuzen.
Oranienmänner: protestantische Bekämpfer der Emanzipation der irischen Katholiken, genannt nach Wilhelm von Oranien, der 1690 einen irischen Aufstand niedergeschlagen hatte.
Renegat: Vgl. die erste Anmerkung zu Seite 348.
535 *Erin:* keltischer Name für Irland.
Kreole: Nachfahre europäischer Einwanderer in Südamerika.
Mulatten: Kinder eines schwarzen und eines weißen Elternteils.
Mestizen: Kinder eines weißen und eines indianischen Elternteils.
536 *Guy Fawkes:* religiöser Fanatiker. 1604 war er an der – frühzeitig entdeckten – Verschwörung gegen die protestantische Regierung Englands beteiligt: Er sollte die Pulvermine zünden, durch die das gesamte Parlament mit König Jakob I. in die Luft gesprengt werden sollte. Fawkes wurde hingerichtet.
»hear him! hear him!«: »Hört! Hört!«
kouren: sich am Hof aufhalten.
Oberschnurren: Schnurren: studentischer Ausdruck für Nachtwächter an der Universität.
Malice: Bosheit.
537 *vid. ...:* Siehe »Parlamentarische Geschichte und Rundschau während der Sitzungsperiode von 1825–1826, Seite 31«.

Großsultan: Der folgende Textabschnitt überträgt die Religionskämpfe zwischen Protestanten und Katholiken in England auf das Verhältnis der Türken zu den Griechen. Georg IV. wird zum Großsultan.
Divan: türkischer Staatsrat; hier auf das englische Ministerium bezogen.
Reis Effendi: früher Titel des türkischen Außenministers; hier auf Canning bezogen, der 1822–27 Außenminister war.

538 *Kiaya-Bei:* Gemeint ist Peel, der seit 1821 Innenminister war.
Kapitan Pascha: ehemals Titel des türkischen Großadmirals; gemeint ist Robert Saunders Dundas, seit 1812 Lord der Admiralität.
Obermufti: der Erzbischof von Canterbury.
Griechen: Gemeint sind katholische Iren.
No-popery-Geschrei: Keine-Papisterei-Geschrei – Parole gegen die irische Emanzipation.
Mollahs, Imans, Derwische: mohammedanische Geistliche mit verschiedenen Funktionen.

539 *Navarino:* 1827 besiegte dort eine englisch-französisch-russische Flotte die türkisch-ägyptische.
Pera: Stadtteil von Istanbul, wo sich die Konsulate befanden.
Intervention: militärische Einmischung eines Staates in die Verhältnisse anderer Staaten.

540 *Londonderry:* Vgl. die sechste Anmerkung zu Seite 257.
passieren: gelten.
Polignac: 1829/30 französischer Ministerpräsident; sein reaktionäres Verhalten war mitauslösend für die Julirevolution.
Apologie: Verteidigung.

541 *Pontius Pilatus:* zur Zeit Jesu römischer Statthalter in Judäa; er verurteilte Jesus zum Tode.

542 *Guarden:* Wachen, Beschützer.
Te, Caesar, morituri salutant: »Dich, Caesar, grüßen die zum Tod Bestimmten«; Gruß der römischen Gladiatoren an Kaiser Claudius, zu dessen Vergnügen sie eine Seeschlacht liefern mußten.
Bengalen: Gebiet im östlichen Vorderindien, damals unter britischer Oberherrschaft.
Schehezerade: Erzählerin in »Tausendundeiner Nacht«.
Superkargo: Vertreter eines Handelsunternehmens, der eine Schiffsladung begleitete.

544 *mameluckenhaft:* Mamelucken: von christlichen Eltern geborene, aber im mohammedanischen Glauben erzogene Krieger; Napoleon machte sie nach seinem Ägyptenfeldzug zu seiner Garde.

545 *Pfeifer vom Helfenstein:* Nach der Erstürmung von Weinsberg (1525) mußte Graf Helfenstein durch die Spieße der Bauern laufen; ein Pfeifer blies dazu.
der befreundete Barde: Sir Walter Scott.
fashionable: modern, vornehm.

546 *Patronage:* Gönnerschaft, Begünstigung.
Prärogative: Vorrechte.

Fatalien: von Heine gebildeter Begriff: Fatalitäten, verhängnisvolle Dinge.
rotten borough: nicht mehr existierende Ortschaft, mit der aber noch das Recht zur Entsendung eines Parlamentsmitglieds verknüpft war.
des älteren Bergpredigers: Anspielung auf die Bergpredigt Jesu im Neuen Testament. Heine zieht eine direkte Parallele vom Programm der Bergpredigt zu dem der Französischen Revolution.
548 *Genoveva-Kirche:* das Pantheon in Paris.
Libellen: Schmähschriften.
Guillotin: Der französische Arzt J. J. Guillotin (1738–1814) war zwar selbst nicht der Erfinder dieses Geräts, wohl aber geht auf ihn der Vorschlag zurück, die Todesstrafe durch eine Köpfmaschine zu vollziehen. Seit 1792 war die Guillotine in Frankreich im Gebrauch.
Ludwig XVI.: 1793 enthauptet.
Karl I.: 1649 hingerichtet.
549 *Vaudeville:* Spottlied, Gassenhauer.
Pharisäer: nationale jüdische Partei zur Zeit Jesu, Partei der »Frommen«.
Sadduzäer: jüdische Partei (um 200 v. Chr.–70 n. Chr.), Partei der »Aristokraten«.
Du Clos: Choderlos de Laclos, Anhänger der Französischen Revolution; bekannt durch seinen Roman »Gefährliche Liebschaften« (1782).
Louvet de Couvray: bekannt durch seinen Roman »Die Liebschaften des Ritters von Faublas« (1787).
550 *arretierte Zeit:* Zeit des Stillstands.
Zensur: Kurze Schriften wurden damals besonders scharf zensiert; waren sie allerdings umfangreicher als 20 Bogen (= 320 Seiten), so konnten sie leichter die Zensur passieren. Dicke Bücher hielt man offenbar für politisch ungefährlicher, sie wurden nicht von den breiten Massen gelesen, weil sie zu anstrengend und zu teuer waren.
Cellini: Benvenuto Cellini (1500–71), italienischer Bildhauer; seine Vorliebe galt der Monumentalplastik.
das welsche Babel: Paris.
551 *Katapulta, Falarika:* antike Wurfgeschosse.
Karl V.: Tatsächlich handelt es sich um eine Episode aus dem Leben Maximilians I. während seiner Gefangenschaft in Brügge (1482).
Holbein: Hans Holbein (1497–1543), bedeutender Maler der Dürerzeit.
552 *Tel est notre plaisir:* »So gefällt es uns«; Schlußformel königlicher Verordnungen in der Zeit des Absolutismusses.
die rote Mütze: die Freiheitsmütze der Jakobiner.

Bibliographische Hinweise

Heine-Ausgaben

Sämmtliche Werke. Herausgegeben von Adolf Strodtmann. Hamburg: Hoffmann und Campe 1861–66 (21 Bände); Supplementbände 1869–84

Sämtliche Werke. Herausgegeben von Ernst Elster. Leipzig: Bibliographisches Institut 1887–90 (7 Bände); 2. Auflage 1924, nur Band 1–4

Sämtliche Werke. Herausgegeben von Oskar Walzel. Leipzig: Insel 1910–15 (10 Bände); Registerband 1920

Werke und Briefe. Herausgegeben von Hans Kaufmann. Berlin und Weimar: Aufbau 1961–64 (10 Bände); 3. Auflage 1980

Werke. Herausgegeben von Eberhard Galley, Wolfgang Preisendanz, Helmut Schanze und Christoph Siegrist. Frankfurt: Insel 1968 (4 Bände)

Sämtliche Werke. Herausgegeben von Klaus Briegleb. München: Hanser 1968–76 (7 Bände)

Sämtliche Werke. Mit einer Einführung, Zeittafel und Anmerkungen von Werner Vordtriede und Uwe Schweikert. München: Winkler 1969–72 (4 Bände)

Säkularausgabe. Werke, Briefwechsel, Lebenszeugnisse. Herausgegeben von den Nationalen Forschungs- und Gedenkstätten der klassischen deutschen Literatur in Weimar und dem Centre National de la Recherche Scientifique in Paris. Berlin: Akademie-Verlag, und Paris: Éditions du CNRS 1972 ff.

Werke. Herausgegeben und kommentiert von Stuart Atkins. München: Beck 1973 (Band 1) und 1978 (Band 2) (= Beck's kommentierte Klassiker)

Düsseldorfer Ausgabe. Historisch-kritische Gesamtausgabe der Werke. Herausgegeben von Manfred Windfuhr. Hamburg: Hoffmann und Campe 1973 ff.

Ausgaben der »Reisebilder«

Die Bäder von Lucca. Die Stadt Lucca. Herausgegeben von Peter von Matt. Stuttgart: Reclam 1978 (= Reclams Universal-Bibliothek 3602)

Die Harzreise. Mit einem Nachwort von Friedrich Sengle. Textrevision und Anmerkungen von Manfred Windfuhr. Stuttgart: Reclam 1974 (= Reclams Universal-Bibliothek 2221)

Ideen. Das Buch Le Grand. Herausgegeben von Dierk Möller. Stuttgart: Reclam 1972 (= Reclams Universalbibliothek 2623)

Ideen. Das Buch Le Grand. Faksimiledruck. Mit einem Nachwort und Bildteil herausgegeben von Joseph A. Kruse. Düsseldorf: Schwann. 4. Auflage 1980 (Fotomechanischer Nachdruck der Erstausgabe. Hamburg: Hoffmann und Campe 1827)

Reisebilder. Mit einem Nachwort von Karl Emmerich. Berlin und Weimar: Aufbau. 3. Auflage 1979 (= Bibliothek der Weltliteratur)
Reisebilder. Mit einem Nachwort von Joseph A. Kruse und zeitgenössischen Illustrationen. Frankfurt: Insel 1980 (= Insel-Taschenbücher 444)

Quellen und wissenschaftliche Hilfsmittel

Heinrich Heine: Briefe. Erste Gesamtausgabe. Nach den Handschriften herausgegeben, eingeleitet und erläutert von Friedrich Hirth. Mainz: Kupferberg 1950–57 (6 Bände)
Heines Briefe in einem Band. Ausgewählt und erläutert von Fritz Mende. Berlin und Weimar: Aufbau. 2. Auflage 1978 (= Bibliothek Deutscher Klassiker)
Begegnungen mit Heine. Berichte der Zeitgenossen (in Fortführung von H. H. Houbens »Gesprächen mit Heine«). Herausgegeben von Michael Werner. Hamburg: Hoffmann und Campe 1973 (2 Bände)
Heinrich Heine. Dichter über ihre Dichtungen. Herausgegeben von Norbert Altenhofer. München: Heimeran 1971 (3 Bände)
Heine-Chronik. Daten zu Leben und Werk. Zusammengestellt von Fritz Mende. München: Hanser 1975 (= Reihe Hanser Chroniken 197)
Heine-Bibliographie. 1817–1853. Herausgegeben von Gottfried Wilhelm, unter Mitarbeit von Eberhard Galley. Band 1: Primärliteratur. Band 2: Sekundärliteratur. Weimar: Arion 1960
Heine-Bibliographie. 1954–1964. Bearbeitet von Siegfried Seifert. Berlin und Weimar: Aufbau 1968

Spezielle Literatur zu den »Reisebildern«

Peter Allenspach: Heinrich Heines »Reisebilder«. Kritisch-utopische Struktur und literarische Reflexion. Clausthal 1977 (= Diss. Basel 1975)
Norbert Altenhofer: Harzreise in die Zeit. Zum Funktionszusammenhang von Traum, Witz und Zensur in Heines früher Prosa. Düsseldorf 1972 (= Schriften der Heinrich-Heine-Gesellschaft 5)
Jürgen Brummack: Das Problem der Satire in den »Reisebildern«. In: Jürgen Brummack: Satirische Dichtung. Studien zu Friedrich Schlegel, Tieck, Jean Paul und Heine. München 1979
Karl Emmerich: Heinrich Heines »Reisebilder«. Diss. Berlin 1965
Eberhard Galley: Politische Aspekte in Heines italienischen Reisebildern. In: Internationaler Heine-Kongreß 1972. Referate und Diskussionen. Herausgegeben von Manfred Windfuhr. Hamburg 1973 (= Heine-Studien)
Götz Grossklaus: Textstruktur und Textgeschichte. Die »Reisebilder« Heinrich Heines. Eine textlinguistische und texthistorische Beschreibung des Prosatyps. Frankfurt 1973 (= Schwerpunkte Germanistik)
Jost Hermand: Der frühe Heine. Ein Kommentar zu den »Reisebildern«. München 1976

Ralf Klinkenberg: Die Reisebilder Heinrich Heines. Vermittlung durch literarische Stilmittel. Frankfurt und Bern 1981 (= Europäische Hochschulschriften)
Manfred Link: Der Reisebericht als literarische Kunstform von Goethe bis Heine. Diss. Köln 1963
Erich Loewenthal: Studien zu Heines »Reisebildern«. Berlin und Leipzig 1922
Renate Möhrmann: Der naive und der sentimentalische Reisende. Ein Vergleich von Eichendorffs »Taugenichts« und Heines »Harzreise«. In: Heine-Jahrbuch 1971. Hamburg 1971
Klaus Pabel: Heines »Reisebilder«. Ästhetisches Bedürfnis und politisches Interesse am Ende der Kunstperiode. München 1977
Karol Sauerland: Heinrich Heines Reisebilder – ein besonderes literarisches Genre? In: Heinrich Heine. Streitbarer Humanist und volksverbundener Dichter. Internationale wissenschaftliche Konferenz Weimar 1972. Weimar 1974
Edward A. Zlotkowski: Heinrich Heine's Reisebilder. The Tendency of the Text and the Identity of the Age. Bonn 1980

Gesamtdarstellungen und Studien zu Einzelaspekten

Albrecht Betz: Ästhetik und Politik. Heinrich Heines Prosa. München 1971 (= Literatur als Kunst)
Jürgen Brummack (Herausgeber): Heinrich Heine. Epoche – Werk – Wirkung. München 1980 (= Beck'sche Elementarbücher)
Herbert Clasen: Heinrich Heines Romantikkritik. Tradition – Produktion – Rezeption. Hamburg 1979 (= Heine-Studien)
Karl-Heinz Fingerhut: Standortbestimmungen. Vier Untersuchungen zu Heinrich Heine. Heidenheim 1971
Eberhard Galley: Heinrich Heine. Stuttgart. 4., durchgesehene und verbesserte Auflage 1976 (= Sammlung Metzler 30)
Heine-Jahrbuch. Herausgegeben vom Heinrich-Heine-Institut Düsseldorf. (Redaktion bis 1976 Eberhard Galley; seit 1977 Joseph A. Kruse.) Hamburg 1962ff. (mit fortlaufender Bibliographie)
Heinrich Heine. Streitbarer Humanist und volksverbundener Dichter. Internationale wissenschaftliche Konferenz Weimar 1972. Weimar 1974
Richard Gary Hooton: Heinrich Heine und der Vormärz. Meisenheim am Glan 1978 (= Hochschulschriften Literaturwissenschaft 30)
Raymond Immerwahr und Hanna Spencer (Herausgeber): Heinrich Heine. Dimensionen seines Wirkens. Ein internationales Heine-Symposium. Bonn 1979 (= Studien zur Literatur der Moderne 8)
Karl-Heinz Käfer: Versöhnt ohne Opfer. Zum geschichtstheologischen Rahmen der Schriften Heinrich Heines 1824–1844. Meisenheim am Glan 1978 (= Hochschulschriften Literaturwissenschaft 36)
Hans Kaufmann: Heinrich Heine. Geistige Entwicklung und künstlerisches Werk. Berlin und Weimar. 3., überarbeitete Auflage 1976

Hartmut Kircher: Heinrich Heine und das Judentum. Bonn 1973 (= Literatur und Wirklichkeit 11)
Helmut Koopmann (Herausgeber): Heinrich Heine. Darmstadt 1975 (= Wege der Forschung CCLXXXIX)
Leo Kreutzer: Heine und der Kommunismus. Göttingen 1970 (= Kleine Vandenhoeck-Reihe 322)
Eduard Krüger: Heine und Hegel. Dichtung, Philosophie und Politik bei Heinrich Heine. Kronberg/Taunus 1977 (= Monographien Literaturwissenschaft 33)
Joseph A. Kruse: Heines Hamburger Zeit. Hamburg 1972 (= Heine-Studien)
Wolfgang Kuttenkeuler: Heinrich Heine. Theorie und Kritik der Literatur. Stuttgart 1972 (= Sprache und Literatur 72)
Wolfgang Kuttenkeuler (Herausgeber): Heinrich Heine. Artistik und Engagement. Stuttgart 1977
Ernst Loeb: Heinrich Heine. Weltbild und geistige Gestalt. Bonn 1975 (= Studien zur Germanistik, Anglistik und Komparatistik 31)
Michael Mann: Heinrich Heines Musikkritiken. Hamburg 1971 (= Heine-Studien)
Dierk Möller: Heinrich Heine: Episodik und Werkeinheit. Wiesbaden und Frankfurt 1973
Günter Oesterle: Integration und Konflikt. Die Prosa Heinrich Heines im Kontext oppositioneller Literatur der Restaurationsepoche. Stuttgart 1972
Wolfgang Preisendanz: Ironie bei Heine. In: Ironie und Dichtung. Sechs Essays. Herausgegeben von Albert Schaefer. München 1970. Seite 85–112 (= Beck'sche Schwarze Reihe 66)
Hanna Spencer: Dichter, Denker, Journalist. Studien zum Werk Heinrich Heines. Bern, Frankfurt und Las Vegas 1977
Dolf Sternberger: Heinrich Heine und die Abschaffung der Sünde. Hamburg und Düsseldorf: Claassen 1972 (seit 1976 auch als Suhrkamp-Taschenbuch 308)
Erhard Weidl: Heinrich Heines Arbeitsweise. Kreativität der Veränderung. Hamburg 1974 (= Heine-Studien)
Michael Werner: Genius und Geldsack. Zum Problem des Schriftstellerberufs bei Heinrich Heine. Hamburg 1978 (= Heine-Studien)
Michael Werner (Herausgeber): Cahier Heine. Paris 1975 (= Publications du Centre d'Histoire et d'Analyse des Manuscrits Modernes)
Benno von Wiese: Signaturen. Zu Heinrich Heine und seinem Werk. Berlin 1976
Manfred Windfuhr: Heinrich Heine. Revolution und Reflexion. Stuttgart. 2., überarbeitete und ergänzte Auflage 1976
Manfred Windfuhr: Heinrich Heines Modernität. Ein Vortrag. In: Zur Literatur der Restaurationsepoche 1815–1848. Herausgegeben von Jost Hermand und Manfred Windfuhr. Stuttgart 1970. Seite 441–459
Manfred Windfuhr (Herausgeber): Internationaler Heine-Kongreß 1972. Referate und Diskussionen. Hamburg 1973 (= Heine-Studien)
Winfried Woesler: Heines Tanzbär. Historisch-literarische Untersuchung zum »Atta Troll«. Hamburg 1978 (= Heine-Studien)

Irmgard Zepf: Heinrich Heines Gemäldebericht zum Salon 1831: Denkbilder. Eine Untersuchung der Schrift »Französische Maler«. München 1980
Edda Ziegler: Julius Campe. Der Verleger Heinrich Heines. Hamburg 1976 (= Heine-Studien)
Jochen Zinke: Autortext und Fremdeingriff. Hamburg 1974 (= Heine-Studien)

Literaturdidaktische Untersuchungen

Diskussion Deutsch: Zeitschrift für Deutschlehrer aller Schulformen in Ausbildung und Praxis. Herausgegeben von Hubert Ivo u. a. Heft 35, Juni 1977. Frankfurt 1977
Karl-Heinz Fingerhut (Herausgeber): Heinrich Heine: »Deutschland. Ein Wintermärchen«. Mit ergänzenden Texten zum historischen Verständnis engagierter Poesie des deutschen Vormärz. Band 1: Unterrichtsmodelle. Band 2: Modellanalysen. Frankfurt 1976 (= Literatur und Geschichte)
Wilhelm Gössmann (Herausgeber): Heine im Deutschunterricht. Ein literaturdidaktisches Konzept. Düsseldorf 1978 (= Fach: Deutsch)
Wilhelm Gössmann und Winfried Woesler: Politische Dichtung im Unterricht: »Deutschland. Ein Wintermärchen«. Text – Kommentare – Unterrichtshinweise – Materialien. Düsseldorf 1974 (= Fach: Deutsch)
Gerd Heinemann (Herausgeber): Heinrich Heine. Ein Arbeitsbuch mit Primärtexten und Materialien zur Rezeptionsgeschichte. Frankfurt 1976 (= Texte und Materialien zum Literaturunterricht)
Gerd Heinemann: Heinrich Heine. Reisebilder. Interpretationshinweise. München 1981 (= Interpretationen für Schule und Studium)
Heinrich Heine als politischer Schriftsteller. Mit Materialien. Auswahl der Texte und der Materialien von Joachim Bark. Stuttgart 1979 (= Editionen für den Literaturunterricht)
Heinrich Heine: »Ideen. Das Buch Le Grand« (Kapitel V–X). Mit einer Einführung, ergänzenden Texten und einem Kommentar zusammengestellt von Ursula Lehmann. Stuttgart 1981 (= Lesehefte)
Karl Hotz: Heinrich Heine. Wirkungsgeschichte als Wirkungskritik. Materialien zur Rezeptions- und Wirkungsgeschichte. Stuttgart 1975 (= Literaturwissenschaft, Gesellschaftswissenschaft)
Helmut Krämer: Heinrich Heines Auseinandersetzung mit zeitgenössischer Philosophie. Eine Studie an ausgewählten Beispielen. Frankfurt und Bern 1980 (= Europäische Hochschulschriften)
Ursula Lehmann: Popularisierung und Ironie im Werk Heinrich Heines. Die Bedeutung der textimmanenten Kontrastierung für den Rezeptionsprozeß. Frankfurt und Bern 1976 (= Europäische Hochschulschriften)
Hedwig Walwei-Wiegelmann (Herausgeberin), unter Mitarbeit von Günter Dengel, Wilhelm Gössmann, Ursula Lehmann und Erika Windfuhr: Gesellschaftskritik im Werk Heines. Ein Heine-Lesebuch. Paderborn. 2. Auflage 1976

Literatur zur Heine-Rezeption

Joachim Bark: Literaturgeschichtsschreibung über Heine. Zur Wirkungsgeschichte im 19. Jahrhundert. In: Heinrich Heine. Artistik und Engagement. Herausgegeben von Wolfgang Kuttenkeuler. Stuttgart 1977

Oliver Boeck: Heines Nachwirkung und Heine-Parallelen in der französischen Dichtung. Göppingen 1972 (= Göppinger Arbeiten zur Germanistik 52)

Wilhelm Gössmann (Herausgeber): Geständnisse. Heine im Bewußtsein heutiger Autoren. Düsseldorf 1972

Volkmar Hansen: Thomas Manns Heine-Rezeption. Hamburg 1975 (= Heine-Studien)

Peter Hasubek: Ausbürgerung – Einbürgerung? Heinrich Heine als Schullektüre. In: Heinrich Heine. Artistik und Engagement. Herausgegeben von Wolfgang Kuttenkeuler. Stuttgart 1977

Jost Hermand: Heines frühe Kritiker. In: Der Dichter und seine Zeit. Politik im Spiegel der Literatur. Herausgegeben von Wolfgang Paulsen. Heidelberg 1970 (= Literatur und Geschichte 1)

Jost Hermand: Streitobjekt Heine. Ein Forschungsbericht. 1945–1975. Frankfurt 1975 (= Fischer-Athenäum-Taschenbücher 2101)

Hans Hörling: Heinrich Heine im Spiegel der politischen Presse Frankreichs von 1831 bis 1841. Ansatz zu einem Modell der qualitativen und quantitativen Rezeptionsforschung. Frankfurt und Bern 1977 (= Europäische Hochschulschriften)

Karl Theodor Kleinknecht (Herausgeber): Heine in Deutschland. Dokumente seiner Rezeption. 1834–1956. München und Tübingen 1976 (= Deutsche Texte 36)

Beatrix Müller: Die französische Heine-Forschung 1945–1975. Meisenheim am Glan 1977 (= Hochschulschriften Literaturwissenschaft 28)

Walter Reese: Zur Geschichte der sozialistischen Heine-Rezeption in Deutschland. Frankfurt und Bern 1979 (= Europäische Hochschulschriften)

Hans-Georg Werner: Zur Wirkung von Heines literarischem Werk. In: Weimarer Beiträge 19/1973, Heft 9

Populärwissenschaftliche und essayistische Darstellungen

Carl Brinitzer: Heinrich Heine. Roman seines Lebens. Frankfurt, Berlin, Wien 1972 (= Ullstein Taschenbuch 2920)

Ludwig Marcuse: Heinrich Heine in Selbstzeugnissen und Bilddokumenten. Reinbek bei Hamburg. 66.–75. Tausend. 1970 (= Rowohlts Monographien 41)

Fritz J. Raddatz: Heinrich Heine. Ein deutsches Märchen. Essay. Hamburg 1977

Fritz J. Raddatz: Von Geist und Geld. Heinrich Heine und sein Onkel, der Bankier Salomon. Eine Skizze von Fritz J. Raddatz mit Radierungen von Günter Grass. Köln 1980

Walter Wadepuhl: Heinrich Heine. Sein Leben, seine Werke. Köln 1974 (seit 1977 als Heyne-Taschenbuch [Heyne-Biographien 38])
Martin Walser: Heines Tränen. Mit Graphiken von Bert Gerresheim. Düsseldorf 1981

Bildbände

Eberhard Galley: Heinrich Heine. Lebensbericht mit Bildern und Dokumenten. Kassel 1973
Heine in Paris. 1831–1856. Herausgegeben von Joseph A. Kruse und Michael Werner, unter Mitarbeit von Pierre Grappin, Bernd Kortländer, Ursula Lehmann und Heidemarie Vahl. Düsseldorf 1981 (= Katalog zur Ausstellung)
Heinrich Heine. Die großen Klassiker. Literatur der Welt in Bildern, Texten, Daten. Band 11. Dargestellt von Herbert Schnierle und Christoph Wetzel. Salzburg 1980
Heinrich Heine und seine Zeit. Katalog zur Ausstellung im Museum des Heinrich-Heine-Instituts. Düsseldorf 1980

Zum Text dieser Ausgabe

Als Satzvorlage der Texte dieses Bandes dienten Band 1, 4 und 5 der von Oskar Walzel herausgegebenen »Sämtlichen Werke« Heines (10 Bände, Leipzig 1910–15). Abweichend von Walzel wurden die »Briefe aus Berlin« und der Bericht »Über Polen« ihrer zeitlichen Entstehung gemäß an den Anfang gesetzt und die drei Abteilungen der »Nordsee« geschlossen abgedruckt. Bei der Numerierung der »Nordsee«-Gedichte wurde nach dem Vorbild des zweiten Bandes der von Klaus Briegleb herausgegebenen »Sämtlichen Schriften« Heines (zweite Auflage, München 1976) verfahren. Ein von Heine selbst als abzuschneidender »Schwanz« charakterisierter Schlußabschnitt von »Über Polen« wurde weggelassen.